AF504334

S. XV f. 121-158.

BIBLIOTHECA
SCHULTEXTE
TEUBNERIANA

HERODOTUS

BUCH I—IV

TEXTAUSGABE
FÜR DEN SCHULGEBRAUCH

VON

PROF. DR. ADOLF FRITSCH

MIT TITELBILD

1906

LEIPZIG UND BERLIN

DRUCK UND VERLAG VON B. G. TEUBNER

Univ. of
CALIFORNIA

Vorwort.

Die Hoffnung, die ich im Vorwort zum zweiten Bande ausgesprochen habe, es werde die Setzung des Spiritus lenis statt des Spiritus asper kein Hindernis für die Benutzung des Buches sein, hat sich durchaus erfüllt. Die logischere Schreibweise hat die Zustimmung vieler meiner Herren Kollegen gefunden, wie mir es mehrfach schriftlich und mündlich versichert ist. Nicht weniger aber wird dadurch das Interesse der denkenden, geistig mitarbeitenden Schüler geweckt und angeregt. — In dem vorliegenden Bande ist der Übersicht über den Dialekt ein Verzeichnis von Formen zur leichteren Orientierung der Schüler hinzugefügt, wie es in einer Besprechung im Liter. Centralbl. 1900 S. 115 von R. M(eister) und auch von anderen Kollegen gewünscht ward. In der Festsetzung des Dialektes ist einiges geändert, entsprechend der fortschreitenden, wissenschaftlichen Erkenntnis. Daß gar manches zweifelhaft bleibt und bleiben wird, braucht dem Kundigen nicht gesagt zu werden. Die wissenschaftliche Begründung für die hier vorliegende Konstituierung des Dialektes zu geben, ist mir infolge meiner angestrengten amtlichen Tätigkeit bis jetzt nicht möglich gewesen, aber es bleibt dies mein dringender Wunsch. Prinzipielle Gegner würde ich allerdings doch nicht zu einer andern Auffassung zu bringen vermögen. Wer noch immer hofft, daß noch einmal eine Inschrift mit einem ἐποίεε gefunden werde, mit dem läßt sich nicht rechten. Warum lassen aber dieselben Herausgeber attische Inschriften als Zeugnisse gelten, nur nicht ionische? Inzwischen fängt man aber doch an, einige Formen aus

a*

den Ausgaben verschwinden zu lassen, die in den besseren
Handschriften sich gar nicht oder nur selten finden wie
βασιλέϊ, ἀληθέϊ, Θεμιστοκλέϊ, ποίεε, κέεται, σμικρός nach ϛ.
Aber viele andere Formen bleiben stehen, die dem Hyper-
ionismus der Herausgeber, nicht den besseren Handschriften
ihr Dasein verdanken.

Die kritische Grundlage dieses Bandes ist dieselbe
wie die des zweiten, die Ausgabe von H. Kallenberg in
der „Bibliotheca Teubneriana“. Doch habe ich alle seit
1885 erschienenen Änderungsvorschläge gewissenhaft ge-
prüft, wobei mir die vortrefflichen Jahresberichte Kallen-
bergs eine sehr willkommene Hilfe waren. Vielfach konnte
ich aber in den Vorschlägen nur Änderungen, nicht Ver-
besserungen erkennen und bin lieber bei der Überlieferung
geblieben. Auch bei den vielen empfohlenen Streichungen
habe ich mich auf das nur durchaus Notwendige beschränken
zu müssen geglaubt. Es ist eben doch etwas anderes, in
den Text nur eine Klammer zu setzen als das Wort oder
die Stelle ganz streichen zu müssen.

Was die Beigaben betrifft, so habe ich mich im
Namen- und Sachverzeichnis bei ägyptischen Dingen in
vielen Fällen der Erklärung von Wiedemann angeschlossen.
In der Schreibweise moderner, geographischer Namen bin
ich meistens Stielers Handatlas 9. Aufl. 1905 gefolgt.
Besonderen Dank schulde ich Herrn Prof. Dr. Bartholomae-
Gießen, durch dessen liebenswürdige Hilfe ich die alt-
iranischen Formen hinter viele persische Namen setzen
konnte. — Die in der eingehenden Besprechung von Herrn
Provinzial-Schulrat Prof. Dr. Cauer an mich gerichtete,
wohlbegründete Aufforderung (Zeitschr. f. d. Gymnasialw.
1900 S. 368), die Einleitung über das Leben und Geschichts-
werk Herodots ausführlicher zu gestalten, habe ich gern
befolgt, soweit es die Anlage der Ausgabe zuließ. —
Möge somit dieser erste Band sich gleicher Zustimmung
erfreuen wie der zweite.

Hamburg, Febr. 1906.   **A. Fritsch.**

Herodots Leben und Geschichtswerk.

1. Herodot, Sohn des Lyxes und der Dryo, wurde wahrscheinlich um 484 v. Chr.[1] zu Halikarnaß, einer Stadt Kariens, geboren. Diese gehörte vordem zur dorischen Hexapolis[2]), doch war die herrschende Sprache daselbst ionisch, nicht dorisch, wie die Inschriften erweisen. Herodot stammte aus einer angesehenen Familie, und war ein Vetter oder Neffe des Dichters Panyassis, der ein episches Gedicht über Herakles verfaßt hat. Unter dessen Einfluß vermutlich erwarb er sich in seiner Jugend jene Kenntnis der homerischen Gedichte und jene Vertrautheit mit der gesamten griechischen Literatur bis auf Pindar und Aischylos, wie sie in seinem Geschichtswerk zutage tritt. Von ebendemselben hat Herodot wohl auch die Vorliebe für Wunderzeichen und Orakelsprüche, die er mit bedeutenden Begebenheiten in Zusammenhang zu bringen liebt, denn Panyassis hat sich den Beinamen „Zeichendeuter" τερατοσκόπος erworben.

2. Die Vaterstadt des Herodot bildete zur Zeit des Kriegszuges des Xerxes gegen die Hellenen zusammen mit den Inseln Kos, Nisyros und Kalydna einen kleinen Vasallenstaat unter persischer Hoheit, über den Artemisia

---

1) Gell. noct. Att. 15, 23 Nam Hellanicus initio belli Peloponnesiaci quinque et sexaginta annos, Herodotus tres et quinquaginta, Thucydides quadraginta natus fuisse dicitur.

2) I 144, vgl. VII 99, II 178.

als Königin herrschte. Bewundernd erzählt uns Herodot von der Klugheit und Entschlossenheit seiner Landsmännin.[1]) Unter einem ihrer Nachfolger aber, unter Lygdamis, dem Sohn oder Enkel der Artemisia, brach ein Parteikampf aus, bei dem Panyassis seinen Tod fand, während Herodot nach Samos entfloh. Auf dieser Insel hielt sich Herodot mehrere Jahre auf, wie wir daraus schließen können, daß er sich mit der Örtlichkeit, den Denkmälern[2]) und der Geschichte[3]) des damals seemächtigen Staates wohl vertraut zeigt. Auch läßt er keine Gelegenheit vorübergehen, Rühmliches von den Samiern zu erzählen, ja selbst ihren Verrat in der Schlacht bei Lade sucht er zu entschuldigen (VI 13). Nach der Rückkehr in seine Vaterstadt soll Herodot bei der Vertreibung des Tyrannen Lygdamis (um 454 v. Chr.) mitgewirkt haben, aber nicht lange darnach verließ er Halikarnaß für immer und zwar, wie es heißt, wegen der Mißgunst seiner Mitbürger, in der Tat wohl infolge der politischen Wirren.

3. Darnach, um das Jahr 445 v. Chr., finden wir Herodot in Athen, wo er Teile seines Werkes vorlas und mit einer Staatsbelohnung, angeblich von 10 Talenten, ausgezeichnet wurde. Andere Erzählungen wie die, daß er auch Vorlesungen zu Olympia[4]) gehalten, oder von der Wirkung, die er durch diese auf den jungen Thukydides ausgeübt habe, verdienen keinen Glauben. Wohl aber ist er in Athen zu dem großen Staatsmann der Athener, zu Perikles, in Beziehung getreten. Wir ersehen dies aus der Auffassung, die er von der Bedeutung Athens für die hellenische Welt und von der Verfassung der

---

1) VII 99. VIII 68 f. 87 f. 93. 101—103.
2) III 60. II 182.
3) III 39 ff. 120 ff. 139 ff.
4) vgl. Lukian ‘Ηρόδοτος ἢ Ἀετίων.

Stadt hegt, sowie daraus, wie er der Alkmeoniden, der
Vorfahren des Perikles mütterlicherseits, bei jeder Ge-
legenheit rühmend Erwähnung tut und sie verteidigt[1]),
und nicht zuletzt aus der Erzählung von der Geburt des
Perikles (VI 131). Unter den übrigen bedeutenden Männern
des damaligen Athens war es jedenfalls noch Sophokles,
mit dem Herodot Freundschaft schloß. Es zeigt dies
eine Elegie des großen Dichters an Herodot, von der
uns der Anfang erhalten ist[2]), und einige Stellen in den
Tragödien, an denen der Dichter seine Vertrautheit mit
dem Werke Herodots beweist.[3])

4. Bald darauf begab sich Herodot nach Thurioi,
einer athenischen Kolonie in Unteritalien, die auf Be-
treiben des Perikles 444/3 v. Chr. gegründet war. Hier
fand er eine zweite Heimat; ja man nannte ihn dann
geradezu einen Thurier. Wie lange er hier gelebt hat
und ob er wieder nach Athen zurückgekehrt ist, wissen
wir nicht. Herodot erlebte noch den Anfang des pelo-
ponnesischen Krieges, denn er erwähnt verschiedene Er-
eignisse aus den Jahren 431 und 430, so den Überfall
von Plataiai durch die Thebaner (VII 233), die Verwüstung
Attikas durch die Spartaner unter Schonung von Deke-
leia (IX 73), die Hinrichtung einer peloponnesischen Ge-
sandtschaft in Athen im Herbst 430 (VII 137). Dagegen
führt er nicht die Neugründung der Stadt Trachis im
Jahre 426 an (VII 199, vgl. Thuk. III 92), ebensowenig
hat er den Regierungsantritt des $\Delta\alpha\varrho\epsilon\tilde{\iota}o\varsigma\ N\acute{o}\vartheta o\varsigma$ (424
v. Chr.) erlebt (I 130).

---

1) V 62 f. VI 126 ff.
2) Ὠιδὴν Ἡροδότῳ τεῦξεν Σοφοκλῆς ἐτέων ὤν
πέντ᾽ ἐπὶ πεντήκοντ᾽.
Sophokles war 495 v. Chr. geboren.
3) II 35 und Soph. O. K. 337 ff. — III 119 und Antig. 905 ff.
— I 32 und O. R. 1528 ff. Trach. 1 ff.

Auch der Ort, wo Herodot starb, ist ungewiß. Auf dem Marktplatze in Thurioi zeigte man sein Grabmal mit einer aus späterer Zeit stammenden Inschrift:

Ἡρόδοτον Λύξεω κρύπτει κόνις ἥδε θανόντα,
Ἰάδος ἀρχαίης ἱστορίης πρύτανιν,
Δωριέων βλαστόντα πάτρης ἄπο· τῶν γὰρ ἄτλητον
μῶμον ὑπεκπροφυγὼν Θούριον ἔσχε πάτρην.

In Pella wurde ihm von dem makedonischen Königshause ein Denkmal errichtet, doch war dies jedenfalls nur ein *κενοτάφιον*. Aber auch in Athen zeigte man sein Grabmal und zwar neben dem des Thukydides vor dem melitischen Tore in den Kimonischen Gräbern.[1] ·

5. Quellen. Während ein Geschichtschreiber von heute an zahlreichen Vorgängern sich bilden kann und sein Material, soweit er nicht Selbsterlebtes erzählt, in Archiven und Bibliotheken sammelt, hatte Herodot nur einige, nicht eben bedeutende Vorläufer in den sogenannten Logographen, alles andere mußte er durch Reisen zu erfahren suchen. Die Logographen aber waren keine eigentlichen Geschichtschreiber, sie knüpften in ihrer Darstellungsweise an das Epos an und erzählten von den Gründungen der Städte, den Genealogien der herrschenden Geschlechter, den Gebräuchen und Einrichtungen einzelner Völker, den geographischen Merkwürdigkeiten fremder Länder. Herodot kannte die namhaftesten Logographen und hat den bedeutendsten unter ihnen, Hekataios von Milet, nachweislich benutzt (II 143. VI 137). Derselbe schrieb *γενεαλογίαι* und eine *περίοδος γῆς*. Sonst aber war Herodot auf eigene Nachforschungen angewiesen.

Überall, wohin er auf seinen zahlreichen, großen Reisen kam, suchte er bei geeigneten Leuten sich über die Geschichte des Landes und alles, was ihm sonst

---

1) Marcellini vita Thuc. 17.

wissenswert erschien, zu erkundigen: so bei den Gelehrten (λόγιοι) in Persien, den Priestern in Ägypten.

Über die Grundsätze in der Bewertung dessen, was er sich erzählen ließ, spricht er sich folgendermaßen aus: II 123 ἐμοὶ δὲ παρὰ πάντα τὸν λόγον ὑπόκειται ὅτι τὰ λεγόμενα ὑπ' ἑκάστων ἀκοῇ γράψω. VII 152 ἐγὼ δὲ ὀφείλω λέγειν τὰ λεγόμενα, πείθεσθαί γε μὲν οὐ παντάπασιν ὀφείλω.

6. Reisen. Die Zeit und Reihenfolge, in der Herodot seine Reisen unternahm, ist nur zum Teil annähernd zu bestimmen. Jedenfalls lernte er schon von seiner Geburtsstadt wie auch von Samos aus die Küste von Kleinasien und die Inseln des Ägäischen Meeres kennen. Auf dem griechischen Festlande hat er außer Athen die übrigen Hauptorte und auch sonstige, berühmte Örtlichkeiten besucht wie die Schlachtfelder von Thermopylai (VII 198 ff.) und Plataiai (IX 25. 49 ff.) Bei den Priestern zu Dodona holte er sich Auskunft (II 52), in Delphi ließ er sich von dem Felssturz erzählen, der die Plünderung der Perser abgewehrt haben sollte (VIII 39), er ließ sich die vielen, großartigen Weihgeschenke zeigen (I 20. 51 f. VIII 94. IX 57) und über griechische wie lydische Geschichte nach Auffassung der delphischen Priester berichten. In Sparta erkundete er die ältere lakedaimonische Geschichte, für den Zug der Spartaner gegen Samos nennt er den Enkel eines Teilnehmers als seinen Gewährsmann (III 55). Er war in Tegea (I 66) wie auch in Theben (I 52. V 59). Von den Erdpechquellen auf Zakynthos erzählt er als Augenzeuge (IV 195).

7. Weitere Reisen führten ihn nach der Nordküste des Ägäischen Meeres, Makedonien, und in späterer Zeit auch nach dem Schwarzen Meere bis zum kimmerischen Bosporos. So ließ er sich in die Kabirenmysterien auf Samothrake einweihen (II 51) und besichtigte

die Bergwerke der Thasier (VI 47). Von dem make-
donischen Königshause weiß er wiederholt zu er-
zählen und verteidigt auch dessen hellenische Abstam-
mung (V 22). Die wichtigeren Orte des Hellespont,
der Propontis und des Bosporos kennt er (vgl. IV 14),
auch berichtet er wohl über das von Dareios am Tearos-
flusse errichtete Denkmal als Augenzeuge (IV 91).

8. Weiterhin besucht er Apollonia, Mesambria (VI 33)
und zieht hier Erkundigungen über die thrakischen Stämme
ein. So kommt er auch nach Istria (II 33) und läßt
sich dort von der Donau (IV 47 ff.) und den Geten (IV 93)
erzählen. Von da aus ist er dann weiter an der Küste
entlang bis Olbia gefahren, hat von hier aus die nächsten,
fruchtbaren Niederungen besucht (IV 52 f. 81 f.) und auf
dieser ganzen Reise wie auf der weiteren Fahrt bis zum
kimmerischen Bosporos Erkundigungen über das mächtige
Skythenvolk eingezogen. Auch das Asowsche Meer (IV 86)
und die Krim sind ihm bekannt (IV 99). Er war im Lande
Kolchis (II 104) und besuchte auch die Südküste des
Schwarzen Meeres, wenigstens Themiskyra (IV 86).

9. Die Reise nach Sardes. hat er wohl von Ephesos
aus, das er kennt (IV 148), angetreten. Hier erkundet
er die Geschichte und Sitten der Lyder, auch beschreibt
er genau das Grabmal des Alyattes daselbst (I 93). Die
Straße, auf der Xerxes durch Kleinasien zog, kennt er
von Kelainai an (VII 27. 30 f.). Nach Babylon aber und
Susa ist er wahrscheinlich von Syrien aus gereist. Von
der Lage, den Bauten und der Geschichte der Stadt
Babylon wie von den Gebräuchen der Bewohner und der
Beschaffenheit ihres Landes weiß er eingehend zu be-
richten (I 178 ff.). Daß er auch in Susa war, zeigt die
Erzählung von Arderikka (VI 119), wie andererseits die
Beschreibung der Königsburg Agbatana (I 98), daß er
auch die Hauptstadt Mediens aufgesucht hat.

10. Später als nach Asien ist Herodot nach Ägypten gereist (II 150) und zwar erst dann, als die Aufstände unter Inaros (VII 7. III 12), Psammetich und schließlich unter Amyrtaios bezwungen und das Land wieder in ungestörtem Besitz der Perser war, also nach 449 v. Chr. Die Reise Nil aufwärts trat er wohl von Kanobos aus án (II 113), er fuhr zunächst nach Naukratis (II 97), besuchte von da aus Sais (II 169 ff.), Buto (II 155), Busiris (II 61) und fuhr dann zur Zeit der Nilschwelle an den Pyramiden vorbei (II 97) nach Memphis. Von Führern und Priestern ließ er sich berichten über die Bauten wie über die älteste Geschichte Ägyptens (II 124 ff.). Er sah dann weiter stromaufwärts die gewaltigen Dämme, die den Nil einzwängten (II 99), und voll Bewunderung das Labyrinth wie das Talbecken des Mörissees (II 148 ff.). Auch nach Theben ist er gekommen (II 3), aber er erzählt nichts von den großen Tempeln daselbst, er erwähnt nur beiläufig den Tempel des Amun (II 42. 143). Der südlichste Punkt, den er erreichte, war Elephantine (II 29). Dort holte er sich Kunde über die Äthiopen und fuhr dann über Heliopolis (II 7), wo er sich auch die Sage vom Vogel Phoinix (II 73) erzählen ließ, und über Bubastis (II 137) nach Pelusium. Wohl von hier aus fuhr er nach Tyros (II 44) und mag dann zu Lande über Kadytis (Gaza) am serbonischen See entlang auf der Straße, die er wie ein Augenzeuge beschreibt (III 5), nach Pelusium zurückgekehrt sein.

11. Vielleicht ist Herodot auch von Ägypten aus nach der Kyrenaika gereist. Von deren Hauptstadt Kyrene berichtet er nach eigener Anschauung (II 181) und schildert treffend das terrassenförmige Gebiet der Stadt (IV 199). Hier hat er dann auch seine Erkundigungen über die Libyer eingezogen. Doch sind seine Erzählungen über die Völker zwischen Ägypten und der

großen Syrte zutreffender als über die weiter westlich wohnenden. Aber auch manche Kunde über das Innere Afrikas hat er an dem bedeutenden Handelsplatz erhalten (II 32 ff.).

12. Italien und Sizilien mag er von Thurioi aus erkundet haben. In Kroton hat er sich die Geschichte des Arztes Demokedes (III 129 ff.) erzählen lassen, sofern er sie nicht einem Buche entnahm. Er kennt das Land der Japyger (IV 99) und die Messapier, ebenso die Etrusker und Umbrer (I 94) und erzählt uns von den Ligurern und Venetern (V 9). Rom dagegen und die Latiner nennt er nicht.

13. Geschichtswerk. Die Ergebnisse seiner Forschungen hat Herodot zunächst in einzelnen Schriften niedergelegt ($\lambda \acute{o} \gamma o \iota$ $\Lambda v \delta \iota \varkappa o \acute{\iota}$, $\Pi \varepsilon \varrho \sigma \iota \varkappa o \acute{\iota}$, $A \mathring{\iota} \gamma \acute{v} \pi \tau \iota o \iota$, $\varLambda \iota \beta v \varkappa o \acute{\iota}$, $\varSigma \varkappa v \vartheta \iota \varkappa o \acute{\iota}$) und vielleicht auch veröffentlicht. Einzelne Teile seines Werkes zeigen noch den Charakter einer Einzelschrift, wie das 2. Buch, das nur von Ägypten handelt. Die „lydischen Geschichten" finden wir in zusammenhängender Darstellung im 1. Buche, die skythischen und libyschen im 4. Buche. Auch verweist Herodot selbst auf diese Einzelschriften, so II 161 auf die $\varLambda \iota \beta v \varkappa o \grave{\iota} \lambda \acute{o} \gamma o \iota$ (vgl. IV 159). Die $\mathrm{'A} \sigma \sigma \acute{v} \varrho \iota o \iota \lambda \acute{o} \gamma o \iota$, die er I 184 (vgl. I 106) anführt, hat er dagegen nicht aufgenommen.

14. Den Plan zu seinem groß angelegten Werk mag Herodot in Athen gefaßt haben unter dem Einfluß des gewaltigen Staatsmannes Perikles. Unter ihm hatte Athen seine See beherrschende Stellung weiter ausgebaut und befestigt, unter ihm war es zum geistigen Mittelpunkt von ganz Griechenland geworden. Den Anstoß aber zu dieser großartigen Entwicklung hatten die von den Athenern ruhmreich durchgeführten Perserkriege gegeben. Diese darzustellen, den Ruhm Athens zu verkünden, mochte wohl einem Geschichtschreiber als eine würdige, dankbare Aufgabe erscheinen. Aber Herodot, der weit gereiste,

greift seine Arbeit umfassender an: den Kampf zwischen Hellenen und Barbaren und deren Ursache will er darlegen (I 1). Damit gewinnt er den Rahmen, in den er seine früheren Schriften aufnehmen kann. An die Darstellung von dem Angriff der Barbaren auf die Hellenen knüpft er an, um über die betreffenden Länder und Völker, deren Sitten und Geschichte, auch über einzelne bedeutendere Persönlichkeiten und Begebenheiten zu berichten. So ist seine Erzählung reich an Episoden, die zuweilen nur recht lose angeknüpft sind.[1]) Aber dessenungeachtet bildet sein Werk zum Unterschied mit den Schriften seiner Vorgänger doch ein planvoll angelegtes Ganze, das zugleich durch die Kunst der Darstellung, die Anmut der Sprache ihm den Namen des Vaters der Geschichte eintrug.

15. Die Abfassung des gesamten Werkes erfolgte wohl erst in seinen letzten Lebensjahren, zum Abschluß aber hat Herodot es nicht gebracht, auch fehlt eine letzte Überarbeitung, wie sich aus verschiedenen Anzeichen ergibt. So verspricht er VII 213 die Bestrafung des Verräters Ephialtes später zu erzählen, aber sein Werk schließt schon vorher mit der Eroberung von Sestos (Frühjahr 478). Athens ruhmvolle Geschichte wollte er schildern, dazu gehörte aber sicherlich die Erzählung des Übergangs im Oberbefehl zur See von den Spartanern auf die Athener (Winter 477/6), die er nur nebenher erwähnt VIII 3. Er spricht II 33 und IV 49 ausführlich über die Donau, ohne an der einen Stelle auf die andere Bezug zu nehmen. Auch mag er wohl nur durch seinen zu frühen Tod daran gehindert worden sein, die Ἀσσύριοι λόγοι in sein Werk aufzunehmen.

16. Inhalt. In dem ersten Buche geht Herodot aus von den Zusammenstößen Asiens und Europas in

---

1) z. B. die Erzählung von Arion I 23 f.

mythischer Vorzeit und erzählt dann von der Geschichte
der Lyder, deren König Kroisos zuerst die Griechen in
Kleinasien angegriffen hatte. Die Geschicke des Kroisos
führen ihn auf Kyros, den Besieger des lydischen Königs,
und die Perser. Das persische Reich und seine Aus-
dehnung bildet von da an den Mittelpunkt seiner Er-
zählung, woran sich alles andere anschließt. So berichtet
er von der Unterwerfung Kleinasiens, Babylons, dem
Zuge des Kyros gegen die Massageten und dessen Tode.
Die Unternehmung des Kambyses gegen Ägypten ver-
anlaßt ihn, von diesem Lande, seinen Sitten, seiner Ge-
schichte zu erzählen, was den Inhalt des ganzen zweiten
Buches ausmacht. Das dritte Buch handelt von der
Eroberung Ägyptens durch Kambyses, von Polykrates
und Samos, der Herrschaft der Magier, dem Regierungs-
anfang des Dareios und der Neuordnung des Reiches
durch ihn. Im vierten Buche bietet der Zug des Dareios
gegen die Skythen Anlaß von diesen zu erzählen; der
darauf folgende Kriegszug der Perser nach Libyen führt
ihn auf Kyrene und die Völker Libyens. Das fünfte
Buch enthält die Unterwerfung von Thrakien durch die
Perser und den ionischen Aufstand; das sechste Buch
die Niederwerfung der Ioner sowie den Kriegszug des
Mardonios und den unter Datis und Artaphrenes. Die
drei letzten Bücher erzählen von dem Kriege des Xerxes
gegen die Hellenen und zwar das siebente bis zum
Heldentode des Leonidas; das achte berichtet von den
Gefechten bei Artemision und der Seeschlacht bei Salamis,
das neunte enthält die Schlachten bei Plataiai und Mykale
und die Belagerung von Sestos.

17. Auf die Anlage seines Werkes hat das Epos wohl
vorbildlich gewirkt. Aber auch die Weltanschauung
des Herodot ist vielfach noch dieselbe, die wir bei Homer
finden. Alle Begebenheiten werden auf die direkte Ein-

wirkung der Götter zurückgeführt. Die Götter vergelten
der Menschen Tun, und wenn nicht der Schuldige selbst
büßt, trifft die Strafe Kinder und Enkel. Herodot glaubt,
wie andere seiner Zeitgenossen, an den Neid der Götter
gegenüber den Menschen. Ein Wechsel von Glück und
Unglück frommt besser als dauerndes Glück. Durch
Zeichen, Träume, Weissagungen verkündet die Gottheit
dem Menschen sein künftiges Geschick. Infolge dieses
Glaubens verkennt Herodot oft den ursächlichen Zusammen-
hang der Dinge, so bemerkt er auch nicht, daß die Orakel,
die er so gläubig verkündet, ex eventu gemacht sind.

18. Wenn nun auch das Urteil des Herodot auf
Grund dieser religiösen Vorstellungen vielfach befangen
ist, so tritt doch überall sein Streben hervor, die Wahr-
heit zu erforschen und darzustellen. So berichtet er in
strittigen Fällen die Ansicht beider Parteien und über-
läßt dem Leser die Entscheidung. Aber oft genug auch
ist er nicht imstande, die Angaben seiner Gewährs-
männer zu prüfen. Hieroglyphen konnte er so wenig
lesen wie persische und assyrische Inschriften. Ihm fehlte
als echtem Griechen die Kenntnis fremder Sprachen.
Daher sind viele seiner Angaben über ägyptische Ver-
hältnisse und Geschichte nicht richtig, daher macht er
u. a. Mithra zu einer Göttin (I 131), gibt, vom Griechischen
ausgehend, eine falsche Übersetzung von Artaxerxes (VI 98.
vgl. I 139), auch bezeichnet er entgegen den heiligen
Schriften der Iranier die Ehe zwischen Bruder und
Schwester als unerlaubt (III 31). Aber auch in anderen
Fällen versagt sein kritisches Urteil, so wenn er, der
Tradition folgend, von den großen Heeren der Perser
berichtet, die die Phantasie der Griechen ins Riesenhafte
hat anschwellen lassen.

19. Das alles aber mindert nicht den Wert des
Geschichtswerkes des Herodot. Denn er schildert uns

die glänzendste Zeit griechischer Geschichte, den Kampf
des kleinen Griechenvolkes gegen das mächtige Perser-
reich. Hauptsächlich durch ihn ist die Erinnerung an
diese Vergangenheit bei den Griechen der alten wie der
neuen Zeit die unversiegliche Quelle des Nationalstolzes
gewesen und geblieben. Außerdem aber gibt er uns in
unerschöpflicher Fülle Erzählungen über die Völker fast
der ganzen damals bekannten Welt. Gar manche seiner
Angaben ist lange bezweifelt worden und hat erst durch
neuere Forschungen Bestätigung gefunden. Dabei zeigt
er sich überall als einen Meister der Erzählungskunst,
seine Darstellung ist getragen von warmer Vaterlands-
liebe und sittlichem Adel der Gesinnung.

20. Herodot selbst nannte sein Geschichtswerk
Ἱστορίης ἀπόδεξις; die Einteilung in neun Bücher und
deren Benennung nach den Musen erfolgte erst durch
die Grammatiker.

Der Dialekt des Herodot.

Herodot hat sein Geschichtswerk im ionischen Dialekt geschrieben. Es war dies die damals herrschende Schriftsprache, die von den Logographen und den ionischen Naturphilosophen ausgebildet war, freilich sind nur geringe Bruchstücke von diesen auf uns gekommen. Wir erkennen jedoch, daß Herodot zuweilen auch altertümliche Worte verwendet wie *νηός* statt *νεώς* oder, um sich pathetischer, schwungvoller auszudrücken, einen Ausdruck dem Epos entlehnt wie *ἐπὶ γήραος οὐδῷ*. Frühzeitig ging indes die Kenntnis des ionischen Dialektes verloren, und so ward bald von den Abschreibern die Sprache des Herodot durch falsche Formen entstellt. Den richtigen ionischen Dialekt lernen wir aus Inschriften und den Bruchstücken ionischer Dichter kennen. Beide zeigen z. B. übereinstimmend, daß Herodot wohl *ποιέω*, aber niemals *ποιέεις, ποιέει* geschrieben hat. In vielen Fragen allerdings lassen uns diese Quellen infolge der Lückenhaftigkeit des Materials im Stich, und so bleibt gar manches unsicher und zweifelhaft.

Übersicht über den Dialekt.

Lautlehre.

Vokale.

1. *η* für att. *ᾱ*: *ἠήρ (ἀήρ), κρητήρ, κέκρημαι, ναυηγός, νηῦς, νεηνίης, νηός (= νεώς), πρῆγμα, πρήσσω, τρηχύς.* — *διήκονος, τριήκοντα, θώρηξ, ἴρηξ (= ἰέραξ), ἀνιηρός, πέρηθεν, φλυηρεῖν.* — *σοφίη, χώρη, Ἀθηναίη.*

2. η   für att. ᾰ: in den Substantiven auf -ειᾰ, οιᾰ:
                       ἀληθείη, ἀσφαλείη, εὐνοίη, ἀπλοίη,
                       ἱρείη (= ἱέρεια) aber βασίλεια;
                       auch in πρύμνη, πρώρη.

3. ᾱ bleibt, wenn es durch Kontraktion oder Ersatzdehnung
   entstanden ist: ὁρᾷ, ὁρᾶτε; μούσας (aus μουσανς), πε-
   ποιήκᾱσι (aus πεποιηκαντι), εἴπας (aus εἰπαντ-ς).

4. α   für att. ε: μέγαθος, τάμνω.

5. α   „ „ η: ἀμφισβατέω, ἀμφισβασίη, μεσαμ-
                       βρίη, λάξις, λάξομαι (St. λαχ, λαγ-
                       χάνω), λάψομαι, λαφθῆναι, λέλαμ-
                       μαι (St. λαβ, λαμβάνω).

6 ε   „ „ α: ἔρσην, τέσσερες; vor folgendem
                       Vokal: κέρεος (κέρας), ἱστέαται,
                       ἐδυνέατο.

7. ε   „ „ η: ἐσσοῦσθαι (ἡττᾶσθαι) aber ἥσσων,
                       μέν für μήν in ἦ μέν, οὐ μὲν
                       οὐδέ. — Für θεᾶσθαι steht im
                       Praes. u. Impf. θηεῖσθαι.

8. ε   „ „ ει: κρέσσων, μέζων, ἀποδέξω, ἀποδέ-
                       ξαι, ἀποδέξασθαι, ἀπεδέχθην, ἀπο-
                       δέδεγμαι, aber δείξω, ἔδειξα; ἐς,
                       ἔσω; ἐπιτήδεος, τέλεος, τελεοῦν.

9. ει   „ „ ε: ζειαί, εἴριον, εἰρίνεος, κεινός, ξεῖ-
                       νος, στεινός, εἱλίσσω, εἰρωτῶ,
                       εἰρύω; εἵνεκα, εἵνεκεν; εἵνατος,
                       εἰνακισχίλιοι; ἐπείνυσθαι (= ἐφέν-
                       νυσθαι).

10. α   „ „ ο: ἀρρωδέω, ἀρρωδίη.

11. ι   „ „ ε: ἱστίη (= ἑστία), ἐπίστιος, ἱστιᾶν,
                       Ἱστιαῖος.

12. ηι (ῃ) „ „ ει: βασιληίη, στρατηίη, Κήιος, ἀν-
                       δρήιος, ἀνθρωπήιος, ἱρήιον, μαν-
                       τήιον, οἰκήιος, οἰκηιοῦσθαι. — ἐπί-
                       νηον (= ἐπίνειον).

13. ηι (ῃ) „ „ ᾳ (αι):   Θρῇξ, Θρήκη, ῥήιος (= ῥᾴδιος),
                       Θρασυδήιος.

14. ου   „ „ ο: γούνατα (aber γόνυ, δόρατα), μοῦ-
                       νος, μουνοῦν, νοῦσος (νοσεῖν), οὖ-
                       ρος (= ὁ ὅρος Grenze, aber τὸ ὄρος
                       Berg, τὸ ὄνομα, ὀνομάζω).

15. ω für att. αυ: θῶμα, θωμάζω, τρῶμα, τρωματίζω.
16. ω „ „ ου: ὦν, γῶν, οὔκων.
17. ωυ „ „ αυ: ἐμεωυτοῦ, σεωυτοῦ, ἑωυτοῦ, ὠυ-
    τός (= ὁ αὐτός), τὠυτό.
18. εω „ „ αο u. αω: λεώς aber νηός, Λεωνίδης, Ἀμ-
    φιάρεως, Ἀλκμέων, Ποσειδέων,
    ὀπέων.

Zusammenstoß von Vokalen.

Im allgemeinen gilt die Regel, daß gleichartige Vokale
kontrahiert werden, ungleichartige aber nicht; doch wird diese
Regel vielfach durchbrochen.

εε u. εει: ει wie im Attischen in ποιεῖς, ποιεῖ, βασιλεῖς
    ῥεῖθρον.

εη: η iu ποιῇ, ποιῆτε; Βορῆς, Ἑρμῆς, Θεμιστοκλῆς;
    χρυσῆ, ἀργυρῆ, ἀνθρωπῆ; dagegen bleibt εη
    in Eigennamen wie Ἀλέη, Θυρέη, Μαλέη, Τεγέη,
    ferner in ἀδελφεή; γενεή, δωρεή.

εε: ε in ἀπαίρεσκον, ποιέσκε, ποιέσκετο; ἀναιρέο,
    ἐξηγέο, λυπέο, ποιέο (singulär ist ἐδέου, δέους);
    διαιρέαι, φοβέαι, aber δέεαι; ἐνδέα, περιδέας.

οο: ου bei den Verben auf -όω: μισθοῦμαι; ferner in
    φλοῦς, χοῦς, χειμάρρῳ, νουθετεῖν, νουνεχόν-
    τως, ἐν νῷ, εὔνους, ἀνάπλους, ἔσπλους u. a.;
    dagegen νόος, πλόος; auch σόον, σόοι, ζόος
    (neben ζοή). Für διπλοῦς heißt es διπλός, διπλή,
    διπλόν.

οω: ω bei den Verben auf -όω: δικαιῶ.

οε   bleibt in προέχω, εὐνοέστερον, μελιτόεσσα,
    Μολόεντα, neben Ἀνθεμοῦντα, Σελινοῦντος u. a.

οε (ου): ο in Zusammensetzungen mit -εργ-: ἀγαθοργίη,
    δημιοργός, ἱροργίαι (= ἱερουργίαι), ἀντυπορ-
    γήσειν, ὑπόργημα (= ὑπούργημα), κρεορ-
    γηδόν, ξυλοργεῖν. οε nur in ἀγαθοεργός
    „lakedaimonischer Beamter", sonst ου: Λυκοῦρ-
    γος, κληροῦχος.

εο, εου, εω bleiben: χρύσεος, χρυσέου, χρυσέῳ; καλέω,
    καλέουσι, ἐκάλεον; γένεος, ἐμέο u. a.

εο, εου: ευ nur nach Vokalen: ἐποίευν, ποιεῦντος, νοεῦν-
    τες, ποιεῦσι; ἀνταγωνιευόμενος.

εο: ο in ὀρτή, aber ἐών, ἐοῦσα, ἐόν, ἐόντος.

εοι: οι in ποιοῖεν; οἴκατε, οἰκώς, aber ἔοικα.

εω: ω nach ι, υ in νεηνίω, Παυσανίω, Μαρσύω und in den Wörtern auf -ῆς: βορέω; Ἑρμέω.

εα bleibt in ἔαρ, ἐπεάν, aber immer ἤν und ἐπειδάν; ᾔδεα, ἀληθέα, ὀστέα u. a.

εαι „ „ φαίνεαι, γίνεαι (= γίγνῃ), ἔσεαι.

αο „ „ ἐποιήσαο.

αε „ „ ἀέκων, ἄεθλος, aber ἀργός.

αει „ „ ἀεικής, ἀείρω, ἀείδω, ἄεισμα (auch αοι in ἀοιδή, aber κιθαρῳδός u. a.).

οη: ω in ὀγδώκοντα, ἔβωσα (von βοᾶν), βεβωμένος, ἐνένωντο (von νοεῖν).

ιε: ι in ἱρός, ἱρεύς, ἱρήιον neben καλλιερεῖν, Ἱερώνυμος, ἱερείη, ἱερεωσύνη.

ηι neben η: λήιτον, Νηρηίδες; Μήονες, λῃστής, Θρῇξ, ᾐών, διῇξε (auch προεξάσσοντες), δῃοῦν, κλήειν, χρήζειν.

ωι neben ῳ: Τρωικός, πρωίην; ζῷον, ἡρῷον, πατρῷον u. a.

<h3 style="text-align:center">Krasis.</h3>

αα: α in τἆλλα, τἀγάλματα.

οα u. ωα: ω in ὡνήρ = ὁ ἀνήρ, ὡυτός = ὁ αὐτός, τὠυτό, τὠρχαῖον, τὤγαλμα, τἀληθές. — ὦναξ = ὦ ἄναξ.

<h3 style="text-align:center">Apokope.</h3>

ἀνα vor β und π: ἀμβῶσαι, ἀμπαύεσθαι.

<h3 style="text-align:center">Konsonanten.</h3>

1. a) Der scharfe Hauch, spiritus asper, fehlt der Sprache des Herodot wie des kleinasiatischen Ionisch. Spuren davon in der Überlieferung sind: ἠώς = ἕως, ἐσσοῦσθαι = ἡττᾶσθαι, οὖρος, οὐρίζω = ὁρίζω, ἴρηξ = ἱέραξ, ὡυτός. Es heißt also: ὁ, ἡ, οἱ, αἱ, ὅς, ἥ = ὁ, ἡ usw. ἡμεῖς, ὑμεῖς, αἱρεῖν, ἀνδάνειν, ἅπας, ἅπτεσθαι; ἕδρη = ἕδρα, εἱλίσσω = ἑλίσσω, εἵλωτες Heloten, εἷμα, ἕτερος, ἕως; ἡγεῖσθαι, ἥλιος (hom. ἠέλιος), ἡμέρη (hom. ἦμαρ), Ἡρακλῆς; ἱδρύειν, ἵημι, ἱκέτης, ἵνα, ἵππος (equus), ἱστάναι, οἷος, ὅκου, ὅπλον, ὁρᾶν, ὁρμᾶν, ὅτι, οὕτως; alle Wörter mit anlautendem υ.

b) Demgemäß unterbleibt die Aspiration, wo sie sonst im Attischen steht: ἀπ' οὗ, κατά = καθά, ebenso meistens in Zusammensetzungen: ἐπεξῆς, ἐπίστιος, ἀπηγεῖσθαι, ἀπι-

κνεῖσϑαι u. a. Dagegen steht die Aspiration in *αὐϑαδέστεροι*, *αὐϑέντης*, *ἔφεδρος* neben *ἐπέδρη*, *ἔφορος*, *καϑεύδω*, *κάϑημαι*, *καϑώς*.

2. Das *ν ἐφελκυστικόν* steht auf ionischen Inschriften, im Gegensatz zu den attischen, weit häufiger als es fehlt. Es kann daher dem Dialekt des Herodot nicht abgesprochen werden. In dieser Ausgabe ist es so gesetzt, wie es bisher in den Ausgaben attischer Prosaiker üblich war. — Von den Adverbien auf *-ϑεν* haben *-ϑε*: *ἔνερϑε*, *ὄπισϑε*, *πρόσϑε*, *ἔμπροσϑε*, *κατύπερϑε*, alle andern haben *-ϑεν* wie *δῆϑεν*, *πέρηϑεν* und alle eigentlichen Ortsadverbien wie *ἄνωϑεν*, *αὐτόϑεν*, *ἐκεῖϑεν* u. a. — *εἴκοσι* hat niemals *ν ἐφελκ.*

3. Es heißt *οὕτω* vor Konsonanten, vor Vokalen auch *οὕτως*; *ἄχρις οὗ*, *μέχρις οὗ*, sonst *ἄχρι* und *μέχρι* vor Vokalen und Konsonanten.

4. *κ* steht für *π* in allen Formen des Pronominalstammes *πο*: *κοῖος*, *ὁκοῖος*, *κόσος*, *ὁκόσος*, *κότερος*, *κῇ*, *κότε*, *κοῦ*, *κῶς* u. a., aber *ὁποδαπός*.

5. *κ* für att. *χ*: *δέκομαι*, *οὐκί*.

6. *τ* „ „ *ϑ*: *αὖτις*.

7. *ξ* „ „ *σσ*: *διξός*, *τριξός*, aber nie *ξύν* für *σύν* oder *ττ* für *σσ*.

8. Umstellung der Aspiration: *ἐνϑαῦτα*, *ἐνϑεῦτεν*, *κιϑών*.

9. *γν* wird zu *ν*: *γίνομαι*, *γινώσκω*.

10. *σμικρός* lautet nach *ς μικρός*.

11. *δ* bleibt in *ἴδμεν*, *ὀδμή*.

Formenlehre.

Der Dualis fehlt in der Deklination wie in der Konjugation.

A - Deklination.

1. *η* statt att. *ᾱ*: *χώρη*, *σοφίη*, *ἱρείης*.

2. *εη* wird zu *ῆ*: *χρυσῆ*, *ἀργυρῆ*, *Ἑρμῆς*, *βορῆς*.

3. Der Gen. Sing. der Wörter auf *-ης* hat die Endung *-εω*: *δεσπότεω*; die Wörter auf *-ῆς* haben *-έω*: *βορέω*, *Ἑρμέω*; die Wörter auf *-ίης*, *-ύης*: *-ίω*, *-ύω*: *νεηνίω*, *Παυσανίω*, *Μαρσύω*.

4. Der Acc. Sing. der Eigennamen auf *-ης* endigt bald auf *-ην*, bald auf *-εα*: *Ξέρξην*, *Ξέρξεα*, auch *ἀκινάκεα*, *δεσπότεα*.

5. Der Gen. Plur. der α-Stämme endigt auf -έων: χωρέων, πολιητέων, ebenso bei den Part. auf -σα: ἐουσέων, in μελαινέων und im Femininum der Adjektiva und Pronomina: ὑψηλέων, θερμέων; αὐτέων, ὑμετερέων, ἀλλέων, ἑτερέων. Nach vorhergehendem Vokal steht -ῶν: ἀδελφεῶν (von ἀδελφεή), ἀποικιῶν, γενεῶν (von γενεή, γενέων Gen. von γένος), γεῶν (von γῆ), ἐλαιῶν, ἐτησιῶν (von ἐτησίαι, nicht von ἐτήσιος), ἱστιῶν, μνεῶν (von μνῆ), ναυμαχιῶν, νεηνιῶν, παιγνιῶν. Die Part. auf -μενος und die Numeralia haben maskuline Endung für das Fem. wie im Attischen: φυλασσομένων, διηκοσίων; auch θηλέων von θῆλυς, θήλεια, θῆλυ.

6. Der Dat. Plur. endigt auf -ῃσι.

O-Deklination.

1. Der Dat. Plur. endigt auf -οισι. Der Artikel hat τοῖς; nur vor Konsonanten, wenn ein anderes -οισι folgt oder vorangeht, steht τοῖσι. Es heißt immer τοῖσδε.

2. Nach der att. Deklination gehen λεώς, δίμνεως, ἵλεως, ἀξιόχρεως, Μενέλεως, Ἀμφιάρεως u. a. Ferner ἐπίπλεως (Plur. ἐπίπλεαι), ὑπόπλεως, aber πλέος. Der O-Deklination folgen λαγός, νηός, κάλος. Ferner heißt es διπλός, διπλή, διπλόν.

3. χρύσεος, χρυσῆ, χρύσεον. Bei den Wörtern auf -οος tritt zuweilen Kontraktion ein: φλοῦς, χοῦς, namentlich wenn die Silbe tonlos ist: χειμάρρῳ, νουνεχόντως, εὔνους, ἐπίπλους, auch ἐν νῷ; dagegen νόος, πλόος, ῥόος. Es heißt σῶς neben σόον, σόοι, σόαι, σόα, σόων, ζόος.

Konsonantische Deklination.

1. -ες Stämme: γένος, γένεος, γένει; γένεα, γενέων, γένεσι. ἀληθής, ἀληθέος, ἀληθεῖ, ἀληθέα; ἀληθεῖς, ἀληθέα, ἀληθέων, ἀληθέσι, ἀληθέας. Acc. S. ἐνδέα, Pl. ἀκλέα, καταδέα. — Adv. ἀληθέως, aber ἀδεῶς, ἀκλεῶς. — Θεμιστοκλῆς, -κλέος, -κλεῖ, -κλέα, Θεμιστόκλεις. Ἄρης hat Ἄρεος, Ἄρει, Ἄρεα.

2. -ας Stämme: κέρας, κέρεος, κέρει, κέρεα, κερέων. γέρας, γέρεα. τέρας, τέρεος, τέρεα neben τέρατος, τέρατα. κρέας, κρέως, κρέα, κρεῶν. γῆρας: Dat. γήραϊ; formelhaft ἐπὶ γήραος οὐδῷ.

3. -ι Stämme: πόλις, πόλιος, πόλι und πόλει, πόλιν, πόλιες, πολίων, πόλισι, πόλιας und πόλις. Ebenso Ἶσις,

Ἴσιος, Ὄσιρις, Ὀσίριος. Im Dat. Sing. haben die Eigennamen immer -ι, z. B. Θέτις, Θέτι, die übrigen Nomina -ει: τάξει. Im Acc. Plur. immer Σάρδις, die übrigen Nomina -ις und -ιας wie πόλις. ὄρνις, Acc. ὄρνιν und ὄρνιθα, χάρις χάριν und χάριτα; ἄχαρις, Dat. ἀχάρι, Neutr. Pl. ἀχάριτα.

4. Subst. auf -υς, -υος haben im Acc. Plur. -υας und -ῦς: Λίβυας, ἰχθῦς. Die Subst. und Adj. auf -υς, -εος: πῆχυς, πήχεος, πήχει, πῆχυν, πήχεις, πηχέων, πήχεσι, πήχεας; ebenso ἡδύς.

5. -ευ Stämme: βασιλεῦς, βασιλέος, βασιλεῖ, βασιλέα, βασιλεῖς, βασιλέων, βασιλεῦσι, βασιλέας.

6. Feminina auf -ώ haben im Acc. Sing. -οῦν; Τιμοῦν, aber Σαρδώ, Πειθώ. Statt att. ἔως heißt es: ἠώς, ἠοῦς, ἠοῖ, ἠοῦν. — ἥρως hat im Acc. Sing. ἥρωα und ἥρων; Μίνως Gen. Μίνω und Μίνωος, Acc. Μίνων. πάτρως, πάτρων; μήτρως, μήτρωα. — Τυφῶν Acc. Τυφῶνα und Τυφῶ.

7. Anomala: νηῦς, νεός, νηί, νέα, νέες, νεῶν, νηυσί, νέας. — εἰκών: Acc. S. εἰκώ VII 69 neben εἰκόνα. — Οἰδίπους Gen. Οἰδιπόδεω, Acc. Οἰδίπουν. — τὸ δένδρος neben δένδρεον. — φύλαξ Gen. φύλακος neben ὁ φύλακος φυλάκου. — μείς (att. μήν), G. μηνός.

Adjectiva.

1. Statt πολύς heißt es πολλός. Komparativ πλέων, πλέον, πλέονος. Adv. πλεόνως. — θῆλυς, θήλεια, θῆλυ hat im Gen. Pl. Fem. θηλέων.

2. Die Adjectiva auf -ηιος haben im Komp. -ότερος, Sup. -ότατος, ἀνδρηιότερος, οἰκηιότατος. Ebenso hat ἐπιτήδεος ἐπιτηδεότερος. Dagegen ἱρός ἱρώτατος. — εὔνους hat εὐνοέστερος, σπουδαῖος σπουδαιότατος und σπουδαιέστατος, ὑγιηρός ὑγιηρότατος und ὑγιηρέστατος. ταχύς ταχύτερον und θᾶσσον. — ἀγαθός κρέσσων; μέγας μέζων.

Zahlwörter.

δύο ist entweder indeklinabel oder bildet δύο, δυῶν, δυοῖσι. — δυώδεκα. — τέσσερες, τέσσερα. — τεσσερεσκαίδεκα.

Pronomina.

1. Personalpronomen: Gen. ἐμέο, enklit. μέο
      σέο,   σέο
      —   ἔο

 Dat. σοί, „ τοί
 Acc. σέ, „ σέ (μίν = ἑωυ-
          τόν u. αὐτόν).

Plur. ἡμεῖς, ἡμέων, ἡμῖν, ἡμέας, ebenso ὑμεῖς. σφέων,
σφίσι = ἑωυτοῖσι, enklit. σφι = αὐτοῖς. σφέας, σφέα.

2. Reflexiva: ἐμεωυτοῦ, σεωυτοῦ, ἑωυτοῦ usw.

3. Demonstrativa: ὅδε hat im Dat. Plur. stets τοῖσδε.
— κεῖνος neben ἐκεῖνος. — τοιοῦτο, τοσοῦτο neben τοιοῦ-
τον, τοσοῦτον.

4. Relativa: Für das Relativpronomen steht außer ὅς,
ἥ, οἵ, αἵ häufig der Artikel τοῦ, τῆς, τῷ, τῇ usw. — ὅστις
hat ὅτεο, ὅτεῳ, ὅτεων, ὁτέοισι, ἄσσα (= ἅτινα).

5. Interrogativa: τίς flektiert τέο, τέῳ (auch τίνι),
τέων, τέοισι; ebenso das indefinite τίς.

Verbum.

Personalendungen.

1. Unkontrahiert bleiben die Endungen: -εαι, -εο, -εου,
-εω, -αο: φαίνεαι, ζημιώσεαι außer κομιῇ, χαριῇ; ἐπηγ-
γέλλεο, πείθεο, ἐγένεο, καλέομεν, δοκέοντες, ἐφόρεον,
ἀπολέοντες, ποιέουσι, ποιέω, θέω, αἱρεθέω, ἐποιήσαο. Für
-εο, -εου tritt nach Vokalen oft -ευ ein: ἐποίευν, ποιεῦσι. —
Im Plusqpf. bleibt -εα; εε wird zu -ει: ἐώθεα, συνῃδέατε, ἐώθει.

2. -αται, -ατο steht statt -νται, -ντο:

 a) im Optativ: βουλοίατο, γινοίατο, γενοίατο, δυνοίατο,
πειρῴατο.

 b) im Ind. Pf. und Ppf.: ἀγωνίδαται, ἐσκευάδατο; mit
Aspiration ἐτετάχατο, ἐσεσάχατο (von σάσσω), εἱλίχατο,
τετάφαται (unaspiriert bleiben ἀπίκαται, ἀπίκατο); mit Ver-
kürzung von η zu ε: ὑμνέαται, ἐτετιμέατο, ἐκτέαται neben
ἔκτηνται, ἔκτηντο, κατοίκηνται, ferner ἀπεκεκλήιατο, ἐφθά-
ρατο, ἐστάλατο u. a.

 c) in der 3. Pl. der Verba auf -μι: τιθέαται neben
τιθένται, κέαται, ἐκέατο (= κεῖνται, ἔκειντο), καθέαται
(= κάθηνται), ἐκαθέατο, mit α zu ε in ἱστέαται, ἠπιστέατο,
δυνέαται, ἐδυνέατο.

3. Bei den Endungen des Konj. Aor. Pass. bleibt -εω unkontrahiert: *ἀπαιρεθέω, ἐσσωθέωμεν, φανέωσι*, aber *φοβηθῇς, νικηθῇ*.

Augment.

1. Das Augment fehlt bei den Iterativen: *ποιέσκετο, φεύγεσκον, ἔχεσκε, ἀπελαύνεσκον, ἀπαίρεσκον*. Das syllabische Augment fehlt sonst nicht vor Konsonanten, auch nicht im Pqpf.; wohl aber vor vokalischem Anlaut: in *ὠθεῖν, ὠνεῖσθαι*: *ὦσα, ἀπωσμένος, ὠνέοντο. ἀνδάνω* hat *ἥνδανε* neben *ἑάνδανε*, Aor. *ἔαδε*. Es heißt *ἔοικε*, aber *οἴκατε, οἴκασι, οἰκώς, οἰκός, οἰκότως*.

2. Temporales Augment hat die Mehrzahl der vokalisch anlautenden Verba: so *ἀσπαίρω, ἄγω, ἀντιάζω, ἀντιοῦν, ἀπατᾶν, ἀριθμοῦν, ἀγάλλομαι, ἀγγέλλω, ἀπειλεῖν, ἀείρω, ἀνδρόω, ἀνδραποδίζω, ἁλίσκομαι (ἡλίσκετο, ἥλω, ἥλωκα), διάσσω (διῆξε), ἐπείγεσθαι (ἠπείγετο), προετοιμάζομαι, ἐλπίζω, εἶδον, εἷλον, ἐπίσταμαι (ἠπιστάμην), ὁπλίζω, ὀρχεῖσθαι, ὤφελον, εἱπόμην, εἶχον*, alle mit *α* privativum anlautenden Verba wie *ἀδικέω, ἀμελέω*; und viele andere.

3. Das temporale Augment fehlt bei *ἀγινέω, ἀεθλέω, ἀρρωδέω* (= *ὀρρωδέω*), *ἀμείβομαι* (aber *ἠμείψατο* IV 97), *ἐᾶν, ἐργάζομαι, ἔργω* (= *εἴργω*), *ἔρδω (ἔρδον, ἔρξα, ἐόργει), ἐσσοῦσθαι* (= *ἡττᾶσθαι*), *ἑστήκει, ἑτεροιοῦσθαι, ἔωθα, ὁδοιπορεῖν, ὁρμεῖν, ὁρμίζω, ὀρτάζω*; ferner in *ἀλύκταζον, ἀμαυρώθη, ἄνωγε, καταργυρωμένους, συνεπελάφρυνον, ἐλίννον, ἐξεμπολημένων, ἐσθημένος*; in den mit *αἰ-, εἰ-, εὐ-, οἰ-* anlautenden Verben wie *αἱρέω, αἰτέω; εἰκάζω, εἰλέω, εἰλύω, εἰλίσσω, εἰρύω, εἰρωτᾶν, εὔχεσθαι, εὑρίσκω; οἰκεῖν, οἰκτίζω, οἴχομαι, οἰνωμένοι*; doch nicht in: *προηδέοντο, ᾔσθετο, ηὗδον, ᾤετο; οἴγνυμι* hat *ἄνοιξα*, aber *ἀνέῳγες*. — Auch die Ppf. mit att. Reduplikation haben kein Augment: *ἀκηκόει, ἀραίρητο*. — *ὀρύσσω* hat *ὤρυκται, ὤρυκτο* neben *ὀρωρυγμένον*.

4. Von den mit *αὐ-* anlautenden Verben haben Augment: *αὐξάνω ηὔξηντο, αὐδάζομαι ηὐδάξατο*, ein Schwanken findet statt bei: *αὐτομόλεον* neben *ηὐτομόλησε, ἐξανάνθη* neben *ἐξηνύηνεν; ἐναύω* hat *ἔναυε*.

5. Ein Schwanken zwischen augmentierten und nicht augmentierten Formen findet statt bei *ἀγωνίζομαι ἀγωνίδαται*, sonst Augm., *ἀλίζω ἀλισμένος* aber *συνηλίζοντο, ἀλλάσσω*,

ἅπτω, ἁρμόζω, ἀρτέομαι ἀρτέαται ἀναρτημένος neben ἠρτῆσθαι, ἄρχω im Part. Perf. ohne Augm. ἀργμένος, ὑπαργμένος, aber immer ἦρχε, ἦρξε, ἤρχετο, ἐλευθερόω, ἕλκω εἷλκον aber ἀνελκυσμένος, ἕπω besorge περιεῖπον, aber περιέφθησαν, ἕψω ἧψε und ἥψησε, aber ἀπεψημένου, ὁρμᾶν ὥρμα, ὥρμησα, ὥρμηται, ὥρμητο, aber ὁρμῶμεν, ὁρμᾶτο, ὁρμῶντο, ὁρμήθη, ὁρμημένος, ὁρμέαται, ὁρμέατο. ὁρᾶν Impf. ὥρων. – ἐθέλω (θέλω) immer ἤθελον, ἠθέλησα, aber ἐθελοκάκεον. Immer heißt es ἐβουλόμην, ἔμελλον, ἐδυνέατο. ἠνέσχετο neben ἀνέσχοντο.

Verba auf -άω, -έω, -όω.

1. Die Verba auf -άω kontrahieren ebenso wie im Attischen, nur ὁρᾶν hat ὁρέω (= ὁρῶ), ὁρέων, aber ὁρῶμεν, ὁρῶσι, Part. ὁρῶσα, ὁρῶν Neutr., ὁρῶντος; Ipf. ὥρων, ὡρῶμεν; ebenso heißt es von φοιτᾶν: φοιτέω, φοιτέων, aber φοιτῶσι, φοιτῶσα, φοιτῶν Neutr., φοιτῶντος, ἐφοίτων. — χρῆσθαι hat überall -εω: Ind. χρέωνται, ἐχρέωντο, χρεώμενος; Imp. χρέο. Zu χρῆν heißt es χρέωσα V 111, von ἀποχρῆν aber ἀποχρῶσι V 31. Für att. χρεών heißt es χρεόν. — α für att. η hat κνᾶν und σμᾶται. — Für att. σταθμᾶσθαι heißt es σταθμοῦσθαι, wie ἐσσοῦσθαι für ἡττᾶσθαι.

2. a) Die Verba auf -έω kontrahieren in der Regel ε mit nachfolgendem E-Laut (ε, ει, η), lassen aber ε mit nachfolgendem O-Laut (ο, οι, ου, ω) unkontrahiert; steht dagegen ε nach Vokalen (ποιέω), so wird oft εο zu ευ, εοι zu οι, εου zu ευ kontrahiert.

Act. Ind. καλέω, καλεῖς, καλεῖ, καλέουσι.
         ποιέω, ποιεῖς, ποιεῖ, ποιεῦσι neben ποιέουσι.
Konj.   καλέω, καλῇς, καλῇ usw. ποιέωσι.
Opt.   καλέοιμι, καλέοι, καλέοιεν.
         ποιοῖμι, ποιοῖ, ποιοῖεν.
Imp.   βοήθει, ποίει.
Inf.   βοηθεῖν, ποιεῖν.
Part.   οἰκέων, οἰκέουσα, οἰκέοντος, ποιέων, ποιεῦντος u. ποιέοντος, ποιεῦσα u. ποιέουσα (νοέουσα).
Impf.   ἐβοήθεον, ἐβοήθει, ἐποίευν u. ἐποίεον, ἐποίει.

b) Im Medium wird -έεαι zu -έαι, -έεο zu -έο (-εῦ): ποιεῦμαι, ποιέαι, ποιεῖται, ποιεῦνται, καλέονται. — Opt. καλέοιτο, ποιοῖτο, ποιοῖντο. — Imp. φοβέο, ποιεῦ. — Part. καλεόμενος, ποιεύμενος. — Impf. ἐκαλέοντο, ἐποιεῦντο.

c) In den Iterativformen wird $\varepsilon\varepsilon$ zu ε: *ποιέσκον*, *ποιέσκετο*, *ἀπαίρεσκον*.

d) Die einsilbigen Verba auf -εω (ursprünglich auf -εϜω) kontrahieren nur $\varepsilon\varepsilon$ und $\varepsilon\iota$ in $\varepsilon\iota$, aber nicht -εη, -εο, -εοι, -εου, -εω: *δεῖ*, *ἔδει*, *δεῖται*, *δεῖσθαι*, *ἐδεῖτο*, aber *δέῃ*, *δέηται*, *δέομαι*, *δεόμενος*, *ἐδέοντο*, *δέοι*, *δέοιτο*, *δεοίατο*. Singulär ist *δέεαι*, *ἐδέου* (vgl. *δέους*). — Ebenso *θεῖν*, *νεῖν*, *πλεῖν*, *ἔπλει*, *πλέωσι*, *πλέοιεν*, *πνεῖν*, *ρεῖν*, *ρέουσι*, *ρέων*, *ρέῃ*, *ρέοι*, *χεῖν*, *συνέχει*.

3. Die Verba auf -όω kontrahieren wie im Attischen.

Tempusbildung.

1. Das sogenannte attische Futurum bilden die Verba auf -ίζω, mit Kontraktion von εo in εv: *ἀνταγωνιευμενος*, *κατακοντιεῖ*, *ἀνδραποδιεῖται*, *ἐξανδραποδιεύμενοι*, *ἀτρεμιεῖν*, *κομιεύμεθα*, *μακαριεῖν*, *ὀπωριεῦντες*, *χαριεῖσθαι*. Ebenso einige Verba auf -άζω wie *ἀποδοκιμᾷ*, *δικᾶν* neben *δικασόμενοι*, und *ἐλαύνω*: *ἐλῶ*, *ἐλᾷς*, *ἐλᾷ*, *ἐλῶσι*, *ἐλῶν*.

2. Das Futurum der Verba liquida geht nach den Verben auf -έω: *σημανέω*, *σημανεῖτε*, *σημανεῖν*, *μενεῖς*, *μενέομεν*, *μενέουσι*.

3. Statt des att. $\bar{a}$ steht η in der Tempusbildung auch nach $\varepsilon\ \iota\ \varrho$ und bei den Verbis liquidis: *θεήσασθαι*, *βιηθείς*, *πειρήσομαι*; *ἰσχνήνωσι*, *ἐκέρδηνε*, *κοιλήνας*, *ἀνεξήρηνε*.

Verba auf -μι.

Die Verba auf -μι flektieren in vielen Formen nach den Verben auf -άω, -έω, -όω, -ύω.

1. *τίθημι*, *τιθεῖ*, *τιθεῖσι*; *ἐτίθεα*, *ἐτίθει*; *προσθέω*, *περιθέωμεν*, *θέωσι*; *τιθέαται* neben *τίθενται*; *προτιθεώμεθα*; *ὑπερθέωμαι*, *ὑποθῆται*, *διαθέωνται*; *ὑποθέοιτο*.

2. *ἵημι*, *ἐξιεῖ*, *ἐσιεῖσι*; Konj. *ἐπιῇ*, *ἀπιέωσι*; Impf. *ἀπίει*. Von *μετίημι* heißt das Part. Pf. M. *με-μετι-μένος* (att. *μεθειμένος*), aber regelmäßig *μετείσθω*, *ἀνειμένος*.

3. *ἵστημι*, *ἵστησι* u. *ἱστᾷ*, *ἱστᾶσι*. Imper. *ἵστα* u. *ἵστη*. Konj. Aor. *στῇ*, *βῇ*, *βέωμεν*. Med. *ἱστέαται*, *ἱστέατο*. Perf. *προέστατε*, *ἑστᾶσι*, *ἑστάναι*, *ἑστεώς*, *ἑστεῶσα*, *ἑστεῶτος* neben *ἑστηκώς*, *ἑστηκυῖα*, *ἑστηκός*, *ἑστηκότος*. — *τεθνεώς*, *τεθνεός*, *τεθνεῶτος*. — *κίρνημι*: *κιρνᾷ*. — *ἐπίσταμαι*, 2. S. *ἐπίστεαι*, Imper. *ἐπίστασο*, Impf. *ἠπιστέατο*. — *δύναμαι*, *ἐδυνέατο*, Konj. *δύνῃ*, *δύνηται*, *δυνεώμεθα*, *δυνέωνται*

(vgl. μεμνεώμεϑα, μέμνεο). — ἐμπίπλημι, 3. S. ἐμπιπλεῖ, aber πιμπλᾶσι, ἐπίμπλατο.

4. δίδωμι, διδοῖς, διδοῖ, Impf. ἐδίδουν, ἐδίδου, ἐδίδοσαν.

5. δείκνυμι meist wie im Att., 3. Pl. δεικνῦσι (ἀπολλῦσι, κατεργνῦσι, συρρηγνῦσι) und δεικνύουσι; 3. S. Impf. ἐδείκνυε. Part. δεικνύς, vereinzelt -ύων. Impf. ἐδείκνυε, ἐδείκνυσαν, vereinzelt ἐπεξεύγνυον. Med. ἐδείκνυντο neben ἐδεικνύατο. — Aor. ἔδειξα, δείξω, aber ἀπέδεξα usw.

6. εἰμί, εἶς (enklitisch), περίεις, εἰμέν; Konj. ἔω, ἦς, ἦ, ἔωσι; Opt. εἴησαν u. εἶεν (ἐνέοι VII 6); Part. ἐών, ἐοῦσα, ἐόν, Adv. ἐόντως; Impf. ἔα, ἔας, ἔατε, für ἦν, ἦσαν oft ἔσκε, ἔσκον.

7. εἶμι, Impf. ἦα, ἦε, ἦσαν.

8. οἶδα, οἶδας, ἴδμεν, selten οἴδαμεν, ἴσασι (οἴδασι II 43); Konj. εἰδέω, εἰδέωμεν, εἰδέωσι; Opt. εἰδείησαν u. εἰδεῖεν; Ppf. ἤδεα, ἤδει, ἠδέατε, ἤδεσαν. Fut. εἰδήσω.

9. κεῖμαι, κεῖται, 3. Pl. κέαται; κεῖσϑαι, ἔκειτο, ἐκέατο. — κάϑημαι: ἧσται, ἧσο, καϑῆστο, καϑέαται, ἐκαϑέατο u. καϑέατο.

Einzelne Besonderheiten beim Verbum.

1. ἔοικα hat ἔοικας, ἔοικε, aber οἴκατε, οἴκασι, οἴκῃ, οἰκώς, οἰκός, οἰκότως. — ἀναγινώσκω, Aor. ἀνέγνωσα überredete, ἀνεγνώσϑην wurde überredet. — ἀποδιδρήσκω: Aor. -έδρην, Fut. -δρήσομαι. — ἄγνυμι: Pf. κατέηγα.

2. ἄνωγα: 3. S. ἀνώγει von ἀνώγω. — ἀνδάνω: Aor. ἔαδον, Fut. ἀδήσω. — δύναμαι: Aor. ἐδυνάσϑην. — ἐλαύνω: Aor. ἠλάσϑην. — ἱκνέομαι: 3. Pl. Pf. ἀπίκαται, Ppf. ἀπίκατο. — οἴγνυμι: Aor. ἄνοιξα, aber ἀνέῳγες. — οἴχομαι: Pf. διοίχηνται. — χρῆσϑαι: ἐχρήσϑην, ἐκέχρητο, κέχρημένος. — ὠϑέω: Pf. ἀπωσμένος.

3. λαμβάνω: Fut. λάψομαι, Pf. λελάβηκα, λέλαμμαι, Aor. ἐλάφϑην. Vbladj. λαπτός. — λαγχάνω: Fut. λάξομαι (vgl. ἡ λάξις).

4. ἀείρω, ἦρα, ἠράμην, ἤρϑην. — αἱρέω: Pf. ἀραίρηκα, ἀραίρημαι. — γηράσκω: κατεγήρα neben ἐγήρασα. — περιέπω besorge: περιεῖπον, περιείποντο. Aor. P. περιέφϑην. — πλέω, πλεύσομαι; ἔπλωσα, πέπλωκα. — ποϑέω: ἐπόϑεσα neben ἐπόϑησα. — φέρω: Aor. ἤνεικα u. οἶσα, ἠνείχϑην, Pf. ἐνήνειγμαι. Fut. Med. und Pass. οἴσομαι. — εἶπον und εἶπα, Part. εἴπας, Inf. εἰπεῖν. ἀπείπασϑαι. Aor. P. εἰρέϑην, aber ρηϑείς, Fut. P. εἰρήσεται. λέγω: λέλεγμαι, ἐλέχϑην; συνελέχϑην und συνελέγην.

Verzeichnis einiger Formen mit Hinweis meist auf das Attische.

ἀγαθοργίη = ἀγαθοεργίη
ἄδη, ἁδήσω: ἁνδάνω
ἀμ-βώσας: ἀνα-βοᾶν
ἀμ-παύεσθαι: ἀνα-παύεσθαι
ἀν-έβησε (trans.): ἀναβαίνω
ἀν-έβωσε: ἀνα-βοᾶν
ἀν-ενεικάμενος: ἀνα-φέρω
ἀντ-υπορήσειν: ἀνθ-υπουργέω
ἀπ-αίρεσκον: ἀφ-αιρέω
ἀπ-αμμένος: ἀφ-άπτω
ἀπ-άψας: ἀφ-άπτω
ἀπ-ελοίατο: ἀφ-αιρέομαι
ἀπ-έργει: ἀπ-είργω
ἀπ-εψημένος: ἀφ-έψω
ἀπ-ηγεῖσθαι: ἀφ-ηγεῖσθαι
ἀπ-ῆκε: ἀφ-ίημι
ἀπο-δεχθέω: ἀπο-δείκνυμι
ἄπ-οδος = ἄφ-οδος
ἀπ-όνητο: ἀπ-ονίνημι
ἀραίρηκα: αἱρέω
ἀργμένος: ἄρχω
βεβωμένος: βοάω
βῶσαι: βοάω
δημιοργός = δημιουργός
δια-χέαται: διά-κειμαι
δι-αράξειας: δι-αράσσω
δι-ῆξε: δι-άσσω
ἔαδε: ἁνδάνω
ἔδρη: ἔδρα
εἱλίσσω: ἑλίσσω
εἱσάμενος: εἷσα
ἐκέατο: κεῖμαι
ἐλ-λάμψεσθαι: ἐλ-λάμπω
ἐμβάσι: ἐμβάς -άδος
ἐνέβησε (trans.): ἐμβαίνω
ἐνεῖκαι: φέρω
ἐνένωτο: νοέω
ἐν-νενώκασι: ἐν-νοέω
ἐν-νώσας: ἐν-νοέω
ἐν-επάκτωσαν: ἐμ-πακτόω
ἔοργα: ἔρδω
ἐπαλιλλόγησε: παλιλ-λογέω
ἐπέδρη = ἐφέδρα
ἐπ-είννυσθαι = ἐφ-έννυσθαι
ἐπ-έσαξε: ἐπι-σάσσω

ἐπί-λαπτος: ἐπι-λαμβάνω
ἐπίνηον = ἐπίνειον
ἐπι-σάξαντες: ἐπι-σάσσω
ἐπίστιος = ἐφέστιος
ἔρσην = ἄρρην
ἐσ-αράξαντες: εἰσ-αράσσω
ἔσκον = ἦσαν
ἐσσοῦσθαι = ἡττᾶσθαι
ἠήρ = ἀήρ
ἤρα, ἠράμην, ἤρθην: ἀείρω
ηψε: ἕψω
θῶμα = θαῦμα
ἱερεωσύνη = ἱερωσύνη
ἱρείη = ἱέρεια
ἱρέων: ἱερεύς
ἱρήιον = ἱερεῖον
ἴρηξ = ἱέραξ
ἱροργίαι = ἱερουργίαι
ἱστίη = ἑστία
ἱστιᾶν = ἑστιᾶν
καθέαται: κάθημαι
κατα-λαπτέος: κατα-λαμβάνω
κιθών = χιτών
κρεοργηδόν = κρεουργηδόν
λάξομαι: λαγχάνω
λαφθῆναι: λαμβάνω
λάψομαι: λαμβάνω
μεμετιμένος: μεθίημι
μέτες, μετεῖναι, μετίετο: μεθίημι
ξυλοργέω = ξυλουργέω
οἶσα: φέρω
οὐρίζω = ὁρίζω
οὖρος = ὅρος
προ-εσάξαντο: προ-σάσσομαι
περι-εῖπε: περι-έπω
περι-εφθησαν: περι-έπω
ῥηίδιος == ῥάδιος
σάξαντες: σάσσω
τρῶμα = τραῦμα
τὠρχαῖον = τὸ ἀρχαῖον
ὑπόργημα = ὑπούργημα
φοιβό-λαπτος = φοιβό-ληπτος
ὦρα = ἑώρα
ὡυτός = ὁ αὐτός
ὤρων = ἑώρων

Inhaltsverzeichnis und Zeittafel.

Α.

Ἡροδότου Ἁλικαρνησσέος ἱστορίης ἀπόδεξις 1
ἥδε, ὡς μήτε τὰ γενόμενα ἐξ ἀνθρώπων τῷ χρόνῳ ἐξί-
τηλα γένηται, μήτε ἔργα μεγάλα τε καὶ θωμαστά, τὰ μὲν
Ἕλλησιν, τὰ δὲ βαρβάροισιν ἀποδεχθέντα, ἀκλέα γένηται,
τά τε ἄλλα καὶ δι' ἣν αἰτίην ἐπολέμησαν ἀλλήλοισιν. 5
  Περσέων μέν νυν οἱ λόγιοι Φοίνικας αἰτίους
φασὶ γενέσθαι τῆς διαφορῆς· τούτους γὰρ ἀπὸ τῆς
Ἐρυθρῆς καλεομένης θαλάσσης ἀπικομένους ἐπὶ τήνδε
τὴν θάλασσαν καὶ οἰκήσαντας τοῦτον τὸν χῶρον, τὸν
καὶ νῦν οἰκέουσιν, αὐτίκα ναυτιλίῃσι μακρῇσιν ἐπιθέσθαι, 10
ἀπαγινέοντας δὲ φορτία Αἰγύπτιά τε καὶ Ἀσσύρια τῇ τε
ἄλλῃ ἐσαπικνεῖσθαι καὶ δὴ καὶ ἐς Ἄργος. τὸ δὲ
Ἄργος τοῦτον τὸν χρόνον προεῖχεν ἅπασι τῶν ἐν τῇ νῦν
Ἑλλάδι καλεομένῃ χώρῃ. ἀπικομένους δὲ τοὺς Φοίνικας
ἐς δὴ τὸ Ἄργος τοῦτο διατίθεσθαι τὸν φόρτον. πέμπτῃ 15
δὲ ἢ ἕκτῃ ἡμέρῃ, ἀπ' ἧς ἀπίκοντο, ἐξεμπολημένων σφι
σχεδὸν πάντων, ἐλθεῖν ἐπὶ τὴν θάλασσαν γυναῖκας
ἄλλας τε πολλὰς καὶ δὴ καὶ τοῦ βασιλέος θυγατέρα·
τὸ δέ οἱ ὄνομα εἶναι, κατὰ τὠυτὸ τὸ καὶ Ἕλληνες λέ-
γουσιν, Ἰοῦν τὴν Ἰνάχου. ταύτας στάσας κατὰ πρύμνην 20
τῆς νεὸς ὠνεῖσθαι τῶν φορτίων, τῶν σφιν ἦν θυμὸς
μάλιστα, καὶ τοὺς Φοίνικας διακελευσαμένους ὁρμῆσαι
ἐπ' αὐτάς. τὰς μὲν δὴ πλέονας τῶν γυναικῶν ἀπο-
φυγεῖν, τὴν δὲ Ἰοῦν σὺν ἄλλῃσιν ἁρπασθῆναι· ἐσβαλο-
μένους δὲ ἐς τὴν νέα οἴχεσθαι ἀποπλέοντας ἐπ' Αἴ- 25
γυπτον. οὕτω μὲν Ἰοῦν ἐς Αἴγυπτον ἀπικέσθαι λέ- 2
γουσι Πέρσαι, οὐκ ὡς Ἕλληνες, καὶ τῶν ἀδικημάτων

πρῶτον τοῦτο ἄρξαι· μετὰ δὲ ταῦτα Ἑλλήνων τινάς
(οὐ γὰρ ἔχουσι τοὔνομα ἀπηγήσασθαι) φασὶ τῆς Φοι-
νίκης ἐς Τύρον προσσχόντας ἁρπάσαι τοῦ βασιλέος
τὴν θυγατέρα Εὐρώπην. εἴησαν δ᾽ ἂν οὗτοι Κρῆτες.
ταῦτα μὲν δὴ ἴσα πρὸς ἴσα σφι γενέσθαι· μετὰ δὲ ταῦτα
Ἕλληνας αἰτίους τῆς δευτέρης ἀδικίης γενέσθαι. κατα-
πλώσαντας γὰρ μακρῇ νηὶ ἐς Αἶάν τε τὴν Κολχίδα καὶ
ἐπὶ Φᾶσιν ποταμόν, ἐνθεῦτεν, διαπρηξαμένους καὶ τἄλλα,
τῶν εἵνεκεν ἀπίκατο, ἁρπάσαι τοῦ βασιλέος τὴν θυ-
10 γατέρα Μηδείην. πέμψαντα δὲ τὸν Κόλχων βασιλέα
ἐς τὴν Ἑλλάδα κήρυκα αἰτεῖν τε δίκας τῆς ἁρπαγῆς καὶ
ἀπαιτεῖν τὴν θυγατέρα· τοὺς δὲ ὑποκρίνασθαι ὡς οὐδὲ
ἐκεῖνοι Ἰοῦς τῆς Ἀργείης ἔδοσάν σφι δίκας τῆς ἁρπαγῆς·
3 οὐδὲ ὢν αὐτοὶ δώσειν ἐκείνοισιν. δευτέρῃ δὲ λέγουσι
15 γενεῇ μετὰ ταῦτα Ἀλέξανδρον τὸν Πριάμου ἀκηκοότα
ταῦτα ἐθελῆσαί οἱ ἐκ τῆς Ἑλλάδος δι᾽ ἁρπαγῆς γενέσθαι
γυναῖκα, ἐπιστάμενον πάντως ὅτι οὐ δώσει δίκας· οὐδὲ
γὰρ ἐκείνους διδόναι. οὕτω δὴ ἁρπάσαντος αὐτοῦ
Ἑλένην τοῖς Ἕλλησι δόξαι πρῶτον πέμψαντας ἀγγέλους
20 ἀπαιτεῖν τε Ἑλένην καὶ δίκας τῆς ἁρπαγῆς αἰτεῖν. τοὺς
δέ, προϊσχομένων ταῦτα, προφέρειν σφι Μηδείης τὴν
ἁρπαγήν, ὡς οὐ δόντες αὐτοὶ δίκας οὐδὲ ἐκδόντες ἀπαι-
τεόντων βουλοίατό σφι παρ᾽ ἄλλων δίκας γίνεσθαι.
4 μέχρι μὲν ὢν τούτου ἁρπαγὰς μούνας εἶναι παρ᾽ ἀλλή-
25 λων, τὸ δὲ ἀπὸ τούτου Ἕλληνας δὴ μεγάλως αἰτίους
γενέσθαι· προτέρους γὰρ ἄρξαι στρατεύεσθαι ἐς τὴν
Ἀσίην ἢ σφέας ἐς τὴν Εὐρώπην. τὸ μέν νυν ἁρπάζειν
γυναῖκας ἀνδρῶν ἀδίκων νομίζειν ἔργον εἶναι, τὸ δὲ
ἁρπασθεισέων σπουδὴν ποιήσασθαι τιμωρεῖν ἀνοήτων, τὸ
30 δὲ μηδεμίαν ὤρην ἔχειν σωφρόνων· δῆλα γὰρ δὴ ὅτι, εἰ
μὴ αὐταὶ ἐβούλοντο, οὐκ ἂν ἡρπάζοντο. σφέας μὲν δὴ
τοὺς ἐκ τῆς Ἀσίης λέγουσι Πέρσαι ἁρπαζομένων τῶν
γυναικῶν λόγον οὐδένα ποιήσασθαι, Ἕλληνας δὲ Λακε-
δαιμονίης εἵνεκεν γυναικὸς στόλον μέγαν συναγεῖραι καὶ

ἔπειτα ἐλθόντας ἐς τὴν Ἀσίην τὴν Πριάμου δύναμιν
κατελεῖν. ἀπὸ τούτου αἰεὶ ἡγήσασθαι τὸ Ἑλληνικὸν
σφίσιν εἶναι πολέμιον. τὴν γὰρ Ἀσίην καὶ τὰ ἐνοικέοντα
ἔθνεα βάρβαρα οἰκηιοῦνται οἱ Πέρσαι, τὴν δὲ Εὐρώπην
καὶ τὸ Ἑλληνικὸν ἥγηνται κεχωρίσθαι.

Οὕτω μὲν Πέρσαι λέγουσι γενέσθαι, καὶ διὰ τὴν 5
Ἰλίου ἅλωσιν εὑρίσκουσι σφίσιν ἐοῦσαν τὴν ἀρχὴν τῆς
ἔχθρης τῆς ἐς τοὺς Ἕλληνας. περὶ δὲ τῆς Ἰοῦς οὐκ
ὁμολογέουσι Πέρσῃσιν οὕτω Φοίνικες· οὐ γὰρ ἁρπαγῇ
σφέας χρησαμένους λέγουσιν ἀγαγεῖν αὐτὴν ἐς Αἴγυπτον, 10
ἀλλ' ὡς ἐν τῷ Ἄργει ἐμίσγετο τῷ ναυκλήρῳ τῆς νεός·
ἐπεὶ δὲ ἔμαθεν ἔγκυος ἐοῦσα, αἰδεομένη τοὺς τοκέας,
οὕτω δὴ ἐθελοντὴν αὐτὴν τοῖς Φοίνιξι συνεκπλῶσαι, ὡς
ἂν μὴ κατάδηλος γένηται. ταῦτα μὲν νυν Πέρσαι
τε καὶ Φοίνικες λέγουσιν. ἐγὼ δὲ περὶ μὲν τούτων 15
οὐκ ἔρχομαι ἐρέων ὡς οὕτως ἢ ἄλλως κως ταῦτα ἐγένετο,
τὸν δὲ οἶδα αὐτὸς πρῶτον ὑπάρξαντα ἀδίκων
ἔργων ἐς τοὺς Ἕλληνας, τοῦτον σημήνας προ-
βήσομαι ἐς τὸ πρόσω τοῦ λόγου, ὁμοίως μικρὰ καὶ
μεγάλα ἄστεα ἀνθρώπων ἐπεξιών. τὰ γὰρ τὸ πάλαι 20
μεγάλα ἦν, τὰ πολλὰ αὐτῶν σμικρὰ γέγονεν, τὰ δὲ ἐπ'
ἐμέο ἦν μεγάλα, πρότερον ἦν σμικρά. τὴν ἀνθρωπηίην
ὦν ἐπιστάμενος εὐδαιμονίην οὐδαμὰ ἐν τὠυτῷ μένουσαν
ἐπιμνήσομαι ἀμφοτέρων ὁμοίως.

Κροῖσος ἦν Λυδὸς μὲν γένος, παῖς δὲ Ἀλυάττεω, 6
τύραννος δὲ ἐθνέων τῶν ἐντὸς Ἅλυος ποταμοῦ, ὃς ῥέων 25
ἀπὸ μεσαμβρίης μεταξὺ Σύρίων τε καὶ Παφλαγόνων
ἐξιεῖ πρὸς βορῆν ἄνεμον ἐς τὸν Εὔξεινον καλεόμενον
πόντον. οὗτος ὁ Κροῖσος βαρβάρων πρῶτος, τῶν ἡμεῖς
ἴδμεν, τοὺς μὲν κατεστρέψατο Ἑλλήνων ἐς φόρου ἀπ- 30
αγωγήν, τοὺς δὲ φίλους προσεποιήσατο. κατεστρέψατο
μὲν Ἴωνάς τε καὶ Αἰολέας καὶ Δωριέας τοὺς ἐν τῇ Ἀσίῃ,
φίλους δὲ προσεποιήσατο Λακεδαιμονίους. πρὸ δὲ τῆς
Κροίσου ἀρχῆς πάντες Ἕλληνες ἦσαν ἐλεύθεροι. τὸ γὰρ

Κιμμερίων στράτευμα τὸ ἐπὶ τὴν Ἰωνίην ἀπικόμενον,
Κροίσου ἐὸν πρεσβύτερον, οὐ καταστροφὴ ἐγένετο τῶν
7 πολίων, ἀλλ' ἐξ ἐπιδρομῆς ἁρπαγή. | ἡ δὲ ἡγεμονίη
οὕτω περιῆλθεν ἐοῦσα Ἡρακλειδέων, ἐς τὸ γένος
5 τὸ Κροίσου, καλεομένους δὲ Μερμνάδας. ἦν Καν-
δαύλης, τὸν οἱ Ἕλληνες Μυρσίλον ὀνομάζουσιν, τύραν-
νος Σαρδίων, ἀπόγονος δὲ Ἀλκαίου τοῦ Ἡρακλέος.
Ἄγρων μὲν γὰρ ὁ Νίνου τοῦ Βήλου τοῦ Ἀλκαίου πρῶτος
Ἡρακλειδέων βασιλεὺς ἐγένετο Σαρδίων, Κανδαύλης δὲ
10 ὁ Μύρσου ὕστατος. οἱ δὲ πρότερον Ἄγρωνος βασιλεύ-
σαντες ταύτης τῆς χώρης ἦσαν ἀπόγονοι Λυδοῦ τοῦ
Ἄτυος, ἀπ' ὅτεο ὁ δῆμος Λύδιος ἐκλήθη ὁ πᾶς οὗτος,
πρότερον Μηίων καλεόμενος. παρὰ τούτων Ἡρακλεῖδαι
ἐπιτραφθέντες ἔσχον τὴν ἀρχὴν ἐκ θεοπροπίου, ἐκ δούλης
15 τε τῆς Ἰαρδάνου γεγονότες καὶ Ἡρακλέος, ἄρξαντες μὲν
ἐπὶ δύο τε καὶ εἴκοσι γενεὰς ἀνδρῶν, ἔτεα πέντε τε καὶ
πεντακόσια, παῖς παρὰ πατρὸς ἐκδεκόμενος τὴν ἀρχήν,
μέχρι Κανδαύλεω τοῦ Μύρσου. οὗτος δὴ ὦν ὁ Καν-
δαύλης ἠράσθη τῆς ἑωυτοῦ γυναικός, ἐρασθεὶς δὲ ἐνό-
20 μιζέν οἱ εἶναι γυναῖκα πολλὸν πασέων καλλίστην. ὥστε
δὲ ταῦτα νομίζων, ἦν γάρ οἱ τῶν αἰχμοφόρων Γύγης
ὁ Δασκύλου ἀρεσκόμενος μάλιστα, τούτῳ τῷ Γύγῃ καὶ
τὰ σπουδαιέστερα τῶν πρηγμάτων ὑπερετίθετο ὁ Καν-
δαύλης καὶ δὴ καὶ τὸ εἶδος τῆς γυναικὸς ὑπερεπαινέων.
25 χρόνου δὲ οὐ πολλοῦ διελθόντος, χρῆν γὰρ Κανδαύλῃ
γενέσθαι κακῶς, ἔλεγε πρὸς τὸν Γύγην τοιάδε· „Γύγη,
οὐ γάρ σε δοκέω πείθεσθαί μοι λέγοντι περὶ τοῦ εἴδεος
τῆς γυναικός (ὦτα γὰρ τυγχάνει ἀνθρώποισιν ἐόντα
ἀπιστότερα ὀφθαλμῶν), ποίει ὅκως ἐκείνην θεήσεαι
30 γυμνήν.“ ὁ δὲ μέγα ἀμβώσας εἶπεν· „Δέσποτα, τίνα λέγεις
λόγον οὐκ ὑγιέα, κελεύων με δέσποιναν τὴν ἐμὴν θεή-
σασθαι γυμνήν; ἅμα δὲ κιθῶνι ἐκδυομένῳ συνεκδύεται
καὶ τὴν αἰδῶ γυνή. πάλαι δὲ τὰ καλὰ ἀνθρώποισιν
ἐξεύρηται, ἐκ τῶν μανθάνειν δεῖ· ἐν τοῖς ἓν τόδε ἐστίν,

σκοπεῖν τινὰ τὰ ἑωυτοῦ. ἐγὼ δὲ πείθομαι ἐκείνην εἶναι
πασέων γυναικῶν καλλίστην; καί σεο δέομαι μὴ δεῖσθαι
ἀνόμων." ὁ μὲν δὴ λέγων τοιαῦτα ἀπεμάχετο, ἀρρωδέων 9
μή τί οἱ ἐξ αὐτῶν γένηται κακόν. ὁ δ' ἀμείβετο τοῖσδε·
„Θάρσει, Γύγη, καὶ μὴ φοβέο μήτε ἐμέ, ὥς σεο πειρώ- 5
μενος λέγω λόγον τόνδε, μήτε γυναῖκα τὴν ἐμήν, μή τί
τοι ἐξ αὐτῆς γένηται βλάβος· ἀρχὴν γὰρ ἐγὼ μηχανή-
σομαι οὕτω, ὥστε μηδὲ μαθεῖν μιν ὀφθεῖσαν ὑπὸ σέο.
ἐγὼ γάρ σε ἐς τὸ οἴκημα, ἐν τῷ κοιμώμεθα, ὄπισθε τῆς
ἀνοιγομένης θύρης στήσω· μετὰ δ' ἐμὲ ἐσελθόντα παρέ- 10
σται καὶ ἡ γυνὴ ἡ ἐμὴ ἐς κοῖτον. κεῖται δὲ ἀγχοῦ τῆς
ἐσόδου θρόνος· ἐπὶ τοῦτον τῶν ἱματίων κατὰ ἓν ἕκαστον
ἐκδύνουσα θήσει καὶ κατ' ἡσυχίην πολλὴν παρέξει τοι
θεήσασθαι. ἐπεὰν δὲ ἀπὸ τοῦ θρόνου στείχῃ ἐπὶ τὴν
εὐνὴν κατὰ νώτου τε αὐτῆς γένῃ, σοὶ μελέτω τὸ ἐν- 15
θεῦτεν, ὅκως μή σε ὄψεται ἰόντα διὰ θυρέων." ὁ μὲν 10
δὴ ὡς οὐκ ἐδύνατο διαφυγεῖν, ἦν ἕτοιμος· ὁ δὲ Καν-
δαύλης, ἐπεὶ ἐδόκει ὥρη τῆς κοίτης εἶναι, ἤγαγε τὸν
Γύγην ἐς τὸ οἴκημα, καὶ μετὰ ταῦτα αὐτίκα παρῆν καὶ
ἡ γυνή· ἐσελθοῦσαν δὲ καὶ τιθεῖσαν τὰ εἵματα ἐθηεῖτο 20
ὁ Γύγης. ὡς δὲ κατὰ νώτου ἐγένετο ἰούσης τῆς γυ-
ναικὸς ἐς τὴν κοίτην, ὑπεκδὺς ἐχώρει ἔξω. καὶ ἡ γυνὴ
ἐπορᾷ μιν ἐξιόντα. μαθοῦσα δὲ τὸ ποιηθὲν ἐκ τοῦ
ἀνδρὸς οὔτε ἀνέβωσεν αἰσχυνθεῖσα οὔτε ἔδοξε μαθεῖν,
ἐν νῷ ἔχουσα τείσεσθαι τὸν Κανδαύλεα· παρὰ γὰρ τοῖσι 25
Λυδοῖσι, σχεδὸν δὲ καὶ παρὰ τοῖς ἄλλοισι βαρβάροισιν,
καὶ ἄνδρα ὀφθῆναι γυμνὸν ἐς αἰσχύνην μεγάλην φέρει.
τότε μὲν δὴ οὕτως οὐδὲν δηλώσασα ἡσυχίην εἶχεν· 11
ὡς δὲ ἡμέρη τάχιστα ἐγεγόνει, τῶν οἰκετέων τοὺς μά-
λιστα ὥρα πιστοὺς ἐόντας ἑωυτῇ, ἑτοίμους ποιησαμένη 30
ἐκάλει τὸν Γύγην. ὁ δὲ οὐδὲν δοκέων αὐτὴν τῶν
πρηχθέντων ἐπίστασθαι ἦλθε καλεόμενος· ἐώθει γὰρ
καὶ πρόσθεν, ὅκως ἡ βασίλεια καλέοι, φοιτᾶν. ὡς δὲ ὁ
Γύγης ἀπίκετο, ἔλεγεν ἡ γυνὴ τάδε· „Νῦν τοι δυῶν ὁδῶν

παρεουσέων, Γύγη, δίδωμι αἵρεσιν, ὁκοτέρην βούλεαι
τραπέσθαι· ἢ γὰρ Κανδαύλεα ἀποκτείνας ἐμέ τε καὶ τὴν
βασιληίην ἔχε τὴν Λυδῶν, ἢ αὐτόν σε αὐτίκα οὕτω
ἀποθνήσκειν δεῖ, ὡς ἂν μὴ πάντα πειθόμενος Κανδαύλῃ
5 τοῦ λοιποῦ ἴδῃς τὰ μή σε δεῖ. ἀλλ᾽ ἤτοι κεῖνόν γε τὸν
ταῦτα βουλεύσαντα δεῖ ἀπόλλυσθαι, ἢ σὲ τὸν ἐμὲ γυ-
μνὴν θεησάμενον καὶ ποιήσαντα οὐ νομιζόμενα." ὁ δὲ
Γύγης τέως μὲν ἀπεθώμαζε τὰ λεγόμενα, μετὰ δὲ ἱκέ-
τευε μή μιν ἀναγκαίῃ ἐνδεῖν διακρῖναι τοιαύτην αἵρε-
10 σιν. οὔκων δὴ ἔπειθεν, ἀλλ᾽ ὥρα ἀναγκαίην ἀληθέως
προκειμένην ἢ τὸν δεσπότην ἀπολλύναι ἢ αὐτὸν ὑπ᾽
ἄλλων ἀπόλλυσθαι· αἱρεῖται αὐτὸς περιεῖναι. ἐπειρώτα
δὴ λέγων τάδε· „Ἐπεί με ἀναγκάζεις δεσπότην τὸν ἐμὸν
κτείνειν οὐκ ἐθέλοντα, φέρε ἀκούσω, τέῳ καὶ τρόπῳ
15 ἐπιχειρήσομεν αὐτῷ." ἡ δὲ ὑπολαβοῦσα ἔφη· „Ἐκ τοῦ
αὐτοῦ μὲν χωρίου ἡ ὁρμὴ ἔσται, ὅθεν περ καὶ ἐκεῖνος
ἐμὲ ἐπεδέξατο γυμνήν, ὑπνωμένῳ δὲ ἡ ἐπιχείρησις ἔσται."
12 ὡς δὲ ἤρτυσαν τὴν ἐπιβουλήν, νυκτὸς γενομένης (οὐ
γὰρ μετίετο ὁ Γύγης, οὐδέ οἱ ἦν ἀπαλλαγὴ οὐδεμία, ἀλλ᾽
20 ἔδει ἢ αὐτὸν ἀπολωλέναι ἢ Κανδαύλεα) εἵπετο ἐς τὸν
θάλαμον τῇ γυναικί. καί μιν ἐκείνη ἐγχειρίδιον δοῦσα
κατακρύπτει ὑπὸ τὴν αὐτὴν θύρην. καὶ μετὰ ταῦτα
ἀναπαυομένου Κανδαύλεω ὑπεκδύς τε καὶ ἀποκτείνας
αὐτὸν ἔσχε καὶ τὴν γυναῖκα καὶ τὴν βασιληίην
25 Γύγης· ἔσχε δὲ τὴν βασιληίην καὶ ἐκρατύνθη ἐκ τοῦ ἐν
13 Δελφοῖσι χρηστηρίου. ὡς γὰρ δὴ οἱ Λυδοὶ δεινὸν
ἐποιεῦντο τὸ Κανδαύλεω πάθος καὶ ἐν ὅπλοισιν ἦσαν,
συνέβησαν ἐς τὠυτὸ οἵ τε τοῦ Γύγεω στασιῶται καὶ οἱ
λοιποὶ Λυδοί, ἢν μὲν δὴ τὸ χρηστήριον ἀνέλῃ μιν βασι-
30 λέα εἶναι Λυδῶν, τὸν δὲ βασιλεύειν, ἢν δὲ μή, ἀποδοῦναι
ὀπίσω ἐς Ἡρακλείδας τὴν ἀρχήν. ἀνεῖλέ τε δὴ τὸ χρη-
716 a. Chr. στήριον καὶ ἐβασίλευσεν οὕτω Γύγης. τοσόνδε μέντοι
εἶπεν ἡ Πυθίη, ὡς Ἡρακλείδῃσι τίσις ἥξει ἐς τὸν πέμπ-
τον ἀπόγονον Γύγεω. τούτου τοῦ ἔπεος Λυδοί τε καὶ

οἱ βασιλεῖς αὐτῶν λόγον οὐδένα ἐποιεῦντο, πρὶν δὴ ἐπετελέσθη.)

Τὴν μὲν δὴ τυραννίδα οὕτω ἔσχον οἱ Μερμνάδαι 14 τοὺς Ἡρακλείδας ἀπελόμενοι, Γύγης δὲ τυραννεύσας ἀπέπεμψεν ἀναθήματα ἐς Δελφοὺς οὐκ ὀλίγα, ἀλλ' 5 ὅσα μὲν ἀργύρου ἀναθήματα, ἔστιν οἱ πλεῖστα ἐν Δελφοῖσιν, πάρεξ δὲ τοῦ ἀργύρου χρυσὸν ἄπλετον ἀνέθηκεν ἄλλον τε καὶ τοῦ μάλιστα μνήμην ἄξιον ἔχειν ἐστίν, κρητῆρές οἱ ἀριθμὸν ἓξ χρύσεοι ἀνακέαται. ἑστᾶσι δὲ οὗτοι ἐν τῷ Κορινθίων θησαυρῷ σταθμὸν ἔχοντες τριήκοντα 10 τάλαντα· ἀληθεῖ δὲ λόγῳ χρεωμένῳ οὐ Κορινθίων τοῦ δημοσίου ἐστὶν ὁ θησαυρός, ἀλλὰ Κυψέλου τοῦ Ἠετίωνος. οὗτος δὲ ὁ Γύγης πρῶτος βαρβάρων, τῶν ἡμεῖς ἴδμεν, ἐς Δελφοὺς ἀνέθηκεν ἀναθήματα μετὰ Μίδην τὸν Γορ- δίω, Φρυγίης βασιλέα. ἀνέθηκε γὰρ δὴ καὶ Μίδης τὸν 15 βασιλήιον θρόνον, ἐς τὸν προκατίζων ἐδίκαζεν, ἐόντα ἀξιοθέητον· κεῖται δὲ ὁ θρόνος οὗτος, ἔνθα περ οἱ τοῦ Γύγεω κρητῆρες. ὁ δὲ χρυσὸς οὗτος καὶ ὁ ἄργυρος, τὸν ὁ Γύγης ἀνέθηκεν, ὑπὸ Δελφῶν καλεῖται Γυγάδας ἐπὶ τοῦ ἀναθέντος ἐπωνυμίην. 20

Ἐσέβαλε μέν νυν στρατιὴν καὶ οὗτος, ἐπείτε 15 ἦρξεν, ἔς τε Μίλητον καὶ ἐς Σμύρνην καὶ Κολοφῶνος τὸ ἄστυ εἷλεν. ἀλλ' οὐδὲν γὰρ μέγα ἀπ' αὐτοῦ ἄλλο ἔργον ἐγένετο βασιλεύσαντος δυῶν δέοντα τεσσεράκοντα ἔτεα, τοῦτον μὲν παρήσομεν τοσαῦτα ἐπιμνησθέντες. 25 Ἄρδυος δὲ τοῦ Γύγεω μετὰ Γύγην βασιλεύσαντος 678 a. Chr. μνήμην ποιήσομαι. οὗτος δὲ Πριηνέας τε εἷλεν ἐς Μίλητόν τε ἐσέβαλεν, ἐπὶ τούτου τε τυραννεύοντος Σαρ- δίων Κιμμέριοι ἐξ ἠθέων ὑπὸ Σκυθέων τῶν νομάδων ἐξαναστάντες ἀπίκοντο ἐς τὴν Ἀσίην καὶ Σάρδις πλὴν 30 τῆς ἀκροπόλιος εἷλον.

Ἄρδυος δὲ βασιλεύσαντος ἑνὸς δέοντα πεντήκοντα 16 ἔτεα ἐξεδέξατο Σαδυάττης ὁ Ἄρδυος, καὶ ἐβασίλευσεν 629 a. Chr. ἔτεα δυώδεκα, Σαδυάττεω δὲ Ἀλυάττης. οὗτος δὲ 617 a. Chr.

Κναξάρῃ τε τῷ Δηιόκεω ἀπογόνῳ ἐπολέμησε καὶ Μήδοισιν, Κιμμερίους τε ἐκ τῆς Ἀσίης ἐξήλασεν, Σμύρνην τε τὴν ἀπὸ Κολοφῶνος κτισθεῖσαν εἷλεν, ἐς Κλαζομενάς τε ἐσέβαλεν. ἀπὸ μέν νυν τούτων οὐκ ὡς ἤθελεν ἀπήλλαξεν, ἀλλὰ προσπταίσας μεγάλως. ἄλλα δὲ ἔργα ἀπεδέξατο ἐὼν ἐν τῇ ἀρχῇ ἀξιαπηγητότατα τάδε. ἐπολέμησε Μιλησίοισιν, παραδεξάμενος τὸν πόλεμον παρὰ τοῦ πατρός. ἐπελαύνων γὰρ ἐπολιόρκει τὴν Μίλητον τρόπῳ τοιῷδε. ὅκως μὲν εἴη ἐν τῇ γῇ καρπὸς ἁδρός, τηνικαῦτα ἐσέβαλλε τὴν στρατιήν· ἐστρατεύετο δὲ ὑπὸ συρίγγων τε καὶ πηκτίδων καὶ αὐλοῦ γυναικηίου τε καὶ ἀνδρηίου. ὡς δὲ ἐς τὴν Μιλησίην ἀπίκοιτο, οἰκήματα μὲν τὰ ἐπὶ τῶν ἀγρῶν οὔτε κατέβαλλεν οὔτε ἐνεπίμπρη οὔτε θύρας ἀπέσπα, ἔα δὲ κατὰ χώρην ἑστάναι· ὁ δὲ τά τε δένδρεα καὶ τὸν καρπὸν τὸν ἐν τῇ γῇ ὅκως διαφθείρειεν, ἀπαλλάσσετο ὀπίσω. τῆς γὰρ θαλάσσης οἱ Μιλήσιοι ἐπεκράτεον, ὥστε ἐπέδρης μὴ εἶναι ἔργον τῇ στρατιῇ. τὰς δὲ οἰκίας οὐ κατέβαλλεν ὁ Λυδὸς τῶνδε εἵνεκα, ὅκως ἔχοιεν ἐνθεῦτεν ὁρμώμενοι τὴν γῆν σπείρειν τε καὶ ἐργάζεσθαι οἱ Μιλήσιοι, αὐτὸς δὲ ἐκείνων ἐργαζομένων ἔχοι τι καὶ σίνεσθαι ἐσβάλλων. ταῦτα ποιέων ἐπολέμει ἔτεα ἕνδεκα, ἐν τοῖς τρώματα μεγάλα διφάσια Μιλησίων ἐγένετο ἔν τε Λιμενηίῳ χώρης τῆς σφετέρης μαχεσαμένων καὶ ἐν Μαιάνδρου πεδίῳ. τὰ μέν νυν ἓξ ἔτεα τῶν ἕνδεκα Σαδυάττης ὁ Ἄρδυος ἔτι Λυδῶν ἦρχεν, ὁ καὶ ἐσβάλλων τηνικαῦτα ἐς τὴν Μιλησίην τὴν στρατιήν. οὗτος γὰρ καὶ ὁ τὸν πόλεμον ἦν συνάψας· τὰ δὲ πέντε τῶν ἐτέων τὰ ἑπόμενα τοῖς ἓξ Ἀλυάττης ὁ Σαδυάττεω ἐπολέμει, ὃς παραδεξάμενος, ὡς καὶ πρότερόν μοι δεδήλωται, παρὰ τοῦ πατρὸς τὸν πόλεμον προσεῖχεν ἐντεταμένως. τοῖσι δὲ Μιλησίοισιν οὐδαμοὶ Ἰώνων τὸν πόλεμον τοῦτον συνεπελάφρυνον ὅτι μὴ Χῖοι μοῦνοι. οὗτοι δὲ τὸ ὅμοιον ἀνταποδιδόντες ἐτιμώρεον· καὶ γὰρ δὴ πρότερον οἱ Μιλήσιοι τοῖσι Χίοισι τὸν πρὸς Ἐρυθραίους

πόλεμον συνδιήνεικαν. τῷ δὲ δυωδεκάτῳ ἔτει ληίου 19
ἐμπιπραμένου ὑπὸ τῆς στρατιῆς συνηνείχθη τι τοιόνδε
γενέσθαι πρῆγμα· ὡς ἄφθη τάχιστα τὸ λήιον, ἀνέμῳ
βιώμενον ἄψατο νηοῦ Ἀθηναίης ἐπίκλησιν Ἀσσησσίης,
ἀφθεὶς δὲ ὁ νηὸς κατεκαύθη. καὶ τὸ παραυτίκα μὲν 5
λόγος οὐδεὶς ἐγένετο, μετὰ δὲ τῆς στρατιῆς ἀπικομένης
ἐς Σάρδις ἐνόσησεν ὁ Ἀλυάττης. μακροτέρης δέ οἱ γινο-
μένης τῆς νούσου πέμπει ἐς Δελφοὺς θεοπρόπους, εἴτε
δὴ συμβουλεύσαντός τεο, εἴτε καὶ αὐτῷ ἔδοξε πέμψαντα
τὸν θεὸν ἐπειρέσθαι περὶ τῆς νούσου. τοῖς δὲ ἡ Πυθίη 10
ἀπικομένοισιν ἐς Δελφοὺς οὐκ ἔφη χρήσειν, πρὶν ἢ τὸν
νηὸν τῆς Ἀθηναίης ἀνορθώσωσιν, τὸν ἐνέπρησαν χώρης
τῆς Μιλησίης ἐν Ἀσσησσῷ. | Δελφῶν οἶδα ἐγὼ οὕτω 20
ἀκούσας γενέσθαι· Μιλήσιοι δὲ τάδε προστιθεῖσι τούτοισιν
Περίανδρον τὸν Κυψέλου ἐόντα Θρασυβούλῳ τῷ τότε 15
Μιλήτου τυραννεύοντι ξεῖνον ἐς τὰ μάλιστα, πυθόμενον
τὸ χρηστήριον τὸ τῷ Ἀλυάττῃ γενόμενον, πέμψαντα ἄγ-
γελον κατειπεῖν, ὅκως ἄν τι προειδὼς πρὸς τὸ παρεὸν
βουλεύηται. Μιλήσιοι μέν νυν οὕτω λέγουσι γενέσθαι·
Ἀλυάττης δέ, ὥς οἱ ταῦτα ἐξηγγέλθη, αὐτίκα ἔπεμπε 21
κήρυκα ἐς Μίλητον βουλόμενος σπονδὰς ποιήσασθαι 21
Θρασυβούλῳ τε καὶ Μιλησίοισι χρόνον ὅσον ἂν τὸν νηὸν
οἰκοδομῇ. ὁ μὲν δὴ ἀπόστολος ἐς τὴν Μίλητον ᾖεν,
Θρασύβουλος δὲ σαφέως προπεπυσμένος πάντα λόγον
καὶ εἰδὼς τὰ Ἀλυάττης μέλλοι ποιήσειν, μηχανᾶται 25
τοιάδε· ὅσος ἦν ἐν τῷ ἄστει σῖτος καὶ ἑωυτοῦ καὶ ἰδιω-
τικός, τοῦτον πάντα συγκομίσας ἐς τὴν ἀγορὴν προεῖπε
Μιλησίοισιν, ἐπεὰν αὐτὸς σημήνῃ, τότε πίνειν τε πάντας
καὶ κώμῳ χρῆσθαι ἐς ἀλλήλους. ταῦτα δὲ ἐποίει τε καὶ 22
προηγόρευε Θρασύβουλος τῶνδε εἵνεκεν, ὅκως ἂν δὴ ὁ 30
κῆρυξ ὁ Σαρδιηνὸς ἰδών τε σωρὸν μέγαν σίτου κεχυμέ-
νον καὶ τοὺς ἀνθρώπους ἐν εὐπαθείῃσιν ἐόντας ἀγγείλῃ
Ἀλυάττῃ. τὰ δὴ καὶ ἐγένετο· ὡς γὰρ δὴ ἰδών τε ἐκεῖνα
ὁ κῆρυξ καὶ εἴπας πρὸς Θρασύβουλον τοῦ Λυδοῦ τὰς

ἐντολὰς ἀπῆλθεν ἐς τὰς Σάρδις, ὡς ἐγὼ πυνθάνομαι, δι'
οὐδὲν ἄλλο ἐγένετο ἡ διαλλαγή. ἐλπίζων γὰρ ὁ Ἀλυάττης
σιτοδείην τε εἶναι ἰσχυρὴν ἐν τῇ Μιλήτῳ καὶ τὸν λεὼν
τετρῦσθαι ἐς τὸ ἔσχατον κακοῦ, ἤκουε τοῦ κήρυκος νοστή-
5 σαντος ἐκ τῆς Μιλήτου τοὺς ἐναντίους λόγους, ἢ ὡς
αὐτὸς κατεδόκει. μετὰ δὲ ἥ τε διαλλαγή σφιν ἐγέ-
νετο ἐπ' ᾧ τε ξείνους ἀλλήλοισιν εἶναι καὶ συμμάχους,
καὶ δύο τε ἀντὶ ἑνὸς νηοὺς τῇ Ἀθηναίῃ οἰκοδόμησεν ὁ
Ἀλυάττης ἐν τῇ Ἀσσησσῷ, αὐτός τε ἐκ τῆς νούσου ἀνέστη.
10 κατὰ μὲν τὸν πρὸς Μιλησίους τε καὶ Θρασύβουλον
πόλεμον Ἀλυάττῃ ὧδε ἔσχεν.

23 Περίανδρος δὲ ἦν Κυψέλου παῖς, οὗτος ὁ τῷ Θρα-
συβούλῳ τὸ χρηστήριον μηνύσας. ἐτυράννευε δὲ ὁ
Περίανδρος Κορίνθου· τῷ δὴ λέγουσι Κορίνθιοι
15 (ὁμολογέουσι δέ σφι Λέσβιοι) ἐν τῷ βίῳ θῶμα μέγιστον
παραστῆναι, Ἀρίονα τὸν Μηθυμναῖον ἐπὶ δελ-
φῖνος ἐξενειχθέντα ἐπὶ Ταίναρον, ἐόντα κιθαρῳδὸν
τῶν τότε ἐόντων οὐδενὸς δεύτερον, καὶ διθύραμβον
πρῶτον ἀνθρώπων, τῶν ἡμεῖς ἴδμεν, ποιήσαντά τε καὶ
24 ὀνομάσαντα καὶ διδάξαντα ἐν Κορίνθῳ. τοῦτον τὸν
31 Ἀρίονα λέγουσιν, τὸν πολλὸν τοῦ χρόνου διατρίβοντα
παρὰ Περιάνδρῳ, ἐπιθυμῆσαι πλῶσαι ἐς Ἰταλίην τε καὶ
Σικελίην, ἐργασάμενον δὲ χρήματα μεγάλα θελῆσαι ὀπίσω
ἐς Κόρινθον ἀπικέσθαι. ὁρμᾶσθαι μέν νυν ἐκ Τάραντος,
25 πιστεύοντα δὲ οὐδαμοῖσι μᾶλλον ἢ Κορινθίοισι μισθώ-
σασθαι πλοῖον ἀνδρῶν Κορινθίων· τοὺς δὲ ἐν τῷ πελάγει
ἐπιβουλεύειν τὸν Ἀρίονα ἐκβαλόντας ἔχειν τὰ χρήματα·
τὸν δὲ συνέντα τοῦτο λίσσεσθαι, χρήματα μέν σφι
προϊέντα, ψυχὴν δὲ παραιτεόμενον. οὔκων δὴ πείθειν
30 αὐτὸν τούτοισιν, ἀλλὰ κελεύειν τοὺς πορθμέας ἢ αὐτὸν
διαχρῆσθαί μιν, ὡς ἂν ταφῆς ἐν γῇ τύχῃ, ἢ ἐκπηδᾶν
ἐς τὴν θάλασσαν τὴν ταχίστην. ἀπειληθέντα δὲ τὸν
Ἀρίονα ἐς ἀπορίην παραιτήσασθαι, ἐπειδή σφιν οὕτω
δοκέοι, περιιδεῖν αὐτὸν ἐν τῇ σκευῇ πάσῃ στάντα ἐν

τοῖς ἐδωλίοισιν ἀεῖσαι· ἀείσας δὲ ὑπεδέκετο ἑωυτὸν κατ-
εργάσεσθαι. καὶ τοῖς ἐσελθεῖν γὰρ ἡδονήν, εἰ μέλλοιεν
ἀκούσεσθαι τοῦ ἀρίστου ἀνθρώπων ἀοιδοῦ, ἀναχωρῆσαι
ἐκ τῆς πρύμνης ἐς μέσην νέα. τὸν δὲ ἐνδύντα τε πᾶσαν
τὴν σκευὴν καὶ λαβόντα τὴν κιθάρην, στάντα ἐν τοῖς 5
ἐδωλίοισι διεξελθεῖν νόμον τὸν ὄρθιον, τελευτῶντος δὲ.
τοῦ νόμου ῥῖψαί μιν ἐς τὴν θάλασσαν ἑωυτὸν ὡς εἶχε
σὺν τῇ σκευῇ πάσῃ. καὶ τοὺς μὲν ἀποπλεῖν ἐς Κόριν-
θον, τὸν δὲ δελφῖνα λέγουσιν ὑπολαβόντα ἐξενεῖκαι ἐπὶ
Ταίναρον. ἀποβάντα δὲ αὐτὸν χωρεῖν ἐς Κόρινθον σὺν 10
τῇ σκευῇ καὶ ἀπικόμενον ἀπηγεῖσθαι πᾶν τὸ γεγονός.
Περίανδρον δὲ ὑπὸ ἀπιστίης Ἀρίονα μὲν ἐν φυλακῇ
ἔχειν οὐδαμῇ μετιέντα, ἀνακῶς δὲ ἔχειν τῶν πορθμέων·
ὡς δὲ ἄρα παρεῖναι αὐτούς, κληθέντας ἱστορεῖσθαι, εἴ τι
λέγοιεν περὶ Ἀρίονος. φαμένων δὲ ἐκείνων, ὡς εἴη τε 15
σῶς περὶ Ἰταλίην καί μιν εὖ πρήσσοντα λίποιεν ἐν
Τάραντι, ἐπιφανῆναί σφι τὸν Ἀρίονα ὥσπερ ἔχων ἐξεπή-
δησεν· καὶ τοὺς ἐκπλαγέντας οὐκ ἔχειν ἔτι ἐλεγχομένους
ἀρνεῖσθαι. ταῦτα μέν νυν Κορίνθιοί τε καὶ Λέσβιοι
λέγουσιν, καὶ Ἀρίονος ἔστιν ἀνάθημα χάλκεον οὐ μέγα 20
ἐπὶ Ταινάρῳ, ἐπὶ δελφῖνος ἐπεὼν ἄνθρωπος.

Ἀλυάττης δὲ ὁ Λυδὸς (τὸν πρὸς Μιλησίους πόλεμον 25
διενείκας) μετέπειτα τελευτᾷ, βασιλεύσας ἔτεα ἑπτὰ καὶ
πεντήκοντα. ἀνέθηκε δὲ (ἐκφυγὼν τὴν νοῦσον) [δεύτερος
οὗτος τῆς οἰκίης ταύτης] ἐς Δελφοὺς κρητῆρά τε ἀργύ- 25
ρεον μέγαν καὶ ὑποκρητηρίδιον σιδήρεον κολλητόν, θέης
ἄξιον διὰ πάντων τῶν ἐν Δελφοῖσιν ἀναθημάτων, Γλαύ-
κου τοῦ Χίου ποίημα, ὃς μοῦνος δὴ πάντων ἀνθρώπων
σιδήρου κόλλησιν ἐξεῦρεν. 29

Τελευτήσαντος δὲ Ἀλυάττεω, ἐξεδέξατο τὴν 26
βασιληίην Κροῖσος ὁ Ἀλυάττεω, ἐτέων ἐὼν ἡλικίην 560 a. Chr.
πέντε καὶ τριήκοντα, ὃς δὴ Ἑλλήνων πρώτοισιν ἐπεθή-
κατο Ἐφεσίοισιν. ἔνθα δὴ οἱ Ἐφέσιοι πολιορκεόμενοι
ὑπ᾽ αὐτοῦ ἀνέθεσαν τὴν πόλιν τῇ Ἀρτέμιδι, ἐξάψαντες

ἐκ τοῦ νηοῦ σχοινίον ἐς τὸ τεῖχος. ἔστι δὲ μεταξὺ τῆς
τε παλαιῆς πόλιος, ἣ τότε ἐπολιορκεῖτο, καὶ τοῦ νηοῦ
ἑπτὰ στάδιοι. πρώτοισι μὲν δὴ τούτοισιν ἐπεχείρησεν
ὁ Κροῖσος, μετὰ δὲ, ἐν μέρει ἑκάστοισιν Ἰώνων τε καὶ
5 Αἰολέων, ἄλλοισιν ἄλλας αἰτίας ἐπιφέρων, τῶν μὲν ἐδύ-
. νατο μέζονας παρευρίσκειν, μέζονα ἐπαιτιώμενος, τοῖς δὲ
27 αὐτῶν καὶ φαῦλα ἐπιφέρων. ὡς δὲ ἄρα οἱ ἐν τῇ Ἀσίῃ
Ἕλληνες κατεστράφατο ἐς φόρου ἀπαγωγήν, τὸ ἐνθεῦ-
τεν ἐπενόει νέας ποιησάμενος ἐπιχειρεῖν τοῖς
10 νησιώτῃσιν. ἐόντων δέ οἱ πάντων ἑτοίμων ἐς τὴν
ναυπηγίην, οἱ μὲν Βίαντα λέγουσι τὸν Πριηνέα ἀπικό-
μενον ἐς Σάρδις, οἱ δὲ Πιττακὸν τὸν Μυτιληναῖον, εἰρο-
μένου Κροίσου, εἴ τι εἴη νεώτερον περὶ τὴν Ἑλλάδα,
εἰπόντα τάδε καταπαῦσαι τὴν ναυπηγίην· „Ὦ βασιλεῦ,
15 νησιῶται ἵππον συνωνέονται μυρίην, ἐς Σάρδις τε καὶ
ἐπὶ σὲ ἐν νῷ ἔχοντες στρατεύεσθαι." Κροῖσον δὲ ἐλπί-
σαντα λέγειν ἐκεῖνον ἀληθέα εἰπεῖν· „Αἲ γὰρ τοῦτο
θεοὶ ποιήσειαν ἐπὶ νόον νησιώτῃσιν, ἐλθεῖν ἐπὶ Λυδῶν
παῖδας σὺν ἵπποισι." τὸν δὲ ὑπολαβόντα φάναι· „Ὦ
20 βασιλεῦ, προθύμως μοι φαίνεαι εὔξασθαι νησιώτας ἱπ-
πευομένους λαβεῖν ἐν ἠπείρῳ, οἰκότα ἐλπίζων· νησιώτας
δὲ τί δοκεῖς εὔχεσθαι ἄλλο ἤ, ἐπείτε τάχιστα ἐπύθοντό
σε μέλλοντα ἐπὶ σφίσι ναυπηγεῖσθαι νέας, λαβεῖν ἀρώ-
μενοι Λυδοὺς ἐν θαλάσσῃ, ἵνα ὑπὲρ τῶν ἐν τῇ ἠπείρῳ
25 οἰκημένων Ἑλλήνων τείσωνταί σε, τοὺς σὺ δουλώσας
ἔχεις;" κάρτα τε ἡσθῆναι Κροῖσον τῷ ἐπιλόγῳ καὶ οἱ,
προσφυέως γὰρ δόξαι λέγειν, πειθόμενον παύσασθαι τῆς
ναυπηγίης. καὶ οὕτω τοῖσι τὰς νήσους οἰκημένοισιν
Ἴωσι ξεινίην συνεθήκατο.

28　　Χρόνου δὲ ἐπιγινομένου καὶ κατεστραμμένων σχεδὸν
31 πάντων τῶν ἐντὸς Ἅλυος ποταμοῦ οἰκημένων· πλὴν γὰρ
Κιλίκων καὶ Λυκίων τοὺς ἄλλους πάντας ὑπ' ἑωυτῷ εἶχε
καταστρεψάμενος ὁ Κροῖσος· εἰσὶ δὲ οἵδε, Λυδοί, Φρύγες,
Μυσοί, Μαριανδυνοί, Χάλυβες, Παφλαγόνες, Θρῆκες οἱ

Θυνοί τε καὶ Βιθυνοί, Κᾶρες, Ἴωνες, Δωριεῖς, Αἰολεῖς,
Πάμφυλοι· κατεστραμμένων δὲ τούτων καὶ προσεπικτω- 29
μένου Κροίσου Λυδοῖσιν, ἀπικνέονται ἐς Σάρδις
ἀκμαζούσας πλούτῳ) ἄλλοι τε οἱ πάντες ἐκ τῆς Ἑλλάδος
σοφισταί, οἳ τοῦτον τὸν χρόνον ἐτύγχανον ἐόντες, ὡς 5
ἕκαστος αὐτῶν ἀπικνέοιτο, καὶ δὴ καὶ Σόλων ἀνὴρ
Ἀθηναῖος, ὃς Ἀθηναίοισι νόμους κελεύσασι ποιήσας
ἀπεδήμησεν ἔτεα δέκα, κατὰ θεωρίης πρόφασιν ἐκπλώσας,
ἵνα δὴ μή τινα τῶν νόμων ἀναγκασθῇ λῦσαι τῶν ἔθετο.
αὐτοὶ γὰρ οὐκ οἷοί τε ἦσαν αὐτὸ ποιῆσαι Ἀθηναῖοι· 10
ὁρκίοισι γὰρ μεγάλοισι κατείχοντο δέκα ἔτεα χρήσεσθαι
νόμοισιν, τοὺς ἄν σφι Σόλων θῆται. αὐτῶν δὴ ὦν τού- 30
των καὶ τῆς θεωρίης ἐκδημήσας ὁ Σόλων εἵνεκεν ἔς τε
Αἴγυπτον ἀπίκετο παρὰ Ἄμασιν καὶ δὴ καὶ ἐς Σάρδις
παρὰ Κροῖσον. ἀπικόμενος δὲ ἐξεινίζετο ἐν τοῖσι βασι- 15
ληίοισιν ὑπὸ τοῦ Κροίσου· μετὰ δέ, ἡμέρῃ τρίτῃ ἢ τετάρτῃ,
κελεύσαντος Κροίσου τὸν Σόλωνα θεράποντες περιῆγον
κατὰ τοὺς θησαυροὺς καὶ ἐπεδείκνυσαν πάντα ἐόντα
μεγάλα τε καὶ ὄλβια. θεησάμενον δέ μιν τὰ πάντα καὶ
σκεψάμενον, ὥς οἱ κατὰ καιρὸν) ἦν, εἴρετο ὁ Κροῖσος 20
τάδε· „Ξεῖνε Ἀθηναῖε, παρ' ἡμέας γὰρ περὶ σέο λόγος
ἀπῖκται πολλὸς καὶ σοφίης τῆς σῆς καὶ πλάνης, ὡς φιλο-
σοφέων γῆν πολλὴν θεωρίης εἵνεκεν ἐπελήλυθας· νῦν
ὦν ἵμερος ἐπειρέσθαι μοι ἐπῆλθεν, εἴ τινα ἤδη πάντων
εἶδες ὀλβιώτατον." ὁ μὲν ἐλπίζων εἶναι ἀνθρώπων ὀλβιώ- 25
τατος ταῦτα ἐπειρώτα· Σόλων δὲ οὐδὲν ὑποθωπεύσας,
ἀλλὰ τῷ ἐόντι χρησάμενος λέγει· „Ὦ βασιλεῦ, Τέλλον
Ἀθηναῖον." ἀποθωμάσας δὲ Κροῖσος τὸ λεχθὲν εἴρετο
ἐπιστρεφέως· „Κοίῃ δὴ κρίνεις Τέλλον εἶναι ὀλβιώτατον;"
ὁ δὲ εἶπεν· „Τέλλῳ τοῦτο μὲν τῆς πόλιος εὖ ἡκούσης 30
παῖδες ἦσαν καλοί τε κἀγαθοί, καί σφιν εἶδεν ἅπασι
τέκνα ἐκγενόμενα καὶ πάντα παραμείναντα, τοῦτο δὲ τοῦ
βίου εὖ ἥκοντι, ὡς τὰ παρ' ἡμῖν, τελευτὴ τοῦ βίου λαμ-
προτάτη ἐπεγένετο· γενομένης γὰρ Ἀθηναίοισι μάχης

πρὸς τοὺς ἀστυγείτονας ἐν Ἐλευσῖνι βοηθήσας καὶ
τροπὴν ποιήσας τῶν πολεμίων ἀπέθανε κάλλιστα, καί
μιν Ἀθηναῖοι δημοσίῃ τε ἔθαψαν αὐτοῦ, τῇ περ ἔπεσεν,
31 καὶ ἐτίμησαν μεγάλως." ὡς δὲ τὰ κατὰ τὸν Τέλλον
5 προετρέψατο ὁ Σόλων τὸν Κροῖσον εἴπας πολλά τε
καὶ ὄλβια, ἐπειρώτα τίνα δεύτερον μετ' ἐκεῖνον ἴδοι,
δοκέων πάγχυ δευτερεῖα γῶν οἴσεσθαι. ὁ δὲ εἶπεν·
„Κλέοβίν τε καὶ Βίτωνα. τούτοισι γὰρ ἐοῦσι γένος
Ἀργείοισι βίος τε ἀρκέων ὑπῆν καὶ πρὸς τούτῳ
10 ῥώμη σώματος τοιήδε· ἀεθλοφόροι τε ἀμφότεροι ὁμοίως
ἦσαν, καὶ δὴ καὶ λέγεται ὅδε ὁ λόγος· ἐούσης ὁρτῆς
τῇ Ἥρῃ τοῖς Ἀργείοισιν ἔδει πάντως τὴν μητέρα αὐτῶν
ζεύγει κομισθῆναι ἐς τὸ ἱρόν, οἱ δέ σφι βόες ἐκ τοῦ
ἀγροῦ οὐ παρεγίνοντο ἐν ὥρῃ· ἐκκληόμενοι δὲ τῇ
15 ὥρῃ οἱ νεηνίαι ὑποδύντες αὐτοὶ ὑπὸ τὴν ζεύγλην
εἷλκον τὴν ἄμαξαν, ἐπὶ τῆς ἀμάξης δέ σφιν ὠχεῖτο ἡ
μήτηρ, σταδίους δὲ πέντε καὶ τεσσεράκοντα διακομί-
σαντες ἀπίκοντο ἐς τὸ ἱρόν. ταῦτα δέ σφι ποιήσασι
καὶ ὀφθεῖσιν ὑπὸ τῆς πανηγύριος τελευτὴ τοῦ βίου
20 ἀρίστη ἐπεγένετο, διέδεξέ τε ἐν τούτοισιν ὁ θεός,
ὡς ἄμεινον εἴη ἀνθρώπῳ τεθνάναι μᾶλλον ἢ ζώειν.
Ἀργεῖοι μὲν γὰρ περιστάντες ἐμακάριζον τῶν νεηνιῶν
τὴν ῥώμην, αἱ δὲ Ἀργεῖαι τὴν μητέρα αὐτῶν, οἵων
τέκνων ἐκύρησεν. ἡ δὲ μήτηρ περιχαρὴς ἐοῦσα τῷ τε
25 ἔργῳ καὶ τῇ φήμῃ, στᾶσα ἀντίον τοῦ ἀγάλματος εὔχετο
Κλεόβι τε καὶ Βίτωνι τοῖς ἑωυτῆς τέκνοισιν, οἵ μιν ἐτί-
μησαν μεγάλως, τὴν θεὸν δοῦναι, τὸ ἀνθρώπῳ τυχεῖν
ἄριστόν ἐστιν. μετὰ ταύτην δὲ τὴν εὐχὴν ὡς ἔθυσάν τε
καὶ εὐωχήθησαν, κατακοιμηθέντες ἐν αὐτῷ τῷ ἱρῷ οἱ
30 νεηνίαι οὐκέτι ἀνέστησαν, ἀλλ' ἐν τέλει τούτῳ ἔσχοντο.
Ἀργεῖοι δέ σφεων εἰκόνας ποιησάμενοι ἀνέθεσαν ἐς
32 Δελφοὺς ὡς ἀνδρῶν ἀρίστων γενομένων." Σόλων μὲν
δὴ εὐδαιμονίης δευτερεῖα ἔνεμε τούτοισιν, Κροῖσος δὲ
σπερχθεὶς εἶπεν· „Ὦ ξεῖνε Ἀθηναῖε, ἡ δ' ἡμετέρη εὐδαι-

μονίη οὕτω τοι ἀπέρριπται ἐς τὸ μηδέν, ὥστε οὐδὲ
ἰδιωτέων ἀνδρῶν ἀξίους ἡμέας ἐποίησας;“ ὁ δὲ εἶπεν·
„Ω Κροῖσε, ἐπιστάμενόν με τὸ θεῖον πᾶν ἐὸν φθο-
νερόν τε καὶ ταραχῶδες ἐπειρωτᾷς ἀνθρωπηίων
πρηγμάτων πέρι. ἐν γὰρ τῷ μακρῷ χρόνῳ πολλὰ μὲν 5
ἔστιν ἰδεῖν, τὰ μή τις ἐθέλει, πολλὰ δὲ καὶ παθεῖν. ἐς
γὰρ ἑβδομήκοντα ἔτεα οὖρον τῆς ζοῆς ἀνθρώπῳ προτί-
θημι. οὗτοι ἐόντες ἐνιαυτοὶ ἑβδομήκοντα παρέχονται
ἡμέρας διηκοσίας καὶ πεντακισχιλίας καὶ δισμυρίας, ἐμβο-
λίμου μηνὸς μὴ γινομένου· εἰ δὲ δὴ ἐθελήσει τούτερον 10
τῶν ἐτέων μηνὶ μακρότερον γίνεσθαι, ἵνα δὴ αἱ ὧραι
συμβαίνωσι παραγινόμεναι ἐς τὸ δέον, μῆνες μὲν παρὰ
τὰ ἑβδομήκοντα ἔτεα οἱ ἐμβόλιμοι γίνονται τριήκοντα
πέντε, ἡμέραι δὲ ἐκ τῶν μηνῶν τούτων χίλιαι πεντή-
κοντα. τουτέων τῶν ἁπασέων ἡμερέων τῶν ἐς τὰ ἑβδο- 15
μήκοντα ἔτεα, ἐουσέων πεντήκοντα καὶ διηκοσίων καὶ
ἑξακισχιλίων καὶ δισμυρίων, ἡ ἑτέρη αὐτέων τῇ ἑτέρῃ
ἡμέρῃ τὸ παράπαν οὐδὲν ὅμοιον, προσάγει πρῆγμα.
οὕτω ὦν, ὦ Κροῖσε, πᾶν ἐστιν ἄνθρωπος συμφορή.
ἐμοὶ δὲ σὺ καὶ πλουτεῖν μέγα φαίνεαι καὶ βασιλεὺς 20
πολλῶν εἶναι ἀνθρώπων· ἐκεῖνο δέ, τὸ εἴρεό με, οὔκω
σε ἐγὼ λέγω, πρὶν τελευτήσαντα καλῶς τὸν αἰῶνα
πύθωμαι. οὐ γάρ τι ὁ μέγα πλούσιος μᾶλλον τοῦ ἐπ'
ἡμέρην ἔχοντος ὀλβιώτερός ἐστιν, εἰ μή οἱ τύχη ἐπίσποιτο
πάντα καλὰ ἔχοντα εὖ τελευτῆσαι τὸν βίον. πολλοὶ μὲν 25
γὰρ ζάπλουτοι ἀνθρώπων ἀνόλβιοί εἰσιν, πολλοὶ δὲ με-
τρίως ἔχοντες βίου εὐτυχεῖς. ὁ μὲν δὲ μέγα πλούσιος,
ἀνόλβιος δὲ δυοῖσι προέχει τοῦ εὐτυχέος μοῦνον,
οὗτος δὲ τοῦ πλουσίου καὶ ἀνολβίου πολλοῖσιν· ὁ μὲν
ἐπιθυμίην ἐκτελέσαι καὶ ἄτην μεγάλην προσπεσοῦσαν 30
ἐνεῖκαι δυνατώτερος, ὁ δὲ τοῖσδε προέχει ἐκείνου· ἄτην
μὲν καὶ ἐπιθυμίην οὐκ ὁμοίως δυνατὸς ἐκείνῳ ἐνεῖκαι,
ταῦτα δὲ ἡ εὐτυχίη οἱ ἀπερύκει, ἄπηρος δέ ἐστιν, ἄνου-
σος, ἀπαθὴς κακῶν, εὔπαις, εὐειδής· εἰ δὲ πρὸς τού-

τοισιν ἔτι τελευτήσει τὸν βίον εὖ, οὗτος ἐκεῖνος, τὸν
σὺ ζητεῖς, ὄλβιος κεκλῆσθαι ἄξιός ἐστιν· πρὶν δ' ἂν
τελευτήσῃ, ἐπισχεῖν μηδὲ καλεῖν κω ὄλβιον, ἀλλ' εὐτυχέα.
τὰ πάντα μέν νυν ταῦτα συλλαβεῖν ἄνθρωπον ἐόντα
5 ἀδύνατόν ἐστιν, ὥσπερ χώρη οὐδεμία καταρκεῖ πάντα
ἑωυτῇ παρέχουσα, ἀλλὰ ἄλλο μὲν ἔχει, ἑτέρου δὲ ἐπι-
δεῖται· ἡ δὲ ἂν τὰ πλεῖστα ἔχῃ, αὕτη ἀρίστη. ὣς δὲ
καὶ ἀνθρώπου σῶμα ἓν οὐδὲν αὔταρκές ἐστιν· τὸ μὲν
γὰρ ἔχει, ἄλλου δὲ ἐνδεές ἐστιν. ὃς δ' ἂν αὐτῶν πλεῖστα
10 ἔχων διατελῇ καὶ ἔπειτα τελευτήσῃ εὐχαρίστως τὸν βίον,
οὗτος παρ' ἐμοὶ τοὔνομα τοῦτο, ὦ βασιλεῦ, δίκαιός ἐστι
φέρεσθαι. σκοπεῖν δὲ χρὴ παντὸς χρήματος τὴν τελευ-
τὴν κῇ ἀποβήσεται· πολλοῖσι γὰρ δὴ ὑποδέξας ὄλβον ὁ
33 θεὸς προρρίζους ἀνέτρεψεν." ταῦτα λέγων τῷ Κροίσῳ
15 οὔ κως οὔτε ἐχαρίζετο, οὔτε λόγου μιν ποιησάμενος
οὐδενὸς ἀποπέμπεται, κάρτα δόξας ἀμαθέα εἶναι, ὃς τὰ
παρεόντα ἀγαθὰ μετεὶς τὴν τελευτὴν παντὸς χρήματος
ὁρᾶν ἐκέλευεν.

34   Μετὰ δὲ Σόλωνα οἰχόμενον, ἔλαβεν ἐκ θεοῦ νέμεσις
20 μεγάλη Κροῖσον, ὡς εἰκάσαι, ὅτι ἐνόμισεν ἑωυτὸν εἶναι
ἀνθρώπων ἁπάντων ὀλβιώτατον. αὐτίκα δέ οἱ εὔδοντι
ἐπέστη ὄνειρος, ὅς οἱ τὴν ἀληθείην ἔφαινε τῶν μελ-
λόντων γενέσθαι κακῶν κατὰ τὸν παῖδα. ἦσαν δὲ τῷ
Κροίσῳ δύο παῖδες, τῶν οὕτερος μὲν διέφθαρτο, ἦν γὰρ
25 δὴ κωφός, ὁ δὲ ἕτερος τῶν ἡλίκων μακρῷ τὰ πάντα
πρῶτος· ὄνομα δέ οἱ ἦν Ἄτυς. τοῦτον δὴ ὦν τὸν Ἄτυν
σημαίνει τῷ Κροίσῳ ὁ ὄνειρος, ὡς ἀπολεῖ μιν αἰχμῇ
σιδηρῇ βληθέντα. ὁ δὲ ἐπείτε ἐξηγέρθη καὶ ἑωυτῷ λόγον
ἔδωκεν, καταρρωδήσας τὸν ὄνειρον ἄγεται μὲν τῷ παιδὶ
30 γυναῖκα, ἐωθότα δὲ στρατηγεῖν μιν τῶν Λυδῶν οὐδαμῇ
ἔτι ἐπὶ τοιοῦτο πρῆγμα ἐξέπεμπεν, ἀκόντια δὲ καὶ δόρατα
καὶ τὰ τοιαῦτα πάντα, τοῖς χρέωνται ἐς πόλεμον ἄνθρω-
ποι, ἐκ τῶν ἀνδρεώνων ἐκκομίσας ἐς τοὺς θαλάμους
35 συνένησεν, μή τί οἱ κρεμάμενον τῷ παιδὶ ἐμπέσῃ. ἔχοντος

δέ οἱ ἐν χερσὶ τοῦ παιδὸς τὸν γάμον ἀπικνεῖται ἐς
τὰς Σάρδις ἀνὴρ συμφορῇ ἐχόμενος καὶ οὐ καθαρὸς
χεῖρας, ἐὼν Φρὺξ μὲν γενεῇ, γένεος δὲ τοῦ βασιληίου.
παρελθὼν δὲ οὗτος ἐς τὰ Κροίσου οἰκία κατὰ νόμους
τοὺς ἐπιχωρίους καθαρσίου ἐδεῖτο κυρῆσαι, Κροῖσος δέ
μιν ἐκάθηρεν. ἔστι δὲ παραπλησίη ἡ κάθαρσις τοῖσι
Λυδοῖσι καὶ τοῖς Ἕλλησιν. ἐπείτε δὲ τὰ νομιζόμενα
ἐποίησεν ὁ Κροῖσος, ἐπυνθάνετο ὁκόθεν τε καὶ τίς εἴη,
λέγων τάδε· „Ὤνθρωπε, τίς τε ἐὼν καὶ κόθεν τῆς
Φρυγίης ἥκων ἐπίστιος ἐμοὶ ἐγένεο; τίνα τε ἀνδρῶν ἢ
γυναικῶν ἐφόνευσας;“ ὁ δὲ ἀμείβετο „Ὦ βασιλεῦ, Γορ-
δίω μὲν τοῦ Μίδεω εἰμὶ παῖς, ὀνομάζομαι δὲ Ἄδρηστος,
φονεύσας δὲ ἀδελφεὸν ἐμεωυτοῦ ἀέκων πάρειμι ἐξεληλα-
μένος τε ὑπὸ τοῦ πατρὸς καὶ ἐστερημένος πάντων.“
Κροῖσος δέ μιν ἀμείβετο τοῖσδε· „Ἀνδρῶν τε φίλων
τυγχάνεις ἔκγονος ἐὼν καὶ ἐλήλυθας ἐς φίλους, ἔνθα
ἀμηχανήσεις χρήματος οὐδενὸς μένων ἐν ἡμετέρου. συμ-
φορὴν δὲ ταύτην ὡς κουφότατα φέρων κερδανεῖς πλεῖ-
στον.“ ὁ μὲν δὴ δίαιταν εἶχεν ἐν Κροίσου· ἐν δὲ τῷ 36
αὐτῷ χρόνῳ τούτῳ ἐν τῷ Μυσίῳ Ὀλύμπῳ ὑὸς χρῆμα
γίνεται μέγα· ὁρμώμενος δὲ οὗτος ἐκ τοῦ ὄρεος τούτου
τὰ τῶν Μυσῶν ἔργα διαφθείρεσκεν, πολλάκις δὲ οἱ Μυσοὶ
ἐπ᾽ αὐτὸν ἐξελθόντες ποιέεσκον μὲν κακὸν οὐδέν, ἔπασχον
δὲ πρὸς αὐτοῦ. τέλος δὲ ἀπικόμενοι παρὰ τὸν Κροῖσον
τῶν Μυσῶν ἄγγελοι ἔλεγον τάδε· „Ὦ βασιλεῦ, ὑὸς χρῆμα
μέγιστον ἀνεφάνη ἡμῖν ἐν τῇ χώρῃ, ὃς τὰ ἔργα δια-
φθείρει. τοῦτον προθυμεόμενοι ἑλεῖν οὐ δυνάμεθα. νῦν
ὦν προσδεόμεθά σεο τὸν παῖδα καὶ λογάδας νεηνίας καὶ
κύνας συμπέμψαι ἡμῖν, ὡς ἄν μιν ἐξέλωμεν ἐκ τῆς χώρης.“
οἱ μὲν δὴ τούτων ἐδέοντο, Κροῖσος δὲ μνημονεύων τοῦ
ὀνείρου τὰ ἔπεα ἔλεγέ σφι τάδε· „Παιδὸς μὲν πέρι τοῦ
ἐμοῦ μὴ μνησθῆτε ἔτι· οὐ γὰρ ἂν ὑμῖν συμπέμψαιμι·
νεόγαμός τε γάρ ἐστι καὶ ταῦτα οἱ νῦν μέλει. Λυδῶν
μέντοι λογάδας καὶ τὸ κυνηγέσιον πᾶν συμπέμψω καὶ

διακελεύσομαι τοῖς ἰοῦσιν εἶναι ὡς προθυμοτάτοισι συν-
87 εξελεῖν ὑμῖν τὸ θηρίον τῆς χώρης." ταῦτα ἀμείψατο.
ἀποχρεωμένων δὲ τούτοισι τῶν Μυσῶν ἐπεσέρχεται ὁ
τοῦ Κροίσου παῖς ἀκηκοώς, τῶν ἐδέοντο οἱ Μυσοί.
5 οὐ φαμένου δὲ τοῦ Κροίσου τόν γε παῖδά σφι συμπέμ-
ψειν λέγει πρὸς αὐτὸν ὁ νεηνίης τάδε· „Ὦ πάτερ, τὰ
κάλλιστα πρότερόν κοτε καὶ γενναιότατα ἡμῖν ἦν ἔς τε
πολέμους καὶ ἐς ἄγρας φοιτῶντας εὐδοκιμεῖν. νῦν δὲ
ἀμφοτέρων με τούτων ἀποκλήσας ἔχεις, οὔτε τινὰ δει-
10 λίην μοι παριδὼν οὔτε ἀθυμίην. νῦν τε τέοισί με χρὴ
ὄμμασιν ἔς τε ἀγορὴν καὶ ἐξ ἀγορῆς φοιτῶντα φαίνε-
σθαι; κοῖος μέν τις τοῖς πολιήτῃσι δόξω εἶναι, κοῖος δέ
τις τῇ νεογάμῳ γυναικί; κοίῳ δὲ ἐκείνη δόξει ἀνδρὶ
συνοικεῖν; ἐμὲ ὦν σὺ ἢ μέτες ἰέναι ἐπὶ τὴν θήρην,
15 ἢ λόγῳ ἀνάπεισον, ὅκως μοι ἀμείνω ἐστὶ ταῦτα οὕτω
88 ποιεόμενα." ἀμείβεται Κροῖσος τοῖσδε· „Ὦ παῖ, οὔτε
δειλίην οὔτε ἄλλο οὐδὲν ἄχαρι παριδών τοι ποιέω ταῦτα,
ἀλλά μοι ὄψις ὀνείρου ἐν τῷ ὕπνῳ ἐπιστᾶσα ἔφη σε
ὀλιγοχρόνιον ἔσεσθαι· ὑπὸ γὰρ αἰχμῆς σιδηρῆς ἀπο-
20 λεῖσθαι. πρὸς ὦν τὴν ὄψιν ταύτην τόν τε γάμον τοι
τοῦτον ἔσπευσα καὶ ἐπὶ τὰ παραλαμβανόμενα οὐκ ἀπο-
πέμπω, φυλακὴν ἔχων, εἴ κως δυναίμην ἐπὶ τῆς ἐμῆς
σε ζοῆς διακλέψαι. εἷς γάρ μοι μοῦνος τυγχάνεις ἐὼν
παῖς· τὸν γὰρ δὴ ἕτερον διεφθαρμένον τὴν ἀκοὴν οὐκ
89 εἶναί μοι λογίζομαι." ἀμείβεται ὁ νεηνίης τοῖσδε· „Συγ-
25 γνώμη μὲν ὦ πάτερ 'τοι, ἰδόντι γε ὄψιν τοιαύτην, περὶ
ἐμὲ φυλακὴν ἔχειν· τὸ δὲ οὐ μανθάνεις, ἀλλὰ λέληθέ
σε τὸ ὄνειρον, ἐμέ τοι δίκαιόν ἐστι φράζειν. φής τοι
τὸ ὄνειρον ὑπὸ αἰχμῆς σιδηρῆς φάναι ἐμὲ τελευτήσειν·
30 ὑὸς δὲ κοῖαι μέν εἰσι χεῖρες, κοίη δὲ αἰχμὴ σιδηρῆ,
ἣν σὺ φοβέαι; εἰ μὲν γὰρ ὑπὸ ὀδόντος τοι εἶπε τελευ-
τήσειν με, ἢ ἄλλου τέο, ὅ τι τούτῳ ἔοικεν, χρῆν δή σε
ποιεῖν τὰ ποιεῖς· νῦν δὲ ὑπὸ αἰχμῆς. ἐπεὶ δὲ ὦν οὐ
πρὸς ἄνδρας ἡμῖν γίνεται ἡ μάχη, μέτες με." ἀμείβεται

Κροῖσος· „Ὦ παῖ, ἔστι τῇ με νικᾷς γνώμην ἀποφαίνων **40**
περὶ τοῦ ἐνυπνίου· ὡς ἂν νενικημένος ὑπὸ σέο μεταγι-
νώσκω, μετίημί τέ σε ἰέναι ἐπὶ τὴν ἄγρην." εἶπας δὲ **41**
ταῦτα ὁ Κροῖσος μεταπέμπεται τὸν Φρύγα Ἄδρη-
στον, ἀπικομένῳ δέ οἱ λέγει τάδε· „Ἄδρηστε, ἐγώ σε **5**
συμφορῇ πεπληγμένον ἀχάρι, τήν τοι οὐκ ὀνειδίζω,
ἐκάθηρα καὶ οἰκίοισιν ὑποδεξάμενος ἔχω παρέχων πᾶσαν
δαπάνην· νῦν ὦν, ὀφείλεις γὰρ ἐμέο προποιήσαντος χρη-
στὰ ἐς σὲ χρηστοῖσί με ἀμείβεσθαι, φύλακα παιδός σε
τοῦ ἐμοῦ χρήζω γενέσθαι ἐς ἄγρην ὁρμωμένου, μή τινες **10**
κατ᾽ ὁδὸν κλῶπες κακοῦργοι ἐπὶ δηλήσει φανέωσιν ὑμῖν.
πρὸς δὲ τούτῳ καὶ σέ τοι χρεόν ἐστιν ἰέναι, ἔνθα ἀπο-
λαμπρυνέαι τοῖς ἔργοισιν· πατρῷόν τε γάρ τοί ἐστι καὶ
προσέτι ῥώμη ὑπάρχει.") ἀμείβεται ὁ Ἄδρηστος· „Ὦ βασι- **42**
λεῦ, ἄλλως μὲν ἔγωγε ἂν οὐκ ἦα ἐς ἄεθλον τοιόνδε· **15**
οὔτε γὰρ συμφορῇ τοιῇδε κεχρημένον οἰκός ἐστιν ἐς
ὁμήλικας εὖ πρήσσοντας ἰέναι, οὔτε τὸ βούλεσθαι πάρα,
πολλαχῇ τε ἂν ἴσχον ἐμεωυτόν. νῦν δέ, ἐπείτε σὺ σπεύ-
δεις καὶ δεῖ τοι χαρίζεσθαι (ὀφείλω γάρ σε ἀμείβεσθαι
χρηστοῖσι) ποιεῖν εἰμὶ ἕτοιμος ταῦτα, παῖδά τε σόν, τὸν **20**
διακελεύεαι φυλάσσειν, ἀπήμονα τοῦ φυλάσσοντος εἵνεκεν
προσδόκα τοι ἀπονοστήσειν." τοιούτοισιν ἐπείτε οὗτος **43**
ἀμείψατο Κροῖσον, ἦσαν μετὰ ταῦτα ἐξηρτυμένοι λογάσι
τε νεηνίῃσι καὶ κυσίν. ἀπικόμενοι δὲ ἐς τὸν Ὄλυμπον
τὸ ὄρος ἐζήτεον τὸ θηρίον, εὑρόντες δὲ καὶ περιστάντες **25**
αὐτὸ κύκλῳ ἐσηκόντιζον. ἔνθα δὴ ὁ ξεῖνος, οὗτος δὴ ὁ
καθαρθεὶς τὸν φόνον, καλεόμενος δὲ Ἄδρηστος, ἀκον-
τίζων τὸν ὗν τοῦ μὲν ἁμαρτάνει, τυγχάνει δὲ τοῦ
Κροίσου παιδός. ὁ μὲν δὴ βληθεὶς· τῇ αἰχμῇ ἐξέπλησε
τοῦ ὀνείρου τὴν φήμην, ἔθει δέ τις ἀγγελέων τῷ Κροίσῳ **30**
τὸ γεγονός, ἀπικόμενος δὲ ἐς τὰς Σάρδις τήν τε μάχην
καὶ τὸν τοῦ παιδὸς μόρον ἐσήμηνέν οἱ. ὁ δὲ Κροῖσος **44**
τῷ θανάτῳ τοῦ παιδὸς συντεταραγμένος μᾶλλόν τι ἐδεινο-
λογεῖτο, ὅτι μιν ἀπέκτεινεν, τὸν αὐτὸς φόνου ἐκάθηρεν.

2*

περιημεκτέων δὲ τῇ συμφορῇ δεινῶς ἐκάλει μὲν Δία
καθάρσιον, μαρτυρόμενος τὰ ὑπὸ τοῦ ξείνου πεπονθὼς
εἴη, ἐκάλει δὲ ἐπίστιόν τε καὶ ἑταιρήιον, τὸν αὐτὸν τοῦ-
τον ὀνομάζων θεόν, τὸν μὲν ἐπίστιον καλέων, διότι
δὴ οἰκίοισιν ὑποδεξάμενος τὸν ξεῖνον φονέα τοῦ παιδὸς
ἐλάνθανε βόσκων, τὸν δὲ ἑταιρήιον, ὡς φύλακα συμπέμ-
45 ψας αὐτὸν εὑρήκοι πολεμιώτατον. παρῆσαν δὲ μετὰ
τοῦτο οἱ Λυδοὶ φέροντες τὸν νεκρόν, ὄπισθε δὲ εἵπετό
οἱ ὁ φονεύς. στὰς δὲ οὗτος πρὸ τοῦ νεκροῦ παρεδίδου
ἑωυτὸν Κροίσῳ προτείνων τὰς χεῖρας, ἐπικατασφάξαι
μιν κελεύων τῷ νεκρῷ, λέγων τήν τε προτέρην ἑωυτοῦ
συμφορήν, καὶ ὡς ἐπ' ἐκείνῃ τὸν καθήραντα ἀπολωλεκὼς
εἴη, οὐδέ οἱ εἴη βιώσιμον. Κροῖσος δὲ τούτων ἀκούσας
τόν τε Ἄδρηστον κατοικτίρει, καίπερ ἐὼν ἐν κακῷ οἰκηίῳ
τοσούτῳ, καὶ λέγει πρὸς αὐτόν· „Ἔχω, ὦ ξεῖνε, παρὰ
σέο πᾶσαν τὴν δίκην, ἐπειδὴ σεωυτοῦ καταδικάζεις
θάνατον. εἶς δὲ οὐ σύ μοι τοῦδε τοῦ κακοῦ αἴτιος, εἰ
μὴ ὅσον ἀέκων ἐξεργάσαο, ἀλλὰ θεῶν κού τις, ὅς μοι
καὶ πάλαι προεσήμαινε τὰ μέλλοντα ἔσεσθαι." Κροῖσος
μέν νυν ἔθαψεν, ὡς οἰκὸς ἦν, τὸν ἑωυτοῦ παῖδα· Ἄδρη-
στος δὲ ὁ Γορδίω τοῦ Μίδεω, οὗτος δὴ ὁ φονεὺς μὲν
τοῦ ἑωυτοῦ ἀδελφεοῦ γενόμενος, φονεὺς δὲ τοῦ καθή-
ραντος, ἐπείτε ἡσυχίη τῶν ἀνθρώπων ἐγένετο περὶ τὸ
σῆμα, συγγινωσκόμενος ἀνθρώπων εἶναι τῶν αὐτὸς ᾔδει
βαρυσυμφορώτατος, ἐπικατασφάζει τῷ τύμβῳ ἑωυτόν.

46 Κροῖσος δὲ ἐπὶ δύο ἔτεα ἐν πένθει μεγάλῳ καθῆστο
τοῦ παιδὸς ἐστερημένος· μετὰ δὲ ἡ Ἀστυάγεος τοῦ Κυα-
ξάρεω ἡγεμονίη καταιρεθεῖσα ὑπὸ Κύρου τοῦ Καμβύσεω
καὶ τὰ τῶν Περσέων πρήγματα αὐξανόμενα πένθεος μὲν
Κροῖσον ἀπέπαυσεν, ἐνέβησε δὲ ἐς φροντίδα, εἴ κως
δύναιτο, πρὶν μεγάλους γενέσθαι τοὺς Πέρσας, κατα-
λαβεῖν αὐτῶν αὐξανομένην τὴν δύναμιν. μετὰ ὦν τὴν
διάνοιαν ταύτην αὐτίκα ἀπεπειρᾶτο τῶν μαντηίων
τῶν τε ἐν Ἕλλησι καὶ τοῦ ἐν Λιβύῃ, διαπέμψας

ἄλλους ἄλλη, τοὺς μὲν ἐς Δελφοὺς ἰέναι, τοὺς δὲ ἐς
Ἄβας τὰς Φωκέων, τοὺς δὲ ἐς Δωδώνην· οἱ δέ τινες
ἐπέμποντο παρά τε Ἀμφιάρεων καὶ παρὰ Τροφώνιον, οἱ
δὲ τῆς Μιλησίης ἐς Βραγχίδας. ταῦτα μέν νυν τὰ Ἑλλη-
νικὰ μαντήια, ἐς τὰ ἀπέπεμψε μαντευσόμενος Κροῖσος· 5
Λιβύης δὲ παρὰ Ἄμμωνα ἀπέστελλεν ἄλλους χρησομένους.
διέπεμπε δὲ πειρώμενος τῶν μαντηίων ὅ τι φρονέοιεν,
ὡς, εἰ φρονέοντα τὴν ἀληθείην εὑρεθείη, ἐπείρηταί σφεα
δεύτερα πέμπων, εἰ ἐπιχειρέοι ἐπὶ Πέρσας στρατεύεσθαι.
ἐντειλάμενος δὲ τοῖσι Λυδοῖσι τάδε ἀπέπεμπεν ἐς τὴν 47
διάπειραν τῶν χρηστηρίων, ἀπ᾿ ἧς ἂν ἡμέρης ὁρμη- 11
θέωσιν ἐκ Σαρδίων, ἀπὸ ταύτης ἡμερολογέοντας τὸν
λοιπὸν χρόνον ἑκατοστῇ ἡμέρῃ χρῆσθαι τοῖσι χρηστη-
ρίοισιν, ἐπειρωτῶντας ὅ τι ποιέων τυγχάνοι ὁ
Λυδῶν βασιλεὺς Κροῖσος ὁ Ἀλυάττεω· ἄσσα δ᾿ ἂν 15
ἕκαστα τῶν χρηστηρίων θεσπίσῃ, συγγραψαμένους ἀνα-
φέρειν παρ᾿ ἑωυτόν. ὅ τι μέν νυν τὰ λοιπὰ τῶν χρηστη-
ρίων ἐθέσπισεν οὐ λέγεται πρὸς οὐδαμῶν· ἐν δὲ Δελ-
φοῖσιν ὡς ἐσῆλθον τάχιστα ἐς τὸ μέγαρον οἱ Λυδοὶ
χρησόμενοι τῷ θεῷ καὶ ἐπειρώτων τὸ ἐντεταλμένον, ἡ 20
Πυθίη ἐν ἑξαμέτρῳ τόνῳ λέγει τάδε·
  Οἶδα δ᾿ ἐγὼ ψάμμου τ᾿ ἀριθμὸν καὶ μέτρα θαλάσσης,
  Καὶ κωφοῦ συνίημι καὶ οὐ φωνεῦντος ἀκούω.
  Ὀδμή μ᾿ ἐς φρένας ἦλθε κραταιρίνοιο χελώνης
  Ἑψομένης ἐν χαλκῷ ἅμ᾿ ἀρνείοισι κρέεσσιν,   25
  Ἧι χαλκὸς μὲν ὑπέστρωται, χαλκὸν δ᾿ ἐπίεσται.
ταῦτα οἱ Λυδοὶ θεσπισάσης τῆς Πυθίης συγγραψάμενοι 48
οἴχοντο ἀπιόντες ἐς τὰς Σάρδις. ὡς δὲ καὶ ἄλλοι οἱ
περιπεμφθέντες παρῆσαν φέροντες τοὺς χρησμούς, ἐν-
θαῦτα ὁ Κροῖσος ἕκαστα ἀναπτύσσων ἐπώρα τῶν συγ- 30
γραμμάτων. τῶν μὲν δὴ ἄλλων οὐδὲν προσίετό μιν·
ὁ δὲ ὡς τὸ ἐκ Δελφῶν ἤκουσεν, αὐτίκα προσεύ-
χετό τε καὶ προσεδέξατο, νομίσας μοῦνον εἶναι
μαντήιον τὸ ἐν Δελφοῖσιν, ὅτι οἱ ἐξευρήκει, τὰ αὐτὸς

ἐποίησεν. ἐπείτε γὰρ δὴ διέπεμψε παρὰ τὰ χρηστήρια
τοὺς θεοπρόπους, φυλάξας τὴν κυρίην τῶν ἡμερέων
ἐμηχανᾶτο τοιάδε· ἐπινοήσας τὰ ἦν ἀμήχανον ἐξευρεῖν
τε καὶ ἐπιφράσασθαι, χελώνην καὶ ἄρνα κατακόψας ὁμοῦ
5 ἧψεν αὐτὸς ἐν λέβητι χαλκέῳ χάλκεον ἐπίθημα ἐπιθείς.
49 τὰ μὲν δὴ ἐκ Δελφῶν οὕτω τῷ Κροίσῳ ἐχρήσθη· κατὰ
δὲ τὴν Ἀμφιάρεω τοῦ μαντηίου ὑπόκρισιν οὐκ ἔχω
εἰπεῖν, ὅ τι τοῖσι Λυδοῖσιν ἔχρησε ποιήσασι περὶ τὸ
ἱρὸν τὰ νομιζόμενα (οὐ γὰρ ὦν οὐδὲ τοῦτο λέγεται),
10 ἄλλο γε ἢ ὅτι καὶ τοῦτον ἐνόμισε μαντήιον ἀψευδὲς
ἐκτῆσθαι.
50 Μετὰ δὲ ταῦτα θυσίῃσι μεγάλῃσι τὸν ἐν Δελφοῖσι
θεὸν ἱλάσκετο· κτήνεά τε γὰρ τὰ θύσιμα πάντα τρισχίλια
ἔθυσεν, κλίνας τε ἐπιχρύσους καὶ ἐπαργύρους καὶ φιάλας
15 χρυσέας καὶ εἵματα πορφύρεα καὶ κιθῶνας νήσας πυρὴν
μεγάλην κατέκαιεν, ἐλπίζων τὸν θεὸν μᾶλλόν τι τού-
τοισιν ἀνακτήσεσθαι· Λυδοῖσί τε πᾶσι προεῖπε θύειν
πάντα τινὰ αὐτῶν τοῦτο ὅ τι ἔχοι ἕκαστος. ὡς δὲ ἐκ
τῆς θυσίης ἐγένετο, καταχεάμενος χρυσὸν ἄπλετον
20 ἡμιπλίνθια ἐξ αὐτοῦ ἐξήλαυνεν, ἐπὶ μὲν τὰ μακρό-
τερα ποιέων ἐξαπάλαιστα, ἐπὶ δὲ τὰ βραχύτερα τριπά-
λαιστα, ὕψος δὲ παλαιστιαῖα, ἀριθμὸν δὲ ἑπτακαίδεκα καὶ
ἑκατόν, καὶ τούτων ἀπέφθου χρυσοῦ τέσσερα, τρίτον
ἡμιτάλαντον ἕκαστον ἕλκοντα, τὰ δὲ ἄλλα ἡμιπλίνθια
25 λευκοῦ χρυσοῦ, σταθμὸν διτάλαντα. ἐποιεῖτο δὲ καὶ
λέοντος εἰκόνα χρυσοῦ ἀπέφθου, ἕλκουσαν σταθμὸν
a. Chr. τάλαντα δέκα. οὗτος ὁ λέων, ἐπείτε κατεκαίετο ὁ ἐν
Δελφοῖσι νηός, κατέπεσεν ἀπὸ τῶν ἡμιπλινθίων (ἐπὶ γὰρ
τούτοισιν ἵδρυτο) καὶ νῦν κεῖται ἐν τῷ Κορινθίων θη-
30 σαυρῷ, ἕλκων σταθμὸν ἕβδομον ἡμιτάλαντον· ἀπετάκη
51 γὰρ αὐτοῦ τέταρτον ἡμιτάλαντον. ἐπιτελέσας δὲ ὁ Κροῖσος
ταῦτα ἀπέπεμπεν ἐς Δελφοὺς καὶ τάδε ἄλλα ἅμα
τοῖς· κρητῆρας δύο μεγάθει μεγάλους, χρύσεον καὶ ἀρ-
γύρεον, τῶν ὁ μὲν χρύσεος ἔκειτο ἐπὶ δεξιὰ ἐσιόντι ἐς

τὸν νηόν, ὁ δὲ ἀργύρεος ἐπ' ἀριστερά. μετεκινήθησαν
δὲ καὶ οὗτοι ὑπὸ τὸν νηὸν κατακαέντα, καὶ ὁ μὲν χρύ-
σεος κεῖται ἐν τῷ Κλαζομενίων θησαυρῷ, ἕλκων σταθμὸν
εἴνατον ἡμιτάλαντον καὶ ἔτι δυώδεκα μνέας, ὁ δὲ ἀργύ-
ρεος ἐπὶ τοῦ προνηΐου τῆς γωνίης, χωρέων ἀμφορέας 5
ἑξακοσίους· ἐπικίρναται γὰρ ὑπὸ Δελφῶν Θεοφανίοισιν.
φασὶ δέ μιν Δελφοὶ Θεοδώρου τοῦ Σαμίου ἔργον εἶναι,
καὶ ἐγὼ δοκέω· οὐ γὰρ τὸ συντυχὸν φαίνεταί μοι ἔργον
εἶναι. καὶ πίθους τε ἀργυρέους τέσσερας ἀπέπεμψεν,
οἳ ἐν τῷ Κορινθίων θησαυρῷ ἑστᾶσιν, καὶ περιρραντήρια 10
δύο, χρύσεόν τε καὶ ἀργύρεον, τῶν τῷ χρυσέῳ ἐπιγέ-
γραπται Λακεδαιμονίων φαμένων εἶναι ἀνάθημα, οὐκ
ὀρθῶς λέγοντες· ἔστι γὰρ καὶ τοῦτο Κροίσου, ἐπέγραψε
δὲ τῶν τις Δελφῶν Λακεδαιμονίοισι βουλόμενος χαρί-
ζεσθαι, τοῦ ἐπιστάμενος τοὔνομα οὐκ ἐπιμνήσομαι. ἀλλ' 15
ὁ μὲν παῖς, δι' οὗ τῆς χειρὸς ῥεῖ τὸ ὕδωρ, Λακεδαιμο-
νίων ἐστίν, οὐ μέντοι τῶν γε περιρραντηρίων οὐδέτερον.
ἄλλα τε ἀναθήματα οὐκ ἐπίσημα πολλὰ ἀπέπεμψεν ἅμα
τούτοισιν ὁ Κροῖσος καὶ χεύματα ἀργύρεα κυκλοτερέα,
καὶ δὲ καὶ γυναικὸς εἴδωλον χρύσεον τρίπηχυ, τὸ Δελ- 20
φοὶ τῆς ἀρτοκόπου τῆς Κροίσου εἰκόνα λέγουσιν εἶναι.
πρὸς δὲ καὶ τῆς ἑωυτοῦ γυναικὸς τὰ ἀπὸ τῆς δειρῆς
ἀνέθηκεν ὁ Κροῖσος καὶ τὰς ζώνας. ταῦτα μὲν ἐς Δελ- 52
φοὺς ἀπέπεμψεν, τῷ δὲ Ἀμφιάρεῳ, πυθόμενος αὐτοῦ τήν
τε ἀρετὴν καὶ τὴν πάθην, ἀνέθηκε σάκος τε χρύσεον 25
πᾶν ὁμοίως καὶ αἰχμὴν στερεὴν πᾶσαν χρυσῆν, τὸ ξυστὸν
τῇσι λόγχῃσιν ἐὸν ὁμοίως χρύσεον· τὰ ἔτι καὶ ἀμφότερα
ἐς ἐμὲ ἦν κείμενα ἐν Θήβῃσι καὶ Θηβέων ἐν τῷ νηῷ
τοῦ Ἰσμηνίου Ἀπόλλωνος.

Τοῖς δὲ ἄγειν μέλλουσι τῶν Λυδῶν ταῦτα τὰ δῶρα 53
ἐς τὰ ἱρὰ ἐνετέλλετο ὁ Κροῖσος ἐπειρωτᾶν τὰ χρη- 31
στήρια, εἰ στρατεύηται ἐπὶ Πέρσας Κροῖσος καὶ
εἴ τινα στρατὸν ἀνδρῶν προσθέοιτο φίλον. ὡς δὲ ἀπικό-
μενοι ἐς τὰ ἀπεπέμφθησαν οἱ Λυδοὶ ἀνέθεσαν τὰ ἀναθή-

μάτα, ἐχρέωντο τοῖσι χρηστηρίοισι λέγοντες· „Κροῖσος ὁ
Λυδῶν τε καὶ ἄλλων ἐθνέων βασιλεύς, νομίσας τάδε
μαντήια εἶναι μοῦνα ἐν ἀνθρώποισιν, ὑμῖν τε ἄξια δῶρα
ἔδωκε τῶν ἐξευρημάτων, καὶ νῦν ὑμέας. ἐπειρωτᾷ, εἰ
5 στρατεύηται ἐπὶ Πέρσας καὶ εἴ τινα στρατὸν ἀνδρῶν
προσθέοιτο σύμμαχον.“ οἱ μὲν. ταῦτα ἐπειρώτων, τῶν
δὲ μαντηίων ἀμφοτέρων ἐς τὠυτὸ αἱ γνῶμαι συνέδρα-
μον, προλέγουσαι Κροίσῳ, ἢν στρατεύηται ἐπὶ Πέρσας,
μεγάλην ἀρχήν μιν καταλῦσαι· τοὺς δὲ Ἑλλήνων
10 δυνατωτάτους συνεβούλευόν οἱ ἐξευρόντα φίλους προσ-
54 θέσθαι. ἐπείτε δὲ ἀνενειχθέντα τὰ θεοπρόπια ἐπύθετο
ὁ Κροῖσος, ὑπερήσθη τε τοῖσι χρηστηρίοισιν, πάγχυ τε
ἐλπίσας καταλύσειν τὴν Κύρου βασιληίην πέμψας αὖτις
ἐς Πυθὼ Δελφοὺς δωρεῖται, πυθόμενος αὐτῶν τὸ πλῆ-
15 θος, κατ’ ἄνδρα δύο στατῆρσιν ἕκαστον χρυσοῦ. Δελ-
φοὶ δὲ ἀντὶ τούτων ἔδοσαν Κροίσῳ τε καὶ Λυδοῖσι
προμαντηίην καὶ ἀτελείην καὶ προεδρίην καὶ ἐξεῖναι τῷ
βουλομένῳ αὐτῶν γίνεσθαι Δελφὸν ἐς τὸν αἰεὶ χρό-
55 νον. δωρησάμενος δὲ τοὺς Δελφοὺς ὁ Κροῖσος ἐχρη-
20 στηριάζετο τὸ τρίτον. ἐπείτε γὰρ δὴ παρέλαβε τοῦ
μαντηίου ἀληθείην, ἐνεφορεῖτο αὐτοῦ. ἐπείρωτα δὲ τάδε
χρηστηριαζόμενος, εἰ οἱ πολυχρόνιος ἔσται ἡ μουναρχίη.
ἡ δὲ Πυθίη οἱ χρῇ τάδε·

Ἀλλ’ ὅταν ἡμίονος βασιλεὺς Μήδοισι γένηται,
25 Καὶ τότε, Λυδὲ ποδαβρέ, πολυψήφιδα παρ’ Ἕρμον
Φεύγειν μηδὲ μένειν, μηδ’ αἰδεῖσθαι κακὸς εἶναι.

Τούτοισιν ἐλθοῦσι τοῖς ἔπεσιν ὁ Κροῖσος πολλόν
56 τι μάλιστα πάντων ἥσθη, ἐλπίζων ἡμίονον οὐδαμὰ ἀντ’
ἀνδρὸς βασιλεύσειν Μήδων, οὐδ’ ἂν αὐτὸς οὐδὲ οἱ ἐξ
30 αὐτοῦ παύσεσθαί κοτε τῆς ἀρχῆς. μετὰ δὲ ταῦτα ἐφρόν-
τιζεν ἱστορέων, τοὺς ἂν Ἑλλήνων (δυνατωτάτους
ἐόντας) προσκτήσαιτο φίλους. ἱστορέων δὲ εὕρισκε Λα-
κεδαιμονίους καὶ Ἀθηναίους προέχοντας, τοὺς μὲν τοῦ
Δωρικοῦ γένεος, τοὺς δὲ τοῦ Ἰωνικοῦ. ταῦτα γὰρ ἦν

τὰ προκεκριμένα, ἐόντα τὸ ἀρχαῖον τὸ μὲν Πελασγικόν,
τὸ δὲ Ἑλληνικὸν ἔθνος. καὶ τὸ μὲν οὐδαμῇ κω ἐξεχώ-
ρησεν, τὸ δὲ πολυπλάνητον κάρτα. ἐπὶ μὲν γὰρ Δευκα-
λίωνος βασιλέος, οἴκει γῆν τὴν Φθιῶτιν, ἐπὶ δὲ Δώρου
τοῦ Ἕλληνος (τὴν) ὑπὸ τὴν Ὄσσαν τε καὶ τὸν Ὄλυμπον 5
χώρην, καλεομένην δὲ Ἱστιαιῶτιν. ἐκ δὲ τῆς Ἱστιαιώ-
τιδος ὡς ἐξανέστη ὑπὸ Καδμείων, οἴκει ἐν Πίνδῳ
Μακεδνὸν καλεόμενον. ἐνθεῦτεν δὲ αὖτις ἐς τὴν Δρυο-
πίδα μετέβη, καὶ ἐκ τῆς Δρυοπίδος οὕτως ἐς Πελοπόν-
νησον ἐλθὸν Δωρικὸν ἐκλήθη. ἥντινα δὲ γλῶσσαν 57
ἴεσαν οἱ Πελασγοί, οὐκ ἔχω ἀτρεκέως εἰπεῖν· εἰ 11
δὲ χρεόν ἐστι τεκμαιρόμενον λέγειν τοῖς νῦν ἔτι ἐοῦσι
Πελασγῶν (τῶν ὑπὲρ Τυρσηνῶν Κρηστῶνα πόλιν οἰκεόν-
των, οἳ ὅμουροί κοτε ἦσαν τοῖς νῦν Δωριεῦσι καλεομέ-
νοισιν) οἴκεον δὲ τηνικαῦτα γῆν τὴν νῦν Θεσσαλιῶτιν 15
καλεομένην, καὶ τῶν Πλακίην τε καὶ Σκυλάκην Πελα-
σγῶν οἰκησάντων ἐν Ἑλλησπόντῳ, οἳ σύνοικοι ἐγένοντο
Ἀθηναίοισιν, καὶ ὅσα ἄλλα Πελασγικὰ ἐόντα πολίσματα
τὸ ὄνομα μετέβαλεν, εἰ τούτοισι τεκμαιρόμενον δεῖ λέγειν,
ἦσαν οἱ Πελασγοὶ βάρβαρον γλῶσσαν ἱέντες. εἰ τοίνυν 20
ἦν καὶ πᾶν τοιοῦτο τὸ Πελασγικόν, τὸ Ἀττικὸν ἔθνος
ἐὸν Πελασγικὸν ἅμα τῇ μεταβολῇ τῇ ἐς Ἕλληνας καὶ
τὴν γλῶσσαν μετέμαθεν. καὶ γὰρ δὴ οὔτε οἱ Κρηστω-
νιῆται οὐδαμοῖσι τῶν νῦν σφεας περιοικεόντων εἰσὶν
ὁμόγλωσσοι οὔτε οἱ Πλακιηνοί, σφίσι δὲ ὁμόγλωσσοι, 25
δηλοῦσί τε ὅτι τὸν ἠνείκαντο γλώσσης χαρακτῆρα μετα-
βαίνοντες ἐς ταῦτα τὰ χωρία, τοῦτον ἔχουσιν ἐν φυλακῇ.
τὸ δὲ Ἑλληνικὸν γλώσσῃ μέν, ἐπείτε ἐγένετο, αἰεί κοτε τῇ 58
αὐτῇ διαχρῆται, ὡς ἐμοὶ καταφαίνεται εἶναι· ἀποσχισθὲν
μέντοι ἀπὸ τοῦ Πελασγικοῦ ἐὸν ἀσθενές, ἀπὸ σμικροῦ τεο 30
τὴν ἀρχὴν ὁρμώμενον ηὔξηται ἐς πλῆθος τῶν ἐθνέων, Πε-
λασγῶν μάλιστα προσκεχωρηκότων αὐτῷ καὶ ἄλλων ἐθνέων
βαρβάρων συχνῶν. πρὸς δὴ ὦν ἔμοιγε δοκεῖ οὐδὲ τὸ Πελασ-
γικὸν ἔθνος, ἐὸν βάρβαρον, οὐδαμὰ μεγάλως αὐξηθῆναι.

59 Τούτων δὴ ὦν τῶν ἐθνέων τὸ μὲν Ἀττικὸν κατεχόμενόν τε καὶ διεσπασμένον ἐπυνθάνετο ὁ Κροῖσος ὑπὸ Πεισιστράτου τοῦ Ἱπποκράτεος τοῦτον τὸν χρόνον τυραννεύοντος Ἀθηναίων. Ἱπποκράτεϊ γὰρ
5 ἐόντι ἰδιώτῃ καὶ θεωρέοντι τὰ Ὀλύμπια τέρας ἐγένετο μέγα· θύσαντος γὰρ αὐτοῦ τὰ ἱρὰ οἱ λέβητες ἐπεστεῶτες καὶ κρεῶν τε ἐόντες ἔμπλεοι καὶ ὕδατος ἄνευ πυρὸς ἔζεσαν καὶ ὑπερέβαλον. Χίλων δὲ ὁ Λακεδαιμόνιος παρατυχὼν καὶ θεησάμενος τὸ τέρας συνεβούλευεν Ἱπποκράτεϊ
10 πρῶτα μὲν γυναῖκα μὴ ἄγεσθαι τεκνοποιὸν ἐς τὰ οἰκία, εἰ δὲ τυγχάνει ἔχων, δεύτερα τὴν γυναῖκα ἐκπέμπειν, καὶ εἴ τίς οἱ τυγχάνει ἐὼν παῖς, τοῦτον ἀπείπασθαι. οὔκων ταῦτα παραινέσαντος Χίλωνος πείθεσθαι θέλειν τὸν Ἱπποκράτεα· γενέσθαι οἱ μετὰ ταῦτα τὸν Πει-
15 σίστρατον τοῦτον, ὃς στασιαζόντων τῶν παράλων καὶ τῶν ἐκ τοῦ πεδίου Ἀθηναίων, καὶ τῶν μὲν προεστεῶτος Μεγακλέος τοῦ Ἀλκμέωνος, τῶν δὲ ἐκ τοῦ πεδίου Λυκούργου τοῦ Ἀριστολαΐδεω, καταφρονήσας τὴν τυραννίδα ἤγειρε τρίτην στάσιν, συλλέξας δὲ στασιώτας καὶ τῷ
20 λόγῳ τῶν ὑπερακρίων προστὰς μηχανᾶται τοιάδε· τρωματίσας ἑωυτόν τε καὶ ἡμιόνους ἤλασεν ἐς τὴν ἀγορὴν τὸ ζεῦγος ὡς ἐκπεφευγὼς τοὺς ἐχθρούς, οἵ μιν ἐλαύνοντα ἐς ἀγρὸν ἠθέλησαν ἀπολέσαι δῆθεν, ἐδεῖτό τε τοῦ δήμου φυλακῆς τινος πρὸς αὐτοῦ κυρῆσαι, πρότερον εὐδοκι-
25 μήσας ἐν τῇ πρὸς Μεγαρέας γενομένῃ στρατηγίῃ, Νίσαιάν τε ἑλὼν καὶ ἄλλα ἀποδεξάμενος μεγάλα ἔργα. ὁ δὲ δῆμος ὁ τῶν Ἀθηναίων ἐξαπατηθεὶς ἔδωκέν οἱ τῶν ἀστῶν καταλέξας ἄνδρας τούτους, οἳ δορυφόροι μὲν οὐκ ἐγένοντο Πεισιστράτου, κορυνηφόροι δέ· ξύλων γὰρ
30 κορύνας ἔχοντες εἵποντό οἱ ὄπισθεν. συνεπαναστάντες δὲ οὗτοι ἅμα Πεισιστράτῳ ἔσχον τὴν ἀκρόπολιν. ἔνθα δὴ ὁ Πεισίστρατος ἦρχεν Ἀθηναίων, οὔτε τιμὰς τὰς ἐούσας συνταράξας οὔτε θέσμια μεταλλάξας, ἐπί τε τοῖς κατεστεῶσιν ἔνεμε τὴν πόλιν κοσμέων καλῶς τε καὶ εὖ.

μετὰ δὲ οὐ πολλὸν χρόνον τὠυτὸ φρονήσαντες οἵ τε **60**
τοῦ Μεγακλέος στασιῶται καὶ οἱ τοῦ Λυκούργου
ἐξελαύνουσί μιν. οὕτω μὲν Πεισίστρατος ἔσχε τὸ
πρῶτον Ἀθήνας καὶ τὴν τυραννίδα οὔκω κάρτα ἐρριζω-
μένην ἔχων ἀπέβαλεν, οἱ δὲ ἐξελάσαντες Πεισίστρατον **5**
αὖτις ἐκ νέης ἐπ᾽ ἀλλήλοισιν ἐστασίασαν. περιελαυνό-
μενος δὲ τῇ στάσει ὁ Μεγακλῆς ἐπεκηρυκεύετο
Πεισιστράτῳ, εἰ βούλοιτό οἱ τὴν θυγατέρα ἔχειν
γυναῖκα ἐπὶ τῇ τυραννίδι. ἐνδεξαμένου δὲ τὸν λόγον
καὶ ὁμολογήσαντος ἐπὶ τούτοισι Πεισιστράτου μηχανῶνται **10**
δὴ ἐπὶ τῇ κατόδῳ πρῆγμα εὐηθέστατον, ὡς ἐγὼ εὑρίσκω,
μακρῷ, ἐπεί γε ἀπεκρίθη ἐκ παλαιτέρου τοῦ βαρβάρου
ἔθνεος τὸ Ἑλληνικὸν ἐὸν καὶ δεξιώτερον καὶ εὐηθείης
ἠλιθίου ἀπηλλαγμένον μᾶλλον, εἰ καὶ τότε γε οὗτοι ἐν
Ἀθηναίοισι τοῖσι πρώτοισι λεγομένοισιν εἶναι Ἑλλήνων **15**
σοφίην μηχανῶνται τοιάδε. ἐν τῷ δήμῳ τῷ Παιανιεῖ
ἦν γυνή, τῇ ὄνομα ἦν Φύη, μέγαθος ἀπὸ τεσσέρων
πηχέων ἀπολείπουσα τρεῖς δακτύλους καὶ ἄλλως εὐειδής.
ταύτην τὴν γυναῖκα σκευάσαντες πανοπλίῃ, ἐς ἅρμα ἐσβι-
βάσαντες καὶ προδέξαντες σχῆμα, οἷόν τι ἔμελλεν εὐ- **20**
πρεπέστατον φανεῖσθαι ἔχουσα, ἤλαυνον ἐς τὸ ἄστυ,
προδρόμους κήρυκας προπέμψαντες, οἳ τὰ ἐντεταλμένα
ἠγόρευον ἀπικόμενοι ἐς τὸ ἄστυ, λέγοντες τοιάδε· „Ὦ
Ἀθηναῖοι, δέκεσθε ἀγαθῷ νόῳ Πεισίστρατον, τὸν αὐτὴ
ἡ Ἀθηναίη τιμήσασα ἀνθρώπων μάλιστα κατάγει ἐς τὴν **25**
ἑωυτῆς ἀκρόπολιν.‟ οἱ μὲν δὴ ταῦτα διαφοιτῶντες
ἔλεγον, αὐτίκα δὲ ἔς τε τοὺς δήμους φάτις ἀπίκετο,
ὡς Ἀθηναίη Πεισίστρατον κατάγει, καὶ οἱ ἐν τῷ ἄστει
πειθόμενοι τὴν γυναῖκα εἶναι αὐτὴν τὴν θεὸν προσ-
εύχοντό τε τὴν ἄνθρωπον καὶ ἐδέκοντο Πεισίστρατον. **30**
ἀπολαβὼν δὲ τὴν τυραννίδα τρόπῳ τῷ εἰρημένῳ ὁ Πει- **61**
σίστρατος κατὰ τὴν ὁμολογίην τὴν πρὸς Μεγακλέα
γενομένην γαμεῖ τοῦ Μεγακλέος τὴν θυγατέρα.
οἷα δὲ παίδων τέ οἱ ὑπαρχόντων νεηνιῶν καὶ λεγομένων

ἐναγέων εἶναι τῶν Ἀλκμεωνιδέων, οὐ βουλόμενός οἱ γενέ-
σθαι ἐκ · τῆς νεογάμου γυναικὸς τέκνα ἐμίσγετό οἱ οὐ
κατὰ νόμον. τὰ μέν νυν πρῶτα ἔκρυπτε ταῦτα ἡ γυνή,
μετὰ δέ, εἴτε ἱστορεύσῃ εἴτε καὶ οὔ, φράζει τῇ ἑωυτῆς
5 μητρί, ἡ δὲ τῷ ἀνδρί. τὸν δὲ δεινόν τι ἔσχεν ἀτιμά-
ζεσθαι πρὸς Πεισιστράτου. ὀργῇ δὲ ὡς εἶχε καταλλάσ-
σετο τὴν ἔχθρην τοῖς στασιώτῃσιν. μαθὼν δὲ ὁ Πει-
σίστρατος τὰ ποιεύμενα ἐπ' ἑωυτῷ ἀπαλλάσσετο ἐκ
τῆς χώρης τὸ παράπαν, ἀπικόμενος δὲ ἐς Ἐρέτριαν
10 ἐβουλεύετο ἅμα τοῖς παισίν. Ἱππίω δὲ γνώμῃ νικήσαντος
ἀνακτᾶσθαι ὀπίσω τὴν τυραννίδα, ἐνθαῦτα ἤγειρον δω-
τίνας ἐκ τῶν πολίων, αἵτινές σφι προαιδέοντό κού τι.
πολλῶν δὲ μεγάλα παρασχόντων χρήματα, Θηβαῖοι ὑπερ-
εβάλοντο τῇ δόσει τῶν χρημάτων. μετὰ δέ, οὐ πολλῷ
15 λόγῳ εἰπεῖν, χρόνος διέφυ καὶ πάντα σφιν ἐξήρτυτο ἐς
τὴν κάτοδον. καὶ γὰρ Ἀργεῖοι μισθωτοὶ ἀπίκοντο ἐκ
Πελοποννήσου, καὶ Νάξιός σφιν ἀνὴρ ἀπιγμένος ἐθε-
λοντής, τῷ ὄνομα ἦν Λύγδαμις, προθυμίην πλείστην
62 παρείχετο, κομίσας καὶ χρήματα καὶ ἄνδρας. ἐξ Ἐρε-
20 τρίης δὲ ὁρμηθέντες διὰ ἐνδεκάτου ἔτεος ἀπί-
κοντο ὀπίσω. καὶ πρῶτον τῆς Ἀττικῆς ἴσχουσι Μαρα-
θῶνα. ἐν δὲ τούτῳ τῷ χώρῳ σφι στρατοπεδευομένοισιν
οἵ τε ἐκ τοῦ ἄστεος στασιῶται ἀπίκοντο, ἄλλοι τε ἐκ
τῶν δήμων προσέρρεον, οἷσιν ἡ τυραννὶς πρὸ ἐλευθερίης
25 ἦν ἀσπαστότερον. οὗτοι μὲν δὴ συνηλίζοντο· Ἀθηναίων
δὲ οἱ ἐκ τοῦ ἄστεος, ἕως μὲν Πεισίστρατος τὰ χρήματα
ἤγειρεν, καὶ μεταῦτις ὡς ἔσχε Μαραθῶνα, λόγον οὐδένα
εἶχον, ἐπείτε δὲ ἐπύθοντο ἐκ τοῦ Μαραθῶνος αὐτὸν
πορεύεσθαι ἐπὶ τὸ ἄστυ, οὕτω δὴ βοηθέουσιν ἐπ' αὐτόν.
30 καὶ οὗτοί τε πανστρατιῇ ἦσαν ἐπὶ τοὺς κατιόντας καὶ οἱ
ἀμφὶ Πεισίστρατον, ὡς ὁρμηθέντες ἐκ Μαραθῶνος ἦσαν
ἐπὶ τὸ ἄστυ, ἐς τὠυτὸ συνιόντες ἀπικνέονται ἐπὶ Παλλη-
νίδος Ἀθηναίης ἱρὸν καὶ ἀντία ἔθεντο τὰ ὅπλα. ἐνθαῦτα
θείῃ πομπῇ χρεώμενος παρίσταται Πεισιστράτῳ Ἀμφίλυτος

ὁ Ἀκαρνὰν χρησμολόγος ἀνήρ, ὅς οἱ προσιὼν χρῆ ἐν
ἑξαμέτρῳ τόνῳ τάδε λέγων·

  Ἔρριπται δ' ὁ βόλος, τὸ δὲ δίκτυον ἐκπεπέτασται,
  Θύννοι δ' οἰμήσουσι σεληναίης διὰ νυκτός.

ὁ μὲν δή οἱ ἐνθεάζων χρῆ τάδε, Πεισίστρατος δὲ συλλα- 63
βὼν τὸ χρηστήριον καὶ φὰς δέκεσθαι τὸ χρησθὲν ἐπῆγε 6
τὴν στρατιήν. Ἀθηναῖοι δὲ οἱ ἐκ τοῦ ἄστεος, πρὸς ἄρι-
στον τετραμμένοι ἦσαν δὴ τηνικαῦτα καὶ μετὰ τὸ ἄρι-
στον μετεξέτεροι αὐτῶν οἱ μὲν πρὸς κύβους, οἱ δὲ πρὸς
ὕπνον. οἱ δὲ ἀμφὶ Πεισίστρατον ἐσπεσόντες τοὺς Ἀθη- 10
ναίους, τρέπουσιν. φευγόντων δὲ τούτων, βουλὴν ἐν-
θαῦτα σοφωτάτην Πεισίστρατος ἐπιτεχνᾶται, ὅκως μήτε
ἁλισθεῖεν ἔτι οἱ Ἀθηναῖοι διεσκεδασμένοι τε εἶεν· ἀνα-
βιβάσας τοὺς παῖδας ἐπὶ ἵππους προέπεμπεν. οἱ δὲ κα-
ταλαμβάνοντες τοὺς φεύγοντας ἔλεγον τὰ ἐντεταλμένα 15
ὑπὸ Πεισιστράτου, θαρσεῖν τε κελεύοντες καὶ ἀπιέναι
ἕκαστον ἐπὶ τὰ ἑωυτοῦ. πειθομένων δὲ τῶν Ἀθηναίων, 64
οὕτω δὴ Πεισίστρατος τὸ τρίτον σχὼν Ἀθήνας,
ἐρρίζωσε τὴν τυραννίδα ἐπικούροισί τε πολλοῖσι καὶ
χρημάτων συνόδοισι, τῶν μὲν αὐτόθεν, τῶν δὲ ἀπὸ 20
Στρυμόνος ποταμοῦ συνιόντων, ὁμήρους τε τῶν παρα-
μεινάντων Ἀθηναίων καὶ μὴ αὐτίκα φυγόντων παῖδας
λαβὼν καὶ καταστήσας ἐς Νάξον (καὶ γὰρ ταύτην ὁ Πει-
σίστρατος κατεστρέψατο πολέμῳ καὶ ἐπέτρεψε Λυγδάμι),
πρός τε ἔτι τούτοισι, τὴν νῆσον Δῆλον καθήρας ἐκ τῶν 25
λογίων, καθήρας δὲ ὧδε· ἐπ' ὅσον ἔποψις τοῦ ἱροῦ εἶχεν,
ἐκ τούτου τοῦ χώρου παντὸς ἐξορύξας τοὺς νεκρούς,
μετεφόρει ἐς ἄλλον χῶρον τῆς Δήλου. καὶ Πεισίστρατος
μὲν ἐτυράννευεν Ἀθηνέων, Ἀθηναίων δὲ οἱ μὲν ἐν τῇ
μάχῃ ἐπεπτώκεσαν, οἱ δὲ αὐτῶν μετ' Ἀλκμεωνιδέων ἔφευ- 30
γον ἐκ τῆς οἰκηίης.

  Τοὺς μὲν νῦν Ἀθηναίους τοιαῦτα τὸν χρόνον τοῦ- 65
τον ἐπυνθάνετο ὁ Κροῖσος κατέχοντα, τοὺς δὲ
Λακεδαιμονίους ἐκ κακῶν τε μεγάλων πεφευ-

γότας καὶ ἐόντας ἤδη τῷ πολέμῳ κατυπερτέρους Τεγεη-
τέων. ἐπὶ γὰρ Δέοντος βασιλεύοντος καὶ Ἡγησικλέος ἐν
Σπάρτῃ τοὺς ἄλλους πολέμους εὐτυχέοντες οἱ Λακεδαι-
μόνιοι πρὸς Τεγεήτας μούνους προσέπταιον. τὸ δὲ ἔτι
5 πρότερον τούτων καὶ κακονομώτατοι ἦσαν σχεδὸν πάν-
των Ἑλλήνων κατά τε σφέας αὐτοὺς καὶ ξείνοισιν ἀπρόσ-
μεικτοι. μετέβαλον δὲ ὧδε ἐς εὐνομίην· Λυκούργου
τῶν Σπαρτιητέων δοκίμου ἀνδρὸς ἐλθόντος ἐς
Δελφοὺς ἐπὶ τὸ χρηστήριον, ὡς ἐσῆεν ἐς τὸ μέγαρον,
10 ἰθὺς ἡ Πυθίη λέγει τάδε·

Ἥκεις, ὦ Λυκόοργε, ἐμὸν ποτὶ πίονα νηὸν
Ζηνὶ φίλος καὶ πᾶσιν Ὀλύμπια δώματ' ἔχουσι.
Δίζω ἤ σε θεὸν μαντεύσομαι ἢ ἄνθρωπον·
Ἀλλ' ἔτι καὶ μᾶλλον θεὸν ἔλπομαι, ὦ Λυκόοργε.

15 οἱ μὲν δή τινες πρὸς τούτοισι λέγουσι καὶ φράσαι αὐτῷ
τὴν Πυθίην τὸν νῦν κατεστεῶτα κόσμον Σπαρτιήτῃσιν,
ὡς δ' αὐτοὶ Λακεδαιμόνιοι λέγουσιν, Λυκοῦργον ἐπι-
τροπεύσαντα Λεωβώτεω, ἀδελφιδέου μὲν ἑωυτοῦ, βασι-
λεύοντος δὲ Σπαρτιητέων, ἐκ Κρήτης ἀγαγέσθαι ταῦτα.
20 ὡς γὰρ ἐπετρόπευσε τάχιστα, μετέστησε τὰ νόμιμα πάντα
66 καὶ ἐφύλαξε ταῦτα μηδένα παραβαίνειν. οὕτω μὲν μετα-
βαλόντες εὐνομήθησαν, τῷ δὲ Λυκούργῳ τελευτήσαντι
ἱρὸν εἱσάμενοι σέβονται μεγάλως. οἷα δὲ ἔν τε χώρῃ
ἀγαθῇ καὶ πλήθει οὐκ ὀλίγων ἀνδρῶν, ἀνά τε ἔδραμον
25 αὐτίκα καὶ εὐθηνήθησαν. καὶ δή σφιν οὐκέτι ἀπέχρη
ἡσυχίην ἄγειν, ἀλλὰ καταφρονήσαντες Ἀρκάδων κρέσσονες
εἶναι ἐχρηστηριάζοντο ἐν Δελφοῖσιν ἐπὶ πάσῃ τῇ
Ἀρκάδων χώρῃ. ἡ δὲ Πυθίη σφι χρῇ τάδε·

Ἀρκαδίην μ' αἰτεῖς; μέγα μ' αἰτεῖς· οὔ τοι δώσω.
30 Πολλοὶ ἐν Ἀρκαδίῃ βαλανηφάγοι ἄνδρες ἔασιν,
Οἵ σ' ἀποκωλύσουσιν. ἐγὼ δέ τοι οὔτι μεγαίρω.
Δώσω τοι Τεγέην ποσσίκροτον ὀρχήσασθαι
Καὶ καλὸν πεδίον σχοίνῳ διαμετρήσασθαι.

ταῦτα ὡς ἀπενειχθέντα ἤκουσαν οἱ Λακεδαιμόνιοι, Ἀρκά-

δων μὲν τῶν ἄλλων ἀπείχοντο, οἱ δὲ πέδας φερόμενοι
ἐπὶ Τεγεήτας ἐστρατεύοντο, χρησμῷ κιβδήλῳ πί-
συνοι, ὡς δὴ ἐξανδραποδιεύμενοι τοὺς Τεγεήτας. ἑσσω-
θέντες δὲ τῇ συμβολῇ, ὅσοι αὐτῶν ἐζωγρήθησαν, πέδας
τε ἔχοντες, τὰς ἐφέροντο αὐτοί, καὶ σχοίνῳ διαμετρη- 5
σάμενοι τὸ πεδίον τὸ Τεγεητέων ἐργάζοντο. αἱ δὲ πέδαι
αὗται, ἐν τῇσιν ἐδεδέατο, ἔτι καὶ ἐς ἐμὲ ἦσαν σόαι ἐν
Τεγέῃ, περὶ τὸν νηὸν τῆς Ἀλέης Ἀθηναίης κρεμάμεναι.
κατὰ μὲν δὴ τὸν πρότερον πόλεμον συνεχέως αἰεὶ κακῶς 67
ἀέθλεον πρὸς τοὺς Τεγεήτας, κατὰ δὲ τὸν κατὰ Κροῖσον 10
χρόνον καὶ τὴν Ἀναξανδρίδεώ τε καὶ Ἀρίστωνος βασι-
ληίην ἐν Λακεδαίμονι ἤδη οἱ Σπαρτιῆται κατυπέρτεροι
τῷ πολέμῳ ἐγεγόνεσαν, τρόπῳ τοιῷδε γενόμενοι· ἐπειδὴ
αἰεὶ τῷ πολέμῳ ἑσσοῦντο ὑπὸ Τεγεητέων, πέμψαντες
θεοπρόπους ἐς Δελφοὺς ἐπειρώτων, τίνα ἂν θεῶν 15
ἱλασάμενοι κατύπερθε τῷ πολέμῳ Τεγεητέων γενοίατο.
ἡ δὲ Πυθίη σφιν ἔχρησε τὰ Ὀρέστεω τοῦ Ἀγα-
μέμνονος ὀστέα ἐπαγαγομένους. ὡς δὲ ἀνευρεῖν
οὐκ οἷοί τε ἐγίνοντο τὴν θήκην τοῦ Ὀρέστεω, ἔπεμπον
αὖτις ἐς τὸν θεὸν ἐπειρησομένους τὸν χῶρον, ἐν τῷ κέ- 20
οιτο Ὀρέστης. εἰρωτῶσι δὲ ταῦτα τοῖσι θεοπρόποισι
λέγει ἡ Πυθίη τάδε·

> Ἔστι τις Ἀρκαδίης Τεγέη λευρῷ ἐνὶ χώρῳ,
> Ἔνθ’ ἄνεμοι πνείουσι δύω κρατερῆς ὑπ’ ἀνάγκης,
> Καὶ τύπος ἀντίτυπος, καὶ πῆμ’ ἐπὶ πήματι κεῖται. 25
> Ἔνθ’ Ἀγαμεμνονίδην κατέχει φυσίζοος αἶα·
> Τὸν σὺ κομισσάμενος Τεγέης ἐπιτάρροθος ἔσσῃ.

ὡς δὲ καὶ ταῦτα ἤκουσαν οἱ Λακεδαιμόνιοι, ἀπεῖχον τῆς
ἐξευρέσιος οὐδὲν ἔλασσον, πάντα διζήμενοι, ἐς ὃ δὴ Λίχης
τῶν ἀγαθοεργῶν καλεομένων Σπαρτιητέων ἀνεῦρεν. οἱ δὲ 30
ἀγαθοεργοί εἰσι τῶν ἀστῶν, ἐξιόντες ἐκ τῶν ἱππέων αἰεὶ οἱ
πρεσβύτατοι, πέντε ἔτεος ἑκάστου· τοὺς δεῖ τοῦτον τὸν
ἐνιαυτόν, τὸν ἂν ἐξίωσιν ἐκ τῶν ἱππέων, Σπαρτιητέων τῷ
κοινῷ διαπεμπομένους μὴ ἐλινύειν ἄλλους ἄλλῃ. τούτων 68

ὧν τῶν ἀνδρῶν Λίχης ἀνεῦρεν ἐν Τεγέῃ καὶ συντυχίῃ
χρησάμενος καὶ σοφίῃ. ἐούσης γὰρ τοῦτον τὸν χρόνον
ἐπιμειξίης πρὸς τοὺς Τεγεήτας ἐλθὼν ἐς χαλκήιον ἐθηεῖτο
σίδηρον ἐξελαυνόμενον, καὶ ἐν θώματι ἦν ὁρέων τὸ ποιεό-
5 μενον. μαθὼν δέ μιν ὁ χαλκεὺς ἀποθωμάζοντα εἶπε παυσά-
μενος τοῦ ἔργου· „Ἦ κου ἄν, ὦ ξεῖνε Λάκων, εἴ περ
εἶδες τό περ ἐγώ, κάρτα ἂν ἐθώμαζες, ὅκου νῦν οὕτω
τυγχάνεις θῶμα ποιεύμενος τὴν ἐργασίην τοῦ σιδήρου.
ἐγὼ γὰρ ἐν τῇδε θέλων τῇ αὐλῇ φρέαρ ποιήσασθαι,
10 ὀρύσσων ἐπέτυχον σορῷ ἑπταπήχεϊ· ὑπὸ δὲ ἀπιστίης
μὴ μὲν γενέσθαι μηδαμὰ μέζονας ἀνθρώπους τῶν νῦν
ἄνοιξα αὐτὴν καὶ εἶδον τὸν νεκρὸν μήκεϊ ἴσον ἐόντα
τῇ σορῷ. μετρήσας δὲ συνέχωσα ὀπίσω." ὁ μὲν δή
οἱ ἔλεγεν, ᾽τά περ ὀπώπει, ὁ δὲ ἐννώσας τὰ λεγόμενα
15 συνεβάλλετο τὸν Ὀρέστεα κατὰ τὸ θεοπρόπιον τοῦτον
εἶναι, τῇδε συμβαλλόμενος· τοῦ χαλκέος δύο ὁρέων φύ-
σας τοὺς ἀνέμους εὕρισκεν ἐόντας, τὸν δὲ ἄκμονα καὶ
τὴν σφῦραν τόν τε τύπον καὶ τὸν ἀντίτυπον, τὸν δὲ
ἐξελαυνόμενον σίδηρον τὸ πῆμα ἐπὶ πήματι κείμενον,
20 κατὰ τοιόνδε τι εἰκάζων, ὡς ἐπὶ κακῷ ἀνθρώπου σί-
δηρος ἀνεύρηται. συμβαλόμενος δὲ ταῦτα καὶ ἀπελθὼν
ἐς Σπάρτην ἔφραζε Λακεδαιμονίοισι πᾶν τὸ πρῆγμα.
οἱ δὲ ἐκ λόγου πλαστοῦ ἐπενείκαντές οἱ αἰτίην ἐδίωξαν.
ὁ δὲ ἀπικόμενος ἐς Τεγέην καὶ φράζων τὴν ἑωυτοῦ
25 συμφορὴν πρὸς τὸν χαλκέα ἐμισθοῦτο παρ' οὐκ ἐκδι-
δόντος τὴν αὐλήν. χρόνῳ δὲ ὡς ἀνέγνωσεν, ἐνοικίσθη,
ἀνορύξας δὲ τὸν τάφον καὶ τὰ ὀστέα συλλέξας οἴχετο
φέρων ἐς Σπάρτην. καὶ ἀπὸ τούτου τοῦ χρόνου, ὅκως
πειρῷατο ἀλλήλων, πολλῷ κατυπέρτεροι τῷ πολέμῳ ἐγί-
30 νοντο οἱ Λακεδαιμόνιοι· ἤδη δέ σφι καὶ ἡ πολλὴ τῆς
Πελοποννήσου ἦν κατεστραμμένη.

69 Ταῦτα δὴ ὦν πάντα πυνθανόμενος ὁ Κροῖσος
ἔπεμπεν ἐς Σπάρτην ἀγγέλους δῶρά τε φέροντας
καὶ δεησομένους συμμαχίης, ἐντειλάμενός τε τὰ

λέγειν χρῆν. οἱ δὲ ἐλθόντες ἔλεγον· „Ἔπεμψεν ἡμέας
Κροῖσος ὁ Λυδῶν τε καὶ ἄλλων ἐθνέων βασιλεύς, λέγων
τάδε· Ὦ Λακεδαιμόνιοι, χρήσαντος τοῦ θεοῦ τὸν Ἕλληνα
φίλον προσθέσθαι, ἡμέας γὰρ πυνθάνομαι προεστάναι
τῆς Ἑλλάδος, ὑμέας ὦν κατὰ τὸ χρηστήριον προσκαλέο-
μαι φίλος τε θέλων γενέσθαι καὶ σύμμαχος ἄνευ τε
δόλου καὶ ἀπάτης.“ Κροῖσος μὲν δὴ ταῦτα δι' ἀγγέλων
ἐπεκηρυκεύετο, Λακεδαιμόνιοι δὲ ἀκηκοότες καὶ αὐτοὶ τὸ
θεοπρόπιον τὸ Κροίσῳ γενόμενον ἥσθησάν τε τῇ ἀπίξει
τῶν Λυδῶν καὶ ἐποιήσαντο ὅρκια ξεινίης πέρι καὶ συμ-
μαχίης· καὶ γάρ τινες αὐτοὺς εὐεργεσίαι εἶχον ἐκ Κροί-
σου πρότερον ἔτι γεγονυῖαι. πέμψαντες γὰρ οἱ Λακε-
δαιμόνιοι ἐς Σάρδις χρυσὸν ὠνέοντο, ἐς ἄγαλμα βου-
λόμενοι χρήσασθαι τοῦτο τὸ νῦν τῆς Λακωνικῆς ἐν
Θόρνακι ἵδρυται Ἀπόλλωνος, Κροῖσος δέ σφιν ὠνεομέ-
νοισιν ἔδωκε δωτίνην.

Τούτων τε ὦν εἵνεκεν οἱ Λακεδαιμόνιοι τὴν συμ-
μαχίην ἐδέξαντο, καὶ ὅτι ἐκ πάντων σφέας προκρίνας
Ἑλλήνων αἱρεῖτο φίλους. καὶ τοῦτο μὲν αὐτοὶ ἦσαν
ἕτοιμοι ἐπαγγείλαντι, τοῦτο δὲ ποιησάμενοι κρητῆρα
χάλκεον ζῳδίων τε ἔξωθεν πλήσαντες περὶ τὸ χεῖλος
καὶ μεγάθει τριηκοσίους ἀμφορέας χωρέοντα ἦγον, δῶρον
βουλόμενοι ἀντιδοῦναι Κροίσῳ. οὗτος ὁ κρητὴρ οὐκ
ἀπίκετο ἐς Σάρδις δι' αἰτίας διφασίας λεγομένας τάσδε·
οἱ μὲν Λακεδαιμόνιοι λέγουσιν, ὡς ἐπείτε ἀγόμενος ἐς
τὰς Σάρδις ὁ κρητὴρ ἐγίνετο κατὰ τὴν Σαμίην, πυθό-
μενοι Σάμιοι ἀπελοίατο αὐτὸν νηυσὶ μακρῇσιν ἐπιπλώ-
σαντες· αὐτοὶ δὲ Σάμιοι λέγουσιν, ὡς ἐπείτε ὑστέρησαν
οἱ ἄγοντες τῶν Λακεδαιμονίων τὸν κρητῆρα, ἐπυνθά-
νοντο δὲ Σάρδις τε καὶ Κροῖσον ἡλωκέναι, ἀπέδοντο
τὸν κρητῆρα ἐν Σάμῳ, ἰδιώτας δὲ ἄνδρας πριαμένους
ἀναθεῖναί μιν ἐς τὸ Ἥραιον· τάχα δὲ ἂν καὶ οἱ ἀπο-
δόμενοι λέγοιεν ἀπικόμενοι ἐς Σπάρτην, ὡς ἀπαιρεθεί-
σαν ὑπὸ Σαμίων.

71   Κατὰ μέν νυν τὸν κρητῆρα οὕτως ἔσχεν, Κροῖσος
δὲ ἁμαρτὼν τοῦ χρησμοῦ ἐποιεῖτο στρατηίην ἐς Καπ-
παδοκίην, ἐλπίσας καταιρήσειν Κῦρόν τε καὶ τὴν Περ-
σέων δύναμιν. παρασκευαζομένου δὲ Κροίσου στρατεύεσθαι
5 ἐπὶ Πέρσας, τῶν τις Λυδῶν νομιζόμενος καὶ πρόσθεν
εἶναι σοφός, ἀπὸ δὲ ταύτης τῆς γνώμης καὶ τὸ κάρτα
ὄνομα ἐν Λυδοῖσιν ἔχων, συνεβούλευσε Κροίσῳ τάδε·
ὄνομά οἱ ἦν Σάνδανις· „Ὦ βασιλεῦ, ἐπ’ ἄνδρας τοι-
ούτους στρατεύεσθαι παρασκευάζεαι, οἳ σκυτίνας μὲν
10 ἀναξυρίδας, σκυτίνην δὲ τὴν ἄλλην ἐσθῆτα φορέουσιν,
σιτέονται δὲ οὐκ ὅσα ἐθέλουσιν, ἀλλ’ ὅσα ἔχουσιν, χώρην
ἔχοντες τρηχεῖαν. πρὸς δὲ οὐκ οἴνῳ διαχρέωνται, ἀλλὰ
ὑδροποτέουσιν, οὐ σῦκα δὲ ἔχουσι τρώγειν, οὐκ ἄλλο
ἀγαθὸν οὐδέν. τοῦτο μὲν δή, εἰ νικήσεις, τί σφεας
15 ἀπαιρήσεαι, τοῖσί γε μὴ ἔστι μηδέν; τοῦτο δέ, ἢν νι-
κηθῇς, μάθε ὅσα ἀγαθὰ ἀποβαλεῖς. γευσάμενοι γὰρ
τῶν ἡμετέρων ἀγαθῶν περιέξονται οὐδὲ ἀπωστοὶ ἔσον-
ται. ἐγὼ μέν νυν θεοῖσιν ἔχω χάριν, οἳ οὐκ ἐπὶ νόον
ποιέουσι Πέρσῃσι στρατεύεσθαι ἐπὶ Λυδούς." ταῦτα
20 λέγων οὐκ ἔπειθε τὸν Κροῖσον. Πέρσῃσι γάρ, πρὶν
Λυδοὺς καταστρέψασθαι, ἦν οὔτε ἁβρὸν οὔτε ἀγαθὸν
οὐδέν.

72   Οἱ δὲ Καππαδόκαι ὑπὸ Ἑλλήνων Σύριοι ὀνομάζον-
ται· ἦσαν δὲ οἱ Σύριοι οὗτοι τὸ μὲν πρότερον ἢ Πέρ-
25 σας ἄρξαι Μήδων κατήκοοι, τότε δὲ Κύρου. ὁ γὰρ
οὖρος ἦν τῆς τε Μηδικῆς ἀρχῆς καὶ τῆς Λυδίης
ὁ Ἅλυς ποταμός, ὃς ῥεῖ ἐξ Ἀρμενίου ὄρεος διὰ Κιλί-
κων, μετὰ δὲ Ματιηνοὺς μὲν ἐν δεξιῇ ἔχει ῥέων, ἐκ δὲ
τοῦ ἑτέρου Φρύγας, παραμειβόμενος δὲ τούτους καὶ ῥέων
30 ἄνω πρὸς βορῆν ἄνεμον ἔνθεν μὲν Σύριους Καππαδόκας
ἀπέργει, ἐξ εὐωνύμου δὲ Παφλαγόνας. οὕτω ὁ Ἅλυς
ποταμὸς ἀποτάμνει σχεδὸν πάντα τῆς Ἀσίης τὰ κάτω
ἐκ θαλάσσης τῆς ἀντίον Κύπρου ἐς τὸν Εὔξεινον
πόντον· ἔστι δὲ αὐχὴν οὗτος τῆς χώρης ταύτης

ἀπάσης· μῆκος ὁδοῦ εὐζώνῳ ἀνδρὶ πέντε ἡμέραι ἀναισι-
μοῦνται.

Ἐστρατεύετο δὲ ὁ Κροῖσος ἐπὶ τὴν Καππα- 73
δοκίην τῶνδε εἵνεκα, καὶ γῆς ἱμέρῳ προσκτήσασθαι
πρὸς τὴν ἑωυτοῦ μοῖραν βουλόμενος, καὶ μάλιστα τῷ 5
χρηστηρίῳ πίσυνος ἐὼν καὶ τείσασθαι θέλων ὑπὲρ
Ἀστυάγεος Κῦρον. Ἀστυάγεα γὰρ τὸν Κυαξάρεω, ἐόντα
Κροίσου μὲν γαμβρόν, Μήδων δὲ βασιλέα, Κῦρος ὁ
Καμβύσεω καταστρεψάμενος εἶχεν, γενόμενον γαμβρὸν
Κροίσῳ ὧδε. Σκυθέων τῶν νομάδων εἴλη ἀνδρῶν 10
στασιάσασα ὑπεξῆλθεν ἐς γῆν τὴν Μηδικήν· ἐτυ-
ράννευε δὲ τὸν χρόνον τοῦτον Μήδων Κυαξάρης ὁ
Φραόρτεω τοῦ Δηιόκεω, ὃς τοὺς Σκύθας τούτους τὸ μὲν
πρῶτον περιεῖπεν εὖ ὡς ἐόντας ἱκέτας, ὥστε δὲ περὶ
πολλοῦ ποιεόμενος αὐτούς, παῖδάς σφι παρέδωκε τὴν 15
γλῶσσάν τε ἐκμαθεῖν καὶ τὴν τέχνην τῶν τόξων. χρόνου
δὲ γενομένου, καὶ αἰεὶ φοιτώντων τῶν Σκυθέων ἐπ᾽
ἄγρην καὶ αἰεί τι φερόντων, καί κοτε συνήνεικεν ἑλεῖν
σφεας μηδέν· νοστήσαντας δὲ αὐτοὺς κεινῇσι χερσὶν ὁ
Κυαξάρης (ἦν γάρ, ὡς διέδεξεν, ὀργὴν ἄκρος) τρηχέως 20
κάρτα περιέσπεν ἀεικείῃ. οἱ δὲ ταῦτα πρὸς Κυαξάρεω
παθόντες, ὥς γε ἀνάξια σφέων αὐτῶν πεπονθότες, ἐβού-
λευσαν τῶν παρὰ σφίσι διδασκομένων παίδων ἕνα κατα-
κόψαι, σκευάσαντες δὲ αὐτὸν ὥσπερ ἐώθεσαν καὶ τὰ
θηρία σκευάζειν, Κυαξάρῃ δοῦναι φέροντες ὡς ἄγρην 25
δῆθεν, δόντες δὲ τὴν ταχίστην κομίζεσθαι παρὰ Ἀλυάτ-
τεα τὸν Σαδυάττεω ἐς Σάρδις. ταῦτα καὶ ἐγένετο· καὶ
γὰρ Κυαξάρης καὶ οἱ παρεόντες δαιτυμόνες τῶν κρεῶν
τούτων ἐπάσαντο, καὶ οἱ Σκύθαι ταῦτα ποιήσαντες
Ἰλυάττεω ἱκέται ἐγένοντο. μετὰ δὲ ταῦτα, οὐ γὰρ δὴ ὁ 74
Ἀλυάττης ἐξεδίδου τοὺς Σκύθας ἐξαιτέοντι Κυαξάρῃ, 31
πόλεμος τοῖσι Λυδοῖσι καὶ τοῖσι Μήδοισιν ἐγεγόνει ἐπ᾽
ἔτεα πέντε, ἐν τοῖς πολλάκις μὲν οἱ Μῆδοι τοὺς Λυδοὺς
ἐνίκησαν, πολλάκις δὲ οἱ Λυδοὶ τοὺς Μήδους· ἐν δὲ καὶ

νυκτομαχίην τινὰ ἐποιήσαντο·] διαφέρουσι δέ σφιν ἐπὶ
ἴσης τὸν πόλεμον τῷ ἕκτῳ ἔτει συμβολῆς γενομένης συνή-
νεικεν, ὥστε τῆς μάχης συνεστεώσης τὴν ἡμέρην ἐξα-
πίνης νύκτα γενέσθαι. τὴν δὲ μεταλλαγὴν ταύτην
5 τῆς ἡμέρης Θαλῆς ὁ Μιλήσιος τοῖς Ἴωσι προηγό-
ρευσεν ἔσεσθαι, οὖρον προθέμενος ἐνιαυτὸν τοῦτον,
ἐν ᾧ δὴ καὶ ἐγένετο ἡ μεταβολή. οἱ δὲ Λυδοί τε καὶ
οἱ Μῆδοι ἐπείτε εἶδον νύκτα ἀντὶ ἡμέρης γενομένην,
τῆς μάχης τε ἐπαύσαντο καὶ μᾶλλόν τι ἔσπευσαν καὶ
10 ἀμφότεροι εἰρήνην ἑωυτοῖσι γενέσθαι. οἱ δὲ συμβιβά-
σαντες αὐτοὺς ἦσαν οἵδε, Συέννεσίς τε ὁ Κίλιξ καὶ
Δαβύνητος ὁ Βαβυλώνιος. οὗτοί σφι καὶ τὸ ὅρκιον οἱ
σπεύσαντες γενέσθαι ἦσαν καὶ γάμων ἐπαλλαγὴν ἐποίη-
σαν· Ἀλυάττεα γὰρ ἔγνωσαν δοῦναι τὴν θυγατέρα Ἀρύη-
15 νιν Ἀστυάγει τῷ Κυαξάρεω παιδί· ἄνευ γὰρ ἀναγκαίης
ἰσχυρῆς συμβάσιες ἰσχυραὶ οὐκ ἐθέλουσι συμμένειν.
ὅρκια δὲ ποιεῖται ταῦτα τὰ ἔθνεα κατά πέρ τε Ἕλληνες,
καὶ πρὸς τούτοισιν, ἐπεὰν τοὺς βραχίονας ἐπιτάμωνται
ἐς τὴν ὁμοχροίην, τὸ αἷμα ἀναλείχουσιν ἀλλήλων.

75 Τοῦτον δὴ ὦν τὸν Ἀστυάγεα Κῦρος ἐόντα ἑωυτοῦ
21 μητροπάτορα καταστρεψάμενος ἔσχε δι' αἰτίην, τὴν ἐγὼ
ἐν τοῖς ὀπίσω λόγοισι σημανέω. τὰ Κροῖσος ἐπιμεμ-
φόμενος τῷ Κύρῳ ἔς τε τὰ χρηστήρια ἔπεμπεν, καὶ δὴ
καὶ ἀπικομένου χρησμοῦ κιβδήλου, ἐλπίσας πρὸς ἑωυτοῦ
25 τὸν χρησμὸν εἶναι, ἐστρατεύετο ἐς τὴν Περσέων
μοῖραν. ὡς δὲ ἀπίκετο ἐπὶ τὸν Ἅλυν ποταμὸν
ὁ Κροῖσος, τὸ ἐνθεῦτεν, ὡς μὲν ἐγὼ λέγω, κατὰ τὰς
ἐούσας γεφύρας διεβίβασε τὸν στρατόν, ὡς δὲ ὁ
πολλὸς λόγος Ἑλλήνων, Θαλῆς οἱ ὁ Μιλήσιος διεβίβασεν.
30 ἀπορέοντος γὰρ Κροίσου, ὅκως οἱ διαβήσεται τὸν ποτα-
μὸν ὁ στρατός (οὐ γὰρ δὴ εἶναί κω τοῦτον τὸν χρόνον
τὰς γεφύρας ταύτας) λέγεται παρεόντα τὸν Θαλῆν ἐν τῷ
στρατοπέδῳ ποιῆσαι αὐτῷ τὸν ποταμὸν ἐξ ἀριστερῆς
χειρὸς ῥέοντα τοῦ στρατοῦ καὶ ἐκ δεξιῆς ῥεῖν, ποιῆσαι

δὲ ὧδε· ἄνωθεν τοῦ στρατοπέδου ἀρξάμενον διώρυχα
βαθεῖαν ὀρύσσειν, ἄγοντα μηνοειδέα, ὅκως ἂν τὸ στρατό-
πεδον ἱδρυμένον κατὰ νώτου λάβοι, ταύτῃ κατὰ τὴν
διώρυχα ἐκτρεπόμενος ἐκ τῶν ἀρχαίων ῥείθρων καὶ αὖτις
παραμειβόμενος τὸ στρατόπεδον ἐς τὰ ἀρχαῖα ἐσβάλλοι, 5
ὥστε ἐπείτε καὶ ἐσχίσθη τάχιστα ὁ ποταμός, ἀμφοτέρῃ
διαβατὸς ἐγένετο. οἱ δὲ καὶ τὸ παράπαν λέγουσι καὶ τὸ
ἀρχαῖον ῥεῖθρον ἀποξηρανθῆναι. ἀλλὰ τοῦτο μὲν οὐ
προσίεμαι· κῶς γὰρ ὀπίσω πορευόμενοι διέβησαν αὐτόν;
Κροῖσος δὲ ἐπείτε διαβὰς σὺν τῷ στρατῷ ἀπίκετο τῆς 76
Καππαδοκίης ἐς τὴν Πτερίην καλεομένην (ἡ δὲ 11
Πτερίη ἐστὶ τῆς χώρης ταύτης ἰσχυρότατον κατὰ Σινώπην
πόλιν τὴν ἐν τῷ Εὐξείνῳ πόντῳ μάλιστά κῃ κειμένη),
ἐνθαῦτα ἐστρατοπεδεύετο φθείρων τῶν Συρίων τοὺς
κλήρους. καὶ εἷλε μὲν τῶν Πτερίων τὴν πόλιν καὶ ἠν- 15
δραποδίσατο, εἷλε δὲ τὰς περιοικίδας αὐτῆς πάσας,
Συρίους τε οὐδὲν ἐόντας αἰτίους ἀναστάτους ἐποίησεν.
Κῦρος δὲ ἀγείρας τὸν ἑωυτοῦ στρατὸν καὶ παραλαβὼν
τοὺς μεταξὺ οἰκέοντας πάντας ἠντιοῦτο Κροίσῳ. πρὶν
δὲ ἐξελαύνειν ὁρμῆσαι τὸν στρατόν, πέμψας κήρυκας 20
ἐς τοὺς Ἴωνας ἐπειρᾶτό σφεας ἀπὸ Κροίσου ἀπιστάναι.
Ἴωνες μέν νυν οὐκ ἐπείθοντο, Κῦρος δὲ ὡς ἀπίκετο
καὶ ἀντεστρατοπεδεύσατο Κροίσῳ, ἐνθαῦτα ἐν τῇ Πτε-
ρίῃ χώρῃ ἐπειρῶντο κατὰ τὸ ἰσχυρὸν ἀλλήλων.
μάχης δὲ καρτερῆς γενομένης καὶ πεσόντων ἀμφοτέρων 25
πολλῶν τέλος οὐδέτεροι νικήσαντες διέστησαν νυκτὸς
ἐπελθούσης. καὶ τὰ μὲν στρατόπεδα ἀμφότερα οὕτως
ἠγωνίσατο. Κροῖσος δὲ μεμφθεὶς κατὰ τὸ πλῆθος τὸ 77
ἑωυτοῦ στράτευμα (ἦν γάρ οἱ ὁ συμβαλὼν στρατὸς
πολλὸν ἐλάσσων ἢ ὁ Κύρου), τοῦτο μεμφθείς, ὡς τῇ 30
ὑστεραίῃ οὐκ ἐπειρᾶτο ἐπιὼν ὁ Κῦρος, ἀπήλαυνεν ἐς
τὰς Σάρδις, ἐν νῷ ἔχων παρακαλέσας μὲν Αἰγυπτίους
κατὰ τὸ ὅρκιον (ἐποιήσατο γὰρ καὶ πρὸς Ἄμασιν βασι-
λεύοντα Αἰγύπτου συμμαχίην πρότερον ἤ περ πρὸς

Λακεδαιμονίους), μεταπεμψάμενος δὲ καὶ Βαβυλωνίους
(καὶ γὰρ πρὸς τούτους αὐτῷ ἐπεποίητο συμμαχίη, ἐτυ-
ράννευε δὲ τὸν χρόνον τοῦτον τῶν Βαβυλωνίων Λαβύνη-
τος), ἐπαγγείλας δὲ καὶ Λακεδαιμονίοισι παρεῖναι ἐς
5 χρόνον ῥητόν, ἁλίσας τε δὴ τούτους καὶ τὴν ἑωυτοῦ
συλλέξας στρατιὴν ἐνένωτο, τὸν χειμῶνα παρείς, ἅμα
τῷ ἔαρι στρατεύειν ἐπὶ τοὺς Πέρσας. καὶ ὁ μὲν ταῦτα
φρονέων, ὡς ἀπίκετο ἐς τὰς Σάρδις, ἔπεμπε κήρυκας
κατὰ τὰς συμμαχίας προερέοντας ἐς πέμπτον μῆνα συλ-
10 λέγεσθαι ἐς Σάρδις· τὸν δὲ παρεόντα καὶ μαχεσάμενον
στρατὸν Πέρσῃσιν, ὃς ἦν αὐτοῦ ξεινικός, πάντα ἀπεὶς
διεσκέδασεν, οὐδαμὰ ἐλπίσας μή κοτε ἄρα ἀγωνισάμενος
οὕτω παραπλησίως Κῦρος ἐλάσῃ ἐπὶ Σάρδις.
78 Ταῦτα ἐπιλεγομένῳ Κροίσῳ τὸ προάστειον πᾶν
15 ὀφίων ἐνεπλήσθη. φανέντων δὲ αὐτῶν οἱ ἵπποι μετ-
ιέντες τὰς νομὰς νέμεσθαι, φοιτῶντες κατήσθιον. ἰδόντι
δὲ τοῦτο Κροίσῳ, ὥσπερ καὶ ἦν, ἔδοξε τέρας εἶναι.
αὐτίκα δὲ ἔπεμπε θεοπρόπους ἐς Τελμησσέων. ἀπικο-
μένοισι δὲ τοῖσι θεοπρόποισι καὶ μαθοῦσι πρὸς Τελ-
20 εμησσέων, τὸ θέλει σημαίνειν τὸ τέρας, οὐκ ἐξεγένετο
Κροίσῳ ἀπαγγεῖλαι· πρὶν γὰρ ἢ ὀπίσω σφέας ἀναπλῶ-
σαι ἐς τὰς Σάρδις ἥλω ὁ Κροῖσος. Τελμησσεῖς μέντοι
τάδε ἔγνωσαν, στρατὸν ἀλλόθροον προσδόκιμον εἶναι
Κροίσῳ ἐπὶ τὴν χώρην, ἀπικόμενον δὲ τοῦτον κατα-
25 στρέψεσθαι τοὺς ἐπιχωρίους, λέγοντες ὄφιν εἶναι γῆς
παῖδα, ἵππον δὲ πολέμιόν τε καὶ ἐπήλυδα. Τελμησσεῖς
μέν νυν ταῦτα ὑπεκρίναντο Κροίσῳ ἤδη ἡλωκότι, οὐδέν
κω εἰδότες τῶν ἦν περὶ Σάρδις τε καὶ αὐτὸν Κροῖσον.
79 Κῦρος δὲ αὐτίκα ἀπελαύνοντος Κροίσου μετὰ τὴν
30 μάχην τὴν γενομένην ἐν τῇ Πτερίῃ, μαθὼν ὡς ἀπελάσας
μέλλοι Κροῖσος διασκεδᾶν τὸν στρατόν, βουλευόμενος
εὕρισκε πρῆγμά οἱ εἶναι ἐλαύνειν ὡς δύναιτο
τάχιστα ἐπὶ τὰς Σάρδις, πρὶν ἢ τὸ δεύτερον ἁλισθῆ-
ναι τῶν Λυδῶν τὴν δύναμιν. ὡς δὲ οἱ ταῦτα ἔδοξεν, καὶ

ἐποίει κατὰ τάχος· ἐλάσας γὰρ τὸν στρατὸν ἐς τὴν Λυ-
δίην αὐτὸς ἄγγελος Κροίσῳ ἐληλύθει. ἐνθαῦτα Κροῖ-
σος ἐς ἀπορίην πολλὴν ἀπιγμένος, ὡς οἱ παρὰ δόξαν
ἔσχε τὰ πρήγματα ἢ ὡς αὐτὸς κατεδόκει, ὅμως τοὺς
Λυδοὺς ἐξῆγεν ἐς μάχην. ἦν δὲ τοῦτον τὸν χρόνον 549 a. Chr.
ἔθνος οὐδὲν ἐν τῇ Ἀσίῃ οὔτε ἀνδρηιότερον οὔτε ἀλκιμώ- 6
τερον τοῦ Λυδίου. ἡ δὲ μάχη σφέων ἦν ἀπ᾽ ἵππων,
δόρατά τε ἐφόρεον μεγάλα καὶ αὐτοὶ ἦσαν ἱππεύεσθαι
ἀγαθοί. ἐς τὸ πεδίον δὲ συνελθόντων τοῦτο, τὸ πρὸ τοῦ 80
ἄστεός ἐστι τοῦ Σαρδιηνοῦ, ἐὸν μέγα τε καὶ ψιλόν (διὰ 10
δὲ αὐτοῦ ποταμοὶ ῥέοντες καὶ ἄλλοι καὶ Ὕλλος συρ-
ρηγνῦσιν ἐς τὸν μέγιστον, καλεόμενον δὲ Ἕρμον, ὃς ἐξ
ὄρεος ἱροῦ μητρὸς Δινδυμήνης ῥέων ἐκδιδοῖ ἐς θάλασσαν
κατὰ Φώκαιαν πόλιν), ἐνθαῦτα ὁ Κῦρος ὡς εἶδε τοὺς
Λυδοὺς ἐς μάχην τασσομένους, καταρρωδήσας τὴν 15
ἵππον ἐποίησεν Ἁρπάγου ὑποθεμένου ἀνδρὸς Μήδου
τοιόνδε· ὅσαι τῷ στρατῷ τῷ ἑωυτοῦ εἵποντο σιτοφόροι
τε καὶ σκευοφόροι κάμηλοι, ταύτας πάσας ἁλίσας καὶ
ἀπελὼν τὰ ἄχθεα ἄνδρας ἐπ᾽ αὐτὰς ἀνέβησεν ἱππάδα
στολὴν ἐσταλμένους, σκευάσας δὲ αὐτοὺς προσέταξε τῆς 20
ἄλλης στρατιῆς προϊέναι πρὸς τὴν Κροίσου ἵππον, τῇ δὲ
καμήλῳ ἕπεσθαι τὸν πεζὸν στρατὸν ἐκέλευεν, ὄπισθε
δὲ τοῦ πεζοῦ ἐπέταξε τὴν πᾶσαν ἵππον. ὡς δέ οἱ
πάντες διετετάχατο, παραίνεσε τῶν μὲν ἄλλων Λυδῶν
μὴ φειδομένους κτείνειν πάντα τὸν ἐμποδὼν γινόμενον, 25
Κροῖσον δὲ αὐτὸν μὴ κτείνειν, μηδὲ ἢν συλλαμβανόμενος
ἀμύνηται. ταῦτα μὲν παραίνεσεν, τὰς δὲ καμήλους ἔταξεν
ἀντία τῆς ἵππου τῶνδε εἵνεκεν· κάμηλον ἵππος φοβεῖται
καὶ οὐκ ἀνέχεται οὔτε τὴν ἰδέην αὐτῆς ὁρέων οὔτε τὴν
ὀδμὴν ὀσφραινόμενος. αὐτοῦ δὴ ὦν τούτου εἵνεκεν 30
ἐσεσόφιστο, ἵνα τῷ Κροίσῳ ἄχρηστον ᾖ τὸ ἱππικόν, τῷ
δή τι καὶ ἐπεῖχεν ἐλλάμψεσθαι ὁ Λυδάς. ὡς δὲ καὶ
συνῆσαν ἐς τὴν μάχην, ἐνθαῦτα ὡς ὤσφραντο τάχιστα
τῶν καμήλων οἱ ἵπποι καὶ εἶδον αὐτάς, ὀπίσω ἀνέστρε-

φον, διεφθαρτό τε τῷ Κροίσῳ ἡ ἐλπίς. οὐ μέντοι οἵ γε
Λυδοὶ τὸ ἐνθεῦτεν δειλοὶ ἦσαν, ἀλλ᾽ ὡς ἔμαθον τὸ γινό-
μενον, ἀποθορόντες ἀπὸ τῶν ἵππων πεζοὶ τοῖς Πέρσῃσι
συνέβαλλον. χρόνῳ δὲ πεσόντων ἀμφοτέρων πολλῶν
5 ἐτράποντο οἱ Λυδοί, κατειληθέντες δὲ ἐς τὸ
τεῖχος ἐπολιορκέοντο ὑπὸ τῶν Περσέων.

81 Τοῖς μὲν δὴ κατεστήκει πολιορκίη, Κροῖσος δὲ
δοκέων οἱ χρόνον ἐπὶ μακρὸν ἔσεσθαι τὴν πολιορκίην
ἔπεμπεν ἐκ τοῦ τείχεος ἄλλους ἀγγέλους ἐς τὰς
10 συμμαχίας. οἱ μὲν γὰρ πρότεροι διεπέμποντο ἐς πέμ-
πτον μῆνα προερέοντες συλλέγεσθαι ἐς Σάρδις, τούτους
δὲ ἐξέπεμπε τὴν ταχίστην δεῖσθαι βοηθεῖν ὡς πολιορκεο-
82 μένου Κροίσου. ἔς τε δὴ ὦν τὰς ἄλλας ἔπεμπὲ συμ-
μαχίας καὶ δὴ καὶ ἐς Λακεδαίμονα. τοῖσι δὲ καὶ
15 αὐτοῖσι τοῖσι Σπαρτιήτῃσι κατ᾽ αὐτὸν τοῦτον τὸν
χρόνον συνεπεπτώκει ἔρις ἐοῦσα πρὸς Ἀργείους
περὶ χώρου καλεομένου Θυρέης. τὰς γὰρ Θυρέας
ταύτας ἐούσας τῆς Ἀργολίδος μοίρης ἀποταμόμενοι ἔσχον
οἱ Λακεδαιμόνιοι. ἦν δὲ καὶ ἡ μέχρι Μαλέων ἡ πρὸς
20 ἑσπέρην Ἀργείων, ἥ τε ἐν τῇ ἠπείρῳ χώρη καὶ ἡ Κυθηρίη
καὶ αἱ λοιπαὶ τῶν νήσων. βοηθησάντων δὲ Ἀργείων τῇ
σφετέρῃ ἀποταμνομένῃ, ἐνθαῦτα συνέβησαν ἐς λόγους
συνελθόντες, ὥστε τριηκοσίους ἑκατέρων μαχέσασθαι, ὁκό-
τεροι δ᾽ ἂν περιγένωνται, τούτων εἶναι τὸν χῶρον· τὸ
25 δὲ πλῆθος τοῦ στρατοῦ ἀπαλλάσσεσθαι ἑκάτερον ἐς τὴν
ἑωυτοῦ μηδὲ παραμένειν ἀγωνιζομένων, τῶνδε εἵνεκεν
ἵνα μὴ παρεόντων τῶν στρατοπέδων ὁρῶντες οἱ ἕτεροι
ἑσσουμένους τοὺς σφετέρους ἐπαμύνοιεν. συνθέμενοι
ταῦτα ἀπαλλάσσοντο, λογάδες δὲ ἑκατέρων ὑπολειφθέν-
30 τες συνέβαλον. μαχομένων δέ σφεων καὶ γινομένων
ἰσοπαλέων ὑπελείποντο ἐξ ἀνδρῶν ἑξακοσίων τρεῖς,
Ἀργείων μὲν Ἀλκήνωρ τε καὶ Χρομίος, Λακεδαιμονίων
δὲ Ὀθρυάδης· ὑπελείφθησαν δὲ οὗτοι νυκτὸς ἐπελ-
θούσης. οἱ μὲν δὴ δύο τῶν Ἀργείων ὡς νενικηκότες

ἔθεον ἐς τὸ Ἄργος, ὁ δὲ τῶν Λακεδαιμονίων Ὀθρυάδης
σκυλεύσας τοὺς Ἀργείων νεκροὺς καὶ προσφορήσας τὰ
ὅπλα πρὸς τὸ ἑωυτοῦ στρατόπεδον ἐν τῇ τάξει εἶχεν
ἑωυτόν. ἡμέρῃ δὲ δευτέρῃ παρῆσαν πυνθανόμενοι ἀμ-
φότεροι. τέως μὲν δὴ αὐτοὶ ἑκάτεροι ἔφασαν νικᾶν,
λέγοντες οἱ μὲν ὡς ἑωυτῶν πλέονες περιγεγόνασιν, οἱ
δὲ τοὺς μὲν ἀποφαίνοντες πεφευγότας, τὸν δὲ σφέτερον
παραμείναντα καὶ σκυλεύσαντα τοὺς ἐκείνων νεκρούς.
τέλος δὲ ἐκ τῆς ἔριδος συμπεσόντες ἐμάχοντο· πεσόν-
των δὲ καὶ ἀμφοτέρων πολλῶν ἐνίκων Λακεδαιμόνιοι. 10
Ἀργεῖοι μὲν νῦν ἀπὸ τούτου τοῦ χρόνου κατακειράμε-
νοι τὰς κεφαλάς, πρότερον ἐπάναγκες κομῶντες, ἐποι-
ήσαντο νόμον τε καὶ κατάρην μὴ πρότερον θρέψειν κό-
μην Ἀργείων μηδένα μηδὲ τὰς γυναῖκάς σφι χρυσοφο-
ρήσειν, πρὶν Θυρέας ἀνασώσωνται. Λακεδαιμόνιοι δὲ 15
τὰ ἐναντία τούτων ἔθεντο νόμον· οὐ γὰρ κομῶντες
πρὸ τούτου ἀπὸ τούτου κομᾶν. τὸν δὲ ἕνα λέγουσι τὸν
περιλειφθέντα τῶν τριηκοσίων, Ὀθρυάδην, αἰσχυνόμενον
ἀπονοστεῖν ἐς Σπάρτην τῶν οἱ συλλοχιτέων διεφθαρ-
μένων, αὐτοῦ μιν ἐν τῇσι Θυρέῃσι καταχρήσασθαι 20
ἑωυτόν. τοιούτων δὲ τοῖσι Σπαρτιήτῃσιν ἐνεστεώτων 83
πρηγμάτων ἦκεν ὁ Σαρδιηνὸς κῆρυξ δεόμενος Κροίσῳ
βοηθεῖν πολιορκεομένῳ. οἱ δὲ ὅμως, ἐπείτε ἐπύθοντο
τοῦ κήρυκος, ὁρμέατο βοηθεῖν. καὶ σφιν ἤδη παρ-
εσκευασμένοισι καὶ νεῶν ἐουσέων ἑτοίμων ἦλθεν ἄλλη 25
ἀγγελίη, ὡς ἡλώκοι τὸ τεῖχος τῶν Λυδῶν καὶ ἔχοιτο
Κροῖσος ζωγρηθείς. οὕτω δὴ οὗτοι μὲν συμφορὴν
ποιησάμενοι μεγάλην ἐπέπαυντο.

Σάρδιες δὲ ἥλωσαν ὧδε· ἐπειδὴ τεσσερεσκαιδε- 84
κάτη ἐγένετο ἡμέρη πολιορκεομένῳ Κροίσῳ, Κῦρος τῇ 546 a. Chr. 30
στρατιῇ τῇ ἑωυτοῦ διαπέμψας ἱππέας προεῖπε τῷ πρώτῳ
ἐπιβάντι τοῦ τείχεος δῶρα δώσειν. μετὰ δὲ τοῦτο πει-
ρησαμένης τῆς στρατιῆς, ὡς οὐ προεχώρει, ἐνθαῦτα τῶν
ἄλλων πεπαυμένων ἀνὴρ Μάρδος ἐπειρᾶτο προσβαίνων,

τῷ ὄνομα ἦν Τροιάδης, κατὰ τοῦτο τῆς ἀκροπόλιος, τῇ
οὐδεὶς ἐτέτακτο φύλακος· οὐ γὰρ ἦν δεινὸν κατὰ τοῦτο
μὴ ἁλῷ κοτέ. ἀπότομός τε γάρ ἐστι ταύτῃ ἡ ἀκρόπολις
καὶ ἄμαχος· τῇ οὐδὲ Μήλης ὁ πρότερον βασιλεὺς Σαρ-
5 δίων μούνῃ οὐ περιήνεικε τὸν λέοντα, τόν οἱ ἡ παλλακὴ
ἔτεκεν, Τελεμησσέων δικασάντων ὡς περιενειχθέντος τοῦ
λέοντος τὸ τεῖχος ἔσονται Σάρδιες ἀνάλωτοι. ὁ δὲ
Μήλης κατὰ τὸ ἄλλο τεῖχος περιενείκας, τῇ ἦν ἐπίμαχον
τῆς ἀκροπόλιος, κατηλόγησε τοῦτο ὡς ἐὸν ἄμαχόν τε καὶ
10 ἀπότομον· ἔστι δὲ πρὸς τοῦ Τμώλου τετραμμένον ·τῆς
πόλιος. ὁ ὢν δὴ Τροιάδης οὗτος ὁ Μάρδος,. ἰδὼν τῇ
προτεραίῃ τῶν τινα Λυδῶν κατὰ τοῦτο τῆς ἀκροπόλιος
καταβάντα ἐπὶ κυνῆν ἄνωθεν κατακυλισθεῖσαν καὶ ἀνελό-
μενον, ἐφράσθη καὶ ἐς θυμὸν. ἐβάλετο. τότε δὲ δὴ
15 αὐτός τε. ἀνεβεβήκει καὶ κατ’ αὐτὸν ἄλλοι .Περσέων
ἀνέβαινον· προσβάντων δὲ συχνῶν οὕτω δὴ Σάρδιές τε
85 ἡλώκεσαν καὶ πᾶν τὸ ἄστυ ἐπορθεῖτο. κατ’ αὐτὸν δὲ
Κροῖσον τάδε ἐγίνετο. ἦν οἱ παῖς; τοῦ καὶ πρότερον
ἐπεμνήσθην, τὰ μὲν ἄλλα ἐπιεικής, ἄφωνος δέ. ἐν τῇ
20 ὢν παρελθούσῃ εὐεστοῖ ὁ Κροῖσος τὸ πᾶν ἐς αὐτὸν
ἐπεποιήκει ἄλλα τε ἐπιφραζόμενος καὶ δὴ καὶ ἐς Δελφοὺς
περὶ αὐτοῦ ἐπεπόμφει χρησομένους. ἡ δὲ Πυθίη οἱ
εἶπε τάδε·

Λυδὲ γένος, πολλῶν βασιλεῦ, μέγα νήπιε Κροῖσε,
25 Μὴ βούλευ πολύευκτον ἰὴν ἀνὰ δώματ’ ἀκούειν
Παιδὸς φθεγγομένου. τὸ δέ σοι πολὺ λώιον ἀμφὶς
Ἔμμεναι· αὐδήσει γὰρ ἐν ἤματι πρῶτον ἀνόλβῳ.
ἁλισκομένου δὴ τοῦ τείχεος,. ᾗε γὰρ τῶν τις Περσέων
ἀλλογνώσας Κροῖσον ὡς ἀποκτενέων, Κροῖσος μέν νυν
30 ὁρέων ἐπιόντα ὑπὸ τῆς παρεούσης συμφορῆς παρημε-
λήκει, οὐδέ τί οἱ διέφερε πληγέντι ἀποθανεῖν· ὁ δὲ παῖς
οὗτος ὁ ἄφωνος ὡς εἶδεν ἐπιόντα τὸν Πέρσην, ὑπὸ
δέους τε καὶ κακοῦ ἔρρηξε φωνήν, εἶπε δέ· „Ὤνθρωπε,
μὴ κτεῖνε Κροῖσον.“ οὗτος μὲν δὴ τοῦτο πρῶτον

ἐφθέγξατο, μετὰ δὲ τοῦτο ἤδη ἐφώνει τὸν πάντα χρόνον
τῆς ζοῆς.

Οἱ δὲ Πέρσαι τάς τε δὴ Σάρδις ἔσχον καὶ αὐτὸν 86
Κροῖσον ἐζώγρησαν, ἄρξαντα ἔτεα τεσσερεσκαίδεκα καὶ
τεσσερεσκαίδεκα ἡμέρας πολιορκηθέντα, κατὰ τὸ χρη- 5
στήριόν τε καταπαύσαντα τὴν ἑωυτοῦ μεγάλην ἀρχήν.
λαβόντες δὲ αὐτὸν οἱ Πέρσαι ἤγαγον παρὰ Κῦρον.
ὁ δὲ συννήσας πυρὴν μεγάλην, ἀνεβίβασέν ἐπ᾽
αὐτὴν τὸν Κροῖσόν τε (ἐν πέδῃσι δεδεμένον) καὶ δὶς
ἑπτὰ Λυδῶν παρ᾽ αὐτὸν παῖδας, ἐν νῷ ἔχων εἴτε δὴ 10
ἀκροθίνια ταῦτα καταγιεῖν θεῶν (ὅτεῳ δή), εἴτε καὶ εὐχὴν
ἐπιτελέσαι θέλων, εἴτε καὶ πυθόμενος τὸν Κροῖσον εἶναι
θεοσεβέα, τοῦδε εἵνεκεν, ἀνεβίβασεν ἐπὶ τὴν πυρήν, βου-
λόμενος εἰδέναι εἴ τίς μιν δαιμόνων ῥύσεται τοῦ μὴ
ζῶντα κατακαυθῆναι. τὸν μὲν δὴ ποιεῖν ταῦτα, τῷ δὲ 15
Κροίσῳ ἑστεῶτι ἐπὶ τῆς πυρῆς ἐσελθεῖν, καίπερ ἐν
κακῷ ἐόντι τοσούτῳ, τὸ τοῦ Σόλωνος, ὥς οἱ εἴη σὺν
θεῷ εἰρημένον, τὸ μηδένα εἶναι τῶν ζωόντων ὄλβιον.
ὡς δὲ ἄρά μιν προσστῆναι τοῦτο, ἀνενεικάμενόν τε καὶ
ἀναστενάξαντα ἐκ πολλῆς ἡσυχίης ἐς τρὶς ὀνομάσαι 20
᾽Σόλων᾽. καὶ τὸν Κῦρον ἀκούσαντα κελεῦσαι τοὺς
ἑρμηνέας ἐπειρέσθαι τὸν Κροῖσον, τίνα τοῦτον ἐπικα-
λέοιτο, καὶ τοὺς προσελθόντας ἐπειρωτᾶν. Κροῖσον δὲ
τέως μὲν σιγὴν ἔχειν εἰρωτώμενον, μετὰ δέ, ὡς ἠναγ-
κάζετο, εἰπεῖν· „Τὸν ἂν ἐγὼ πᾶσι τυράννοισι προετίμησα 25
μεγάλων χρημάτων ἐς λόγους ἐλθεῖν.“ ὡς δέ σφιν ἄσημα
ἔφραζεν, πάλιν ἐπειρώτων τὰ λεγόμενα. λιπαρεόντων δὲ
αὐτῶν καὶ ὄχλον παρεχόντων, ἔλεγε δή, ὡς ἦλθεν ἀρχὴν
ὁ Σόλων ἐὼν Ἀθηναῖος, καὶ θεησάμενος πάντα τὸν
ἑωυτοῦ ὄλβον ἀποφλαυρίσειεν, οἷα δὴ εἴπας, ὥς τε 30
αὐτῷ πάντα ἀποβεβήκοι, τῇ περ ἐκεῖνος εἶπεν, οὐδέν τι
μᾶλλον ἐς ἑωυτὸν λέγων ἢ οὐ καὶ ἐς ἅπαν τὸ ἀνθρώ-
πινον καὶ μάλιστα τοὺς παρὰ σφίσιν αὐτοῖσιν ὀλβίους
δοκέοντας εἶναι. τὸν μὲν Κροῖσον ταῦτα ἀπηγεῖσθαι,

τῆς δὲ πυρῆς ἤδη ἀμμένης καίεσθαι τὰ περιέσχατα.] καὶ
τὸν Κῦρον ἀκούσαντα τῶν ἑρμηνέων, τὰ Κροῖσος εἶπε,
μεταγνόντα τε καὶ ἐννώσαντα, ὅτι καὶ αὐτὸς ἄνθρωπος
ἐὼν ἄλλον ἄνθρωπον, γενόμενον ἑωυτοῦ εὐδαιμονίῃ οὐκ
5 ἐλάσσω, ζῶντα πυρὶ διδοίη, πρός τε τούτοισι δείσαντα
τὴν τίσιν καὶ ἐπιλεξάμενον, ὡς οὐδὲν εἴη τῶν ἐν
ἀνθρώποισιν ἀσφαλέως ἔχον, κελεύειν σβεννύναι τὴν
ταχίστην τὸ καιόμενον πῦρ καὶ καταβιβάζειν Κροῖσον
τε καὶ τοὺς μετὰ Κροίσου. καὶ τοὺς πειρωμένους οὐ
87 δύνασθαι ἔτι τοῦ πυρὸς ἐπικρατῆσαι. ἐνθαῦτα λέγεται
11 ὑπὸ Λυδῶν Κροῖσον μαθόντα τὴν Κύρου μετάγνωσιν,
ὡς ὥρα πάντα μὲν ἄνδρα σβεννύντα τὸ πῦρ, δυναμένους
δὲ οὐκέτι καταλαβεῖν, ἐπιβώσασθαι τὸν Ἀπόλλωνα ἐπι-
καλεόμενον, εἴ τί οἱ κεχαρισμένον ἐξ αὐτοῦ ἐδωρήθη,
15 παραστῆναι καὶ ῥύσασθαί μιν ἐκ τοῦ παρεόντος κακοῦ.
τὸν μὲν δακρύοντα ἐπικαλεῖσθαι τὸν θεόν, ἐκ δὲ αἰθρίης
τε καὶ νηνεμίης συνδραμεῖν ἐξαπίνης νέφεα καὶ χειμῶνά
τε καταρραγῆναι καὶ ὗσαι ὕδατι λαβροτάτῳ, κατασβεσθῆ-
ναί τε τὴν πυρήν. οὕτω δὴ μαθόντα τὸν Κῦρον, ὡς
20 εἴη ὁ Κροῖσος καὶ θεοφιλὴς καὶ ἀνὴρ ἀγαθός, κατα-
βιβάσαντα αὐτὸν ἀπὸ τῆς πυρῆς εἰρέσθαι τάδε·
„Κροῖσε, τίς σε ἀνθρώπων ἀνέγνωσεν ἐπὶ γῆν τὴν ἐμὴν
στρατευσάμενον πολέμιον ἀντὶ φίλου ἐμοὶ καταστῆναι;"
ὁ δὲ εἶπεν· „Ὦ βασιλεῦ, ἐγὼ ταῦτα ἔπρηξα τῇ σῇ μὲν
25 εὐδαιμονίῃ, τῇ ἐμεωυτοῦ δὲ κακοδαιμονίῃ· αἴτιος δὲ τού-
των ἐγένετο ὁ Ἑλλήνων θεὸς ἐπάρας ἐμὲ στρατεύεσθαι.
οὐδεὶς γὰρ οὕτω ἀνόητός ἐστιν, ὅστις πόλεμον πρὸ
εἰρήνης αἱρεῖται· ἐν μὲν γὰρ τῇ οἱ παῖδες τοὺς πατέρας
θάπτουσιν, ἐν δὲ τῷ οἱ πατέρες τοὺς παῖδας. ἀλλὰ
88 ταῦτα δαιμονί κου φίλον ἦν οὕτω γενέσθαι." ὁ μὲν
31 ταῦτα ἔλεγεν, Κῦρος δὲ αὐτὸν λύσας κάτισέ τε ἐγγὺς
ἑωυτοῦ καὶ κάρτα ἐν πολλῇ προμηθίῃ εἶχεν, ἀπεθώμαζέ
τε ὁρέων καὶ αὐτὸς καὶ οἱ περὶ ἐκεῖνον ἐόντες πάντες.]
ὁ δὲ συννοίῃ ἐχόμενος ἥσυχος ἦν. μετὰ δὲ ἐπιστραφείς

τε καὶ ἰδόμενος τοὺς Πέρσας τὸ τῶν Λυδῶν ἄστυ κεραΐ-
ζοντας εἶπεν· „Ὦ βασιλεῦ, κότερον λέγειν πρὸς σέ, τὰ
νοέων τυγχάνω, ἢ σιγᾶν ἐν τῷ παρεόντι χρή;" Κῦρος
δέ μιν θαρσέοντα ἐκέλευε λέγειν ὅ τι βούλοιτο. ὁ δὲ
αὐτὸν εἰρώτα λέγων· „Οὗτος ὁ πολλὸς ὅμιλος τί ταῦτα 5
πολλῇ σπουδῇ ἐργάζεται;" ὁ δὲ εἶπεν· „Πόλιν τε τὴν σὴν
διαρπάζει καὶ χρήματα τὰ σὰ διαφορεῖ." Κροῖσος δὲ
ἀμείβετο· „Οὔτε πόλιν τὴν ἐμὴν οὔτε χρήματα τὰ ἐμὰ
διαρπάζει· οὐδὲν γὰρ ἐμοὶ ἔτι τούτων μέτα· ἀλλὰ φέρουσί
τε καὶ ἄγουσι τὰ σά." Κύρῳ δὲ ἐπιμελὲς ἐγένετο, τὰ 89
Κροῖσος εἶπεν, μεταστησάμενος δὲ τοὺς ἄλλους εἴρετο 11
Κροῖσον, ὅ τι οἱ ἐνορῴη ἐν τοῖσι ποιευμένοισιν· ὁ δὲ
εἶπεν· „Ἐπείτε με θεοὶ ἔδωκαν δοῦλόν σοι, δικαιῶ, εἴ
τι ἐνορέω πλέον, σημαίνειν σοι. Πέρσαι φύσιν ἐόντες
ὑβρισταὶ εἰσὶν ἀχρήματοι· ἢν ὧν σὺ τούτους περιίδῃς 15
διαρπάσαντας καὶ κατασχόντας χρήματα μεγάλα, τάδε τοι -
ἐξ αὐτῶν ἐπίδοξα γενέσθαι· ὃς ἂν αὐτῶν πλεῖστα κατά-
σχῃ, τοῦτον προσδέκεσθαί τοι ἐπαναστησόμενον. νῦν ὧν
ποίησον ὧδε, εἴ τοι ἀρέσκει, τὰ ἐγὼ λέγω. κάτισον τῶν
δορυφόρων ἐπὶ πάσῃσι τῇσι πύλῃσι φυλάκους, οἳ λεγόν- 20
των πρὸς τοὺς ἐκφέροντας τὰ χρήματα ἀπαιρεόμενοι, ὥς
σφεα ἀναγκαίως ἔχει δεκατευθῆναι τῷ Διί. καὶ σύ τέ
σφιν οὐκ ἀπεχθήσεαι βίῃ ἀπαιρεόμενος τὰ χρήματα, καὶ
ἐκεῖνοι συγγνόντες ποιεῖν σε δίκαια ἑκόντες προήσουσιν."
ταῦτα ἀκούων ὁ Κῦρος ὑπερήδετο, ὥς οἱ ἐδόκει εὖ ὑπο- 90
τίθεσθαι· αἰνέσας δὲ πολλὰ καὶ ἐντειλάμενος τοῖσι δορυ- 26
φόροισιν, τὰ Κροῖσος ὑπεθήκατο ἐπιτελεῖν, εἶπε πρὸς
Κροῖσον τάδε· „Κροῖσε, ἀναρτημένου σέο ἀνδρὸς βασι-
λέος χρηστὰ ἔργα καὶ ἔπεα ποιεῖν, αἰτέο δόσιν, ἥντινα
βούλεαί τοι γενέσθαι παραυτίκα." ὁ δὲ εἶπεν· „Ὦ 30
δέσποτα, ἐάσας με χαριῇ μάλιστα τὸν θεὸν τῶν Ἑλλήνων,
τὸν ἐγὼ ἐτίμησα θεῶν μάλιστα, ἐπειρέσθαι, πέμψαντα
τάσδε τὰς πέδας, εἰ ἐξαπατᾶν τοὺς εὖ ποιεῦντας νόμος
ἐστίν οἱ." Κῦρος δὲ εἴρετο, ὅ τι οἱ τοῦτο ἐπηγορέων

παραιτέοιτο. Κροῖσος δέ οἱ ἐπαλιλλόγησε πᾶσαν τὴν
ἑωυτοῦ διάνοιαν καὶ τῶν χρηστηρίων τὰς ὑποκρίσιας
καὶ μάλιστα τὰ ἀναθήματα καὶ ὡς ἐπαρθεὶς τῷ μαντηίῳ
ἐστρατεύσατο ἐπὶ Πέρσας. λέγων δὲ ταῦτα κατέβαινεν
5 αὖτις παραιτεόμενος, ἐπεῖναί οἱ τῷ θεῷ τοῦτο ὀνειδίσαι.
Κῦρος δὲ γελάσας εἶπεν· „Καὶ τούτου τεύξεαι παρ' ἐμέο,
Κροῖσε, καὶ ἄλλου παντός, τοῦ ἂν ἑκάστοτε δέῃ.“ ὡς
δὲ ταῦτα ἤκουσεν ὁ Κροῖσος, πέμπων τῶν Λυδῶν ἐς
Δελφοὺς ἐνετέλλετο, τιθέντας τὰς πέδας ἐπὶ τοῦ νηοῦ
10 τὸν οὐδὸν εἰρωτᾶν, εἰ οὔ τι ἐπαισχύνεται τοῖσι μαν-
τηίοισιν ἐπάρας Κροῖσον στρατεύεσθαι ἐπὶ Πέρσας, ὡς
καταπαύσοντα τὴν Κύρου δύναμιν, ἀπ' ἧς οἱ ἀκροθίνια
τοιαῦτα γενέσθαι, δεικνύντας τὰς πέδας· ταῦτά τε ἐπει-
ρωτᾶν καὶ εἰ ἀχαρίστοισι νόμος εἶναι τοῖς Ἑλληνικοῖσι
15 θεοῖσιν.

91   Ἀπικομένοισι δὲ τοῖσι Λυδοῖσι καὶ λέγουσι
τὰ ἐντεταλμένα τὴν Πυθίην λέγεται εἰπεῖν τάδε·
„Τὴν πεπρωμένην μοῖραν ἀδύνατά ἐστιν ἀποφυγεῖν καὶ
θεῷ. Κροῖσος δὲ πέμπτου γονέος ἁμαρτάδα ἐξέπλησεν,
20 ὃς ἐὼν δορυφόρος Ἡρακλειδέων δόλῳ γυναικηίῳ ἐπισπό-
μενος ἐφόνευσε τὸν δεσπότην καὶ ἔσχε τὴν ἐκείνου τιμὴν
οὐδέν οἱ προσήκουσαν. προθυμεομένου δὲ Λοξίω, ὅκως
ἂν κατὰ τοὺς παῖδας τοὺς Κροίσου γένοιτο τὸ Σαρδίων
πάθος καὶ μὴ κατ' αὐτὸν Κροῖσον, οὐκ οἷός τε ἐγίνετο
25 παραγαγεῖν μοίρας. ὅσον δὲ ἐνέδωκαν αὗται, ἤνυσέ τε
καὶ ἐχαρίσατό οἱ· τρία γὰρ ἔτεα ἐπανεβάλετο τὴν Σαρ-
δίων ἅλωσιν, καὶ τοῦτο ἐπιστάσθω Κροῖσος, ὡς ὕστερον
τοῖς ἔτεσι τούτοισιν ἁλοὺς τῆς πεπρωμένης. δεύτερα δὲ
τούτων καιομένῳ αὐτῷ ἐπήρκεσεν. κατὰ δὲ τὸ μαντήιον
30 τὸ γενόμενον οὐκ ὀρθῶς Κροῖσος μέμφεται· προηγόρευε
γάρ οἱ Λοξίης, ἢν στρατεύηται ἐπὶ Πέρσας, μεγάλην
ἀρχὴν αὐτὸν καταλύσειν. τὸν δὲ πρὸς ταῦτα χρῆν εὖ
μέλλοντα βουλεύεσθαι ἐπειρέσθαι πέμψαντα, κότερα τὴν
ἑωυτοῦ ἢ τὴν Κύρου λέγοι ἀρχήν. οὐ συλλαβὼν δὲ τὸ

ῥηθὲν οὐδ' ἐπανειρόμενος ἑωυτὸν αἴτιον ἀποφαινέτω.
ᾧ καὶ τὸ τελευταῖον χρηστηριαζομένῳ εἶπε Λοξίης περὶ
ἡμιόνου, οὐδὲ τοῦτο συνέλαβεν. ἦν γὰρ δὴ ὁ Κῦρος
οὗτος ἡμίονος· ἐκ γὰρ δυῶν οὐκ ὁμοεθνέων ἐγεγόνει,
μητρὸς ἀμείνονος, πατρὸς δὲ ὑποδεεστέρου· ἡ μὲν γὰρ   5
ἦν Μηδὶς καὶ Ἀστυάγεος θυγάτηρ τοῦ Μήδων βασιλέος,
ὁ δὲ Πέρσης τε ἦν καὶ ἀρχόμενος ὑπ' ἐκείνοισιν, καὶ
ἔνερθε ἐὼν τοῖς ἅπασι, δεσποίνῃ τῇ ἑωυτοῦ συνοίκει."
ταῦτα μὲν ἡ Πυθίη ὑπεκρίνατο τοῖσι Λυδοῖσιν, οἱ δὲ
ἀνήνεικαν ἐς Σάρδις καὶ ἀπήγγειλαν Κροίσῳ. ὁ δὲ   10
ἀκούσας συνέγνω ἑωυτοῦ εἶναι τὴν ἁμαρτάδα καὶ οὐ
τοῦ θεοῦ.

   Κατὰ μὲν δὴ τὴν Κροίσου τε ἀρχὴν καὶ Ἰωνίης   92
τὴν πρώτην καταστροφὴν ἔσχεν οὕτω. Κροίσῳ δὲ ἔστι
καὶ ἄλλα ἀναθήματα ἐν τῇ Ἑλλάδι πολλὰ καὶ οὐ   15
τὰ εἰρημένα μοῦνα· ἐν μέν γε Θήβῃσι τῇσι Βοιωτῶν
τρίπους χρύσεος, τὸν ἀνέθηκε τῷ Ἀπόλλωνι τῷ Ἰσμηνίῳ,
ἐν δὲ Ἐφέσῳ αἵ τε βόες αἱ χρύσεαι καὶ τῶν κιόνων αἱ
πολλαί, ἐν δὲ Προνηίης τῆς ἐν Δελφοῖσιν ἀσπὶς χρυσῆ
μεγάλη. ταῦτα μὲν καὶ ἔτι ἐς ἐμὲ ἦν περιεόντα, τὰ δ'   20
ἐξαπόλωλε τῶν ἀναθημάτων. τὰ δ' ἐν Βραγχίδῃσι τῇσι
Μιλησίων ἀναθήματα Κροίσῳ, ὡς ἐγὼ πυνθάνομαι, ἴσα
τε σταθμὸν καὶ ὅμοια τοῖς ἐν Δελφοῖσιν. τὰ μέν νυν
ἔς τε Δελφοὺς καὶ ἐς τοῦ Ἀμφιάρεω ἀνέθηκεν οἰκήιά
τε ἐόντα καὶ τῶν πατρῴων χρημάτων ἀπαρχήν, τὰ δὲ   25
ἄλλα ἀναθήματα ἐξ ἀνδρὸς ἐγένετο οὐσίης ἐχθροῦ, ὅς
οἱ πρὶν ἢ βασιλεῦσαι ἀντιστασιώτης κατεστήκει συσπεύ-
δων Πανταλέοντι γενέσθαι τὴν Λυδῶν ἀρχήν. ὁ δὲ
Πανταλέων ἦν Ἀλυάττεω μὲν παῖς, Κροίσου δὲ ἀδελφεὸς
οὐκ ὁμομήτριος· Κροῖσος μὲν γὰρ ἐκ Καείρης ἦν γυναι-   30
κὸς Ἀλυάττῃ, Πανταλέων δὲ ἐξ Ἰάδος. ἐπείτε δὲ δόντος
τοῦ πατρὸς ἐκράτησε τῆς ἀρχῆς ὁ Κροῖσος, τὸν ἄνθρω-
πον τὸν ἀντιπρήσσοντα ἐπὶ κνάφου ἕλκων διέφθειρεν,
τὴν δὲ οὐσίην αὐτοῦ ἔτι πρότερον κατιρώσας, τότε τρόπῳ

τῷ εἰρημένῳ ἀνέθηκεν ἐς τὰ εἴρηται. καὶ περὶ μὲν ἀνα-
θημάτων τοσαῦτα εἰρήσθω.

93   Θώματα δὲ ἡ Λυδίη ἐς συγγραφὴν οὐ μάλα ἔχει,
οἷά γε καὶ ἄλλη χώρη, πάρεξ τοῦ ἐκ τοῦ Τμώλου κατα-
5 φερομένου ψήγματος. ἓν δὲ ἔργον πολλὸν μέγιστον
παρέχεται χωρὶς τῶν τε Αἰγυπτίων ἔργων καὶ τῶν
Βαβυλωνίων· ἔστιν αὐτόθι Ἀλυάττεω τοῦ Κροίσου
πατρὸς σῆμα, τοῦ ἡ κρηπὶς μέν ἐστι λίθων μεγάλων, τὸ
δὲ ἄλλο σῆμα χῶμα γῆς. ἐξεργάσαντο δέ μιν οἱ ἀγοραῖοι
10 ἄνθρωποι καὶ οἱ χειρώνακτες καὶ αἱ ἐνεργαζόμεναι παι-
δίσκαι. οὖροι δὲ πέντε ἐόντες ἔτι καὶ ἐς ἐμὲ ἦσαν ἐπὶ
τοῦ σήματος ἄνω, καί σφι γράμματα ἐνεκεκόλαπτο, τὰ
ἕκαστοι ἐξεργάσαντο. καὶ ἐφαίνετο μετρεόμενον τὸ τῶν
παιδισκέων ἔργον ἐὸν μέγιστον. τοῦ γὰρ δὴ Λυδῶν
15 δήμου αἱ θυγατέρες πορνεύονται πᾶσαι, συλλέγουσαι
σφίσι φερνάς, ἐς ὃ ἂν συνοικήσωσι τοῦτο ποιέουσαι·
ἐκδιδοῦσι δὲ αὐταὶ ἑωυτάς. ἡ μὲν δὴ περίοδος τοῦ σή-
ματός εἰσι στάδιοι ἓξ καὶ δύο πλέθρα, τὸ δὲ εὖρός ἐστι
πλέθρα τρία καὶ δέκα· λίμνη δὲ ἔχεται τοῦ σήματος
20 μεγάλη, τὴν λέγουσι Λυδοὶ αἰείναον εἶναι· καλεῖται δὲ
94 αὕτη Γυγαίη. τοῦτο μὲν δὴ τοιοῦτό ἐστιν. Λυδοὶ δὲ
νόμοισι μὲν παραπλησίοισι χρέωνται καὶ Ἕλληνες,
χωρὶς ἢ ὅτι τὰ θήλεα τέκνα καταπορνεύουσιν. πρῶτοι
δὲ ἀνθρώπων, τῶν ἡμεῖς ἴδμεν, νόμισμα χρυσοῦ καὶ
25 ἀργύρου κοψάμενοι ἐχρήσαντο, πρῶτοι δὲ καὶ κάπηλοι
ἐγένοντο. φασὶ δὲ αὐτοὶ Λυδοὶ καὶ τὰς παιγνίας τὰς
νῦν σφίσι τε καὶ Ἕλλησι κατεστεώσας ἑωυτῶν ἐξεύρημα
γενέσθαι. ἅμα δὲ ταύτας τε ἐξευρεθῆναι παρὰ σφίσι
λέγουσι καὶ Τυρσηνίην ἀποικίσαι, ὧδε περὶ αὐτῶν
30 λέγοντες· ἐπὶ Ἄτυος τοῦ Μάνεω βασιλέος σιτοδείην
ἰσχυρὴν ἀνὰ τὴν Λυδίην πᾶσαν γενέσθαι· καὶ τοὺς
Λυδοὺς τέως μὲν διάγειν λιπαρέοντας, μετὰ δέ, ὡς οὐ
παύεσθαι, ἄκεα δίζησθαι, ἄλλον δὲ ἄλλο ἐπιμηχανᾶσθαι
αὐτῶν. ἐξευρεθῆναι δὴ ὦν τότε καὶ τῶν κύβων καὶ

τῶν ἀστραγάλων καὶ τῆς σφαίρης καὶ τῶν ἀλλέων πασέων
παιγνιῶν τὰ εἴδεα, πλὴν πεσσῶν· τούτων γὰρ ὦν τὴν
ἐξεύρεσιν οὐκ οἰκηιοῦνται Λυδοί. ποιεῖν δὲ ὧδε πρὸς
τὸν λιμὸν ἐξευρόντας· τὴν μὲν ἑτέρην τῶν ἡμερέων
παίζειν πᾶσαν, ἵνα δὴ μὴ ζητέοιεν σιτία, τὴν δὲ ἑτέρην
σιτεῖσθαι παυομένους τῶν παιγνιῶν. τοιούτῳ τρόπῳ
διάγειν ἐπ' ἔτεα δυῶν δέοντα εἴκοσι. ἐπείτε δὲ οὐκ
ἀνιέναι τὸ κακόν, ἀλλ' ἔτι ἐπὶ μᾶλλον βιάζεσθαι, οὕτω
δὴ τὸν βασιλέα αὐτῶν δύο μοίρας διελόντα Λυδῶν
πάντων κληρῶσαι τὴν μὲν ἐπὶ μονῇ, τὴν δ' ἐπὶ ἐξόδῳ
ἐκ τῆς χώρης, καὶ ἐπὶ μὲν τῇ μένειν αὐτοῦ λαγχανούσῃ
τῶν μοιρέων ἑωυτὸν τὸν βασιλέα προστάσσειν, ἐπὶ δὲ
τῇ ἀπαλλασσομένῃ τὸν ἑωυτοῦ παῖδα, τῷ ὄνομα εἶναι
Τυρσηνόν. λαχόντας δὲ αὐτῶν τοὺς ἑτέρους ἐξιέναι ἐκ
τῆς χώρης καταβῆναι ἐς Σμύρνην καὶ μηχανήσασθαι
πλοῖα, ἐς τὰ ἐσθεμένους τὰ πάντα, ὅσα σφιν ἦν χρηστὰ
ἔπιπλα, ἀποπλεῖν κατὰ βίου τε καὶ γῆς ζήτησιν, ἐς ὃ
ἔθνεα πολλὰ παραμειψαμένους ἀπικέσθαι ἐς Ὀμβρικούς,
ἔνθα σφέας ἐνιδρύσασθαι πόλιας καὶ οἰκεῖν τὸ μέχρι
τοῦδε. ἀντὶ δὲ Λυδῶν μετονομασθῆναι αὐτοὺς ἐπὶ τοῦ
βασιλέος τοῦ παιδός, ὅς σφεας ἀνήγαγεν. ἐπὶ τούτου
τὴν ἐπωνυμίην ποιευμένους ὀνομασθῆναι Τυρσηνούς.
Λυδοὶ μὲν δὴ ὑπὸ Πέρσῃσιν ἐδεδούλωντο.

Ἐπιδίζηται δὲ δὴ τὸ ἐνθεῦτεν ἡμῖν ὁ λόγος τόν **95**
τε Κῦρον, ὅστις ἐὼν τὴν Κροίσου ἀρχὴν κατεῖλεν, καὶ
τοὺς Πέρσας, ὅτεῳ τρόπῳ ἡγήσαντο τῆς Ἀσίης.
ὡς ὦν Περσέων μετεξέτεροι λέγουσιν οἱ μὴ βουλόμενοι
σεμνοῦν τὰ περὶ Κῦρον, ἀλλὰ τὸν ἐόντα λέγειν λόγον,
κατὰ ταῦτα γράψω, ἐπιστάμενος περὶ Κύρου καὶ τρι-
φασίας ἄλλας λόγων ὁδοὺς φῆναι.

Ἀσσυρίων ἀρχόντων τῆς ἄνω Ἀσίης ἐπ' ἔτεα **96**
εἴκοσι καὶ πεντακόσια, πρῶτοι ἀπ' αὐτῶν Μῆδοι ἤρ-
ξαντο ἀπίστασθαι· καί κως οὗτοι περὶ τῆς ἐλευθερίης
μαχεσάμενοι τοῖς Ἀσσυρίοισιν ἐγένοντο ἄνδρες ἀγαθοὶ

καὶ ἀπωσάμενοι τὴν δουλοσύνην ἐλευθερώθησαν· μετὰ
δὲ τούτους καὶ τὰ ἄλλα ἔθνεα ἐποίει τὠυτὸ τοῖσι Μή-
δοισιν. ἐόντων δὲ αὐτονόμων πάντων ἀνὰ τὴν ἤπειρον
ὧδε αὖτις ἐς τυραννίδας περιῆλθον. ἀνὴρ ἐν τοῖσι
5 Μήδοισιν ἐγένετο σοφός, τῷ ὄνομα ἦν Δηιόκης,
παῖς δὲ ἦν Φραόρτεω. οὗτος ὁ Δηιόκης ἐρασθεὶς
τυραννίδος ἐποίει τοιάδε· κατοικημένων τῶν Μήδων
κατὰ κώμας, ἐν τῇ ἑωυτοῦ ἐὼν καὶ πρότερον δόκιμος
καὶ μᾶλλόν τι καὶ προθυμότερον δικαιοσύνην ἐπιθέμενος
10 ἤσκει· καὶ ταῦτα μέντοι ἐούσης ἀνομίης πολλῆς ἀνὰ
πᾶσαν τὴν Μηδικὴν ἐποίει, ἐπιστάμενος ὅτι τῷ δικαίῳ
τὸ ἄδικον πολέμιόν ἐστιν. οἱ δ' ἐκ τῆς αὐτῆς κώμης
Μῆδοι ὁρῶντες αὐτοῦ τοὺς τρόπους δικαστήν μιν ἑωυ-
τῶν αἱρέοντο. ὁ δὲ δή, οἷα μνώμενος ἀρχήν, ἰθύς τε
15 καὶ δίκαιος ἦν. ποιέων τε ταῦτα ἔπαινον εἶχεν οὐκ
ὀλίγον πρὸς τῶν πολιητέων, οὕτω ὥστε πυνθανόμενοι οἱ
ἐν τῇσιν ἄλλῃσι κώμῃσιν, ὡς Δηιόκης εἴη ἀνὴρ μοῦνος
κατὰ τὸ ὀρθὸν δικάζων, πρότερον περιπίπτοντες ἀδίκοισι
γνώμῃσιν, τότε, ἐπείτε ἤκουσαν, ἄσμενοι ἐφοίτων παρὰ
20 τὸν Δηιόκεα καὶ αὐτοὶ δικασόμενοι, τέλος δὲ οὐδενὶ
97 ἄλλῳ ἐπετρέποντο. πλέονος δὲ αἰεὶ γινομένου τοῦ ἐπι-
φοιτῶντος, οἷα πυνθανομένων τὰς δίκας ἀποβαίνειν κατὰ
τὸ ἐόν, γνοὺς ὁ Δηιόκης ἐς ἑωυτὸν πᾶν ἀνακείμενον,
οὔτε κατίζειν ἔτι ἤθελεν ἔνθα περ πρότερον προκατίζων
25 ἐδίκαζεν, οὔτ' ἔφη δικᾶν ἔτι· οὐ γάρ οἱ λυσιτελεῖν τῶν
ἑωυτοῦ ἐξημεληκότα τοῖς πέλας δι' ἡμέρης δικάζειν.
ἐούσης ὦν ἁρπαγῆς καὶ ἀνομίης ἔτι πολλῷ μᾶλλον ἀνὰ
τὰς κώμας ἢ πρότερον ἦν, συνελέχθησαν οἱ Μῆδοι ἐς
τὠυτὸ καὶ ἐδίδοσαν σφίσι λόγον, λέγοντες περὶ τῶν
30 κατηκόντων. ὡς δ' ἐγὼ δοκέω, μάλιστα ἔλεγον οἱ τοῦ
Δηιόκεω φίλοι· „Οὐ γὰρ δὴ τρόπῳ τῷ παρεόντι χρεώμενοι
δυνατοί εἰμεν οἰκεῖν τὴν χώρην, φέρε στήσωμεν ἡμέων
αὐτῶν βασιλέα· καὶ οὕτω ἥ τε χώρη εὐνομήσεται καὶ
αὐτοὶ πρὸς ἔργα τρεψόμεθα οὐδὲ ὑπ' ἀνομίης ἀνάστατοι

ἐσόμεθα" ταῦτά κῃ λέγοντες πείθουσιν ἑωυτοὺς βασι-
λεύεσθαι. αὐτίκα δὲ προβαλλομένων ὅντινα στήσονται 98
βασιλέα, ὁ Δηιόκης ἦν πολλὸς ὑπὸ παντὸς ἀνδρὸς καὶ
προβαλλόμενος καὶ αἰνεόμενος, ἐς ὃ τοῦτον καται-
νέουσι βασιλέα σφίσιν εἶναι. ὁ δ' ἐκέλευεν αὐτοὺς 5
οἰκία τε ἑωυτῷ ἄξια τῆς βασιληίης οἰκοδομῆσαι καὶ κρα-
τῦναι αὐτὸν δορυφόροισιν. ποιεῦσι δὴ ταῦτα οἱ Μῆδοι·
οἰκοδομέουσί τε γὰρ αὐτῷ οἰκία μεγάλα τε καὶ ἰσχυρά,
ἵνα αὐτὸς ἔφρασε τῆς χώρης, καὶ δορυφόρους αὐτῷ
ἐπιτρέπουσιν ἐκ πάντων Μήδων καταλέξασθαι. ὁ δὲ ὡς 10
ἔσχε τὴν ἀρχήν, τοὺς Μήδους ἠνάγκασεν ἓν πόλισμα
ποιήσασθαι καὶ τοῦτο περιστέλλοντας τῶν ἄλλων ἧσσον
ἐπιμέλεσθαι. πειθομένων δὲ καὶ ταῦτα τῶν Μήδων
οἰκοδομεῖ τείχεα μεγάλα τε καὶ καρτερά, ταῦτα
τὰ νῦν Ἀγβάτανα κέκληται, ἕτερον ἑτέρῳ κύκλῳ 15
ἐνεστεῶτα. μεμηχάνηται δὲ οὕτω τοῦτο τὸ τεῖχος, ὥστε
ὁ ἕτερος τοῦ ἑτέρου κύκλος τοῖσι προμαχεῶσι μούνοισίν
ἐστιν ὑψηλότερος, τὸ μέν κού τι καὶ τὸ χωρίον συμμαχεῖ
κολωνὸς ἐὼν ὥστε τοιοῦτο εἶναι, τὸ δὲ καὶ μᾶλλόν τι
ἐπετηδεύθη. κύκλων δὲ ἐόντων τῶν συναπάντων ἑπτά, 20
ἐν τῷ τελευταίῳ τὰ βασιλήια ἔνεστι καὶ οἱ θησαυροί.
τὸ δ' αὐτῶν μέγιστόν ἐστι τεῖχος κατὰ τὸν Ἀθηνέων
κύκλον μάλιστά κῃ τὸ μέγαθος. τοῦ μὲν δὴ πρώτου
κύκλου οἱ προμαχεῶνές εἰσι λευκοί, τοῦ δὲ δευτέρου
μέλανες, τρίτου δὲ κύκλου φοινίκεοι, τετάρτου δὲ κυάνεοι, 25
πέμπτου δὲ σανδαράκινοι. οὕτω πάντων τῶν κύκλων
οἱ προμαχεῶνες ἠνθισμένοι εἰσὶ φαρμάκοισιν· δύο δὲ οἱ
τελευταῖοί εἰσιν ὁ μὲν καταργυρωμένους, ὁ δὲ κατα-
κεχρυσωμένους ἔχων τοὺς προμαχεῶνας. ταῦτα μὲν δὴ 99
ὁ Δηιόκης ἑωυτῷ τε ἐτείχει καὶ περὶ τὰ ἑωυτοῦ οἰκία, 30
τὸν δὲ ἄλλον δῆμον πέριξ ἐκέλευε τὸ τεῖχος οἰκεῖν.
οἰκοδομηθέντων δὲ πάντων κόσμον τόνδε Δηιόκης
πρῶτός ἐστιν ὁ καταστησάμενος, μήτε ἐσιέναι παρὰ
βασιλέα μηδένα, δι' ἀγγέλων δὲ πάντα χρῆσθαι, ὁρᾶσθαί

τε βασιλέα ὑπὸ μηδενός, πρός τε τούτοισιν ἔτι γελᾶν
τε καὶ ἀντίον πτύειν καὶ ἄπασιν εἶναι τοῦτό γε
αἰσχρόν. ταῦτα δὲ περὶ ἑωυτὸν ἐσέμνυνε τῶνδε εἵνεκεν,
ὅκως ἂν μὴ ὁρῶντες οἱ ὁμήλικες, ἐόντες σύντροφοί τε
5 ἐκείνῳ καὶ οἰκίης οὐ φλαυροτέρης οὐδὲ ἐς ἀνδραγαθίην
λειπόμενοι, λυπεοίατο καὶ ἐπιβουλεύοιεν, ἀλλ' ἑτεροῖός
100 σφι δοκέοι εἶναι μὴ ὁρῶσιν. ἐπείτε δὲ ταῦτα διεκό-
σμησε καὶ ἐκράτυνεν ἑωυτὸν ἐν τῇ τυραννίδι, ἦν τὸ
δίκαιον φυλάσσων χαλεπός. καὶ τάς τε δίκας γράφοντες
10 ἔσω παρ' ἐκεῖνον ἐσπέμπεσκον, καὶ ἐκεῖνος διακρίνων
τὰς ἐσφερομένας ἐκπέμπεσκεν. ταῦτα μὲν κατὰ τὰς
δίκας ἐποίει, τάδε δὲ ἄλλα ἐκεκοσμέατό οἱ ὧδε· εἴ
τινα πυνθάνοιτο ὑβρίζοντα, τοῦτον ὅκως μεταπέμψαιτο,
κατ' ἀξίην ἑκάστου ἀδικήματος ἐδικαίου, καὶ οἱ κατά-
15 σκοποί τε καὶ κατήκοοι ἦσαν ἀνὰ πᾶσαν τὴν χώρην,
τῆς ἦρχεν.

101 Δηιόκης μέν νυν τὸ Μηδικὸν ἔθνος συνέστρεψε
μοῦνον καὶ τούτου ἦρξεν. ἔστι δὲ Μήδων τοσάδε
19 γένεα, Βοῦσαι, Παρητακηνοί, Στρούχατες, Ἀριζαντοί,
102 Βούδιοι, Μάγοι. γένεα μὲν δὴ Μήδων ἐστὶ τοσάδε.
656—634
a. Chr. Δηιόκεω δὲ παῖς γίνεται Φραόρτης, ὃς τελευτή-
σαντος Δηιόκεω, βασιλεύσαντος τρία καὶ πεντήκοντα
ἔτεα, παρεδέξατο τὴν ἀρχήν. παραδεξάμενος δὲ οὐκ
ἀπεχρῆτο μούνων Μήδων ἄρχειν, ἀλλὰ στρατευσάμενος
25 ἐπὶ τοὺς Πέρσας πρώτοισί τε τούτοισιν ἐπεθήκατο καὶ
πρώτους Μήδων ὑπηκόους ἐποίησεν. μετὰ δὲ ἔχων δύο
ταῦτα ἔθνεα καὶ ἀμφότερα ἰσχυρά, κατεστρέφετο τὴν Ἀσίην
ἀπ' ἄλλου ἐπ' ἄλλο ἰὼν ἔθνος, ἐς ὃ στρατευσάμενος ἐπὶ
τοὺς Ἀσσυρίους καὶ Ἀσσυρίων τούτους οἳ Νίνον εἶχον
30 καὶ ἦρχον πρότερον πάντων, τότε δὲ ἦσαν μεμουνωμένοι
μὲν συμμάχων ἅτε ἀπεστεώτων, ἄλλως μέντοι ἑωυτῶν εὖ
ἥκοντες, ἐπὶ τούτους δὴ στρατευσάμενος ὁ Φραόρτης
634 a. Chr. αὐτός τε διεφθάρη, ἄρξας δύο καὶ εἴκοσι ἔτεα, καὶ ὁ
στρατὸς αὐτοῦ ὁ πολλός.

Φραόρτεω δὲ τελευτήσαντος ἐξεδέξατο Κυα- **103**
ξάρης ὁ Φραόρτεω τοῦ Δηιόκεω παῖς. οὗτος λέγεται ⁶³⁴—⁵⁹⁴
πολλὸν ἔτι γενέσθαι ἀλκιμώτερος τῶν προγόνων· καὶ
πρῶτός τε ἐλόχισε κατὰ τέλεα τοὺς ἐν τῇ Ἀσίῃ καὶ πρῶ-
τος διέταξε χωρὶς ἑκάστους εἶναι, τούς τε αἰχμοφόρους ⁵
καὶ τοὺς τοξοφόρους καὶ τοὺς ἱππέας· πρὸ τοῦ δὲ ἀναμὶξ
ἦν πάντα ὁμοίως ἀναπεφυρμένα. οὗτος ὁ τοῖσι Λυδοῖσίν
ἐστι μαχεσάμενος, ὅτε νὺξ ἡ ἡμέρη ἐγένετό σφι μαχο-
μένοισιν, καὶ ὁ τὴν Ἅλυος ποταμοῦ ἄνω Ἀσίην πᾶσαν
συστήσας ἑωυτῷ. συλλέξας δὲ τοὺς ὑπ' ἑωυτῷ ἀρχομέ- ¹⁰
νους πάντας ἐστρατεύετο ἐπὶ τὴν Νίνον, τιμωρέων τε
τῷ πατρὶ καὶ τὴν πόλιν ταύτην θέλων ἐξελεῖν. καὶ οἵ,
ὡς συμβαλὼν ἐνίκησε τοὺς Ἀσσυρίους, περικαθημένῳ
τὴν Νίνον ἐπῆλθε Σκυθέων στρατὸς μέγας, ἦγε
δὲ αὐτοὺς βασιλεὺς ὁ Σκυθέων Μαδύης Προτοθύω παῖς· ¹⁵
οἳ ἐσέβαλον μὲν ἐς τὴν Ἀσίην Κιμμερίους ἐκβαλόντες
ἐκ τῆς Εὐρώπης, τούτοισι δὲ ἐπισπόμενοι φεύγουσιν
οὕτω ἐς τὴν Μηδικὴν χώρην ἀπίκοντο. ἔστι δὲ ἀπὸ τῆς **104**
λίμνης τῆς Μαιήτιδος ἐπὶ Φᾶσιν ποταμὸν καὶ ἐς Κόλχους
τριήκοντα ἡμερέων εὐζώνῳ ὁδός, ἐκ δὲ τῆς Κολχίδος οὐ ²⁰
πολλὸν ὑπερβῆναι ἐς τὴν Μηδικήν, ἀλλ' ἓν τὸ διὰ
μέσου ἔθνος αὐτῶν ἐστιν, Σάσπειρες, τοῦτο δὲ παρα-
μειβομένοισιν εἶναι ἐν τῇ Μηδικῇ. οὐ μέντοι οἵ γε Σκύ-
θαι ταύτῃ ἐσέβαλον, ἀλλὰ τὴν κατύπερθε ὁδὸν πολλῷ
μακροτέρην ἐκτραπόμενοι, ἐν δεξιῇ ἔχοντες τὸ Καυκά- ²⁵
σιον ὄρος. ἐνθαῦτα οἱ μὲν Μῆδοι συμβαλόντες τοῖς
Σκύθῃσι καὶ ἑσσωθέντες τῇ μάχῃ τῆς ἀρχῆς κατελύθη-
σαν, οἱ δὲ Σκύθαι τὴν Ἀσίην πᾶσαν ἐπέσχον. ἐν- **105**
θεῦτεν δὲ ᾖσαν ἐπ' Αἴγυπτον. καὶ ἐπείτε ἐγένοντο
ἐν τῇ Παλαιστίνῃ Συρίῃ, Ψαμμήτιχός σφεας Αἰγύπτου ³⁰
βασιλεὺς ἀντιάσας δώροισί τε καὶ λιτῇσιν ἀποτρέπει τὸ
προσωτέρω μὴ πορεύεσθαι. οἱ δὲ ἐπείτε ἀναχωρέοντες
ὀπίσω ἐγίνοντο τῆς Συρίης ἐν Ἀσκάλωνι πόλι, τῶν
πλεόνων Σκυθέων παρεξελθόντων ἀσινέων ὀλίγοι τινὲς

αὐτῶν ὑπολειφθέντες ἐσύλησαν τῆς οὐρανίης Ἀφροδίτης
τὸ ἱρόν.. ἔστι δὲ τοῦτο τὸ ἱρόν, ὡς ἐγὼ πυνθανόμενος
εὑρίσκω, πάντων ἀρχαιότατον ἱρῶν, ὅσα ταύτης τῆς θεοῦ·
καὶ γὰρ τὸ ἐν Κύπρῳ ἱρὸν ἐνθεῦτεν ἐγένετο, ὡς αὐτοὶ
5 Κύπριοι λέγουσιν, καὶ τὸ ἐν Κυθήροισι Φοίνικές εἰσιν
οἱ ἱδρυσάμενοι ἐκ ταύτης τῆς Συρίης ἐόντες. τοῖς δὲ
τῶν Σκυθέων συλήσασι τὸ ἱρὸν τὸ ἐν Ἀσκάλωνι καὶ
τοῖς τούτων αἰεὶ ἐκγόνοισιν ἐνέσκηψεν ἡ θεὸς θήλειαν
νοῦσον. ὥστε ἅμα λέγουσί τε οἱ Σκύθαι διὰ τοῦτό
10 σφεας νοσεῖν, καὶ ὁρᾶν παρ' ἑωυτοῖσι τοὺς ἀπικνεομένους
ἐς τὴν Σκυθικὴν χώρην ὡς διακέαται, τοὺς καλέουσιν
ἐνάρεας οἱ Σκύθαι.

106 Ἐπὶ μέν νυν ὀκτὼ καὶ εἴκοσι ἔτεα ἦρχον τῆς
Ἀσίης οἱ Σκύθαι, καὶ τὰ πάντα σφιν ὑπό τε ὕβριος
15 καὶ ὀλιγωρίης ἀνάστατα ἦν. χωρὶς μὲν γὰρ φόρον
ἔπρησσον παρ' ἑκάστων τὸν ἑκάστοισιν ἐπέβαλλον, χωρὶς
δὲ τοῦ φόρου ἥρπαζον περιελαύνοντες τοῦτο, ὅ τι ἔχοιεν
ἕκαστοι. καὶ τούτων μὲν τοὺς πλέονας Κυαξάρης τε καὶ
Μῆδοι ξεινίσαντες καὶ καταμεθύσαντες κατεφόνευσαν,
20 καὶ οὕτω ἀνεσώσαντο τὴν ἀρχὴν Μῆδοι καὶ ἐπεκράτεον
a. Chr. τῶν περ καὶ πρότερον, καὶ τήν τε Νίνον εἷλον (ὡς δὲ
εἷλον, ἐν ἑτέροισι λόγοισι δηλώσω) καὶ τοὺς Ἀσσυρίους
ὑποχειρίους ἐποιήσαντο πλὴν τῆς Βαβυλωνίης μοίρης.

24 Μετὰ δὲ ταῦτα Κυαξάρης μέν, βασιλεύσας τεσσερά-
107 κοντα ἔτεα, σὺν τοῖς Σκύθαι ἦρξαν, τελευτᾷ. ἐκδέκεται
a. Chr. δὲ Ἀστυάγης ὁ Κυαξάρεω παῖς τὴν βασιληίην.
καί οἱ ἐγένετο θυγάτηρ, τῇ ὄνομα ἔθετο Μανδάνην, τὴν
ἐδόκει Ἀστυάγης ἐν τῷ ὕπνῳ οὐρῆσαι τοσοῦτον, ὥστε
πλῆσαι μὲν τὴν ἑωυτοῦ πόλιν, ἐπικατακλύσαι δὲ καὶ τὴν
30 Ἀσίην πᾶσαν. ὑπερθέμενος δὲ τῶν μάγων τοῖς ὀνειρο-
πόλοισι τὸ ἐνύπνιον, ἐφοβήθη παρ' αὐτῶν αὐτὰ ἕκαστα
μαθών. μετὰ δὲ τὴν Μανδάνην ταύτην ἐοῦσαν ἤδη
ἀνδρὸς ὡραίην Μήδων μὲν τῶν ἑωυτοῦ ἀξίων οὐδενὶ
διδοῖ γυναῖκα, δεδοικὼς τὴν ὄψιν, ὁ δὲ Πέρσῃ διδοῖ, τῷ

ὄνομα ἦν Καμβύσης, τὸν εὕρισκεν οἰκίης μὲν ἐόντα
ἀγαθῆς, τρόπου δὲ ἡσυχίου, πολλῷ ἔνερθε ἄγων αὐτὸν
μέσου ἀνδρὸς Μήδου. συνοικεούσης δὲ τῷ Καμβύσῃ τῆς 108
Μανδάνης ὁ Ἀστυάγης τῷ πρώτῳ ἔτει εἶδεν ἄλλην
ὄψιν· ἐδόκει δέ οἱ ἐκ τῶν αἰδοίων τῆς θυγατρὸς ταύτης 5
φῦναι ἄμπελον, τὴν δὲ ἄμπελον ἐπισχεῖν τὴν Ἀσίην
πᾶσαν. ἰδὼν δὲ τοῦτο καὶ ὑπερθέμενος τοῖς ὀνειροπό-
λοισι μετεπέμψατο ἐκ τῶν Περσέων τὴν θυγατέρα ἐπί-
τεκα ἐοῦσαν, ἀπικομένην δὲ ἐφύλασσε βουλόμενος τὸ
γεννώμενον ἐξ αὐτῆς διαφθεῖραι· ἐκ γάρ οἱ τῆς ὄψιος 10
τῶν μάγων οἱ ὀνειροπόλοι ἐσήμαινον, ὅτι μέλλοι ὁ τῆς
θυγατρὸς αὐτοῦ γόνος βασιλεύσειν ἀντὶ ἐκείνου. ταῦτα
δὴ ὦν φυλασσόμενος ὁ Ἀστυάγης, ὡς ἐγένετο ὁ Κῦρος,
καλέσας Ἅρπαγον, ἄνδρα οἰκήιον καὶ πιστότατόν τε
Μήδων καὶ πάντων ἐπίτροπον τῶν ἑωυτοῦ, ἔλεγέν οἱ 15
τάδε· „Ἅρπαγε, πρῆγμα, τὸ ἄν τοι προσθέω, μηδαμῶς
παραχρήσῃ, μηδὲ ἐμέ τε παραβάλῃ καὶ ἄλλους ἑλόμενος
ἐξ ὑστέρης σεωυτῷ περιπέσῃς. λάβε τὸν Μανδάνη ἔτεκε
παῖδα, φέρων δὲ ἐς σεωυτοῦ ἀπόκτεινον· μετὰ δὲ θάψον
τρόπῳ ὅτεῳ αὐτὸς βούλεαι." ὁ δὲ ἀμείβεται· „Ὦ βασι- 20
λεῦ, οὔτε ἄλλοτέ κω παρεῖδες ἀνδρὶ τῷδε ἄχαρι οὐδέν,
φυλασσόμεθα δὲ ἐς σὲ καὶ ἐς τὸν μετέπειτα χρόνον
μηδὲν ἐξαμαρτεῖν. ἀλλ' εἴ τοι φίλον τοῦτο οὕτω γίνε-
σθαι, χρὴ δὴ τό γε ἐμὸν ὑπηρετεῖσθαι ἐπιτηδέως."
τούτοισιν ἀμειψάμενος ὁ Ἅρπαγος, ὥς οἱ παρε- 109
δόθη τὸ παιδίον κεκοσμημένον τὴν ἐπὶ θανάτῳ, 25
ἤϊε κλαίων ἐς τὰ οἰκία· παρελθὼν δὲ ἔφραζε τῇ ἑωυ-
τοῦ γυναικὶ τὸν πάντα Ἀστυάγεος ῥηθέντα λόγον. ἡ δὲ
πρὸς αὐτὸν λέγει· „Νῦν ὦν τί σοι ἐν νῷ ἐστὶ ποιεῖν;"
ὁ δὲ ἀμείβεται· „Οὐκ ᾗ ἐνετέλλετο Ἀστυάγης, οὐδ' εἰ 30
παραφρονήσει τε καὶ μανεῖται κάκιον ἢ νῦν μαίνεται,
οὔ οἱ ἔγωγε προσθήσομαι τῇ γνώμῃ οὐδὲ ἐς φόνον
τοιοῦτον ὑπηρετήσω. πολλῶν δὲ εἵνεκα οὐ φονεύσω μιν,
καὶ ὅτι αὐτῷ μοι συγγενής ἐστιν ὁ παῖς, καὶ ὅτι Ἀστυάγης

μέν ἐστι γέρων καὶ ἄπαις ἔρσενος γόνου· εἰ δ' ἐθελήσει
τούτου τελευτήσαντος ἐς τὴν θυγατέρα ταύτην ἀναβῆναι
ἡ τυραννίς, ἧς νῦν τὸν υἱὸν κτείνει δι' ἐμέο, ἄλλο τι
ἢ λείπεται τὸ ἐνθεῦτεν ἐμοὶ κινδύνων ὁ μέγιστος; ἀλλὰ
5 τοῦ μὲν ἀσφαλέος εἵνεκα ἐμοὶ δεῖ τοῦτον τελευτᾶν τὸν
παῖδα, δεῖ μέντοι τῶν τινα Ἀστυάγεος αὐτοῦ φονέα
110 γενέσθαι καὶ μὴ τῶν ἐμῶν." ταῦτα εἶπε καὶ αὐτίκα
ἄγγελον ἔπεμπεν ἐπὶ τῶν βουκόλων τῶν Ἀστυά-
γεος τὸν ἠπίστατο νομάς τε ἐπιτηδεοτάτας νέ-
10 μοντα καὶ ὄρεα θηριωδέστατα, τῷ ὄνομα ἦν Μιτραδάτης.
συνοίκει δὲ ἑωυτοῦ συνδούλῃ, ὄνομα δὲ τῇ γυναικὶ ἦν,
τῇ συνοίκει, Κυνὼ κατὰ τὴν Ἑλλήνων γλῶσσαν, κατὰ
δὲ τὴν Μηδικὴν Σπακώ· τὴν γὰρ κύνα καλέουσι σπάκα
Μῆδοι. αἱ δὲ ὑπώρειαί εἰσι τῶν ὀρέων, ἔνθα τὰς νομὰς
15 τῶν βοῶν εἶχεν οὗτος δὴ ὁ βουκόλος, πρὸς βορέω τε
ἀνέμου τῶν Ἀγβατάνων καὶ πρὸς τοῦ πόντου τοῦ
Εὐξείνου. ταύτῃ μὲν γὰρ ἡ Μηδικὴ χώρη ἡ πρὸς
Σασπείρων ὀρεινή ἐστι κάρτα καὶ ὑψηλή τε καὶ ἴδῃσι
συνηρεφής, ἡ δὲ ἄλλη Μηδικὴ χώρη ἐστὶ πᾶσα ἄπεδος.
20 ἐπεὶ ὦν ὁ βουκόλος σπουδῇ πολλῇ καλεόμενος ἀπίκετο,
ἔλεγεν ὁ Ἅρπαγος τάδε· „Κελεύει σε Ἀστυάγης τὸ παι-
δίον τοῦτο λαβόντα θεῖναι ἐς τὸ ἐρημότατον τῶν ὀρέων,
ὅκως ἂν τάχιστα διαφθαρείη. καὶ τάδε τοι ἐκέλευσεν
εἰπεῖν, ἢν μὴ ἀποκτείνῃς αὐτό, ἀλλά τεῳ τρόπῳ περι-
25 ποιήσῃς, ὀλέθρῳ τῷ κακίστῳ σε διαχρήσεσθαι· ἐπορᾶν
δὲ ἐκκείμενον τέταγμαι ἐγώ."
111 Ταῦτα ἀκούσας ὁ βουκόλος καὶ ἀναλαβὼν τὸ
παιδίον ᾖε τὴν αὐτὴν ὀπίσω ὁδὸν καὶ ἀπικνεῖται
ἐς τὴν ἔπαυλιν. τῷ δ' ἄρα καὶ αὐτῷ ἡ γυνὴ ἐπίτεξ
30 ἐοῦσα πᾶσαν ἡμέρην, τότε κως κατὰ δαίμονα τίκτει
οἰχομένου τοῦ βουκόλου ἐς πόλιν. ἦσαν δὲ ἐν φροντίδι
ἀμφότεροι ἀλλήλων πέρι, ὁ μὲν τοῦ τόκου τῆς γυναικὸς
ἀρρωδέων, ἡ δὲ γυνή, ὅ τι οὐκ ἐωθὼς ὁ Ἅρπαγος μετα-
πέμψαιτο αὐτῆς τὸν ἄνδρα. ἐπείτε δὲ ἀπονοστήσας

ἐπέστη, οἷα ἐξ ἀέλπτου ἰδοῦσα ἡ γυνὴ εἴρετο προτέρη,
ὅ τι μιν οὕτω προθύμως Ἅρπαγος μετεπέμψατο.
ὁ δὲ εἶπεν· „Ὦ γύναι, εἶδόν τε ἐς πόλιν ἐλθὼν καὶ
ἤκουσα, τὸ μήτε ἰδεῖν ὄφελον μήτε κοτὲ γενέσθαι ἐς
δεσπότας τοὺς ἡμετέρους. οἶκος μὲν πᾶς Ἁρπάγου 5
κλαυθμῷ κατείχετο· ἐγὼ δὲ ἐκπλαγεὶς ἦα ἔσω. ὡς δὲ
τάχιστα ἐσῆλθον, ὁρέω παιδίον προκείμενον ἀσπαῖρόν τε
καὶ κραυγανόμενον, κεκοσμημένον χρυσῷ τε καὶ ἐσθῆτι
ποικίλῃ. Ἅρπαγος δὲ ὡς εἶδέ με, ἐκέλευε τὴν ταχίστην
ἀναλαβόντα τὸ παιδίον οἴχεσθαι φέροντα καὶ θεῖναι, 10
ἔνθα θηριωδέστατον εἴη τῶν ὀρέων, φὰς Ἀστυάγεα εἶναι
τὸν ταῦτα ἐπιθέμενόν μοι, πόλλ' ἀπειλήσας εἰ μή σφεα
ποιήσαιμι. καὶ ἐγὼ ἀναλαβὼν ἔφερον, δοκέων τῶν τινος
οἰκετέων εἶναι· οὐ γὰρ ἄν κοτε κατέδοξα, ἔνθεν γε ἦν.
ἐθάμβεον δὲ ὁρέων χρυσῷ τε καὶ εἴμασι κεκοσμημένον, 15
πρὸς δὲ καὶ κλαυθμὸν κατεστεῶτα ἐμφανέα ἐν Ἁρπάγου.
καὶ πρόκατε δὴ κατ' ὁδὸν πυνθάνομαι τὸν πάντα λόγον
θεράποντος, ὃς ἐμὲ προπέμπων ἔξω πόλιος ἐνεχείρισε τὸ
βρέφος, ὡς ἄρα Μανδάνης τε εἴη παῖς τῆς Ἀστυάγεος
θυγατρὸς καὶ Καμβύσεω τοῦ Κύρου, καὶ μιν Ἀστυάγης 20
ἐντέλλεται ἀποκτεῖναι· νῦν τε ὅδε ἐστίν." ἅμα τε ταῦτα 112
ἔλεγεν ὁ βουκόλος καὶ ἐκκαλύψας ἀπεδείκνυεν. ἡ δὲ ὡς
εἶδε τὸ παιδίον μέγα τε καὶ εὐειδὲς ἐόν, δακρύσασα
καὶ λαβομένη τῶν γουνάτων τοῦ ἀνδρὸς ἔχρηζε μηδε-
μιῇ τέχνῃ ἐκθεῖναί μιν. ὁ δὲ οὐκ ἔφη οἷός τε εἶναι 25
ἄλλως αὐτὰ ποιεῖν· ἐπιφοιτήσειν γὰρ κατασκόπους ἐξ
Ἁρπάγου ἐποψομένους, ἀπολεῖσθαί τε κάκιστα, ἢν μή
σφεα ποιήσῃ. ὡς δὲ οὐκ ἔπειθεν ἄρα τὸν ἄνδρα, δεύ-
τερα λέγει ἡ γυνὴ τάδε· 'Ἐπεὶ τοίνυν οὐ δύναμαί σε
πείθειν μὴ ἐκθεῖναι, σὺ δὲ ὧδε ποίησον· εἰ δὴ πᾶσά γε 30
ἀνάγκη ὀφθῆναι ἐκκείμενον, τέτοκα γὰρ καὶ ἐγώ, τέτοκα
δὲ τεθνεός· τοῦτο μὲν φέρων πρόθες, τὸν δὲ τῆς Ἀστυά-
γεος θυγατρὸς παῖδα ὡς ἐξ ἡμέων ἐόντα τρέφωμεν· καὶ
οὕτω οὔτε σὺ ἁλώσεαι ἀδικέων τοὺς δεσπότας, οὔτε ἡμῖν

κακῶς βεβουλευμένα ἔσται, ὅ τε γὰρ τεθνεὼς βασιληίης
ταφῆς κυρήσει καὶ ὁ περιεὼν οὐκ ἀπολεῖ τὴν ψυχήν."
113 κάρτα τε ἔδοξε τῷ βουκόλῳ πρὸς τὰ παρεόντα εὖ λέγειν
ἡ γυνή, καὶ αὐτίκα ἐποίει ταῦτα. τὸν μὲν ἔφερε θανα-
5 τώσων παῖδα, τοῦτον μὲν παραδιδοῖ τῇ ἑωυτοῦ
γυναικί, τὸν δὲ ἑωυτοῦ ἐόντα νεκρὸν λαβὼν ἔθηκεν ἐς
τὸ ἄγγος, ἐν τῷ ἔφερε τὸν ἕτερον· κοσμήσας δὲ τῷ
κόσμῳ παντὶ τοῦ ἑτέρου παιδός, φέρων ἐς τὸ ἐρημότατον
τῶν ὀρέων τιθεῖ. ὡς δὲ τρίτη ἡμέρη τῷ παιδίῳ ἐκκει-
10 μένῳ ἐγένετο, ἤιεν ἐς πόλιν ὁ βουκόλος, τῶν τινα προ-
βοσκῶν φύλακον αὐτοῦ καταλιπών, ἐλθὼν δὲ ἐς τοῦ
Ἁρπάγου ἀποδεικνύναι ἔφη ἕτοιμος εἶναι τοῦ παιδίου
τὸν νέκυν. πέμψας δὲ ὁ Ἅρπαγος τῶν ἑωυτοῦ δορυφό-
ρων τοὺς πιστοτάτους εἶδέ τε διὰ τούτων καὶ ἔθαψε
15 τοῦ βουκόλου τὸ παιδίον. καὶ τὸ μὲν ἐτέθαπτο, τὸν
δὲ ὕστερον τούτων Κῦρον ὀνομασθέντα παραλαβοῦσα
ἔτρεφεν ἡ γυνὴ τοῦ βουκόλου, ὄνομα ἄλλο κού τι καὶ
οὐ Κῦρον θεμένη.
114   Καὶ ὅτε δὴ ἦν δεκαέτης ὁ παῖς, πρῆγμα ἐς
20 αὐτὸν τοιόνδε γενόμενον ἐξέφηνέ μιν. ἔπαιζεν ἐν
τῇ κώμῃ ταύτῃ, ἐν τῇ ἦσαν καὶ αἱ βουκολίαι αὗται,
ἔπαιζε δὲ μετ' ἄλλων ἡλίκων ἐν ὁδῷ. καὶ οἱ παῖδες
παίζοντες εἵλοντο ἑωυτῶν βασιλέα εἶναι τοῦτον δὴ τὸν
τοῦ βουκόλου ἐπίκλησιν παῖδα. ὁ δὲ αὐτῶν διέταξε τοὺς
25 μὲν οἰκίας οἰκοδομεῖν, τοὺς δὲ δορυφόρους εἶναι, τὸν δέ
κού τινα αὐτῶν ὀφθαλμὸν βασιλέος εἶναι, τῷ δέ τινι
τὰς ἀγγελίας ἐσφέρειν ἐδίδου γέρας, ὡς ἑκάστῳ ἔργον
προστάσσων. εἷς δὴ τούτων τῶν παίδων συμπαίζων,
ἐὼν Ἀρτεμβάρεος παῖς, ἀνδρὸς δοκίμου ἐν Μήδοισιν, οὐ
30 γὰρ δὴ ἐποίησε τὸ προσταχθὲν ἐκ τοῦ Κύρου, ἐκέλευεν
αὐτὸν τοὺς ἄλλους παῖδας διαλαβεῖν, πειθομένων δὲ
τῶν παίδων ὁ Κῦρος τὸν παῖδα τρηχέως κάρτα περιέσπε
μαστιγέων. ὁ δὲ ἐπείτε μετείθη τάχιστα, ὥς γε δὴ ἀνάξια
ἑωυτοῦ παθών, μᾶλλόν τι περιημέκτει, κατελθὼν δὲ ἐς

πόλιν πρὸς τὸν πατέρα ἀποικτίζετο, τῶν ὑπὸ Κύρου ἤντησεν, λέγων δὲ οὐ Κύρου (οὐ γάρ κω ἦν τοῦτο τοὔνομα), ἀλλὰ πρὸς τοῦ βουκόλου τοῦ Ἀστυάγεος παιδός.
ὁ δὲ Ἀρτεμβάρης ὀργῇ ὡς εἶχεν ἐλθὼν παρὰ τὸν Ἀστυάγεα καὶ ἅμα ἀγόμενος τὸν παῖδα ἀνάρσια πρήγματα ἔφη 5
πεπονθέναι, λέγων· „Ὦ βασιλεῦ, ὑπὸ τοῦ σοῦ δούλου,
βουκόλου δὲ παιδὸς ὧδε περιυβρίσμεθα“, δεικνὺς τοῦ
παιδὸς τοὺς ὤμους. / ἀκούσας δὲ καὶ ἰδὼν Ἀστυάγης, 115
θέλων τιμωρῆσαι τῷ παιδὶ τιμῆς τῆς Ἀρτεμβάρεος εἵνεκα,
μετεπέμπετο τόν τε βουκόλον καὶ τὸν παῖδα. ἐπείτε 10
δὲ παρῆσαν ἀμφότεροι, βλέψας πρὸς τὸν Κῦρον ὁ Ἀστυάγης
ἔφη· „Σὺ δὲ ἐὼν τοῦδε τοιούτου ἐόντος παῖς ἐτόλμησας
τὸν τοῦδε παῖδα ἐόντος πρώτου παρ' ἐμοὶ ἀεικείῃ τοιῇδε
περισπεῖν;“ ὁ δὲ ἀμείβετο ὧδε· „Ὦ δέσποτα, ἐγὼ ταῦτα
τοῦτον ἐποίησα σὺν δίκῃ· οἱ γάρ με ἐκ τῆς κώμης 15
παῖδες, τῶν καὶ ὅδε ἦν, παίζοντες σφέων αὐτῶν ἐστήσαντο βασιλέα· ἐδόκεον γάρ σφιν εἶναι ἐς τοῦτο ἐπιτηδεότατος. οἱ μέν νυν ἄλλοι παῖδες τὰ ἐπιτασσόμενα
ἐπετέλεον, οὗτος δὲ ἀνηκούστει τε καὶ λόγον εἶχεν οὐδένα,
ἐς ὃ ἔλαβε τὴν δίκην. εἰ ὦν δὴ τοῦδε εἵνεκα ἄξιός τεο 20
κακοῦ εἰμι, ὅδε τοι πάρειμι.“ ταῦτα λέγοντος τοῦ 116
παιδὸς τὸν Ἀστυάγεα ἐσῆεν ἀνάγνωσις αὐτοῦ,
καὶ οἱ ὅ τε χαρακτὴρ τοῦ προσώπου προσφέρεσθαι ἐδόκει
ἐς ἑωυτὸν καὶ ἡ ὑπόκρισις ἐλευθερωτέρη εἶναι, ὅ τε
χρόνος τῆς ἐκθέσιος τῇ ἡλικίῃ τοῦ παιδὸς ἐδόκει συμ 25
βαίνειν. ἐκπλαγεὶς δὲ τούτοισιν ἐπὶ χρόνον ἄφθογγος
ἦν· μόγις δὲ δή κοτε ἀνενειχθεὶς εἶπεν, θέλων ἐκπέμψαι
τὸν Ἀρτεμβάρεα, ἵνα τὸν βουκόλον μοῦνον λαβὼν βασανίσῃ· „Ἀρτέμβαρες, ἐγὼ ταῦτα ποιήσω, ὥστε σὲ καὶ τὸν
παῖδα τὸν σὸν μηδὲν ἐπιμέμφεσθαι.“ τὸν μὲν δὴ Ἀρτεμ 30
βάρεα πέμπει, τὸν δὲ Κῦρον ἦγον ἔσω οἱ θεράποντες
κελεύσαντος τοῦ Ἀστυάγεος. ἐπεὶ δὲ ὑπελέλειπτο ὁ βουκόλος μοῦνος μουνόθεν, τάδε αὐτὸν εἴρετο ὁ Ἰστυάγης,
κόθεν λάβοι τὸν παῖδα καὶ τίς εἴη ὁ παραδούς. ὁ δὲ ἐξ

ἑωυτοῦ τε ἔφη γεγονέναι καὶ τὴν τεκοῦσαν αὐτὸν ἔτι
εἶναι παρ᾽ ἑωυτῷ. Ἀστυάγης δέ μιν οὐκ εὖ βουλεύε-
σθαι ἔφη ἐπιθυμέοντα ἐς ἀνάγκας μεγάλας ἀπικνεῖσθαι,
ἅμα τε λέγων ταῦτα ἐσήμαινε τοῖσι δορυφόροισι λαμ-
5 βάνειν αὐτόν. ὁ δὲ ἀγόμενος ἐς τὰς ἀνάγκας οὕτω δὴ
ἔφαινε τὸν ἐόντα λόγον. ἀρχόμενος δὲ ἀπ᾽ ἀρχῆς διεξῆε
τῇ ἀληθείῃ χρεώμενος καὶ κατέβαινεν ἐς λιτάς τε καὶ
συγγνώμην ἑωυτῷ κελεύων ἔχειν αὐτόν.

117   Ἀστυάγης δὲ τοῦ μὲν βουκόλου τὴν ἀληθείην ἐκ-
10 φήναντος λόγον ἤδη καὶ ἐλάσσω ἐποιεῖτο, Ἁρπάγῳ δὲ
καὶ μεγάλως μεμφόμενος καλεῖν αὐτὸν τοὺς δορυ-
φόρους ἐκέλευεν. ὡς δέ οἱ παρῆν ὁ Ἅρπαγος, εἴρετό
μιν ὁ Ἀστυάγης· „Ἅρπαγε, τέῳ δὴ μόρῳ τὸν παῖδα κατε-
χρήσαο, τόν τοι παρέδωκα ἐκ θυγατρὸς γεγονότα τῆς
15 ἐμῆς;“ ὁ δὲ Ἅρπαγος ὡς εἶδε τὸν βουκόλον ἔνδον
ἐόντα, οὐ τρέπεται ἐπὶ ψευδέα ὁδόν, ἵνα μὴ ἐλεγχόμενος
ἁλίσκηται, ἀλλὰ λέγει τάδε· „Ὦ βασιλεῦ, ἐπείτε παρέ-
λαβον τὸ παιδίον, ἐβούλευον σκοπέων ὅκως σοί τε ποιήσω
κατὰ νόον καὶ ἐγὼ πρὸς σὲ γινόμενος ἀναμάρτητος μήτε
20 θυγατρὶ τῇ σῇ μήτε αὐτῷ σοὶ εἴην αὐθέντης. ποιέω δὴ
ὧδε· καλέσας τὸν βουκόλον τόνδε παραδίδωμι τὸ παι-
δίον, φὰς σέ τε εἶναι τὸν κελεύοντα ἀποκτεῖναι αὐτό.
καὶ λέγων τοῦτό γε οὐκ ἐψευδόμην· σὺ γὰρ ἐνετέλλεο
οὕτω. παραδίδωμι μέντοι τῷδε κατὰ τάδε, ἐντειλάμενος
25 θεῖναί μιν ἐς ἔρημον ὄρος καὶ παραμένοντα φυλάσσειν,
ἄχρι οὗ τελευτήσῃ, ἀπειλήσας παντοῖα τῷδε, ἢν μὴ τάδε
ἐπιτελέα ποιήσῃ. ἐπείτε δὲ ποιήσαντος τούτου τὰ κε-
λευόμενα ἐτελεύτησε τὸ παιδίον, πέμψας τῶν εὐνούχων
τοὺς πιστοτάτους καὶ εἶδον δι᾽ ἐκείνων καὶ ἔθαψά μιν.
30 οὕτως ἔσχεν, ὦ βασιλεῦ, περὶ τοῦ πρήγματος τούτου, καὶ
118 τοιούτῳ μόρῳ ἐχρήσατο ὁ παῖς. Ἅρπαγος μὲν δὴ τὸν
ἰθὺν ἔφαινε λόγον, Ἀστυάγης δὲ κρύπτων, τόν οἱ
ἐνεῖχε χόλον διὰ τὸ γεγονός, πρῶτα μέν, κατά περ
ἤκουσεν αὐτὸς πρὸς τοῦ βουκόλου τὸ πρῆγμα, πάλιν

ἀπηγεῖτο τῷ Ἁρπάγῳ, μετὰ δέ, ὥς οἱ ἐπαλιλλόγητο, κατέ-
βαινε λέγων ὡς περίεστί τε ὁ παῖς καὶ τὸ γεγονὸς ἔχει
καλῶς. „Τῷ τε γὰρ πεποιημένῳ,“ ἔφη λέγων, „ἐς τὸν
παῖδα τοῦτον ἔκαμνον μεγάλως καὶ θυγατρὶ τῇ ἐμῇ δια-
βεβλημένος οὐκ ἐν ἐλαφρῷ ἐποιεύμην. ὡς ὦν τῆς τύχης 5
εὖ μετεστεώσης τοῦτο μὲν τὸν σεωυτοῦ παῖδα ἀπό-
πεμψον παρὰ τὸν παῖδα τὸν νεήλυδα, τοῦτο δέ
(σῶστρα γὰρ τοῦ παιδὸς μέλλω θύειν, τοῖς θεῶν τιμὴ
αὕτη πρόσκειται) πάρισθί μοι ἐπὶ δεῖπνον.“ Ἅρπαγος 119
μὲν ὡς ἤκουσε ταῦτα, προσκυνήσας καὶ μεγάλα ποιησά- 10
μενος, ὅτι τε ἡ ἁμαρτάς οἱ ἐς δέον ἐγεγόνει καὶ ὅτι ἐπὶ
τύχῃσι χρηστῇσιν ἐπὶ δεῖπνον ἐκέκλητο, ἦεν ἐς τὰ οἰκία.
ἐσελθὼν δὲ τὴν ταχίστην, ἦν γάρ οἱ παῖς εἷς μοῦνος,
ἔτεα τρία καὶ δέκα κου μάλιστα γεγονώς, τοῦτον ἐκπέμπει,
ἰέναι τε κελεύων ἐς Ἀστυάγεος καὶ ποιεῖν, ὅ τι ἂν ἐκεῖνος 15
κελεύῃ. αὐτὸς δὲ περιχαρὴς ἐὼν φράζει τῇ γυναικὶ τὰ
συγκυρήσαντα. Ἀστυάγης δέ, ὥς οἱ ἀπίκετο ὁ Ἁρπάγου
παῖς, σφάξας αὐτὸν καὶ κατὰ μέλεα διελὼν τὰ μὲν ὤπτησεν,
τὰ δὲ ἵψησε τῶν κρεῶν, εὔτυκτα δὲ ποιησάμενος εἶχεν
ἕτοιμα. ἐπείτε δὲ τῆς ὥρης γινομένης τοῦ δείπνου παρῆ- 20
σαν οἵ τε ἄλλοι δαιτυμόνες καὶ ὁ Ἅρπαγος, τοῖσι μὲν
ἄλλοισι καὶ αὐτῷ Ἀστυάγει παρετιθέατο τράπεζαι ἐπί-
πλεαι μηλέων κρεῶν, Ἁρπάγῳ δὲ τοῦ παιδὸς τοῦ ἑωυ-
τοῦ, πλὴν κεφαλῆς τε καὶ ἄκρων χειρῶν τε καὶ ποδῶν,
τἆλλα πάντα· ταῦτα δὲ χωρὶς ἔκειτο ἐπὶ κανέῳ κατακεκα- 25
λυμμένα. ὡς δὲ τῷ Ἁρπάγῳ ἐδόκει ἅλις ἔχειν τῆς βορῆς,
Ἀστυάγης εἴρετό μιν, εἰ ἡσθείη τι τῇ θοίνῃ. φαμένου
δὲ Ἁρπάγου καὶ κάρτα ἡσθῆναι, παρέφερον, τοῖς προσέ-
κειτο, τὴν κεφαλὴν τοῦ παιδὸς κατακεκαλυμμένην καὶ τὰς
χεῖρας καὶ τοὺς πόδας, Ἅρπαγον δὲ ἐκέλευον προσστάντες 30
ἀποκαλύπτειν τε καὶ λαβεῖν, τὸ βούλεται αὐτῶν. πειθό-
μενος δὲ ὁ Ἅρπαγος καὶ ἀποκαλύπτων ὁρᾷ τοῦ παιδὸς
τὰ λείμματα· ἰδὼν δὲ οὔτε ἐξεπλάγη ἐντός τε ἑωυτοῦ
γίνεται. εἴρετο δὲ αὐτὸν ὁ Ἀστυάγης, εἰ γινώσκοι ὅτεο

θηρίου κρέα βεβρώκοι. ὁ δὲ καὶ γινώσκειν ἔφη καὶ
ἀρεστὸν εἶναι πᾶν, τὸ ἂν βασιλεὺς ἔρδῃ. τούτοισι δὲ
ἀμειψάμενος καὶ ἀναλαβὼν τὰ λοιπὰ τῶν κρεῶν ἦεν ἐς
τὰ οἰκία. ἐνθεῦτεν δὲ ἔμελλεν, ὡς ἐγὼ δοκέω, ἁλίσας
5 θάψειν τὰ πάντα.

120   Ἁρπάγῳ μὲν Ἀστυάγης δίκην ταύτην ἐπέθηκεν,
Κύρου δὲ πέρι βουλεύων ἐκάλει τοὺς αὐτοὺς τῶν
μάγων, οἳ τὸ ἐνύπνιόν οἱ ταύτῃ ἔκριναν. ἀπικο-
μένους δὲ εἴρετο ὁ Ἀστυάγης, τῇ ἔκρινάν οἱ τὴν ὄψιν.
10 οἱ δὲ κατὰ ταὐτὰ εἶπαν, λέγοντες ὡς βασιλεῦσαι χρῆν
τὸν παῖδα, εἰ ἐπέζωσε καὶ μὴ ἀπέθανε πρότερον. ὁ δὲ
ἀμείβετο αὐτοὺς τοῖσδε· „Ἔστι τε ὁ παῖς καὶ περίεστιν,
καί μιν ἐπ' ἀγροῦ διαιτώμενον οἱ ἐκ τῆς κώμης παῖδες
ἐστήσαντο βασιλέα. ὁ δὲ πάντα, ὅσα περ οἱ ἀληθεῖ λόγῳ
15 βασιλεῖς, ἐτελέωσε ποιήσας· καὶ γὰρ δορυφόρους καὶ
θυρωρούς καὶ ἀγγελιηφόρους καὶ τὰ λοιπὰ πάντα δια-
τάξας ἦρχεν. καὶ νῦν ἐς τί ὑμῖν ταῦτα φαίνεται φέρειν;“
εἶπαν οἱ μάγοι· „Εἰ μὲν περίεστί τε καὶ ἐβασίλευσεν ὁ
παῖς μὴ ἐκ προνοίης τινός, θάρσει τε τούτου εἵνεκα καὶ
20 θυμὸν ἔχε ἀγαθόν· οὐ γὰρ ἔτι τὸ δεύτερον ἄρξει. παρὰ
σμικρὰ γὰρ καὶ τῶν λογίων ἡμῖν ἔνιά κεχώρηκεν, καὶ τά
γε τῶν ὀνειράτων ἐχόμενα τελέως ἐς ἀσθενὲς ἔρχεται.“
ἀμείβεται ὁ Ἀστυάγης τοῖσδε· „Καὶ αὐτός, ὦ μάγοι,
ταύτῃ πλεῖστος γνώμην εἰμί, βασιλέος ὀνομασθέντος τοῦ
25 παιδὸς ἐξήκειν τε τὸν ὄνειρον καί μοι τὸν παῖδα τοῦτον
εἶναι δεινὸν ἔτι οὐδέν. ὅμως γε μέντοι συμβουλεύσατέ
μοι εὖ περισκεψάμενοι, τὰ μέλλει ἀσφαλέστατα εἶναι οἴκῳ
τε τῷ ἐμῷ καὶ ὑμῖν.“ εἶπαν πρὸς ταῦτα οἱ μάγοι· „Ὦ
βασιλεῦ, καὶ αὐτοῖσιν ἡμῖν περὶ πολλοῦ ἐστι κατορθοῦ-
30 σθαι ἀρχὴν τὴν σήν. κείνως μὲν γὰρ ἀλλοτριοῦται ἐς
τὸν παῖδα τοῦτον περιιοῦσα ἐόντα Πέρσην, καὶ ἡμεῖς
ἐόντες Μῆδοι δουλούμεθά τε καὶ λόγου οὐδενὸς γινόμεθα
πρὸς Περσέων, ἐόντες ξεῖνοι· σέο δ' ἐνεστεῶτος βασιλέος,
ἐόντος πολιήτεω, καὶ ἄρχομεν τὸ μέρος καὶ τιμὰς πρὸς

σέο μεγάλας ἔχομεν. οὕτω ὢν πάντως ἡμῖν σέο τε καὶ τῆς
σῆς ἀρχῆς προοπτέον ἐστίν. καὶ νῦν εἰ φοβερόν τι ἐνωρῶμεν,
πᾶν ἄν σοι προεφράζομεν. νῦν δὲ ἀποσκήψαντος τοῦ
ἐνυπνίου ἐς φλαῦρον, αὐτοί τε θαρσέομεν καὶ σοὶ ἕτερα
τοιαῦτα παρακελευόμεθα· τὸν δὲ παῖδα τοῦτον ἐξ ὀφθαλ- 5
μῶν ἀπόπεμψαι ἐς Πέρσας τε καὶ τοὺς γειναμένους."

Ἀκούσας ταῦτα ὁ Ἀστυάγης ἐχάρη τε καὶ καλέσας 121
τὸν Κῦρον ἔλεγέν οἱ τάδε· „Ὦ παῖ, σὲ γὰρ ἐγὼ δι'
ὄψιν ὀνείρου οὐ τελέην ἠδίκεον, τῇ σεωυτοῦ δὲ μοίρῃ
περίεις· νῦν ὢν ἴθι χαίρων ἐς Πέρσας, πομποὺς δὲ ἐγὼ 10
ἅμα πέμψω. ἐλθὼν δὲ ἐκεῖ πατέρα τε καὶ μητέρα εὑ-
ρήσεις οὐ κατὰ Μιτραδάτην τε τὸν βουκόλον καὶ τὴν
γυναῖκα αὐτοῦ." ταῦτα εἴπας ὁ Ἀστυάγης ἀποπέμπει 122
τὸν Κῦρον. νοστήσαντα δέ μιν ἐς τοῦ Καμβύσεω
τὰ οἰκία ἐδέξαντο οἱ γειναμενοι, καὶ δεξάμενοι ὡς 15
ἐπύθοντο, μεγάλως ἠσπάζοντο οἷα δὴ ἐπιστάμενοι αὐτίκα
τότε τελευτῆσαι, ἱστόρεόν τε ὅτεῳ τρόπῳ περιγένοιτο.
ὁ δέ σφιν ἔλεγεν, φὰς πρὸ τοῦ μὲν οὐκ εἰδέναι ἀλλὰ
ἡμαρτηκέναι πλεῖστον, κατ' ὁδὸν δὲ πυθέσθαι πᾶσαν
τὴν ἑωυτοῦ πάθην. ἐπίστασθαι μὲν γὰρ ὡς βουκόλου 20
τοῦ Ἀστυάγεος εἴη παῖς, ἀπὸ δὲ τῆς κεῖθεν ὁδοῦ τὸν
πάντα λόγον τῶν πομπῶν πυθέσθαι. τραφῆναι δὲ ἔλεγεν
ὑπὸ τῆς τοῦ βουκόλου γυναικός, ᾔέ τε ταύτην αἰνέων
διὰ παντός, ἦν τέ οἱ ἐν τῷ λόγῳ τὰ πάντα ἡ Κυνώ.
οἱ δὲ τοκεῖς παραλαβόντες τὸ ὄνομα τοῦτο, ἵνα θειοτέρως 25
δοκῇ τοῖσι Πέρσῃσι περιεῖναί σφιν ὁ παῖς, κατέβαλον
φάτιν ὡς ἐκκείμενον Κῦρον κύων ἐξέθρεψεν· ἐνθεῦτεν
μὲν ἡ φάτις αὕτη κεχώρηκεν.

Κύρῳ δὲ ἀνδρουμένῳ καὶ ἐόντι τῶν ἡλίκων ἀν- 123
δρηιοτάτῳ καὶ προσφιλεστάτῳ προσέκειτο ὁ Ἅρπαγος 31
δῶρα πέμπων, τείσασθαι Ἀστυάγεα ἐπιθυμέων. ἀπ'
ἑωυτοῦ γὰρ ἐόντος ἰδιώτεω οὐκ ἐνώρα τιμωρίην ἐσομένην
ἐς Ἀστυάγεα, Κῦρον δὲ ὁρέων ἐπιτρεφόμενον ἐποιεῖτο
σύμμαχον, τὰς πάθας τὰς Κύρου τῇσιν ἑωυτοῦ ὁμοιού-

μενος. πρὸ δ' ἔτι τούτου τάδε οἱ·κατέργαστο· ἐόντος
τοῦ Ἀστυάγεος πικροῦ ἐς τοὺς Μήδους, συμμίσγων ἑνὶ
ἑκάστῳ ὁ Ἅρπαγος τῶν πρώτων Μήδων ἀνέπειθεν, ὡς
χρὴ Κῦρον προστησαμένους Ἀστυάγεα παῦσαι τῆς βασι-
ληίης. κατεργασμένου δέ οἱ τούτου καὶ ἐόντος ἑτοίμου,
οὕτω δὴ τῷ Κύρῳ διαιτωμένῳ ἐν Πέρσῃσι βουλόμενος ὁ
Ἅρπαγος δηλῶσαι τὴν ἑωυτοῦ γνώμην, ἄλλως μὲν οὐδα-
μῶς εἶχεν, ἅτε τῶν ὁδῶν φυλασσομένων, ὁ δὲ ἐπι-
τεχνᾶται τοιόνδε. λαγὸν μηχανησάμενος, καὶ ἀνασχί-
σας τούτου τὴν γαστέρα καὶ οὐδὲν ἀποτίλας, ὡς δὲ εἶχεν,
οὕτω ἐσέθηκε βιβλίον, γράψας τά οἱ ἐδόκει· ἀπορράψας
δὲ τοῦ λαγοῦ τὴν γαστέρα καὶ δίκτυα δοὺς ἅτε θηρευτῇ
τῶν οἰκετέων τῷ πιστοτάτῳ, ἀπέστελλεν ἐς τοὺς Πέρσας,
ἐντειλάμενός οἱ ἀπὸ γλώσσης διδόντα τὸν λαγὸν Κύρῳ
ἐπειπεῖν αὐτοχειρίῃ μιν διελεῖν καὶ μηδένα οἱ ταῦτα
124 ποιεῦντι παρεῖναι. | ταῦτά τε δὴ ὧν ἐπιτελέα ἐγίνετο καὶ
ὁ Κῦρος παραλαβὼν τὸν λαγὸν ἀνέσχισεν. εὑρὼν
δὲ ἐν αὐτῷ τὸ βιβλίον ἐνεὸν λαβὼν ἐπελέγετο. τὰ δὲ
γράμματα ἔλεγε τάδε· „Ὦ παῖ Καμβύσεω, σὲ γὰρ
θεοὶ ἐπορῶσιν, οὐ γὰρ ἄν κοτε ἐς τοσοῦτο τύχης ἀπίκεο,
σύ νυν Ἀστυάγεα τὸν σεωυτοῦ φονέα τεῖσαι. κατὰ μὲν
γὰρ τὴν τούτου προθυμίην τέθνηκας, τὸ δὲ κατὰ θεούς
τε καὶ ἐμὲ περίεις. τά σε καὶ πάλαι δοκέω πάντα ἐκμε-
μαθηκέναι, σέο τε αὐτοῦ πέρι ὡς ἐπρήχθη, καὶ οἷα ἐγὼ
ὑπὸ Ἀστυάγεος πέπονθα, ὅτι σε οὐκ ἀπέκτεινα, ἀλλὰ
ἔδωκα τῷ βουκόλῳ. σύ νυν, ἢν βούλῃ ἐμοὶ πείθεσθαι,
τῆς περ Ἀστυάγης ἄρχει χώρης, ταύτης ἁπάσης ἄρξεις.
Πέρσας γὰρ ἀναπείσας ἀπίστασθαι στρατηλάτει ἐπὶ
Μήδους. καὶ ἤν τε ἐγὼ ὑπὸ Ἀστυάγεος ἀποδεχθέω
στρατηγὸς ἀντία σέο, ἔστι τοι τὰ σὺ βούλεαι, ἤν τε τῶν
τις δοκίμων ἄλλος Μήδων. πρῶτοι γὰρ οὗτοι ἀποστάν-
τες ἀπ' ἐκείνου καὶ γενόμενοι πρὸς σέο Ἀστυάγεα καται-
ρεῖν πειρήσονται. ὡς ὧν ἑτοίμου τοῦ γε ἐνθάδε ἐόντος,
ποίει ταῦτα καὶ ποίει κατὰ τάχος.“

Ἀκούσας ταῦτα ὁ Κῦρος ἐφρόντιζεν, ὅτεῳ 125
τρόπῳ σοφωτάτῳ Πέρσας ἀναπείσει ἀπίστασθαι,
φροντίζων δὲ εὑρισκέ τε ταῦτα καιριώτατα εἶναι καὶ
ἐποίει δὴ ταῦτα. γράψας ἐς βιβλίον τὰ ἐβούλετο,
ἀλίην τῶν Περσέων ἐποιήσατο, μετὰ δὲ ἀναπτύξας τὸ 5
βιβλίον καὶ ἐπιλεγόμενος ἔφη Ἀστυάγεά μιν στρατηγὸν
Περσέων ἀποδεικνύναι. „Νῦν τε,“ ἔφη λέγων, „ὦ Πέρ-
σαι, προαγορεύω ὑμῖν παρεῖναι ἕκαστον ἔχοντα δρέπανον.“
Κῦρος μὲν ταῦτα προηγόρευσεν. ἔστι δὲ Περσέων συχνὰ
γένεα, καὶ τὰ μὲν αὐτῶν ὁ Κῦρος συνάλισε καὶ ἀνέπεισεν 10
ἀπίστασθαι ἀπὸ Μήδων· ἔστι δὲ τάδε, ἐξ ὧν ὥλλοι πάντες
ἀρτέαται Πέρσαι· Πασαργάδαι, Μαράφιοι, Μάσπιοι·
τούτων Πασαργάδαι εἰσὶν ἄριστοι, ἐν τοῖς καὶ Ἀχαι-
μενίδαι εἰσὶ φρήτρη, ἔνθεν οἱ βασιλεῖς οἱ Περσεῖδαι
γεγόνασιν· ἄλλοι δὲ Πέρσαι εἰσὶν οἵδε· Πανθιαλαῖοι, 15
Δηρουσιαῖοι, Γερμάνιοι· οὗτοι μὲν πάντες ἀροτῆρές
εἰσιν, οἱ δὲ ἄλλοι νομάδες, Δάοι, Μάρδοι, Δροπικοί,
Σαγάρτιοι. ὡς δὲ παρῆσαν ἅπαντες ἔχοντες τὸ προειρη- 126
μένον, ἐνθαῦτα ὁ Κῦρος (ἦν γάρ τις χῶρος τῆς Περ-
σικῆς ἀκανθώδης ὅσον τε ἐπὶ ὀκτωκαίδεκα σταδίους ἢ 20
εἴκοσι πάντῃ) τοῦτόν σφι τὸν χῶρον προεῖπεν ἐξημερῶ-
σαι ἐν ἡμέρῃ. ἐπιτελεσάντων δὲ τῶν Περσέων τὸν
προκείμενον ἄεθλον, δεύτερά σφι προεῖπεν ἐς τὴν ὑστε-
ραίην παρεῖναι λελουμένους. ἐν δὲ τούτῳ τά τε αἰπό-
λια καὶ τὰς ποίμνας καὶ τὰ βουκόλια ὁ Κῦρος πάντα 25
τοῦ πατρὸς συναλίσας ἐς τὠυτὸ ἔθυε καὶ παρεσκεύαζεν,
ὡς δεξόμενος τὸν Περσέων στρατόν, πρὸς δὲ οἴνῳ τε
καὶ σιτίοισιν ὡς ἐπιτηδεοτάτοισιν. ἀπικομένους δὲ τῇ
ὑστεραίῃ τοὺς Πέρσας κατακλίνας ἐς λειμῶνα εὐώχει.
ἐπείτε δὲ ἀπὸ δείπνου ἦσαν, εἴρετό σφεας ὁ Κῦρος, 30
κότερα τὰ τῇ προτεραίῃ εἶχον ἢ τὰ παρεόντα σφιν εἴη
αἱρετώτερα.. οἱ δὲ ἔφασαν πολλὸν εἶναι αὐτῶν τὸ μέσον·
τὴν μὲν γὰρ προτέρην ἡμέρην πάντα σφι κακὰ ἔχειν,
τὴν δὲ τότε παρεοῦσαν πάντα ἀγαθά. παραλαβὼν δὲ

τοῦτο τὸ ἔπος ὁ Κῦρος παρεγύμνου τὸν πάντα λόγον,
λέγων· „Ἄνδρες Πέρσαι, οὕτως ὑμῖν ἔχει· βουλομένοισι
μὲν ἐμέο πείθεσθαι ἔστι τάδε τε καὶ ἄλλα μυρία ἀγαθά,
οὐδένα πόνον δουλοπρεπέα ἔχουσιν· μὴ βουλομένοισι δὲ
5 ἐμέο πείθεσθαι εἰσὶν ὑμῖν πόνοι τῷ χθιζῷ παραπλήσιοι
ἀναρίθμητοι. νῦν ὦν ἐμέο πειθόμενοι γίνεσθε ἐλεύθεροι.
αὐτός τε γὰρ δοκέω θείῃ τύχῃ γεγονὼς τάδε ἐς χεῖρας
ἄγεσθαι, καὶ ὑμέας ἥγημαι ἄνδρας Μήδων εἶναι οὐ φαυ-
λοτέρους οὔτε τἆλλα οὔτε τὰ πολέμια. ὡς ὦν ἐχόντων
10 ὧδε, ἀπίστασθε ἀπ’ Ἀστυάγεος τὴν ταχίστην.“

127   Πέρσαι μέν νυν προστάτεω ἐπιλαβόμενοι ἄσμενοι
ἐλευθεροῦντο, καὶ πάλαι δεινὸν ποιεύμενοι ὑπὸ Μήδων
ἄρχεσθαι. Ἀστυάγης δὲ ὡς ἐπύθετο Κῦρον ταῦτα πρήσ-
σοντα, πέμψας ἄγγελον ἐκάλει αὐτόν. ὁ δὲ Κῦρος ἐκέ-
15 λευε τὸν ἄγγελον ἀπαγγέλλειν, ὅτι πρότερον ἥξει παρ’
ἐκεῖνον ἢ Ἀστυάγης αὐτὸς βουλήσεται. ἀκούσας δὲ ταῦτα
ὁ Ἀστυάγης Μήδους τε ὥπλισε πάντας καὶ στρα-
τηγὸν αὐτῶν ὥστε θεοβλαβὴς ἐὼν Ἅρπαγον ἀπέδεξεν,
λήθην ποιεύμενος τά μιν ἐόργει. ὡς δὲ οἱ Μῆδοι στρα-
20 τευσάμενοι τοῖς Πέρσῃσι συνέμισγον, οἱ μέν τινες αὐτῶν
ἐμάχοντο, ὅσοι μὴ τοῦ λόγου μετέσχον, οἱ δὲ αὐτομόλεον
πρὸς τοὺς Πέρσας, οἱ δὲ πλεῖστοι ἐθελοκάκεόν τε καὶ
128 ἔφευγον. διαλυθέντος δὲ τοῦ Μηδικοῦ στρατεύματος
αἰσχρῶς, ὡς ἐπύθετο τάχιστα ὁ Ἀστυάγης, ἔφη ἀπειλέων
25 τῷ Κύρῳ· „Ἀλλ’ οὐδ’ ὣς Κῦρός γε χαιρήσει.“ τοσαῦτα
εἴπας πρῶτον μὲν τῶν μάγων τοὺς ὀνειροπόλους, οἵ μιν
ἀνέγνωσαν μετεῖναι τὸν Κῦρον, τούτους ἀνεσκολόπισεν,
μετὰ δὲ ὥπλισε τοὺς ὑπολειφθέντας ἐν τῷ ἄστει τῶν
Μήδων, νέους τε καὶ πρεσβύτας ἄνδρας. ἐξαγαγὼν δὲ
30 τούτους καὶ συμβαλὼν τοῖς Πέρσῃσιν ἐσσώθη, καὶ
αὐτός τε Ἀστυάγης ἐζωγρήθη καὶ τοὺς ἐξήγαγε τῶν
129 Μήδων ἀπέβαλεν. ἐόντι δὲ αἰχμαλώτῳ τῷ Ἀστυάγει
προσστὰς ὁ Ἅρπαγος κατέχαιρέ τε καὶ κατεκερτόμει,
καὶ ἄλλα λέγων ἐς αὐτὸν θυμαλγέα ἔπεα καὶ δὴ καὶ

εἴρετό μιν πρὸς τὸ ἑωυτοῦ δεῖπνον, τό μιν ἐκεῖνος σαρξὶ
τοῦ παιδὸς ἐθοίνησεν, ὅ τι εἴη ἡ ἐκείνου δουλοσύνη
ἀντὶ τῆς βασιληίης. ὁ δέ μιν προσιδὼν ἀντείρετο, εἰ
ἑωυτοῦ ποιεῖται τὸ Κύρου ἔργον. Ἅρπαγος δὲ ἔφη,
αὐτὸς γὰρ γράψαι, τὸ πρῆγμα ἑωυτοῦ δὴ δικαίως εἶναι. 5
Ἀστυάγης δέ μιν ἀπέφαινε τῷ λόγῳ σκαιότατόν τε καὶ
ἀδικώτατον ἐόντα πάντων ἀνθρώπων, σκαιότατον μέν γε,
εἰ παρεὸν αὐτῷ βασιλέα γενέσθαι, εἰ δὴ δι' ἑωυτοῦ γε
ἐπρήχθη τὰ παρεόντα, ἄλλῳ περιέθηκε τὸ κράτος, ἀδικώ-
τατον δέ, ὅτι τοῦ δείπνου εἵνεκεν Μήδους κατεδούλωσεν· 10
εἰ γὰρ δὴ δέον πάντως περιθεῖναι ἄλλῳ τέῳ τὴν βασι-
ληίην καὶ μὴ αὐτὸν ἔχειν, δικαιότερον εἶναι Μήδων τέῳ
περιβαλεῖν τοῦτο τὸ ἀγαθὸν ἢ Περσέων· νῦν δὲ Μήδους
μὲν ἀναιτίους τούτου ἐόντας δούλους ἀντὶ δεσποτέων
γεγονέναι, Πέρσας δὲ δούλους ἐόντας τὸ πρὶν Μήδων 15
νῦν γεγονέναι δεσπότας. Ἀστυάγης μέν νυν βασιλεύσας 130
ἐπ' ἔτεα πέντε καὶ τριήκοντα οὕτω τῆς βασιληίης
κατεπαύσθη, Μῆδοι δὲ ὑπέκυψαν Πέρσῃσι διὰ τὴν
τούτου πικρότητα, ἄρξαντες τῆς ἄνω Ἅλυος ποταμοῦ
Ἀσίης ἐπ' ἔτεα τριήκοντα καὶ ἑκατὸν δυῶν δέοντα, παρὲξ 20
ἢ ὅσον οἱ Σκύθαι ἦρχον. ὑστέρῳ μέντοι χρόνῳ μετε-
μέλησέ τέ σφι ταῦτα ποιήσασι καὶ ἀπέστησαν ἀπὸ Δαρείου·
ἀποστάντες δὲ ὀπίσω κατεστράφθησαν μάχῃ νικηθέντες.
τότε δὲ ἐπὶ Ἀστυάγεος οἱ Πέρσαι τε καὶ ὁ Κῦρος ἐπα-
ναστάντες τοῖσι Μήδοισιν ἦρχον τὸ ἀπὸ. τούτου τῆς 25
Ἀσίης. Ἀστυάγεα δὲ Κῦρος κακὸν οὐδὲν ἄλλο ποιήσας
εἶχε παρ' ἑωυτῷ, ἐς ὃ ἐτελεύτησεν.

Οὕτω δὴ Κῦρος γενόμενός τε καὶ τραφεὶς καὶ ἐβασί- 131
λευσε καὶ Κροῖσον ὕστερον τούτων ἄρξαντα ἀδικίης κατε-
στρέψατο, ὡς εἴρηταί μοι πρότερον. τοῦτον δὲ καταστρε- 30
ψάμενος οὕτω πάσης τῆς Ἀσίης ἦρξεν.

Πέρσας δὲ οἶδα νόμοισι τοῖσδε χρωμένους·
ἀγάλματα μὲν καὶ νηοὺς καὶ βωμοὺς οὐκ ἐν νόμῳ
ποιευμένους ἱδρύεσθαι, ἀλλὰ καὶ τοῖς ποιεῦσι μωρίην

ἐπιφέρουσιν, ὡς μὲν ἐμοὶ δοκεῖν, ὅτι οὐκ ἀνθρωποφυέας
ἐνόμισαν τοὺς θεούς, κατά περ οἱ Ἕλληνες, εἶναι. οἱ δὲ
νομίζουσι Διὶ μὲν ἐπὶ τὰ ὑψηλότατα τῶν ὀρέων ἀναβαί-
νοντες θυσίας ἔρδειν, τὸν κύκλον πάντα τοῦ οὐρανοῦ
5 Δία καλέοντες. θύουσι δὲ ἡλίῳ τε καὶ σελήνῃ καὶ γῇ
καὶ πυρὶ καὶ ὕδατι καὶ ἀνέμοισιν. τούτοισι μὲν δὴ
θύουσι μούνοισιν ἀρχῆθεν, ἐπιμεμαθήκασι δὲ καὶ τῇ
Οὐρανίῃ θύειν, παρά τε Ἀσσυρίων μαθόντες καὶ Ἀρα-
βίων. καλέουσι δὲ Ἀσσύριοι τὴν Ἀφροδίτην Μύλιττα,
132 Ἀράβιοι δὲ Ἀλιλάτ, Πέρσαι δὲ Μίτραν. θυσίη δὲ τοῖς
11 Πέρσῃσι περὶ τοὺς εἰρημένους θεοὺς ἥ δ ε κατέστηκεν.
οὔτε βωμοὺς ποιεῦνται οὔτε πῦρ ἀνακαίουσι μέλλοντες
θύειν. οὐ σπονδῇ χρέωνται, οὐκὶ αὐλῷ, οὐ στέμμασιν,
οὐκὶ οὐλῇσιν. τῶν δὲ ὡς ἑκάστῳ θύειν θέλῃ, ἐς χῶρον
15 καθαρὸν ἀγαγὼν τὸ κτῆνος καλεῖ τὸν θεόν, ἐστεφανω-
μένος τὸν τιάρην μυρσίνῃ μάλιστα. ἑωυτῷ μὲν δὴ τῷ
θύοντι ἰδίῃ μούνῳ οὔ οἱ ἐγγίνεται ἀρᾶσθαι ἀγαθά, ὁ
δὲ τοῖς πᾶσί τε Πέρσῃσι κατεύχεται εὖ γίνεσθαι καὶ τῷ
βασιλεῖ· ἐν γὰρ δὴ τοῖς ἄπασι Πέρσῃσι καὶ αὐτὸς
20 γίνεται. ἐπεὰν δὲ διαμιστύλας κατὰ μέρεα τὸ ἱρήιον
ἑψήσῃ τὰ κρέα, ὑποπάσας ποίην ὡς ἀπαλωτάτην, μά-
λιστα δὲ τὸ τρίφυλλον, ἐπὶ ταύτης ἔθηκεν ὦν πάντα τὰ
κρέα. διαθέντος δὲ αὐτοῦ μάγος ἀνὴρ παρεστεὼς ἐπα-
είδει θεογονίην, οἵην δὴ ἐκεῖνοι λέγουσιν εἶναι τὴν
25 ἐπαοιδήν· ἄνευ γὰρ δὴ μάγου οὔ σφι νόμος ἐστὶ θυσίας
ποιεῖσθαι. ἐπισχὼν δὲ ὀλίγον χρόνον ἀποφέρεται ὁ θύ-
133 σας τὰ κρέα καὶ χρῆται, ὅ τι μιν λόγος αἱρεῖ. ἡμέρην
δὲ ἀπασέων μάλιστα ἐκείνην τιμᾶν νομίζουσιν, τῇ
ἕκαστος ἐγένετο. ἐν ταύτῃ δὲ πλέω δαῖτα τῶν ἀλλέων
30 δικαιοῦσι προτίθεσθαι· ἐν τῇ οἱ εὐδαίμονες αὐτῶν βοῦν
καὶ ἵππον καὶ κάμηλον καὶ ὄνον προτιθέαται ὅλους
ὀπτοὺς ἐν καμίνοισιν, οἱ δὲ πένητες αὐτῶν τὰ λεπτὰ
τῶν προβάτων προτιθέαται. σίτοισι δὲ ὀλίγοισι χρέων-
ται, ἐπιφορήμασι δὲ πολλοῖσι καὶ οὐκ ἀλέσιν· καὶ διὰ

τοῦτό φασι Πέρσαι τοὺς Ἕλληνας σιτεομένους πεινῶντας
παύεσθαι, ὅτι σφιν ἀπὸ δείπνου παραφορεῖται οὐδὲν
λόγου ἄξιον, εἰ δέ τι παραφέροιτο, ἐσθίοντας ἂν οὐ
παύεσθαι. οἴνῳ δὲ κάρτα προσκέαται, καί σφιν οὐκ
ἐμέσαι ἔξεστιν, οὐκὶ οὐρῆσαι ἀντίον ἄλλου. ταῦτα μέν 5
νῦν οὕτω φυλάσσεται· μεθυσκόμενοι δὲ ἐώθασι βουλεύε-
σθαι τὰ σπουδαιέστατα τῶν πρηγμάτων· τὸ δ᾽ ἂν ἅδῃ
σφι βουλευομένοισιν, τοῦτο τῇ ὑστεραίῃ νήφουσι προτιθεῖ
ὁ στέγαρχος, ἐν τοῦ ἂν ἐόντες βουλεύωνται. καὶ ἢν μὲν
ἅδῃ καὶ νήφουσιν, χρέωνται αὐτῷ, ἢν δὲ μὴ ἅδῃ, μετιεῖσιν. 10
τὰ δ᾽ ἂν νήφοντες προβουλεύσωνται, μεθυσκόμενοι ἐπι-
διαγινώσκουσιν.

Ἐντυγχάνοντες δ᾽ ἀλλήλοισιν ἐν τῇσιν ὁδοῖσιν, 134
τῷδε ἄν τις διαγνοίη, εἰ ὅμοιοί εἰσιν οἱ συντυγχάνοντες·
ἀντὶ γὰρ τοῦ προσαγορεύειν ἀλλήλους φιλέουσι τοῖς 15
στόμασιν, ἢν δὲ ᾖ οὕτερος ὑποδεέστερος ὀλίγῳ, τὰς παρειὰς
φιλέονται, ἢν δὲ πολλῷ ᾖ οὕτερος ἀγεννέστερος, προσ-
πίπτων προσκυνεῖ τὸν ἕτερον. τιμῶσι δὲ ἐκ πάντων
τοὺς ἄγχιστα ἑωυτῶν οἰκέοντας μετά γε ἑωυτούς, δεύ-
τερα δὲ τοὺς δευτέρους, μετὰ δὲ κατὰ λόγον προβαί- 20
νοντες τιμῶσιν· ἥκιστα δὲ τοὺς ἑωυτῶν ἑκαστάτω οἰκη-
μένους ἐν τιμῇ ἄγονται, νομίζοντες ἑωυτοὺς εἶναι ἀν-
θρώπων μακρῷ τὰ πάντα ἀρίστους, τοὺς δὲ ἄλλους κατὰ
λόγον τῆς ἀρετῆς ἀντέχεσθαι, τοὺς δὲ ἑκαστάτω οἰκέοντας
ἀπὸ ἑωυτῶν κακίστους εἶναι. ἐπὶ δὲ Μήδων ἀρχόντων 25
καὶ ἦρχε τὰ ἔθνεα ἀλλήλων, συναπάντων μὲν Μῆδοι
καὶ τῶν ἄγχιστα οἰκεόντων σφίσιν, οὗτοι δὲ καὶ τῶν
ὁμούρων, οἱ δὲ μάλα τῶν ἐχομένων. κατὰ τὸν αὐτὸν
δὲ λόγον καὶ οἱ Πέρσαι τιμῶσιν· προέβαινε γὰρ δὴ τὸ
ἔθνος ἄρχον τε καὶ ἐπιτροπεῦον. ξεινικὰ δὲ νόμαια 135
Πέρσαι προσίενται ἀνδρῶν μάλιστα. καὶ γὰρ δὴ 31
τὴν Μηδικὴν ἐσθῆτα νομίσαντες τῆς ἑωυτῶν εἶναι καλ-
λίω φορέουσι καὶ ἐς τοὺς πολέμους τοὺς Αἰγυπτίους
θώρηκας. καὶ εὐπαθείας τε παντοδαπὰς πυνθανόμενοι

ἐπιτηδεύουσι καὶ δὴ καὶ ἀπ' Ἑλλήνων μαθόντες παισὶ
μίσγονται. γαμέουσι δὲ ἕκαστος αὐτῶν πολλὰς μὲν
κουριδίας γυναῖκας, πολλῷ δ' ἔτι πλέονας παλλακὰς
136 κτῶνται. ἀνδραγαθίη δὲ αὕτη ἀποδέδεκται, μετὰ
5 τὸ μάχεσθαι εἶναι ἀγαθόν, ὃς ἂν πολλοὺς ἀποδέξῃ παῖδας·
τῷ δὲ τοὺς πλείστους ἀποδεικνύντι δῶρα ἐκπέμπει βασι-
λεὺς ἀνὰ πᾶν ἔτος. τὸ πολλὸν δ' ἡγέαται ἰσχυρὸν εἶναι.
παιδεύουσι δὲ τοὺς παῖδας ἀπὸ πενταέτεος ἀρξάμενοι
μέχρι εἰκοσαέτεος τρία μοῦνα, ἱππεύειν καὶ τοξεύειν καὶ
10 ἀληθίζεσθαι. πρὶν δὲ ἢ πενταέτης γένηται, οὐκ ἀπικνεῖ-
ται ἐς ὄψιν τῷ πατρί, ἀλλὰ παρὰ τῇσι γυναιξὶ δίαιταν
ἔχει. τοῦδε δὲ εἵνεκα τοῦτο οὕτω ποιεῖται, ἵνα ἢν ἀπο-
θάνῃ τρεφόμενος, μηδεμίαν ἄσην τῷ πατρὶ προσβάλλῃ.
137 αἰνέω μέν νυν τόνδε τὸν νόμον, αἰνέω δὲ καὶ τόνδε,
15 τὸ μὴ μιῆς αἰτίης εἵνεκα μήτε αὐτὸν τὸν βασιλέα μηδένα
φονεύειν, μήτε τῶν ἄλλων Περσέων μηδένα τῶν ἑωυτοῦ
οἰκετέων ἐπὶ μιῇ αἰτίῃ ἀνήκεστον πάθος ἔρδειν· ἀλλὰ
λογισάμενος ἢν εὑρίσκῃ πλέω τε καὶ μέζω τὰ ἀδικήματα
ἐόντα τῶν ὑποργημάτων, οὕτω τῷ θυμῷ χρῆται. ἀπο-
20 κτεῖναι δὲ οὐδένα κω λέγουσι τὸν ἑωυτοῦ κατέρα οὐδὲ
μητέρα, ἀλλὰ ὁκόσα ἤδη τοιαῦτα ἐγένετο, πᾶσαν ἀνάγκην
φασὶν ἀναζητεόμενα ταῦτα ἂν εὑρεθῆναι ἤτοι ὑποβολι-
μαῖα ἐόντα ἢ μοιχίδια· οὐ γὰρ δή φασιν οἰκὸς εἶναι, τόν
γε ἀληθέως τοκέα ὑπὸ τοῦ ἑωυτοῦ παιδὸς ἀποθνήσκειν.
138 ἄσσα δέ σφι ποιεῖν οὐκ ἔξεστιν, ταῦτα οὐδὲ λέγειν ἔξεστιν.
25 αἴσχιστον δὲ αὐτοῖσι τὸ ψεύδεσθαι νενόμισται,
δεύτερα δὲ τὸ ὀφείλειν χρέος, πολλῶν μὲν καὶ ἄλλων
εἵνεκα, μάλιστα δὲ ἀναγκαίην φασὶν εἶναι τὸν ὀφείλοντα
καί τι ψεῦδος λέγειν. ὃς ἂν δὲ τῶν ἀστῶν λέπρην
30 ἢ λεύκην ἔχῃ, ἐς πόλιν οὗτος οὐ κατέρχεται οὐδὲ συμ-
μίσγεται τοῖς ἄλλοισι Πέρσῃσιν. φασὶ δέ μιν ἐς τὸν
ἥλιον ἁμαρτόντα τι ταῦτα ἔχειν. ξεῖνον δὲ πάντα τὸν
λαμβανόμενον ὑπὸ τουτέων ἐξελαύνουσιν ἐκ τῆς χώρης,
πολλοὶ καὶ τὰς λευκὰς περιστεράς, τὴν αὐτὴν αἰτίην

ἐπιφέροντες. ἐς ποταμὸν δὲ οὔτε ἐνουρέουσιν οὔτε ἐμ-
πτύουσιν, οὐ χεῖρας ἐναπονίζονται οὐδὲ ἄλλον οὐδένα
περιορῶσιν, ἀλλὰ σέβονται ποταμοὺς μάλιστα. καὶ τόδε 139
ἄλλο σφιν ὧδε συμπέπτωκε γίνεσθαι, τὸ Πέρσας μὲν
αὐτοὺς λέληθεν, ἡμέας μέντοι οὔ. τὰ ὀνόματά σφιν 5
ἐόντα ὅμοια τοῖς σώμασι καὶ τῇ μεγαλοπρεπείῃ τελευ-
τῶσι πάντα ἐς τὠυτὸ γράμμα, τὸ Δωριεῖς μὲν σὰν
καλέουσιν, Ἴωνες δὲ σίγμα. ἐς τοῦτο διζήμενος εὑρήσεις
τελευτῶντα τῶν Περσέων τὰ ὀνόματα, οὐ τὰ μέν, τὰ δὲ
οὔ, ἀλλὰ πάντα ὁμοίως. 10

Ταῦτα μὲν ἀτρεκέως ἔχω περὶ αὐτῶν εἰδὼς εἰπεῖν. 140
τάδε μέντοι ὡς κρυπτόμενα λέγεται καὶ οὐ σαφηνέως
περὶ τοῦ ἀποθανόντος, ὡς οὐ πρότερον θάπτεται
ἀνδρὸς Πέρσεω ὁ νέκυς, πρὶν ἂν ὑπ' ὄρνιθος ἢ κυνὸς
ἑλκυσθῇ. μάγους μὲν γὰρ ἀτρεκέως οἶδα ταῦτα ποιέον- 15
τας· ἐμφανέως γὰρ δὴ ποιεῦσιν. κατακηρώσαντες δὲ ὦν
τὸν νέκυν Πέρσαι γῇ κρύπτουσιν. μάγοι δὲ κεχωρίδα-
ται πολλὸν τῶν τε ἄλλων ἀνθρώπων καὶ τῶν ἐν
Αἰγύπτῳ ἰρέων· οἱ μὲν γὰρ ἁγνεύουσιν ἔμψυχον μηδὲν
κτείνειν, εἰ μὴ ὅσα θύουσιν· οἱ δὲ δὴ μάγοι αὐτοχειρίῃ 20
πάντα πλὴν κυνὸς καὶ ἀνθρώπου κτείνουσιν, καὶ ἀγώνισμα
μέγα τοῦτο ποιεῦνται, κτείνοντες ὁμοίως μύρμηκάς τε
καὶ ὄφις καὶ τἆλλα ἑρπετὰ καὶ πετεινά. καὶ ἀμφὶ μὲν
τῷ νόμῳ τούτῳ ἐχέτω ὡς καὶ ἀρχὴν ἐνομίσθη, ἄνειμι δὲ
ἐπὶ τὸν πρότερον λόγον. 25

Ἴωνες δὲ καὶ Αἰολεῖς, ὡς οἱ Λυδοὶ τάχιστα κατ- 141
εστράφατο ὑπὸ Περσέων, ἔπεμπον ἀγγέλους ἐς Σάρδις
παρὰ Κῦρον, ἐθέλοντες ἐπὶ τοῖς αὐτοῖσιν εἶναι τοῖσι
καὶ Κροίσῳ ἦσαν κατήκοοι. ὁ δὲ ἀκούσας αὐτῶν τὰ
προΐσχοντο ἔλεξέ σφι λόγον, ἄνδρα φὰς αὐλητὴν ἰδόντα 30
ἰχθῦς ἐν τῇ θαλάσσῃ αὐλεῖν, δοκέοντά σφεας ἐξελεύ-
σεσθαι ἐς γῆν· ὡς δὲ ψευσθῆναι τῆς ἐλπίδος, λαβεῖν
ἀμφίβληστρον καὶ περιβαλεῖν τε πλῆθος πολλὸν τῶν
ἰχθύων καὶ ἐξειρύσαι, ἰδόντα δὲ παλλομένους εἰπεῖν ἄρα

αὐτὸν πρὸς τοὺς ἰχϑῦς· „Παύεσϑέ μοι ὀρχεόμενοι, ἐπεὶ
οὐδ' ἐμέο αὐλέοντος ἠϑέλετε ἐκβαίνειν ὀρχεόμενοι." Κῦρος
μὲν τοῦτον τὸν λόγον τοῖς Ἴωσι καὶ τοῖς Αἰολεῦσι
τῶνδε εἴνεκα ἔλεξεν, ὅτι δὴ οἱ Ἴωνες πρότερον αὐτοῦ
5 Κύρου δεηϑέντος δι' ἀγγέλων ἀπίστασϑαί σφεας ἀπὸ
Κροίσου οὐκ ἐπείϑοντο, τότε δὲ κατεργασμένων τῶν
πρηγμάτων ἦσαν ἕτοιμοι πείϑεσϑαι Κύρῳ. ὁ μὲν δὴ
ὀργῇ ἐχόμενος ἔλεγέ σφι τάδε, Ἴωνες δὲ ὡς ἤκουσαν
τούτων ἀνενειχϑέντων ἐς τὰς πόλιας, τείχεά τε περιε-
10 βάλλοντο ἕκαστοι καὶ συνελέγοντο ἐς Πανιώνιον οἱ ἄλλοι
πλὴν Μιλησίων· πρὸς μούνους γὰρ τούτους ὅρκιον Κῦρος
ἐποιήσατο, ἐπ' οἷσί περ ὁ Λυδός. τοῖσι δὲ λοιποῖσιν
Ἴωσιν ἔδοξε κοινῷ λόγῳ πέμπειν ἀγγέλους ἐς Σπάρτην
142 δεησομένους σφίσι τιμωρεῖν. οἱ δὲ Ἴωνες οὗτοι, τῶν
15 καὶ τὸ Πανιώνιόν ἐστιν, τοῦ μὲν οὐρανοῦ καὶ τῶν
ὡρέων ἐν τῷ καλλίστῳ ἐτύγχανον ἱδρυσάμενοι
πόλιας πάντων ἀνϑρώπων τῶν ἡμεῖς ἴδμεν. οὔτε
γὰρ τὰ ἄνω αὐτῆς χωρία τὠυτὸ ποιεῖ τῇ Ἰωνίῃ οὔτε τὰ
κάτω, τὰ μὲν ὑπὸ τοῦ ψυχροῦ τε καὶ ὑγροῦ πιεζόμενα,
20 τὰ δὲ ὑπὸ τοῦ ϑερμοῦ τε καὶ αὐχμώδεος. γλῶσσαν δὲ
οὐ τὴν αὐτὴν οὗτοι νενομίκασιν, ἀλλὰ τρόπους τέσσερας
παραγωγέων. Μίλητος μὲν αὐτέων πρώτη κεῖται πόλις
πρὸς μεσαμβρίης, μετὰ δὲ Μυοῦς τε καὶ Πριήνη· αὗται
μὲν ἐν τῇ Καρίῃ κατοίκηνται κατὰ ταὐτὰ διαλεγόμεναι
25 σφίσιν, αἵδε δὲ ἐν τῇ Λυδίῃ· Ἔφεσος, Κολοφών, Λέβε-
δος, Τέως, Κλαζομεναί, Φώκαια. αὗται δὲ αἱ πόλιες
τῇσι πρότερον λεχϑείσῃσιν ὁμολογέουσι κατὰ γλῶσσαν
οὐδέν, σφίσι δὲ ὁμοφωνέουσιν. ἔτι δὲ τρεῖς ὑπόλοιποι
Ἰάδες πόλιες, τῶν αἱ δύο μὲν νήσους οἰκέαται, Σάμον
30 τε καὶ Χίον, ἡ δὲ μία ἐν τῇ ἠπείρῳ ἵδρυται, Ἐρυϑραί.
Χῖοι μέν νυν καὶ Ἐρυϑραῖοι κατὰ τὠυτὸ διαλέγονται,
Σάμιοι δὲ ἐπ' ἑωυτῶν μοῦνοι. οὗτοι χαρακτῆρες γλώσσης
143 τέσσερες γίνονται. τούτων δὴ ὦν τῶν Ἰώνων οἱ Μιλή-
σιοι μὲν ἦσαν ἐν σκέπῃ τοῦ φόβου, ὅρκιον ποιησάμενοι,

τοῖς δὲ αὐτῶν νησιώτησιν ἦν δεινὸν οὐδέν· οὔτε γὰρ
Φοίνικες ἦσάν κω Περσέων κατήκοοι οὔτε αὐτοὶ οἱ
Πέρσαι ναυβάται. ἀπεσχίσθησαν δὲ ἀπὸ τῶν ἄλλων
Ἰώνων οὗτοι κατ' ἄλλο μὲν οὐδέν, ἀσθενέος δὲ ἐόντος
τοῦ παντὸς τότε Ἑλληνικοῦ γένεος, πολλῷ δὴ ἦν ἀσθενέ- 5
στατον τῶν ἐθνέων τὸ Ἰωνικὸν καὶ λόγου ἐλαχίστου·
ὅτι γὰρ μὴ Ἀθῆναι, ἦν οὐδὲν ἄλλο πόλισμα λόγιμον.
οἱ μέν νυν ἄλλοι Ἴωνες καὶ οἱ Ἀθηναῖοι ἔφυγον τὸ
ὄνομα, οὐ βουλόμενοι Ἴωνες κεκλῆσθαι, ἀλλὰ καὶ νῦν
φαίνονταί μοι οἱ πολλοὶ αὐτῶν ἐπαισχύνεσθαι τῷ ὀνό- 10
ματι· αἱ δὲ δυώδεκα πόλιες αὗται τῷ τε ὀνόματι ἠγάλ-
λοντο καὶ ἱρὸν ἱδρύσαντο ἐπὶ σφέων αὐτέων, τῷ ὄνομα
ἔθεντο Πανιώνιον, ἐβουλεύσαντο δὲ αὐτοῦ μεταδοῦναι
μηδαμοῖσιν ἄλλοισιν Ἰώνων (οὐδ' ἐδεήθησαν δὲ οὐδαμοὶ
μετασχεῖν ὅτι μὴ Σμυρναῖοι)· κατά περ οἱ ἐκ τῆς πεν- 144
ταπόλιος νῦν χώρης Δωριεῖς, πρότερον δὲ ἑξαπόλιος 16
τῆς αὐτῆς ταύτης καλεομένης, φυλάσσονται ὦν μηδαμοὺς
ἐσδέξασθαι τῶν προσοίκων Δωριέων ἐς τὸ Τριοπικὸν
ἱρόν, ἀλλὰ καὶ σφέων αὐτῶν τοὺς περὶ τὸ ἱρὸν ἀνομή-
σαντας ἐξέκλησαν τῆς μετοχῆς. ἐν γὰρ τῷ ἀγῶνι τοῦ 20
Τριοπίου Ἀπόλλωνος ἐτίθεσαν τὸ πάλαι τρίποδας χαλκέους
τοῖς νικῶσιν, καὶ τούτους χρῆν τοὺς λαμβάνοντας ἐκ τοῦ
ἱροῦ μὴ ἐκφέρειν ἀλλ' αὐτοῦ ἀνατιθέναι τῷ θεῷ. ἀνὴρ
ὦν Ἁλικαρνησσεύς, τῷ ὄνομα ἦν Ἀγασικλῆς, νικήσας
τὸν νόμον κατηλόγησεν, φέρων δὲ πρὸς τὰ ἑωυτοῦ οἰκία 25
προσεπασσάλευσε τὸν τρίποδα. διὰ ταύτην τὴν αἰτίην
αἱ πέντε πόλιες, Λίνδος καὶ Ἰηλυσός τε καὶ Κάμειρος
καὶ Κῶς τε καὶ Κνίδος, ἐξέκλησαν τῆς μετοχῆς τὴν
ἕκτην πόλιν Ἁλικαρνησσόν. τούτοισι μέν νυν οὗτοι
ταύτην τὴν ζημίην ἐπέθηκαν. δυώδεκα δέ μοι δοκέ- 145
ουσι πόλιας ποιήσασθαι οἱ Ἴωνες καὶ οὐκ ἐθελῆσαι 31
πλέονας ἐσδέξασθαι τοῦδε εἵνεκα, ὅτι καί, ὅτε ἐν Πελο-
ποννήσῳ οἴκεον, δυώδεκα ἦν αὐτῶν μέρεα, κατά περ
νῦν Ἀχαιῶν τῶν ἐξελασάντων Ἴωνας δυώδεκά ἐστι μέρεα,

Πελλήνη μέν γε πρώτη πρὸς Σικυῶνος, μετὰ δὲ Αἴγειρα
καὶ Αἰγαί, ἐν τῇ Κρᾶθις ποταμὸς αἰείναός ἐστιν, ἀπ'
ὅτεο ὁ ἐν Ἰταλίῃ ποταμὸς τὸ ὄνομα ἔσχεν, καὶ Βοῦρα
καὶ Ἑλίκη, ἐς τὴν κατέφυγον Ἴωνες ὑπὸ Ἀχαιῶν μάχῃ
5 ἑσσωθέντες, καὶ Αἴγιον καὶ Ῥύπες καὶ Πατρεῖς καὶ
Φαρεῖς καὶ Ὤλενος, ἐν τῷ Πεῖρος ποταμὸς μέγας ἐστίν,
καὶ Δύμη καὶ Τριταιεῖς, οἳ μοῦνοι τούτων μεσόγαιοι
146 οἰκέουσιν. ταῦτα δυώδεκα μέρεα νῦν Ἀχαιῶν ἐστι καὶ
τότε γε Ἰώνων ἦν. τούτων δὴ εἵνεκα καὶ οἱ Ἴωνες
10 δυώδεκα πόλιας ἐποιήσαντο, ἐπεὶ ὥς γέ τι μᾶλλον
οὗτοι Ἴωνές εἰσι τῶν ἄλλων Ἰώνων ἢ κάλλιόν τι
γεγόνασιν, μωρίη πολλὴ λέγειν, τῶν Ἄβαντες μὲν ἐξ
Εὐβοίης εἰσὶν οὐκ ἐλαχίστη μοῖρα, τοῖς Ἰωνίης μέτα
οὐδὲ τοῦ ὀνόματος οὐδέν, Μινύαι δὲ Ὀρχομένιοί σφιν
15 ἀναμεμείχαται καὶ Καδμεῖοι καὶ Δρύοπες καὶ Φωκεῖς
ἀποδάσμιοι καὶ Μολοσσοὶ καὶ Ἀρκάδες Πελασγοὶ καὶ
Δωριεῖς Ἐπιδαύριοι, ἄλλα τε ἔθνεα πολλὰ ἀναμεμεί-
χαται· οἱ δὲ αὐτῶν ἀπὸ τοῦ πρυτανηίου τοῦ Ἀθηναίων
ὁρμηθέντες καὶ νομίζοντες γενναιότατοι εἶναι Ἰώνων,
20 οὗτοι δὲ οὐ γυναῖκας ἠγάγοντο ἐς τὴν ἀποικίην ἀλλὰ
Καείρας ἔσχον, τῶν ἐφόνευσαν τοὺς γονέας. διὰ
τοῦτον δὲ τὸν φόνον αἱ γυναῖκες αὗται νόμον θέμεναι
σφίσιν αὐτῇσιν ὅρκους ἐπήλασαν καὶ παρέδοσαν τῇσι
θυγατράσιν, μή κοτε ὁμοσιτῆσαι τοῖς ἀνδράσι μηδὲ ὀνό-
25 ματι βῶσαι τὸν ἑωυτῆς ἄνδρα, τοῦδε εἵνεκα ὅτι ἐφό-
νευσαν σφέων τοὺς πατέρας καὶ ἄνδρας καὶ παῖδας καὶ
ἔπειτα ταῦτα ποιήσαντες αὐτῇσι συνοίκεον. ταῦτα δὲ
147 ἦν γινόμενα ἐν Μιλήτῳ. βασιλέας δὲ ἐστήσαντο οἱ μὲν
αὐτῶν Λυκίους ἀπὸ Γλαύκου τοῦ Ἱππολόχου γεγονότας,
30 οἱ δὲ Καύκωνας Πυλίους ἀπὸ Κόδρου τοῦ Μελάνθου,
οἱ δὲ καὶ συναμφοτέρους. ἀλλὰ γὰρ περιέχονται τοῦ
ὀνόματος μᾶλλόν τι τῶν ἄλλων Ἰώνων, ἔστωσαν δὴ καὶ
οἱ καθαρῶς γεγονότες Ἴωνες· εἰσὶ δὲ πάντες Ἴωνες, ὅσοι
ἀπ' Ἀθηνέων γεγόνασι καὶ Ἀπατούρια ἄγουσιν ὁρτήν.

ἄγουσι δὲ πάντες πλὴν Ἐφεσίων καὶ Κολοφωνίων· οὗτοι
γὰρ μοῦνοι Ἰώνων οὐκ ἄγουσιν Ἀπατούρια, καὶ οὗτοι
κατὰ φόνου τινὰ σκῆψιν. τὸ δὲ Πανιώνιόν ἐστι τῆς 148
Μυκάλης χῶρος ἱρός, πρὸς ἄρκτον τετραμμένος, κοινῇ
ἐξαραιρημένος ὑπὸ Ἰώνων Ποσειδέωνι Ἑλικωνίῳ· ἡ δὲ 5
Μυκάλη ἐστὶ τῆς ἠπείρου ἄκρη πρὸς ζέφυρον ἄνεμον
κατήκουσα Σάμῳ καταντίον, ἐς τὴν συλλεγόμενοι ἀπὸ
τῶν πολίων Ἴωνες ἄγεσκον ὁρτήν, τῇ ἔθεντο ὄνομα
Πανιώνια.

Αὗται μὲν αἱ Ἰάδες πόλιές εἰσιν, αἵδε δὲ αἱ Αἰο- 149
λίδες, Κύμη ἡ Φρικωνὶς καλεομένη, Λήρισαι, Νέον 11
τεῖχος, Τῆμνος, Κίλλα, Νότιον, Αἰγειροῦσσα, Πιτάνη,
Αἰγαῖαι, Μύρινα, Γρύνεια· αὗται ἕνδεκα Αἰολέων πόλιες
αἱ ἀρχαῖαι· μία γὰρ σφεων παρελύθη Σμύρνη ὑπὸ
Ἰώνων· ἦσαν γὰρ καὶ αὗται δυώδεκα αἱ ἐν τῇ ἠπείρῳ. 15
οὗτοι δὲ οἱ Αἰολεῖς χώρην μὲν ἔτυχον κτίσαντες ἀμείνω
Ἰώνων, ὡρέων δὲ ἥκουσαν οὐκ ὁμοίως. Σμύρνην δὲ 150
ὧδε ἀπέβαλον Αἰολεῖς· Κολοφωνίους ἄνδρας στάσει
ἑσσωθέντας καὶ ἐκπεσόντας· ἐκ τῆς πατρίδος ὑπεδέξαντο.
μετὰ δὲ οἱ φυγάδες τῶν Κολοφωνίων φυλάξαντές τοὺς 20
Σμυρναίους ὁρτὴν ἔξω τείχεος ποιευμένους Διονύσῳ,
τὰς πύλας ἀποκλήσαντες ἔσχον τὴν πόλιν. βοηθησάντων
δὲ πάντων Αἰολέων ὁμολογίῃ ἐχρήσαντο τὰ ἔπιπλα ἀπο-
δόντων τῶν Ἰώνων ἐκλιπεῖν Σμύρνην Αἰολέας. ποιη-
σάντων δὲ ταῦτα ἐπιδιείλοντό σφεας αἱ ἕνδεκα πόλιες 25
καὶ ἐποιήσαντο σφέων αὐτέων πολιήτας. αὗται μέν νυν 151
αἱ ἠπειρώτιδες Αἰολίδες πόλιες, ἔξω τῶν ἐν τῇ Ἴδῃ
οἰκημένων· κεχωρίδαται γὰρ αὗται. αἱ δὲ τὰς νήσους
ἔχουσαι πέντε μὲν πόλιες τὴν Λέσβον νέμονται (τὴν γὰρ
ἕκτην ἐν τῇ Λέσβῳ οἰκημένην Ἀρίσβαν ἠνδραπόδισαν 30
Μηθυμναῖοι, ἐόντας ὁμαίμους), ἐν Τενέδῳ δὲ μία οἴκη-
ται πόλις, καὶ ἐν τῇσιν Ἑκατὸν νήσοισι καλεομένῃσιν
ἄλλη μία. Λεσβίοισι μέν νυν καὶ Τενεδίοισιν, κατά περ
Ἰώνων τοῖς τὰς νήσους ἔχουσιν, ἦν δεινὸν οὐδέν. τῇσι

δὲ λοιπῆσι πόλισιν ἕαδε κοινῇ Ἴωσιν ἕπεσθαι, τῇ ἂν
οὗτοι ἐξηγέωνται.

152 Ὡς δὲ ἀπίκοντο ἐς τὴν Σπάρτην τῶν Ἰώνων
καὶ Αἰολέων οἱ ἄγγελοι (κατὰ γὰρ δὴ τάχος ἦν ταῦτα
5 πρησσόμενα), εἵλοντο πρὸ πάντων λέγειν τὸν Φωκαιέα,
τῷ ὄνομα ἦν Πύθερμος. ὁ δὲ πορφύρεόν τε εἷμα περι-
βαλόμενος, · ὡς ἂν πυνθανόμενοι πλεῖστοι συνέλθοιεν
Σπαρτιητέων, καὶ καταστὰς ἔλεγε πολλὰ τιμωρεῖν ἑωυ-
τοῖσι χρήζων. Λακεδαιμόνιοι δὲ οὐκ ἐσήκουον, ἀλλ'
10 ἀπέδοξέ σφι μὴ τιμωρεῖν Ἴωσιν. οἱ μὲν δὴ ἀπαλλάσ-
σοντο, Λακεδαιμόνιοι δὲ ἀπωσάμενοι τῶν Ἰώνων τοὺς
ἀγγέλους ὅμως ἀπέστειλαν πεντηκοντέρῳ ἄνδρας,
ὡς μὲν ἐμοὶ δοκεῖ, κατασκόπους τῶν τε Κύρου πρηγμά-
των καὶ Ἰωνίης. ἀπικόμενοι δὲ οὗτοι ἐς Φώκαιαν
15 ἔπεμπον ἐς Σάρδις σφέων αὐτῶν τὸν δοκιμώτατον, τῷ
ὄνομα ἦν Λακρίνης, ἀπερέοντα Κύρῳ Λακεδαιμονίων
ῥῆσιν, γῆς τῆς Ἑλλάδος μηδεμίαν πόλιν σιναμωρεῖν ὡς
153 αὐτῶν οὐ περιοψομένων. ταῦτα εἰπόντος τοῦ κήρυκος
λέγεται Κῦρον ἐπειρέσθαι τοὺς παρεόντας οἱ
20 Ἑλλήνων, τίνες ἐόντες ἄνθρωποι Λακεδαιμόνιοι καὶ
κόσοι πλῆθος ταῦτα ἑωυτῷ προαγορεύουσιν. πυνθανό-
μενον δέ μιν εἰπεῖν πρὸς τὸν κήρυκα τὸν Σπαρτιήτην·
„Οὐκ ἔδεισά κω ἄνδρας τοιούτους, τοῖς ἐστι χῶρος
ἐν μέσῃ τῇ πόλι ἀποδεδεγμένος, ἐς τὸν συλλεγόμενοι
25 ἀλλήλους ὀμνύντες ἐξαπατῶσιν. τοῖς, ἢν ἐγὼ ὑγιαίνω,
οὐ τὰ Ἰώνων πάθεα ἔσται ἔλλεσχα ἀλλὰ τὰ οἰκήια."
ταῦτα ἐς τοὺς πάντας Ἕλληνας ἀπέρριψεν ὁ Κῦρος
τὰ ἔπεα, ὅτι ἀγορὰς στησάμενοι ὠνῇ τε καὶ πρήσει
χρέωνται· αὐτοὶ γὰρ οἱ Πέρσαι ἀγορῇσιν οὐδὲν ἐώθασι
30 χρῆσθαι, οὐδέ σφιν ἔστι τὸ παράπαν ἀγορή.

Μετὰ ταῦτα ἐπιτρέψας τὰς μὲν Σάρδις Ταβάλῳ
ἀνδρὶ Πέρσῃ, τὸν δὲ χρυσὸν τόν τε Κροίσου καὶ τὸν
τῶν ἄλλων Λυδῶν Πακτύῃ ἀνδρὶ Λυδῷ κομίζειν, ἀπή-
λαυνεν αὐτὸς ἐς Ἀγβάτανα, Κροῖσόν τε ἅμα ἀγόμενος

καὶ τοὺς Ἴωνας ἐν οὐδενὶ λόγῳ ποιησάμενος τὴν πρώτην
εἶναι. ἥ τε γὰρ Βαβυλών οἱ ἦν ἐμπόδιος . καὶ τὸ
Βάκτριον ἔθνος καὶ Σάκαι τε καὶ Αἰγύπτιοι, ἐπ᾽ οὓς
ἐπεῖχε στρατηλατεῖν αὐτός, ἐπὶ δὲ Ἴωνας ἄλλον πέμπειν
στρατηγόν.

Ὡς δὲ ἀπήλασεν ὁ Κῦρος ἐκ τῶν Σαρδίων, τοὺς 154
Λυδοὺς ἀπέστησεν ὁ Πακτύης ἀπό τε Ταβάλου
καὶ Κύρου, καταβὰς δὲ ἐπὶ θάλασσαν, ἅτε τὸν χρυσὸν
ἔχων πάντα τὸν ἐκ τῶν Σαρδίων, ἐπικούρους τε ἐμι-
σθοῦτο καὶ τοὺς ἐπιθαλασσίους ἀνθρώπους ἔπειθε σὺν
ἑωυτῷ στρατεύεσθαι. ἐλάσας δὲ ἐπὶ τὰς Σάρδις ἐπο-
λιόρκει Τάβαλον ἀπεργμένον ἐν τῇ ἀκροπόλι. πυθόμενος 155
δὲ κατ᾽ ὁδὸν ταῦτα ὁ Κῦρος εἶπε πρὸς Κροῖσον
τάδε· „Κροῖσε, τί ἔσται τέλος τῶν γινομένων τούτων
ἐμοί; οὐ παύσονται Λυδοί, ὡς οἴκασιν, πρήγματα παρέ-
χοντες καὶ αὐτοὶ ἔχοντες. φροντίζω μὴ ἄριστον ᾖ ἐξαν-
δραποδίσασθαί σφεας· ὁμοίως γάρ μοι νῦν γε φαίνομαι
πεποιηκέναι ὡς εἴ τις πατέρα ἀποκτείνας τῶν παίδων
αὐτοῦ φείσαιτο. ὣς δὲ καὶ ἐγὼ Λυδῶν τὸν μὲν πλέον
τι ἢ πατέρα ἐόντα σὲ λαβὼν ἄγω, αὐτοῖσι δὲ Λυδοῖσι
τὴν πόλιν παρέδωκα καὶ ἔπειτα θωμάζω εἴ μοι ἀπε-
στᾶσιν.“ ὁ μὲν δὴ τά περ ἐνόει ἔλεγεν, ὁ δ᾽ ἀμείβετο
τοῖσδε, δείσας μὴ ἀναστάτους ποιήσῃ τὰς Σάρδις· „Ὦ
βασιλεῦ, τὰ μὲν οἰκότα εἴρηκας, σὺ μέντοι μὴ πάντα
θυμῷ χρέο μηδὲ πόλιν ἀρχαίην ἐξαναστήσῃς ἀναμάρ-
τητον ἐοῦσαν καὶ τῶν πρότερον καὶ τῶν νῦν ἐστεώτων·
τὰ μὲν γὰρ πρότερον ἐγώ τε ἔπρηξα καὶ ἐγὼ κεφαλῇ
ἀναμάξας φέρω· τὰ δὲ νῦν παρεόντα Πακτύης γάρ ἐστιν
ὁ ἀδικέων, τῷ σὺ ἐπέτρεψας Σάρδις, οὗτος δότω τοι
δίκην. Λυδοῖσι δὲ συγγνώμην ἔχων τάδε αὐτοῖσιν ἐπί-
ταξον, ὡς μήτε ἀποστέωσι μήτε δεινοί τοι ἔωσιν· ἄπειπε
μέν σφι πέμψας ὅπλα ἀρήια μὴ ἐκτῆσθαι, κέλευε δέ
σφεας κιθῶνάς τε ὑποδύνειν τοῖς εἵμασι καὶ κοθόρνους
ὑποδεῖσθαι, πρόειπε δ᾽ αὐτοῖσι κιθαρίζειν τε καὶ

ψάλλειν καὶ καπηλεύειν παιδεύειν τοὺς παῖδας. καὶ
ταχέως σφέας, ὦ βασιλεῦ, γυναῖκας ἀντ᾽ ἀνδρῶν ὄψεαι
γεγονότας, ὥστε οὐδὲν δεινοί τοι ἔσονται μὴ ἀπο-
156 στέωσιν." Κροῖσος μὲν δὴ ταῦτά οἱ ὑπετίθετο, αἱρε-
5 τώτερα ταῦτα εὑρίσκων Λυδοῖσιν ἢ ἀνδραποδισθέντας
πρηθῆναί σφεας, ἐπιστάμενος ὅτι, ἢν μὴ ἀξιόχρεον
πρόφασιν προτείνῃ, οὐκ ἀναπείσει μιν μεταβουλεύσα-
σθαι, ἀρρωδέων δὲ μὴ καὶ ὕστερόν κοτε οἱ Λυδοί, ἢν
τὸ παρεὸν ὑπεκδράμωσιν, ἀποστάντες ἀπὸ τῶν Περσέων
10 ἀπόλωνται. Κῦρος δὲ ἡσθεὶς τῇ ὑποθήκῃ καὶ ὑπεὶς
τῆς ὀργῆς ἔφη οἱ πείθεσθαι. καλέσας δὲ Μαζάρεα
ἄνδρα Μῆδον, ταῦτά τέ οἱ ἐνετείλατο προειπεῖν Λυδοῖσιν,
τὰ ὁ Κροῖσος ὑπετίθετο, καὶ πρὸς ἐξανδραποδίσασθαι
τοὺς ἄλλους πάντας, οἳ μετὰ Λυδῶν ἐπὶ Σάρδις
15 ἐστρατεύσαντο, αὐτὸν δὲ Πακτύην πάντως ζῶντα ἀγα-
γεῖν παρ᾽ ἑωυτόν.

157 Ὁ μὲν δὴ ταῦτα ἐκ τῆς ὁδοῦ ἐντειλάμενος ἀπήλαυνεν
ἐς ἤθεα τὰ Περσέων, Πακτύης δὲ πυθόμενος ἀγχοῦ
εἶναι στρατὸν ἐπ᾽ ἑωυτὸν ἰόντα, δείσας οἴχετο φεύγων
20 ἐς Κύμην. Μαζάρης δὲ ὁ Μῆδος ἐλάσας ἐπὶ τὰς
Σάρδις τοῦ Κύρου στρατοῦ μοῖραν ὅσην δή κοτε ἔχων,
ὡς οὐκ εὗρεν ἔτι ἐόντας τοὺς ἀμφὶ Πακτύην ἐν Σάρ-
δισιν, πρῶτα μὲν τοὺς Λυδοὺς ἠνάγκασε τὰς Κύρου ἐν-
τολὰς ἐπιτελεῖν· ἐκ τούτου δὲ κελευσμοσύνης Λυδοὶ τὴν
25 πᾶσαν δίαιταν τῆς ζοῆς μετέβαλον. Μαζάρης δὲ μετὰ
τοῦτο ἔπεμπεν ἐς τὴν Κύμην ἀγγέλους ἐκδιδόναι κελεύων
Πακτύην. οἱ δὲ Κυμαῖοι ἔγνωσαν συμβουλῆς πέρι ἐς
θεὸν ἀνοῖσαι τὸν ἐν Βραγχίδῃσιν. ἦν γὰρ αὐτόθι μαν-
τήιον ἐκ παλαιοῦ ἱδρυμένον, τῷ Ἴωνές τε πάντες καὶ
30 Αἰολεῖς ἐώθεσαν χρῆσθαι. ὁ δὲ χῶρος οὗτός ἐστι τῆς
158 Μιλησίης ὑπὲρ Πανόρμου λιμένος. πέμψαντες ὦν οἱ
Κυμαῖοι ἐς τοὺς Βραγχίδας θεοπρόπους εἰρώταν
περὶ Πακτύην, ὁκοῖόν τι ποιέοντες θεοῖσι μέλλοιεν
χαριεῖσθαι· ἐπειρωτῶσι δέ σφι ταῦτα χρηστήριον ἐγένετο

ἐκδιδόναι Πακτύην Πέρσῃσιν. ταῦτα δὲ ὡς ἀπενειχθέντα
ἤκουσαν οἱ Κυμαῖοι, ὁρμέατο ἐκδιδόναι. ὁρμημένου δὲ
ταύτῃ τοῦ πλήθεος Ἀριστόδικος ὁ Ἡρακλείδεω, ἀνὴρ τῶν
ἀστῶν ἐὼν δόκιμος, ἔσχε μὴ ποιῆσαι ταῦτα Κυμαίους,
ἀπιστέων τε τῷ χρησμῷ καὶ δοκέων τοὺς θεοπρόπους οὐ
λέγειν ἀληθέως, ἐς ὃ τὸ δεύτερον περὶ Πακτύω ἐπειρη-
σόμενοι ἦσαν ἄλλοι θεοπρόποι, τῶν καὶ Ἀριστόδικος ἦν.
ἀπικομένων δὲ ἐς Βραγχίδας ἐχρηστηριάζετο ἐκ πάντων
Ἀριστόδικος ἐπειρωτῶν τάδε· „Ὦναξ, ἦλθε παρ' ἡμέας
ἱκέτης Πακτύης ὁ Λυδὸς φεύγων θάνατον βίαιον πρὸς
Περσέων· οἱ δέ μιν ἐξαιτέονται προεῖναι Κυμαίους κε-
λεύοντες. ἡμεῖς δὲ δειμαίνοντες τὴν Περσέων δύναμιν
τὸν ἱκέτην ἐς τόδε οὐ τετολμήκαμεν ἐκδιδόναι, πρὶν ἂν
τὸ ἀπὸ σέο ἡμῖν δηλωθῇ ἀτρεκέως ὁκότερα ποιέωμεν.“
ὁ μὲν ταῦτα ἐπειρώτα, ὁ δ' αὖτις τὸν αὐτόν σφι χρησμὸν
ἔφαινε κελεύων ἐκδιδόναι Πακτύην Πέρσῃσιν. πρὸς ταῦτα
ὁ Ἀριστόδικος ἐκ προνοίης ἐποίει τάδε· περιιὼν τὸν
νηὸν κύκλῳ ἐξαίρει τοὺς στρουθοὺς καὶ ἄλλα ὅσα ἦν
νενοσσευμένα ὀρνίθων γένεα ἐν τῷ νηῷ. ποιέοντος δὲ
αὐτοῦ ταῦτα λέγεται φωνὴν ἐκ τοῦ ἀδύτου γενέσθαι
φέρουσαν μὲν πρὸς τὸν Ἀριστόδικον, λέγουσαν δὲ τάδε·
„Ἀνοσιώτατε ἀνθρώπων, τί τάδε τολμᾷς ποιεῖν; τοὺς
ἱκέτας μου ἐκ τοῦ νηοῦ κεραΐζεις;“ Ἀριστόδικον δὲ οὐκ
ἀπορήσαντα πρὸς ταῦτα εἰπεῖν· „Ὦναξ, αὐτὸς μὲν οὕτω
τοῖς ἱκέτῃσι βοηθεῖς, Κυμαίους δὲ κελεύεις τὸν ἱκέτην
ἐκδιδόναι;“ τὸν δὲ αὖτις ἀμείψασθαι τοῖσδε· „Ναὶ κε-
λεύω, ἵνα γε ἀσεβήσαντες θᾶσσον ἀπόλησθε, ὡς μὴ τὸ
λοιπὸν περὶ ἱκετέων ἐκδόσιος ἔλθητε ἐπὶ τὸ χρηστήριον.“
ταῦτα ὡς ἀπενειχθέντα ἤκουσαν οἱ Κυμαῖοι, οὐ βουλό-
μενοι οὔτε ἐκδόντες ἀπολέσθαι οὔτε παρ' ἑωυτοῖσιν ἔχον-
τες πολιορκεῖσθαι ἐκπέμπουσιν αὐτὸν ἐς Μυτιλήνην. οἱ
δὲ Μυτιληναῖοι ἐπιπέμποντος τοῦ Μαζάρεος ἀγγελίας
ἐκδιδόναι τὸν Πακτύην παρεσκευάζοντο ἐπὶ μισθῷ ὅσῳ
δή. οὐ γὰρ ἔχω τοῦτό γε εἰπεῖν ἀτρεκέως· οὐ γὰρ ἐτε-

λεώθη. Κυμαῖοι γὰρ ὡς ἔμαθον ταῦτα πρησσόμενα ἐκ
τῶν Μυτιληναίων, πέμψαντες πλοῖον ἐς Λέσβον ἐκκο-
μίζουσι Πακτύην ἐς Χίον. ἐνθεῦτεν δὲ ἐξ ἱροῦ Ἀθη-
ναίης πολιούχου ἀποσπασθεὶς ὑπὸ Χίων ἐξεδόθη. ἐξέ-
5 δοσαν δὲ οἱ Χῖοι ἐπὶ τῷ Ἀταρνεῖ μισθῷ· τοῦ δὲ Ἀταρ-
νέος τούτου ἐστὶ χῶρος τῆς Μυσίης, Λέσβου ἀντίος.
Πακτύην μέν νυν παραδεξάμενοι οἱ Πέρσαι εἶχον ἐν
φυλακῇ, θέλοντες Κύρῳ ἀποδέξαι. ἦν δὲ χρόνος οὗτος
οὐκ ὀλίγος γενόμενος, ὅτε Χίων οὐδεὶς ἐκ τοῦ Ἀταρνέος
10 τούτου οὔτε οὐλὰς κριθέων πρόχυσιν ἐποιεῖτο θεῶν
οὐδενὶ οὔτε πέμματα ἐπέσσετο καρποῦ τοῦ ἐνθεῦτεν,
ἀπείχετό τε τῶν πάντων ἱρῶν τὰ πάντα ἐκ τῆς χώρης
ταύτης γινόμενα.

161 Χῖοι μέν νυν Πακτύην ἐξέδοσαν, Μαζάρης δὲ μετὰ
15 ταῦτα ἐστρατεύετο ἐπὶ τοὺς συμπολιορκήσαντας Τάβαλον,
καὶ τοῦτο μὲν Πριηνέας ἐξηνδραποδίσατο, τοῦτο δὲ
Μαιάνδρου πεδίον πᾶν ἐπέδραμε ληίην ποιεύμενος τῷ
στρατῷ, Μαγνησίην τε ὡσαύτως. μετὰ δὲ ταῦτα αὐτίκα
162 νούσῳ τελευτᾷ. ἀποθανόντος δὲ τούτου Ἅρπαγος κατ-
20 έβη διάδοχος τῆς στρατηγίης, γένος καὶ αὐτὸς ἐὼν
Μῆδος, τὸν ὁ Μήδων βασιλεὺς Ἀστυάγης ἀνόμῳ τραπέζῃ
ἔδαισεν, ὁ τῷ Κύρῳ τὴν βασιληίην συγκατεργασάμενος.
οὗτος ἀνὴρ τότε ὑπὸ Κύρου στρατηγὸς ἀποδεχθεὶς ὡς
ἀπίκετο ἐς τὴν Ἰωνίην, αἱρεῖ τὰς πόλιας χώμασιν· ὅκως
25 γὰρ τειχήρεας ποιήσειεν, τὸ ἐνθεῦτεν χώματα χῶν πρὸς
163 τὰ τείχεα ἐπολιόρκει. πρώτη δὲ Φωκαίη Ἰωνίης ἐπεχεί-
ρησεν. οἱ δὲ Φωκαιεῖς οὗτοι ναυτιλίῃσι μακρῇσι πρῶ-
τοι Ἑλλήνων ἐχρήσαντο, καὶ τόν τε Ἀδρίην καὶ τὴν
Τυρσηνίην καὶ τὴν Ἰβηρίην καὶ τὸν Ταρτησσὸν οὗτοί
30 εἰσιν οἱ καταδέξαντες. ἐναυτίλλοντο δὲ οὐ στρογγύλῃσι
νηυσὶν ἀλλὰ πεντηκοντέροισιν. ἀπικόμενοι δὲ ἐς τὸν
Ταρτησσὸν προσφιλεῖς ἐγένοντο τῷ βασιλεῖ τῶν Ταρτη-
σίων, τῷ ὄνομα μὲν ἦν Ἀργανθώνιος, ἐτυράννευσε δὲ
Ταρτησσοῦ ὀγδώκοντα ἔτεα, ἐβίωσε δὲ πάντα εἴκοσι καὶ

ἑκατόν. τούτῳ δὴ τῷ ἀνδρὶ προσφιλεῖς οἱ Φωκαιεῖς
οὕτω δή τι ἐγένοντο, ὡς τὰ μὲν πρῶτά σφεας ἐκλιπόντας
Ἰωνίην ἐκέλευε τῆς ἑωυτοῦ χώρης οἰκῆσαι ὅκου βούλον-
ται, μετὰ δέ, ὡς τοῦτό γε οὐκ ἔπειθε τοὺς Φωκαιέας, ὁ
δὲ πυθόμενος τὸν Μῆδον παρ' αὐτῶν ὡς αὔξοιτο, ἐδίδου 5
σφι χρήματα τεῖχος περιβαλέσθαι τὴν πόλιν. ἐδίδου δὲ
ἀφειδέως· καὶ γὰρ καὶ ἡ περίοδος τοῦ τείχεος οὐκ ὀλίγοι
στάδιοί εἰσιν, τοῦτο δὲ πᾶν λίθων μεγάλων καὶ εὖ συναρ-
μοσμένων. τὸ μὲν δὴ τεῖχος τοῖς Φωκαιεῦσι τρόπῳ 164
τοιῷδε ἐξεποιήθη, ὁ δὲ Ἅρπαγος ὡς ἐπήλασε τὴν στρα- 10
τιήν, ἐπολιόρκει αὐτούς, προϊσχόμενος ἔπεα, ὥς οἱ
καταχρῇ, εἰ βούλονται Φωκαιεῖς προμαχεῶνα ἕνα μοῦνον
τοῦ τείχεος ἐρεῖψαι καὶ οἴκημα ἓν κατιρῶσαι. οἱ δὲ
Φωκαιεῖς περιημεκτέοντες τῇ δουλοσύνῃ ἔφασαν θέλειν
βουλεύσασθαι ἡμέρην μίαν καὶ ἔπειτα ὑποκρινεῖσθαι. ἐν 15
ᾧ δὲ βουλεύονται αὐτοί, ἀπαγαγεῖν ἐκεῖνον ἐκέλευον τὴν
στρατιὴν ἀπὸ τοῦ τείχεος. ὁ δὲ Ἅρπαγος ἔφη εἰδέναι
μὲν εὖ, τὰ ἐκεῖνοι μέλλοιεν ποιεῖν, ὅμως δέ σφι παριέναι
βουλεύσασθαι. ἐν ᾧ ὦν ὁ Ἅρπαγος ἀπὸ τοῦ τείχεος
ἀπήγαγε τὴν στρατιήν, οἱ Φωκαιεῖς ἐν τούτῳ κατα- 20
σπάσαντες τὰς πεντηκοντέρους, ἐσθέμενοι τέκνα
καὶ γυναῖκας καὶ ἔπιπλα πάντα, πρὸς δὲ καὶ τὰ ἀγάλ-
ματα τὰ ἐκ τῶν ἱρῶν καὶ τὰ ἄλλα ἀναθήματα, χωρὶς
ὅ τι χαλκὸς ἢ λίθος ἢ γραφὴ ἦν, τὰ δὲ ἄλλα πάντα
ἐσθέντες καὶ αὐτοὶ ἐσβάντες ἔπλεον ἐπὶ Χίου· τὴν δὲ 25
Φώκαιαν ἐρημωθεῖσαν ἀνδρῶν ἔσχον οἱ Πέρσαι. οἱ δὲ 165
Φωκαιεῖς, ἐπείτε σφι Χῖοι τὰς νήσους τὰς Οἰνούσσας
καλεομένας οὐκ ἐβούλοντο ὠνεομένοισι πωλεῖν, δειμαί-
νοντες μὴ αἱ μὲν ἐμπόριον γένωνται, ἡ δὲ αὐτῶν νῆσος
ἀποκλησθῇ τούτου εἵνεκα, πρὸς ταῦτα οἱ Φωκαιεῖς 30
ἐστέλλοντο ἐς Κύρνον. ἐν γὰρ τῇ Κύρνῳ εἴκοσι
ἔτεσι πρότερον τούτων ἐκ θεοπροπίου ἐνεκτίσαντο πόλιν,
τῇ ὄνομα ἦν Ἀλαλίη. Ἀργανθώνιος δὲ τηνικαῦτα ἤδη
ἐτετελευτήκει. στελλόμενοι δὲ ἐπὶ τὴν Κύρνον, πρῶτα

καταπλεύσαντες ἐς τὴν Φώκαιαν κατεφόνευσαν τῶν Περ-
σέων τὴν φυλακήν, ἣ ἐφρούρει παραδεξαμένη παρὰ
Ἀρπάγου τὴν πόλιν, μετὰ δέ, ὡς τοῦτό σφιν ἐξέργαστο,
ἐποιήσαντο ἰσχυρὰς κατάρας τῷ ὑπολειπομένῳ ἑωυτῶν
5 τοῦ στόλου. πρὸς δὲ ταύτῃσι καὶ μύδρον σιδήρεον
κατεπόντωσαν καὶ ὤμοσαν μὴ πρὶν ἐς Φώκαιαν ἥξειν
πρὶν ἢ τὸν μύδρον τοῦτον ἀναφανῆναι. στελλομένων
δὲ αὐτῶν ἐπὶ τὴν Κύρνον ὑπὲρ ἡμίσεας τῶν ἀστῶν
ἔλαβε πόθος τε καὶ οἶκτος τῆς πόλιος καὶ τῶν ἠθέων,
10 ψευδόρκιοι δὲ γενόμενοι ἀπέπλεον ὀπίσω ἐς τὴν Φώ-
καιαν. οἱ δὲ αὐτῶν τὸ ὅρκιον ἐφύλασσον, ἀρθέντες ἐκ
166 τῶν Οἰνουσσέων ἔπλεον. ἐπείτε δὲ ἐς τὴν Κύρνον ἀπί-
κοντο, οἴκεον κοινῇ μετὰ τῶν πρότερον ἀπικομένων ἐπ᾽
ἔτεα πέντε καὶ ἱρὰ ἐνιδρύσαντο. καὶ ἦγον γὰρ δὴ καὶ
15 ἔφερον τοὺς περιοίκους ἅπαντας, στρατεύονται ὦν ἐπ᾽
αὐτοὺς κοινῷ λόγῳ χρησάμενοι Τυρσηνοὶ καὶ Καρ-
χηδόνιοι νηυσὶν ἑκάτεροι ἑξήκοντα. οἱ δὲ Φωκαιεῖς
πληρώσαντες καὶ αὐτοὶ τὰ πλοῖα, ἐόντα ἀριθμὸν ἑξήκοντα,
ἠντίαζον ἐς τὸ Σαρδόνιον καλεόμενον πέλαγος. συμμι-
20 σγόντων δὲ τῇ ναυμαχίῃ Καδμείη τις νίκη τοῖς Φωκαι-
εῦσιν ἐγένετο. αἱ μὲν γὰρ τεσσεράκοντά σφι νέες διε-
φθάρησαν, αἱ δὲ εἴκοσι αἱ περιεοῦσαι ἦσαν ἄχρηστοι·
ἀπεστράφατο γὰρ τοὺς ἐμβόλους. καταπλώσαντες δὲ ἐς
τὴν Ἀλαλίην ἀνέλαβον τὰ τέκνα καὶ τὰς γυναῖκας καὶ
25 τὴν ἄλλην κτῆσιν, ὅσην οἷαί τε ἐγίνοντο αἱ νέες σφιν
ἄγειν, καὶ ἔπειτα ἀπέντες τὴν Κύρνον ἔπλεον ἐς Ῥήγιον.
167 τῶν δὲ διαφθαρεισέων νεῶν τοὺς ἄνδρας οἵ τε Καρχη-
δόνιοι καὶ οἱ Τυρσηνοὶ .... ἔλαχόν τε αὐτῶν πολλῷ
πλέους καὶ τούτους ἐξαγαγόντες κατέλευσαν. μετὰ δὲ
30 Ἀγυλλαίοισι πάντα τὰ παριόντα τὸν χῶρον, ἐν τῷ οἱ
Φωκαιεῖς καταλευσθέντες ἐκέατο, ἐγίνετο διάστροφα καὶ
ἔμπηρα καὶ ἀπόπληκτα, ὁμοίως πρόβατα καὶ ὑποζύγια
καὶ ἄνθρωποι. οἱ δὲ Ἀγυλλαῖοι ἐς Δελφοὺς ἔπεμπον,
βουλόμενοι ἀκέσασθαι τὴν ἁμαρτάδα. ἡ δὲ Πυθίη σφέας

έκέλευσε ποιεῖν, τὰ καὶ νῦν οἱ Ἀγυλλαῖοι ἔτι ἐπιτελέουσιν·
καὶ γὰρ ἐναγίζουσί σφι μεγάλως καὶ ἀγῶνα γυμνικὸν καὶ
ἱππικὸν ἐπιστᾶσιν. καὶ οὗτοι μὲν τῶν Φωκαιέων τοιού-
τῳ μόρῳ διεχρήσαντο, οἱ δὲ αὐτῶν ἐς τὸ Ῥήγιον κατα-
φυγόντες ἐνθεῦτεν ὁρμώμενοι ἐκτήσαντο πόλιν. γῆς 5
τῆς Οἰνωτρίης ταύτην, ἥτις νῦν Ὑέλη καλεῖται.
ἔκτισαν δὲ ταύτην πρὸς ἀνδρὸς Ποσειδωνιήτεω μαθόντες,
ὡς τὸν Κύρνον σφιν ἡ Πυθίη ἔχρησε κτίσαι ἥρων ἐόντα,
ἀλλ' οὐ τὴν νῆσον.

Φωκαίης μέν νυν πέρι τῆς ἐν Ἰωνίῃ οὕτως ἔσχεν. 168
παραπλήσια δὲ τούτοισι καὶ Τήιοι ἐποίησαν· 11
ἐπείτε γὰρ σφεων εἷλε χώματι τὸ τεῖχος Ἅρπαγος, ἐσβάν-
τες πάντες ἐς τὰ πλοῖα οἴχοντο πλέοντες ἐπὶ τῆς Θρήκης
καὶ ἐνθαῦτα ἔκτισαν πόλιν Ἄβδηρα, τὴν πρότερος τούτων
Κλαζομένιος Τιμήσιος κτίσας οὐκ ἀπώνητο, ἀλλ' ὑπὸ 15
Θρηκῶν ἐξελασθεὶς τιμὰς νῦν ὑπὸ Τηίων τῶν ἐν Ἀβδή-
ροισιν ὡς ἥρως ἔχει.

Οὗτοι μέν νυν Ἰώνων μοῦνοι τὴν δουλοσύνην οὐκ 169
ἀνεχόμενοι ἐξέλιπον τὰς πατρίδας, οἱ δ' ἄλλοι Ἴωνες,
πλὴν Μιλησίων, διὰ μάχης μὲν ἀπίκοντο Ἁρπάγῳ, κατά 20
περ οἱ ἐκλιπόντες, καὶ ἄνδρες ἐγένοντο ἀγαθοὶ περὶ
τῆς ἑωυτοῦ ἕκαστος μαχόμενοι· ἑσσωθέντες δὲ καὶ ἁλόν-
τες ἔμενον κατὰ χώρην ἕκαστοι καὶ τὰ ἐπιτασσόμενα
ἐπετέλεον. Μιλήσιοι δέ, ὡς καὶ πρότερόν μοι εἴρηται,
αὐτῷ Κύρῳ ὅρκιον ποιησάμενοι ἡσυχίην ἦγον. οὕτω δὴ 25
τὸ δεύτερον Ἰωνίη ἐδεδούλωτο. ὡς δὲ τοὺς ἐν τῇ ἠπείρῳ
Ἴωνας ἐχειρώσατο Ἅρπαγος, οἱ τὰς νήσους ἔχοντες Ἴωνες
καταρρωδήσαντες ταῦτα σφέας αὐτοὺς ἔδοσαν Κύρῳ.
κεκακωμένων δὲ Ἰώνων καὶ συλλεγομένων οὐδὲν ἧσσον 170
ἐς τὸ Πανιώνιον, πυνθάνομαι γνώμην Βίαντα ἄνδρα 30
Πριηνέα ἀποδέξασθαι Ἴωσι χρησιμωτάτην, τῇ εἰ
ἐπείθοντο, παρεῖχεν ἄν σφιν εὐδαιμονεῖν Ἑλλήνων μά-
λιστα· ὃς ἐκέλευε κοινῷ στόλῳ Ἴωνας ἀρθέντας πλεῖν ἐς
Σαρδὼ καὶ ἔπειτα πόλιν μίαν κτίζειν πάντων Ἰώνων,

καὶ οὕτω ἀπαλλαχθέντας σφέας δουλοσύνης εὐδαιμονήσειν,
νήσων τε ἀπασέων μεγίστην νεμομένους καὶ ἄρχοντας
ἄλλων· μένουσι δέ σφιν ἐν τῇ Ἰωνίῃ οὐκ ἔφη ἐνορᾶν
ἐλευθερίην ἔτι ἐσομένην. αὕτη μὲν Βίαντος τοῦ Πριη-
5 νέος γνώμη ἐπὶ διεφθαρμένοισιν Ἴωσι γενομένη, χρηστὴ
δὲ καὶ πρὶν ἢ διαφθαρῆναι Ἰωνίην Θάλεω ἀνδρὸς
Μιλησίου ἐγένετο, τὸ ἀνέκαθεν γένος ἐόντος Φοίνικος,
ὃς ἐκέλευεν ἓν βουλευτήριον Ἴωνας ἐκτῆσθαι, τὸ δὲ εἶναι
ἐν Τέῳ (Τέων γὰρ μέσον εἶναι Ἰωνίης), τὰς δὲ ἄλλας
10 πόλιας οἰκεομένας μηδὲν ἧσσον νομίζεσθαι, κατά περ εἰ
δῆμοι εἶεν.

171   Οὗτοι μὲν δή σφι γνώμας τοιάσδε ἀπεδέξαντο,
Ἅρπαγος δὲ καταστρεψάμενος Ἰωνίην ἐποιεῖτο στρα-
τηίην ἐπὶ Κᾶρας καὶ Καυνίους καὶ Λυκίους, ἅμα
15 ἀγόμενος καὶ Ἴωνας καὶ Αἰολέας. εἰσὶ δὲ τούτων Κᾶρες
μὲν ἀπιγμένοι ἐς τὴν ἤπειρον ἐκ τῶν νήσων·
τὸ γὰρ παλαιὸν ἐόντες Μίνω κατήκοοι καὶ καλεόμενοι
Λέλεγες εἶχον τὰς νήσους, φόρον μὲν οὐδένα ὑποτε-
λέοντες, ὅσον καὶ ἐγὼ δυνατός εἰμι ἐπὶ μακρότατον ἐξικέ-
20 σθαι ἀκοῇ, οἱ δέ, ὅκως Μίνως δέοιτο, ἐπλήρουν οἱ τὰς
νέας. ἅτε δὴ Μίνω τε κατεστραμμένου γῆν πολλὴν καὶ
εὐτυχέοντος τῷ πολέμῳ, τὸ Καρικὸν ἦν ἔθνος λογιμώ-
τατον τῶν ἐθνέων ἁπάντων κατὰ τοῦτον ἅμα τὸν χρόνον
μακρῷ μάλιστα. καί σφι τριξὰ ἐξευρήματα ἐγένετο, τοῖς
25 οἱ Ἕλληνες ἐχρήσαντο· καὶ γὰρ ἐπὶ τὰ κράνεα λόφους
ἐπιδεῖσθαι Κᾶρές εἰσιν οἱ καταδέξαντες καὶ ἐπὶ τὰς
ἀσπίδας τὰ σημήια ποιεῖσθαι, καὶ ὄχανα ἀσπίσιν οὗτοί
εἰσιν οἱ ποιησάμενοι πρῶτοι· τέως δὲ ἄνευ ὀχάνων ἐφό-
ρεον τὰς ἀσπίδας πάντες, οἳ περ ἐώθεσαν ἀσπίσι χρῆ-
30 σθαι, τελαμῶσι σκυτίνοισιν οἰηκίζοντες, περὶ τοῖς αὐχέσι
τε καὶ τοῖς ἀριστεροῖσιν ὤμοισι περικείμενοι. μετὰ δὲ
τοὺς Κᾶρας χρόνῳ ὕστερον πολλῷ Δωριεῖς τε καὶ Ἴωνες
ἐξανέστησαν ἐκ τῶν νήσων καὶ οὕτως ἐς τὴν ἤπειρον
ἀπίκοντο. κατὰ μὲν δὴ Κᾶρας οὕτω Κρῆτες λέγουσι

γενέσθαι· οὐ μέντοι αὐτοί γε ὁμολογέουσι τούτοισιν οἱ
Κᾶρες, ἀλλὰ νομίζουσιν αὐτοὶ ἑωυτοὺς εἶναι αὐτόχθονας
ἠπειρώτας καὶ τῷ ὀνόματι τῷ αὐτῷ αἰεὶ διαχρεωμένους
τῷ περ νῦν. ἀποδεικνῦσι δὲ ἐν Μυλάσοισι Διὸς Καρίου
ἱρὸν ἀρχαῖον, τοῦ Μυσοῖσι μὲν καὶ Λυδοῖσι μέτεστιν ὡς 5
κασιγνήτοισιν ἐοῦσι τοῖς Καρσίν· τὸν γὰρ Λυδὸν καὶ τὸν
Μυσὸν λέγουσιν εἶναι Καρὸς ἀδελφεούς. τούτοισι μὲν
δὴ μέτεστιν, ὅσοι δὲ ἐόντες ἄλλου ἔθνεος ὁμόγλωσσοι
τοῖς Καρσὶν ἐγένοντο, τούτοισι δὲ οὐ μέτα. οἱ δὲ Καύ- 172
νιοι αὐτόχθονες δοκεῖν ἐμοί εἰσιν, αὐτοὶ μέντοι 10
ἐκ Κρήτης φασὶν εἶναι. προσκεχωρήκασι δὲ γλῶσσαν
μὲν πρὸς τὸ Καρικὸν ἔθνος, ἢ οἱ Κᾶρες πρὸς τὸ Καυ-
νικόν (τοῦτο γὰρ οὐκ ἔχω ἀτρεκέως διακρῖναι), νόμοισι
δὲ χρέωνται κεχωρισμένοισι πολλὸν τῶν τε ἄλλων ἀν-
θρώπων καὶ Καρῶν. τοῖς γὰρ κάλλιστόν ἐστι κατ' ἡλι- 15
κίην τε ταὶ φιλότητα εἰλαδὸν συγγίνεσθαι ἐς πόσιν, καὶ
ἀνδράσι καὶ γυναιξὶ καὶ παισίν. ἱδρυθέντων δέ σφιν
ἱρῶν ξεινικῶν μετέπειτα, ὥς σφιν ἀπέδοξεν (ἔδοξε δὲ
τοῖσι πατρίοισι μοῦνον χρῆσθαι θεοῖσιν), ἐνδύντες τὰ
ὅπλα ἅπαντες Καύνιοι ἡβηδόν, τύπτοντες δόρασι τὸν 20
ἠέρα μέχρι οὔρων τῶν Καλυνδικῶν εἵποντο καὶ ἔφασαν
ἐκβάλλειν τοὺς ξεινικοὺς θεούς. καὶ οὗτοι μὲν τρόποισι 173
τοιούτοισι χρέωνται, οἱ δὲ Λύκιοι ἐκ Κρήτης τὠρ-
χαῖον γεγόνασι (τὴν γὰρ Κρήτην εἶχον τὸ παλαιὸν
πᾶσαν βάρβαροι). διενειχθέντων δὲ ἐν Κρήτῃ περὶ τῆς 25
βασιληίης τῶν Εὐρώπης παίδων Σαρπηδόνος τε καὶ
Μίνω, ὡς ἐπεκράτησε τῇ στάσει Μίνως, ἐξήλασεν αὐτόν
τε Σαρπηδόνα καὶ τοὺς στασιώτας αὐτοῦ· οἱ δὲ ἀπω-
σθέντες ἀπίκοντο τῆς Ἀσίης ἐς γῆν τὴν Μιλυάδα· τὴν
γὰρ νῦν Λύκιοι νέμονται, αὕτη τὸ παλαιὸν ἦν Μιλυάς, 30
οἱ δὲ Μιλύαι τότε Σόλυμοι ἐκαλέοντο. ἕως μὲν δὴ
αὐτῶν Σαρπηδὼν ἦρχεν, οἱ δὲ ἐκαλέοντο, τό πέρ τε
ἠνείκαντο ὄνομα καὶ νῦν ἔτι καλέονται ὑπὸ τῶν περιοί-
κων οἱ Λύκιοι, Τερμίλαι· ὡς δὲ ἐξ Ἀθηνέων Λύκος ὁ

Πανδίονος, ἐξελασθεὶς καὶ οὗτος ὑπὸ τοῦ ἀδελφεοῦ
Αἰγέος, ἀπίκετο ἐς τοὺς Τερμίλας παρὰ Σαρπηδόνα, οὕτω
δὴ κατὰ τοῦ Λύκου τὴν ἐπωνυμίην Λύκιοι ἀνὰ χρόνον
ἐκλήθησαν. νόμοισι δὲ τὰ μὲν Κρητικοῖσιν, τὰ δὲ Κα-
5 ρικοῖσι χρέωνται. ἐν δὲ τόδε ἴδιον νενομίκασι καὶ οὐ-
δαμοῖσιν ἄλλοισι συμφέρονται ἀνθρώπων· καλέουσιν ἀπὸ
τῶν μητέρων ἑωυτοὺς καὶ οὐκὶ ἀπὸ τῶν πατέρων. εἰ-
ρομένου δὲ ἑτέρου τὸν πλησίον τίς εἴη, καταλέξει ἑωυ-
τὸν μητρόθεν καὶ τῆς μητρὸς ἀνανεμεῖται τὰς μητέρας.
10 καὶ ἢν μέν γε γυνὴ ἀστὴ δούλῳ συνοικήσῃ, γενναῖα τὰ
τέκνα νενόμισται· ἢν δὲ ἀνὴρ ἀστός, καὶ ὁ πρῶτος αὐτῶν,
γυναῖκα ξείνην ἢ παλλακὴν ἔχῃ, ἄτιμα τὰ τέκνα γίνεται.

174   Οἱ μέν νυν Κᾶρες οὐδὲν λαμπρὸν ἔργον ἀποδεξά-
μενοι ἐδουλώθησαν ὑπὸ Ἁρπάγου, οὔτε αὐτοὶ οἱ
15 Κᾶρες ἀποδεξάμενοι οὐδὲν οὔτε ὅσοι Ἑλλήνων ταύτην
τὴν χώρην οἰκέουσιν. οἰκέουσι δὲ καὶ ἄλλοι καὶ
Λακεδαιμονίων ἄποικοι Κνίδιοι, οἳ τῆς χώρης τῆς
σφετέρης τετραμμένης ἐς πόντον, τὸ δὴ Τριόπιον καλεῖ-
ται, ἀργμένης δὲ ἐκ τῆς Χερσονήσου τῆς Βυβασσίης,
20 ἐούσης τε πάσης τῆς Κνιδίης πλὴν ὀλίγης περιρρόου (τὰ
μὲν γὰρ αὐτῆς πρὸς βορῆν ἄνεμον ὁ Κεραμεικὸς κόλπος
ἀπέργει, τὰ δὲ πρὸς νότον ἡ κατὰ Σύμην τε καὶ Ῥόδον
θάλασσα), τὸ ὦν δὴ ὀλίγον τοῦτο, ἐὸν ὅσον τε ἐπὶ πέντε
στάδια, ὤρυσσον οἱ Κνίδιοι ἐν ὅσῳ Ἅρπαγος τὴν Ἰωνίην
25 κατεστρέφετο, βουλόμενοι νῆσον τὴν χώρην ποιῆσαι.
ἐντὸς δὲ πᾶσά σφιν ἐγίνετο· τῇ γὰρ ἡ Κνιδίη χώρη ἐς
τὴν ἤπειρον τελευτᾷ, ταύτῃ ὁ ἰσθμός ἐστιν, τὸν ὤρυσσον.
καὶ δὴ πολλῇ χειρὶ ἐργαζομένων τῶν Κνιδίων, μᾶλλον
γάρ τι καὶ θειότερον ἐφαίνοντο τιτρώσκεσθαι οἱ ἐργαζό-
30 μενοι τοῦ οἰκότος τά τε ἄλλα τοῦ σώματος καὶ μάλιστα
τὰ περὶ τοὺς ὀφθαλμοὺς θραυομένης τῆς πέτρης, ἔπεμπον
ἐς Δελφοὺς θεοπρόπους ἐπειρησομένους τὸ ἀντίξοον.
ἡ δὲ Πυθίη σφιν, ὡς αὐτοὶ Κνίδιοι λέγουσιν, χρῇ ἐν
τριμέτρῳ τόνῳ τάδε·

Ἰσθμὸν δὲ μὴ πυργοῦτε μήδ' ὀρύσσετε·
Ζεὺς γάρ κ' ἔθηκε νῆσον, εἴ κ' ἐβούλετο.
Κνίδιοι μὲν ταῦτα τῆς Πυθίης χρησάσης τοῦ τε ὀρύγμα-
τος ἐπαύσαντο καὶ Ἁρπάγῳ ἐπιόντι σὺν τῷ στρατῷ ἀμα-
χητὶ σφέας αὐτοὺς παρέδοσαν.

Ἦσαν δὲ Πηδασεῖς οἰκέοντες ὑπὲρ Ἁλικαρνησσοῦ 175
μεσόγαιαν, τοῖς ὅκως τι μέλλοι ἀνεπιτήδεον ἔσεσθαι,
αὐτοῖσί τε καὶ τοῖσι περιοίκοισιν, ἡ ἱερείη τῆς Ἀθηναίης
πώγωνα μέγαν ἴσχει. τρίς σφι τοῦτο ἐγένετο. οὗτοι
τῶν περὶ Καρίην ἀνδρῶν μοῦνοί τε ἀντέσχον χρόνον 10
Ἁρπάγῳ καὶ πρήγματα παρέσχον πλεῖστα, ὄρος τειχίσαντες
τῷ ὄνομά ἐστι Λίδη.

Πηδασεῖς μέν νυν χρόνῳ ἐξαιρέθησαν, Λύκιοι δέ, 176
ὡς ἐς τὸ Ξάνθιον πεδίον ἤλασεν ὁ Ἅρπαγος τὸν στρατόν,
ἐπεξιόντες καὶ μαχόμενοι ὀλίγοι πρὸς πολλοὺς ἀρετὰς 15
ἀπεδείκνυντο, ἑσσωθέντες δὲ καὶ κατειληθέντες ἐς τὸ
ἄστυ συνήλισαν ἐς τὴν ἀκρόπολιν τάς τε γυναῖκας καὶ
τὰ τέκνα καὶ τὰ χρήματα καὶ τοὺς οἰκέτας καὶ ἔπειτα
ὑπῆψαν τὴν ἀκρόπολιν πᾶσαν ταύτην καίεσθαι. ταῦτα
δὲ ποιήσαντες καὶ συνομόσαντες ὅρκους δεινούς, ἐπεξελ- 20
θόντες ἀπέθανον πάντες Ξάνθιοι μαχόμενοι. τῶν δὲ
νῦν Λυκίων φαμένων Ξανθίων εἶναι οἱ πολλοί, πλὴν
ὀγδώκοντα ἱστιῶν, εἰσὶν ἐπήλυδες· αἱ δὲ ὀγδώκοντα
ἱστίαι αὗται ἔτυχον τηνικαῦτα ἐκδημέουσαι καὶ οὕτω
περιεγένοντο. τὴν μὲν δὴ Ξάνθον οὕτως ἔσχεν ὁ Ἅρ- 25
παγος, παραπλησίως δὲ καὶ τὴν Καῦνον ἔσχεν· καὶ γὰρ
οἱ Καύνιοι τοὺς Λυκίους ἐμιμήσαντο τὰ πλέω.

Τὰ μέν νυν κάτω τῆς Ἀσίης Ἅρπαγος ἀνάστατα 177
ἐποίει, τὰ δὲ ἄνω αὐτῆς αὐτὸς Κῦρος, πᾶν ἔθνος κατα-
στρεφόμενος καὶ οὐδὲν παριείς. τὰ μέν νυν αὐτῶν πλέω 30
παρήσομεν, τὰ δέ οἱ παρέσχε τε πόνον πλεῖστον καὶ
ἀξιαπηγητότατά ἐστιν, τούτων ἐπιμνήσομαι. Κῦρος ἐπείτε 178
τὰ πάντα τῆς ἠπείρου ὑποχείρια ἐποιήσατο, Ἀσσυρίοισιν
ἐπετίθετο. τῆς δὲ Ἀσσυρίης ἐστὶ μέν κου καὶ ἄλλα

πολίσματα μεγάλα πολλά, τὸ δὲ ὀνομαστότατον καὶ
ἰσχυρότατον καὶ ἔνθα σφι Νίνου ἀναστάτου γενομένης
τὰ βασιλήια κατεστήκει, ἦν Βαβυλών, ἐοῦσα τοιαύτη
δή τις πόλις. κεῖται ἐν πεδίῳ μεγάλῳ, μέγαθος ἐοῦσα
5 μέτωπον ἕκαστον εἴκοσι καὶ ἑκατὸν σταδίων, ἐούσης
τετραγώνου· οὗτοι στάδιοι τῆς περιόδου τῆς πόλιος
γίνονται συνάπαντες ὀγδώκοντα καὶ τετρακόσιοι. τὸ μέν
νυν μέγαθος τοσοῦτό ἐστι τοῦ ἄστεος τοῦ Βαβυλωνίου,
ἐκεκόσμητο δὲ ὡς οὐδὲν ἄλλο πόλισμα, τῶν ἡμεῖς ἴδμεν.
10 τάφρος μὲν πρῶτά μιν βαθεῖα τε καὶ εὐρεῖα καὶ
πλέη ὕδατος περιθεῖ, μετὰ δὲ τεῖχος πεντήκοντα μὲν
πηχέων βασιληίων ἐὸν τὸ εὖρος, ὕψος δὲ διηκοσίων
πηχέων. ὁ δὲ βασιλήιος πῆχυς τοῦ μετρίου ἐστὶ πήχεος
179 μέζων τρισὶ δακτύλοισιν. δεῖ δή με πρὸς τούτοισιν ἔτι
15 φράσαι, ἵνα τε ἐκ τῆς τάφρου ἡ γῆ ἀναισιμώθη, καὶ τὸ
τεῖχος ὅντινα τρόπον ἔργαστο. ὀρύσσοντες ἅμα τὴν
τάφρον ἐπλίνθευον τὴν γῆν τὴν ἐκ τοῦ ὀρύγματος ἐκ-
φερομένην, ἑλκύσαντες δὲ πλίνθους ἱκανὰς ὤπτησαν αὐτὰς
ἐν καμίνοισιν· μετὰ δὲ τέλματι χρεώμενοι ἀσφάλτῳ θερμῇ
20 καὶ διὰ τριήκοντα δόμων πλίνθου ταρσοὺς καλάμων
διαστοιβάζοντες, ἔδειμαν πρῶτα μὲν τῆς τάφρου τὰ
χείλεα, δεύτερα δὲ αὐτὸ τὸ τεῖχος τὸν αὐτὸν τρόπον.
ἐπάνω δὲ τοῦ τείχεος παρὰ τὰ ἔσχατα οἰκήματα μουνό-
κωλα ἔδειμαν, τετραμμένα ἐς ἄλληλα· τὸ μέσον δὲ τῶν
25 οἰκημάτων ἔλιπον τεθρίππῳ περιέλασιν. πύλαι δὲ ἐνεστᾶσι
πέριξ τοῦ τείχεος ἑκατόν, χάλκεαι πᾶσαι, καὶ σταθμοί
τε καὶ ὑπέρθυρα ὡσαύτως. ἔστι δὲ ἄλλη πόλις ἀπέχουσα
ὀκτὼ ἡμερέων ὁδὸν ἀπὸ Βαβυλῶνος· Ἴς ὄνομα αὐτῇ.
ἔνθα ἐστὶ ποταμὸς οὐ μέγας· Ἴς καὶ τῷ ποταμῷ τὸ ὄνομα.
30 ἐσβάλλει δὲ οὗτος ἐς τὸν Εὐφρήτην ποταμόν. οὗτος ὢν
ὁ Ἴς ποταμὸς ἅμα τῷ ὕδατι θρόμβους ἀσφάλτου ἀνα-
διδοῖ πολλούς, ἔνθεν ἡ ἄσφαλτος ἐς τὸ ἐν Βαβυλῶνι
180 τεῖχος ἐκομίσθη. ἐτετείχιστο μέν νυν ἡ Βαβυλὼν τρόπῳ
τοιῷδε, ἔστι δὲ δύο φάρσεα τῆς πόλιος. τὸ γὰρ

μέσον αὐτῆς ποταμὸς διέργει, τῷ ὄνομά ἐστιν Εὐφρήτης,
ῥεῖ δὲ ἐξ Ἀρμενίων, ἐὼν μέγας καὶ βαθὺς καὶ ταχύς·
ἐξιεῖ δὲ οὗτος ἐς τὴν Ἐρυθρὴν θάλασσαν. τὸ ὧν δὴ
τεῖχος ἑκάτερον τοὺς ἀγκῶνας ἐς τὸν ποταμὸν ἐλήλαται·
τὸ δὲ ἀπὸ τούτου αἱ ἐπικαμπαὶ παρὰ χεῖλος ἑκάτερον 5
τοῦ ποταμοῦ αἱμασιὴ πλίνθων ὀπτέων παρατείνει. τὸ δὲ
ἄστυ αὐτὸ ἐὸν πλῆρες οἰκιῶν τριωρόφων τε καὶ τετρω-
ρόφων κατατέτμηται τὰς ὁδοὺς ἰθείας, τάς τε ἄλλας καὶ
τὰς ἐπικαρσίας τὰς ἐπὶ τὸν ποταμὸν ἐχούσας. κατὰ δὴ
ὧν ἑκάστην ὁδὸν ἐν τῇ αἱμασιῇ τῇ παρὰ τὸν ποταμὸν 10
πυλίδες ἐπῆσαν, ὅσαι περ αἱ λαῦραι, τοσαῦται ἀριθμόν.
ἦσαν δὲ καὶ αὗται χάλκεαι, φέρουσαι καὶ αὐταὶ ἐς αὐτὸν
τὸν ποταμόν. τοῦτο μὲν δὴ τὸ τεῖχος θώρηξ ἐστίν, 181
ἕτερον δὲ ἔσωθεν τεῖχος περιθεῖ, οὐ πολλῷ τεῳ ἀσθενέ-
στερον τοῦ ἑτέρου τείχεος, στεινότερον δέ. ἐν δὲ φάρσει 15
ἑκατέρῳ τῆς πόλιος ἐτετείχιστο ἐν μέσῳ ἐν τῷ μὲν τὰ
βασιλήια περιβόλῳ τε μεγάλῳ καὶ ἰσχυρᾷ, ἐν δὲ τῷ ἑτέρῳ
Διὸς Βήλου ἱρὸν χαλκόπυλον, καὶ ἐς ἐμὲ ἔτι τοῦτο ἐόν,
δύο σταδίων πάντῃ, ἐὸν τετράγωνον. ἐν μέσῳ δὲ τοῦ
ἱροῦ πύργος στερεὸς οἰκοδόμηται, σταδίου καὶ τὸ 20
μῆκος καὶ τὸ εὖρος, καὶ ἐπὶ τούτῳ τῷ πύργῳ ἄλλος
πύργος ἐπιβέβηκεν, καὶ ἕτερος μάλα ἐπὶ τούτῳ, μέχρις οὗ
ὀκτὼ πύργων. ἀνάβασις δὲ ἐς αὐτοὺς ἔξωθεν κύκλῳ
περὶ πάντας τοὺς πύργους ἔχουσα πεποίηται. μεσοῦντι
δέ κου τῆς ἀναβάσιός ἐστι καταγωγή τε καὶ θῶκοι ἀμ- 25
παυστήριοι, ἐν τοῖς κατίζοντες ἀμπαύονται οἱ ἀναβαί-
νοντες. ἐν δὲ τῷ τελευταίῳ πύργῳ νηὸς ἔπεστι μέγας·
ἐν δὲ τῷ νηῷ κλίνη μεγάλη κεῖται εὖ ἐστρωμένη καὶ οἱ
τράπεζα παράκειται χρυσῆ. ἄγαλμα δὲ οὐκ ἔνι οὐδὲν
αὐτόθι ἐνιδρυμένον· οὐδὲ νύκτα οὐδεὶς ἐναυλίζεται ἀν- 30
θρώπων ὅτι μὴ γυνὴ μούνη τῶν ἐπιχωρίων, τὴν ἂν ὁ
θεὸς ἕληται ἐκ πασέων, ὡς λέγουσιν οἱ Χαλδαῖοι, ἐόντες
ἱρεῖς τούτου τοῦ θεοῦ. φασὶ δὲ οἱ αὐτοὶ οὗτοι, ἐμοὶ 182
μὲν οὐ πιστὰ λέγοντες, τὸν θεὸν αὐτὸν φοιτᾶν τε ἐς

τὸν νηὸν καὶ ἀμπαύεσθαι ἐπὶ τῆς κλίνης, κατά περ ἐν
Θήβῃσι τῇσιν Αἰγυπτίῃσι κατὰ τὸν αὐτὸν τρόπον, ὡς
λέγουσιν οἱ Αἰγύπτιοι (καὶ γὰρ δὴ ἐκεῖθι κοιμᾶται ἐν
τῷ τοῦ Διὸς τοῦ Θηβαιέος γυνή, ἀμφότεραι δὲ αὗται
λέγονται ἀνδρῶν οὐδαμῶν ἐς ὁμιλίην φοιτᾶν), καὶ κατά
περ ἐν Πατάροισι τῆς Λυκίης ἡ πρόμαντις τοῦ θεοῦ,
ἐπεὰν γένηται· οὐ γὰρ ὦν αἰεί ἐστι χρηστήριον αὐτόθι·
ἐπεὰν δὲ γένηται, τότε ὦν συγκατακλήεται τὰς νύκτας
183 ἔσω ἐν τῷ νηῷ. ἔστι δὲ τοῦ ἐν Βαβυλῶνι ἱροῦ καὶ
ἄλλος κάτω νηός, ἔνθα ἄγαλμα μέγα τοῦ Διὸς ἔνι
καθήμενον χρύσεον, καὶ οἱ τράπεζα μεγάλη παράκειται
χρυσῆ, καὶ τὸ βάθρον οἱ καὶ ὁ θρόνος χρύσεός ἐστιν.
καὶ ὡς ἔλεγον οἱ Χαλδαῖοι, ταλάντων ὀκτακοσίων χρυσίου
πεποίηται ταῦτα. ἔξω δὲ τοῦ νηοῦ βωμός ἐστι χρύσεος.
ἔστι δὲ καὶ ἄλλος βωμὸς μέγας, ἐπ᾽ οὗ θύεται τὰ τέλεα
τῶν προβάτων· ἐπὶ γὰρ τοῦ χρυσέου βωμοῦ οὐκ ἔξεστι
θύειν ὅτι μὴ γαλαθηνὰ μοῦνα, ἐπὶ δὲ τοῦ μέζονος βωμοῦ
καὶ καταγίζουσι λιβανωτοῦ χίλια τάλαντα ἔτεος ἑκάστου
οἱ Χαλδαῖοι τότε, ἐπεὰν τὴν ὁρτὴν ἄγωσι τῷ θεῷ τούτῳ·
ἦν δὲ ἐν τῷ τεμένει τούτῳ ἔτι τὸν χρόνον ἐκεῖνον καὶ
ἀνδριὰς δυώδεκα πηχέων χρύσεος στερεός. ἐγὼ μέν μιν
οὐκ εἶδον, τὰ δὲ λέγεται ὑπὸ Χαλδαίων, ταῦτα λέγω.
τούτῳ τῷ ἀνδριάντι Δαρεῖος μὲν ὁ Ὑστάσπεος ἐπιβου-
λεύσας οὐκ ἐτόλμησε λαβεῖν, Ξέρξης δὲ ὁ Δαρείου ἔλαβε
καὶ τὸν ἱρέα ἀπέκτεινεν ἀπαγορεύοντα μὴ κινεῖν τὸν
ἀνδριάντα. τὸ μὲν δὴ ἱρὸν τοῦτο οὕτω κεκόσμηται, ἔστι
δὲ καὶ ἴδια ἀναθήματα πολλά.

184   Τῆς δὲ Βαβυλῶνος ταύτης πολλοὶ μέν κου καὶ ἄλλοι
ἐγένοντο βασιλεῖς, τῶν ἐν τοῖς Ἀσσυρίοισι λόγοισι μνήμην
ποιήσομαι, οἳ τὰ τείχεά τε ἐπεκόσμησαν καὶ τὰ ἱρά, ἐν
δὲ δὴ καὶ γυναῖκες δύο· ἡ μὲν πρότερον ἄρξασα, τῆς
ὕστερον γενεῇσι πέντε πρότερον γενομένη, τῇ ὄνομα ἦν
Σεμίραμις, αὕτη μὲν ἀπεδέξατο χώματα ἀνὰ τὸ πεδίον
ἐόντα ἀξιοθέητα· πρότερον δὲ ἐώθει ὁ ποταμὸς ἀνὰ τὸ

πεδίον πᾶν πελαγίζειν. ἡ δὲ δὴ δεύτερον γενομένη 185
ταύτης βασίλεια, τῇ ὄνομα ἦν Νίτωκρις, αὕτη δὲ συνε-
τωτέρη γενομένη τῆς πρότερον ἀρξάσης τοῦτο μὲν μνη-
μόσυνα ἐλίπετο, τὰ ἐγὼ ἀπηγήσομαι, τοῦτο δὲ τὴν Μήδων
ὁρῶσα ἀρχὴν μεγάλην τε καὶ οὐκ ἀτρεμίζουσαν, ἀλλ' 5
ἄλλα τε ἀραιρημένα ἄστεα αὐτοῖσιν, ἐν δὲ δὴ καὶ τὴν
Νίνον, προεφυλάξατο ὅσα ἐδύνατο μάλιστα. πρῶτα μὲν
τὸν Εὐφρήτην ποταμὸν ῥέοντα πρότερον ἰθύν,
ὅς σφι διὰ τῆς πόλιος μέσης ῥεῖ, τοῦτον ἄνωθεν διώ-
ρυχας ὀρύξασα οὕτω δή τι ἐποίησε σκολιόν, ὥστε δὴ 10
τρὶς ἐς τῶν τινα κωμέων τῶν ἐν τῇ Ἀσσυρίῃ ἀπικνεῖται
ῥέων. τῇ δὲ κώμῃ ὄνομά ἐστιν, ἐς τὴν ἀπικνεῖται ὁ
Εὐφρήτης, Ἀρδέρικκα. καὶ νῦν οἳ ἂν κομίζωνται ἀπὸ
τῆσδε τῆς θαλάσσης ἐς Βαβυλῶνα, καταπλέοντες τὸν
Εὐφρήτην ποταμὸν τρίς τε ἐς τὴν αὐτὴν ταύτην κώμην 15
παραγίνονται καὶ ἐν τρισὶν ἡμέρῃσιν. τοῦτο μὲν δὴ
τοιοῦτο ἐποίησεν, χῶμα δὲ παρέχωσε παρ' ἑκάτερον τοῦ
ποταμοῦ τὸ χεῖλος ἄξιον θώματος, μέγαθος καὶ ὕψος
ὅσον τι ἐστίν. κατύπερθε δὲ πολλῷ Βαβυλῶνος ὤρυσσεν
ἔλυτρον λίμνῃ, ὀλίγον τι παρατείνουσα ἀπὸ τοῦ ποτα- 20
μοῦ, βάθος μὲν ἐς τὸ ὕδωρ αἰεὶ ὀρύσσουσα, εὖρος δὲ τὸ
περίμετρον αὐτοῦ ποιεῦσα εἴκοσί τε καὶ τετρακοσίων
σταδίων· τὸν δὲ ὀρυσσόμενον χοῦν ἐκ τούτου τοῦ ὀρύ-
γματος ἀναισίμου παρὰ τὰ χείλεα τοῦ ποταμοῦ παρα-
χέουσα. ἐπείτε δέ οἱ ὀρώρυκτο, λίθους ἀγαγομένη κρη- 25
πῖδα κύκλῳ περὶ αὐτὴν ἤλασεν. ἐποίει δὲ ἀμφότερα
ταῦτα, τόν τε ποταμὸν σκολιὸν καὶ τὸ ὄρυγμα πᾶν ἕλος,
ὡς ὅ τε ποταμὸς βραδύτερος εἴη περὶ καμπὰς πολλὰς
ἀγνύμενος, καὶ οἱ πλόοι ἔωσι σκολιοὶ ἐς τὴν Βαβυλῶνα,
ἔκ τε τῶν πλόων ἐκδέκηται περίοδος τῆς λίμνης μακρή. 30
κατὰ τοῦτο δὲ ἐργάζετο τῆς χώρης, τῇ αἵ τε ἐσβολαὶ
ἦσαν καὶ τὰ σύντομα τῆς ἐκ Μήδων ὁδοῦ, ἵνα
μὴ ἐπιμισγόμενοι οἱ Μῆδοι ἐκμανθάνοιεν αὐτῆς τὰ
πρήγματα.

186 Ταῦτα μὲν δὴ ἐκ βάθεος περιεβάλετο, τοιήνδε δὲ
ἐξ αὐτῶν παρενθήκην ἐποιήσατο. τῆς πόλιος ἐούσης
δύο φαρσέων, τοῦ δὲ ποταμοῦ μέσον ἔχοντος, ἐπὶ τῶν
πρότερον βασιλέων, ὅκως τις ἐθέλοι ἐκ τοῦ ἑτέρου φάρ-
5 σεος ἐς τούτερον διαβῆναι, χρῆν πλοίῳ διαβαίνειν, καὶ
ἦν, ὡς ἐγὼ δοκέω, ὀχληρὸν τοῦτο. αὕτη δὲ καὶ τοῦτο
προεῖδεν· ἐπείτε γὰρ ὤρυσσε τὸ ἔλυτρον τῇ λίμνῃ, μνη-
μόσυνον τόδε ἄλλο ἀπὸ τοῦ αὐτοῦ ἔργου ἐλίπετο. ἐτά-
μνετο λίθους περιμήκεας, ὡς δέ οἱ ἦσαν οἱ λίθοι ἕτοιμοι
10 καὶ τὸ χωρίον ὀρώρυκτο, ἐκτρέψασα τοῦ ποταμοῦ τὸ
ῥεῖθρον πᾶν ἐς τὸ ὤρυξε χωρίον, ἐν ᾧ ἐπίμπλατο τοῦτο,
ἐν τούτῳ ἀπεξηρασμένου τοῦ ἀρχαίου ῥείθρου, τοῦτο
μὲν τὰ χείλεα τοῦ ποταμοῦ κατὰ τὴν πόλιν καὶ τὰς
καταβάσιας τὰς ἐκ τῶν πυλίδων ἐς τὸν ποταμὸν φερούσας
15 ἀνοικοδόμησε πλίνθοισιν ὀπτῇσι κατὰ τὸν αὐτὸν λόγον
τῷ τείχει, τοῦτο δὲ κατὰ μέσην κου μάλιστα τὴν πόλιν
τοῖσι λίθοισιν, τοὺς ὠρύξατο, οἰκοδόμει γέφυραν, δέουσα
τοὺς λίθους σιδήρῳ τε καὶ μολύβδῳ. ἐπιτείνεσκε δὲ ἐπ’
αὐτήν, ὅκως μὲν ἡμέρη γένοιτο, ξύλα τετράγωνα, ἐπ’ ὧν
20 τὴν διάβασιν ἐποιεῦντο οἱ Βαβυλώνιοι· τὰς δὲ νύκτας
τὰ ξύλα ταῦτα ἀπαίρεσκον τοῦδε εἵνεκα, ἵνα μὴ διαφοι-
τῶντες τὰς νύκτας κλέπτοιεν παρ’ ἀλλήλων. ὡς δὲ τό
τε ὀρυχθὲν λίμνη πλήρης ἐγεγόνει ὑπὸ τοῦ ποταμοῦ καὶ
τὰ περὶ τὴν γέφυραν ἐκεκόσμητο, τὸν Εὐφρήτην ποταμὸν
25 ἐς τὰ ἀρχαῖα ῥεῖθρα ἐκ τῆς λίμνης ἐξήγαγεν· καὶ οὕτω
τὸ ὀρυχθὲν ἕλος γενόμενον ἐς δέον ἐδόκει γεγονέναι καὶ
τοῖς πολιήτῃσι γέφυρα ἦν κατεσκευασμένη.

187 Ἡ δ’ αὐτὴ αὕτη βασίλεια καὶ ἀπάτην τοιήνδε
τινὰ ἐμηχανήσατο. ὑπὲρ τῶν μάλιστα λεωφόρων
30 πυλέων τοῦ ἄστεος τάφον ἑωυτῇ κατεσκευάσατο μετέω-
ρον ἐπιπολῆς αὐτέων τῶν πυλέων, ἐνεκόλαψε δὲ ἐς τὸν
τάφον γράμματα λέγοντα τάδε· „Τῶν τις ἐμέο ὕστερον
γινομένων Βαβυλῶνος βασιλέων ἢν σπανίσῃ χρημάτων,
ἀνοίξας τὸν τάφον λαβέτω ὁκόσα βούλεται χρήματα·

μὴ μέντοι γε, μὴ σπανίσας γε, ἄλλως ἀνοίξῃ. οὐ γὰρ
ἄμεινον." οὗτος ὁ τάφος ἦν ἀκίνητος μέχρις οὐ ἐς
Δαρεῖον περιῆλθεν ἡ βασιληίη. Δαρείῳ δὲ καὶ δεινὸν
ἐδόκει εἶναι τῇσι πύλῃσι ταύτῃσι μηδὲν χρῆσθαι καὶ
χρημάτων κειμένων καὶ αὐτῶν τῶν γραμμάτων ἐπικαλεο- 5
μένων μὴ οὐ λαβεῖν αὐτά. τῇσι δὲ πύλῃσι ταύτῃσιν
οὐδὲν ἐχρῆτο τοῦδε εἵνεκα, ὅτι ὑπὲρ κεφαλῆς οἱ ἐγίνετο
ὁ νεκρὸς διεξελαύνοντι. ἀνοίξας δὲ τὸν τάφον εὗρε
χρήματα μὲν οὔ, τὸν δὲ νεκρὸν καὶ γράμματα λέγοντα
τάδε· „Εἰ μὴ ἄπληστός τε ἔας χρημάτων καὶ αἰσχρο- 10
κερδής, οὐκ ἂν νεκρῶν θήκας ἀνέῳγες." αὕτη μέν νυν
ἡ βασίλεια τοιαύτη τις λέγεται γενέσθαι.

Ὁ δὲ δὴ Κῦρος ἐπὶ ταύτης τῆς γυναικὸς τὸν παῖδα 188
ἐστρατεύετο, ἔχοντά τε τοῦ πατρὸς τοῦ ἑωυτοῦ τοὔνομα
Δαβυνήτου καὶ τὴν Ἀσσυρίων ἀρχήν. στρατεύεται δὲ 15
δὴ βασιλεὺς ὁ μέγας καὶ σιτίοισιν εὖ ἐσκευασμένος ἐξ
οἴκου καὶ προβάτοισιν, καὶ δὴ καὶ ὕδωρ ἀπὸ τοῦ Χοά-
σπεω ποταμοῦ ἅμα ἄγεται τοῦ παρὰ Σοῦσα ῥέοντος,
τοῦ μούνου πίνει βασιλεὺς καὶ ἄλλου οὐδενὸς ποταμοῦ.
τούτου δὲ τοῦ Χοάσπεω τοῦ ὕδατος ἀπεψημένου πολλαὶ 20
κάρτα ἄμαξαι τετράκυκλοι ἡμιόνειαι κομίζουσαι ἐν ἀγ-
γηίοισιν ἀργυρέοισιν ἕπονται, ὅκῃ ἂν ἐλαύνῃ ἑκάστοτε.
ἐπείτε δὲ ὁ Κῦρος πορευόμενος ἐπὶ τὴν Βαβυ- 189
λῶνα ἐγίνετο ἐπὶ Γύνδῃ ποταμῷ, τοῦ αἱ μὲν πηγαὶ
ἐν Ματιηνοῖσιν ὄρεσιν, ῥεῖ δὲ διὰ Δαρδανέων, ἐκδιδοῖ δὲ 25
ἐς ἕτερον ποταμὸν Τίγρην, ὁ δὲ παρὰ Ὦπιν πόλιν ῥέων
ἐς τὴν Ἐρυθρὴν θάλασσαν ἐκδιδοῖ, τοῦτον δὴ τὸν Γύνδην
ποταμὸν ὡς διαβαίνειν ἐπειρᾶτο ὁ Κῦρος ἐόντα νηυσι-
πέρητον, ἐνθαῦτά οἱ τῶν τις ἱρῶν ἵππων τῶν λευκῶν
ὑπὸ ὕβριος ἐσβὰς ἐς τὸν ποταμὸν διαβαίνειν ἐπειρᾶτο, 30
ὁ δέ μιν συμψήσας ὑποβρύχιον οἰχώκει φέρων. κάρτα
τε δὴ ἐχαλέπαινε τῷ ποταμῷ ὁ Κῦρος τοῦτο ὑβρίσαντι
καί οἱ ἐπηπείλησεν, οὕτω δή μιν ἀσθενέα ποιήσειν, ὥστε
τοῦ λοιποῦ καὶ γυναῖκάς μιν εὐπετέως τὸ γόνυ οὐ βρε-

χούσας διαβήσεσθαι. μετὰ δὲ τὴν ἀπειλὴν μετεὶς τὴν
ἐπὶ Βαβυλῶνα στράτευσιν διαίρει τὴν στρατιὴν
δίχα, διελὼν δὲ κατέτεινε σχοινοτενέας ὑποδέξας διώρυ-
χας ὀγδώκοντα καὶ ἑκατὸν παρ' ἑκάτερον τὸ χεῖλος τοῦ
5 Γύνδεω τετραμμένας πάντα τρόπον, διατάξας δὲ τὸν
στρατὸν ὀρύσσειν ἐκέλευεν. οἷα δὲ ὁμίλου πολλοῦ ἐργα-
ζομένου ἤνετο μὲν τὸ ἔργον, ὅμως μέντοι τὴν θερείην
πᾶσαν αὐτοῦ ταύτῃ διέτριψαν ἐργαζόμενοι.

190   Ὡς δὲ τὸν Γύνδην ποταμὸν ἐτείσατο Κῦρος ἐς
10 τριηκοσίας καὶ ἑξήκοντα διώρυχάς μιν διαλαβών, καὶ τὸ
δεύτερον ἔαρ ὑπέλαμπεν, οὕτω δὴ ἤλαυνεν ἐπὶ τὴν
Βαβυλῶνα. οἱ δὲ Βαβυλώνιοι ἐκστρατευσάμενοι ἔμενον
αὐτόν. ἐπεὶ δὲ ἐγένετο ἐλαύνων ἀγχοῦ τῆς πόλιος,
συνέβαλόν τε οἱ Βαβυλώνιοι καὶ ἑσσωθέντες τῇ μάχῃ
15 κατειλήθησαν ἐς τὸ ἄστυ. οἷα δὲ ἐξεπιστάμενοι ἔτι πρό-
τερον τὸν Κῦρον οὐκ ἀτρεμίζοντα, ἀλλ' ὁρῶντες αὐτὸν
παντὶ ἔθνει ὁμοίως ἐπιχειρέοντα, προεσάξαντο σιτία
ἐτέων κάρτα πολλῶν. ἐνθαῦτα οὗτοι μὲν λόγον εἶχον
τῆς πολιορκίης οὐδένα, Κῦρος δὲ ἀπορίῃσιν ἐνείχετο, ἅτε
20 χρόνου τε ἐγγινομένου συχνοῦ ἀνωτέρω τε οὐδὲν τῶν
191·πρηγμάτων προκοπτομένων. εἴτε δὴ ὦν ἄλλος οἱ ἀπο-
ρέοντι ὑπεθήκατο, εἴτε καὶ αὐτὸς ἔμαθε τὸ ποιητέον οἱ
ἦν, ἐποίει δὴ τοιόνδε· τάξας τὴν στρατιὴν ἅπασαν
ἐξ ἐμβολῆς τοῦ ποταμοῦ, τῇ ἐς τὴν πόλιν ἐσβάλλει,
25 καὶ ὄπισθε αὖτις τῆς πόλιος τάξας ἑτέρους, τῇ ἔξιεῖ ἐκ
τῆς πόλιος ὁ ποταμός, προεῖπε τῷ στρατῷ, ὅταν διαβατὸν
τὸ ῥεῖθρον ἴδωνται γενόμενον, ἐσιέναι ταύτῃ ἐς τὴν
πόλιν. οὕτω τε δὴ τάξας καὶ κατὰ ταῦτα παραινέσας
ἀπήλαυνεν αὐτὸς σὺν τῷ ἀχρηίῳ τοῦ στρατοῦ. ἀπικό-
30 μενος δὲ ἐπὶ τὴν λίμνην, τά περ ἡ τῶν Βαβυλωνίων
βασίλεια ἐποίησε κατά τε τὸν ποταμὸν καὶ κατὰ τὴν
λίμνην, ἐποίει καὶ ὁ Κῦρος ἕτερα τοιαῦτα· τὸν γὰρ ποτα-
μὸν διώρυχι ἐσαγαγὼν ἐς τὴν λίμνην ἐοῦσαν ἕλος, τὸ
ἀρχαῖον ῥεῖθρον διαβατὸν εἶναι ἐποίησεν ὑπονοστήσαντος

τοῦ ποταμοῦ. γενομένου δὲ τούτου τοιούτου οἱ Πέρσαι,
οἵ περ ἐτετάχατο ἐπ' αὐτῷ τούτῳ κατὰ τὸ ρεῖθρον τοῦ
Εὐφρήτεω ποταμοῦ ὑπονενοστηκότος ἀνδρὶ ὡς ἐς μέσον
μηρὸν μάλιστά κη, κατὰ τοῦτο ἐσῇσαν ἐς τὴν Βαβυ-
λῶνα. εἰ μέν νυν προεπύθοντο ἢ ἔμαθον οἱ Βαβυ- 5
λώνιοι τὸ ἐκ τοῦ Κύρου ποιεύμενον, οἱ δ' ἂν περιιδόντες
τοὺς Πέρσας ἐσελθεῖν ἐς τὴν πόλιν διέφθειραν κάκιστα·
κατακλῄσαντες γὰρ ἂν πάσας τὰς ἐς τὸν ποταμὸν πυλίδας
ἐχούσας καὶ αὐτοὶ ἐπὶ τὰς αἱμασιὰς ἀναβάντες τὰς παρὰ
τὰ χείλεα τοῦ ποταμοῦ ἐληλαμένας, ἔλαβον ἄν σφεας ὡς 10
ἐν κύρτῃ. νῦν δὲ ἐξ ἀπροσδοκήτου σφι παρέστησαν οἱ
Πέρσαι. ὑπὸ δὲ μεγάθεος τῆς πόλιος, ὡς λέγεται ὑπὸ
τῶν ταύτῃ οἰκημένων, τῶν περὶ τὰ ἔσχατα τῆς πόλιος
ἡλωκότων τοὺς τὸ μέσον οἰκέοντας τῶν Βαβυλωνίων οὐ
μανθάνειν ἡλωκότας, ἀλλά (τυχεῖν γάρ σφιν ἐοῦσαν 15
ὁρτήν) χορεύειν τε τοῦτον τὸν χρόνον καὶ ἐν εὐπαθείῃσιν
εἶναι, ἐς ὃ δὴ καὶ τὸ κάρτα ἐπύθοντο. καὶ Βαβυλὼν
μὲν οὕτω τότε πρῶτον ἀραίρητο.

Τὴν δὲ δύναμιν τῶν Βαβυλωνίων πολλοῖσι μὲν 192
καὶ ἄλλοισι δηλώσω ὅση τις ἐστίν, ἐν δὲ δὴ καὶ τῷδε. 20
βασιλεῖ τῷ μεγάλῳ ἐς τροφὴν αὐτοῦ τε καὶ τῆς στρατιῆς
διαραίρηται, πάρεξ τοῦ φόρου, γῆ πᾶσα ὅσης ἄρχει. δυώ-
δεκα ὦν μηνῶν ἐόντων ἐς τὸν ἐνιαυτὸν τοὺς τέσσερας
μῆνας τρέφει μιν ἡ Βαβυλωνίη χώρη, τοὺς δὲ ὀκτὼ τῶν
μηνῶν ἡ λοιπὴ πᾶσα Ἀσίη. οὕτω τριτημορίη ἡ Ἀσσυρίη 25
χώρη τῇ δυνάμει τῆς ἄλλης Ἀσίης. καὶ ἡ ἀρχὴ τῆς
χώρης ταύτης, τὴν οἱ Πέρσαι σατραπηίην καλέουσι,
ἐστὶν ἀπασέων τῶν ἀρχέων πολλόν τι κρατίστη, ὅκου
Τριτανταίχμῃ τῷ Ἀρταβάζου ἐκ βασιλέος ἔχοντι τὸν
νομὸν τοῦτον ἀργυρίου μὲν προσῆεν ἑκάστης ἡμέρης 30
ἀρτάβη μεστή (ἡ δὲ ἀρτάβη μέτρον ἐὸν Περσικὸν χωρεῖ
μεδίμνου Ἀττικοῦ πλέον χοίνιξι τρισὶν Ἀττικῇσιν), ἵπποι
δέ οἱ αὐτοῦ ἦσαν ἰδίῃ, πάρεξ τῶν πολεμιστηρίων, οἱ μὲν
ἀναβαίνοντες τὰς θηλείας ὀκτακόσιοι, αἱ δὲ βαινόμεναι

ἑξακισχίλιαι καὶ μύριαι· ἀνέβαινε γὰρ ἕκαστος τῶν ἐρσέ-
νων τούτων εἴκοσι ἵππους. κυνῶν δὲ Ἰνδικῶν τοσοῦτο
δή τι πλῆθος ἐτρέφετο, ὥστε τέσσερες τῶν ἐν τῷ πεδίῳ
κῶμαι μεγάλαι, τῶν ἄλλων ἐοῦσαι ἀτελεῖς, τοῖς κυσὶ
5 προσετετάχατο σιτία παρέχειν. τοιαῦτα μὲν τῷ ἄρχοντι
193 τῆς Βαβυλῶνος ὑπῆρχεν ἐόντα. ἡ δὲ γῆ τῶν Ἀσσυ-
ρίων ὕεται μὲν ὀλίγῳ, καὶ τὸ ἐκτρέφον τὴν ῥίζαν
τοῦ σίτου ἐστὶ τοῦτο. ἀρδόμενον μέντοι ἐκ τοῦ ποταμοῦ
ἀδρύνεταί τε τὸ λήιον καὶ παραγίνεται ὁ σῖτος, οὐ κατά
10 περ ἐν Αἰγύπτῳ αὐτοῦ τοῦ ποταμοῦ ἀναβαίνοντος ἐς
τὰς ἀρούρας, ἀλλὰ χερσί τε καὶ κηλωνηίοισιν ἀρδόμενος.
ἡ γὰρ Βαβυλωνίη χώρη πᾶσα, κατά περ ἡ Αἰγυπτίη,
κατατέτμηται ἐς διώρυχας· καὶ ἡ μεγίστη τῶν διωρύχων
ἐστὶ νηυσιπέρητος, πρὸς ἥλιον τετραμμένη τὸν χειμερι-
15 νόν, ἐσέχει δὲ ἐς ἄλλον ποταμὸν ἐκ τοῦ Εὐφρήτεω, ἐς
τὸν Τίγρην, παρ' ὃν Νίνος πόλις οἴκητο. ἔστι δὲ χω-
ρέων αὕτη πασέων μακρῷ ἀρίστη, τῶν ἡμεῖς ἴδμεν,
Δήμητρος καρπὸν ἐκφέρειν. τὰ γὰρ δὴ ἄλλα δέν-
δρεα οὐδὲ πειρᾶται ἀρχὴν φέρειν, οὔτε συκῆν οὔτε ἄμ-
20 πελον οὔτε ἐλαίην. τὸν δὲ τῆς Δήμητρος καρπὸν ὧδε
ἀγαθὴ ἐκφέρειν ἐστὶν ὥστε ἐπὶ διηκόσια μὲν τὸ παράπαν
ἀποδιδοῖ, ἐπεὰν δὲ ἄριστα αὐτὴ ἑωυτῆς ἐνείκῃ, ἐπὶ τριη-
κόσια ἐκφέρει. τὰ δὲ φύλλα αὐτόθι τῶν τε πυρῶν καὶ
τῶν κριθέων τὸ πλάτος γίνεται τεσσέρων εὐπετέως
25 δακτύλων. ἐκ δὲ κέγχρου καὶ σησάμου ὅσον τι δέν-
δρον μέγαθος γίνεται, ἐξεπιστάμενος μνήμην οὐ ποιή-
σομαι, εὖ εἰδὼς ὅτι τοῖσι μὴ ἀπιγμένοισιν ἐς τὴν Βαβυ-
λωνίην χώρην καὶ τὰ εἰρημένα καρπῶν ἐχόμενα ἐς ἀπι-
στίην πολλὴν ἀπῖκται. χρέωνται δὲ οὐδὲν ἐλαίῳ, ἀλλ'
30 ἐκ τῶν σησάμων ποιεῦνται. εἰσὶ δέ σφι φοίνικες
πεφυκότες ἀνὰ πᾶν τὸ πεδίον, οἱ πλέονες αὐτῶν καρπο-
φόροι, ἐκ τῶν καὶ σιτία καὶ οἶνον καὶ μέλι ποιεῦνται·
τοὺς συκέων τρόπον θεραπεύουσι τά τε ἄλλα καὶ φοινί-
κων τοὺς ἔρσενας Ἕλληνες καλέουσιν, τούτων τὸν καρπὸν

περιδέουσι τῇσι βαλανηφόροισι τῶν φοινίκων, ἵνα πε-
παίνῃ τέ σφιν ὁ ψὴν τὴν βάλανον ἐσδύνων καὶ μὴ
ἀπορρέῃ ὁ καρπὸς τοῦ φοίνικος· ψῆνας γὰρ δὴ φέρουσιν
ἐν τῷ καρπῷ οἱ ἔρσενες, κατά περ οἱ ὄλυνθοι.

Τὸ δὲ ἁπάντων θῶμα μέγιστόν μοί ἐστι τῶν ταύτῃ 194
μετά γε αὐτὴν τὴν πόλιν, ἔρχομαι φράσων. τὰ πλοῖα 5
αὐτοῖσίν ἐστι τὰ κατὰ τὸν ποταμὸν πορευόμενα
ἐς τὴν Βαβυλῶνα ἐόντα κυκλοτερέα πάντα σκύτινα·
ἐπεὰν γὰρ ἐν τοῖς Ἀρμενίοισι τοῖσι κατύπερθε Ἀσσυρίων
οἰκημένοισι νομέας ἰτέης ταμόμενοι ποιήσωνται, περιτεί- 10
νουσι τούτοισι διφθέρας στεγαστρίδας ἔξωθεν ἐδάφεος
τρόπον, οὔτε πρύμνην ἀποκρίνοντες οὔτε πρῴρην συνά-
γοντες, ἀλλ᾽ ἀσπίδος τρόπον κυκλοτερέα ποιήσαντες καὶ
καλάμης πλήσαντες πᾶν τὸ πλοῖον τοῦτο ἀπιεῖσι κατὰ
τὸν ποταμὸν φέρεσθαι, φορτίων πλήσαντες· μάλιστα δὲ 15
βίκους φοινικηίους κατάγουσιν οἴνου πλέους. ἰθύνεται
δὲ ὑπό τε δύο πλήκτρων καὶ δύο ἀνδρῶν ὀρθῶν ἐστεώ-
των, καὶ ὁ μὲν ἔσω ἕλκει τὸ πλῆκτρον, ὁ δὲ ἔξω ὠθεῖ.
ποιεῖται δὲ καὶ κάρτα μεγάλα ταῦτα τὰ πλοῖα καὶ ἐλάσσω·
τὰ δὲ μέγιστα αὐτῶν καὶ πεντακισχιλίων ταλάντων γόμον 20
ἔχει. ἐν ἑκάστῳ δὲ πλοίῳ ὄνος ζόος ἔνεστιν, ἐν δὲ τοῖς
μέζοσι πλέονες. ἐπεὰν ὦν ἀπίκωνται πλέοντες ἐς τὴν
Βαβυλῶνα καὶ διαθέωνται τὸν φόρτον, νομέας μὲν τοῦ
πλοίου καὶ τὴν καλάμην πᾶσαν ἀπ᾽ ὦν ἐκήρυξαν, τὰς
δὲ διφθέρας ἐπισάξαντες ἐπὶ τοὺς ὄνους ἀπελαύνουσιν 25
ἐς τοὺς Ἀρμενίους. ἀνὰ τὸν ποταμὸν γὰρ δὴ οὐκ οἷά
τέ ἐστι πλεῖν οὐδενὶ τρόπῳ ὑπὸ τάχεος τοῦ ποταμοῦ·
διὰ γὰρ ταῦτα καὶ οὐκ ἐκ ξύλων ποιεῦνται τὰ πλοῖα
ἀλλ᾽ ἐκ διφθερέων. ἐπεὰν δὲ τοὺς ὄνους ἐλαύνοντες
ἀπίκωνται ὀπίσω ἐς τοὺς Ἀρμενίους, ἄλλα τρόπῳ τῷ 30
αὐτῷ ποιεῦνται πλοῖα.

Τὰ μὲν δὴ πλοῖα αὐτοῖσίν ἐστι τοιαῦτα, ἐσθῆτι δὲ 195
τοιῇδε χρέωνται, κιθῶνι ποδηνεκεῖ λινέῳ· καὶ ἐπὶ
τοῦτον ἄλλον εἰρίνεον κιθῶνα ἐπενδύνει καὶ χλανίδιον

λευκὸν περιβαλλόμενος, ὑποδήματα ἔχων ἐπιχώρια, παρα-
πλήσια τῆσι Βοιωτίῃσιν ἐμβάσιν. κομῶντες δὲ τὰς
κεφαλὰς μίτρῃσιν ἀναδέονται, μεμυρισμένοι πᾶν τὸ σῶμα.
σφρηγῖδα δὲ ἕκαστος ἔχει καὶ σκῆπτρον χειροποίη-
5 τον· ἐπ᾽ ἑκάστῳ δὲ σκήπτρῳ ἔπεστι πεποιημένον ἢ μῆλον
ἢ ῥόδον ἢ κρίνον ἢ αἰετὸς ἢ ἄλλο τι· ἄνευ γὰρ ἐπι-
196 σήμου οὔ σφι νόμος ἐστὶν ἔχειν σκῆπτρον. αὕτη μὲν
δή σφιν ἄρτησις περὶ τὸ σῶμά ἐστιν, νόμοι δὲ αὐτοῖσιν
οἵδε κατεστᾶσιν· ὁ μὲν σοφώτατος ὅδε κατὰ γνώμην τὴν
10 ἡμετέρην, τῷ καὶ Ἰλλυριῶν Ἐνετοὺς πυνθάνομαι χρῆσθαι.
κατὰ κώμας ἑκάστας ἅπαξ τοῦ ἔτεος ἑκάστου ἐποιεῖτο
τάδε. ὅσαι αἰεὶ παρθένοι γινοίατο γάμων ὡραῖαι,
ταύτας ὅκως συναγάγοιεν πάσας, ἐς ἓν χωρίον ἐσάγεσκον
ἀλέας, πέριξ δὲ αὐτὰς ἵστατο ὅμιλος ἀνδρῶν· ἀνιστὰς
15 δὲ κατὰ μίαν ἑκάστην κῆρυξ πώλεσκεν, πρῶτα μὲν τὴν
εὐειδεστάτην ἐκ πασέων, μετὰ δέ, ὅκως αὕτη εὑροῦσα
πολλὸν χρυσίον πρηθείη, ἄλλην ἀνεκήρυσσεν, ἣ μετ᾽
ἐκείνην ἔσκεν εὐειδεστάτη. ἐπωλέοντο δὲ ἐπὶ συνοικήσει.
ὅσοι μὲν δὴ ἔσκον εὐδαίμονες τῶν Βαβυλωνίων ἐπίγαμοι,
20 ὑπερβάλλοντες ἀλλήλους ἐξωνέοντο τὰς καλλιστευούσας·
ὅσοι δὲ τοῦ δήμου ἔσκον ἐπίγαμοι, οὗτοι δὲ εἴδεος μὲν
οὐδὲν ἐδέοντο χρηστοῦ, οἱ δ᾽ ἂν χρήματά τε καὶ αἰσχίονας
παρθένους ἐλάμβανον. ὡς γὰρ δὴ διεξέλθοι ὁ κῆρυξ
πωλέων τὰς εὐειδεστάτας τῶν παρθένων, ἀνίστη ἂν τὴν
25 ἀμορφεστάτην ἢ εἴ τις αὐτέων ἔμπηρος εἴη, καὶ ταύτην
ἀνεκήρυσσεν, ὅστις θέλοι ἐλάχιστον χρυσίον λαβὼν συνοι-
κεῖν αὐτῇ, ἐς ὃ τῷ τὸ ἐλάχιστον ὑπισταμένῳ προσέκειτο·
τὸ δὲ ἂν χρυσίον ἐγίνετο ἀπὸ τῶν εὐειδέων παρθένων,
καὶ οὕτω αἱ εὔμορφοι τὰς ἀμόρφους καὶ ἐμπήρους ἐξεδί-
30 δοσαν. ἐκδοῦναι δὲ τὴν ἑωυτοῦ θυγατέρα ὅτεῳ βούλοιτο
ἕκαστος οὐκ ἐξῆν οὐδὲ ἄνευ ἐγγυητέω ἀπαγαγέσθαι τὴν
παρθένον πριάμενον, ἀλλ᾽ ἐγγυητὰς χρῆν καταστήσαντα
ἦ μὲν συνοικήσειν αὐτῇ, οὕτω ἀπάγεσθαι· εἰ δὲ μὴ συμ-
φέροιατο, ἀποφέρειν τὸ χρυσίον ἔκειτο νόμος. ἐξῆν δὲ

καὶ ἐξ ἄλλης ἐλθόντα κώμης τὸν βουλόμενον ὠνεῖσθαι.
ὁ μέν νυν κάλλιστος νόμος οὗτός σφιν ἦν, οὐ μέντοι
νῦν γε διετέλεσεν ἐών, ἄλλο δέ τι ἐξευρήκασι νεωστὶ
γενέσθαι. ἐπείτε γὰρ ἁλόντες ἐκακώθησαν καὶ οἰκο-
φθορήθησαν, πᾶς τις τοῦ δήμου βίου σπανίζων κατα- 5
πορνεύει τὰ θήλεα τέκνα. δεύτερος δὲ σοφίῃ ὅδε ἄλλος 197
σφι νόμος κατέστηκεν. τοὺς κάμνοντας ἐς τὴν ἀγορὴν
ἐκφορέουσιν· οὐ γὰρ δὴ χρέωνται ἰητροῖσιν. προσιόντες
ὧν πρὸς τὸν κάμνοντα συμβουλεύουσι περὶ τῆς νούσου,
εἴ τις καὶ αὐτὸς τοιοῦτο ἔπαθεν ὁκοῖον ἂν ἔχῃ ὁ κάμνων 10
ἢ ἄλλον εἶδε παθόντα· ταῦτα προσιόντες συμβουλεύουσι
καὶ παραινέουσιν, ἄσσα αὐτὸς ποιήσας ἐξέφυγεν ὁμοίην
νοῦσον ἢ ἄλλον εἶδεν ἐκφυγόντα. σιγῇ δὲ παρεξελθεῖν
τὸν κάμνοντα οὔ σφιν ἔξεστιν, πρὶν ἂν ἐπείρηται, ἥντινα
νοῦσον ἔχει. ταφαὶ δέ σφιν ἐν μέλιτι, θρῆνοι δὲ παρα- 198
πλήσιοι τοῖς ἐν Αἰγύπτῳ. ὁσάκις δ᾽ ἂν μιχθῇ γυναικὶ 16
τῇ ἑωυτοῦ ἀνὴρ Βαβυλώνιος, περὶ θυμίημα καταγιζό-
μενον ἵζει, ἑτέρωθι δὲ ἡ γυνὴ τὠυτὸ τοῦτο ποιεῖ.
ὄρθρου δὲ γενομένου λοῦνται καὶ ἀμφότεροι· ἄγγεος
γὰρ οὐδενὸς ἄψονται πρὶν ἂν λούσωνται. ταὐτὰ δὲ 20
ταῦτα καὶ Ἀράβιοι ποιεῦσιν. ὁ δὲ δὴ αἴσχιστος τῶν 199
νόμων ἐστὶ τοῖσι Βαβυλωνίοισιν ὅδε. δεῖ πᾶσαν
γυναῖκα ἐπιχωρίην ἱζομένην ἐς ἱρὸν Ἀφροδίτης ἅπαξ ἐν
τῇ ζοῇ μιχθῆναι ἀνδρὶ ξείνῳ. πολλαὶ δὲ καὶ οὐκ ἀξιού-
μεναι ἀναμίσγεσθαι τῇσιν ἄλλῃσιν οἷα πλούτῳ ὑπερ- 25
φρονέουσαι, ἐπὶ ζευγέων ἐν καμάρῃσιν ἐλάσασαι πρὸς
τὸ ἱρὸν ἑστᾶσιν, θεραπηίη δέ σφιν ὄπισθε ἕπεται πολλή.
αἱ δὲ πλέονες ποιεῦσιν ὧδε· ἐν τεμένει Ἀφροδίτης
καθέαται στέφανον περὶ τῇσι κεφαλῇσιν ἔχουσαι θώμιγ-
γος πολλαὶ γυναῖκες. αἱ μὲν γὰρ προσέρχονται, αἱ δὲ 30
ἀπέρχονται. σχοινοτενεῖς δὲ διέξοδοι πάντα τρόπον ὁδῶν
ἔχουσι διὰ τῶν γυναικῶν, δι᾽ ὧν οἱ ξεῖνοι διεξιόντες
ἐκλέγονται. ἔνθα ἐπεὰν ἵζηται γυνή, οὐ πρότερον ἀπαλ-
λάσσεται ἐς τὰ οἰκία ἤ τίς οἱ ξείνων ἀργύριον ἐμβαλὼν

7 *

ἐς τὰ γούνατα μιχϑῇ ἔξω τοῦ ἱροῦ. ἐμβαλόντα δὲ δεῖ
εἰπεῖν τοσόνδε· „Ἐπικαλέω τοι τὴν ϑεὸν Μύλιττα.“
Μύλιττα δὲ καλέουσι τὴν Ἀφροδίτην Ἀσσύριοι. τὸ δὲ
ἀργύριον μέγαϑός ἐστιν ὅσον ὤν· οὐ γὰρ μὴ ἀπώσηται·
5 οὐ γάρ οἱ ϑέμις ἐστίν· γίνεται γὰρ ἱρὸν τοῦτο τὸ ἀρ-
γύριον. τῷ δὲ πρώτῳ ἐμβαλόντι ἕπεται οὐδὲ ἀποδοκιμᾷ
οὐδένα. ἐπεὰν δὲ μιχϑῇ, ἀποσιωσαμένη τῇ ϑεῷ ἀπαλ-
λάσσεται ἐς τὰ οἰκία, καὶ τὤπὸ τούτου οὐκ οὕτω μέγα
τί οἱ δώσεις, ὥς μιν λάψεαι. ὅσαι μέν νυν εἴδεός τε
10 ἐπαμμέναι εἰσὶ καὶ μεγάϑεος, ταχὺ ἀπαλλάσσονται, ὅσαι
δὲ ἄμορφοι αὐτέων εἰσίν, χρόνον πολλὸν προσμένουσιν
οὐ δυνάμεναι τὸν νόμον ἐκπλῆσαι· καὶ γὰρ τριέτεα καὶ
τετραέτεα μετεξέτεραι χρόνον μένουσιν. ἐνιαχῇ δὲ καὶ
τῆς Κύπρου ἐστὶ παραπλήσιος τούτῳ νόμος.

200 Νόμοι μὲν δὴ τοῖσι Βαβυλωνίοισιν οὗτοι κατεστᾶσιν,
15 εἰσὶ δὲ αὐτῶν πατριαὶ τρεῖς, αἳ οὐδὲν ἄλλο σιτέον-
ται εἰ μὴ ἰχϑῦς μοῦνον, τοὺς ἐπείτε ἂν ϑηρεύσαντες
αὐήνωσι πρὸς ἥλιον, ποιεῦσι τάδε· ἐσβάλλουσιν ἐς ὅλμον
καὶ λεήναντες ὑπέροισι σῶσι διὰ σινδόνος· καὶ ὃς μὲν
20 ἂν βούληται αὐτῶν ἅτε μᾶζαν μαξάμενος ἔδει, ὁ δὲ
ἄρτου τρόπον ὀπτήσας.

201 Ὡς δὲ τῷ Κύρῳ καὶ τοῦτο τὸ ἔϑνος κατέργαστο,
ἐπεϑύμησε Μασσαγέτας ὑπ’ ἐωυτῷ ποιήσασϑαι. τὸ δὲ
ἔϑνος τοῦτο καὶ μέγα λέγεται εἶναι καὶ ἄλκιμον, οἰκη-
25 μένον δὲ πρὸς ἠῶ τε καὶ ἡλίου ἀνατολάς, πέρην τοῦ
Ἀράξεω ποταμοῦ, ἀντίον δὲ Ἰσσηδόνων ἀνδρῶν. εἰσὶ
δὲ οἵτινες καὶ Σκυϑικὸν λέγουσι τοῦτο τὸ ἔϑνος εἶναι.

202 ὁ δὲ Ἀράξης λέγεται καὶ μέζων καὶ ἐλάσσων εἶναι τοῦ
Ἴστρου. νήσους δὲ ἐν αὐτῷ Λέσβῳ μεγάϑεα παραπλη-
30 σίας συχνάς φασιν εἶναι, ἐν δὲ αὐτῇσιν ἀν-
ϑρώπους, οἳ σιτέονται μὲν ῥίζας τὸ ϑέρος ὀρύσσοντες
παντοίας, καρποὺς δὲ ἀπὸ δενδρέων ἐξευρημένους σφιν
ἐς φορβὴν κατατίϑεσϑαι ὡραίους καὶ τούτους σιτεῖσϑαι
τὴν χειμερινήν· ἄλλα δέ σφιν ἐξευρῆσϑαι δένδρεα καρ-

πούς τοιούσδε τινὰς φέροντα, τούς, ἐπείτε ἂν ἐς τὠυτὸ
συνέλθωσι κατὰ εἴλας καὶ πῦρ ἀνακαύσωνται, κύκλῳ
περιιζομένους ἐπιβάλλειν ἐπὶ τὸ πῦρ, ὀσφραινομένους δὲ
καταγιζομένου τοῦ καρποῦ τοῦ ἐπιβαλλομένου μεθύσκε-
σθαι τῇ ὀδμῇ, κατά περ Ἕλληνας τῷ οἴνῳ· πλέονος δὲ 5
ἐπιβαλλομένου τοῦ καρποῦ μᾶλλον μεθύσκεσθαι, ἐς ὃ ἐς
ὄρχησίν τε ἀνίστασθαι καὶ ἐς ἀοιδὴν ἀπικνέεσθαι· τού-
των μὲν αὕτη λέγεται δίαιτα εἶναι. ὁ δὲ Ἀράξης ποτα-
μὸς ῥεῖ μὲν ἐκ Ματιηνῶν, ὅθεν περ ὁ Γύνδης, τὸν
ἐς τὰς διώρυχας τὰς ἑξήκοντά τε καὶ τριηκοσίας διέλαβεν 10
ὁ Κῦρος, στόμασι δὲ ἐξερεύγεται τεσσεράκοντα, τῶν τὰ
πάντα πλὴν ἑνὸς ἐς ἕλεά τε καὶ τενάγεα ἐκδιδοῖ, ἐν
τοῖς ἀνθρώπους κατοικῆσθαι λέγουσιν ἰχθῦς ὠμοὺς
σιτεομένους, ἐσθῆτι δὲ νομίζοντας χρῆσθαι φωκέων δέρ-
μασιν. τὸ δὲ ἓν τῶν στομάτων τοῦ Ἀράξεω ῥεῖ διὰ 15
καθαροῦ ἐς τὴν Κασπίην θάλασσαν. ἡ δὲ Κασπίη 203
θάλασσά ἐστιν ἐπ' ἑωυτῆς, οὐ συμμίσγουσα τῇ ἑτέρῃ
θαλάσσῃ. τὴν μὲν γὰρ Ἕλληνες ναυτίλλονται πᾶσα καὶ
ἡ ἔξω Ἡρακλείων στηλέων θάλασσα ἡ Ἀτλαντὶς καλεο-
μένη καὶ ἡ Ἐρυθρὴ μία ἐοῦσα τυγχάνει. ἡ δὲ Κασπίη 20
ἐστὶν ἑτέρη ἐπ' ἑωυτῆς, ἐοῦσα μῆκος μὲν πλόου εἰρεσίῃ
χρεωμένῳ πεντεκαίδεκα ἡμερέων, εὖρος δέ, τῇ εὐρυτάτη
ἐστὶν αὐτὴ ἑωυτῆς, ὀκτὼ ἡμερέων. καὶ τὰ μὲν πρὸς τὴν
ἑσπέρην φέροντα τῆς θαλάσσης ταύτης ὁ Καύκασος
παρατείνει, ἐὸν ὀρέων καὶ πλήθει μέγιστον καὶ μεγάθει 25
ὑψηλότατον. ἔθνεα δὲ ἀνθρώπων πολλὰ καὶ παντοῖα
ἐν ἑωυτῷ ἔχει ὁ Καύκασος, τὰ πολλὰ πάντα ἀπ' ὕλης
ἀγρίης ζώοντα. ἐν τοῖς καὶ δένδρεα φύλλα τοιῆσδε
ἰδέης παρεχόμενα εἶναι λέγεται, τὰ τρίβοντάς τε καὶ
παραμίσγοντας ὕδωρ ζῷα ἑωυτοῖσιν τὴν ἐσθῆτα ἐγγρά- 30
φειν· τὰ δὲ ζῷα οὐκ ἐκπλύνεσθαι, ἀλλὰ συγκαταγηρά-
σκειν τῷ ἄλλῳ εἰρίῳ κατά περ ἐνυφανθέντα ἀρχήν.
μεῖξιν δὲ τούτων τῶν ἀνθρώπων εἶναι ἐμφανέα κατά
περ τοῖσι προβάτοισιν.

204 Τὰ μὲν δὴ πρὸς ἑσπέρην τῆς θαλάσσης ταύτης τῆς
Κασπίης καλεομένης ὁ Καύκασος ἀπέργει, τὰ δὲ πρὸς
ἠῶ τε καὶ ἥλιον ἀνατέλλοντα πεδίον ἐκδέκεται πλῆθος
ἄπειρον ἐς ἄποψιν. τοῦ ὧν δὴ πεδίου τούτου τοῦ μεγάλου
οὐκ ἐλαχίστην μοῖραν μετέχουσιν οἱ Μασσαγέται, ἐπ'
οὓς ὁ Κῦρος ἔσχε προθυμίην στρατεύσασθαι·
πολλά τε γάρ μιν καὶ μεγάλα τὰ ἐπαείροντα καὶ ἐποτρύ-
νοντα ἦν, πρῶτον μὲν ἡ γένεσις, τὸ δοκεῖν πλέον τι
εἶναι ἀνθρώπου, δεύτερα δὲ ἡ εὐτυχίη ἡ κατὰ τοὺς
πολέμους γινομένη· ὅκῃ γὰρ ἰθύσειε στρατεύεσθαι Κῦρος,
205 ἀμήχανον ἦν ἐκεῖνο τὸ ἔθνος διαφυγεῖν. ἦν δὲ τοῦ
ἀνδρὸς ἀποθανόντος γυνὴ τῶν Μασσαγετέων βασί-
λεια· Τόμυρίς οἱ ἦν ὄνομα. ταύτην πέμπων ὁ Κῦρος
ἐμνᾶτο τῷ λόγῳ. ἡ δὲ Τόμυρις, συνιεῖσα οὐκ αὐτήν
μιν μνώμενον, ἀλλὰ τὴν Μασσαγετέων βασιληίην, ἀπεί-
πατο τὴν πρόσοδον. Κῦρος δὲ μετὰ τοῦτο, ὥς οἱ δόλῳ
οὐ προεχώρει, ἐλάσας ἐπὶ τὸν Ἀράξεα ἐποιεῖτο ἐκ τοῦ
ἐμφανέος ἐπὶ τοὺς Μασσαγέτας στρατηίην, γεφύρας
τε ζευγνύων ἐπὶ τοῦ ποταμοῦ διάβασιν τῷ στρατῷ καὶ πύρ-
γους ἐπὶ πλοίων τῶν διαπορθμευόντων τὸν ποταμὸν οἰκο-
206 δομεόμενος. ἔχοντι δέ οἱ τοῦτον τὸν πόνον πέμψασα ἡ
Τόμυρις κήρυκα ἔλεγε τάδε· „Ὦ βασιλεῦ Μήδων
παῦσαι σπεύδων τὰ σπεύδεις· οὐ γὰρ ἂν εἰδείης, εἴ τοι ἐς
καιρὸν ἔσται ταῦτα τελεόμενα· παυσάμενος δὲ βασίλευε
τῶν σεωυτοῦ καὶ ἡμέας ἀνέχεο ὁρέων ἄρχοντας, τῶν περ
ἄρχομεν. οὔκων ἐθελήσεις ὑποθήκῃσι τῇσίδε χρῆσθαι,
ἀλλὰ πάντως μᾶλλον ἢ δι' ἡσυχίης εἶναι· σὺ δὲ εἰ μεγάλως
προθυμέαι Μασσαγετέων πειρηθῆναι, φέρε, μόχθον μὲν τὸν
ἔχεις ζευγνὺς τὸν ποταμὸν ἄπες, σὺ δὲ ἡμέων ἀναχωρη-
σάντων ἀπὸ τοῦ ποταμοῦ τριῶν ἡμερέων ὁδὸν διάβαινε
ἐς τὴν ἡμετέρην. εἰ δ' ἡμέας βούλεαι ἐσδέξασθαι μᾶλλον
ἐς τὴν ὑμετέρην, σὺ τὠυτὸ τοῦτο ποίει." ταῦτα δὲ ἀκούσας
ὁ Κῦρος συνεκάλεσε Περσέων τοὺς πρώτους, συν-
αγείρας δὲ τούτους ἐς μέσον σφι προετίθει τὸ πρῆγμα,

συμβουλευόμενος, ὁκότερα ποιῇ. τῶν δὲ κατὰ τὠυτὸ αἱ
γνῶμαι συνεξέπιπτον κελευόντων ἐσδέκεσθαι Τόμυρίν
τε καὶ τὸν στρατὸν αὐτῆς ἐς τὴν χώρην. παρεὼν δὲ 207
καὶ μεμφόμενος τὴν γνώμην ταύτην Κροῖσος ὁ Λυδὸς
ἀπεδείκνυτο ἐναντίην τῇ προκειμένῃ γνώμῃ, λέγων τάδε· 5
„Ω βασιλεῦ, εἶπον μὲν καὶ πρότερόν τοι, ὅτι, ἐπεί με
Ζεὺς ἔδωκέ τοι, τὸ ἂν ὁρέω σφάλμα ἐὸν οἴκῳ τῷ σῷ,
κατὰ δύναμιν ἀποτρέψειν. τὰ δέ μοι παθήματα ἐόντα
ἀχάριτα μαθήματα γέγονεν. εἰ μὲν ἀθάνατος δοκεῖς
εἶναι καὶ στρατιῆς τοιαύτης ἄρχειν, οὐδὲν ἂν εἴη πρῆγμα, 10
γνώμας ἐμὲ σοὶ ἀποφαίνεσθαι· εἰ δ᾽ ἔγνωκας, ὅτι ἄν-
θρωπος καὶ σὺ εἶς καὶ ἑτέρων τοιῶνδε ἄρχεις, ἐκεῖνο
πρῶτον μάθε, ὡς κύκλος τῶν ἀνθρωπηίων ἐστὶ πρηγμά-
των, περιφερόμενος δὲ οὐκ ἐᾷ αἰεὶ τοὺς αὐτοὺς εὐτυχεῖν.
ἤδη ὦν ἔχω γνώμην περὶ τοῦ προκειμένου πρήγματος 15
τὰ ἔμπαλιν ἢ οὗτοι. εἰ γὰρ ἐθελήσομεν ἐσδέξασθαι τοὺς
πολεμίους ἐς τὴν χώρην, ὅδε τοι ἐν αὐτῷ κίνδυνος ἔνι·
ἑσσωθεὶς μὲν προσαπολλύεις πᾶσαν τὴν ἀρχήν· δῆλα γὰρ
δὴ ὅτι νικῶντες Μασσαγέται οὐ τὸ ὀπίσω φεύξονται,
ἀλλ᾽ ἐπ᾽ ἀρχὰς τὰς σὰς ἐλῶσιν. νικῶν δὲ οὐ νικᾷς 20
τοσοῦτον, ὅσον εἰ διαβὰς ἐς τὴν ἐκείνων, νικῶν Μασσα-
γέτας, ἕποιο φεύγουσιν· τὠυτὸ γὰρ ἀντιθήσω ἐκείνῳ, ὅτι
νικήσας τοὺς ἀντιουμένους ἐλᾷς ἰθὺ τῆς ἀρχῆς τῆς
Τομύριος. χωρίς τε τοῦ ἀπηγημένου αἰσχρὸν καὶ οὐκ
ἀνασχετόν Κῦρόν γε τὸν Καμβύσεω γυναικὶ εἴξαντα 25
ὑποχωρῆσαι τῆς χώρης. νῦν ὦν μοι δοκεῖ διαβάντας
προελθεῖν, ὅσον ἂν ἐκεῖνοι ὑπεξίωσιν, ἐνθεῦτεν δὲ τάδε
ποιεῦντας πειρᾶσθαι ἐκείνων περιγίνεσθαι. ὡς γὰρ ἐγὼ
πυνθάνομαι, Μασσαγέται εἰσὶν ἀγαθῶν τε Περσικῶν
ἄπειροι καὶ καλῶν μεγάλων ἀπαθεῖς. τούτοισιν ὦν τοῖς 30
ἀνδράσι τῶν προβάτων ἀφειδέως πολλὰ κατακόψαντας
καὶ σκευάσαντας προθεῖναι ἐν τῷ στρατοπέδῳ τῷ ἡμετέρῳ
δαῖτα, πρὸς δὲ καὶ κρητῆρας ἀφειδέως οἴνου ἀκρήτου
καὶ σιτία παντοῖα· ποιήσαντας δὲ ταῦτα, ὑπολιπομένους

τῆς στρατιῆς τὸ φλαυρότατον, τοὺς λοιποὺς αὖτις
ἐξαναχωρεῖν ἐπὶ τὸν ποταμόν. ἢν γὰρ ἐγὼ γνώμης μὴ
ἁμάρτω, κεῖνοι ἰδόμενοι ἀγαθὰ πολλὰ τρέψονταί τε πρὸς
αὐτὰ καὶ ἡμῖν τὸ ἐνθεῦτεν λείπεται ἀπόδεξις ἔργων
5 μεγάλων."

208   Γνῶμαι μὲν αὗται συνέστασαν, Κῦρος δὲ μετεὶς
τὴν προτέρην γνώμην, τὴν Κροίσου δὲ ἑλόμενος προη-
γόρευε Τομύρι ἐξαναχωρεῖν ὡς αὐτοῦ διαβησομένου
ἐπ' ἐκείνην. ἡ μὲν δὴ ἐξανεχώρει, κατὰ ὑπέσχετο πρῶτα.
10 Κῦρος δὲ Κροῖσον ἐς τὰς χεῖρας ἐσθεὶς τῷ ἑωυτοῦ
παιδὶ Καμβύσῃ, τῷ περ τὴν βασιληίην ἐδίδου, καὶ πολλὰ
ἐντειλάμενός οἱ τιμᾶν τε αὐτὸν καὶ εὖ ποιεῖν, ἢν ἡ
διάβασις ἡ ἐπὶ Μασσαγέτας μὴ ὀρθωθῇ, ταῦτα ἐντειλά-
μενος καὶ ἀποστείλας τούτους ἐς Πέρσας αὐτὸς διέβαινε
209 τὸν ποταμὸν καὶ ὁ στρατὸς αὐτοῦ. ἐπείτε δὲ ἐπεραιώθη
16 τὸν Ἀράξεα, νυκτὸς ἐπελθούσης εἶδεν ὄψιν εὕδων ἐν
τῶν Μασσαγετέων τῇ χώρῃ τοιήνδε· ἐδόκει ὁ
Κῦρος ἐν τῷ ὕπνῳ ὁρᾶν τῶν Ὑστάσπεος παίδων τὸν
πρεσβύτατον ἔχοντα ἐπὶ τῶν ὤμων πτέρυγας καὶ τούτων
20 τῇ μὲν τὴν Ἀσίην, τῇ δὲ τὴν Εὐρώπην ἐπισκιάζειν.
Ὑστάσπεϊ δὲ τῷ Ἀρσάμεος, ἐόντι ἀνδρὶ Ἀχαιμενίδῃ, ἦν
τῶν παίδων Δαρεῖος πρεσβύτατος, ἐὼν τότε ἡλικίην ἐς
εἴκοσί κου μάλιστα ἔτεα, καὶ οὗτος κατελέλειπτο ἐν
Πέρσῃσιν· οὐ γὰρ εἶχέ κω ἡλικίην στρατεύεσθαι. ἐπεὶ
25 ὦν δὴ ἐξηγέρθη ὁ Κῦρος, ἐδίδου λόγον ἑωυτῷ περὶ τῆς
ὄψιος. ὡς δέ οἱ ἐδόκει μεγάλη εἶναι ἡ ὄψις, καλέσας
Ὑστάσπεα καὶ ἀπολαβὼν μοῦνον εἶπεν· „Ὑστάσπες,
παῖς σὸς ἐπιβουλεύων ἐμοί τε καὶ τῇ ἐμῇ ἀρχῇ ἥλωκεν·
ὡς δὲ ταῦτα ἀτρεκέως οἶδα, ἐγὼ σημανέω. ἐμέο θεοὶ
30 κήδονται καί μοι πάντα προδεικνύουσι τὰ ἐπιφερόμενα·
ἤδη ὦν ἐν τῇ παροιχομένῃ νυκτὶ εὕδων εἶδον τῶν σῶν
παίδων τὸν πρεσβύτατον ἔχοντα ἐπὶ τῶν ὤμων πτέρυγας
καὶ τούτων τῇ μὲν τὴν Ἀσίην, τῇ δὲ τὴν Εὐρώπην ἐπι-
σκιάζειν. οὔκων ἔστι μηχανὴ ἀπὸ τῆς ὄψιος ταύτης

οὐδεμία τὸ μὴ ἐκεῖνον ἐπιβουλεύειν ἐμοί. σύ νυν τὴν
ταχίστην πορεύεο ὀπίσω ἐς Πέρσας καὶ ποίει, ὅκως,
ἐπεὰν ἐγὼ τάδε καταστρεψάμενος ἔλθω ἐκεῖ, ὥς μοι
καταστήσεις τὸν παῖδα ἐς ἔλεγχον." Κῦρος μὲν δοκέων 210
οἱ Δαρεῖον ἐπιβουλεύειν ἔλεγε τάδε· τῷ δὲ ὁ δαίμων 5
προέφαινεν, ὡς αὐτὸς μὲν τελευτήσειν αὐτοῦ ταύτῃ
μέλλοι, ἡ δὲ βασιληίη αὐτοῦ περιχωρέοι ἐς Δαρεῖον.
ἀμείβεται δὴ ὦν ὁ Ὑστάσπης τοῖσδε· „Ὦ βασιλεῦ,
μὴ εἴη ἀνὴρ Πέρσης γεγονώς, ὅστις τοι ἐπιβουλεύσειεν,
εἰ δ' ἔστι, ἀπόλοιτο ὡς τάχιστα· ὃς ἀντὶ μὲν δούλων 10
ἐποίησας ἐλευθέρους Πέρσας εἶναι, ἀντὶ δὲ ἄρχεσθαι
ὑπ' ἄλλων ἄρχειν ἁπάντων. εἰ δέ τίς τοι ὄψις ἀπαγ-
γέλλει παῖδα τὸν ἐμὸν νεώτερα βουλεύειν περὶ σέο, ἐγώ
τοι παραδίδωμι χρῆσθαι αὐτῷ τοῦτο, ὅ τι σὺ βούλεαι."

Ὑστάσπης μὲν τούτοισιν ἀμειψάμενος καὶ διαβὰς 211
τὸν Ἀράξεα ἦεν ἐς Πέρσας φυλάξων Κύρῳ τὸν παῖδα 15
Δαρεῖον. Κῦρος δὲ προελθὼν ἀπὸ τοῦ Ἀράξεω
ἡμέρης ὁδὸν ἐποίει τὰς Κροίσου ὑποθήκας. μετὰ
δὲ ταῦτα Κύρου τε καὶ Περσέων τοῦ καθαροῦ τοῦ
στρατοῦ ἀπελάσαντος ὀπίσω ἐπὶ τὸν Ἀράξεα, λειφθέντος 20
δὲ τοῦ ἀχρηίου, ἐπελθοῦσα τῶν Μασσαγετέων τριτημορὶς
τοῦ στρατοῦ τούς τε λειφθέντας τῆς Κύρου στρατιῆς
ἐφόνευεν ἀλεξομένους καὶ τὴν προκειμένην ἰδόντες δαῖτα,
ὡς ἐχειρώσαντο τοὺς ἐναντίους, κλιθέντες ἐδαίνυντο,
πληρωθέντες δὲ φορβῆς καὶ οἴνου ηὗδον. οἱ δὲ Πέρσαι 25
ἐπελθόντες πολλοὺς μέν σφεων ἐφόνευσαν, πολλῷ δ' ἔτι
πλέονας ἐζώγρησαν, καὶ ἄλλους καὶ τὸν τῆς βασιλείης
Τομύριος παῖδα, στρατηγέοντα Μασσαγετέων, τῷ ὄνομα
ἦν Σπαργαπίσης. ἡ δὲ πυθομένη τά τε περὶ τὴν 212
στρατιὴν γεγονότα καὶ τὰ περὶ τὸν παῖδα πέμπουσα 30
κήρυκα παρὰ Κῦρον ἔλεγε τάδε· „Ἄπληστε αἵματος
Κῦρε, μηδὲν ἐπαρθῇς τῷ γεγονότι τῷδε πρήγματι, εἰ ἀμ-
πελίνῳ καρπῷ, τῷ περ αὐτοὶ ἐμπιπλάμενοι μαίνεσθε
οὕτως, ὥστε κατιόντος τοῦ οἴνου ἐς τὸ σῶμα ἐπαναπλεῖν

ὑμῖν ἔπεα κακά, τοιούτῳ φαρμάκῳ δολώσας ἐκράτησας
παιδὸς τοῦ ἐμοῦ, ἀλλ᾽ οὐ μάχῃ κατὰ τὸ καρτερόν. νῦν
ὧν μέο εὖ παραινεούσης ὑπόλαβε τὸν λόγον· ἀποδούς
μοι τὸν παῖδα ἄπιθι ἐκ τῆσδε τῆς χώρης ἀζήμιος, Μασσα-
5 γετέων τριτημορίδι τοῦ στρατοῦ κατυβρίσας· εἰ δὲ ταῦτα
οὐ ποιήσεις, ἥλιον ἐπόμνυμί τοι τὸν Μασσαγετέων δεσπό-
την, ἦ μέν σε ἐγὼ καὶ ἄπληστον ἐόντα αἵματος κορέσω."
213 Κῦρος μὲν ἐπέων οὐδένα τούτων ἀνενειχθέντων ἐποιεῖτο
λόγον, ὁ δὲ τῆς βασιλείης Τομύριος παῖς Σπαργα-
10 πίσης, ὥς μιν ὅ τε οἶνος ἀνῆκε καὶ ἔμαθεν ἵνα ἦν
κακοῦ, δεηθεὶς Κύρου ἐκ τῶν δεσμῶν λυθῆναι ἔτυχεν,
ὡς δὲ ἐλύθη τε τάχιστα καὶ τῶν χειρῶν ἐκράτησεν, διερ-
214 γάζεται ἑωυτόν. καὶ δὴ οὗτος μὲν τρόπῳ τοιούτῳ τε-
λευτᾷ, Τόμυρις δέ, ὥς οἱ Κῦρος οὐκ ἐσήκουσεν, συλλέ-
15 ξασα πᾶσαν τὴν ἑωυτῆς δύναμιν συνέβαλε Κύρῳ.
ταύτην τὴν μάχην, ὅσαι δὴ βαρβάρων ἀνδρῶν μάχαι
ἐγένοντο, κρίνω ἰσχυροτάτην γενέσθαι, καὶ δὴ καὶ πυν-
θάνομαι οὕτω τοῦτο γενόμενον. πρῶτα μὲν γὰρ λέγεται
αὐτοὺς διαστάντας ἐς ἀλλήλους τοξεύειν, μετὰ δέ, ὥς
20 σφι τὰ βέλεα ἐξετετόξευτο, συμπεσόντας τῇσιν αἰχμῇσί τε
καὶ τοῖς ἐγχειριδίοισι συνέχεσθαι. χρόνον τε δὴ ἐπὶ
πολλὸν συνεστάναι μαχομένους καὶ οὐδετέρους ἐθέλειν
φεύγειν· τέλος δὲ οἱ Μασσαγέται περιεγένοντο. ἥ τε
δὴ πολλὴ τῆς Περσικῆς στρατιῆς αὐτοῦ ταύτῃ διεφθάρη
529 a. Chr. καὶ δὴ καὶ αὐτὸς Κῦρος τελευτᾷ, βασιλεύσας τὰ
26 πάντα ἑνὸς δέοντα τριήκοντα ἔτεα. ἀσκὸν δὲ πλήσασα
αἵματος ἀνθρωπηίου Τόμυρις ἐδίζητο ἐν τοῖς τεθνεῶσι
τῶν Περσέων τὸν Κύρου νέκυν, ὡς δὲ εὗρεν, ἐναπῆκε
αὐτοῦ τὴν κεφαλὴν ἐς τὸν ἀσκόν· λυμαινομένη δὲ τῷ
30 νεκρῷ ἐπέλεγε τάδε· „Σὺ μὲν ἐμὲ ζῶσάν τε καὶ νικῶσάν
σε μάχῃ ἀπώλεσας παῖδα τὸν ἐμὸν ἑλὼν δόλῳ· σὲ δ᾽
ἐγώ, κατά περ ἠπείλησα, αἵματος κορέσω." τὰ μὲν δὴ
κατὰ τὴν Κύρου τελευτὴν τοῦ βίου πολλῶν λόγων λεγο-
μένων ὅδε μοι ὁ πιθανώτατος εἴρηται.

Μασσαγέται δὲ ἐσθῆτά τε ὁμοίην τῇ Σκυθικῇ **215**
φορέουσι καὶ δίαιταν ἔχουσιν, ἱππόται δέ εἰσι καὶ ἄνιπποι
(ἀμφοτέρων γὰρ μετέχουσι) καὶ τοξόται τε καὶ αἰχμο-
φόροι, σαγάρις νομίζοντες ἔχειν. χρυσῷ δὲ καὶ χαλκῷ
τὰ πάντα χρέωνται· ὅσα μὲν γὰρ ἐς αἰχμὰς καὶ ἄρδις 5
καὶ σαγάρις, χαλκῷ τὰ πάντα χρέωνται, ὅσα δὲ περὶ
κεφαλὴν καὶ ζωστῆρας καὶ μασχαλιστῆρας, χρυσῷ κο-
σμέονται. ὡς δ' αὔτως τῶν ἵππων τὰ μὲν περὶ τὰ
στέρνα χαλκέους θώρηκας περιβάλλουσιν, τὰ δὲ περὶ τοὺς
χαλινοὺς καὶ στόμια καὶ φάλαρα, χρυσῷ. σιδήρῳ δὲ οὐδ' 10
ἀργύρῳ χρέωνται οὐδέν· οὐδὲ γὰρ οὐδέ σφιν ἔστιν ἐν
τῇ χώρῃ, ὁ δὲ χρυσὸς καὶ ὁ χαλκὸς ἄπλετος. νόμοισι **216**
δὲ χρέωνται τοιοῖσδε· γυναῖκα μὲν γαμεῖ ἕκαστος,
ταύτῃσι δὲ ἐπίκοινα χρέωνται. ὃ γὰρ Σκύθας φασὶν
Ἕλληνες ποιεῖν, οὐ Σκύθαι εἰσὶν οἱ ποιέοντες, ἀλλὰ 15
Μασσαγέται· τῆς γὰρ ἐπιθυμήσῃ γυναικὸς Μασσαγέτης
ἀνήρ, τὸν φαρετρεῶνα ἀποκρεμάσας πρὸ τῆς ἁμάξης
μίσγεται ἀδεῶς. οὖρος δὲ ἡλικίης σφι πρόκειται ἄλλος
μὲν οὐδείς· ἐπεὰν δὲ γέρων γένηται κάρτα, οἱ προσ-
ήκοντές οἱ πάντες συνελθόντες θύουσί μιν καὶ ἄλλα 20
πρόβατα ἅμα αὐτῷ, ἑψήσαντες δὲ τὰ κρέα κατευωχέονται.
ταῦτα μὲν τὰ ὀλβιώτατά σφι νενόμισται, τὸν δὲ νούσῳ
τελευτήσαντα οὐ κατασιτέονται, ἀλλὰ γῇ κρύπτουσι συμ-
φορὴν ποιεύμενοι, ὅτι οὐκ ἵκετο ἐς τὸ τυθῆναι. σπεί-
ρουσι δὲ οὐδέν, ἀλλ' ἀπὸ κτηνέων ζώουσι καὶ ἰχθύων· 25
οἱ δὲ ἄφθονοί σφιν ἐκ τοῦ Ἀράξεω ποταμοῦ παρα-
γίνονται. γαλακτοπόται δέ εἰσιν. θεῶν δὲ μοῦνον ἥλιον
σέβονται, τῷ θύουσιν ἵππους. νόος δὲ οὗτος τῆς θυσίης·
τῶν θεῶν τῷ ταχίστῳ πάντων τῶν θνητῶν τὸ τάχιστον
δατέονται. 30

B.

(1) Τελευτήσαντος δὲ Κύρου παρέλαβε τὴν βασιληίην Καμβύσης, Κύρου ἐὼν παῖς καὶ Κασσανδάνης τῆς Φαρνάσπεω θυγατρός, τῆς προαποθανούσης Κῦρος αὐτός τε μέγα πένθος ἐποιήσατο καὶ τοῖς ἄλλοισι προεῖπε πᾶσιν, τῶν ἦρχεν, πένθος ποιεῖσθαι. ταύτης δὴ τῆς γυναικὸς ἐὼν παῖς καὶ Κύρου Καμβύσης Ἴωνας μὲν καὶ Αἰολέας ὡς δούλους πατρῴους ἐόντας ἐνόμιζεν, ἐπὶ δὲ Αἴγυπτον ἐποιεῖτο στρατηλασίην, ἄλλους τε παραλαβών, τῶν ἦρχεν, καὶ δὴ καὶ Ἑλλήνων, τῶν ἐπεκράτει.

2 Οἱ δὲ Αἰγύπτιοι, πρὶν μὲν ἢ Ψαμμήτιχον σφέων βασιλεῦσαι, ἐνόμιζον ἑωυτοὺς πρώτους γενέσθαι πάντων ἀνθρώπων. ἐπειδὴ δὲ Ψαμμήτιχος βασιλεύσας ἠθέλησεν εἰδέναι, οἵτινες γενοίατο πρῶτοι, ἀπὸ τούτου νομίζουσι Φρύγας προτέρους γενέσθαι ἑωυτῶν, τῶν δὲ ἄλλων ἑωυτούς. Ψαμμήτιχος δὲ ὡς οὐκ ἐδύνατο πυν- θανόμενος πόρον οὐδένα τούτου ἀνευρεῖν, οἳ γενοίατο πρῶτοι ἀνθρώπων, ἐπιτεχνᾶται τοιόνδε. παιδία δύο νεογνὰ ἀνθρώπων τῶν ἐπιτυχόντων διδοῖ ποιμένι τρέφειν ἐς τὰ ποίμνια τροφήν τινα τοιήνδε, ἐντειλάμενος μηδένα ἀντίον αὐτῶν μηδεμίαν φωνὴν ἱέναι, ἐν στέγῃ δὲ ἐρήμῃ ἐπ᾽ ἑωυτῶν κεῖσθαι αὐτὰ καὶ τὴν ὥρην ἐπαγινεῖν σφιν αἶγας, πλήσαντα δὲ τοῦ γάλακτος τἆλλα διαπρήσσεσθαι. ταῦτα δὲ ἐποίει τε καὶ ἐνετέλλετο ὁ Ψαμμήτιχος θέλων ἀκοῦσαι τῶν παιδίων, ἀπαλλαχθέν- των τῶν ἀσήμων κνυζημάτων, ἥντινα φωνὴν ῥήξουσι πρώτην. τά περ ὦν καὶ ἐγένετο. ὡς γὰρ διέτης χρόνος ἐγεγόνει ταῦτα τῷ ποιμένι πρήσσοντι, ἀνοίγοντι τὴν

θύρην καὶ ἐσιόντι τὰ παιδία ἀμφότερα προσπίπτοντα
βεκὸς ἐφώνεον ὀρέγοντα τὰς χεῖρας. τὰ μὲν δὴ πρῶτα
ἀκούσας ἥσυχος ἦν ὁ ποιμήν, ὡς δὲ πολλάκις φοιτῶντι
καὶ ἐπιμελομένῳ πολλὸν ἦν τοῦτο τὸ ἔπος, οὕτω δὴ
σημήνας τῷ δεσπότῃ ἤγαγε τὰ παιδία κελεύσαντος ἐς 5
ὄψιν τὴν ἐκείνου. ἀκούσας δὲ καὶ αὐτὸς ὁ Ψαμμή-
τιχος ἐπυνθάνετο, οἵτινες ἀνθρώπων βεκός τι καλέουσιν,
πυνθανόμενος δὲ εὕρισκε Φρύγας καλέοντας τὸν ἄρτον.
οὕτω συνεχώρησαν Αἰγύπτιοι καὶ τοιούτῳ σταθμησά-
μενοι πρήγματι τοὺς Φρύγας πρεσβυτέρους εἶναι ἑωυ- 10
τῶν. ὧδε μὲν γενέσθαι τῶν ἱρέων τοῦ Ἡφαίστου τοῦ
ἐν Μέμφι ἤκουον. Ἕλληνες δὲ λέγουσιν ἄλλα τε μάταια
πολλὰ καὶ ὡς γυναικῶν τὰς γλώσσας ὁ Ψαμμήτιχος ἐκτα-
μὼν τὴν δίαιταν οὕτως ἐποιήσατο τῶν παιδίων παρὰ
ταύτῃσι τῇσι γυναιξίν. 15

Κατὰ μὲν δὴ τὴν τροφὴν τῶν παιδίων τοσαῦτα 3
ἔλεγον, ἤκουσα δὲ καὶ ἄλλα ἐν Μέμφι, ἐλθὼν ἐς
λόγους τοῖς ἱρεῦσι τοῦ Ἡφαίστου· καὶ δὴ καὶ ἐς
Θήβας τε καὶ ἐς Ἡλίου πόλιν αὐτῶν τούτων εἵνεκεν
ἐτραπόμην, ἐθέλων εἰδέναι εἰ συμβήσονται τοῖσι λόγοισι 20
τοῖς ἐν Μέμφι· οἱ γὰρ Ἡλιοπολῖται λέγονται Αἰγυπτίων
εἶναι λογιώτατοι. τὰ μέν νυν θεῖα τῶν ἀπηγημάτων
οἷα ἤκουον, οὐκ εἰμὶ πρόθυμος ἐξηγεῖσθαι, ἔξω ἢ τὰ
ὀνόματα αὐτῶν μοῦνον, νομίζων πάντας ἀνθρώπους ἴσον
περὶ αὐτῶν ἐπίστασθαι· τὰ δ᾽ ἂν ἐπιμνησθέω αὐτῶν, 25
ὑπὸ τοῦ λόγου ἐξαναγκαζόμενος ἐπιμνησθήσομαι. ὅσα 4
δὲ ἀνθρωπήια πρήγματα, ὧδε ἔλεγον ὁμολογέοντες σφίσιν,
πρώτους Αἰγυπτίους ἀνθρώπων ἁπάντων ἐξευρεῖν
τὸν ἐνιαυτόν, δυώδεκα μέρεα δασαμένους τῶν
ὡρέων ἐς αὐτόν. ταῦτα δὲ ἐξευρεῖν ἐκ τῶν ἄστρων 30
ἔλεγον. ἄγουσι δὲ τοσῷδε σοφώτερον Ἑλλήνων, ἐμοὶ
δοκεῖν, ὅσῳ Ἕλληνες μὲν διὰ τρίτου ἔτεος ἐμβόλιμον
μῆνα ἐπεμβάλλουσι τῶν ὡρέων εἵνεκεν, Αἰγύπτιοι δὲ
τριηκοντημέρους ἄγοντες τοὺς δυώδεκα μῆνας ἐπάγουσιν

ἀνὰ πᾶν ἔτος πέντε ἡμέρας πάρεξ τοῦ ἀριθμοῦ, καί σφιν
ὁ κύκλος τῶν ὡρέων ἐς τὠυτὸ περιιὼν παραγίνεται.
δυώδεκά τε θεῶν ἐπωνυμίας ἔλεγον πρώτους
Αἰγυπτίους νομίσαι καὶ Ἕλληνας παρὰ σφέων ἀναλα-
5 βεῖν, βωμούς τε καὶ ἀγάλματα καὶ νηοὺς θεοῖσιν ἀπο-
νεῖμαι σφέας πρώτους καὶ ζῶα ἐν λίθοισιν ἐγγλύψαι.
καὶ τούτων μέν νυν τὰ πλέω ἔργῳ ἐδήλουν οὕτω γενό-
μενα, βασιλεῦσαι δὲ πρῶτον Αἰγύπτου ἄνθρωπον
ἔλεγον Μῖνα. ἐπὶ τούτου, πλὴν τοῦ Θηβαϊκοῦ νομοῦ,
10 πᾶσαν Αἴγυπτον εἶναι ἕλος, καὶ αὐτῆς εἶναι οὐδὲν ὑπερ-
έχον τῶν νῦν ἔνερθε λίμνης τῆς Μοίριος ἐόντων, ἐς
τὴν ἀνάπλους ἀπὸ θαλάσσης ἑπτὰ ἡμερέων ἐστὶν ἀνὰ
5 τὸν ποταμόν. καὶ εὖ μοι ἐδόκεον λέγειν περὶ τῆς χώρης.
δῆλα γὰρ δὴ καὶ μὴ προακούσαντι, ἰδόντι δέ, ὅστις γε
15 σύνεσιν ἔχει, ὅτι Αἴγυπτος, ἐς τὴν Ἕλληνες ναυτίλλον-
ται, ἐστὶν Αἰγυπτίοισιν ἐπίκτητός τε γῆ καὶ δῶρον
τοῦ ποταμοῦ, καὶ τὰ κατύπερθε ἔτι τῆς λίμνης ταύτης
μέχρι τριῶν ἡμερέων πλόου, τῆς πέρι ἐκεῖνοι οὐδὲν ἔτι
τοιόνδε ἔλεγον, ἔστι δὲ ἕτερον τοιοῦτον. Αἰγύπτου γὰρ
20 φύσις ἐστὶ τῆς χώρης τοιήδε· πρῶτα μὲν προσπλέων ἔτι
καὶ ἡμέρης δρόμον ἀπέχων ἀπὸ γῆς, κατεὶς καταπειρητη-
ρίην πηλόν τε ἀνοίσεις καὶ ἐν ἕνδεκα ὀργυιῇσιν ἔσεαι.
τοῦτο μὲν ἐπὶ τοσοῦτο δηλοῖ πρόχυσιν τῆς γῆς ἐοῦσαν.
6   Αὖτις δὲ αὐτῆς ἐστιν Αἰγύπτου μῆκος τὸ παρὰ
25 θάλασσαν ἑξήκοντα σχοῖνοι, κατὰ ἡμεῖς διαιρέομεν
εἶναι Αἴγυπτον ἀπὸ τοῦ Πλινθινήτεω κόλπου μέχρι Σερ-
βωνίδος λίμνης, παρ' ἣν τὸ Κάσιον ὄρος· ταύτης ὦν
ἄπο οἱ ἑξήκοντα σχοῖνοί εἰσιν. ὅσοι μὲν γὰρ γεωπεῖναί
εἰσιν ἀνθρώπων, ὀργυιῇσι μεμετρήκασι τὴν χώρην, ὅσοι
30 δὲ ἧσσον γεωπεῖναι, σταδίοισιν, οἳ δὲ πολλὴν ἔχουσιν,
παρασάγγῃσιν, οἳ δὲ ἄφθονον λίην, σχοίνοισιν. δύναται
δὲ ὁ μὲν παρασάγγης τριήκοντα στάδια, ὁ δὲ σχοῖνος
ἕκαστος, μέτρον ἐὸν Αἰγύπτιον, ἑξήκοντα στάδια. οὕτω
ἂν εἴησαν Αἰγύπτου στάδιοι ἑξακόσιοι καὶ τρισχίλιοι τὸ

παρὰ θάλασσαν. ἐνθεῦτεν μὲν καὶ μέχρι Ἡλίου 7
πόλιος ἐς τὴν μεσόγαιάν ἐστιν εὐρεῖα Αἴγυπτος,
ἐοῦσα πᾶσα ὑπτίη τε καὶ ἔνυδρος καὶ ἰλύς. ἔστι δὲ
ὁδὸς ἐς Ἡλίου πόλιν ἀπὸ θαλάσσης ἄνω ἰόντι παρα-
πλησίη τὸ μῆκος τῇ ἐξ Ἀθηνέων ὁδῷ τῇ ἀπὸ τῶν δυώ- 5
δεκα θεῶν τοῦ βωμοῦ φερούσῃ ἔς τε Πῖσαν καὶ ἐπὶ τὸν
νηὸν τοῦ Διὸς τοῦ Ὀλυμπίου. σμικρόν τι τὸ διάφορον
εὕροι τις ἂν λογιζόμενος τῶν ὁδῶν τουτέων, τὸ μὴ ἴσας
μῆκος εἶναι, οὐ πλέον πεντεκαίδεκα σταδίων· ἡ μὲν γὰρ
ἐς Πῖσαν ἐξ Ἀθηνέων καταδεῖ πεντεκαίδεκα σταδίων 10
μὴ εἶναι πεντακοσίων καὶ χιλίων, ἡ δὲ ἐς Ἡλίου πόλιν
ἀπὸ θαλάσσης πληροῖ ἐς τὸν ἀριθμὸν τοῦτον. ἀπὸ δὲ 8
Ἡλίου πόλιος ἄνω ἰόντι στεινή ἐστιν Αἴγυπτος.
τῇ μὲν γὰρ τῆς Ἀραβίης ὄρος παρατέταται, φέρον ἀπ᾽
ἄρκτου πρὸς μεσαμβρίην τε καὶ νότον, αἰεὶ ἄνω τεῖνον 15
ἐς τὴν Ἐρυθρὴν καλεομένην θάλασσαν, ἐν τῷ αἱ λιθοτο-
μίαι ἔνεισιν αἱ ἐς τὰς πυραμίδας κατατμηθεῖσαι τὰς ἐν
Μέμφι. ταύτῃ μὲν λῆγον ἀνακάμπτει ἐς τὰ εἴρηται τὸ
ὄρος· τῇ δὲ αὐτὸ ἑωυτοῦ ἐστι μακρότατον, ὡς ἐγὼ ἐπυν-
θανόμην, δύο μηνῶν αὐτὸ εἶναι ὁδοῦ ἀπὸ ἠοῦς πρὸς 20
ἑσπέρην, τὰ δὲ πρὸς τὴν ἠῶ λιβανωτοφόρα αὐτοῦ τὰ
τέρματα εἶναι. τοῦτο μέν νυν τὸ ὄρος τοιοῦτό ἐστιν, τὸ
δὲ πρὸς Λιβύης τῆς Αἰγύπτου ὄρος ἄλλο πέτρινον τείνει,
ἐν τῷ αἱ πυραμίδες ἔνεισιν, ψάμμῳ κατειλυμένον, κατὰ
τὸν αὐτὸν τρόπον καὶ τοῦ Ἀραβίου τὰ πρὸς μεσαμβρίην 25
φέροντα. τὸ ὦν δὴ ἀπὸ Ἡλίου πόλιος οὐκέτι πολλὸν
χωρίον ὡς εἶναι Αἰγύπτου, ἀλλ᾽ ὅσον τε ἡμερέων τεσσέ-
ρων καὶ δέκα ἀνάπλου ἐστὶ στεινὴ Αἴγυπτος ἐοῦσα.
τῶν δὲ ὀρέων τῶν εἰρημένων τὸ μεταξὺ πεδιὰς μὲν γῆ,
στάδιοι δὲ μάλιστα ἐδόκεόν μοι εἶναι, τῇ στεινότατόν 30
ἐστιν, διηκοσίων οὐ πλέους ἐκ τοῦ Ἀραβίου ὄρεος ἐς τὸ
Λιβυκὸν καλεόμενον. τὸ δὲ ἐνθεῦτεν αὖτις εὐρεῖα
Αἴγυπτός ἐστιν.

Πέφυκε μέν νυν ἡ χώρη αὕτη οὕτως, ἀπὸ δὲ Ἡλίου 9

πόλιος ἐς Θήβας ἐστὶν ἀνάπλους ἐννέα ἡμερέων, στά-
διοι δὲ τῆς ὁδοῦ ἑξήκοντα καὶ ὀκτακόσιοι καὶ τετρακισχί-
λιοι, σχοίνων ἑνὸς καὶ ὀγδώκοντα ἐόντων. οὗτοι συν-
τιθέμενοι οἱ στάδιοι Αἰγύπτου, τὸ μὲν παρὰ θάλασσαν
5 ἤδη μοι καὶ πρότερον δεδήλωται ὅτι ἑξακοσίων τέ ἐστι
σταδίων καὶ τρισχιλίων, ὅσον δέ τι ἀπὸ θαλάσσης ἐς
μεσόγαιαν μέχρι Θηβέων ἐστίν, σημανέω· στάδιοι γάρ
εἰσιν εἴκοσι καὶ ἑκατὸν καὶ ἑξακισχίλιοι. τὸ δὲ ἀπὸ
Θηβέων ἐς Ἐλεφαντίνην καλεομένην πόλιν στάδιοι χίλιοι
10 καὶ ὀκτακόσιοί εἰσιν.

10 Ταύτης ὦν τῆς χώρης τῆς εἰρημένης ἡ πολλή, κατά
περ οἱ ἱρεῖς ἔλεγον, ἐδόκει καὶ αὐτῷ μοι εἶναι ἐπίκτητος
Αἰγυπτίοισιν. τῶν γὰρ ὀρέων τῶν εἰρημένων τῶν ὑπὲρ
Μέμφιν πόλιν κειμένων τὸ μεταξὺ ἐφαίνετό μοι
15 εἶναί κοτε κόλπος θαλάσσης, ὥσπερ τά τε περὶ Ἴλιον
καὶ Τευθρανίην καὶ Ἔφεσόν τε καὶ Μαιάνδρου πεδίον,
ὥς γε εἶναι σμικρὰ ταῦτα μεγάλοισι συμβαλεῖν. τῶν
γὰρ ταῦτα τὰ χωρία προσχωσάντων ποταμῶν ἑνὶ τῶν
στομάτων τοῦ Νείλου, ἐόντος πεντεστόμου, οὐδεὶς αὐτῶν
20 πλήθεος πέρι ἄξιος συμβληθῆναί ἐστιν. εἰσὶ δὲ καὶ
ἄλλοι ποταμοί, οὐ κατὰ τὸν Νεῖλον ἐόντες μεγάθεα,
οἵτινες ἔργα ἀποδεξάμενοι μεγάλα εἰσίν· τῶν ἐγὼ φράσαι
ἔχω τὰ ὀνόματα καὶ ἄλλων καὶ οὐκ ἥκιστα Ἀχελῴου, ὃς
ῥέων δι' Ἀκαρνανίης καὶ ἐξιεὶς ἐς θάλασσαν τῶν Ἐχινά-
25 δων νήσων τὰς ἡμισείας ἤδη ἤπειρον πεποίηκεν.

11 Ἔστι δὲ τῆς Ἀραβίης χώρης, Αἰγύπτου δὲ οὐ
πρόσω, κόλπος θαλάσσης ἐσέχων ἐκ τῆς Ἐρυθρῆς
καλεομένης θαλάσσης, μακρὸς οὕτω δή τι καὶ στεινὸς ὡς
ἔρχομαι φράσων· μῆκος μὲν πλόου ἀρξαμένῳ ἐκ μυχοῦ
30 διεκπλῶσαι ἐς τὴν εὐρεῖαν θάλασσαν ἡμέραι ἀναισιμοῦν-
ται τεσσεράκοντα εἰρεσίῃ χρεωμένῳ, εὖρος δέ, τῇ εὐρύ-
τατός ἐστιν ὁ κόλπος, ἥμισυ ἡμέρης πλόου. ῥηχίη δ' ἐν
αὐτῷ καὶ ἄμπωτις ἀνὰ πᾶσαν ἡμέρην γίνεται. ἕτερον
τοιοῦτον κόλπον καὶ τὴν Αἴγυπτον δοκέω γενέ-

σθαι κου, τὸν μὲν ἐκ τῆς βορηίης θαλάσσης ἐσέχοντα ἐπ'
Αἰθιοπίης, τὸν δὲ ἐκ τῆς νοτίης φέροντα ἐπὶ Συρίης,
σχεδὸν μὲν ἀλλήλοισι συντετραίνοντας τοὺς μυχούς,
ὀλίγον δέ τι παραλλάσσοντας τῆς χώρης. εἰ ὦν ἐθελήσει
ἐκτρέψαι τὸ ῥεῖθρον ὁ Νεῖλος ἐς τοῦτον τὸν Ἀράβιον 5
κόλπον, τί μιν κωλύει ῥέοντος τούτου ἐκχωσθῆναι ἐντός
γε δισμυρίων ἐτέων; ἐγὼ μὲν γὰρ ἔλπομαί γε καὶ μυ-
ρίων ἐντὸς χωσθῆναι ἄν. κοῦ γε δὴ ἐν τῷ προαναισι-
μωμένῳ χρόνῳ πρότερον ἢ ἐμὲ γενέσθαι οὐκ ἂν χωσθείη
κόλπος καὶ πολλῷ μέζων ἔτι τούτου ὑπὸ τοσούτου τε 10
ποταμοῦ καὶ οὕτως ἐργατικοῦ;

Τὰ περὶ Αἴγυπτον ὦν καὶ τοῖς λέγουσιν αὐτὰ 12
πείθομαι καὶ αὐτὸς οὕτω κάρτα δοκέω εἶναι, ἰδών
τε τὴν Αἴγυπτον προκειμένην τῆς ἐχομένης γῆς
κογχύλιά τε φαινόμενα ἐπὶ τοῖς ὄρεσι καὶ ἅλμην ἐπαν- 15
θέουσαν, ὥστε καὶ τὰς πυραμίδας δηλεῖσθαι, καὶ ψάμμον
μοῦνον Αἰγύπτου ὄρος τοῦτο τὸ ὑπὲρ Μέμφιος ἔχον,
πρὸς δὲ τῇ χώρῃ οὔτε τῇ Ἀραβίῃ προσούρῳ ἐούσῃ τὴν
Αἴγυπτον προσεικέλην οὔτε τῇ Λιβύῃ, οὐ μὲν οὐδὲ τῇ
Συρίῃ (τῆς γὰρ Ἀραβίης τὰ παρὰ θάλασσαν Σύριοι 20
νέμονται), ἀλλὰ μελάγγαιόν τε καὶ καταρρηγνυμένην,
ὥστε ἐοῦσαν ἰλύν τε καὶ πρόχυσιν ἐξ Αἰθιοπίης κατε-
νηνειγμένην ὑπὸ τοῦ ποταμοῦ. τὴν δὲ Λιβύην ἴδμεν
ἐρυθροτέρην τε γῆν καὶ ὑποψαμμοτέρην, τὴν δὲ Ἀραβίην
τε καὶ Συρίην ἀργιλωδεστέρην τε καὶ ὑπόπετρον ἐοῦσαν. 25
ἔλεγον δὲ καὶ τόδε μοι μέγα τεκμήριον περὶ τῆς χώρης 13
ταύτης οἱ ἱρεῖς, ὡς ἐπὶ Μοίριος βασιλέος, ὅκως ἔλθοι
ὁ ποταμὸς ἐπὶ ὀκτὼ πήχεας τὸ ἐλάχιστον, ἄρδεσκεν
Αἴγυπτον τὴν ἔνερθε Μέμφιος. καὶ Μοίρι οὔκω ἦν
ἔτεα εἰνακόσια τετελευτηκότι, ὅτε τῶν ἱρέων ταῦτα ἐγὼ 30
ἤκουον. νῦν δέ, εἰ μὴ ἐπ' ἐκκαίδεκα ἢ πεντεκαίδεκα
πήχεας ἀναβῇ τὸ ἐλάχιστον ὁ ποταμός, οὐκ ὑπερβαίνει
ἐς τὴν χώρην. δοκέουσί τέ μοι Αἰγυπτίων οἱ ἔνερθε
τῆς λίμνης τῆς Μοίριος οἰκέοντες τά τε ἄλλα χωρία καὶ

τὸ καλεόμενον Δέλτα, ἢν οὕτω ἡ χώρη αὕτη κατὰ λόγον
ἐπιδιδῷ ἐς ὕψος καὶ τὸ ὅμοιον ἀποδιδῷ ἐς αὔξησιν, μὴ
κατακλύζοντος αὐτὴν τοῦ Νείλου, πείσεσθαι τὸν πάντα
χρόνον τὸν ἐπίλοιπον Αἰγύπτιοι, τό κοτε αὐτοὶ Ἕλληνας
5 ἔφασαν πείσεσθαι. πυθόμενοι γὰρ ὡς ὕεται πᾶσα ἡ
χώρη τῶν Ἑλλήνων, ἀλλ' οὐ ποταμοῖσιν ἄρδεται, κατά
περ ἡ σφετέρη, ἔφασαν Ἕλληνας ψευσθέντας κοτὲ ἐλπίδος
μεγάλης κακῶς πεινήσειν. τὸ δὲ ἔπος τοῦτο ἐθέλει
λέγειν ὡς, εἰ μὴ ἐθελήσει σφιν ὕειν ὁ θεὸς ἀλλ' αὐχμῷ
10 διαχρῆσθαι, λιμῷ οἱ Ἕλληνες αἱρεθήσονται· οὐ γὰρ δὴ
σφιν ἔστιν ὕδατος οὐδεμία ἄλλη ἀποστροφὴ ὅτι μὴ ἐκ
14 τοῦ Διὸς μοῦνον. καὶ ταῦτα μὲν ἐς Ἕλληνας Αἰγυ-
πτίοισιν ὀρθῶς ἔχοντα εἴρηται. φέρε δὲ νῦν καὶ αὐτοῖσιν
Αἰγυπτίοισιν ὡς ἔχει φράσω. εἴ σφι θέλοι, ὡς καὶ πρό-
15 τερον εἶπον, ἡ χώρη ἡ ἔνερθε Μέμφιος (αὕτη γάρ ἐστιν
ἡ αὐξανομένη) κατὰ λόγον τοῦ παροιχομένου χρόνου ἐς
ὕψος αὐξάνεσθαι, ἄλλο τι ἢ οἱ ταύτῃ οἰκέοντες Αἰγυ-
πτίων πεινήσουσιν, εἰ. μήτε γε ὕσεταί σφιν ἡ χώρη μήτε
ὁ ποταμὸς οἷός τε ἔσται ἐς τὰς ἀρούρας ὑπερβαίνειν; ἢ
20 γὰρ δὴ νῦν γε οὗτοι ἀπονητότατα καρπὸν κομί-
ζονται ἐκ γῆς τῶν τε ἄλλων ἀνθρώπων πάντων καὶ
τῶν λοιπῶν Αἰγυπτίων, οἳ οὔτε ἀρότρῳ ἀναρρηγνύντες
αὔλακας ἔχουσι πόνους οὔτε σκάλλοντες οὔτε ἄλλο ἐργα-
ζόμενοι οὐδὲν τῶν οἱ ἄλλοι ἄνθρωποι περὶ λήιον πο-
25 νέουσιν, ἀλλ' ἐπεάν σφιν ὁ ποταμὸς αὐτόματος ἐπελθὼν
ἄρσῃ τὰς ἀρούρας, ἄρσας δὲ ἀπολίπῃ ὀπίσω, τότε σπείρας
ἕκαστος τὴν ἑωυτοῦ ἄρουραν ἐσβάλλει ἐς αὐτὴν ὗς,
ἐπεὰν δὲ καταπατήσῃ τῇσιν ὑσὶ τὸ σπέρμα, ἄμητον τὸ
ἀπὸ τούτου μένει, ἀποδινήσας δὲ τῇσιν ὑσὶ τὸν σῖτον
30 οὕτω κομίζεται.
15   Εἰ ὦν βουλόμεθα γνώμῃσι τῇσιν Ἰώνων χρῆ-
σθαι τὰ περὶ Αἴγυπτον, οἵ φασι τὸ Δέλτα μοῦνον
εἶναι Αἴγυπτον, ἀπὸ Περσέος καλεομένης σκοπιῆς
λέγοντες τὸ παρὰ θάλασσαν εἶναι αὐτῆς μέχρι Ταριχηίων

τῶν Πηλουσιακῶν, τῇ δὴ τεσσεράκοντά εἰσι σχοῖνοι, τὸ
δὲ ἀπὸ θαλάσσης λεγόντων ἐς μεσόγαιαν τείνειν αὐτὴν
μέχρι Κερκασώρου πόλιος, κατ᾽ ἣν σχίζεται ὁ Νεῖλος ἔς
τε Πηλούσιον ῥέων καὶ ἐς Κάνωβον, τὰ δὲ ἄλλα λεγόν-
των τῆς Αἰγύπτου τὰ μὲν Λιβύης, τὰ δὲ Ἀραβίης εἶναι,   5
ἀποδεικνύοιμεν ἂν τούτῳ τῷ λόγῳ χρεώμενοι Αἰγυπτίοισιν
οὐκ ἐοῦσαν πρότερον χώρην. ἤδη γάρ σφι τό γε Δέλτα,
ὡς αὐτοὶ λέγουσιν Αἰγύπτιοι καὶ ἐμοὶ δοκεῖ, ἐστὶ κατάρ-
ρυτόν τε καὶ νεωστὶ ὡς λόγῳ εἰπεῖν ἀναπεφηνός. εἰ
τοίνυν σφι χώρη γε μηδεμία ὑπῆρχεν, τί περιεργάζοντο   10
δοκέοντες πρῶτοι ἀνθρώπων γεγονέναι; οὐδὲ ἔδει σφέας
ἐς διάπειραν τῶν παιδίων ἰέναι, τίνα γλῶσσαν πρώτην
ἀπήσουσιν. ἀλλ᾽ οὔτε Αἰγυπτίους δοκέω ἅμα τῷ Δέλτα
τῷ ὑπὸ Ἰώνων καλεομένῳ γενέσθαι αἰεί τε εἶναι, ἐξ οὗ
ἀνθρώπων γένος ἐγένετο, προϊούσης δὲ τῆς χώρης πολ-   15
λοὺς μὲν τοὺς ὑπολειπομένους αὐτῶν γίνεσθαι, πολλοὺς
δὲ τοὺς ὑποκαταβαίνοντας. τὸ δ᾽ ὦν πάλαι αἱ Θῆβαι
Αἴγυπτος ἐκαλεῖτο, τῆς τὸ περίμετρον στάδιοί εἰσιν εἴκοσι
καὶ ἑκατὸν καὶ ἑξακισχίλιοι. εἰ ὦν ἡμεῖς ὀρθῶς περὶ   16
αὐτῶν γινώσκομεν, Ἴωνες οὐκ εὖ φρονέουσι περὶ Αἰγύ-   20
πτου· εἰ δὲ ὀρθή ἐστιν ἡ γνώμη τῶν Ἰώνων, Ἕλληνάς
τε καὶ αὐτοὺς Ἴωνας ἀποδείκνυμι οὐκ ἐπισταμένους λογί-
ζεσθαι, οἳ φασι τρία μόρια εἶναι γῆν πᾶσαν, Εὐρώπην
τε καὶ Ἀσίην καὶ Λιβύην. τέταρτον γὰρ δή σφεας δεῖ
προσλογίζεσθαι Αἰγύπτου τὸ Δέλτα, εἰ μήτε γέ ἐστι τῆς   25
Ἀσίης μήτε τῆς Λιβύης· οὐ γὰρ δὴ ὁ Νεῖλός γέ ἐστι
κατὰ τοῦτον τὸν λόγον ὁ τὴν Ἀσίην οὐρίζων τῇ Λιβύῃ.
τοῦ Δέλτα δὲ τούτου κατὰ τὸ ὀξὺ περιρρήγνυται ὁ
Νεῖλος, ὥστε ἐν τῷ μεταξὺ Ἀσίης τε καὶ. Λιβύης
γίνοιτ᾽ ἄν.   30

    Καὶ τὴν μὲν Ἰώνων γνώμην ἀπίεμεν, ἡμεῖς δὲ ὧδέ   17
κῃ περὶ τούτων λέγομεν, Αἴγυπτον μὲν πᾶσαν εἶναι
ταύτην τὴν ὑπ᾽ Αἰγυπτίων οἰκεομένην κατά περ
Κιλικίην τὴν ὑπὸ Κιλίκων καὶ Ἀσσυρίην τὴν ὑπὸ Ἀσσυ-

ρίων, οὔρισμα δὲ Ἀσίῃ καὶ Διβύῃ οἴδαμεν οὐδὲν ἐὸν
ὀρθῷ λόγῳ εἰ μὴ τοὺς Αἰγυπτίων οὔρους· εἰ δὲ τῷ ὑπ'
Ἑλλήνων νενομισμένῳ χρησόμεθα, νομιεῦμεν Αἴγυπτον
πᾶσαν ἀρξαμένην ἀπὸ Καταδούπων τε καὶ Ἐλεφαντίνης
5 πόλιος δίχα διαιρεῖσθαι καὶ ἀμφοτερέων τῶν ἐπωνυμιῶν
ἔχεσθαι· τὰ μὲν γὰρ αὐτῆς εἶναι τῆς Διβύης, τὰ δὲ τῆς
Ἀσίης. ὁ γὰρ δὴ Νεῖλος ἀρξάμενος ἐκ τῶν Καταδούπων
ῥεῖ μέσην Αἴγυπτον σχίζων ἐς θάλασσαν. μέχρι μέν
νυν Κερκασώρου πόλιος ῥεῖ εἷς ἐὼν ὁ Νεῖλος, τὸ δὲ
10 ἀπὸ ταύτης τῆς πόλιος σχίζεται τριφασίας ὁδούς.
καὶ ἡ μὲν πρὸς ἠῶ τρέπεται, τὸ καλεῖται Πηλούσιον
στόμα, ἡ δὲ ἑτέρη τῶν ὁδῶν πρὸς ἑσπέρην ἔχει· τοῦτο
δὲ Κανωβικὸν στόμα κέκληται. ἡ δὲ δὴ ἰθεῖα τῶν ὁδῶν
τῷ Νείλῳ ἐστὶν ἥδε· ἄνωθεν φερόμενος ἐς τὸ ὀξὺ τοῦ
15 Δέλτα ἀπικνεῖται, τὸ δὲ ἀπὸ τούτου σχίζων μέσον τὸ
Δέλτα ἐς θάλασσαν ἐξιεῖ, οὔτε ἐλαχίστην μοῖραν τοῦ
ὕδατος παρεχόμενος ταύτῃ οὔτε ἥκιστα ὀνομαστήν, τὸ
καλεῖται Σεβεννυτικὸν στόμα. ἔστι δὲ καὶ ἕτερα διφάσια
στόματα ἀπὸ τοῦ Σεβεννυτικοῦ ἀποσχισθέντα φέροντα
20 ἐς θάλασσαν, τοῖς ὀνόματα κεῖται τάδε, τῷ μὲν Σαϊτικὸν
αὐτῶν, τῷ δὲ Μενδήσιον. τὸ δὲ Βολβίτινον στόμα καὶ
τὸ Βουκολικὸν οὐκ ἰθαγενέα στόματά ἐστιν, ἀλλ' ὀρυκτά.
18 Μαρτυρεῖ δέ μοι τῇ γνώμῃ, ὅτι τοσαύτη ἐστὶν
Αἴγυπτος, ὅσην τινὰ ἐγὼ ἀποδείκνυμι τῷ λόγῳ, καὶ τὸ
25 Ἄμμωνος χρηστήριον γενόμενον, τὸ ἐγὼ τῆς ἐμεωυτοῦ
γνώμης ὕστερον περὶ Αἴγυπτον ἐπυθόμην. οἱ γὰρ δὴ
ἐκ Μαρέης τε πόλιος καὶ Ἄπιος οἰκέοντες Αἰγύπτου
τὰ πρόσουρα Διβύῃ, αὐτοί τε δοκέοντες εἶναι Δίβυες
καὶ οὐκ Αἰγύπτιοι καὶ ἀχθόμενοι τῇ περὶ τὰ ἱρὰ
30 θρησκηίῃ, βουλόμενοι θηλέων βοῶν μὴ ἔργεσθαι, ἔπεμ-
ψαν ἐς Ἄμμωνα φάμενοι οὐδὲν σφίσι τε καὶ Αἰγυ-
πτίοισι κοινὸν εἶναι· οἰκεῖν τε γὰρ ἔξω τοῦ Δέλτα καὶ
οὐδὲν ὁμολογεῖν αὐτοῖσιν, βούλεσθαί τε πάντων σφίσιν
ἐξεῖναι γεύεσθαι. ὁ δὲ θεός σφεας οὐκ ἔα ποιεῖν ταῦτα,

φὰς Αἴγυπτον εἶναι ταύτην, τὴν ὁ Νεῖλος ἐπιὼν ἄρδει.
καὶ Αἰγυπτίους εἶναι τούτους, οἳ ἔνερθε Ἐλεφαντίνης
πόλιος οἰκέοντες ἀπὸ τοῦ ποταμοῦ τούτου πίνουσιν.
οὕτω σφι ταῦτα ἐχρήσθη. ἐπέρχεται δὲ ὁ Νεῖλος, ἐπεὰν
πληθύῃ, οὐ μοῦνον τὸ Δέλτα, ἀλλὰ καὶ τοῦ Διβυκοῦ τε 5
λεγομένου χωρίου εἶναι καὶ τοῦ Ἀραβίου ἐνιαχῇ καὶ ἐπὶ
δύο ἡμερέων ἑκατέρωθι ὁδόν, καὶ πλέον ἔτι τούτου καὶ
ἔλασσον.

Τοῦ ποταμοῦ δὲ φύσιος πέρι οὔτε τι τῶν ἱρέων 19
οὔτε ἄλλου οὐδενὸς παραλαβεῖν ἐδυνάσθην. πρόθυμος 10
δὲ ἔα τάδε παρ᾽ αὐτῶν πυθέσθαι, ὅ τι κατέρχεται μὲν
ὁ Νεῖλος πληθύων ἀπὸ τροπέων τῶν θερινέων ἀρξάμενος
ἐπ᾽ ἑκατὸν ἡμέρας, πελάσας δὲ ἐς τὸν ἀριθμὸν τουτέων
τῶν ἡμερέων ὀπίσω ἀπέρχεται ἀπολείπων τὸ ῥεῖθρον,
ὥστε βραχὺς τὸν χειμῶνα ἅπαντα διατελεῖ ἐὼν μέχρις 15
οὗ αὖτις τροπέων τῶν θερινέων. τούτων ὦν περὶ
οὐδενὸς οὐδὲν οἷός τε ἐγενόμην παραλαβεῖν τῶν Αἰγυ-
πτίων, ἱστορέων αὐτοὺς ἥντινα δύναμιν ἔχει ὁ Νεῖλος
τὰ ἔμπαλιν πεφυκέναι τῶν ἄλλων ποταμῶν. ταῦτά τε
δὴ βουλόμενος εἰδέναι ἱστόρεον καὶ ὅ τι αὔρας ἀπο- 20
πνεούσας μοῦνος πάντων ποταμῶν οὐ παρέχεται. ἀλλὰ 20
Ἑλλήνων μέν τινες ἐπίσημοι βουλόμενοι γενέσθαι σοφίην
ἔλεξαν περὶ τοῦ ὕδατος τούτου τριφασίας ὁδούς, τῶν
τὰς μὲν δύο οὐδ᾽ ἀξιῶ μνησθῆναι εἰ μὴ ὅσον σημῆναι
βουλόμενος μοῦνον. τῶν ἡ ἑτέρη μὲν λέγει τοὺς ἐτη- 25
σίας ἀνέμους εἶναι αἰτίους πληθύειν τὸν ποτα-
μόν, κωλύοντας ἐς θάλασσαν ἐκρεῖν τὸν Νεῖλον. πολ-
λάκις δὲ ἐτησίαι μὲν οὔκων ἔπνευσαν, ὁ δὲ Νεῖλος
τὠυτὸ ἐργάζεται. πρὸς δέ, εἰ ἐτησίαι αἴτιοι ἦσαν, χρῆν
καὶ τοὺς ἄλλους ποταμούς, ὅσοι τοῖς ἐτησίῃσιν ἀντίοι 30
ῥέουσιν, ὁμοίως πάσχειν καὶ κατὰ ταὐτὰ τῷ Νείλῳ, καὶ
μᾶλλον ἔτι τοσούτῳ ὅσῳ ἐλάσσονες ἐόντες ἀσθενέστερα
τὰ ῥεύματα παρέχονται. εἰσὶ δὲ πολλοὶ μὲν ἐν τῇ Συρίῃ
ποταμοί, πολλοὶ δὲ ἐν τῇ Διβύῃ, οἳ οὐδὲν τοιοῦτο

21 πάσχουσιν, οἷόν τι καὶ ὁ Νεῖλος. ἡ δ' ἑτέρη ἀνεπιστη-
μονεστέρη μέν ἐστι τῆς λελεγμένης, λόγῳ δὲ εἰπεῖν
θωμασιωτέρη, ἣ λέγει ἀπὸ τοῦ Ὠκεανοῦ ῥέοντα αὐτὸν
ταῦτα μηχανᾶσθαι, τὸν δὲ Ὠκεανὸν γῆν πέρι πᾶσαν
22 ῥεῖν. ἡ δὲ τρίτη τῶν ὁδῶν πολλὸν ἐπιεικεστάτη ἐοῦσα
6 μάλιστα ἔψευσται. λέγει γὰρ δὴ οὐδ' αὕτη οὐδέν,
φαμένη τὸν Νεῖλον ῥεῖν ἀπὸ τηκομένης χιόνος, ὃς
ῥεῖ μὲν ἐκ Λιβύης διὰ μέσων Αἰθιόπων, ἐκδιδοῖ δὲ ἐς
Αἴγυπτον. κῶς ἂν δῆτα ῥέοι ἂν ἀπὸ χιόνος, ἀπὸ τῶν
10 θερμοτάτων ῥέων ἐς τὰ ψυχρότερα τὰ πολλά ἐστιν; ἀνδρί
γε λογίζεσθαι τοιούτων πέρι οἴῳ τε ἐόντι, ὡς οὐδὲ οἰκὸς
ἀπὸ χιόνος μιν ῥεῖν, πρῶτον μὲν καὶ μέγιστον μαρτύριον
οἱ ἄνεμοι παρέχονται πνέοντες ἀπὸ τῶν χωρέων τουτέων
θερμοί· δεύτερον δὲ ὅτι ἄνομβρος ἡ χώρη καὶ ἀκρύ-
15 σταλλος διατελεῖ ἐοῦσα, ἐπὶ δὲ χιόνι πεσούσῃ πᾶσα
ἀνάγκη ἐστὶν ὗσαι ἐν πέντε ἡμέρῃσιν, ὥστε εἰ ἐχιόνιζεν,
ὕετο ἂν ταῦτα τὰ χωρία· τρίτα δὲ οἱ ἄνθρωποι ὑπὸ τοῦ
καύματος μέλανες ἐόντες· ἰκτῖνοι δὲ καὶ χελιδόνες δι'
ἔτεος ἐόντες οὐκ ἀπολείπουσιν, γέρανοι δὲ φεύγουσαι τὸν
20 χειμῶνα τὸν ἐν τῇ Σκυθικῇ χώρῃ γινόμενον φοιτῶσιν
ἐς χειμασίην ἐς τοὺς τόπους τούτους. εἰ τοίνυν ἐχιόνιζε
καὶ ὅσον ὢν ταύτην τὴν χώρην, δι' ἧς τε ῥεῖ καὶ ἐκ
τῆς ἄρχεται ῥέων ὁ Νεῖλος, ἦν ἂν τούτων οὐδέν, ὡς ἡ
23 ἀνάγκη ἐλέγχει. ὁ δὲ περὶ τοῦ Ὠκεανοῦ λέξας ἐς ἀφανὲς
25 τὸν μῦθον ἀνενείκας οὐκ ἔχει ἔλεγχον· οὐ γάρ τινα
ἔγωγε οἶδα ποταμὸν Ὠκεανὸν ἐόντα, Ὅμηρον δὲ ἤ τινα
τῶν πρότερον γενομένων ποιητέων δοκέω τοὔνομα εὑ-
ρόντα ἐς ποίησιν ἐσενείκασθαι.
24   Εἰ δὲ δεῖ μεμψάμενον γνώμας τὰς προκειμένας
30 αὐτὸν περὶ τῶν ἀφανέων γνώμην ἀποδέξασθαι, φράσω
διότι μοι δοκεῖ πληθύεσθαι ὁ Νεῖλος τοῦ θέρεος.
τὴν χειμερινὴν ὥρην ἀπελαυνόμενος ὁ ἥλιος ἐκ τῆς ἀρ-
χαίης διεξόδου ὑπὸ τῶν χειμώνων ἔρχεται τῆς Λιβύης τὰ
ἄνω. ὡς μέν νυν ἐν ἐλαχίστῳ δηλῶσαι, πᾶν εἴρηται·

τῆς γὰρ ἂν ἀγχοτάτω τε ᾖ χώρης οὗτος ὁ θεὸς καὶ κατὰ
ἥντινα, ταύτην οἰκὸς διψῆν τε ὑδάτων μάλιστα καὶ τὰ
ἐγχώρια ρεύματα μαραίνεσθαι τῶν ποταμῶν. ὡς δὲ ἐν 25
πλέονι λόγῳ δηλῶσαι, ὧδε ἔχει· διεξιὼν τῆς Διβύης τὰ
ἄνω ὁ ἥλιος τάδε ποιεῖ· ἅτε διὰ παντὸς τοῦ χρόνου 5
αἰθρίου τε τοῦ ἠέρος τοῦ κατὰ ταῦτα τὰ χωρία καὶ
ἀλεεινῆς τῆς χώρης ἐούσης, οὐκ ἐόντων ἀνέμων ψυχρῶν,
διεξιὼν ποιεῖ οἷόν περ καὶ τὸ θέρος ἔωθε ποιεῖν ἰὼν
τὸ μέσον τοῦ οὐρανοῦ. ἕλκει γὰρ ἐπ' ἑωυτὸν τὸ ὕδωρ,
ἑλκύσας δὲ ἀπωθεῖ ἐς τὰ ἄνω χωρία, ὑπολαμβάνοντες δὲ 10
οἱ ἄνεμοι καὶ διασκιδνάντες τήκουσιν· καὶ εἰσὶν οἰκότως
οἱ ἀπὸ ταύτης τῆς χώρης πνέοντες, ὅ τε νότος καὶ ὁ
λίψ, ἀνέμων· πολλὸν τῶν πάντων ὑετιώτατοι. δοκεῖ δέ
μοι οὐδὲ πᾶν τὸ ὕδωρ τὸ ἐπέτειον ἑκάστοτε ἀποπέμπε-
σθαι τοῦ Νείλου ὁ ἥλιος, ἀλλὰ καὶ ὑπολείπεσθαι περὶ 15
ἑωυτόν. πρηϋνομένου δὲ τοῦ χειμῶνος ἀπέρχεται ὁ ἥλιος
ἐς μέσον τὸν οὐρανὸν ὀπίσω, καὶ τὸ ἐνθεῦτεν ἤδη ὁμοίως
ἀπὸ πάντων ἕλκει τῶν ποταμῶν. τέως δὲ οἱ μὲν ὀμβρίου
ὕδατος συμμισγομένου πολλοῦ αὐτοῖσιν, ἅτε ὑομένης τε
τῆς χώρης καὶ κεχαραδρωμένης, ρέουσι μεγάλοι, τοῦ δὲ 20
θέρεος τῶν τε ὄμβρων ἐπιλειπόντων αὐτοὺς καὶ ὑπὸ τοῦ
ἡλίου ἑλκόμενοι ἀσθενεῖς εἰσιν. ὁ δὲ Νεῖλος, ἐὼν ἄνομ-
βρος, ἑλκόμενος δὲ ὑπὸ τοῦ ἡλίου, μοῦνος ποταμῶν
τοῦτον τὸν χρόνον οἰκότως αὐτὸς ἑωυτοῦ ῥεῖ πολλῷ
ὑποδεέστερος ἢ τοῦ θέρεος· τότε μὲν γὰρ μετὰ πάντων 25
τῶν ὑδάτων ἴσον ἕλκεται, τὸν δὲ χειμῶνα μοῦνος πιέ-
ζεται. οὕτω τὸν ἥλιον· νενόμικα τούτων αἴτιον εἶναι.
αἴτιος δὲ ὁ αὐτὸς οὗτος κατὰ γνώμην τὴν ἐμὴν καὶ τὸν 26
ἠέρα ξηρὸν τὸν ταύτῃ εἶναι, διακαίων τὴν διέξοδον
ἑωυτοῦ· οὕτω τῆς Διβύης τὰ ἄνω θέρος αἰεὶ κατέχει. 30
εἰ δὲ ἡ στάσις ἤλλακτο τῶν ὡρέων καὶ τοῦ οὐρανοῦ τῇ
μὲν. νῦν ὁ βορῆς τε καὶ ὁ χειμὼν ἑστᾶσιν, ταύτῃ μὲν τοῦ
νότου ἦν ἡ στάσις καὶ τῆς μεσαμβρίης, τῇ δὲ ὁ νότος
νῦν ἕστηκεν, ταύτῃ δὲ ὁ βορῆς, εἰ ταῦτα οὕτως εἶχεν, ὁ

ἥλιος ἂν ἀπελαυνόμενος ἐκ μέσου τοῦ οὐρανοῦ ὑπὸ τοῦ
χειμῶνος καὶ τοῦ βορέω ἦεν ἂν τὰ ἄνω τῆς Εὐρώπης
κατά περ νῦν τῆς Λιβύης ἔρχεται, διεξιόντα δ' ἄν μιν
διὰ πάσης τῆς Εὐρώπης ἔλπομαι ποιεῖν ἂν τὸν Ἴστρον
27 τά περ νῦν ἐργάζεται τὸν Νεῖλον. τῆς αὔρης δὲ πέρι,
6 ὅτι οὐκ ἀποπνεῖ, τήνδε ἔχω γνώμην, ὡς κάρτα ἀπὸ
θερμέων χωρέων οὐκ οἰκός ἐστιν οὐδὲν ἀποπνεῖν, αὔρη
δὲ ἀπὸ ψυχροῦ τινος φιλεῖ πνεῖν.

28   Ταῦτα μέν νυν ἔστω ὡς ἔστι τε καὶ ὡς ἀρχὴν ἐγέ-
10 νετο. τοῦ δὲ Νείλου τὰς πηγὰς οὔτε Αἰγυπτίων
οὔτε Λιβύων οὔτε Ἑλλήνων τῶν ἐμοὶ ἀπικομένων ἐς
λόγους οὐδεὶς ὑπέσχετο εἰδέναι, εἰ μὴ ἐν Αἰγύπτῳ
ἐν Σάι πόλι ὁ γραμματιστὴς τῶν ἱρῶν χρημάτων τῆς
Ἀθηναίης. οὗτος δ' ἔμοιγε παίζειν ἐδόκει, φάμενος
15 εἰδέναι ἀτρεκέως. ἔλεγε δὲ ὧδε, εἶναι δύο ὄρεα ἐς ὀξὺ
τὰς κορυφὰς ἀπηγμένα, μεταξὺ Συήνης τε πόλιος κείμενα
τῆς Θηβαΐδος καὶ Ἐλεφαντίνης, ὀνόματα δὲ εἶναι τοῖς
ὄρεσι τῷ μὲν Κρῶφι, τῷ δὲ Μῶφι. τὰς ἂν δὴ πηγὰς
τοῦ Νείλου ἐούσας ἀβύσσους ἐκ τοῦ μέσου τῶν ὀρέων
20 τούτων ρεῖν, καὶ τὸ μὲν ἥμισυ τοῦ ὕδατος ἐπ' Αἰγύ-
πτου ρεῖν καὶ πρὸς βορῆν ἄνεμον, τὸ δ' ἕτερον ἥμισυ
ἐπ' Αἰθιοπίης τε καὶ νότου. ὡς δὲ ἄβυσσοί εἰσιν αἱ
πηγαί, ἐς διάπειραν ἔφη τούτου Ψαμμήτιχον Αἰγύπτου
βασιλέα ἀπικέσθαι. πολλέων γὰρ αὐτὸν χιλιάδων ὀρ-
25 γυιῶν πλεξάμενον κάλον κατεῖναι ταύτη καὶ οὐκ ἐξι-
κέσθαι ἐς βυσσόν. οὗτος μὲν δὴ ὁ γραμματιστής, εἰ
ἄρα ταῦτα γενόμενα ἔλεγεν, ἀπέφαινεν, ὡς ἐμὲ κατα-
νοεῖν, δίνας τινὰς ταύτη ἐούσας ἰσχυρὰς καὶ παλιρροίην,
οἷα δὲ ἐμβάλλοντος τοῦ ὕδατος τοῖς ὄρεσι μὴ δύνασθαι
29 κατιεμένην καταπειρητηρίην ἐς βυσσὸν ἰέναι. ἄλλου δὲ
31 οὐδενὸς οὐδὲν ἐδυνάμην πυθέσθαι, ἀλλὰ τοσόνδε μὲν
ἄλλο ἐπὶ μακρότατον ἐπυθόμην, μέχρι μὲν Ἐλεφαντίνης
πόλιος αὐτόπτης ἐλθών, τὸ δ' ἀπὸ τούτου ἀκοῇ ἤδη
ἱστορέων· ἀπὸ Ἐλεφαντίνης πόλιος ἄνω ἰόντι

ἄναντές ἐστι χωρίον· ταύτῃ ὧν δεῖ τὸ πλοῖον διαδή-
σαντας ἀμφοτέρωθεν κατά περ βοῦν πορεύεσθαι· ἢν δὲ
ἀποῤῥαγῇ, τὸ πλοῖον οἴχεται φερόμενον ὑπὸ ἰσχύος
τοῦ ῥόου. τὸ δὲ χωρίον τοῦτό ἐστιν ἐπ᾽ ἡμέρας τέσ-
σερας πλόος, σκολιὸς δὲ ταύτῃ κατά περ ὁ Μαίανδρός 5
ἐστιν ὁ Νεῖλος· σχοῖνοι δὲ δυώδεκά εἰσιν οὗτοι, τοὺς
δεῖ τούτῳ τῷ τρόπῳ διεκπλῶσαι· καὶ ἔπειτα ἀπίξεαι ἐς
πεδίον λεῖον, ἐν τῷ νῆσον περιῤῥεῖ ὁ Νεῖλος· Ταχομψὼ
ὄνομα αὐτῇ ἐστιν. οἰκέουσι δὲ τὰ ἀπὸ Ἐλεφαντίνης
ἄνω Αἰθίοπες ἤδη καὶ τῆς νήσου τὸ ἥμισυ, τὸ δὲ ἥμισυ 10
Αἰγύπτιοι. ἔχεται δὲ τῆς νήσου λίμνη μεγάλη, τὴν
πέριξ νομάδες Αἰθίοπες νέμονται· τὴν διεκπλώσας ἐς
τοῦ Νείλου τὸ ῥεῖθρον ἥξεις, τὸ ἐς τὴν λίμνην ταύτην
ἐκδιδοῖ· καὶ ἔπειτα ἀποβὰς παρὰ τὸν ποταμὸν ὁδοιπορίην
ποιήσεαι ἡμερέων τεσσεράκοντα· σκόπελοί τε γὰρ ἐν τῷ 15
Νείλῳ ὀξεῖς ἀνέχουσι καὶ χοιράδες πολλαί εἰσιν, δι᾽ ὧν
οὐκ οἷά τέ ἐστι πλεῖν. διεξελθὼν δὲ ἐν τῇσι τεσσερά-
κοντα ἡμέρῃσι τοῦτο τὸ χωρίον, αὖτις ἐς ἕτερον πλοῖον
ἐσβὰς δυώδεκα ἡμέρας πλεύσεαι καὶ ἔπειτα ἥξεις ἐς
πόλιν μεγάλην, τῇ ὄνομά ἐστι Μερόη. λέγεται δὲ αὕτη 20
ἡ πόλις εἶναι μητρόπολις τῶν ἄλλων Αἰθιόπων. οἱ δ᾽
ἐν ταύτῃ Δία θεῶν καὶ Διόνυσον μούνους σέβονται,
τούτους τε μεγάλως τιμῶσιν, καί σφι μαντήιον Διὸς
κατέστηκεν. στρατεύονται δέ, ἐπεάν σφεας ὁ θεὸς οὗτος
κελεύῃ διὰ θεσπισμάτων, καὶ τῇ ἂν κελεύῃ, ἐκεῖσε. ἀπὸ 30
δὲ ταύτης τῆς πόλιος πλέων ἐν ἴσῳ χρόνῳ ἄλλῳ ἥξεις 25
ἐς τοὺς αὐτομόλους, ἐν ὅσῳ περ ἐξ Ἐλεφαντίνης
ἦλθες ἐς τὴν μητρόπολιν τὴν Αἰθιόπων. τοῖσι δὲ αὐτο-
μόλοισι τούτοισιν ὄνομά ἐστιν Ἀσχάμ, δύναται δὲ
τοῦτο τὸ ἔπος κατὰ τὴν Ἑλλήνων γλῶσσαν οἱ ἐξ ἀρι- 30
στερῆς χειρὸς παριστάμενοι βασιλεῖ. ἀπέστησαν δὲ αὗται
τέσσερες καὶ εἴκοσι μυριάδες Αἰγυπτίων τῶν μαχίμων
ἐς τοὺς Αἰθίοπας τούτους δι᾽ αἰτίην τοιήνδε· ἐπὶ Ψαμ-
μητίχου βασιλέος φυλακαὶ κατέστησαν ἔν τε Ἐλεφαντίνῃ

πόλι πρὸς Αἰθιόπων καὶ ἐν Δάφνῃσι τῇσι Πηλουσίῃσιν
ἄλλη πρὸς Ἀραβίων τε καὶ Ἀσσυρίων καὶ ἐν Μαρέῃ πρὸς
Λιβύης ἄλλη. ἔτι δὲ ἐπ' ἐμέο καὶ Περσέων κατὰ ταὐτὰ
αἱ φυλακαὶ ἔχουσιν, ὡς καὶ ἐπὶ Ψαμμητίχου ἦσαν· καὶ
5 γὰρ ἐν Ἐλεφαντίνῃ Πέρσαι φρουρέουσι καὶ ἐν Δάφνῃσιν.
τοὺς ὦν δὴ Αἰγυπτίους τρία ἔτεα φρουρήσαντας ἀπέλυεν
οὐδεὶς τῆς φρουρῆς· οἱ δὲ βουλευσάμενοι καὶ κοινῷ
λόγῳ χρησάμενοι πάντες ἀπὸ τοῦ Ψαμμητίχου ἀποστάντες
ἦσαν ἐς Αἰθιοπίην. Ψαμμήτιχος δὲ πυθόμενος ἐδίωκεν·
10 ὡς δὲ κατέλαβεν, ἐδεῖτο πολλὰ λέγων καί σφεας θεοὺς
πατρῴους ἀπολιπεῖν οὐκ ἔα, καὶ τέκνα καὶ γυναῖκας.
τῶν δέ τινα λέγεται δείξαντα τὸ αἰδοῖον εἰπεῖν, ἔνθα ἂν
τοῦτο ᾖ, ἔσεσθαι αὐτοῖσιν ἐνθαῦτα καὶ τέκνα καὶ γυναῖκας.
οὗτοι ἐπείτε ἐς Αἰθιοπίην ἀπίκοντο, διδοῦσι σφέας αὐτοὺς
15 τῷ Αἰθιόπων βασιλεῖ. ὁ δέ σφεας τῷδε ἀντιδωρεῖται·
ἦσάν οἱ διάφοροί τινες γεγονότες τῶν Αἰθιόπων· τούτους
ἐκέλευεν ἐξελόντας τὴν ἐκείνων γῆν οἰκεῖν. τούτων δὲ
ἐσοικισθέντων ἐς τοὺς Αἰθίοπας ἡμερώτεροι γεγόνασιν
Αἰθίοπες ἤθεα μαθόντες Αἰγύπτια.

31 Μέχρι μέν νυν τεσσέρων μηνῶν πλόου καὶ ὁδοῦ
21 γινώσκεται ὁ Νεῖλος πάρεξ. τοῦ ἐν Αἰγύπτῳ ῥεύματος.
τοσοῦτοι γὰρ συμβαλλομένῳ μῆνες εὑρίσκονται ἀναισι-
μούμενοι ἐξ Ἐλεφαντίνης πορευομένῳ ἐς τοὺς αὐτομόλους
τούτους. ῥεῖ δὲ ἀπὸ ἑσπέρης τε καὶ ἡλίου δυσμέων.
25 τὸ δὲ ἀπὸ τοῦδε οὐδεὶς ἔχει σαφέως φράσαι· ἔρημος γάρ
32 ἐστιν ἡ χώρη αὕτη ὑπὸ καύματος. ἀλλὰ τάδε μὲν ἤκουσα
ἀνδρῶν Κυρηναίων φαμένων ἐλθεῖν τε ἐπὶ τὸ Ἄμμωνος
χρηστήριον καὶ ἀπικέσθαι ἐς λόγους Ἐτεάρχῳ τῷ Ἀμμω-
νίων βασιλεῖ, καί κως ἐκ λόγων ἄλλων ἀπικέσθαι ἐς
30 λέσχην περὶ τοῦ Νείλου, ὡς οὐδεὶς αὐτοῦ οἶδε τὰς
πηγάς, καὶ τὸν Ἐτέαρχον φάναι ἐλθεῖν κοτε παρ' αὐτὸν
Νασαμῶνας ἄνδρας. τὸ δὲ ἔθνος τοῦτο ἐστὶ μὲν
Λιβυκόν, νέμεται δὲ τὴν Σύρτιν τε καὶ τὴν πρὸς ἠῶ
χώρην τῆς Σύρτιος οὐκ ἐπὶ πολλόν. ἀπικομένους δὲ

τοὺς Νασαμῶνας καὶ εἰρωτωμένους, εἴ τι ἔχουσι πλέον
λέγειν περὶ τῶν ἐρήμων τῆς Λιβύης, φάναι παρὰ σφίσι
γενέσθαι ἀνδρῶν δυναστέων παῖδας ὑβριστάς, τοὺς ἄλλα
τε μηχανᾶσθαι ἀνδρωθέντας περισσὰ καὶ δὴ καὶ ἀπο-
κληρῶσαι πέντε ἑωυτῶν ὀψομένους τὰ ἔρημα τῆς 5
Λιβύης, καὶ εἴ τι πλέον ἴδοιεν τῶν τὰ μακρότατα ἰδο-
μένων. τῆς γὰρ Λιβύης τὰ μὲν κατὰ τὴν βορηίην θά-
λασσαν ἀπ᾽ Αἰγύπτου ἀρξάμενοι μέχρι Σολόεντος ἄκρης, τῇ
τελευτᾷ τὰ τῆς Λιβύης, παρήκουσι παρὰ πᾶσαν Λίβυες καὶ
Λιβύων ἔθνεα πολλά, πλὴν ὅσον Ἕλληνες καὶ Φοίνικες 10
ἔχουσιν· τὰ δὲ ὑπὲρ θαλάσσης τε καὶ τῶν ἐπὶ θάλασσαν
κατηκόντων ἀνθρώπων, τὰ κατύπερθε θηριώδης ἐστὶν ἡ
Λιβύη· τὰ δὲ κατύπερθε τῆς θηριώδεος ψάμμος τέ ἐστι
καὶ ἄννδρος δεινῶς καὶ ἔρημος πάντων. ἐκείνους ὧν
τοὺς νεηνίας ἀποπεμπομένους ὑπὸ τῶν ἡλίκων, ὕδασί τε 15
καὶ σιτίοισιν εὖ ἐξηρτυμένους, ἰέναι τὰ πρῶτα μὲν διὰ
τῆς οἰκεομένης, ταύτην δὲ διεξελθόντας ἐς τὴν θηριώδεα
ἀπικέσθαι, ἐκ δὲ ταύτης τὴν ἔρημον διεξιέναι τὴν ὁδὸν
ποιευμένους πρὸς ζέφυρον ἄνεμον, διεξελθόντας δὲ χῶρον
πολλὸν ψαμμώδεα καὶ ἐν πολλῇσιν ἡμέρῃσιν ἰδεῖν δή 20
κοτε δένδρεα ἐν πεδίῳ πεφυκότα, καί σφεας προσελθόντας
ἅπτεσθαι τοῦ ἐπεόντος ἐπὶ τῶν δενδρέων καρποῦ, ἁπτο-
μένοισι δέ σφιν ἐπελθεῖν ἄνδρας μικρούς, μετρίων
ἐλάσσονας ἀνδρῶν, λαβόντας δὲ ἄγειν σφέας· φωνῆς δὲ
οὔτε τι τῆς ἐκείνων τοὺς Νασαμῶνας γινώσκειν οὔτε 25
τοὺς ἄγοντας τῶν Νασαμώνων. ἄγειν τε δὴ αὐτοὺς δι᾽
ἑλέων μεγίστων, καὶ διεξελθόντας ταῦτα ἀπικέσθαι ἐς
πόλιν, ἐν τῇ πάντας εἶναι τοῖς ἄγουσι τὸ μέγαθος ἴσους,
χρῶμα δὲ μέλανας. παρὰ δὲ τὴν πόλιν ῥεῖν ποταμὸν
μέγαν, ῥεῖν δὲ ἀπ᾽ ἑσπέρης αὐτὸν πρὸς ἥλιον ἀνατέλ- 30
λοντα, φαίνεσθαι δὲ ἐν αὐτῷ κροκοδείλους. ὁ μὲν δὴ 33
τοῦ Ἀμμωνίου Ἐτεάρχου λόγος ἐς τοσοῦτό μοι δεδη-
λώσθω, πλὴν ὅτι ἀπονοστῆσαί τε ἔφασκε τοὺς Νασαμῶνας,
ὡς οἱ Κυρηναῖοι ἔλεγον, καὶ ἐς τοὺς οὗτοι ἀπίκοντο

ἀνθρώπους, γόητας εἶναι ἅπαντας. τὸν δὲ δὴ ποταμὸν
τοῦτον τὸν παραρρέοντα καὶ Ἐτέαρχος συνεβάλλετο εἶναι
Νεῖλον, καὶ δὴ καὶ ὁ λόγος οὕτω αἱρεῖ. ῥεῖ γὰρ ἐκ
Λιβύης ὁ Νεῖλος καὶ μέσην τάμνων Λιβύην. καὶ
5 ὡς ἐγὼ συμβάλλομαι τοῖς ἐμφανέσι τὰ μὴ γινωσκόμενα
τεκμαιρόμενος, τῷ Ἴστρῳ ἐκ τῶν ἴσων μέτρων ὁρ-
μᾶται. Ἴστρος τε γὰρ ποταμὸς ἀρξάμενος ἐκ Κελτῶν
καὶ Πυρήνης πόλιος ῥεῖ μέσην σχίζων τὴν Εὐρώπην.
οἱ δὲ Κελτοί εἰσιν ἔξω Ἡρακλείων στηλέων, ὁμουρέουσι
10 δὲ Κυνησίοισιν, οἳ ἔσχατοι πρὸς δυσμέων οἰκέουσι τῶν
ἐν τῇ Εὐρώπῃ κατοικημένων. τελευτᾷ δὲ ὁ Ἴστρος ἐς
θάλασσαν ῥέων τὴν τοῦ Εὐξείνου πόντου διὰ πάσης
Εὐρώπης, τῇ Ἰστριηνοὶ Μιλησίων οἰκέουσιν ἄποικοι.
34 ὁ μὲν δὴ Ἴστρος, ῥεῖ γὰρ δι' οἰκεομένης, πρὸς πολλῶν
15 γινώσκεται, περὶ δὲ τῶν τοῦ Νείλου πηγέων οὐδεὶς ἔχει
λέγειν· ἀοίκητός τε γὰρ καὶ ἔρημός ἐστιν ἡ Λιβύη, δι'
ἧς ῥεῖ. περὶ δὲ τοῦ ῥεύματος αὐτοῦ, ἐπ' ὅσον μακρό-
τατον ἱστορέοντα ἦν ἐξικέσθαι, εἴρηται· ἐκδιδοῖ δὲ ἐς
Αἴγυπτον. ἡ δὲ Αἴγυπτος τῆς ὀρεινῆς Κιλικίης μάλιστά
20 κῃ ἀντίη κεῖται. ἐνθεῦτεν δὲ ἐς Σινώπην τὴν ἐν τῷ
Εὐξείνῳ πόντῳ πέντε ἡμερέων ἰθεῖα ὁδὸς εὐζώνῳ ἀνδρί·
ἡ δὲ Σινώπη τῷ Ἴστρῳ ἐκδιδόντι ἐς θάλασσαν ἀντίον
κεῖται. οὕτω τὸν Νεῖλον δοκέω διὰ πάσης Λιβύης διεξι-
όντα ἐξισοῦσθαι τῷ Ἴστρῳ. Νείλου μέν νυν πέρι τοσαῦτα
25 εἰρήσθω.

35 Ἔρχομαι δὲ περὶ Αἰγύπτου μηκυνέων τὸν λόγον,
ὅτι πλεῖστα θωμάσια ἔχει καὶ ἔργα λόγου μέζω παρέ-
χεται πρὸς πᾶσαν χώρην· τούτων εἵνεκα πλέω περὶ αὐτῆς
εἰρήσεται.

30 Αἰγύπτιοι ἅμα τῷ οὐρανῷ τῷ κατὰ σφέας ἐόντι
ἑτεροίῳ καὶ τῷ ποταμῷ φύσιν ἀλλοίην παρεχομένῳ ἢ οἱ
ἄλλοι ποταμοί, τὰ πολλὰ πάντα ἔμπαλιν τοῖς ἄλλοι-
σιν ἀνθρώποισιν ἐστήσαντο ἤθεά τε καὶ νόμους,
ἐν τοῖς αἱ μὲν γυναῖκες ἀγοράζουσι καὶ καπηλεύουσιν,

οἱ δὲ ἄνδρες κατ᾽ οἴκους ἐόντες ὑφαίνουσιν· ὑφαίνουσι
δὲ οἱ μὲν ἄλλοι ἄνω τὴν κρόκην ὠθέοντες, Αἰγύπτιοι
δὲ κάτω. τὰ ἄχθεα οἱ μὲν ἄνδρες ἐπὶ τῶν κεφαλέων
φορέουσιν, αἱ δὲ γυναῖκες ἐπὶ τῶν ὤμων. οὐρέουσιν αἱ
μὲν γυναῖκες ὀρθαί, οἱ δὲ ἄνδρες καθήμενοι. εὐμαρείῃ 5
χρέωνται ἐν τοῖς οἴκοισιν, ἐσθίουσι δὲ ἔξω ἐν τῇσιν
ὁδοῖσιν, ἐπιλέγοντες ὡς τὰ μὲν αἰσχρὰ ἀναγκαῖα δὲ ἐν
ἀποκρύφῳ ἐστὶν ποιεῖν χρεόν, τὰ δὲ μὴ αἰσχρὰ ἀναφαν-
δόν. ἱρᾶται γυνὴ μὲν οὐδεμία οὔτε ἔρσενος θεοῦ οὔτε
θηλείης, ἄνδρες δὲ πάντων τε καὶ πασέων. τρέφειν τοὺς 10
τοκέας τοῖς μὲν παισὶν οὐδεμία ἀνάγκη μὴ βουλομένοισιν,
τῇσι δὲ θυγατράσι πᾶσα ἀνάγκη καὶ μὴ βουλομένῃσιν.
οἱ ἱρεῖς τῶν θεῶν τῇ μὲν ἄλλῃ κομῶσιν, ἐν Αἰγύπτῳ 36
δὲ ξυρῶνται. τοῖς ἄλλοισιν ἀνθρώποισι νόμος ἅμα κήδει
κεκάρθαι τὰς κεφαλάς, τοὺς μάλιστα ἱκνεῖται, Αἰγύπτιοι 15
δὲ ὑπὸ τοὺς θανάτους ἀνιεῖσι τὰς τρίχας αὔξεσθαι τάς
τε ἐν τῇ κεφαλῇ καὶ τῷ γενείῳ, τέως ἐξυρημένοι. τοῖσι
μὲν ἄλλοισιν ἀνθρώποισι χωρὶς θηρίων ἡ δίαιτα ἀπο-
κέκριται, Αἰγυπτίοισι δὲ ὁμοῦ θηρίοισιν ἡ δίαιτά ἐστιν.
ἀπὸ πυρῶν καὶ κριθέων ἄλλοι ζώουσιν, Αἰγυπτίων δὲ 20
τῷ ποιευμένῳ ἀπὸ τούτων τὴν ζοὴν ὄνειδος μέγιστόν
ἐστιν, ἀλλὰ ἀπὸ ὀλυρέων ποιεῦνται σιτία, τὰς ζειὰς μετε-
ξέτεροι καλέουσιν. φυρῶσι τὸ μὲν σταῖς τοῖς ποσίν, τὸν
δὲ πηλὸν τῇσι χερσίν, καὶ τὴν κόπρον ἀναιρέονται. τὰ
αἰδοῖα ἄλλοι μὲν ἐῶσιν ὡς ἐγένοντο, πλὴν ὅσοι ἀπὸ 25
τούτων ἔμαθον, Αἰγύπτιοι δὲ περιτάμνονται. εἵματα
τῶν μὲν ἀνδρῶν ἕκαστος ἔχει δύο, τῶν δὲ γυναικῶν ἓν
ἑκάστη. τῶν ἱστίων τοὺς κρίκους καὶ τοὺς κάλους οἱ
μὲν ἄλλοι ἔξωθεν προσδέουσιν, Αἰγύπτιοι δὲ ἔσωθεν.
γράμματα γράφουσι καὶ λογίζονται ψήφοισιν Ἕλληνες 30
μὲν ἀπὸ τῶν ἀριστερῶν ἐπὶ τὰ δεξιὰ φέροντες τὴν
χεῖρα, Αἰγύπτιοι δὲ ἀπὸ τῶν δεξιῶν ἐπὶ τὰ ἀριστερά·
καὶ ποιεῦντες ταῦτα αὐτοὶ μέν φασιν ἐπὶ δεξιὰ ποιεῖν,
Ἕλληνας δὲ ἐπ᾽ ἀριστερά. διφασίοισι δὲ γράμμασι

χρέωνται, καὶ τὰ μὲν αὐτῶν ἱρά, τὰ δὲ δημοτικὰ
καλεῖται.

87   Θεοσεβεῖς δὲ περισσῶς ἐόντες μάλιστα πάν-
των ἀνθρώπων, νόμοισι τοιοῖσδε χρέωνται. ἐκ
χαλκέων ποτηρίων πίνουσιν, διασμῶντες ἀνὰ πᾶσαν ἡμέρην,
οὐκ ὁ μέν, ὁ δ' οὔ, ἀλλὰ πάντες. εἵματα δὲ λίνεα φο-
ρέουσιν αἰεὶ νεόπλυτα, ἐπιτηδεύοντες τοῦτο μάλιστα. τά
τε αἰδοῖα περιτάμνονται καθαρειότητος εἵνεκεν, προτι-
μῶντες καθαροὶ εἶναι ἢ εὐπρεπέστεροι. οἱ δὲ ἱρεῖς
ξυρῶνται πᾶν τὸ σῶμα διὰ τρίτης ἡμέρης, ἵνα μήτε
φθεὶρ μήτε ἄλλο μυσαρὸν μηδὲν ἐγγίνηταί σφι θερα-
πεύουσι τοὺς θεούς. ἐσθῆτα δὲ φορέουσιν οἱ ἱρεῖς λινῆν
μούνην καὶ ὑποδήματα βύβλινα· ἄλλην δέ σφιν ἐσθῆτα
οὐκ ἔξεστι λαβεῖν οὐδὲ ὑποδήματα ἄλλα. λοῦνται δὲ δὶς
τῆς ἡμέρης ἑκάστης ψυχρῷ καὶ δὶς ἑκάστης νυκτός. ἄλλας
τε θρησκηίας ἐπιτελέουσι μυρίας ὡς εἰπεῖν λόγῳ. πάσχουσι
δὲ καὶ ἀγαθὰ οὐκ ὀλίγα· οὔτε τι γὰρ τῶν οἰκηίων τρί-
βουσιν, οὔτε δαπανῶνται, ἀλλὰ καὶ σιτία σφίν ἐστι ἱρὰ
πεσσόμενα, καὶ κρεῶν· βοείων καὶ χηνείων πλῆθός τι
ἑκάστῳ γίνεται πολλὸν ἡμέρης ἑκάστης, δίδοται δέ σφι
καὶ οἶνος ἀμπέλινος. ἰχθύων δὲ οὔ σφιν ἔξεστι πάσα-
σθαι. κυάμους δὲ οὔτε τι μάλα σπείρουσιν Αἰγύπτιοι
ἐν τῇ χώρῃ, τούς τε γινομένους οὔτε τρώγουσιν οὔτε
ἕψοντες πατέονται· οἱ δὲ δὴ ἱρεῖς οὐδὲ ὁρῶντες ἀνέχον-
ται, νομίζοντες οὐ καθαρὸν εἶναί μιν ὄσπριον. ἱρᾶται
δὲ οὐκ εἷς ἑκάστου τῶν θεῶν ἀλλὰ πολλοί, τῶν εἷς ἐστιν
ἀρχιέρεως· ἐπεὰν δέ τις ἀποθάνῃ, τούτου ὁ παῖς ἀντι-
κατίσταται.

88   Τοὺς δὲ βοῦς τοὺς ἔρσενας τοῦ Ἐπάφου εἶναι
νομίζουσι καὶ τούτου εἵνεκα δοκιμάζουσιν αὐτοὺς
ὧδε· τρίχα ἢν καὶ μίαν ἴδηται ἐπεοῦσαν μέλαιναν, οὐ
καθαρὸν εἶναι νομίζει. δίζηται δὲ ταῦτα ἐπὶ τούτῳ
τεταγμένος τῶν τις ἱρέων καὶ ὀρθοῦ ἑστεῶτος τοῦ κτήνεος
καὶ ὑπτίου καὶ τὴν γλῶσσαν ἐξειρύσας, εἰ καθαρὴ τῶν

προκειμένων σημηίων, τὰ ἐγὼ ἐν ἄλλῳ λόγῳ ἐρέω. κατορᾷ
δὲ καὶ τὰς τρίχας τῆς οὐρῆς εἰ κατὰ φύσιν ἔχει πεφυ-
κυίας. ἢν δὲ τούτων πάντων ᾖ καθαρός, σημαίνεται
βύβλῳ περὶ τὰ κέρεα εἰλίσσων καὶ ἔπειτα γῆν σημαντρίδα
ἐπιπλάσας ἐπιβάλλει τὸν δακτύλιον· καὶ οὕτω ἀπάγουσιν. 5
ἀσήμαντον δὲ θύσαντι θάνατος ἡ ζημίη ἐπίκειται. δοκι-
μάζεται μέν νυν τὸ κτῆνος τρόπῳ τοιῷδε, θυσίη δέ σφιν
ἥδε κατέστηκεν· ἀγαγόντες τὸ σεσημασμένον κτῆνος 39
πρὸς τὸν βωμόν, ὅκου ἂν θύωσιν, πυρὴν καίουσιν, ἔπειτα
δὲ ἐπ’ αὐτοῦ οἶνον κατὰ τοῦ ἱρηίου ἐπισπείσαντες καὶ 10
ἐπικαλέσαντες τὸν θεὸν σφάζουσιν, σφάξαντες δὲ ἀπο-
τάμνουσι τὴν κεφαλήν. σῶμα μὲν δὴ τοῦ κτήνεος δεί-
ρουσιν, κεφαλῇ δὲ κείνῃ πολλὰ καταρησάμενοι φέρουσιν,
τοῖς μὲν ἂν ᾖ ἀγορὴ καὶ Ἕλληνές σφιν ἔωσιν ἐπιδήμιοι
ἔμποροι, οἱ δὲ φέροντες ἐς τὴν ἀγορὴν ἀπ’ ὦν ἔδοντο, 15
τοῖς δὲ ἂν μὴ παρέωσιν Ἕλληνες, οἱ δ’ ἐκβάλλουσιν ἐς
τὸν ποταμόν. καταρῶνται δὲ τάδε λέγοντες τῇσι κεφα-
λῇσιν, εἴ τι μέλλοι ἢ σφίσι τοῖς θύουσιν ἢ Αἰγύπτῳ
τῇ συναπάσῃ κακὸν γενέσθαι, ἐς κεφαλὴν ταύτην τρα-
πέσθαι. κατὰ μέν ' νυν τὰς κεφαλὰς τῶν θυομένων 20
κτηνέων καὶ τὴν ἐπίσπεισιν τοῦ οἴνου πάντες Αἰγύπτιοι
νόμοισι τοῖς αὐτοῖσι χρέωνται ὁμοίως ἐς πάντα τὰ ἱρά,
καὶ ἀπὸ τούτου τοῦ νόμου οὐδὲ ἄλλον οὐδένὸς ἐμψύχου
κεφαλῆς γεύσεται Αἰγυπτίων οὐδείς. ἡ δὲ δὴ ἐξαί- 40
ρεσις τῶν ἱρῶν καὶ ἡ καῦσις ἄλλη περὶ ἄλλο ἱρόν 25
σφι κατέστηκεν. τὴν δ’ ὦν μεγίστην τε δαίμονα ἥγηνται
εἶναι καὶ μεγίστην οἱ ὁρτὴν ἀνάγουσιν, ταύτην ἔρχομαι
ἐρέων. ἐπεὰν ἀποδείρωσι τὸν βοῦν, κατευξάμενοι κοιλίην
μὲν κείνην πᾶσαν ἐξ ὧν εἷλον, σπλάγχνα δὲ αὐτοῦ λεί-
πουσιν ἐν τῷ σώματι καὶ τὴν πιμελήν, σκέλεα δὲ ἀπο- 30
τάμνουσι καὶ τὴν ὀσφὺν ἄκρην καὶ τοὺς ὤμους τε καὶ
τὸν τράχηλον. ταῦτα δὲ ποιήσαντες τὸ ἄλλο σῶμα τοῦ
βοὸς πιμπλᾶσιν ἄρτων καθαρῶν καὶ μέλιτος καὶ ἀστα-
φίδος καὶ σύκων καὶ λιβανωτοῦ καὶ σμύρνης καὶ τῶν

ἄλλων θυωμάτων, πλήσαντες δὲ τούτων καταγίζουσιν,
ἔλαιον ἄφθονον καταχέοντες. προνηστεύσαντες δὲ θύουσιν,
καιομένων δὲ τῶν ἱρῶν τύπτονται πάντες· ἐπεὰν δὲ
ἀποτύψωνται, δαῖτα προτίθενται τὰ ἐλίποντο τῶν ἱρῶν.
41 τοὺς μέν νυν καθαροὺς βοῦς τοὺς ἔρσενας καὶ τοὺς
6 μόσχους οἱ πάντες Αἰγύπτιοι θύουσιν, τὰς δὲ θηλείας
οὔ σφιν ἔξεστι θύειν, ἀλλ' ἱραί εἰσι τῆς Ἴσιος.
τὸ γὰρ τῆς Ἴσιος ἄγαλμα ἐὸν γυναικήιον βούκερών ἐστιν,
κατά περ Ἕλληνες τὴν Ἰοῦν γράφουσιν, καὶ τὰς βοῦς τὰς
10 θηλείας Αἰγύπτιοι πάντες ὁμοίως σέβονται προβάτων
πάντων μάλιστα μακρῷ. τῶν εἴνεκα οὔτ' ἀνὴρ Αἰγύ-
πτιος οὔτε γυνὴ ἄνδρα Ἕλληνα φιλήσειεν ἂν τῷ στόματι,
οὐδὲ μαχαίρῃ ἀνδρὸς Ἕλληνος χρήσεται οὐδ' ὀβελοῖσιν
οὐδὲ λέβητι, οὐδὲ κρέως καθαροῦ βοὸς διατετμημένου
15 Ἑλληνικῇ μαχαίρῃ γεύσεται. θάπτουσι δὲ τοὺς ἀπο-
θνήσκοντας βοῦς τρόπον τόνδε· τὰς μὲν θηλείας ἐς
τὸν ποταμὸν ἀπιεῖσιν, τοὺς δὲ ἔρσενας κατορύσσουσιν
ἕκαστοι ἐν τοῖσι προαστείοισιν, τὸ κέρας τὸ ἕτερον ἢ καὶ
ἀμφότερα ὑπερέχοντα σημηίου εἵνεκεν· ἐπεὰν δὲ σαπῇ
20 καὶ προσίῃ ὁ τεταγμένος χρόνος, ἀπικνεῖται ἐς ἑκάστην
πόλιν βᾶρις ἐκ τῆς Προσωπίτιδος καλεομένης νήσου.
ἡ δ' ἔστι μὲν ἐν τῷ Δέλτα, περίμετρον δὲ αὐτῆς εἰσὶ
σχοῖνοι ἐννέα. ἐν ταύτῃ ὦν τῇ Προσωπίτιδι νήσῳ ἔνεισι
μὲν καὶ ἄλλαι πόλιες συχναί, ἐκ τῆς δὲ αἱ βάριες παρα-
25 γίνονται ἀναιρησόμεναι τὰ ὀστέα τῶν βοῶν, ὄνομα τῇ
πόλι Ἀτάρβηχις, ἐν δ' αὐτῇ Ἀφροδίτης ἱρὸν ἅγιον ἵδρυται.
ἐκ ταύτης τῆς πόλιος πλανῶνται πολλοὶ ἄλλοι ἐς ἄλλας
πόλις, ἀνορύξαντες δὲ τὰ ὀστέα ἀπάγουσί καὶ θάπτουσιν
ἐς ἕνα χῶρον πάντα. κατὰ ταὐτὰ δὲ τοῖς βουσὶ καὶ
30 τἆλλα κτήνεα θάπτουσιν ἀποθνήσκοντα. καὶ γὰρ περὶ
ταῦτα οὕτω σφι νενομοθέτηται· κτείνουσι γὰρ δὴ οὐδὲ
ταῦτα.
42 Ὅσοι μὲν δὴ Διὸς Θηβαίεος ἵδρυνται ἱρὸν ἢ νομοῦ
τοῦ Θηβαίου εἰσίν, οὗτοι μὲν πάντες ὀίων ἀπεχόμενοι

αἴγας θύουσιν. θεοὺς γὰρ δὴ οὐ τοὺς αὐτοὺς ἅπαντες
ὁμοίως Αἰγύπτιοι σέβονται, πλὴν Ἴσιός τε καὶ Ὀσί-
ριος, τὸν δὴ Διόνυσον εἶναι λέγουσιν· τούτους δὲ ὁμοίως
ἅπαντες σέβονται. ὅσοι δὲ τοῦ Μένδητος ἔκτηνται ἱρὸν
ἢ νομοῦ τοῦ Μενδησίου εἰσίν, οὗτοι δὲ αἰγῶν ἀπεχόμενοι   5
ὄις θύουσιν. Θηβαῖοι μέν νυν καὶ ὅσοι διὰ τούτους ὀίων
ἀπέχονται, διὰ τάδε λέγουσι τὸν νόμον τόνδε σφίσι
τεθῆναι· Ἡρακλέα θελῆσαι πάντως ἰδέσθαι τὸν Δία, καὶ
τὸν οὐκ ἐθέλειν ὀφθῆναι ὑπ' αὐτοῦ, τέλος δέ, ἐπείτε
λιπαρεῖν τὸν Ἡρακλέα, τὸν Δία μηχανήσασθαι τοιόνδε·   10
κριὸν ἐκδείραντα προσχέσθαι τε τὴν κεφαλὴν ἀποταμόντα
τοῦ κριοῦ καὶ ἐνδύντα τὸ νάκος οὕτω οἱ ἑωυτὸν ἐπι-
δέξαι. ἀπὸ τούτου κριοπρόσωπον τοῦ Διὸς τὤγαλμα
ποιεῦσιν Αἰγύπτιοι, ἀπὸ δὲ Αἰγυπτίων Ἀμμώνιοι μα-
θόντες, ἐόντες Αἰγυπτίων τε καὶ Αἰθιόπων ἄποικοι καὶ   15
φωνὴν μεταξὺ ἀμφοτέρων νομίζοντες. δοκεῖν δέ μοι, καὶ
τοὔνομα Ἀμμώνιοι ἀπὸ τοῦδε σφίσι τὴν ἐπωνυμίην ἐποιή-
σαντο· Ἀμοῦν γὰρ Αἰγύπτιοι καλέουσι τὸν Δία. τοὺς
δὲ κριοὺς οὐ θύουσι Θηβαῖοι, ἀλλ' εἰσί σφιν ἱροὶ διὰ
τοῦτο. μιῇ δὲ ἡμέρῃ τοῦ ἐνιαυτοῦ, ἐν ὀρτῇ τοῦ Διός,   20
κριὸν ἕνα κατακόψαντες καὶ ἀποδείραντες κατὰ τὠυτὸ
ἐνδύουσι τὤγαλμα τοῦ Διὸς καὶ ἔπειτα ἄλλο ἄγαλμα
Ἡρακλέος προσάγουσι πρὸς αὐτό. ταῦτα δὲ ποιήσαντες
τύπτονται οἱ περὶ τὸ ἱρὸν ἅπαντες τὸν κριὸν καὶ ἔπειτα
ἐν ἱρῇ θήκῃ θάπτουσιν αὐτόν.   25

Ἡρακλέος δὲ πέρι τόνδε τὸν λόγον ἤκουσα, ὅτι 43
εἴη τῶν δυώδεκα θεῶν. τοῦ ἑτέρου δὲ πέρι Ἡρακλέος,
τὸν Ἕλληνες οἴδασιν, οὐδαμῇ Αἰγύπτου ἐδυνάσθην
ἀκοῦσαι. καὶ μὲν ὅτι γε οὐ παρ' Ἑλλήνων ἔλαβον
τοὔνομα τοῦ Ἡρακλέος Αἰγύπτιοι, ἀλλ' Ἕλληνες μᾶλλον   30
παρ' Αἰγυπτίων καὶ Ἑλλήνων οὗτοι οἱ θέμενοι τῷ Ἀμφι-
τρύωνος γόνῳ τοὔνομα Ἡρακλέα, πολλά μοι καὶ ἄλλα
τεκμήριά ἐστι τοῦτο οὕτω ἔχειν, ἐν δὲ καὶ τόδε, ὅτι τε
τοῦ Ἡρακλέος τούτου οἱ γονεῖς ἀμφότεροι ἦσαν Ἀμφι-

τρύων καὶ Ἀλκμήνη γεγονότες τὸ ἀνέκαθεν ἀπ' Αἰγύπτου,
καὶ διότι Αἰγύπτιοι οὔτε Ποσειδέωνος οὔτε Διοσκούρων
τὰ ὀνόματά φασιν εἰδέναι, οὐδέ σφι θεοὶ οὗτοι ἐν τοῖς
ἄλλοισι θεοῖσιν ἀποδεδέχαται. καὶ μὲν εἴ γε παρ' Ἑλλή-
5 νων ἔλαβον ὄνομά τεο δαίμονος, τούτων οὐκ ἥκιστα ἀλλὰ
μάλιστα ἔμελλον μνήμην ἕξειν, εἴ περ καὶ τότε ναυτι-
λίῃσιν ἐχρέωντο καὶ ἦσαν Ἑλλήνων τινὲς ναυτίλοι, ὡς
ἔλπομαί τε καὶ ἐμὴ γνώμη αἱρεῖ. ὥστε τούτων ἂν καὶ
μᾶλλον τῶν θεῶν τὰ ὀνόματα ἐξεπιστέατο Αἰγύπτιοι ἢ
10 τοῦ Ἡρακλέος. ἀλλά τις ἀρχαῖός ἐστι θεὸς Αἰγυπτίοισιν
Ἡρακλῆς· ὡς δὲ αὐτοὶ λέγουσιν, ἔτεά ἐστιν ἑπτακισχίλια
καὶ μύρια ἐς Ἄμασιν βασιλεύσαντα, ἐπείτε ἐκ τῶν ὀκτὼ
θεῶν οἱ δυώδεκα θεοὶ ἐγένοντο, τῶν Ἡρακλέα ἕνα
νομίζουσιν.

44 Καὶ θέλων δὲ τούτων πέρι σαφές τι εἰδέναι ἐξ ὧν
16 οἷόν τε ἦν, ἔπλευσα καὶ ἐς Τύρον τῆς Φοινίκης,
πυνθανόμενος αὐτόθι εἶναι ἱρὸν Ἡρακλέος ἅγιον.
καὶ εἶδον πλουσίως κατεσκευασμένον ἄλλοισί τε πολλοῖσιν
ἀναθήμασιν, καὶ ἐν αὐτῷ ἦσαν στῆλαι δύο, ἡ μὲν χρυσοῦ
20 ἀπέφθου, ἡ δὲ σμαράγδου λίθου λάμποντος τὰς νύκτας
μεγάλως· ἐς λόγους δὲ ἐλθὼν τοῖς ἱρεῦσι τοῦ θεοῦ εἰρό-
μην, ὁκόσος χρόνος εἴη, ἐξ οὗ σφι τὸ ἱρὸν ἵδρυται. εὗρον
δὲ οὐδὲ τούτους τοῖς Ἕλλησι συμφερομένους· ἔφασαν
γὰρ ἅμα Τύρῳ οἰκιζομένῃ καὶ τὸ ἱρὸν τοῦ θεοῦ ἱδρυ-
25 θῆναι, εἶναι δὲ ἔτεα ἀπ' οὗ Τύρον οἰκέουσι τριηκόσια
καὶ δισχίλια. εἶδον δὲ ἐν τῇ Τύρῳ καὶ ἄλλο ἱρὸν Ἡρα-
κλέος ἐπωνυμίην ἔχοντος Θασίου εἶναι. ἀπικόμην δὲ
καὶ ἐς Θάσον, ἐν τῇ εὗρον ἱρὸν Ἡρακλέος ὑπὸ Φοινίκων
ἱδρυμένον, οἳ κατ' Εὐρώπης ζήτησιν ἐκπλώσαντες Θάσον
30 ἔκτισαν· καὶ ταῦτα καὶ πέντε γενεῇσιν ἀνδρῶν πρότερά
ἐστιν ἢ τὸν Ἀμφιτρύωνος Ἡρακλέα ἐν τῇ Ἑλλάδι γενέ-
σθαι. τὰ μέν νυν ἱστορημένα δηλοῖ σαφέως παλαιὸν
θεὸν Ἡρακλέα ἐόντα. καὶ δοκέουσι δέ μοι οὗτοι ὀρθό-
τατα Ἑλλήνων ποιεῖν, οἳ διξὰ Ἡράκλεια ἱδρυσάμενοι

ἔκτηνται, καὶ τῷ μὲν ὡς ἀθανάτῳ, Ὀλυμπίῳ δὲ ἐπωνυ-
μίην θύουσιν, τῷ δὲ ἑτέρῳ ὡς ἥρωι ἐναγίζουσιν. λέγουσι 45
δὲ πολλὰ καὶ ἄλλα ἀνεπισκέπτως οἱ Ἕλληνες· εὐήθης
δὲ αὐτῶν καὶ ὅδε ὁ μῦθός ἐστιν, τὸν περὶ τοῦ
Ἡρακλέος λέγουσιν, ὡς αὐτὸν ἀπικόμενον ἐς Αἴγυ- 5
πτον στέψαντες οἱ Αἰγύπτιοι ὑπὸ πομπῆς ἐξῆγον ὡς
θύσοντες τῷ Διί· τὸν δὲ τέως μὲν ἡσυχίην ἔχειν, ἐπεὶ
δὲ αὐτοῦ πρὸς τῷ βωμῷ κατήρχοντο, ἐς ἀλκὴν τραπόμενον
πάντας σφέας καταφονεῦσαι. ἐμοὶ μέν νυν δοκέουσι
ταῦτα λέγοντες τῆς Αἰγυπτίων φύσιος καὶ τῶν νόμων 10
πάμπαν ἀπείρως ἔχειν οἱ Ἕλληνες· τοῖς γὰρ οὐδὲ κτήνεα
ὁσίη θύειν ἐστὶ χωρὶς ὁίων καὶ ἐρσένων βοῶν καὶ μόσχων,
ὅσοι ἂν καθαροὶ ἔωσιν, καὶ χηνῶν, κῶς ἂν οὗτοι ἀνθρώ-
πους θύοιεν; ἔτι δὲ ἕνα ἐόντα τὸν Ἡρακλέα καὶ ἔτι
ἄνθρωπον, ὡς δή φασιν, κῶς φύσιν ἔχει πολλὰς μυριάδας 15
φονεῦσαι; καὶ περὶ μὲν τούτων τοσαῦτα ἡμῖν εἰποῦσι
καὶ παρὰ τῶν θεῶν καὶ παρὰ τῶν ἡρώων εὐμενείη εἴη.

Τὰς δὲ δὴ αἶγας καὶ τοὺς τράγους τῶνδε εἵνεκα 46
οὐ θύουσιν Αἰγυπτίων οἱ εἰρημένοι. τὸν Πᾶνα τῶν
ὀκτὼ θεῶν λογίζονται εἶναι οἱ Μενδήσιοι, τοὺς δὲ 20
ὀκτὼ θεοὺς τούτους προτέρους τῶν δυώδεκα θεῶν φασι
γενέσθαι. γράφουσί τε δὴ καὶ γλύφουσιν οἱ ζωγράφοι
καὶ οἱ ἀγαλματοποιοὶ τοῦ Πανὸς τὤγαλμα κατά περ
Ἕλληνες αἰγοπρόσωπον καὶ τραγοσκελέα, οὔτι τοιοῦτον
νομίζοντες εἶναί μιν ἀλλ' ὅμοιον τοῖς ἄλλοισι θεοῖσιν. 25
ὅτεο δὲ εἵνεκα τοιοῦτον γράφουσιν αὐτόν, οὔ μοι ἥδιόν
ἐστι λέγειν. σέβονται δὲ πάντας τοὺς αἶγας οἱ Μεν-
δήσιοι, καὶ μᾶλλον τοὺς ἔρσενας τῶν θηλέων, καὶ τούτων
οἱ αἰεὶ πῶλοι τιμὰς μέζονας ἔχουσιν· ἐκ δὲ τούτων εἷς
μάλιστα, ὅστις ἐπεὰν ἀποθάνῃ, πένθος μέγα παντὶ τῷ 30
Μενδησίῳ νομῷ τίθεται. καλεῖται δὲ ὅ τε τράγος καὶ
ὁ Πὰν Αἰγυπτιστὶ Μένδης. ἐγένετο δὲ ἐν τῷ νομῷ
τούτῳ ἐπ' ἐμέο τοῦτο τὸ τέρας· γυναικὶ τράγος ἐμίσγετο
ἀναφανδόν. τοῦτο ἐς ἐπίδεξιν ἀνθρώπων ἀπίκετο.

47 Ὗν δὲ Αἰγύπτιοι μιαρὸν ἥγηνται θηρίον εἶναι·
καὶ τοῦτο μέν, ἤν τις ψαύσῃ αὐτῶν παριὼν ὑός, αὐτοῖσι
τοῖς ἱματίοισιν ἀπ' ὢν ἔβαψεν ἑωυτὸν βὰς ἐς τὸν ποτα-
μόν, τοῦτο δὲ οἱ συβῶται ἐόντες Αἰγύπτιοι ἐγγενεῖς ἐς
5 ἱρὸν οὐδὲν τῶν ἐν Αἰγύπτῳ ἐσέρχονται μοῦνοι πάντων,
οὐδέ σφιν ἐκδίδοσθαι οὐδεὶς θυγατέρα ἐθέλει οὐδ'
ἄγεσθαι ἐξ αὐτῶν, ἀλλ' ἐκδίδονταί τε οἱ συβῶται καὶ
ἄγονται ἐξ ἀλλήλων. τοῖσι μέν νυν ἄλλοισι θεοῖσι θύειν
ὗς οὐ δικαιοῦσιν Αἰγύπτιοι, Σελήνῃ δὲ καὶ Διονύσῳ
10 μούνοισι τοῦ αὐτοῦ χρόνου, τῇ αὐτῇ πανσελήνῳ, ὗς
θύσαντες πατέονται τῶν κρεῶν. διότι δὲ τοὺς ὗς ἐν
μὲν τῇσιν ἄλλῃσιν ὀρτῇσιν ἀπεστυγήκασιν, ἐν δὲ ταύτῃ
θύουσιν, ἔστι μὲν λόγος περὶ αὐτοῦ ὑπ' Αἰγυπτίων
λεγόμενος, ἐμοὶ μέντοι ἐπισταμένῳ οὐκ εὐπρεπέστερός
15 ἐστι λέγεσθαι. θυσίη δὲ ἥδε τῶν ὑῶν τῇ Σελήνῃ
ποιεῖται· ἐπεὰν θύσῃ, τὴν οὐρὴν ἄκρην καὶ τὸν σπλῆνα
καὶ τὸν ἐπίπλουν συνθεὶς ὁμοῦ κατ' ὢν ἐκάλυψε πάσῃ
τοῦ κτήνεος τῇ πιμελῇ τῇ περὶ τὴν νηδὺν γινομένῃ καὶ
ἔπειτα καταγίζει πυρί· τὰ δὲ ἄλλα κρέα σιτέονται ἐν τῇ
20 πανσελήνῳ, ἐν τῇ ἂν τὰ ἱρὰ θύσωσιν, ἐν ἄλλῃ δὲ ἡμέρῃ
οὐκ ἂν ἔτι γευσαίατο. οἱ δὲ πένητες αὐτῶν ὑπ' ἀσθε-
νείης βίου σταιτίνας πλάσαντες ὗς καὶ ὀπτήσαντες ταύτας
θύουσιν.

48 Τῷ δὲ Διονύσῳ τῆς ὀρτῆς τῇ δορπίῃ χοῖρον πρὸ
25 τῶν θυρέων σφάξας ἕκαστος διδοῖ ἀποφέρεσθαι τὸν
χοῖρον αὐτῷ τῷ ἀποδομένῳ τῶν συβωτέων. τὴν δὲ ἄλ-
λην ἀνάγουσιν ὀρτὴν τῷ Διονύσῳ Αἰγύπτιοι πλὴν χορῶν
κατὰ ταὐτὰ σχεδὸν πάντα Ἕλλησιν· ἀντὶ δὲ φαλλῶν
ἄλλα σφίν ἐστιν ἐξευρημένα ὅσον τε πηχυαῖα ἀγάλματα
30 νευρόσπαστα, τὰ περιφορέουσι κατὰ κώμας γυναῖκες,
νεῦον τὸ αἰδοῖον, οὐ πολλῷ τεῳ ἔλασσον ἐὸν τοῦ ἄλλου
σώματος· προηγεῖται δὲ αὐλός, αἱ δὲ ἕπονται ἀείδουσαι
τὸν Διόνυσον. διότι δὲ μέζον τε ἔχει τὸ αἰδοῖον καὶ
κινεῖ μοῦνον τοῦ σώματος, ἔστι λόγος περὶ αὐτοῦ ἱρὸς

λεγόμενος. ἤδη ὦν δοκεῖ μοι Μελάμπους ὁ Ἀμυθέωνος 49
τῆς θυσίης ταύτης οὐκ εἶναι ἀδαὴς ἀλλ' ἔμπειρος.
Ἕλλησι γὰρ δὴ Μελάμπους ἐστὶν ὁ ἐξηγησάμενος τοῦ
Διονύσου τό τε ὄνομα καὶ τὴν θυσίην καὶ τὴν πομπὴν
τοῦ φαλλοῦ· ἀτρεκέως μὲν οὐ πάντα συλλαβὼν τὸν 5
λόγον ἔφηνεν, ἀλλ' οἱ ἐπιγενόμενοι τούτῳ σοφισταὶ
μεζόνως ἐξέφηναν· τὸν δ' ὦν φαλλὸν τὸν τῷ Διονύσῳ
πεμπόμενον Μελάμπους ἐστὶν ὁ κατηγησάμενος, καὶ ἀπὸ
τούτου μαθόντες ποιέουσι τὰ ποιέουσιν Ἕλληνες. ἐγὼ μέν
νῦν φημι Μελάμποδα γενόμενον ἄνδρα σοφὸν μαντικήν 10
τε ἑωυτῷ συστῆσαι καὶ πυθόμενον ἀπ' Αἰγύπτου ἄλλα
τε πολλὰ ἐσηγήσασθαι Ἕλλησι καὶ τὰ περὶ τὸν Διόνυσον,
ὀλίγα αὐτῶν παραλλάξαντα· οὐ γὰρ δὴ συμπεσεῖν γε
φήσω τά τε ἐν Αἰγύπτῳ ποιεύμενα τῷ θεῷ καὶ τὰ ἐν
τοῖς Ἕλλησιν· ὁμότροπα γὰρ ἂν ἦν τοῖς Ἕλλησι καὶ οὐ 15
νεωστὶ ἐσηγμένα. οὐ μὲν οὐδὲ φήσω ὅκως Αἰγύπτιοι
παρ' Ἑλλήνων ἔλαβον ἢ τοῦτο ἢ ἄλλο κού τι νόμαιον.
πυθέσθαι δέ μοι δοκεῖ μάλιστα Μελάμπους τὰ περὶ τὸν
Διόνυσον παρὰ Κάδμου τε τοῦ Τυρίου καὶ τῶν σὺν
αὐτῷ ἐκ Φοινίκης ἀπικομένων ἐς τὴν νῦν Βοιωτίην 20
καλεομένην χώρην.

    Σχεδὸν δὲ καὶ πάντων τὰ ὀνόματα τῶν θεῶν 50
ἐξ Αἰγύπτου ἐλήλυθεν ἐς τὴν Ἑλλάδα. διότι μὲν
γὰρ ἐκ τῶν βαρβάρων ἥκει, πυνθανόμενος οὕτω εὑρίσκω
ἐόν. δοκέω δ' ὦν μάλιστα ἀπ' Αἰγύπτου ἀπῖχθαι· ὅτι 25
γὰρ δὴ μὴ Ποσειδέωνος καὶ Διοσκούρων, ὡς καὶ πρό-
τερόν μοι ταῦτα εἴρηται, καὶ Ἥρης καὶ Ἱστίης καὶ Θέμιος
καὶ Χαρίτων καὶ Νηρηΐδων, τῶν ἄλλων θεῶν Αἰγυ-
πτίοισιν αἰεί κοτε τὰ ὀνόματά ἐστιν ἐν τῇ χώρῃ. λέγω
δὲ τὰ λέγουσιν αὐτοὶ Αἰγύπτιοι. τῶν δὲ οὔ φασι 30
θεῶν γινώσκειν τὰ ὀνόματα, οὗτοι δέ μοι δοκέουσιν
ὑπὸ Πελασγῶν ὀνομασθῆναι, πλὴν Ποσειδέωνος·
τοῦτον δὲ τὸν θεὸν παρὰ Λιβύων ἐπύθοντο. οὐδαμοὶ
γὰρ ἀπ' ἀρχῆς Ποσειδέωνος ὄνομα ἔκτηνται εἰ μὴ Λίβυες

καὶ τιμῶσι τὸν θεὸν τοῦτον αἰεί. νομίζουσι δ' ὦν
Αἰγύπτιοι οὐδ' ἥρωσιν οὐδέν.

51 Ταῦτα μέν νυν καὶ ἄλλα πρὸς τούτοισιν, τὰ ἐγὼ
φράσω, Ἕλληνες ἀπ' Αἰγυπτίων νενομίκασιν· τοῦ δὲ
5 Ἑρμέω τὰ ἀγάλματα ὀρθὰ ἔχειν τὰ αἰδοῖα ποιεῦντες
οὐκ ἀπ' Αἰγυπτίων μεμαθήκασιν, ἀλλ' ἀπὸ Πελασγῶν
πρῶτοι μὲν Ἑλλήνων ἀπάντων Ἀθηναῖοι παραλα-
βόντες, παρὰ δὲ τούτων ὦλλοι. Ἀθηναίοισι γὰρ ἤδη
τηνικαῦτα ἐς Ἕλληνας τελέουσι Πελασγοὶ σύνοικοι ἐγέ-
10 νοντο ἐν τῇ χώρῃ, ὅθεν περ καὶ Ἕλληνες ἤρξαντο νομι-
σθῆναι. ὅστις δὲ τὰ Καβείρων ὄργια μεμύηται, τὰ Σαμο-
θρῆκες ἐπιτελέουσι παραλαβόντες παρὰ Πελασγῶν, οὗτος
ἁνὴρ οἶδεν, τὸ λέγω. τὴν γὰρ Σαμοθρήκην οἴκεον πρό-
τερον Πελασγοὶ οὗτοι, οἵ περ Ἀθηναίοισι σύνοικοι ἐγέ-
15 νοντο. ὀρθὰ ὦν ἔχειν τὰ αἰδοῖα τἀγάλματα τοῦ Ἑρμέω
Ἀθηναῖοι πρῶτοι Ἑλλήνων μαθόντες παρὰ Πελασγῶν
ἐποιήσαντο. οἱ δὲ Πελασγοὶ ἱρόν τινα λόγον περὶ αὐτοῦ
ἔλεξαν, τὰ ἐν τοῖς ἐν Σαμοθρήκῃ μυστηρίοισι δεδήλωται.
52 ἔθυον δὲ πάντα πρότερον οἱ Πελασγοὶ θεοῖσιν ἐπευ-
20 χόμενοι, ὡς ἐγὼ ἐν Δωδώνῃ οἶδα ἀκούσας, ἐπωνυμίην
δὲ οὐδ' ὄνομα ἐποιεῦντο οὐδενὶ αὐτῶν· οὐ γὰρ
ἀκηκόεσάν κω. θεοὺς δὲ προσωνόμασάν σφεας ἀπὸ τοῦ
τοιούτου, ὅτι κόσμῳ θέντες τὰ πάντα πρήγματα καὶ
πάσας νομὰς εἶχον. ἔπειτα δὲ χρόνου πολλοῦ διελθόντος
25 ἐπύθοντο ἐκ τῆς Αἰγύπτου ἀπιγμένα τὰ ὀνόματα τῶν
θεῶν τῶν ἄλλων, Διονύσου δὲ ὕστερον πολλῷ ἐπύθοντο·
καὶ μετὰ χρόνον ἐχρηστηριάζοντο περὶ τῶν ὀνομάτων ἐν
Δωδώνῃ· τὸ γὰρ δὴ μαντήιον τοῦτο νενόμισται ἀρχαιό-
τατον τῶν ἐν Ἕλλησι χρηστηρίων εἶναι, καὶ ἦν τὸν
30 χρόνον τοῦτον μοῦνον. ἐπεὶ ὦν ἐχρηστηριάζοντο ἐν τῇ
Δωδώνῃ οἱ Πελασγοί, εἰ ἀνέλωνται τὰ ὀνόματα τὰ ἀπὸ
τῶν βαρβάρων ἥκοντα, ἀνεῖλε τὸ μαντήιον χρῆσθαι. ἀπὸ
μὲν δὴ τούτου τοῦ χρόνου ἔθυον τοῖς ὀνόμασι τῶν θεῶν
χρεώμενοι. παρὰ δὲ Πελασγῶν Ἕλληνες ἐξεδέξαντο

ὕστερον. ἔνϑεν δὲ ἐγένοντο ἔκαστος τῶν ϑεῶν, εἴτε δὴ 53
αἰεὶ ἦσαν πάντες, ὁκοῖοί τέ τινες τὰ εἴδεα, οὐκ ἠπι-
στέατο μέχρι οὗ πρώην τε καὶ χϑὲς ὡς εἰπεῖν λόγῳ.
Ἡσίοδον γὰρ καὶ Ὅμηρον ἡλικίην τετρακοσίοισιν
ἔτεσι δοκέω μέο πρεσβυτέρους γενέσϑαι καὶ οὐ πλέοσιν. 5
οὗτοι δέ εἰσιν οἱ ποιήσαντες ϑεογονίην Ἕλλησι
καὶ τοῖσι ϑεοῖσι τὰς ἐπωνυμίας δόντες καὶ τιμάς τε καὶ
τέχνας διελόντες καὶ εἴδεα αὐτῶν σημήναντες. οἱ δὲ
πρότερον ποιηταὶ λεγόμενοι τούτων τῶν ἀνδρῶν γενέσϑαι
ὕστερον, ἔμοιγε δοκεῖν, ἐγένοντο. τούτων τὰ μὲν πρῶτα 10
αἱ Δωδωνίδες ἱέρειαι λέγουσιν, τὰ δὲ ὕστερα τὰ ἐς
Ἡσίοδόν τε καὶ Ὅμηρον ἔχοντα ἐγὼ λέγω.

Χρηστηρίων δὲ πέρι τοῦ τε ἐν Ἕλλησι καὶ τοῦ ἐν 54
Λιβύῃ τόνδε Αἰγύπτιοι λόγον λέγουσιν. ἔφασαν οἱ
ἱρεῖς τοῦ Θηβαιέος Διὸς δύο γυναῖκας ἱερείας ἐκ 15
Θηβέων ἐξαχϑῆναι ὑπὸ Φοινίκων, καὶ τὴν μὲν αὐτέων
πυϑέσϑαι ἐς Λιβύην πρηϑεῖσαν, τὴν δὲ ἐς τοὺς Ἕλληνας·
ταύτας δὲ τὰς γυναῖκας εἶναι τὰς ἱδρυσαμένας τὰ μαν-
τήια πρώτας ἐν τοῖς εἰρημένόισιν ἔϑνεσιν. εἰρομένου
δέ μεο, ὁκόϑεν οὕτω ἀτρεκέως ἐπιστάμενοι λέγουσιν, 20
ἔφασαν πρὸς ταῦτα ζήτησιν μεγάλην ἀπὸ σφέων γενέσϑαι
τῶν γυναικῶν τουτέων, καὶ ἀνευρεῖν μέν σφεας οὐ
δυνατοὶ γενέσϑαι, πυϑέσϑαι δὲ ὕστερον ταῦτα περὶ
αὐτέων, τά περ δὴ ἔλεγον. ταῦτα μέν νυν τῶν ἐν 55
Θήβῃσιν ἱρέων ἤκουον, τάδε δὲ Δωδωναίων φασὶν 25
αἱ προμάντιες· δύο πελειάδας μελαίνας ἐκ Θη-
βέων τῶν Αἰγυπτίων ἀναπταμένας τὴν μὲν αὐτέων
ἐς Λιβύην, τὴν δὲ παρὰ σφέας ἀπικέσϑαι. ἱζομένην δέ
μιν ἐπὶ φηγὸν αὐδάξασϑαι φωνῇ ἀνϑρωπηίῃ, ὡς χρεὸν
εἴη μαντήιον αὐτόϑι Διὸς γενέσϑαι, καὶ αὐτοὺς ὑπο- 30
λαβεῖν ϑεῖον εἶναι τὸ ἐπαγγελλόμενον αὐτοῖσι καί σφεα
ἐκ τούτρυ ποιῆσαι. τὴν δὲ ἐς τοὺς Λίβυας οἰχομένην
πελειάδα λέγουσιν Ἄμμωνος χρηστήριον τοὺς Λίβυας
ποιεῖν· ἔστι δὲ καὶ τοῦτο Διός. Δωδωναίων δὲ αἱ

ἰέρειαι, · τῶν τῇ πρεσβυτάτῃ ὄνομα ἦν Προμενείη, τῇ δὲ
μετὰ ταύτην Τιμαρέτη, τῇ δὲ νεωτάτῃ Νικάνδρῃ, ἔλεγον
ταῦτα· συνωμολόγεον δέ σφι καὶ οἱ ἄλλοι Δωδωναῖοι οἱ
περὶ τὸ ἱρόν· ἐγὼ δ᾽ ἔχω περὶ αὐτέων γνώμην τήνδε.
56 εἰ ἀληθέως οἱ Φοίνικες ἐξήγαγον τὰς ἱρὰς γυναῖκας καὶ
5 τὴν μὲν αὐτέων ἐς Λιβύην, τὴν δὲ ἐς τὴν Ἑλλάδα ἀπέ-
δοντο, δοκεῖ ἐμοὶ ἡ γυνὴ αὕτη τῆς νῦν Ἑλλάδος, πρό-
τερον δὲ Πελασγίης καλεομένης τῆς αὐτῆς ταύτης, πρη-
θῆναι ἐς Θεσπρωτούς· ἔπειτα δουλεύουσα αὐτόθι ἱδρύσα-
10 σθαι ὑπὸ φηγῷ πεφυκυίῃ ἱρὸν Διός, ὥσπερ ἦν οἰκὸς
ἀμφιπολεύουσαν ἐν Θήβῃσιν ἱρὸν Διός, ἔνθα ἀπίκετο,
ἐνθαῦτα μνήμην αὐτοῦ ἔχειν. ἐκ δὲ τούτου χρηστήριον
κατηγήσατο, ἐπείτε συνέλαβε τὴν Ἑλλάδα γλῶσσαν.
φάναι δέ οἱ ἀδελφεὴν ἐν Λιβύῃ πεπρῆσθαι ὑπὸ τῶν
57 αὐτῶν Φοινίκων, ὑπ᾽ ὧν καὶ αὐτὴ ἐπρήθη. πελειάδες
15 δέ μοι δοκέουσι κληθῆναι πρὸς Δωδωναίων ἐπὶ τοῦδε
αἱ γυναῖκες, διότι βάρβαροι ἦσαν, ἐδόκεον δέ σφιν
ὁμοίως ὄρνισι φθέγγεσθαι. μετὰ δὲ χρόνον τὴν πελειάδα
ἀνθρωπηίῃ φωνῇ αὐδάξασθαι λέγουσιν, ἐπείτε συνετά
20 σφιν ηὔδα ἡ γυνή· ἕως δὲ ἐβαρβάριζεν, ὀρνίθος τρόπον
ἐδόκει σφι φθέγγεσθαι, ἐπεὶ τέῳ τρόπῳ ἂν πελειάς γε
ἀνθρωπηίῃ φωνῇ φθέγξαιτο; μέλαιναν δὲ λέγοντες εἶναι
τὴν πελειάδα σημαίνουσιν, ὅτι Αἰγυπτίη ἡ γυνὴ ἦν.
ἡ δὲ μαντηίη ἥ τε ἐν Θήβῃσι τῇσιν Αἰγυπτίῃσι καὶ ἐν
25 Δωδώνῃ παραπλήσιαι ἀλλήλῃσι τυγχάνουσιν ἐοῦσαι. ἔστι
δὲ καὶ τῶν ἱρῶν ἡ μαντικὴ ἀπ᾽ Αἰγύπτου ἀπιγμένη.
58 Πανηγύριας δὲ ἄρα καὶ πομπὰς καὶ προσα-
γωγὰς πρῶτοι ἀνθρώπων Αἰγύπτιοί εἰσιν οἱ ποιη-
σάμενοι, καὶ παρὰ τούτων Ἕλληνες μεμαθήκασιν. τεκμή-
30 ριον δέ μοι τούτου τόδε· αἱ μὲν γὰρ φαίνονται ἐκ πολλοῦ
τεο χρόνου ποιεύμεναι, αἱ δὲ Ἑλληνικαὶ νεωστὶ ἐποιή-
59 θησαν. πανηγυρίζουσι δὲ Αἰγύπτιοι οὐκ ἅπαξ τοῦ
ἐνιαυτοῦ, πανηγύριας δὲ συχνάς, μάλιστα μὲν καὶ
προθυμότατα ἐς Βούβαστιν πόλιν τῇ Ἀρτέμιδι, δεύτερα

ἐς Βούσιριν πόλιν τῇ Ἴσι· ἐν ταύτῃ γὰρ δὴ τῇ πόλι
ἐστὶ μέγιστον Ἴσιος ἱρόν, ἵδρυται δὲ ἡ πόλις αὕτη τῆς
Αἰγύπτου ἐν μέσῳ τῷ Δέλτα, Ἴσις δέ ἐστι κατὰ τὴν
Ἑλλήνων γλῶσσαν Δημήτηρ. τρίτα δ' ἐς Σάιν πόλιν
τῇ Ἀθηναίῃ πανηγυρίζουσιν, τέταρτα δὲ ἐς Ἡλίου πόλιν 5
τῷ Ἡλίῳ, πέμπτα δὲ ἐς Βουτοῦν πόλιν τῇ Λητοῖ, ἕκτα
δὲ ἐς Πάπρημιν πόλιν τῷ Ἄρει. ἐς μέν νυν Βού- 60
βαστιν πόλιν ἐπεὰν κομίζωνται, ποιεῦσι τοιάδε·
πλέουσί τε γὰρ δὴ ἅμα ἄνδρες γυναιξὶ καὶ πολλόν τι
πλῆθος ἑκατέρων ἐν ἑκάστῃ βάρι· αἱ μέν τινες τῶν 10
γυναικῶν κρόταλα ἔχουσαι κροταλίζουσιν, οἱ δὲ αὐλέουσι
κατὰ πάντα τὸν πλόον, αἱ δὲ λοιπαὶ γυναῖκες καὶ ἄνδρες
ἀείδουσι καὶ τὰς χεῖρας κροτέουσιν. ἐπεὰν δὲ πλέοντες
κατά τινα πόλιν ἄλλην γένωνται, ἐγχρίμψαντες τὴν βάριν
τῇ γῇ ποιεῦσι τοιάδε· αἱ μέν τινες τῶν γυναικῶν ποιεῦσιν, 15
τά περ εἴρηκα, αἱ δὲ τωθάζουσι βοῶσαι τὰς ἐν τῇ πόλι
ταύτῃ γυναῖκας, αἱ δὲ ὀρχέονται, αἱ δὲ ἀνασύρονται
ἀνιστάμεναι. ταῦτα παρὰ πᾶσαν πόλιν παραποταμίην
ποιέουσιν. ἐπεὰν δὲ ἀπίκωνται ἐς τὴν Βούβαστιν, ὁρτά-
ζουσι μεγάλας ἀνάγοντες θυσίας, καὶ οἶνος ἀμπέλινος 20
ἀναισιμοῦται πλέων ἐν τῇ ὁρτῇ ταύτῃ ἢ ἐν τῷ ἅπαντι
ἐνιαυτῷ τῷ ἐπιλοίπῳ. συμφοιτῶσι δέ, ὅ τι ἀνὴρ καὶ
γυνή ἐστι πλὴν παιδίων, καὶ ἐς ἑβδομήκοντα μυριάδας,
ὡς οἱ ἐπιχώριοι λέγουσιν. ταῦτα μὲν δὴ ταύτῃ ποιεῖται, 61
ἐν δὲ Βουσίρι πόλι ὡς ἀνάγουσι τῇ Ἴσι τὴν ὁρ- 25
τήν, εἴρηται πρότερόν μοι. τύπτονται μὲν γὰρ δὴ μετὰ
τὴν θυσίην πάντες καὶ πᾶσαι, μυριάδες κάρτα πολλαὶ
ἀνθρώπων. τὸν δὲ τύπτονται, οὔ μοι ὅσιόν ἐστι λέγειν.
ὅσοι δὲ Καρῶν εἰσὶν ἐν Αἰγύπτῳ οἰκέοντες, οὗτοι δὲ
τοσούτῳ ἔτι πλέω ποιεῦσι τούτων, ὅσῳ καὶ τὰ μέτωπα 30
κόπτονται μαχαίρῃσιν, καὶ τούτῳ εἰσὶ δῆλοι, ὅτι εἰσὶ
ξεῖνοι καὶ οὐκ Αἰγύπτιοι. ἐς Σάιν δὲ πόλιν ἐπεὰν 62
συλλεχθέωσι τῇσι θυσίῃσιν, ἔν τινι νυκτὶ λύχνα
καίουσι πάντες πολλὰ ὑπαίθρια περὶ τὰ δώματα κύκλῳ.

τὰ δὲ λύχνα ἐστὶν ἐμβάφια ἔμπλεα ἁλὸς καὶ ἐλαίου, ἐπι-
πολῆς δὲ ἔπεστιν αὐτὸ τὸ ἐλλύχνιον, καὶ τοῦτο καίεται
παννύχιον, καὶ τῇ ὁρτῇ ὄνομα κεῖται λυχνοκαΐη. οἳ δ'
ἂν μὴ ἔλθωσι τῶν Αἰγυπτίων ἐς τὴν πανήγυριν ταύτην,
5 φυλάσσοντες τὴν νύκτα τῆς θυσίης καίουσι καὶ αὐτοὶ
πάντες τὰ λύχνα, καὶ οὕτω οὐκ ἐν Σάι μούνῃ καίεται,
ἀλλὰ καὶ ἀνὰ πᾶσαν Αἴγυπτον. ὅτεο δὲ εἵνεκα φῶς
ἔλαχε καὶ τιμὴν ἡ νὺξ αὕτη, ἔστιν ἱρὸς περὶ αὐτοῦ λόγος
63 λεγόμενος. ἐς δὲ Ἡλίου τε πόλιν καὶ Βουτοῦν θυσίας
10 μούνας ἐπιτελέουσι φοιτῶντες. ἐν δὲ Παπρήμι θυσίας
μὲν καὶ ἱρά, κατά περ καὶ τῇ ἄλλῃ ποιεῦσιν· εὖτ'
ἂν δὲ γίνηται καταφερὴς ὁ ἥλιος, ὀλίγοι μέν τινες τῶν
ἱρέων περὶ τὤγαλμα πεπονέαται, οἱ δὲ πολλοὶ αὐτῶν
ξύλων κορύνας ἔχοντες ἑστᾶσι τοῦ ἱροῦ ἐν τῇ ἐσόδῳ,
15 ἄλλοι δὲ εὐχωλὰς ἐπιτελέοντες, πλέονες χιλίων ἀνδρῶν,
ἕκαστοι ἔχοντες ξύλα καὶ οὗτοι ἐπὶ τὰ ἕτερα ἁλεῖς ἑστᾶσιν.
τὸ δὲ ἄγαλμα ἐὸν ἐν νηῷ σμικρῷ ξυλίνῳ κατακεχρυσω-
μένῳ προεκκομίζουσι τῇ προτεραίῃ ἐς ἄλλο οἴκημα ἱρόν.
οἱ μὲν δὴ ὀλίγοι οἱ περὶ τὤγαλμα λελειμμένοι ἕλκουσι
20 τετράκυκλον ἅμαξαν ἄγουσαν τὸν νηόν τε καὶ τὸ ἐν τῷ
νηῷ ἐνεὸν ἄγαλμα, οἱ δὲ οὐκ ἐῶσιν ἐν τοῖσι προπυ-
λαίοισιν ἑστεῶτες ἐσιέναι, οἱ δὲ εὐχωλιμαῖοι τιμωρέοντες
τῷ θεῷ παίουσιν αὐτοὺς ἀλεξομένους. ἐνθαῦτα μάχη
ξύλοισι καρτερὴ γίνεται, κεφαλάς τε συναράσσονται, καὶ
25 ὡς ἐγὼ δοκέω πολλοὶ καὶ ἀποθνήσκουσιν ἐκ τῶν τρω-
μάτων· οὐ μέντοι οἵ γε Αἰγύπτιοι ἔφασαν ἀποθνήσκειν
οὐδένα. τὴν δὲ πανήγυριν ταύτην ἐκ τοῦδε νομίσαι
φασὶν οἱ ἐπιχώριοι· οἰκεῖν ἐν τῷ ἱρῷ τοῦ Ἄρεος τὴν
μητέρα, καὶ τὸν Ἄρεα ἀπότροφον γενόμενον ἐλθεῖν ἐξαν-
30 δρωμένον ἐθέλοντα τῇ μητρὶ συμμεῖξαι, καὶ τοὺς προ-
πόλους τῆς μητρός, οἷα οὐκ ὀπωπότας αὐτὸν πρότερον,
οὐ περιορᾶν παριέναι ἀλλὰ ἀπερύκειν, τὸν δὲ ἐξ ἄλλης
πόλιος ἀγαγόμενον ἀνθρώπους τούς τε προπόλους τρη-
χέως περισπεῖν καὶ ἐσελθεῖν παρὰ τὴν μητέρα. ἀπὸ

τούτου τῷ Ἄρει ταύτην τὴν πληγὴν ἐν τῇ ὁρτῇ νενομι-
κέναι φασίν. καὶ τὸ μὴ μίσγεσθαι γυναιξὶν ἐν ἱροῖσι 64
μηδὲ ἀλούτους ἀπὸ γυναικῶν ἐς ἱρὰ ἐσιέναι οὗτοί εἰσιν
οἱ πρῶτοι θρησκεύσαντες. οἱ μὲν γὰρ ἄλλοι σχεδὸν
πάντες ἄνθρωποι, πλὴν Αἰγυπτίων καὶ Ἑλλήνων, 5
μίσγονται ἐν ἱροῖσι καὶ ἀπὸ γυναικῶν ἀνιστάμενοι
ἄλουτοι ἐσέρχονται ἐς ἱρόν, νομίζοντες ἀνθρώπους
εἶναι κατά περ τὰ ἄλλα κτήνεα. καὶ γὰρ τὰ ἄλλα κτήνεα
ὁρᾶν καὶ ὀρνίθων γένεα ὀχευόμενα ἔν τε τοῖσι νηοῖσι
τῶν θεῶν καὶ ἐν τοῖς τεμένεσιν. εἰ ὦν εἶναι τῷ θεῷ 10
τοῦτο μὴ φίλον, οὐκ ἂν οὐδὲ τὰ κτήνεα ποιεῖν. οὗτοι
μέν νυν τοιαῦτα ἐπιλέγοντες ποιεῦσιν ἔμοιγε οὐκ ἀρεστά·
Αἰγύπτιοι δὲ θρησκεύουσι περισσῶς τά τε ἄλλα περὶ τὰ
ἱρὰ καὶ δὴ καὶ τάδε.

Ἐοῦσα Αἴγυπτος ὅμουρος τῇ Λιβύῃ οὐ μάλα θη- 65
ριώδης ἐστίν. τὰ δὲ ἐόντα σφιν ἅπαντα ἱρὰ νενό- 15
μισται, καὶ τὰ μὲν σύντροφα τοῖς ἀνθρώποισιν, τὰ δὲ
οὔ. τῶν δὲ εἵνεκεν ἀνεῖται ἱρὰ εἰ λέγοιμι, καταβαίην
ἂν τῷ λόγῳ ἐς τὰ θεῖα πρήγματα, τὰ ἐγὼ φεύγω μάλιστα
ἀπηγεῖσθαι. τὰ δὲ καὶ εἴρηκα αὐτῶν ἐπιψαύσας, ἀναγκαίῃ 20
καταλαμβανόμενος εἶπον. νόμος δέ ἐστι περὶ τῶν
θηρίων ὧδε ἔχων. μελεδωνοὶ ἀποδεδέχαται τῆς τροφῆς
χωρὶς ἑκάστων καὶ ἔρσενες καὶ θήλειαι τῶν Αἰγυπτίων,
τῶν παῖς παρὰ πατρὸς ἐκδέκεται τὴν τιμήν. οἱ δὲ ἐν
τῇσι πόλισιν ἕκαστοι εὐχὰς τάσδε σφιν ἀποτελέουσιν· 25
εὐχόμενοι τῷ θεῷ, τοῦ ἂν ᾖ τὸ θηρίον, ξυρῶντες τῶν
παιδίων ἢ πᾶσαν τὴν κεφαλὴν ἢ τὸ ἥμισυ ἢ τὸ τρίτον
μέρος τῆς κεφαλῆς, ἱστᾶσι σταθμῷ πρὸς ἀργύριον τὰς
τρίχας· τὸ δ' ἂν ἑλκύσῃ, τοῦτο τῇ μελεδωνῷ τῶν θηρίων
διδοῖ· ἡ δ' ἀντ' αὐτοῦ τάμνουσα ἰχθῦς παρέχει βορὴν 30
τοῖσι θηρίοισιν. τροφὴ μὲν δὴ αὐτοῖσι τοιαύτη ἀποδέ-
δεκται· τὸ δ' ἄν τις τῶν θηρίων τούτων ἀποκτείνῃ, ἢν
μὲν ἑκών, θάνατος ἢ ζημίη, ἢν δὲ ἀέκων, ἀποτίνει ζημίην,
τὴν ἂν οἱ ἱρεῖς τάξωνται. ὃς δ' ἂν ἶβιν ἢ ἴρηκα ἀπο-

κτείνῃ, ἤν τε ἑκὼν ἤν τε ἀέκων, τεθνάναι ἀνάγκη.
66 πολλῶν δὲ ἐόντων ὁμοτρόφων τοῖς ἀνθρώποισι θηρίων
πολλῷ ἂν ἔτι πλέω ἐγίνετο, εἰ μὴ κατελάμβανε τοὺς
αἰελούρους τοιάδε. ἐπεὰν τέκωσιν αἱ θήλειαι, οὐκέτι
5 φοιτῶσι παρὰ τοὺς ἔρσενας· οἱ δὲ διζήμενοι μίσγεσθαι
αὐτῇσιν οὐκ ἔχουσιν. πρὸς ὧν ταῦτα σοφίζονται τάδε·
ἁρπάζοντες ἀπὸ τῶν θηλέων καὶ ὑπαιρεόμενοι τὰ τέκνα
κτείνουσιν, κτείναντες μέντοι οὐ πατέονται. αἱ δὲ στερι-
σκόμεναι τῶν τέκνων, ἄλλων δὲ ἐπιθυμέουσαι, οὕτω δὴ
10 ἀπικνέονται παρὰ τοὺς ἔρσενας· φιλότεκνον γὰρ τὸ θη-
ρίον. πυρκαϊῆς δὲ γινομένης θεῖα πρήγματα καταλαμ-
βάνει τοὺς αἰελούρους· οἱ μὲν γὰρ Αἰγύπτιοι διαστάντες
φυλακὰς ἔχουσι τῶν αἰελούρων, ἀμελήσαντες σβεννύναι
τὸ καιόμενον, οἱ δὲ αἰέλουροι διαδύνοντες καὶ ὑπερθρώ-
15 σκοντες τοὺς ἀνθρώπους ἐσάλλονται ἐς τὸ πῦρ. ταῦτα
δὲ γινόμενα πένθεα μεγάλα τοὺς Αἰγυπτίους καταλαμ-
βάνει. ἐν ὁτέοισι δ' ἂν οἰκίοισιν αἰέλουρος ἀποθάνῃ
ἀπὸ τοῦ αὐτομάτου, οἱ ἐνοικέοντες πάντες ξυρῶνται τὰς
ὀφρύας μούνας, παρ' ὁτέοισι δ' ἂν κύων, πᾶν τὸ σῶμα
67 καὶ τὴν κεφαλήν. ἀπάγονται δὲ οἱ αἰέλουροι ἀποθανόν-
21 τες ἐς ἱρὰς στέγας, ἔνθα θάπτονται ταριχευθέντες, ἐν
Βουβάστι πόλι· τὰς δὲ κύνας ἐν τῇ ἑωυτῶν ἕκαστοι πόλι
θάπτουσιν ἐν ἱρῇσι θήκῃσιν. ὡς δὲ αὕτως τῇσι κυσὶν
οἱ ἰχνευταὶ θάπτονται. τὰς δὲ μυγαλὰς καὶ τοὺς ἴρηκας
25 ἀπάγουσιν ἐς Βουτοῦν πόλιν, τὰς δὲ ἴβις ἐς Ἑρμέω
πόλιν. τὰς δὲ ἄρκτους ἐούσας σπανίας καὶ τοὺς λύκους
οὐ πολλῷ τεῳ ἐόντας ἀλωπέκων μέζονας αὐτοῦ θάπτουσιν,
τῇ ἂν εὑρεθέωσι κείμενοι.
68   Τῶν δὲ κροκοδείλων φύσις ἐστὶ τοιήδε· τοὺς
30 χειμεριωτάτους μῆνας τέσσερας ἐσθίει οὐδέν, ἐὸν δὲ τετρά-
πουν χερσαῖον καὶ λιμναῖόν ἐστιν· τίκτει μὲν γὰρ ᾠὰ ἐν
γῇ καὶ ἐκλέπει καὶ τὸ πολλὸν τῆς ἡμέρης διατρίβει ἐν
τῷ ξηρῷ, τὴν δὲ νύκτα πᾶσαν ἐν τῷ ποταμῷ· θερμότερον
γὰρ δή ἐστι τὸ ὕδωρ τῆς τε αἰθρίης καὶ τῆς δρόσου.

πάντων δὲ τῶν ἡμεῖς ἴδμεν θνητῶν τοῦτο ἐξ ἐλαχίστου
μέγιστον γίνεται· τὰ μὲν γὰρ ᾠὰ χηνείων οὐ πολλῷ
μέζονα τίκτει, καὶ ὁ νεοσσὸς κατὰ λόγον τοῦ ᾠοῦ γίνεται,
αὐξανόμενος δὲ γίνεται καὶ ἐς ἑπτακαίδεκα πήχεας καὶ
μέζων ἔτι. ἔχει δὲ ὀφθαλμοὺς μὲν ὑός, ὀδόντας δὲ 5
μεγάλους καὶ χαυλιόδοντας κατὰ λόγον τοῦ σώματος.
γλῶσσαν δὲ μοῦνον θηρίων οὐκ ἔφυσεν. οὐδὲ κινεῖ τὴν
κάτω γνάθον, ἀλλὰ καὶ τοῦτο μοῦνον θηρίων τὴν ἄνω
γνάθον προσάγει τῇ κάτω. ἔχει δὲ καὶ ὄνυχας καρτεροὺς
καὶ δέρμα λεπιδωτὸν ἄρρηκτον ἐπὶ τοῦ νώτου. τυφλὸν 10
δὲ ἐν ὕδατι, ἐν δὲ τῇ αἰθρίῃ ὀξυδερκέστατον. ἅτε δὴ
ὢν ἐν ὕδατι δίαιταν ποιεύμενον, τὸ στόμα ἔνδοθεν φορεῖ
πᾶν μεστὸν βδελλέων. τὰ μὲν δὴ ἄλλα ὄρνεα καὶ θηρία
φεύγει μιν, ὁ δὲ τροχίλος εἰρηναῖόν οἵ ἐστιν, ἅτε ὠφελεο-
μένῳ πρὸς αὐτοῦ· ἐπεὰν γὰρ ἐς τὴν γῆν ἐκβῇ ἐκ τοῦ 15
ὕδατος ὁ κροκόδειλος καὶ ἔπειτα χάνῃ (ἔωθε γὰρ τοῦτο
ὡς ἐπίπαν ποιεῖν πρὸς τὸν ζέφυρον), ἐνθαῦτα ὁ τροχίλος
ἐσδύνων ἐς τὸ στόμα αὐτοῦ καταπίνει τὰς βδέλλας· ὁ δὲ
ὠφελεόμενος ἥδεται καὶ οὐδὲν σίνεται τὸν τροχίλον. τοῖς 69
μὲν δὴ τῶν Αἰγυπτίων ἱροί εἰσιν οἱ κροκόδειλοι, τοῖς δὲ 20
οὔ, ἀλλ᾽ ἅτε πολεμίους περιέπουσιν. οἱ δὲ περί τε Θήβας
καὶ τὴν Μοίριος λίμνην οἰκέοντες καὶ κάρτα ἥγηνται
αὐτοὺς εἶναι ἱρούς. ἐκ πάντων δὲ ἕνα ἑκάτεροι τρέφουσι
κροκόδειλον, δεδιδαγμένον εἶναι χειροήθεα, ἀρτήματά τε
λίθινα χυτὰ καὶ χρύσεα ἐς τὰ ὦτα ἐσθέντες καὶ ἀμφι- 25
δέας περὶ τοὺς ἐμπροσθίους πόδας καὶ σιτία ἀποτακτὰ
διδόντες καὶ ἱρήια καὶ περιέποντες ὡς κάλλιστα ζῶντας·
ἀποθανόντας δὲ θάπτουσι ταριχεύσαντες ἐν ἱρῇσι θήκῃσιν.
οἱ δὲ περὶ Ἐλεφαντίνην πόλιν οἰκέοντες καὶ ἐσθίουσιν
αὐτούς, οὐκ ἡγεόμενοι ἱροὺς εἶναι. καλέονται δὲ οὐ 30
κροκόδειλοι ἀλλὰ χάμψαι. κροκοδείλους δὲ Ἴωνες ὠνό-
μασαν, εἰκάζοντες αὐτῶν τὰ εἴδεα τοῖσι παρὰ σφίσι γινο-
μένοισι κροκοδείλοισι τοῖς ἐν τῇσιν αἱμασιῇσιν. ἄγραι 70
δὲ σφεων πολλαὶ κατεστᾶσι καὶ παντοῖαι· ἣ δ᾽ ἂν ἐμοὶ

δοκεῖ ἀξιωτάτη ἀπηγήσιος εἶναι, ταύτην γράφω. ἐπεὰν
νῶτον ὑὸς δελεάσῃ περὶ ἄγκιστρον, μετιεῖ ἐς μέσον τὸν
ποταμόν, αὐτὸς δὲ ἐπὶ τοῦ χείλεος τοῦ ποταμοῦ ἔχων
δέλφακα ζόην ταύτην τύπτει. ἐπακούσας δὲ τῆς φωνῆς
5 ὁ κροκόδειλος ἵεται κατὰ τὴν φωνήν, ἐντυχὼν δὲ τῷ
νώτῳ καταπίνει· οἱ δὲ ἕλκουσιν. ἐπεὰν δὲ ἐξελκυσθῇ
ἐς γῆν, πρῶτον ἁπάντων ὁ θηρευτὴς πηλῷ κατ᾽ ὦν
ἔπλασεν αὐτοῦ τοὺς ὀφθαλμούς· τοῦτο δὲ ποιήσας κάρτα
εὐπετέως τὰ λοιπὰ χειροῦται, μὴ ποιήσας δὲ τοῦτο σὺν
10 πόνῳ.

71   Οἱ δὲ ἵπποι οἱ ποτάμιοι νομῷ μὲν τῷ Παπρη-
μίτῃ ἱροί εἰσιν, τοῖσι δὲ ἄλλοισιν Αἰγυπτίοισιν οὐκ ἱροί.
φύσιν δὲ παρέχονται ἰδέης τοιήνδε· τετράπουν ἐστίν,
δίχηλον, σιμόν, λοφιὴν ἔχον ἵππου, χαυλιόδοντας φαῖνον,
15 οὐρὴν ἵππου καὶ φωνήν, μέγαθος ὅσον τε βοῦς ὁ μέ-
γιστος. τὸ δέρμα δ᾽ αὐτοῦ οὕτω δή τι παχύ ἐστιν ὥστε
αὔου γενομένου ξυστὰ ποιεῖσθαι ἐξ αὐτοῦ.

72   Γίνονται δὲ καὶ ἐνύδριες ἐν τῷ ποταμῷ, τὰς ἱρὰς
ἥγηνται εἶναι. νομίζουσι δὲ καὶ τῶν ἰχθύων τὸν καλεό-
20 μενον λεπιδωτὸν ἱρὸν εἶναι καὶ τὴν ἔγχελυν. ἱροὺς
δὲ τούτους τοῦ Νείλου φασὶν εἶναι καὶ τῶν ὀρνίθων
τοὺς χηναλώπεκας.

73   Ἔστι δὲ καὶ ἄλλος ὄρνις ἱρός, τῷ ὄνομα
φοῖνιξ, ἐγὼ μέν μιν οὐκ εἶδον, εἰ μὴ ὅσον γραφῇ· καὶ
25 γὰρ δὴ καὶ σπάνιος ἐπιφοιτᾷ σφι δι᾽ ἐτέων, ὡς Ἡλιο-
πολῖται λέγουσιν, πεντακοσίων. φοιτᾶν δὲ τότε φασίν,
ἐπεάν οἱ ἀποθάνῃ ὁ πατήρ. ἔστι δέ, εἰ τῇ γραφῇ παρό-
μοιος, τοσόσδε καὶ τοιόσδε· τὰ μὲν αὐτοῦ χρυσόκομα
τῶν πτερῶν, τὰ δὲ ἐρυθρά. ἐς τὰ μάλιστα αἰετῷ περι-
30 ήγήσιν ὁμοιότατος καὶ τὸ μέγαθος. τοῦτον δὲ λέγουσι
μηχανᾶσθαι τάδε, ἐμοὶ μὲν οὐ πιστὰ λέγοντες, ἐξ Ἀραβίης
ὁρμώμενον ἐς τὸ ἱρὸν τοῦ Ἡλίου, κομίζειν τὸν πατέρα
ἐν σμύρνῃ ἐμπλάσσοντα καὶ θάπτειν ἐν τοῦ Ἡλίου τῷ
ἱρῷ· κομίζειν δὲ οὕτω· πρῶτον τῆς σμύρνης ᾠὸν πλάσ-

σειν ὅσον τι δυνατός ἐστι φέρειν, μετὰ δὲ πειρᾶσθαι
αὐτὸ φορέοντα, ἐπεὰν δὲ ἀποπειρηθῇ, οὕτω δὴ κοιλή-
ναντα τὸ ᾠὸν τὸν πατέρα ἐς αὐτὸ ἐντιθέναι, σμύρνῃ δὲ
ἄλλῃ ἐμπλάσσειν τοῦτο κατ' ὅ' τι τοῦ ᾠοῦ ἐκκοιλήνας
ἐνέθηκε τὸν πατέρα, ἐσκειμένου δὲ τοῦ πατρὸς γίνεσθαι 5
τὠυτὸ βάρος, ἐμπλάσαντα δὲ κομίζειν μιν ἐπ' Αἰγύπτου
ἐς τοῦ Ἡλίου τὸ ἱρόν. ταῦτα μὲν τοῦτον τὸν ὄρνιν
λέγουσι ποιεῖν.

Εἰσὶ δὲ περὶ Θήβας ἱροὶ ὄφιες, ἀνθρώπων οὐδα- 74
μῶς δηλήμονες, οἳ μεγάθει ἐόντες μικροὶ δύο κέρεα 10
φορέουσι πεφυκότα ἐξ ἄκρης τῆς κεφαλῆς, τοὺς θάπτουσιν
ἀποθανόντας ἐν τῷ ἱρῷ τοῦ Διός· τούτου γάρ σφεας τοῦ
θεοῦ φασιν εἶναι ἱρούς.

Ἔστι δὲ χῶρος τῆς Ἀραβίης κατὰ Βουτοῦν πόλιν 75
μάλιστά κη κείμενος, καὶ ἐς τοῦτο τὸ χωρίον ἦλθον 15
πυνθανόμενος περὶ τῶν πτερωτῶν ὀφίων. ἀπικόμενος
δὲ εἶδον ὀστέα ὀφίων καὶ ἀκάνθας πλήθει μὲν ἀδύνατα
ἀπηγήσασθαι, σωροὶ δὲ ἦσαν ἀκανθέων καὶ μεγάλοι καὶ
ὑποδεέστεροι καὶ ἐλάσσονες ἔτι τούτων, πολλοὶ δὲ ἦσαν
οὗτοι. ἔστι δὲ ὁ χῶρος οὗτος, ἐν τῷ αἱ ἄκανθαι κατα- 20
κεχύαται, τοιόσδε τις· ἐσβολὴ ἐξ ὀρέων στεινὴ ἐς πεδίον
μέγα, τὸ δὲ πεδίον τοῦτο συνάπτει τῷ Αἰγυπτίῳ πεδίῳ.
λόγος δέ ἐστιν ἅμα τῷ ἔαρι πτερωτοὺς ὄφις ἐκ τῆς
Ἀραβίης πέτεσθαι ἐπ' Αἰγύπτου, τὰς δὲ ἴβις τὰς ὄρνιθας
ἀπαντώσας ἐς τὴν ἐσβολὴν ταύτην τῆς χώρης οὐ παριέναι 25
τοὺς ὄφις, ἀλλὰ κατακτείνειν. καὶ τὴν ἴβιν διὰ τοῦτο
τὸ ἔργον τετιμῆσθαι λέγουσιν Ἀράβιοι μεγάλως πρὸς
Αἰγυπτίων· ὁμολογέουσι δὲ καὶ Αἰγύπτιοι διὰ ταῦτα
τιμᾶν τὰς ὄρνιθας ταύτας. εἶδος δὲ τῆς μὲν ἴβιος 76
τόδε· μέλαινα δεινῶς πᾶσα, σκέλεα δὲ φορεῖ γεράνου, 30
πρόσωπον δὲ ἐς τὰ μάλιστα ἐπίγρυπον, μέγαθος ὅσον
κρέξ. τῶν μὲν δὴ μελαινέων τῶν μαχομένων πρὸς τοὺς
ὄφις ἥδε ἰδέη, τῶν δ' ἐν ποσὶ μᾶλλον εἰλεομένων τοῖς
ἀνθρώποισι (διξαὶ γὰρ δή εἰσιν ἴβιες) ἥδε, ψιλὴ τὴν

κεφαλὴν καὶ τὴν δειρὴν πᾶσαν, λευκὴ πτεροῖσι πλὴν
κεφαλῆς καὶ αὐχένος καὶ ἄκρων τῶν πτερύγων καὶ τοῦ
πυγαίου ἄκρου (ταῦτα δὲ τὰ εἶπον πάντα μέλαινά ἐστι
δεινῶς), σκέλεα δὲ καὶ πρόσωπον ἐμφερὴς τῇ ἑτέρῃ.
5 τοῦ δὲ ὄφιος ἡ μορφὴ οἵη περ τῶν ὕδρων. πτίλα δὲ
οὐ πτερωτὰ φορεῖ, ἀλλὰ τοῖς τῆς νυκτερίδος πτεροῖσι
μάλιστά κῃ ἐμφερέστατα. τοσαῦτα μὲν θηρίων πέρι ἱρῶν
εἰρήσθω.

77   Αὐτῶν δὲ δὴ Αἰγυπτίων οἳ μὲν περὶ τὴν σπειρο-
10 μένην Αἴγυπτον οἰκέουσιν, μνήμην ἀνθρώπων πάντων
ἐπασκέοντες μάλιστα λογιώτατοί εἰσι μακρῷ, τῶν ἐγὼ
ἐς διάπειραν ἀπικόμην. τρόπῳ δὲ ζοῆς τοιῷδε δὴ χρέ-
ωνται· συρμαΐζουσι τρεῖς ἡμέρας ἐπεξῆς μηνὸς ἑκάστου,
ἐμέτοισι θηρώμενοι τὴν ὑγιείην καὶ κλύσμασιν, νομίζοντες
15 ἀπὸ τῶν τρεφόντων σιτίων πάσας τὰς νούσους τοῖς
ἀνθρώποισι γίνεσθαι. εἰσὶ μὲν γὰρ καὶ ἄλλως Αἰγύπτιοι
μετὰ Λίβυας ὑγιηρέστατοι πάντων ἀνθρώπων, τῶν ὡρέων
δοκεῖν ἐμοὶ εἵνεκεν, ὅτι οὐ μεταλλάσσουσιν αἱ ὧραι· ἐν
γὰρ τῇσι μεταβολῇσι τοῖς ἀνθρώποισιν αἱ νοῦσοι μάλιστα
20 γίνονται, τῶν τε ἄλλων πάντων καὶ δὴ καὶ τῶν ὡρέων
μάλιστα. ἀρτοφαγέουσι δὲ ἐκ τῶν ὀλυρέων ποιεῦντες
ἄρτους, τοὺς ἐκεῖνοι κυλλήστις ὀνομάζουσιν. οἴνῳ δὲ ἐκ
κριθέων πεποιημένῳ διαχρέωνται· οὐ γάρ σφίν εἰσιν ἐν
τῇ χώρῃ ἄμπελοι. ἰχθύων δὲ τοὺς μὲν πρὸς ἥλιον
25 αὐήναντες ὠμοὺς σιτέονται, τοὺς δὲ ἐξ ἅλμης τεταριχευ-
μένους. ὀρνίθων δὲ τούς τε ὄρτυγας καὶ τὰς νήσσας
καὶ τὰ σμικρὰ τῶν ὀρνιθίων ὠμὰ σιτέονται προταριχεύ-
σαντες· τὰ δὲ ἄλλα ὅσα ἢ ὀρνίθων ἢ ἰχθύων σφίν ἐστιν
ἐχόμενα, χωρὶς ἢ ὁκόσοι σφιν ἱροὶ ἀποδεδέχαται, τοὺς
78 λοιποὺς ὀπτοὺς καὶ ἑφθοὺς σιτέονται. ἐν δὲ τῇσι συνου-
31 σίῃσι τοῖς εὐδαίμοσιν αὐτῶν, ἐπεὰν ἀπὸ δείπνου γένων-
ται, περιφέρει ἀνὴρ νεκρὸν ἐν σορῷ ξύλινον πεποιημένον,
μεμιμημένον ἐς τὰ μάλιστα καὶ γραφῇ καὶ ἔργῳ, μέγαθος
ὅσον τε πάντῃ πηχυιαῖον ἢ δίπηχυν. δεικνὺς δὲ ἑκάστῳ

τῶν συμποτέων λέγει· „Ἐς τοῦτον ὁρέων πῖνέ τε καὶ
τέρπεο· ἔσεαι γὰρ ἀποθανὼν τοιοῦτος." ταῦτα μὲν παρὰ
τὰ συμπόσια ποιεῦσιν. πατρίοισι δὲ χρεώμενοι νόμοισιν 79
ἄλλον οὐδένα ἐπικτῶνται. τοῖς ἄλλα τε ἐπάξιά ἐστι
νόμιμα καὶ δὴ καὶ ἄεισμα ἕν ἐστιν, Λίνος, ὅς περ ἔν 5
τε Φοινίκῃ ἀοίδιμός ἐστι καὶ ἐν Κύπρῳ καὶ ἄλλῃ, κατὰ
μέντοι ἔθνεα ὄνομα ἔχει· συμφέρεται δὲ ὡυτὸς εἶναι,
τὸν οἱ Ἕλληνες Λίνον ὀνομάζοντες ἀείδουσιν, ὥστε πολλὰ
μὲν καὶ ἄλλα ἀποθωμάζειν με τῶν περὶ Αἴγυπτον ἐόν-
των, ἐν δὲ δὴ καὶ τὸν Λίνον ὁκόθεν ἔλαβον· φαίνονται 10
δὲ αἰεί κοτε τοῦτον ἀείδοντες· ἔστι δὲ Αἰγυπτιστὶ ὁ
Λίνος καλεόμενος Μανερῶς. ἔφασαν δέ μιν Αἰγύπτιοι
τοῦ πρώτου βασιλεύσαντος Αἰγύπτου παῖδα μουνογενέα
γενέσθαι, ἀποθανόντα δὲ αὐτὸν ἄωρον θρήνοισι τούτοισιν
ὑπὸ Αἰγυπτίων τιμηθῆναι, καὶ ἀοιδήν τε ταύτην πρώτην 15
καὶ μούνην σφίσι γενέσθαι. συμφέρονται δὲ καὶ τόδε 80
ἄλλο Αἰγύπτιοι Ἑλλήνων μούνοισι Λακεδαιμονίοισιν· οἱ
νεώτεροι αὐτῶν τοῖσι πρεσβυτέροισι συντυγχά-
νοντες εἴκουσι τῆς ὁδοῦ καὶ ἐκτρέπονται καὶ ἐπιοῦσιν
ἐξ ἕδρης ὑπανιστέαται. τόδε μέντοι ἄλλο Ἑλλήνων οὐδα- 20
μοῖσι συμφέρονται· ἀντὶ τοῦ προσαγορεύειν ἀλλήλους ἐν
τῇσιν ὁδοῖσι προσκυνέουσι κατιέντες μέχρι τοῦ γούνατος
τὴν χεῖρα. ἐνδεδύκασι δὲ κιθῶνας λινέους περὶ τὰ 81
σκέλεα θυσανωτούς, οὓς καλέουσι καλασίρις· ἐπὶ τούτοισι
δὲ εἰρίνεα εἵματα λευκὰ ἐπαναβληδὸν φορέουσιν. οὐ μέν- 25
τοι ἔς γε τὰ ἱρὰ ἐσφέρεται εἰρίνεα οὐδὲ συγκαταθάπτεταί
σφιν· οὐ γὰρ ὅσιον. ὁμολογέουσι δὲ ταῦτα τοῖς Ὀρφι-
κοῖσι καλεομένοισι καὶ Βακχικοῖσιν, ἐοῦσι δὲ Αἰγυπτίοισι
καὶ Πυθαγορείοισιν. οὐδὲ γὰρ τούτων τῶν ὀργίων
μετέχοντα ὅσιόν ἐστιν ἐν εἰρινέοισιν εἵμασι ταφθῆναι. 30
ἔστι δὲ περὶ αὐτῶν ἱρὸς λόγος λεγόμενος.

Καὶ τάδε ἄλλα Αἰγυπτίοισίν ἐστιν ἐξευρημένα, μείς 82
τε καὶ ἡμέρη ἑκάστη θεῶν ὅτεο ἐστίν, καὶ τῇ ἕκαστος
ἡμέρῃ γενόμενος τέοισιν ἐγκυρήσει καὶ ὅκως τελευτήσει

καὶ ὁκοῖός τις ἔσται· καὶ τούτοισι τῶν Ἑλλήνων οἱ ἐν
ποιήσει γενόμενοι ἐχρήσαντο. τέρατά τε πλέω σφιν
ἀνεύρηται ἢ τοῖς ἄλλοισιν ἅπασιν ἀνθρώποισιν.
γενομένου γὰρ τέρατος φυλάσσουσι γραφόμενοι τὠπο-
5 βαῖνον, καὶ ἤν κοτε ὕστερον παραπλήσιον τούτῳ γένηται,
83 κατὰ τὠυτὸ νομίζουσιν ἀποβήσεσθαι. μαντικὴ δὲ αὐτοῖσιν
ὧδε διάκειται. ἀνθρώπων μὲν οὐδενὶ πρόσκειται ἡ τέχνη,
τῶν δὲ θεῶν μετεξετέροισιν. καὶ γὰρ Ἡρακλέος μαντήιον
αὐτόθι ἔστι καὶ Ἀπόλλωνος καὶ Ἀθηναίης καὶ Ἀρτέμιδος
10 καὶ Ἄρεος καὶ Διός, καὶ τό γε μάλιστα ἐν τιμῇ ἄγονται
πάντων τῶν μαντηίων, Λητοῦς ἐν Βουτοῖ πόλι ἐστίν. οὐ
μέντοι αἵ γε μαντηίαι σφι κατὰ τὠυτὸ ἑστᾶσιν, ἀλλὰ
84 διάφοροί εἰσιν. ἡ δὲ ἰητρικὴ κατὰ τάδε σφι δέδασται·
μιῆς νούσου ἕκαστος ἰητρός ἐστι καὶ οὐ πλεόνων. πάντα
15 δ᾽ ἰητρῶν ἐστι πλέα· οἱ μὲν γὰρ ὀφθαλμῶν ἰητροὶ κατε-
στᾶσιν, οἱ δὲ κεφαλῆς, οἱ δὲ ὀδόντων, οἱ δὲ τῶν κατὰ
νηδύν, οἱ δὲ τῶν ἀφανέων νούσων.
85 Θρῆνοι δὲ καὶ ταφαί σφεων εἰσὶν αἵδε· τοῖς
ἂν ἀπογένηται ἐκ τῶν οἰκίων ἄνθρωπος, τοῦ τις καὶ
20 λόγος ᾖ, τὸ θῆλυ γένος πᾶν τὸ ἐκ τῶν οἰκίων τούτων
κατ᾽ ὦν ἐπλάσατο τὴν κεφαλὴν πηλῷ ἢ καὶ τὸ πρόσ-
ωπον, κἄπειτα ἐν τοῖς οἰκίοισι λιποῦσαι τὸν νεκρὸν
αὐταὶ ἀνὰ τὴν πόλιν στρωφώμεναι τύπτονται ἐπεζω-
μέναι καὶ φαίνουσαι τοὺς μαζούς, σὺν δέ σφιν αἱ προσ-
25 ήκουσαι πᾶσαι. ἑτέρωθεν δὲ οἱ ἄνδρες τύπτονται, ἐπεζω-
μένοι καὶ οὗτοι. ἐπεὰν δὲ ταῦτα ποιήσωσιν, οὕτω ἐς
86 τὴν ταρίχευσιν κομίζουσιν. εἰσὶ δὲ οἳ ἐπ᾽ αὐτῷ τούτῳ
κατέαται καὶ τέχνην ἔχουσι ταύτην. οὗτοι, ἐπεάν σφι
κομισθῇ νεκρός, δεικνύουσι τοῖς κομίσασι παραδείγματα
30 νεκρῶν ξύλινα, τῇ γραφῇ μεμιμημένα, καὶ τὴν μὲν σπου-
δαιοτάτην αὐτέων φασὶν εἶναι, τοῦ οὐκ ὅσιον ποιεῦμαι
τὸ ὄνομα ἐπὶ τοιούτῳ πρήγματι ὀνομάζειν, τὴν δὴ δευ-
τέρην δεικνύουσιν ὑποδεεστέρην τε ταύτης καὶ εὐτε-
λεστέρην, τὴν δὲ τρίτην εὐτελεστάτην· φράσαντες δὲ

πυνθάνονται παρ' αὐτῶν κατὰ ἥντινα βούλονταί σφι
σκευασθῆναι τὸν νεκρόν. οἱ μὲν δὴ ἐκποδὼν μισθῷ
ὁμολογήσαντες ἀπαλλάσσονται, οἱ δὲ ὑπολειπόμενοι ἐν
οἰκήμασιν ὧδε τὰ σπουδαιότατα ταριχεύουσιν· πρῶτα μὲν
σκολιῷ σιδήρῳ διὰ τῶν μυξωτήρων ἐξάγουσι τὸν ἐγκέ-
φαλον, τὰ μὲν αὐτοῦ οὕτω ἐξάγοντες, τὰ δὲ ἐγχέοντες
φάρμακα. μετὰ δὲ λίθῳ Αἰθιοπικῷ ὀξεῖ παρασχίσαντες
παρὰ τὴν λαπάρην ἐξ ὧν εἷλον τὴν κοιλίην πᾶσαν, ἐκ-
καθήραντες δὲ αὐτὴν καὶ διηθήσαντες οἴνῳ φοινικηίῳ
αὖτις διηθέουσι θυμιήμασι τετριμμένοισιν. ἔπειτα τὴν
νηδὺν σμύρνης ἀκηράτου τετριμμένης καὶ κασίης καὶ
τῶν ἄλλων θυωμάτων, πλὴν λιβανωτοῦ, πλήσαντες συρ-
ράπτουσιν ὀπίσω. ταῦτα δὲ ποιήσαντες ταριχεύουσι
λίτρῳ, κρύψαντες ἡμέρας ἑβδομήκοντα· πλέονας δὲ τού-
των οὐκ ἔξεστι ταριχεύειν. ἐπεὰν δὲ παρέλθωσιν αἱ
ἑβδομήκοντα, λούσαντες τὸν νεκρὸν κατειλίσσουσι πᾶν
αὐτοῦ τὸ σῶμα σινδόνος βυσσίνης τελαμῶσι κατατετμη-
μένοισιν, ὑποχρίοντες τῷ κόμμι, τῷ δὴ ἀντὶ κόλλης τὰ
πολλὰ χρέωνται Αἰγύπτιοι. ἐνθεῦτεν δὲ παραδεξάμενοί
μιν οἱ προσήκοντες ποιεῦνται ξύλινον τύπον ἀνθρω-
ποειδέα, ποιησάμενοι δὲ ἐσεργνῦσι τὸν νεκρόν, καὶ κατα-
κλήσαντες οὕτω θησαυρίζουσιν ἐν οἰκήματι θηκαίῳ,
ἱστάντες ὀρθὸν πρὸς τοῖχον. οὕτω μὲν τοὺς τὰ πολυ-
τελέστατα σκευάζουσι νεκρούς, τοὺς δὲ τὰ μέσα βουλο-
μένους, τὴν δὲ πολυτελείην φεύγοντας σκευάζουσιν ὧδε·
ἐπεὰν τοὺς κλυστῆρας πλήσωνται τοῦ ἀπὸ κέδρου ἀλεί-
φατος γινομένου, ἐν ὧν ἔπλησαν τοῦ νεκροῦ τὴν κοιλίην,
οὔτε ἀναταμόντες αὐτὸν οὔτε ἐξελόντες τὴν νηδύν, κατὰ
δὲ τὴν ἕδρην ἐσηθήσαντες καὶ ἐπιλαβόντες τὸ κλύσμα
τῆς ὀπίσω ὁδοῦ ταριχεύουσι τὰς προκειμένας ἡμέρας, τῇ
δὲ τελευταίῃ ἐξιεῖσιν ἐκ τῆς κοιλίης τὴν κεδρίην, τὴν
ἐσῆκαν πρότερον. ἡ δὲ ἔχει τοσαύτην δύναμιν, ὥστε
ἅμα ἑωυτῇ τὴν νηδὺν καὶ τὰ σπλάγχνα κατατετηκότα
ἐξάγει· τὰς δὲ σάρκας τὸ λίτρον κατατήκει, καὶ δὴ

λείπεται τοῦ νεκροῦ τὸ δέρμα μοῦνον καὶ τὰ ὀστέα.
ἐπεὰν δὲ ταῦτα ποιήσωσιν, ἀπ᾽ ὧν ἔδωκαν οὕτω τὸν
88 νεκρόν, οὐδὲν ἔτι πρηγματευθέντες. ἡ δὲ τρίτη ταρί-
χευσίς ἐστιν ἥδε, ἣ τοὺς χρήμασιν ἀσθενεστέρους σκευ-
άζει. συρμαίη διηθήσαντες τὴν κοιλίην ταριχεύουσι τὰς
ἑβδομήκοντα ἡμέρας καὶ ἔπειτα ἀπ᾽ ὧν ἔδωκαν ἀποφέρε-
89 σθαι. τὰς δὲ γυναῖκας τῶν ἐπιφανέων ἀνδρῶν, ἐπεὰν
τελευτήσωσιν, οὐ παραυτίκα διδοῦσι ταριχεύειν, οὐδὲ
ὅσαι ἂν ἔωσιν εὐειδεῖς κάρτα καὶ λόγου πλέονος γυναῖκες·
10 ἀλλ᾽ ἐπεὰν τριταῖαι ἢ τεταρταῖαι γένωνται, οὕτω παρα-
διδοῦσι τοῖς ταριχεύουσιν. τοῦτο δὲ ποιεῦσιν οὕτω τοῦδε
εἵνεκεν, ἵνα μή σφιν οἱ ταριχευταὶ μίσγωνται τῇσι
γυναιξίν. λαφθῆναι γάρ τινά φασι μισγόμενον νεκρῷ
90 προσφάτῳ γυναικός, κατειπεῖν δὲ τὸν ὁμότεχνον. ὃς δ᾽
15 ἂν ᾖ αὐτῶν Αἰγυπτίων ἢ ξείνων ὁμοίως ὑπὸ κροκοδείλου
ἁρπασθεὶς ἢ ὑπ᾽ αὐτοῦ τοῦ ποταμοῦ φαίνηται τεθνεώς,
κατ᾽ ἣν ἂν πόλιν ἐξενειχθῇ, τούτους πᾶσα ἀνάγκη ἐστὶ
ταριχεύσαντας αὐτὸν καὶ περιστείλαντας ὡς κάλλιστα
θάψαι ἐν ἱρῇσι θήκῃσιν· οὐδὲ ψαῦσαι ἔξεστιν αὐτοῦ
20 ἄλλον οὐδένα οὔτε τῶν προσηκόντων οὔτε τῶν φίλων,
ἀλλά μιν οἱ ἱρεῖς αὐτοὶ οἱ τοῦ Νείλου, ἅτε πλέον τι ἢ
ἀνθρώπου νεκρόν, χειραπτάζοντες θάπτουσιν.

91 Ἑλληνικοῖσι δὲ νομαίοισι φεύγουσι χρῆσθαι, τὸ δὲ
σύμπαν εἰπεῖν, μηδ᾽ ἄλλων μηδαμὰ μηδαμῶν ἀνθρώπων
25 νομαίοισιν. οἱ μέν νυν ἄλλοι Αἰγύπτιοι οὕτω τοῦτο
φυλάσσουσιν, ἔστι δὲ Χέμμις πόλις μεγάλη νομοῦ
τοῦ Θηβαϊκοῦ ἐγγὺς Νέης πόλιος. ἐν ταύτῃ τῇ πόλι
ἔστι Περσέος τοῦ Δανάης ἱρὸν τετράγωνον, πέριξ
δὲ αὐτοῦ φοίνικες πεφύκασιν. τὰ δὲ πρόπυλα τοῦ ἱροῦ
30 λίθινά ἐστι κάρτα μεγάλα· ἐπὶ δὲ αὐτοῖσιν ἀνδριάντες
δύο ἑστᾶσι λίθινοι μεγάλοι. ἐν δὲ τῷ περιβεβλημένῳ
τούτῳ νηός τε ἔνι καὶ ἄγαλμα ἐν αὐτῷ ἐνέστηκε τοῦ
Περσέος. οὗτοι οἱ Χεμμῖται λέγουσι τὸν Περσέα πολ-
λάκις μὲν ἀνὰ τὴν γῆν φαίνεσθαί σφιν, πολλάκις δὲ ἔσω

τοῦ ἱροῦ σανδάλιόν τε αὐτοῦ πεφορημένον εὑρίσκεσθαι,
ἐὸν τὸ μέγαθος δίπηχυ, τὸ ἐπεὰν φανῇ, εὐθηνεῖν ἄπασαν
Αἴγυπτον. ταῦτα μὲν λέγουσιν, ποιεῦσι δὲ τάδε Ἑλληνικὰ
τῷ Περσεῖ· ἀγῶνα γυμνικὸν τιθεῖσι διὰ πάσης ἀγωνίης
ἔχοντα, παρέχοντες ἆεθλα κτήνεα καὶ χλαίνας καὶ δέρ- 5
ματα. εἰρομένου δέ μεο, ὅ τι σφι μούνοισιν ἔωθεν
ὁ Περσεὺς ἐπιφαίνεσθαι καὶ ὅ τι κεχωρίδαται Αἰγυπτίων
τῶν ἄλλων ἀγῶνα γυμνικὸν τιθέντες, ἔφασαν τὸν Περσέα
ἐκ τῆς ἑωυτῶν πόλιος γεγονέναι· τὸν γὰρ Δαναὸν καὶ
τὸν Λυγκέα ἐόντας Χεμμίτας ἐκπλῶσαι ἐς τὴν Ἑλλάδα. 10
ἀπὸ δὲ τούτων γενεηλογέοντες κατέβαινον ἐς τὸν Περσέα.
ἀπικόμενον δὲ αὐτὸν ἐς Αἴγυπτον κατ᾽ αἰτίην, ἣν καὶ
Ἕλληνες λέγουσιν, οἴσοντα ἐκ Λιβύης τὴν Γοργοῦς κε-
φαλήν, ἔφασαν ἐλθεῖν καὶ παρὰ σφέας καὶ ἀναγνῶναι
τοὺς συγγενέας πάντας· ἐκμεμαθηκότα δέ μιν ἀπικέσθαι 15
ἐς Αἴγυπτον τὸ τῆς Χέμμιος ὄνομα, πεπυσμένον παρὰ
τῆς μητρός· ἀγῶνα δέ οἱ γυμνικὸν αὐτοῦ κελεύσαντος
ἐπιτελεῖν.

Ταῦτα μὲν πάντα οἱ κατύπερθε τῶν ἑλέων οἰκέοντες **92**
Αἰγύπτιοι νομίζουσιν. οἱ δὲ δὴ ἐν τοῖς ἕλεσι κατοι- 20
κημένοι τοῖσι μὲν αὐτοῖσι νόμοισι χρέωνται, τοῖσι καὶ
οἱ ἄλλοι Αἰγύπτιοι, καὶ τὰ ἄλλα καὶ γυναικὶ μιῇ ἕκαστος
αὐτῶν συνοικεῖ κατά περ Ἕλληνες, ἀτὰρ πρὸς εὐτελείην
τῶν σιτίων τάδε σφιν ἄλλα ἐξεύρηται. ἐπεὰν πλήρης
γένηται ὁ ποταμὸς καὶ τὰ πεδία πελαγίσῃ, φύεται ἐν τῷ 25
ὕδατι κρίνεα πολλά, τὰ Αἰγύπτιοι καλέουσι λωτόν. ταῦτ᾽
ἐπεὰν δρέψωσιν, αὐαίνουσι πρὸς ἥλιον καὶ ἔπειτα τὸ ἐκ
μέσου τοῦ λωτοῦ, τῇ μήκωνι ἐὸν ἐμφερές, πτίσαντες
ποιεῦνται ἐξ αὐτοῦ ἄρτους ὀπτοὺς πυρί. ἔστι δὲ καὶ ἡ
ῥίζα τοῦ λωτοῦ τούτου ἐδωδίμη καὶ ἐγγλύσσει ἐπιεικέως, 30
ἐὸν στρογγύλον, μέγαθος κατὰ μῆλον. ἔστι δὲ καὶ ἄλλα
κρίνεα ῥόδοισιν ἐμφερέα, ἐν τῷ ποταμῷ γινόμενα καὶ
ταῦτα, ἐξ ὧν ὁ καρπὸς ἐν ἄλλῃ κάλυκι παραφυομένῃ ἐκ
τῆς ῥίζης γίνεται, κηρίῳ σφηκῶν ἰδέην ὁμοιότατον· ἐν

τούτῳ τρωκτὰ ὅσον τε πυρὴν ἐλαίης ἐγγίνεται συχνά,
τρώγεται δὲ καὶ ἀπαλὰ ταῦτα καὶ αὖα. τὴν δὲ βύβλον
τὴν ἐπέτειον γινομένην ἐπεὰν ἀνασπάσωσιν ἐκ τῶν ἑλέων,
τὰ μὲν ἄνω αὐτῆς ἀποτάμνοντες ἐς ἄλλο τι τρέπουσιν,
5 τὸ δὲ κάτω λελειμμένον ὅσον τε ἐπὶ πῆχυν τρώγουσι
καὶ πωλέουσιν. οἳ δὲ ἂν καὶ κάρτα βούλωνται χρηστῇ
τῇ βύβλῳ χρῆσθαι, ἐν κλιβάνῳ διαφανεῖ πνίξαντες οὕτω
τρώγουσιν. οἱ δέ τινες αὐτῶν ζῶσιν ἀπὸ τῶν ἰχθύων
μούνων, τοὺς ἐπεὰν λάβωσι καὶ ἐξέλωσι τὴν κοιλίην,
10 αὐαίνουσι πρὸς ἥλιον καὶ ἔπειτα αὔους ἐόντας σιτέονται.
93 Οἱ δὲ ἰχθύες οἱ ἀγελαῖοι ἐν μὲν τοῖσι ποταμοῖσιν
οὐ μάλα γίνονται, τρεφόμενοι δὲ ἐν τῇσι λίμνῃσι τοιάδε
ποιεῦσιν· ἐπεάν σφεας ἐσίῃ οἶστρος κυΐσκεσθαι, ἀγεληδὸν
ἐκπλέουσιν ἐς θάλασσαν· ἡγέονται δὲ οἱ ἔρσενες ἀπορ-
15 ραίνοντες τοῦ θοροῦ, αἱ δὲ ἑπόμεναι ἀνακάπτουσι καὶ
ἐξ αὐτοῦ κυΐσκονται. ἐπεὰν δὲ πλήρεις γένωνται ἐν τῇ
θαλάσσῃ, ἀναπλέουσιν ὀπίσω ἐς ἤθεα τὰ ἑωυτῶν ἕκαστοι.
ἡγέονται μέντοι γε οὐκέτι οἱ αὐτοί, ἀλλὰ τῶν θηλέων
γίνεται ἡ ἡγεμονίη. ἡγεόμεναι δὲ ἀγεληδὸν ποιεῦσιν
20 οἷόν περ ἐποίευν οἱ ἔρσενες· τῶν γὰρ ᾠῶν ἀπορραίνουσι
κατ' ὀλίγους τῶν κέγχρων, οἱ δὲ ἔρσενες καταπίνουσιν
ἑπόμενοι. ἐκ δὲ τῶν περιγινομένων καὶ μὴ καταπινο-
μένων κέγχρων οἱ τρεφόμενοι ἰχθύες γίνονται. οἳ δ' ἂν
αὐτῶν ἁλῶσιν ἐκπλέοντες ἐς θάλασσαν, φαίνονται τετριμ-
25 μένοι τὰ ἐπ' ἀριστερὰ τῶν κεφαλέων, οἳ δ' ἂν ὀπίσω
ἀναπλέοντες, τὰ ἐπὶ δεξιὰ τετρίφαται. πάσχουσι δὲ ταῦτα
διὰ τόδε· ἐχόμενοι τῆς γῆς ἐπ' ἀριστερὰ καταπλέουσιν
ἐς θάλασσαν· καὶ ἀναπλέοντες ὀπίσω τῆς αὐτῆς ἀντέ-
χονται, ἐγχριμπτόμενοι καὶ ψαύοντες ὡς μάλιστα, ἵνα δὴ
30 μὴ ἁμάρτοιεν τῆς ὁδοῦ διὰ τὸν ῥόον. ἐπεὰν δὲ πλη-
θύεσθαι ἄρχηται ὁ Νεῖλος, τά τε κοῖλα τῆς γῆς καὶ τὰ
τέλματα τὰ παρὰ τὸν ποταμὸν πρῶτα ἄρχεται πίμπλασθαι
διηθέοντος τοῦ ὕδατος ἐκ τοῦ ποταμοῦ· καὶ αὐτίκα τε
πλέα γίνεται ταῦτα καὶ παραχρῆμα ἰχθύων σμικρῶν

πίμπλαται πάντα. κόθεν δὲ οἰκὸς αὐτοὺς γίνεσθαι, ἐγώ
μοι δοκέω κατανοεῖν τοῦτο· τοῦ προτέρου ἔτεος ἐπεὰν
ἀπολίπῃ ὁ Νεῖλος, οἱ ἰχθύες ἐντεκόντες ᾠὰ ἐς τὴν ἰλὺν
ἅμα τῷ ἐσχάτῳ ὕδατι ἀπαλλάσσονται· ἐπεὰν δὲ περιελ-
θόντος τοῦ χρόνου πάλιν ἐπέλθῃ τὸ ὕδωρ, ἐκ τῶν ᾠῶν 5
τούτων παραυτίκα γίνονται οἱ ἰχθύες οὗτοι. καὶ περὶ
μὲν τοὺς ἰχθύας οὕτως ἔχει.

Ἀλείφατι δὲ χρέωνται Αἰγυπτίων οἱ περὶ τὰ 94
ἔλεα οἰκέοντες ἀπὸ τῶν σιλλικυπρίων τοῦ καρποῦ, τὸ
καλεῦσι μὲν Αἰγύπτιοι κίκι, ποιεῦσι δὲ ὧδε· παρὰ τὰ 10
χείλεα τῶν τε ποταμῶν καὶ τῶν λιμνέων σπείρουσι τὰ
σιλλικύπρια ταῦτα, τὰ ἐν Ἕλλησιν αὐτόματα ἄγρια
φύεται· ταῦτα ἐν τῇ Αἰγύπτῳ σπειρόμενα καρπὸν φέρει
πολλὸν μέν, δυσώδεα δέ· τοῦτον ἐπεὰν συλλέξωνται, οἱ
μὲν κόψαντες ἀπιποῦσιν, οἱ δὲ καὶ φρύξαντες ἀπέψουσι 15
καὶ τὸ ἀπορρέον ἀπ᾽ αὐτοῦ συγκομίζονται. ἔστι δὲ πῖον
καὶ οὐδὲν ἧσσον τοῦ ἐλαίου τῷ λύχνῳ προσηνές, ὀδμὴν
δὲ βαρεῖαν παρέχεται.

Πρὸς δὲ τοὺς κώνωπας ἀφθόνους ἐόντας τάδε 95
σφίν ἐστι μεμηχανημένα. τοὺς μὲν τὰ ἄνω τῶν ἐλέων 20
οἰκέοντας οἱ πύργοι ὠφελέουσιν, ἐς οὓς ἀναβαίνοντες
κοιμῶνται· οἱ γὰρ κώνωπες ὑπὸ τῶν ἀνέμων οὐκ οἷοί
τέ εἰσιν ὑψοῦ πέτεσθαι. τοῖς δὲ περὶ τὰ ἔλεα οἰκέουσι
τάδε ἀντὶ τῶν πύργων ἄλλα μεμηχάνηται· πᾶς ἀνὴρ
αὐτῶν ἀμφίβληστρον ἔκτηται, τῷ τῆς μὲν ἡμέρης ἰχθῦς 25
ἀγρεύει, τὴν δὲ νύκτα τάδε αὐτῷ χρῆται· ἐν τῇ ἀνα-
παύεται κοίτῃ, περὶ ταύτην ἵστησι τὸ ἀμφίβληστρον καὶ
ἔπειτα ἐσδὺς ὑπ᾽ αὐτὸ καθεύδει. οἱ δὲ κώνωπες, ἢν μὲν
ἐν ἱματίῳ ἐνειλιξάμενος εὕδῃ ἢ σινδόνι, διὰ τούτων
δάκνουσιν· διὰ δὲ τοῦ δικτύου οὐδὲ πειρῶνται ἀρχήν. 30

Τὰ δὲ δὴ πλοῖά σφιν, τοῖς φορτηγέουσιν, ἐστὶν 96
ἐκ τῆς ἀκάνθης ποιεύμενα, τῆς ἡ μορφὴ μέν ἐστιν
ὁμοιοτάτη τῷ Κυρηναίῳ λωτῷ, τὸ δὲ δάκρυον κόμμι
ἐστίν· ἐκ ταύτης ὧν τῆς ἀκάνθης κοψάμενοι ξύλα ὅσον

τε διπήχεα πλινθηδὸν. συντιθεῖσιν, ναυπηγεόμενοι τρόπον
τοιόνδε· περὶ γόμφους πυκνοὺς καὶ μακροὺς περιείρουσι
τὰ διπήχεα ξύλα· ἐπεὰν δὲ τῷ τρόπῳ τούτῳ ναυπηγή-
σωνται, ζυγὰ ἐπιπολῆς τείνουσιν αὐτῶν. νομεῦσι δὲ
5 οὐδὲν χρέωνται· ἔσωθεν δὲ τὰς ἁρμονίας ἐν ὦν ἐπά-
κτωσαν τῇ βύβλῳ. πηδάλιον δὲ ἕν ποιεῦνται, καὶ τοῦτο
διὰ τῆς τρόπιος διαβυνεῖται. ἱστῷ δὲ ἀκανθίνῳ χρέων-
ται, ἱστίοισι δὲ βυβλίνοισιν. ταῦτα τὰ πλοῖα ἀνὰ μὲν τὸν
ποταμὸν οὐ δύναται πλεῖν, ἢν μὴ λαμπρὸς ἄνεμος ἐπέχῃ,
10 ἐκ γῆς δὲ παρέλκεται, κατὰ ῥόον δὲ κομίζεται ὧδε· ἔστιν
ἐκ μυρίκης πεποιημένη θύρη, κατερραμμένη ῥιπὶ καλά-
μων, καὶ λίθος τετρημένος διτάλαντος μάλιστά κη
σταθμόν. τούτων τὴν μὲν θύρην δεδεμένην κάλῳ ἔμ-
προσθε τοῦ πλοίου ἀπιεῖ ἐπιφέρεσθαι, τὸν δὲ λίθον
15 ἄλλῳ κάλῳ ὄπισθε. ἡ μὲν δὴ θύρη τοῦ ῥόου ἐμπίπτοντος
χωρεῖ ταχέως καὶ ἕλκει τὴν βᾶριν (τοῦτο γὰρ δὴ ὄνομά
ἐστι τοῖσι πλοίοισι τούτοισιν), ὁ δὲ λίθος ὄπισθε ἐπελ-
κόμενος καὶ ἐὼν ἐν βυσσῷ κατιθύνει τὸν πλόον. ἔστι
δέ σφι τὰ πλοῖα ταῦτα πλήθει πολλὰ καὶ ἄγει ἔνια
20 πολλὰς χιλιάδας ταλάντων.

97 Ἐπεὰν δὲ ἐπέλθῃ ὁ Νεῖλος τὴν χώρην, αἱ πό-
λιες μοῦναι φαίνονται ὑπερέχουσαι, μάλιστα κη
ἐμφερεῖς τῇσιν ἐν τῷ Αἰγαίῳ πόντῳ νήσοισιν. τὰ μὲν γὰρ
ἄλλα τῆς Αἰγύπτου πέλαγος γίνεται, αἱ δὲ πόλιες μοῦναι
25 ὑπερέχουσιν. πορθμεύονται ὦν, ἐπεὰν τοῦτο γένηται,
οὐκέτι κατὰ τὰ ῥεῖθρα τοῦ ποταμοῦ ἀλλὰ διὰ μέσου τοῦ
πεδίου. ἐς μέν γε Μέμφιν ἐκ Ναυκράτιος ἀναπλέοντι
παρ' αὐτὰς τὰς πυραμίδας γίνεται ὁ πλόος· ἔστι δὲ οὐκ
οὗτος, ἀλλὰ παρὰ τὸ ὀξὺ τοῦ Δέλτα καὶ παρὰ Κερκάσωρον
30 πόλιν· ἐς δὲ Ναύκρατιν ἀπὸ θαλάσσης καὶ Κανώβου διὰ
πεδίου πλέων ἥξεις κατ' Ἄνθυλλάν τε πόλιν καὶ τὴν
98 Ἀρχάνδρου καλεομένην. τουτέων δὲ ἡ μὲν Ἄνθυλλα ἐοῦσα
λογίμη πόλις ἐς ὑποδήματα ἐξαίρετος δίδοται τοῦ αἰεὶ
βασιλεύοντος Αἰγύπτου τῇ γυναικί. τοῦτο δὲ γίνεται

ἐξ ὅσου ὑπὸ Πέρσῃσίν ἐστιν Αἴγυπτος. ἡ δὲ ἑτέρη πόλις
δοκεῖ μοι τὸ ὄνομα ἔχειν ἀπὸ τοῦ Δαναοῦ γαμβροῦ,
Ἀρχάνδρου τοῦ Φθίου τοῦ Ἀχαιοῦ· καλεῖται γὰρ δὴ
Ἀρχάνδρου πόλις. εἴη δ᾽ ἂν καὶ ἄλλος τις Ἄρχανδρος,
οὐ μέντοι γε Αἰγύπτιον τὸ ὄνομα.

Μέχρι μὲν τούτου ὄψις τε ἐμὴ καὶ γνώμη καὶ ἱστορίη 99
ταῦτα λέγουσά ἐστιν, τὸ δὲ ἀπὸ τοῦδε Αἰγυπτίους ἔρχομαι
λόγους ἐρέων κατὰ ἤκονον· προσέσται δέ τι αὐτοῖσι καὶ
τῆς ἐμῆς ὄψιος.

Μῖνα τὸν πρῶτον βασιλεύσαντα Αἰγύπτου οἱ
ἱρεῖς ἔλεγον τοῦτο μὲν ἀπογεφυρῶσαι τὴν Μέμφιν. τὸν
γὰρ ποταμὸν πάντα ῥεῖν παρὰ τὸ ὄρος τὸ ψάμμινον πρὸς
Λιβύης, τὸν δὲ Μῖνα ἄνωθεν, ὅσον τε ἑκατὸν σταδίους
ἀπὸ Μέμφιος, ·τὸν πρὸς μεσαμβρίης ἀγκῶνα προσχώσαντα
τὸ μὲν ἀρχαῖον ῥεῖθρον ἀποξηρῆναι, τὸν δὲ ποταμὸν
ὀχετεῦσαι τὸ μέσον τῶν ὀρέων ῥεῖν. ἔτι δὲ καὶ νῦν ὑπὸ
Περσέων ὁ ἀγκὼν οὗτος τοῦ Νείλου ὡς ἀπεργμένος ἐν
φυλακῇσι μεγάλῃσιν ἔχεται, φρασσόμενος ἀνὰ πᾶν ἔτος·
εἰ γὰρ ἐθελήσει ῥήξας ὑπερβῆναι ὁ ποταμὸς ταύτῃ, κίν-
δυνος πάσῃ Μέμφι κατακλυσθῆναί ἐστιν. ὡς δὲ τῷ Μῖνι
τούτῳ τῷ πρώτῳ γενομένῳ βασιλεῖ χέρσον γεγονέναι τὸ
ἀπεργμένον, τοῦτο μὲν ἐν αὐτῷ πόλιν κτίσαι ταύτην,
ἥτις νῦν Μέμφις καλεῖται (ἔστι γὰρ καὶ ἡ Μέμφις
ἐν τῷ στεινῷ τῆς Αἰγύπτου), ἔξωθεν δὲ αὐτῆς περιορύξαι
λίμνην ἐκ τοῦ ποταμοῦ πρὸς βορῆν τε καὶ πρὸς ἑσπέρην
(τὸ γὰρ πρὸς τὴν ἠῶ αὐτὸς ὁ Νεῖλος ἀπέργει), τοῦτο δὲ
τοῦ Ἡφαίστου τὸ ἱρὸν ἱδρύσασθαι ἐν αὐτῇ, ἐὸν μέγα τε
καὶ ἀξιαπηγητότατον. μετὰ δὲ τοῦτον κατέλεγον οἱ ἱρεῖς 100
ἐκ βίβλου ἄλλων βασιλέων τριηκοσίων τε καὶ τριή-
κοντα ὀνόματα. ἐν τοσαύτῃσι γενεῇσιν ἀνθρώπων
ὀκτωκαίδεκα μὲν Αἰθίοπες ἦσαν, μία δὲ γυνὴ ἐπιχωρίη,
οἱ δὲ ἄλλοι ἄνδρες Αἰγύπτιοι. τῇ δὲ γυναικὶ ὄνομα ἦν,
ἥτις ἐβασίλευσεν, τό περ τῇ Βαβυλωνίῃ, Νίτωκρις. τὴν
ἔλεγον τιμωρέουσαν ἀδελφεῷ, τὸν Αἰγύπτιοι βασιλεύοντά

σφεων ἀπέκτειναν, ἀποκτείναντες δὲ οὕτω ἐκείνῃ ἀπέ-
δοσαν τὴν βασιληίην, τούτῳ τιμωρέουσαν πολλοὺς Αἰ-
γυπτίων δόλῳ διαφθεῖραι. ποιησαμένην γάρ μιν οἴκημα
περίμηκες ὑπόγαιον καινοῦν τῷ λόγῳ, νόῳ δὲ ἄλλα μη-
5 χανᾶσθαι· καλέσασάν μιν Αἰγυπτίων τοὺς μάλιστα μεται-
τίους τοῦ φόνου ᾔδει, πολλοὺς ἱστιᾶν, δαινυμένοισι δὲ
ἐπεῖναι τὸν ποταμὸν δι' αὐλῶνος κρυπτοῦ μεγάλου. ταύ-
της μὲν πέρι τοσαῦτα ἔλεγον, πλὴν ὅτι αὐτήν μιν, ὡς
τοῦτο ἐξέργαστο, ῥῖψαι ἐς οἴκημα σποδοῦ πλέον, ὅκως
10 ἀτιμώρητος γένηται.

101 Τῶν δὲ ἄλλων βασιλέων, οὐ γὰρ ἔλεγον οὐδεμίαν
ἔργων ἀπόδεξιν, κατ' οὐδὲν εἶναι λαμπρότητος, πλὴν ἑνὸς
τοῦ ἐσχάτου αὐτῶν Μοίριος. τοῦτον δὲ ἀποδέξασθαι μνη-
μόσυνα τοῦ Ἡφαίστου τὰ πρὸς βορῆν ἄνεμον τετραμμένα
15 προπύλαια, λίμνην τε ὀρύξαι, τῆς ἡ περίοδος ὅσων ἐστὶ
σταδίων ὕστερον δηλώσω, πυραμίδας τε ἐν αὐτῇ οἰκο-
δομῆσαι, τῶν τοῦ μεγάθεος πέρι ὁμοῦ αὐτῇ τῇ λίμνῃ
ἐπιμνήσομαι. τοῦτον μὲν τοσαῦτα ἀποδέξασθαι, τῶν δὲ
102 ἄλλων οὐδένα οὐδέν. παραμειψάμενος ὦν τούτους τοῦ
20 ἐπὶ τούτοισι γενομένου βασιλέος, τῷ ὄνομα ἦν Σέσωστρις,
τούτου μνήμην ποιήσομαι. τὸν ἔλεγον οἱ ἱρεῖς πρῶτον
μὲν πλοίοισι μακροῖσιν ὁρμηθέντα ἐκ τοῦ Ἀραβίου
κόλπου τοὺς παρὰ τὴν Ἐρυθρὴν θάλασσαν κατοι-
κημένους καταστρέφεσθαι, ἐς ὃ πλέοντά μιν πρόσω
25 ἀπικέσθαι ἐς θάλασσαν οὐκέτι πλωτὴν ὑπὸ βραχέων.
ἐνθεῦτεν δὲ ὡς ὀπίσω ἀπίκετο ἐς Αἴγυπτον, κατὰ τῶν
ἱρέων τὴν φάτιν στρατιὴν πολλὴν λαβὼν ἤλαυνε διὰ τῆς
ἠπείρου, πᾶν ἔθνος τὸ ἐμποδὼν καταστρεφόμενος. ὁτέοισι
μέν νυν αὐτῶν ἀλκίμοισιν ἐνετύγχανε καὶ δεινῶς γλιχο-
30 μένοισι περὶ τῆς ἐλευθερίης, τούτοισι μὲν στήλας ἐνίστη
ἐς τὰς χώρας διὰ γραμμάτων λεγούσας τό τε ἑωυτοῦ
ὄνομα καὶ τῆς πάτρης καὶ ὡς δυνάμει τῇ ἑωυτοῦ κατε-
στρέψατό σφεας· ὅτεων δὲ ἀμαχητὶ καὶ εὐπετέως παρέ-
λαβε τὰς πόλιας, τούτοισι δὲ ἐνέγραφεν ἐν τῇσι στήλῃσι

κατὰ ταὐτὰ καὶ τοῖς ἀνδρηίοισι τῶν ἐθνέων γενομένοισι
καὶ δὴ καὶ αἰδοῖα γυναικὸς προσενέγραφεν, δῆλα βουλό-
μενος ποιεῖν ὡς εἴησαν ἀνάλκιδες. ταῦτα δὲ ποιέων διεξῆε 103
τὴν ἤπειρον, ἐς ὃ ἐκ τῆς Ἀσίης ἐς τὴν Εὐρώπην διαβὰς
τούς τε Σκύθας κατεστρέψατο καὶ τοὺς Θρῆκας. ἐς τού- 5
τους δέ μοι δοκεῖ καὶ προσώτατα ἀπικέσθαι ὁ Αἰγύπτιος
στρατός. ἐν μὲν γὰρ τῇ τούτων χώρῃ φαίνονται σταθεῖσαι
αἱ στῆλαι, τὸ δὲ προσωτέρω τούτων οὐκέτι. ἐνθεῦτεν δὲ
ἐπιστρέψας ὀπίσω ἦεν, καὶ ἐπείτε ἐγίνετο ἐπὶ Φάσι ποταμῷ,
οὐκ ἔχω τὸ ἐνθεῦτεν ἀτρεκέως εἰπεῖν, εἴτε αὐτὸς ὁ βασι- 10
λεὺς Σέσωστρις ἀποδασάμενος τῆς ἑωυτοῦ στρατιῆς μόριον
ὅσον δὴ αὐτοῦ κατέλιπε τῆς χώρης οἰκήτορας, εἴτε τῶν
τινες στρατιωτέων τῇ πλάνῃ αὐτοῦ ἀχθεσθέντες περὶ
Φᾶσιν ποταμὸν κατέμειναν. φαίνονται μὲν γὰρ ἐόντες 104
οἱ Κόλχοι Αἰγύπτιοι· νοήσας δὲ πρότερον αὐτὸς ἢ
ἀκούσας ἄλλων λέγω. ὡς δέ μοι ἐν φροντίδι ἐγέ- 15
νετο, εἰρόμην ἀμφοτέρους, καὶ μᾶλλον οἱ Κόλχοι ἐμεμνέατο
τῶν Αἰγυπτίων ἢ οἱ Αἰγύπτιοι τῶν Κόλχων. νομίζειν
δ' ἔφασαν Αἰγύπτιοι τῆς Σεσώστριος στρατιῆς εἶναι τοὺς
Κόλχους· αὐτὸς δὲ εἴκασα τῇδε καὶ ὅτι μελάγχροές εἰσι 20
καὶ οὐλότριχες. καὶ τοῦτο μὲν ἐς οὐδὲν ἀνήκει· εἰσὶ γὰρ
καὶ ἕτεροι τοιοῦτοι. ἀλλὰ τοῖσδε καὶ μᾶλλον, ὅτι μοῦνοι
πάντων ἀνθρώπων Κόλχοι καὶ Αἰγύπτιοι καὶ Αἰθίοπες
περιτάμνονται ἀπ' ἀρχῆς τὰ αἰδοῖα. Φοίνικες δὲ καὶ
Σύριοι οἱ ἐν τῇ Παλαιστίνῃ καὶ αὐτοὶ ὁμολογέουσι παρ' 25
Αἰγυπτίων μεμαθηκέναι, Σύριοι δὲ οἱ περὶ Θερμώδοντα
ποταμὸν καὶ Παρθένιον καὶ Μάκρωνες οἱ τούτοισιν ἀστυ-
γείτονες ἐόντες ἀπὸ Κόλχων φασὶ νεωστὶ μεμαθηκέναι·
οὗτοι γάρ εἰσιν οἱ περιταμνόμενοι ἀνθρώπων μοῦνοι, καὶ
οὗτοι Αἰγυπτίοισι φαίνονται ποιεῦντες κατὰ ταὐτά. αὐτῶν 30
δὲ Αἰγυπτίων καὶ Αἰθιόπων οὐκ ἔχω εἰπεῖν ὁκότεροι
παρὰ τῶν ἑτέρων ἐξέμαθον· ἀρχαῖον γὰρ δή τι φαίνεται
ἐόν. ὡς δὲ ἐπιμισγόμενοι Αἰγύπτῳ ἐξέμαθον, μέγα μοι
καὶ τόδε τεκμήριον γίνεται· Φοινίκων ὁκόσοι τῇ Ἑλλάδι

ἐπιμίσγονται, οὐκέτι Αἰγυπτίους μιμέονται κατὰ τὰ αἰδοῖα,
105 ἀλλὰ τῶν ἐπιγινομένων οὐ περιτάμνουσι τὰ αἰδοῖα. φέρε
νῦν καὶ ἄλλο εἴπω περὶ τῶν Κόλχων, ὡς Αἰγυπτίοισι
προσφερεῖς εἰσίν. λίνον μοῦνοι οὗτοί τε καὶ Αἰγύπτιοι
5 ἐργάζονται κατὰ ταὐτά, καὶ ἡ ζοὴ πᾶσα καὶ ἡ γλῶσσα
ἐμφερής ἐστιν ἀλλήλοισιν. λίνον δὲ τὸ μὲν Κολχικὸν ὑπὸ
Ἑλλήνων Σαρδωνικὸν κέκληται, τὸ μέντοι ἀπ᾽ Αἰγύπτου
106 ἀπικνεόμενον καλεῖται Αἰγύπτιον. αἱ δὲ στῆλαι, τὰς ἵστη
κατὰ τὰς χώρας ὁ Αἰγύπτου βασιλεὺς Σέσωστρις, αἱ μὲν
10 πλέονες οὐκέτι φαίνονται περιεοῦσαι, ἐν δὲ τῇ Παλαιστίνῃ
Συρίῃ αὐτὸς ὥρων ἐούσας καὶ τὰ γράμματα τὰ εἰρημένα
ἐνεόντα καὶ γυναικὸς αἰδοῖα. εἰσὶ δὲ καὶ περὶ Ἰωνίην
δύο τύποι ἐν πέτρῃσιν ἐγκεκολαμμένοι τούτου τοῦ
ἀνδρός, τῇ τε τῆς Ἐφεσίης ἐς Φώκαιαν ἔρχονται καὶ
15 τῇ ἐκ Σαρδίων ἐς Σμύρνην. ἑκατέρωθι δὲ ἀνὴρ ἐγγέ-
γλυπται μέγαθος πέμπτης σπιθαμῆς, τῇ μὲν δεξιῇ χειρὶ
ἔχων αἰχμήν, τῇ δὲ ἀριστερῇ τόξα, καὶ τὴν ἄλλην σκευὴν
ὡσαύτως· καὶ γὰρ Αἰγυπτίην καὶ Αἰθιοπίδα ἔχει· ἐκ
δὲ τοῦ ὤμου ἐς τὸν ἕτερον ὦμον διὰ τῶν στηθέων γράμ-
20 ματα ἱρὰ Αἰγύπτια διήκει ἐγκεκολαμμένα, λέγοντα τάδε·
„ἐγὼ τήνδε τὴν χώρην ὤμοισι τοῖς ἐμοῖσιν ἐκτησάμην."
ὅστις δὲ καὶ ὁκόθεν ἐστίν, ἐνθαῦτα μὲν οὐ δηλοῖ, ἑτέρωθι
δὲ δεδήλωκεν. τὰ δὴ καὶ μετεξέτεροι τῶν θεησαμένων
Μέμνονος εἰκόνα εἰκάζουσί μιν εἶναι, πολλὸν τῆς ἀληθείης
25 ἀπολελειμμένοι.
107   Τοῦτον δὴ τὸν Αἰγύπτιον Σέσωστριν ἀναχω-
ρέοντα καὶ ἀνάγοντα πολλοὺς ἀνθρώπους τῶν ἐθνέων,
τῶν τὰς χώρας κατεστρέψατο, ἔλεγον οἱ ἱρεῖς, ἐπείτε ἐγί-
νετο ἀνακομιζόμενος ἐν Δάφνῃσι τῇσι Πηλουσίῃσιν, τὸν
30 ἀδελφεὸν ἑωυτοῦ, τῷ ἐπέτρεψε Σέσωστρις τὴν Αἴγυπτον,
τοῦτον ἐπὶ ξείνια αὐτὸν καλέσαντα καὶ πρὸς αὐτῷ τοὺς
παῖδας περινῆσαι ἔξωθεν τὴν οἰκίην ὕλῃ, περινήσαντα
δὲ ὑποπρῆσαι. τὸν δὲ ὡς μαθεῖν τοῦτο, αὐτίκα συμβου-
λεύεσθαι τῇ γυναικί· καὶ γὰρ δὴ καὶ τὴν γυναῖκα αὐτὸν

ἅμα ἄγεσθαι. τὴν δέ· οἱ συμβουλεῦσαι τῶν παίδων
ἐόντων ἓξ τοὺς δύο ἐπὶ τὴν πυρὴν ἐκτείναντα γεφυ-
ρῶσαι τὸ καιόμενον, αὐτοὺς δ' ἐπ' ἐκείνων ἐπιβαί-
νοντας ἐκσῴζεσθαι. ταῦτα ποιῆσαι τὸν Σέσωστριν, καὶ
δύο μὲν τῶν παίδων κατακαῆναι τρόπῳ τοιούτῳ, τοὺς 5
δὲ λοιποὺς ἀποσωθῆναι ἅμα τῷ πατρί. νοστήσας δὲ 108
ὁ Σέσωστρις ἐς τὴν Αἴγυπτον καὶ τεισάμενος τὸν ἀδελ-
φεὸν τῷ μὲν ὁμίλῳ, τὸν ἐπηγάγετο τῶν τὰς χώρας
κατεστρέψατο, τούτῳ μὲν τάδε ἐχρήσατο· τούς τέ οἱ
λίθους τοὺς ἐπὶ τούτου τοῦ βασιλέος κομισθέντας ἐς 10
τοῦ Ἡφαίστου τὸ ἱρόν, ἐόντας μεγάθει περιμήκεας,
οὗτοι ἦσαν οἱ ἑλκύσαντες, καὶ τὰς διώρυχας τὰς
νῦν ἐούσας ἐν Αἰγύπτῳ πάσας οὗτοι ἀναγκα-
ζόμενοι ὤρυσσον, ἐποίευν τε οὐκ ἑκόντες Αἴγυπτον,
τὸ πρὶν ἐοῦσαν ἱππασίμην καὶ ἁμαξευομένην πᾶσαν, ἐνδέα 15
τούτων. ἀπὸ γὰρ τούτου τοῦ χρόνου Αἴγυπτος, ἐοῦσα
ἅπασα πεδιάς, ἄνιππος καὶ ἀναμάξευτος γέγονεν· αἴτιαι δὲ
τούτων αἱ διώρυχες γεγόνασιν, ἐοῦσαι πολλαὶ καὶ παν-
τοίους τρόπους ἔχουσαι. κατέταμνε δὲ τοῦδε εἵνεκα τὴν
χώρην ὁ βασιλεύς· ὅσοι τῶν Αἰγυπτίων μὴ ἐπὶ τῷ ποταμῷ 20
ἔκτηντο τὰς πόλις ἀλλ' ἀναμέσους, οὗτοι, ὅκως τε ἀπίοι
ὁ ποταμός, σπανίζοντες ὑδάτων πλατυτέροισιν ἐχρέωντο
τοῖς πόμασιν, ἐκ φρεάτων χρεώμενοι. τούτων μὲν δὴ
εἵνεκα κατετμήθη ἡ Αἴγυπτος. καταΝεῖμαι δὲ τὴν 109
χώρην Αἰγυπτίοισιν ἅπασι τοῦτον ἔλεγον τὸν 25
βασιλέα, κλῆρον ἴσον ἑκάστῳ τετράγωνον διδόντα, καὶ
ἀπὸ τούτου τὰς προσόδους ποιήσασθαι, ἐπιτάξαντα ἀπο-
φορὴν ἐπιτελεῖν κατ' ἐνιαυτόν. εἰ δέ τινος τοῦ κλήρου
ὁ ποταμός τι παρέλοιτο, ἐλθὼν ἂν πρὸς αὐτὸν ἐσήμαινε
τὸ γεγενημένον· ὁ δὲ ἔπεμπε τοὺς ἐπισκεψομένους καὶ 30
ἀναμετρήσοντας ὅσῳ ἐλάσσων ὁ χῶρος γέγονεν, ὅκως τοῦ
λοιποῦ κατὰ λόγον τῆς τεταγμένης ἀποφορῆς τελέοι. δοκεῖ
δέ μοι ἐνθεῦτεν γεωμετρίη ·εὑρεθεῖσα ἐς τὴν Ἑλλάδα
ἐπανελθεῖν. πόλον μὲν γὰρ καὶ γνώμονα καὶ τὰ δυώ-

δεκα μέρεα τῆς ἡμέρης παρὰ Βαβυλωνίων ἔμαθον οἱ
Ἕλληνες.

110 Βασιλεὺς μὲν δὴ οὗτος μοῦνος Αἰγύπτιος Αἰθιοπίης
ἦρξεν, μνημόσυνα δὲ ἐλίπετο πρὸ τοῦ Ἡφαιστείου
5 ἀνδριάντας λιθίνους δύο μὲν τριήκοντα πηχέων, ἑωυ-
τόν τε καὶ τὴν γυναῖκα, τοὺς δὲ παῖδας ἐόντας τέσσερας,
εἴκοσι πηχέων ἕκαστον. τῶν δὴ ὁ ἱρεὺς τοῦ Ἡφαίστου
χρόνῳ μετέπειτα πολλῷ Δαρεῖον τὸν Πέρσην οὐ περιεῖδεν
ἱστάντα ἔμπροσθε ἀνδριάντα, φὰς οὔ οἱ πεποιῆσθαι ἔργα
10 οἷά περ Σεσώστρι τῷ Αἰγυπτίῳ. Σέσωστριν μὲν γὰρ
ἄλλα τε καταστρέψασθαι ἔθνεα οὐκ ἐλάσσω ἐκείνου καὶ
δὴ καὶ Σκύθας, Δαρεῖον δὲ οὐ δυνασθῆναι Σκύθας ἑλεῖν.
οὔκων δίκαιον εἶναι ἱστάναι ἔμπροσθε τῶν ἐκείνου ἀναθη-
μάτων μὴ οὐκ ὑπερβαλόμενον τοῖς ἔργοισιν. Δαρεῖον μέν
15 νυν λέγουσι πρὸς ταῦτα συγγνώμην ποιήσασθαι.

111 Σεσώστριος δὲ τελευτήσαντος ἐκδέξασθαι ἔλεγον τὴν
βασιληίην τὸν παῖδα αὐτοῦ Φερῶν, τὸν ἀποδέξασθαι μὲν
οὐδεμίαν στρατηίην, συνενειχθῆναι δέ οἱ τυφλὸν
γενέσθαι διὰ τοιόνδε πρῆγμα· τοῦ ποταμοῦ κατελθόν-
20 τος μεγίστου δὴ τότε ἐπ᾽ ὀκτωκαίδεκα πήχεας, ὡς ὑπερέ-
βαλε τὰς ἀρούρας, πνεύματος ἐμπεσόντος κυματίης ὁ ποτα-
μὸς ἐγένετο. τὸν δὲ βασιλέα λέγουσι τοῦτον ἀτασθαλίῃ
χρησάμενον λαβόντα αἰχμὴν βαλεῖν ἐς μέσας τὰς δίνας
τοῦ ποταμοῦ, μετὰ δὲ αὐτίκα καμόντα αὐτὸν τοὺς ὀφθαλ-
25 μοὺς τυφλωθῆναι. δέκα μὲν δὴ ἔτεα εἶναί μιν τυφλόν,
ἑνδεκάτῳ δὲ ἔτει ἀπικέσθαι οἱ μαντήιον ἐκ Βουτοῦς πόλιος,
ὡς ἐξήκει τέ οἱ ὁ χρόνος τῆς ζημίης καὶ ἀναβλέψει γυναι-
κὸς οὔρῳ νιψάμενος τοὺς ὀφθαλμούς, ἥτις παρὰ τὸν ἑωυ-
τῆς ἄνδρα μοῦνον πεφοίτηκεν, ἄλλων ἀνδρῶν ἐοῦσα
30 ἄπειρος. καὶ τὸν πρώτης τῆς ἑωυτοῦ γυναικὸς πειρᾶσθαι,
μετὰ δέ, ὡς οὐκ ἀνέβλεπεν, ἐπεξῆς πασέων πειρᾶσθαι·
ἀναβλέψαντα δὲ συναγαγεῖν τὰς γυναῖκας, τῶν ἐπειρήθη,
πλὴν ἢ τῆς τῷ οὔρῳ νιψάμενος ἀνέβλεψεν, ἐς μίαν πόλιν,
ἣ νῦν καλεῖται Ἐρυθρὴ βῶλος, ἐς ταύτην συναλίσαντα

ὑποπρῆσαι πάσας σὺν αὐτῇ τῇ πόλι. τῆς δὲ νιψάμενος
τῷ οὔρῳ ἀνέβλεψεν, ταύτην δὲ εἶχεν αὐτὸς γυναῖκα. ἀνα-
θήματα δὲ ἀποφυγὼν τὴν πάθην τῶν ὀφθαλμῶν ἄλλα
τε ἀνὰ τὰ ἱρὰ πάντα τὰ λόγιμα ἀνέθηκε καὶ τοῦ γε
λόγον μάλιστα ἄξιόν ἐστιν ἔχειν, ἐς τοῦ Ἡλίου τὸ ἱρὸν 5
ἀξιοθέητα ἀνέθηκεν ἔργα, ὀβελοὺς δύο λιθίνους, ἐξ ἑνὸς
ἐόντα ἑκάτερον λίθου, μῆκος μὲν ἑκάτερον πηχέων ἑκατόν,
εὖρος δὲ ὀκτὼ πηχέων.

Τούτου δὲ ἐκδέξασθαι τὴν βασιληίην ἔλεγον ἄνδρα 112
Μεμφίτην, τῷ κατὰ τὴν Ἑλλήνων γλῶσσαν ὄνομα Πρωτέα 10
εἶναι· τοῦ νῦν τέμενός ἐστιν ἐν Μέμφι κάρτα καλόν τε
καὶ εὖ ἐσκευασμένον, τοῦ Ἡφαιστείου πρὸς νότον ἄνεμον
κείμενον. περιοικέουσι δὲ τὸ τέμενος τοῦτο Φοίνικες
Τύριοι, καλεῖται δὲ ὁ χῶρος οὗτος ὁ σύναπας Τυρίων
στρατόπεδον. ἔστι δὲ ἐν τῷ τεμένει τοῦ Πρωτέος ἱρόν, 15
τὸ καλεῖται ξείνης Ἀφροδίτης· συμβάλλομαι δὲ τοῦτο τὸ
ἱρὸν εἶναι Ἑλένης τῆς Τυνδάρεω, καὶ τὸν λόγον ἀκηκοὼς
ὡς διαιτήθη Ἑλένη παρὰ Πρωτεῖ, καὶ δὴ καὶ ὅτι ξείνης
Ἀφροδίτης ἐπώνυμόν ἐστιν· ὅσα γὰρ ἄλλα Ἀφροδίτης ἱρά
ἐστιν, οὐδαμῶς ξείνης ἐπικαλεῖται. ἔλεγον δέ μοι οἱ 113
ἱρεῖς ἱστορέοντι τὰ περὶ Ἑλένην γενέσθαι ὧδε· 21
Ἀλέξανδρον ἁρπάσαντα Ἑλένην ἐκ Σπάρτης ἀποπλεῖν ἐς
τὴν ἑωυτοῦ· καί μιν, ὡς ἐγένετο ἐν τῷ Αἰγαίῳ, ἐξῶσται
ἄνεμοι ἐκβάλλουσιν ἐς τὸ Αἰγύπτιον πέλαγος, ἐνθεῦτεν
δέ (οὐ γὰρ ἀνίει τὰ πνεύματα) ἀπικνεῖται ἐς Αἴγυπτον 25
καὶ Αἰγύπτου ἐς τὸ νῦν Κανωβικὸν καλεόμενον στόμα
τοῦ Νείλου καὶ ἐς Ταριχηίας. ἦν δὲ ἐπὶ τῆς ἠιόνος, τὸ
καὶ νῦν ἐστιν, Ἡρακλέος ἱρόν, ἐς τὸ ἢν καταφυγὼν οἰκέ-
της ὅτεο ὦν ἀνθρώπων ἐπιβάληται στίγματα ἱρά, ἑωυτὸν
διδοὺς τῷ θεῷ, οὐκ ἔξεστι τούτου ἅψασθαι. ὁ νόμος 30
οὗτος διατελεῖ ἐὼν ὅμοιος μέχρι ἐμέο ἀπ᾽ ἀρχῆς. τοῦ
ὦν δὴ Ἀλεξάνδρου ἀπιστέαται θεράποντες πυθόμενοι τὸν
περὶ τὸ ἱρὸν ἔχοντα νόμον, ἱκέται δὲ ἱζόμενοι τοῦ θεοῦ
κατηγόρεον τοῦ Ἀλεξάνδρου, βουλόμενοι βλάπτειν αὐτόν,

πάντα λόγον ἐξηγεόμενοι ὡς εἶχε περὶ τὴν Ἑλένην τε
καὶ τὴν ἐς Μενέλεων ἀδικίην· κατηγόρεον δὲ ταῦτα πρός
τε τοὺς ἰρέας καὶ τὸν τοῦ στόματος τούτου φύλακον, τῷ
114 ὄνομα ἦν Θῶνις. ἀκούσας δὲ τούτων ὁ Θῶνις πέμπει
⁵ τὴν ταχίστην ἐς Μέμφιν παρὰ Πρωτέα ἀγγελίην λέγουσαν
τάδε· „Ἥκει ξεῖνος, γένος μὲν Τευκρός, ἔργον δὲ ἀνόσιον
ἐν τῇ Ἑλλάδι ἐξεργασμένος· ξείνου γὰρ τοῦ ἑωυτοῦ
ἐξαπατήσας τὴν γυναῖκα αὐτήν τε ταύτην ἄγων ἥκει καὶ
πολλὰ κάρτα χρήματα, ὑπὸ ἀνέμων ἐς γῆν ταύτην ἀπε-
¹⁰ νειχθείς· κότερα δῆτα τοῦτον ἐῶμεν ἀσινέα ἐκπλεῖν ἢ
ἀπελώμεθα τὰ ἔχων ἦλθεν“, ἀντιπέμπει πρὸς ταῦτα ὁ
Πρωτεὺς λέγοντα τάδε· „Ἄνδρα τοῦτον, ὅστις κοτέ ἐστιν
ὁ ἀνόσια ἐργασμένος ξεῖνον τὸν ἑωυτοῦ, συλλαβόντες ἀπά-
115 γετε παρ' ἐμέ, ἵνα εἰδέω ὅ τι κοτὲ καὶ λέξει.“ ἀκούσας
¹⁵ δὲ ταῦτα ὁ Θῶνις συλλαμβάνει τὸν Ἀλέξανδρον καὶ τὰς
νέας αὐτοῦ κατίσχει, μετὰ δὲ αὐτόν τε τοῦτον ἀνήγαγεν
ἐς Μέμφιν καὶ τὴν Ἑλένην τε καὶ τὰ χρήματα, πρὸς δὲ
καὶ τοὺς ἱκέτας. ἀνακομισθέντων δὲ πάντων εἰρώτα
τὸν Ἀλέξανδρον ὁ Πρωτεύς, τίς εἴη καὶ ὁκόθεν πλέοι.
²⁰ ὁ δέ οἱ καὶ τὸ γένος κατέλεξε καὶ τῆς πάτρης εἶπε τὸ
ὄνομα καὶ δὴ καὶ τὸν πλόον ἀπηγήσατο ὁκόθεν πλέοι.
μετὰ δὲ ὁ Πρωτεὺς εἰρώτα αὐτόν, ὁκόθεν τὴν Ἑλένην
λάβοι· πλανωμένου δὲ τοῦ Ἀλεξάνδρου ἐν τῷ λόγῳ καὶ
οὐ λέγοντος τὴν ἀληθείην ἤλεγχον οἱ γενόμενοι ἱκέται
²⁵ ἐξηγεόμενοι πάντα λόγον τοῦ ἀδικήματος. τέλος δὲ δή
σφι λόγον τόνδε ἐκφαίνει ὁ Πρωτεύς, λέγων ὅτι „Ἐγὼ
εἰ μὴ περὶ πολλοῦ ἡγεόμην μηδένα ξείνων κτείνειν, ὅσοι
ὑπ' ἀνέμων ἤδη ἀπολαφθέντες ἦλθον ἐς χώρην τὴν ἐμήν,
ἐγὼ ἄν σε ὑπὲρ τοῦ Ἕλληνος ἐτεισάμην, ὅς, ὦ κάκιστε
³⁰ ἀνδρῶν, ξεινίων τυχὼν ἔργον ἀνοσιώτατον ἐργάσαο· παρὰ
τοῦ σεωυτοῦ ξείνου τὴν γυναῖκα ἦλθες· καὶ μάλα ταῦτά
τοι οὐκ ἤρκεσεν, ἀλλ' ἀναπτερώσας αὐτὴν οἴχεαι ἔχων,
ἐκκλέψας. καὶ οὐδὲ ταῦτά τοι μοῦνα ἤρκεσεν, ἀλλὰ καὶ
τὰ οἰκία τοῦ ξείνου κεραΐσας ἥκεις. νῦν ὦν ἐπειδὴ περὶ

πολλοῦ ἥγημαι μὴ ξεινοκτονεῖν, γυναῖκα μὲν ταύτην καὶ
τὰ χρήματα οὔ τοι προήσω ἀπάγεσθαι, ἀλλ' αὐτὰ ἐγὼ τῷ
Ἕλληνι ξείνῳ φυλάξω, ἐς ὃ ἂν αὐτὸς ἐλθὼν ἐκεῖνος
ἀπαγαγέσθαι ἐθέλῃ· αὐτὸν δέ σε καὶ τοὺς σοὺς σύμπλους
τριῶν ἡμερέων προαγορεύω ἐκ τῆς ἐμῆς γῆς ἐς ἄλλην   5
τινὰ μετορμίζεσθαι, εἰ δὲ μή, ἅτε πολεμίους περιέψεσθαι."

    Ἑλένης μὲν ταύτην ἄπιξιν παρὰ Πρωτέα ἔλεγον οἱ 116
ἱρεῖς γενέσθαι· δοκεῖ δέ μοι καὶ Ὅμηρος τὸν λόγον τοῦ-
τον πυθέσθαι· ἀλλ' οὐ γὰρ ὁμοίως ἐς τὴν ἐποποιίην
εὐπρεπὴς ἦν τῷ ἑτέρῳ, τῷ περ ἐχρήσατο, ἑκὼν μετῆκεν 10
αὐτόν, δηλώσας ὡς καὶ τοῦτον ἐπίσταιτο τὸν λόγον.
δῆλον δέ, κατά περ ἐποίησεν ἐν Ἰλιάδι (καὶ οὐδαμῇ ἄλλη
ἀνεπόδισεν ἑωυτόν) πλάνην τὴν Ἀλεξάνδρου, ὡς ἀπηνείχθη
ἄγων Ἑλένην τῇ τε δὴ ἄλλῃ πλαζόμενος καὶ ὡς ἐς Σιδῶνα
τῆς Φοινίκης ἀπίκετο. ἐπιμέμνηται δὲ αὐτοῦ ἐν Διομήδεος 15
ἀριστηίῃ· λέγει δὲ τὰ ἔπεα οὕτω·

    Ἔνθ' ἔσαν οἱ πέπλοι παμποίκιλοι, ἔργα γυναικῶν
    Σιδονίων, τὰς αὐτὸς Ἀλέξανδρος θεοειδὴς
    Ἤγαγε Σιδονίηθεν, ἐπιπλὼς εὐρέα πόντον,
    Τὴν ὁδὸν ἣν Ἑλένην περ ἀνήγαγεν εὐπατέρειαν.   20
ἐν τούτοισι τοῖς ἔπεσι δηλοῖ, ὅτι ἠπίστατο τὴν ἐς
Αἴγυπτον Ἀλεξάνδρου πλάνην· ὁμουρεῖ γὰρ ἡ Συρίη
Αἰγύπτῳ, οἱ δὲ Φοίνικες, τῶν ἐστιν ἡ Σιδών, ἐν τῇ
Συρίῃ οἰκέουσιν. κατὰ ταῦτα δὲ τὰ ἔπεα καὶ τόδε οὐκ 117
ἥκιστα ἀλλὰ μάλιστα δηλοῖ, ὅτι οὐκ Ὁμήρου τὰ Κύπρια 25
ἔπεά ἐστιν ἀλλ' ἄλλου τινός· ἐν μὲν γὰρ τοῖσι Κυπρίοισιν
εἴρηται, ὡς τριταῖος ἐκ Σπάρτης Ἀλέξανδρος ἀπίκετο ἐς
τὸ Ἴλιον ἄγων Ἑλένην, εὐαεῖ τε πνεύματι χρησάμενος
καὶ θαλάσσῃ λείῃ· ἐν δὲ Ἰλιάδι λέγει ὡς ἐπλάζετο ἄγων
αὐτήν. Ὅμηρος μέν νυν καὶ τὰ Κύπρια ἔπεα χαιρέτω. 30
    Εἰρομένου δέ μεο τοὺς ἱρέας, εἰ μάταιον λόγον 118
λέγουσιν οἱ Ἕλληνες τὰ περὶ Ἴλιον γενέσθαι ἢ
οὔ, ἔφασαν πρὸς ταῦτα τάδε, ἱστορίῃσι φάμενοι εἰδέναι
παρ' αὐτοῦ Μενέλεω· ἐλθεῖν μὲν γὰρ μετὰ τὴν Ἑλένης

ἁρπαγὴν ἐς τὴν Τευκρίδα γῆν Ἑλλήνων στρατιὴν πολλὴν
βοηθέουσαν Μενέλεῳ, ἐκβᾶσαν δὲ ἐς γῆν καὶ ἱδρυθεῖσαν
τὴν στρατιὴν πέμπειν ἐς τὸ Ἴλιον ἀγγέλους, σὺν δέ σφιν
ἰέναι καὶ αὐτὸν Μενέλεων. τοὺς δ' ἐπείτε ἐσελθεῖν ἐς
5 τὸ τεῖχος, ἀπαιτεῖν Ἑλένην τε καὶ τὰ χρήματα, τά οἱ
οἴχετο κλέψας Ἀλέξανδρος, τῶν τε ἀδικημάτων δίκας
αἰτεῖν· τοὺς δὲ Τευκροὺς τὸν αὐτὸν λόγον λέγειν τότε
καὶ μετέπειτα, καὶ ὀμνύντας καὶ ἀνωμοτί, μὴ μὲν ἔχειν
Ἑλένην μηδὲ τὰ ἐπικαλεόμενα χρήματα, ἀλλ' εἶναι αὐτὰ
10 πάντα ἐν Αἰγύπτῳ, καὶ οὐκ ἂν δικαίως αὐτοὶ δίκας
ὑπέχειν, τῶν Πρωτεὺς ὁ Αἰγύπτιος βασιλεὺς ἔχει. οἱ δὲ
Ἕλληνες καταγελᾶσθαι δοκέοντες ὑπ' αὐτῶν οὕτω δὴ
ἐπολιόρκεον, ἐς ὃ ἐξεῖλον· ἑλοῦσι δὲ τὸ τεῖχος ὡς οὐκ
ἐφαίνετο Ἑλένη, ἀλλὰ τὸν αὐτὸν λόγον ἐπυνθάνοντο,
15 οὕτω δὴ πιστεύσαντες τῷ λόγῳ τῷ πρώτῳ οἱ Ἕλληνες
119 αὐτὸν Μενέλεων ἀποστέλλουσι παρὰ Πρωτέα. ἀπικό-
μενος δὲ ὁ Μενέλεως ἐς τὴν Αἴγυπτον καὶ ἀνα-
πλώσας ἐς τὴν Μέμφιν, εἴπας τὴν ἀληθείην τῶν πρηγ-
μάτων, καὶ ξεινίων ἤντησε μεγάλων καὶ Ἑλένην ἀπαθέα
20 κακῶν ἀπέλαβεν, πρὸς δὲ καὶ τὰ ἑωυτοῦ χρήματα πάντα.
τυχὼν μέντοι τούτων ἐγένετο Μενέλεως ἀνὴρ ἄδικος ἐς
Αἰγυπτίους· ἀποπλεῖν γὰρ ὁρμημένον αὐτὸν ἴσχον ἄπλοιαι·
ἐπειδὴ δὲ τοῦτο ἐπὶ πολλὸν τοιοῦτον ἦν, ἐπιτεχνᾶται
πρῆγμα οὐκ ὅσιον· λαβὼν γὰρ δύο παιδία ἀνδρῶν ἐπι-
25 χωρίων ἔντομά σφεα ἐποίησεν· μετὰ δὲ ὡς ἐπάιστος
ἐγένετο τοῦτο ἐργασμένος, μισηθείς τε καὶ διωκόμενος
οἴχετο φεύγων τῇσι νηυσὶν ἐπὶ Λιβύης. τὸ ἐνθεῦτεν
δὲ ὅκου ἔτι ἐτράπετο, οὐκ εἶχον εἰπεῖν Αἰγύπτιοι· τού-
των δὲ τὰ μὲν ἱστορίῃσιν ἔφασαν ἐπίστασθαι, τὰ δὲ παρ'
30 ἑωυτοῖσι γενόμενα ἀτρεκέως ἐπιστάμενοι λέγειν.
120 Ταῦτα μὲν Αἰγυπτίων οἱ ἱρεῖς ἔλεγον, ἐγὼ δὲ τῷ
λόγῳ τῷ περὶ Ἑλένης λεχθέντι καὶ αὐτὸς προσ-
τίθεμαι, τάδε ἐπιλεγόμενος· εἰ ἦν Ἑλένη ἐν Ἰλίῳ,
ἀποδοθῆναι ἂν αὐτὴν τοῖς Ἕλλησιν ἑκόντος γε ἢ ἀέκον-

τος Ἀλεξάνδρου. οὐ γὰρ δὴ οὕτω γε φρενοβλαβὴς ἦν ὁ
Πρίαμος οὐδὲ οἱ ἄλλοι οἱ προσήκοντες αὐτῷ, ὥστε τοῖσι
σφετέροισι σώμασι καὶ τοῖσι τέκνοισι καὶ τῇ πόλει κιν-
δυνεύειν ἐβούλοντο, ὅκως Ἀλέξανδρος Ἑλένῃ συνοικῇ.
εἰ δέ τοι καὶ ἐν τοῖσι πρώτοισι χρόνοισι ταῦτα ἐγίνω- 5
σκον, ἐπεὶ πολλοὶ μὲν τῶν ἄλλων Τρώων, ὁκότε συμμίσ-
γοιεν τοῖς Ἕλλησιν, ἀπώλλυντο, αὐτοῦ δὲ Πριάμου οὐκ
ἔστιν ὅτε οὐ δύο ἢ τρεῖς ἢ καὶ ἔτι πλέους τῶν παίδων
μάχης γενομένης ἀπέθνησκον, εἰ χρή τι τοῖς ἐποποιοῖσι
χρεώμενον λέγειν, τούτων δὲ τοιούτων συμβαινόντων ἐγὼ 10
μὲν ἔλπομαι, εἰ καὶ αὐτὸς Πρίαμος συνοίκει Ἑλένῃ, ἀπο-
δοῦναι ἂν αὐτὴν τοῖς Ἀχαιοῖσιν, μέλλοντά γε δὴ τῶν παρε-
όντων κακῶν ἀπαλλαγήσεσθαι. οὐ μὲν οὐδὲ ἡ βασιληίη
ἐς Ἀλέξανδρον περιῆεν, ὥστε γέροντος Πριάμου ἐόντος
ἐπ' ἐκείνῳ τὰ πρήγματα εἶναι, ἀλλὰ Ἕκτωρ καὶ πρεσ- 15
βύτερος καὶ ἀνὴρ ἐκείνου μᾶλλον ἐὼν ἔμελλεν αὐτὴν
Πριάμου ἀποθανόντος παραλάψεσθαι, τὸν οὐ προσῆκεν
ἀδικέοντι τῷ ἀδελφεῷ ἐπιτρέπειν, καὶ ταῦτα μεγάλων
κακῶν δι' αὐτὸν συμβαινόντων ἰδίῃ τε αὐτῷ καὶ τοῖς
ἄλλοισι πᾶσι Τρωσίν. ἀλλ' οὐ γὰρ εἶχον Ἑλένην ἀπο- 20
δοῦναι οὐδὲ λέγουσιν αὐτοῖσι τὴν ἀληθείην ἐπίστευον οἱ
Ἕλληνες, ὡς μὲν ἐγὼ γνώμην ἀποφαίνομαι, τοῦ δαιμονίου
παρασκευάζοντος ὅκως πανωλεθρίῃ ἀπολόμενοι καταφανὲς
τοῦτο τοῖς ἀνθρώποισι ποιήσωσιν, ὡς τῶν μεγάλων ἀδικη-
μάτων μεγάλαι εἰσὶ καὶ αἱ τιμωρίαι παρὰ τῶν θεῶν. 25
καὶ ταῦτα μὲν τῇ ἐμοὶ δοκεῖ εἴρηται.

Πρωτέος δὲ ἐκδέξασθαι τὴν βασιληίην Ῥαμψίνιτον 121
ἔλεγον, ὃς μνημόσυνα ἐλίπετο τὰ προπύλαια τὰ πρὸς
ἑσπέρην τετραμμένα τοῦ Ἡφαιστείου, ἀντίους δὲ τῶν
προπυλαίων ἔστησεν ἀνδριάντας δύο, ἐόντας τὸ μέγαθος 30
πέντε καὶ εἴκοσι πηχέων, τῶν Αἰγύπτιοι τὸν μὲν πρὸς
βορέω ἑστεῶτα καλέουσι θέρος, τὸν δὲ πρὸς νότον χει-
μῶνα· καὶ τὸν μὲν καλέουσι θέρος, τοῦτον μὲν προσκυνέ-
ουσί τε καὶ εὖ ποιέουσιν, τὸν δὲ χειμῶνα καλεόμενον τὰ

11 *

α ἔμπαλιν τούτων ἔρδουσιν. πλοῦτον δὲ τούτῳ τῷ βασιλεῖ
γενέσθαι ἀργύρου μέγαν, τὸν οὐδένα τῶν ὕστερον ἐπιτρα-
φέντων βασιλέων δύνασθαι ὑπερβαλέσθαι οὐδ' ἐγγὺς
ἐλθεῖν. βουλόμενον δὲ αὐτὸν ἐν ἀσφαλείῃ τὰ χρή-
5 ματα θησαυρίζειν οἰκοδομεῖσθαι οἴκημα λίθινον,
τοῦ τῶν τοίχων ἕνα ἐς τὸ ἔξω μέρος τῆς οἰκίης ἔχειν.
τὸν δὲ ἐργαζόμενον ἐπιβουλεύοντα τάδε μηχανᾶ-
σθαι· τῶν λίθων παρασκευάσασθαι ἕνα ἐξαιρετὸν εἶναι
ἐκ τοῦ τοίχου ῥηιδίως καὶ ὑπὸ δύο ἀνδρῶν καὶ ὑπὸ ἑνός.
10 ὡς δὲ ἐπετελέσθη τὸ οἴκημα, τὸν μὲν βασιλέα θησαυρίσαι
τὰ χρήματα ἐν αὐτῷ, χρόνου δὲ περιιόντος τὸν οἰκοδόμον
περὶ τελευτὴν τοῦ βίου ἐόντα ἀνακαλέσασθαι τοὺς παῖδας
(εἶναι γὰρ αὐτῷ δύο), τούτοισι δὲ ἀπηγήσασθαι ὡς ἐκεί-
νων προορέων, ὅκως βίον ἄφθονον ἔχωσιν, τεχνάσαιτο
15 οἰκοδομέων τὸν θησαυρὸν τοῦ βασιλέος· σαφέως δὲ
αὐτοῖσι πάντα ἐξηγησάμενον τὰ περὶ τὴν ἐξαίρεσιν τοῦ
λίθου δοῦναι τὰ μέτρα αὐτοῦ, λέγοντα ὡς ταῦτα διαφυ-
λάσσοντες ταμίαι τῶν βασιλέος χρημάτων ἔσονται. καὶ
τὸν μὲν τελευτῆσαι τὸν βίον, τοὺς δὲ παῖδας αὐτοῦ οὐκ
20 ἐς μακρὴν ἔργου ἔχεσθαι, ἐπελθόντας δὲ ἐπὶ τὰ βασιλήια
νυκτὸς καὶ τὸν λίθον ἐπὶ τῷ οἰκοδομήματι ἀνευρόντας
ῥηιδίως μεταχειρίσασθαι καὶ τῶν χρημάτων πολλὰ ἐξενεί-
β κασθαι. ὡς δὲ τυχεῖν τὸν βασιλέα ἀνοίξαντα τὸ οἴκημα,
θωμάσαι ἰδόντα τῶν χρημάτων καταδέα τὰ ἀγγήια, οὐκ
25 ἔχειν δὲ ὅντινα ἐπαιτιᾶται τῶν τε σημάντρων ἐόντων
σόων καὶ τοῦ οἰκήματος κεκλημένου. ὡς δὲ αὐτῷ καὶ δὶς
καὶ τρὶς ἀνοίξαντι αἰεὶ ἐλάσσω φαίνεσθαι τὰ χρήματα
(τοὺς γὰρ κλέπτας οὐκ ἀνιέναι κεραΐζοντας), ποιῆσαί
μιν τάδε· πάγας προστάξαι ἐργάσασθαι καὶ ταύτας περὶ
30 τὰ ἀγγήια, ἐν τοῖς τὰ χρήματα ἐνῆν, στῆσαι. τῶν δὲ
φωρῶν ὥσπερ ἐν τῷ πρὸ τοῦ χρόνῳ ἐλθόντων καὶ ἐσδύν-
τος τοῦ ἑτέρου αὐτῶν, ἐπεὶ πρὸς τὸ ἄγγος προσῆλθεν,
ἰθέως τῇ πάγῃ ἐνέχεσθαι· ὡς δὲ γνῶναι αὐτὸν ἐν οἵῳ
κακῷ ἦν, ἰθέως καλεῖν τὸν ἀδελφεὸν καὶ δηλοῦν αὐτῷ

τὰ παρεόντα καὶ κελεύειν τὴν ταχίστην ἐσδύντα ἀποτα-
μεῖν αὐτοῦ τὴν κεφαλήν, ὅκως μὴ αὐτὸς ὀφθεὶς καὶ
γνωρισθεὶς ὃς εἴη προσαπολέσῃ κἀκεῖνον· τῷ δὲ δόξαι
εὖ λέγειν, καὶ ποιῆσαί μιν πεισθέντα ταῦτα καὶ καταρ-
μόσαντα τὸν λίθον ἀπιέναι ἐπ' οἴκου, φέροντα τὴν κε-
φαλὴν τοῦ ἀδελφεοῦ. ὡς δὲ ἡμέρη ἐγένετο, ἐσελθόντα γ
τὸν βασιλέα ἐς τὸ οἴκημα ἐκπεπλῆχθαι ὁρῶντα τὸ σῶμα
τοῦ φωρὸς ἐν τῇ πάγῃ ἄνευ τῆς κεφαλῆς ἐόν, τὸ δὲ
οἴκημα ἀσινὲς καὶ οὔτε ἔσοδον οὔτε ἔκδυσιν οὐδεμίαν
ἔχον. ἀπορεόμενον δέ μιν τάδε ποιῆσαι· τοῦ φωρὸς τὸν
νέκυν κατὰ τοῦ τείχεος κατακρεμάσαι, φυλάκους δὲ αὐτοῦ
καταστήσαντα ἐντείλασθαί σφιν, τὸν ἂν ἴδωνται ἀποκλαύ-
σαντα ἢ κατοικτισάμενον, συλλαβόντας ἄγειν πρὸς ἑωυτόν.
ἀνακρεμαμένου δὲ τοῦ νέκυος τὴν μητέρα δεινῶς φέρειν,
λόγους δὲ πρὸς τὸν περιεόντα παῖδα ποιευμένην προστάσ-
σειν αὐτῷ, ὅτεῳ τρόπῳ δύναται, μηχανᾶσθαι ὅκως τὸ σῶμα
τοῦ ἀδελφεοῦ καταλύσας κομιῇ· εἰ δὲ τούτων ἀμελήσει,
διαπειλεῖν, αὐτὴ ὡς ἐλθοῦσα πρὸς τὸν βασιλέα μηνύσει
αὐτὸν ἔχοντα τὰ χρήματα. ὡς δὲ χαλεπῶς ἐλαμβάνετο ἡ δ
μήτηρ τοῦ περιεόντος παιδὸς καὶ πολλὰ πρὸς αὐτὴν λέ-
γων οὐκ ἔπειθεν, ἐπιτεχνήσασθαι τοιάδε μιν· ὄνους
κατασκευασάμενον καὶ ἀσκοὺς πλήσαντα οἴνου ἐπιθεῖναι
ἐπὶ τῶν ὄνων καὶ ἔπειτα ἐλαύνειν αὐτούς· ὡς δὲ κατὰ
τοὺς φυλάσσοντας ἦν τὸν κρεμάμενον νέκυν, ἐπισπάσαντα
τῶν ἀσκῶν δύο ἢ τρεῖς ποδεῶνας αὐτὸν λύειν ἀπαμ-
μένους· ὡς δὲ ἔρρει ὁ οἶνος, τὴν κεφαλήν μιν κόπτεσθαι
μεγάλα βοῶντα ὡς οὐκ ἔχοντα πρὸς ὁκοῖον τῶν ὄνων
πρῶτον τράπηται· τοὺς δὲ φυλάκους ὡς ἰδεῖν πολλὸν
ῥέοντα τὸν οἶνον, συντρέχειν ἐς τὴν ὁδὸν ἀγγήια ἔχοντας
καὶ τὸν ἐκκεχυμένον οἶνον συγκομίζειν ἐν κέρδεϊ ποιευ-
μένους. τὸν δὲ διαλοιδορεῖσθαι πᾶσιν ὀργὴν προσποιευ-
μενον· παραμυθεομένων δὲ αὐτὸν τῶν φυλάκων χρόνῳ
πρηΰνεσθαι προσποιεῖσθαι καὶ ὑπίεσθαι τῆς ὀργῆς, τέλος
δὲ ἐξελάσαι αὐτὸν τοὺς ὄνους ἐκ τῆς ὁδοῦ καὶ κατασκευ-

ἄξειν. ὡς δὲ λόγους τε πλέους ἐγγίνεσθαι καί τινα καὶ
σκῶψαί μιν καὶ ἐς γέλωτα προαγαγέσθαι, ἐπιδοῦναι αὐτοῖσι
τῶν ἀσκῶν ἕνα· τοὺς δὲ αὐτοῦ ὥσπερ εἶχον κατακλι-
θέντας πίνειν διανοεῖσθαι καὶ ἐκεῖνον παραλαμβάνειν
καὶ κελεύειν μετ᾽ ἑωυτῶν μείναντα συμπίνειν. τὸν δὲ
πεισθῆναί τε δὴ καὶ καταμεῖναι. ὡς δέ μιν παρὰ τὴν
πόσιν φιλοφρόνως ἠσπάζοντο, ἐπιδοῦναι αὐτοῖσι καὶ ἄλλον
τῶν ἀσκῶν· δαψιλεῖ δὲ τῷ ποτῷ χρησαμένους τοὺς φυλά-
κους ὑπερμεθυσθῆναι καὶ κρατηθέντας ὑπὸ τοῦ ὕπνου
αὐτοῦ ἔνθα περ ἔπινον κατακοιμηθῆναι· τὸν δέ, ὡς
πρόσω ἦν τῆς νυκτός, τό τε σῶμα τοῦ ἀδελφεοῦ κατα-
λῦσαι καὶ τῶν φυλάκων ἐπὶ λύμῃ πάντων ξυρῆσαι τὰς
δεξιὰς παρηίδας, ἐπιθέντα δὲ τὸν νέκυν ἐπὶ τοὺς ὄνους
ἀπελαύνειν ἐπ᾽ οἴκου, ἐπιτελέσαντα τῇ μητρὶ τὰ προσταχ-
θέντα. τὸν δὲ βασιλέα, ὡς αὐτῷ ἀπηγγέλθη τοῦ φωρὸς
ὁ νέκυς ἐκκεκλεμμένος, δεινὰ ποιεῖν, πάντως δὲ βουλό-
μενον εὑρεθῆναι ὅστις κοτὲ εἴη ὁ ταῦτα μηχανώμενος,
ποιῆσαί μιν τάδε, ἐμοὶ μὲν οὐ πιστά· τὴν θυγατέρα τὴν
ἑωυτοῦ κατίσαι ἐπ᾽ οἰκήματος, ἐντειλάμενον πάντας τε
ὁμοίως προσδέκεσθαι, καὶ πρὶν συγγενέσθαι, ἀναγκάζειν
λέγειν αὐτῇ, ὅ τι δὴ ἐν τῷ βίῳ ἔργασται αὐτῷ σοφώ-
τατον καὶ ἀνοσιώτατον· ὃς δ᾽ ἂν ἀπηγήσηται τὰ περὶ
τὸν φῶρα γεγενημένα, τοῦτον συλλαμβάνειν καὶ μὴ ἀπιέναι
ἔξω. ὡς δὲ τὴν παῖδα ποιεῖν τὰ ἐκ τοῦ πατρὸς προσταχ-
θέντα, τὸν φῶρα πυθόμενον τῶν εἵνεκα ταῦτα ἐπρήσσετο,
βουληθέντα πολυτροπίῃ τοῦ βασιλέος περιγενέσθαι, ποιεῖν
τάδε· νεκροῦ προσφάτου ἀποταμόντα ἐν τῷ ὤμῳ τὴν
χεῖρα ἰέναι αὐτὸν ἔχοντα αὐτὴν ὑπὸ τῷ ἱματίῳ, ἐσελ-
θόντα δὲ ὡς τοῦ βασιλέος τὴν θυγατέρα καὶ εἰρωτώ-
μενον τά περ καὶ οἱ ἄλλοι, ἀπηγήσασθαι ὡς ἀνοσιώτατον
μὲν εἴη ἐργασμένος, ὅτε τοῦ ἀδελφεοῦ ἐν τῷ θησαυρῷ τοῦ
βασιλέος ὑπὸ πάγης ἁλόντος ἀποτάμοι τὴν κεφαλήν, σο-
φώτατον δὲ ὅτι τοὺς φυλάκους καταμεθύσας καταλύσειε
τοῦ ἀδελφεοῦ κρεμάμενον τὸν νέκυν. τὴν δέ, ὡς ἤκουσεν,

ἅπτεσθαι αὐτοῦ· τὸν δὲ φῶρα ἐν τῷ σκότει προτεῖναι αὐτῇ
τοῦ νεκροῦ τὴν χεῖρα· τὴν δὲ ἐπιλαβομένην ἔχειν, νομί-
ζουσαν αὐτοῦ ἐκείνου τῆς χειρὸς ἀντέχεσθαι· τὸν δὲ φῶρα
προέμενον αὐτῇ οἴχεσθαι διὰ θυρέων φεύγοντα. ὡς δὲ ζ
καὶ ταῦτα ἐς τὸν βασιλέα ἀνηνείχθη, ἐκπεπλῆχθαι μὲν ἐπὶ 5
τῇ πολυφροσύνῃ τε καὶ τόλμῃ τοῦ ἀνθρώπου, τέλος δὲ
διαπέμποντα ἐς πάσας τὰς πόλις ἐπαγγέλλεσθαι ἀδείην τε
διδόντα καὶ μεγάλα ὑποδεκόμενον ἐλθόντι ἐς ὄψιν τὴν
ἑωυτοῦ· τὸν δὲ φῶρα πιστεύσαντα ἐλθεῖν πρὸς αὐτόν, Ραμ-
ψίνιτον δὲ μεγάλως θωμάσαι καὶ οἱ τὴν θυγατέρα ταύτην 10
συνοικίσαι ὡς πλεῖστα ἐπισταμένῳ ἀνθρώπων· Αἰγυπτίους
μὲν γὰρ τῶν ἄλλων προκεκρίσθαι, ἐκεῖνον δὲ Αἰγυπτίων.

   Μετὰ δὲ ταῦτα ἔλεγον τοῦτον τὸν βασιλέα ζόον 122
καταβῆναι κάτω ἐς τὸν οἱ Ἕλληνες ἀίδην νομί-
ζουσιν εἶναι, καὶ κεῖθι συγκυβεύειν τῇ Δήμητρι, καὶ 15
τὰ μὲν νικᾶν αὐτήν, τὰ δὲ ἐσσοῦσθαι ὑπ᾽ αὐτῆς, καί μιν
πάλιν ἀπικέσθαι δῶρον ἔχοντα παρ᾽ αὐτῆς χειρόμακτρον
χρύσεον. ἀπὸ δὲ τῆς Ραμψινίτου καταβάσιος, ὡς
πάλιν ἀπίκετο, ὁρτὴν Δήμητρι ἀνάγειν Αἰγυπτίους
ἔφασαν, τὴν καὶ ἐγὼ οἶδα ἔτι καὶ ἐς ἐμὲ ἐπιτελέοντας 20
αὐτούς· οὐ μέντοι εἴ γε διὰ ταῦτα ὀρτάζουσιν ἔχω λέγειν.
φᾶρος δὲ αὐτημερὸν ἐξυφήναντες οἱ ἱρεῖς κατ᾽ ὦν ἔδησαν
ἑνὸς αὐτῶν μίτρῃ τοὺς ὀφθαλμούς, ἀγαγόντες δέ μιν
ἔχοντα τὸ φᾶρος ἐς ὁδὸν φέρουσαν ἐς ἱρὸν Δήμητρος
αὐτοὶ ἀπαλλάσσονται ὀπίσω· τὸν δὲ ἱρέα τοῦτον κατα- 25
δεδεμένον τοὺς ὀφθαλμοὺς λέγουσιν ὑπὸ δύο λύκων ἄγεσ-
θαι ἐς τὸ ἱρὸν τῆς Δήμητρος ἀπέχον τῆς πόλιος εἴκοσι
σταδίους, καὶ αὖτις ὀπίσω ἐκ τοῦ ἱροῦ ἀπάγειν μιν τοὺς
λύκους ἐς τὠυτὸ χωρίον. τοῖς μὲν νυν ὑπ᾽ Αἰγυπτίων 123
λεγομένοισι χρήσθω ὅτεῳ τὰ τοιαῦτα πιθανά ἐστιν· ἐμοὶ 30
δὲ παρὰ πάντα τὸν λόγον ὑπόκειται, ὅτι τὰ λεγόμενα ὑπ᾽
ἑκάστων ἀκοῇ γράφω. ἀρχηγετεύειν δὲ τῶν κάτω Αἰγύπ-
τιοι λέγουσι Δήμητρα καὶ Διόνυσον. πρῶτοι δὲ καὶ τόνδε
τὸν λόγον Αἰγύπτιοί εἰσιν οἱ εἰπόντες, ὡς ἀνθρώπου

ψυχὴ ἀθάνατός ἐστιν, τοῦ σώματος δὲ καταφθίνοντος ἐς ἄλλο ζῶον αἰεὶ γινόμενον ἐσδύεται· ἐπεὰν
δὲ πάντα περιέλθῃ τὰ χερσαῖα καὶ τὰ θαλάσσια καὶ τὰ
πετεινά, αὖτις ἐς ἀνθρώπου σῶμα γινόμενον ἐσδύνειν,
τὴν περιήλυσιν δὲ αὐτῇ γίνεσθαι ἐν τρισχιλίοισιν ἔτεσιν.
τούτῳ τῷ λόγῳ εἰσὶν οἳ Ἑλλήνων ἐχρήσαντο, οἱ μὲν πρότερον, οἱ δὲ ὕστερον, ὡς ἰδίῳ ἑωυτῶν ἐόντι· τῶν ἐγὼ
εἰδὼς τὰ ὀνόματα οὐ γράφω.

124 Μέχρι μέν νυν Ῥαμψινίτου βασιλέος εἶναι ἐν Αἰγύπτῳ, πᾶσαν εὐνομίην ἔλεγον καὶ εὐθηνεῖν Αἴγυπτον
μεγάλως, μετὰ δὲ τοῦτον βασιλεύσαντά σφεων, Χέοπα
ἐς πᾶσαν κακότητα ἐλάσαι· κατακλήσαντα γάρ μιν πάντα
τὰ ἱρὰ πρῶτα μέν σφεας θυσιῶν ἀπέρξαι, μετὰ δὲ ἐργάζεσθαι ἑωυτῷ κελεύειν πάντας Αἰγυπτίους. τοῖς
μὲν δὴ ἀποδεδέχθαι ἐκ τῶν λιθοτομιῶν τῶν ἐν τῷ Ἀραβίῳ ὄρει, ἐκ τουτέων ἕλκειν λίθους μέχρι τοῦ Νείλου·
(διαπεραιωθέντας δὲ τὸν ποταμὸν πλοίοισι τοὺς λίθους
ἑτέροισιν) ἔταξεν ἐκδέκεσθαι καὶ πρὸς τὸ Λιβυκὸν καλεόμενον ὄρος,) πρὸς τοῦτο ἕλκειν. ἐργάζοντο δὲ κατὰ δέκα
μυριάδας ἀνθρώπων αἰεί, τὴν τρίμηνον ἕκαστοι. χρόνον
δὲ ἐγγενέσθαι τριβομένῳ τῷ λεῷ δέκα ἔτεα μὲν τῆς ὁδοῦ,
κατ᾽ ἣν εἷλκον τοὺς λίθους, τὴν ἔδειμαν ἔργον ἐὸν οὐ
πολλῷ τεῳ ἔλασσον τῆς πυραμίδος, ὡς ἐμοὶ δοκεῖν (τῆς μὲν
γὰρ μῆκος εἰσὶ πέντε στάδιοι, εὖρος δὲ δέκα ὀργυιαί, ὕψος
δέ, τῇ ὑψηλοτάτη ἐστὶν αὐτὴ ἑωυτῆς, ὀκτὼ ὀργυιαί, λίθου
δὲ ξεστοῦ καὶ ζῴων ἐγγεγλυμμένων), ταύτης τε δὴ τὰ δέκα
ἔτεα γενέσθαι καὶ τῶν ἐπὶ τοῦ λόφου ἐπ᾽ οὗ ἑστᾶσιν αἱ
πυραμίδες, τῶν ὑπὸ γῆν οἰκημάτων, τὰς ἐποιεῖτο θήκας
ἑωυτῷ ἐν νήσῳ, διώρυχα ἐκ τοῦ Νείλου ἐσαγαγών. τῇ
δὲ πυραμίδι αὐτῇ χρόνον γενέσθαι εἴκοσι ἔτεα ποιευμένῃ, τῆς ἐστι πανταχῇ μέτωπόν ἕκαστον ὀκτὼ πλέθρα
ἐούσης τετραγώνου καὶ ὕψος ἴσον, λίθου δὲ ξεστοῦ τε
καὶ ἁρμοσμένου τὰ μάλιστα· οὐδεὶς τῶν λίθων τριήκοντα
125 ποδῶν ἐλάσσων. ἐποιήθη δὲ ὧδε αὕτη ἡ πυραμίς,

ἀναβαθμῶν τρόπον, τὰς μετεξέτεροι κρόσσας, οἱ δὲ βωμί-
δας ὀνομάζουσιν· τοιαύτην τὸ πρῶτον ἐπείτε ἐποίησαν
αὐτήν, ἤειρον τοὺς ἐπιλοίπους λίθους μηχανῆσι ξύλων
βραχέων πεποιημένῃσιν, χαμᾶθεν μὲν ἐπὶ τὸν πρῶτον
στοῖχον τῶν ἀναβαθμῶν ἀείροντες· ὅκως δὲ ἀνίοι ὁ λίθος ᵴ
ἐπ᾽ αὐτόν, ἐς ἑτέρην μηχανὴν ἐτίθετο ἑστεῶσαν ἐπὶ τοῦ
πρώτου στοίχου, ἀπὸ τούτου δὲ ἐπὶ τὸν δεύτερον εἵλκετο
στοῖχον ἐπ᾽ ἄλλης μηχανῆς· ὅσοι γὰρ δὴ στοῖχοι ἦσαν τῶν
ἀναβαθμῶν, τοσαῦται καὶ μηχαναὶ ἦσαν, εἴτε καὶ τὴν αὐτὴν
μηχανὴν ἐοῦσαν μίαν τε καὶ εὐβάστακτον μετεφόρεον ἐπὶ ₁₀
στοῖχον ἕκαστον, ὅκως τὸν λίθον ἐξέλοιεν· λελέχθω γὰρ
ἡμῖν ἐπ᾽ ἀμφότερα, κατά περ λέγεται. ἐξεποιήθη δ᾽ ὦν
τὰ ἀνώτατα αὐτῆς πρῶτα, μετὰ δὲ τὰ ἐχόμενα τούτων
ἐξεποίευν, τελευταῖα δὲ αὐτῆς τὰ ἐπίγαια καὶ τὰ κατωτάτω
ἐξεποίησαν. σεσήμανται δὲ διὰ γραμμάτων ἐν τῇ ₁ᵴ
πυραμίδι, ὅσα ἔς τε συρμαίην καὶ κρόμμυα καὶ σκόροδα
ἀναισιμώθη τοῖς ἐργαζομένοισιν· καὶ ὡς ἐμὲ εὖ μεμνῆσθαι,
τὰ ὁ ἑρμηνεύς μοι ἐπιλεγόμενος τὰ γράμματα ἔφη,
ἑξακόσια καὶ χίλια τάλαντα ἀργυρίου τετελέσθαι. εἰ
δ᾽ ἔστι οὕτως ἔχοντα ταῦτα, κόσα οἰκὸς ἄλλα δεδα- ₂₀
πανῆσθαί ἐστιν ἔς τε σίδηρον, τῷ ἐργάζοντο, καὶ σιτία
καὶ ἐσθῆτα τοῖς ἐργαζομένοισιν; ὁκότε χρόνον μὲν οἰκο-
δόμεον τὰ ἔργα τὸν εἰρημένον, ἄλλον δέ, ὡς ἐγὼ δοκέω,
ἐν τῷ τοὺς λίθους ἔταμνον καὶ ἦγον καὶ τὸ ὑπὸ
γῆν ὄρυγμα ἐργάζοντο, οὐκ ὀλίγον χρόνον. ἐς τοῦτο 126
δὲ ἐλθεῖν Χέοπα κακότητος ὥστε χρημάτων δεόμενον ₂ᵴ
τὴν θυγατέρα τὴν ἑωυτοῦ κατίσαντα ἐπ᾽ οἰκήματος
προστάξαι πρήσσεσθαι ἀργύριον ὁκόσον δή τι· οὐ γὰρ
δὴ τοῦτό γε ἔλεγον· τὴν δὲ τά τε ὑπὸ τοῦ πατρὸς
ταχθέντα πρήσσεσθαι, ἰδίῃ δὲ καὶ αὐτὴν διανοηθῆναι ₃₀
μνημήιον καταλιπέσθαι, καὶ τοῦ ἐσιόντος πρὸς αὐτὴν
ἑκάστου δεῖσθαι, ὅκως ἂν αὐτῇ ἕνα λίθον δωρέοιτο.
ἐκ τούτων δὲ τῶν λίθων ἔφασαν τὴν πυραμίδα οἰκο-
δομηθῆναι τὴν ἐν μέσῳ τῶν τριῶν ἑστηκυῖαν, ἔμπροσθε

τῆς μεγάλης πυραμίδος, τῆς ἐστι τὸ κῶλον ἕκαστον ὅλου
καὶ ἡμίσεος πλέθρου.

127   Βασιλεῦσαι δὲ τὸν Χέοπα τοῦτον Αἰγύπτιοι ἔλεγον
πεντήκοντα ἔτεα, τελευτήσαντος δὲ τούτου ἐκδέξασθαι
5 τὴν βασιληίην τὸν ἀδελφεὸν αὐτοῦ Χεφρῆνα· καὶ
τοῦτον δὲ τῷ αὐτῷ τρόπῳ διαχρῆσθαι τῷ ἑτέρῳ τά τε
ἄλλα καὶ πυραμίδα ποιῆσαι, ἐς μὲν τὰ ἐκείνου μέτρα
οὐκ ἀνήκουσαν· ταῦτα γὰρ ὦν καὶ ἡμεῖς ἐμετρήσαμεν· οὔτε
γὰρ ὕπεστιν οἰκήματα ὑπὸ γῆν, οὔτε ἐκ τοῦ Νείλου διῶρυξ
10 ἥκει ἐς αὐτὴν ὥσπερ ἐς τὴν ἑτέρην ῥέουσα· δι' οἰκοδομη-
μένου δὲ αὐλῶνος ἔσω νῆσον περιρρεῖ, ἐν τῇ αὐτὸν λέγουσι
κεῖσθαι Χέοπα. ὑποδείμας δὲ τὸν πρῶτον δόμον λίθου
Αἰθιοπικοῦ ποικίλου, τεσσεράκοντα πόδας ὑποβὰς τῆς ἑτέ-
ρης τὠυτὸ μέγαθος, ἐχομένην τῆς μεγάλης οἰκοδόμησεν.
15 ἑστᾶσι δὲ ἐπὶ λόφου τοῦ αὐτοῦ ἀμφότεραι, μάλιστα ἐς
ἑκατὸν πόδας ὑψηλοῦ. βασιλεῦσαι δὲ ἔλεγον Χεφρῆνα ἓξ
128 καὶ πεντήκοντα ἔτεα. ταῦτα ἕξ τε καὶ ἑκατὸν λογίζονται
ἔτεα, ἐν τοῖς Αἰγυπτίοισί τε πᾶσαν εἶναι κακότητα καὶ τὰ
ἱρὰ χρόνου τοσούτου κατακλησθέντα οὐκ ἀνοιχθῆναι.
20 τούτους ὑπὸ μίσεος οὐ κάρτα θέλουσιν Αἰγύπτιοι ὀνο-
μάζειν, ἀλλὰ καὶ τὰς πυραμίδας καλέουσι ποιμένος Φιλίτιος,
ὃς τοῦτον τὸν χρόνον ἔνεμε κτήνεα κατὰ ταῦτα τὰ χωρία.

129   Μετὰ δὲ τοῦτον βασιλεῦσαι Αἰγύπτου Μυκερῖ-
νον ἔλεγον Χέοπος παῖδα, τῷ τὰ μὲν τοῦ πατρὸς ἔργα
25 ἀπαδεῖν, τὸν δὲ τά τε ἱρὰ ἀνοῖξαι καὶ τὸν λεὼν τετρυ-
μένον ἐς τὸ ἔσχατον κακοῦ ἀνεῖναι πρὸς ἔργα τε καὶ
θυσίας, δίκας δέ σφι πάντων βασιλέων δικαιότατα κρί-
νειν. κατὰ τοῦτο μέν νυν τὸ ἔργον ἀπάντων, ὅσοι ἤδη
βασιλεῖς ἐγένοντο Αἰγυπτίων, αἰνέουσι μάλιστα τοῦτον·
30 τά τε ἄλλα γάρ μιν κρίνειν εὖ, καὶ δὴ καὶ τῷ ἐπιμεμφο-
μένῳ ἐκ τῆς δίκης παρ' ἑωυτοῦ διδόντα ἄλλα ἀποπιμπλά-
ναι αὐτοῦ τὸν θυμόν. ἐόντι δὲ ἠπίῳ τῷ Μυκερίνῳ
κατὰ τοὺς πολιήτας καὶ ταῦτα ἐπιτηδεύοντι πρῶτον
κακῶν ἄρξαι τὴν θυγατέρα ἀποθανοῦσαν αὐτοῦ,

τὸ μοῦνόν οἱ εἶναι ἐν τοῖς οἰκίοισι τέκνον. τὸν δὲ ὑπερ-
αλγήσαντά τε τῷ περιεπεπτώκει πρήγματι καὶ βουλόμε-
νον περισσότερόν τι τῶν ἄλλων θάψαι τὴν θυγατέρα
ποιήσασθαι βοῦν ξυλίνην κοίλην καὶ ἔπειτα κατα-
χρυσώσαντά μιν ταύτην ἔσω ἐν αὐτῇ θάψαι ταύτην δὴ 5
τὴν ἀποθανοῦσαν θυγατέρα. αὕτη ὦν ἡ βοῦς γῇ οὐκ 130
ἐκρύφθη, ἀλλ᾽ ἔτι καὶ ἐς ἐμὲ ἦν φανερή, ἐν Σάι μὲν
πόλι ἐοῦσα, κειμένη δὲ ἐν τοῖσι βασιληίοισιν ἐν οἰκήματι
ἠσκημένῳ· θυμιήματα δὲ παρ᾽ αὐτῇ παντοῖα καταγίζουσιν
ἀνὰ πᾶσαν ἡμέρην, νύκτα δὲ ἐκάστην πάννυχος λύχνος παρα- 10
καίεται. ἀγχοῦ δὲ τῆς βοὸς ταύτης ἐν ἄλλῳ οἰκήματι εἰκόνες
τῶν παλλακέων τῶν Μυκερίνου ἑστᾶσιν, ὡς ἔλεγον οἱ ἐν
Σάι πόλι ἱρεῖς· ἑστᾶσι μὲν γὰρ ξύλινοι κολοσσοί, ἐοῦσαι
ἀριθμὸν ὡς εἴκοσι μάλιστά κῃ, γυμναὶ εἰργασμέναι· αἵτινες
μέντοι εἰσίν, οὐκ ἔχω εἰπεῖν πλὴν ἢ τὰ λεγόμενα. οἱ 131
δέ τινες λέγουσι περὶ τῆς βοὸς ταύτης καὶ τῶν κολοσσῶν 16
τόνδε τὸν λόγον, ὡς Μυκερῖνος ἠράσθη τῆς ἑωυτοῦ θυγατρὸς
καὶ ἔπειτα ἐμίγη οἱ ἀεκούσῃ· μετὰ δὲ λέγουσιν ὡς ἡ παῖς
ἀπήγξατο ὑπὸ ἄχεος, ὁ δέ μιν ἔθαψεν ἐν τῇ βοῒ ταύτῃ,
ἡ δὲ μήτηρ αὐτῆς τῶν ἀμφιπόλων τῶν προδουσέων τὴν 20
θυγατέρα τῷ πατρὶ ἀπέταμε τὰς χεῖρας, καὶ νῦν τὰς
εἰκόνας αὐτέων εἶναι πεπονθυίας, τά περ αἱ ζόαι ἔπαθον.
ταῦτα δὲ λέγουσι φλυηρέοντες, ὡς ἐγὼ δοκέω, τά τε
ἄλλα καὶ δὴ καὶ τὰ περὶ τὰς χεῖρας τῶν κολοσσῶν· ταῦτα
γὰρ ὦν καὶ ἡμεῖς ὡρῶμεν, ὅτι ὑπὸ χρόνου τὰς χεῖρας 25
ἀποβεβλήκασιν, αἳ ἐν ποσὶν αὐτέων ἐφαίνοντο ἐοῦσαι ἔτι
καὶ ἐς ἐμέ. ἡ δὲ βοῦς τὰ μὲν ἄλλα κατακέκρυπται φοινι- 132
κέῳ εἵματι, τὸν αὐχένα δὲ καὶ τὴν κεφαλὴν φαίνει
κεχρυσωμένα παχεῖ κάρτα χρυσῷ· μεταξὺ δὲ τῶν κερέων
ὁ τοῦ ἡλίου κύκλος μεμιμημένος ἔπεστι χρύσεος. ἔστι 30
δὲ ἡ βοῦς οὐκ ὀρθὴ ἀλλ᾽ ἐν γούνασι κειμένη, μέγαθος
δὲ ὅση περ μεγάλη βοῦς ζόη. ἐκφέρεται δὲ ἐκ τοῦ οἰκή-
ματος ἀνὰ πάντα ἔτεα, ἐπεὰν τύπτωνται Αἰγύπτιοι τὸν
οὐκ ὀνομαζόμενον θεὸν ὑπ᾽ ἐμέο ἐπὶ τοιούτῳ πρήγματι.

τότε ὧν καὶ τὴν βοῦν ἐκφέρουσιν ἐς τὸ φῶς· φασὶ γὰρ
δὴ αὐτὴν δεηθῆναι τοῦ πατρὸς Μυκερίνου ἀποθνή-
σκουσαν ἐν τῷ ἐνιαυτῷ ἅπαξ μιν τὸν ἥλιον κατιδεῖν.

133 Μετὰ δὲ τῆς θυγατρὸς τὸ πάθος δεύτερα τούτῳ τῷ
5 βασιλεῖ τάδε γενέσθαι· ἐλθεῖν οἱ μαντήιον ἐκ Βουτοῦς
πόλιος, ὡς μέλλοι ἓξ ἔτεα μοῦνον βιοὺς τῷ ἑβδόμῳ
τελευτήσειν· τὸν δὲ δεινὸν ποιησάμενον πέμψαι ἐς τὸ
μαντήιον τῷ θεῷ ὀνείδισμα, ἀντιμεμφόμενον, ὅτι ὁ μὲν
αὐτοῦ πατὴρ καὶ πάτρως ἀποκλήσαντες τὰ ἱρὰ καὶ θεῶν
10 οὐ μεμνημένοι, ἀλλὰ καὶ τοὺς ἀνθρώπους φθείροντες,
ἐβίωσαν χρόνον ἐπὶ πολλόν, αὐτὸς δ' εὐσεβὴς ἐὼν μέλλοι
ταχέως οὕτω τελευτήσειν. ἐκ δὲ τοῦ χρηστηρίου αὐτῷ
δεύτερα ἐλθεῖν λέγοντα τούτων εἵνεκα καὶ συνταχύνειν
αὐτὸν τὸν βίον· οὐ γὰρ ποιῆσαί μιν τὸ χρεὸν ἦν ποιεῖν·
15 δεῖν γὰρ Αἴγυπτον κακοῦσθαι ἐπ' ἔτεα πεντήκοντά τε
καὶ ἑκατόν, καὶ τοὺς μὲν δύο τοὺς πρὸ ἐκείνου γενο-
μένους βασιλέας μαθεῖν τοῦτο, κεῖνον δὲ οὔ. ταῦτα
ἀκούσαντα τὸν Μυκερῖνον, ὡς κατακεκριμένων ἤδη οἱ
τούτων, λύχνα ποιησάμενον πολλά, ὅκως γίνοιτο νύξ,
20 ἀνάψαντα αὐτὰ πίνειν τε καὶ εὐπαθεῖν, οὔτε ἡμέρης
οὔτε νυκτὸς ἀνιέντα, ἔς τε τὰ ἕλεα καὶ τὰ ἄλσεα πλα-
νώμενον καὶ ἵνα πυνθάνοιτο εἶναι ἐνηβητήρια ἐπιτη-
δεότατα. ταῦτα δὲ ἐμηχανᾶτο θέλων τὸ μαντήιον ψευ-
δόμενον ἀποδέξαι, ἵνα οἱ δυώδεκα ἔτεα ἀντὶ ἓξ ἐτέων
25 γένηται, αἱ νύκτες ἡμέραι ποιεύμεναι.

134 Πυραμίδα δὲ καὶ οὗτος ἀπελίπετο πολλὸν
ἐλάσσω τοῦ πατρός, εἴκοσι ποδῶν καταδέουσαν κῶλον
ἕκαστον τριῶν πλέθρων, ἐούσης τετραγώνου, λίθου δὲ
ἐς τὸ ἥμισυ Αἰθιοπικοῦ· τὴν δὴ μετεξέτεροί φασιν
30 Ἑλλήνων Ῥοδώπιος ἑταίρης γυναικὸς εἶναι, οὐκ ὀρθῶς
λέγοντες· οὐδὲ ὧν οὐδὲ εἰδότες μοι φαίνονται λέγειν
οὗτοι, ἥτις ἦν ἡ Ῥοδῶπις· οὐ γὰρ ἄν οἱ πυραμίδα
ἀνέθεσαν ποιήσασθαι τοιαύτην, ἐς τὴν ταλάντων χιλιάδες
ἀναρίθμητοι ὡς λόγῳ εἰπεῖν ἀναισίμωνται· πρὸς δὲ ὅτι

κατὰ Ἄμασιν βασιλεύοντα ἦν ἀκμάζουσα Ῥοδῶπις, ἀλλ'
οὐ. κατὰ τοῦτον· ἔτεσι γὰρ κάρτα πολλοῖσιν ὕστερον
τούτων τῶν βασιλέων τῶν τὰς πυραμίδας ταύτας λιπο-
μένων ἦν Ῥοδῶπις, γενεὴν μὲν ἀπὸ Θρῄκης, δούλη δὲ
ἦν Ἰάδμονος τοῦ Ἡφαιστοπόλιος ἀνδρὸς Σαμίου, σύν- 5
δουλος δὲ Αἰσώπου τοῦ λογοποιοῦ. καὶ γὰρ οὗτος
Ἰάδμονος ἐγένετο, ὡς διέδεξε τῇδε οὐκ ἥκιστα· ἐπείτε
γὰρ πολλάκις κηρυσσόντων Δελφῶν ἐκ θεοπροπίου, ὃς
βούλοιτο ποινὴν τῆς Αἰσώπου ψυχῆς ἀνελέσθαι, ἄλλος
μὲν οὐδεὶς ἐφάνη, Ἰάδμονος δὲ παιδὸς παῖς ἄλλος 10
Ἰάδμων ἀνείλετο, οὕτω καὶ Αἴσωπος Ἰάδμονος ἐγένετο.
Ῥοδῶπις δὲ ἐς Αἴγυπτον ἀπίκετο Ξάνθου τοῦ Σαμίου 135
κομίσαντος, ἀπικομένη δὲ κατ' ἐργασίην ἐλύθη χρημάτων
μεγάλων ὑπὸ ἀνδρὸς Μυτιληναίου Χαράξου τοῦ Σκα-
μανδρωνύμου παιδός, ἀδελφεοῦ δὲ Σαπφοῦς τῆς μουσο- 15
ποιοῦ. οὕτω δὴ ἡ Ῥοδῶπις ἠλευθερώθη καὶ κατέμεινέ
τε ἐν Αἰγύπτῳ καὶ κάρτα ἐπαφρόδιτος γενομένη μεγάλα
ἐκτήσατο χρήματα ὡς ἂν εἶναι Ῥοδώπι, ἀτὰρ οὐκ ὥς γε
ἐς πυραμίδα τοιαύτην ἐξικέσθαι. τῆς γὰρ τὴν δεκάτην
τῶν χρημάτων ἰδέσθαι ἔστιν ἔτι καὶ ἐς τόδε παντὶ τῷ 20
βουλομένῳ, οὐδὲν δεῖ μεγάλα οἱ χρήματα ἀναθεῖναι.
ἐπεθύμησε γὰρ Ῥοδῶπις μνημήιον ἑωυτῆς ἐν τῇ Ἑλλάδι
καταλιπέσθαι, ποίημα ποιησαμένη τοῦτο, τὸ μὴ τυγχάνει
ἄλλῳ ἐξευρημένον καὶ ἀνακείμενον ἐν ἱρῷ, τοῦτο ἀνα-
θεῖναι ἐς Δελφοὺς μνημόσυνον ἑωυτῆς. τῆς ὦν. δεκάτης 25
τῶν χρημάτων ποιησαμένη ὀβελοὺς βουπόρους πολλοὺς
σιδηρέους, ὅσον ἐνεχώρει ἡ δεκάτη οἱ, ἀπέπεμπεν ἐς
Δελφούς· οἳ καὶ νῦν ἔτι συννενέαται ὄπισθε μὲν τοῦ
βωμοῦ, τὸν Χῖοι ἀνέθεσαν, ἀντίον δὲ αὐτοῦ. τοῦ νηοῦ.
φιλέουσι δέ κως ἐν τῇ Ναυκράτι ἐπαφρόδιτοι γίνεσθαι 30
αἱ ἑταῖραι· τοῦτο μὲν γὰρ αὕτη, τῆς πέρι λέγεται ὅδε ὁ
λόγος, οὕτω δή τι κλεινὴ ἐγένετο, ὡς καὶ οἱ πάντες
Ἕλληνες Ῥοδώπιος τὸ ὄνομα ἐξέμαθον, τοῦτο δὲ ὕστερον
ταύτης ἑτέρη, τῇ ὄνομα ἦν Ἀρχιδίκη, ἀοίδιμος ἀνὰ τὴν

'Ελλάδα ἐγένετο, ἧσσον δὲ τῆς ἑτέρης περιλεσχήνευτος. Χάραξος δὲ ὡς λυσάμενος Ῥοδῶπιν ἀπενόστησεν ἐς Μυτιλήνην, ἐν μέλει Σαπφὼ πολλὰ κατεκερτόμησέ μιν. Ῥοδῶπιος μέν, νυν πέρι πέπαυμαι.

186 Μετὰ δὲ Μυκερῖνον γενέσθαι Αἰγύπτου βασιλέα ἔλεγον οἱ ἱρεῖς Ἄσυχιν, τὸν τὰ πρὸς ἥλιον ἀνίσχοντα ποιῆσαι · τῷ Ἡφαίστῳ προπύλαια, ἐόντα πολλῷ τε κάλλιστα καὶ πολλῷ μέγιστα. ἔχει μὲν γὰρ καὶ τὰ πάντα προπύλαια τύπους τε ἐγγεγλυμμένους καὶ ἄλλην ὄψιν 10 οἰκοδομημάτων μυρίην, ἐκεῖνα δὲ καὶ μακρῷ μάλιστά. ἐπὶ τούτου βασιλεύοντος ἔλεγον ἀμειξίης ἐούσης πολλῆς χρημάτων γενέσθαι νόμον Αἰγυπτίοισιν, ἀποδεικνύντα ἐνέχυρον τοῦ πατρὸς τὸν νέκυν οὕτω λαμβάνειν τὸ χρέος· προστεθῆναι δὲ ἔτι τούτῳ τῷ νόμῳ τόνδε, τὸν διδόντα 15 τὸ χρέος καὶ ἀπάσης κρατεῖν τῆς τοῦ λαμβάνοντος θήκης, τῷ δὲ ὑποτιθέντι τοῦτο τὸ ἐνέχυρον τήνδε ἐπεῖναι ζημίην μὴ βουλομένῳ ἀποδοῦναι τὸ χρέος, μήτε αὐτῷ ἐκείνῳ τελευτήσαντι εἶναι ταφῆς κυρῆσαι μήτ' ἐν ἐκείνῳ τῷ πατρῴῳ τάφῳ μήτ' ἐν ἄλλῳ μηδενί, μήτε ἄλλον μηδένα 20 τῶν ἑωυτοῦ ἀπογενόμενον θάψαι. ὑπερβαλέσθαι δὲ βουλόμενον τοῦτον τὸν βασιλέα τοὺς πρότερον ἑωυτοῦ βασιλέας γενομένους Αἰγύπτου μνημόσυνον πυραμίδα λιπέσθαι ἐκ πλίνθων ποιήσαντα, ἐν τῇ γράμματα ἐν λίθῳ ἐγκεκολαμμένα τάδε λέγοντά ἐστιν· „μή με κατανοσθῇς πρὸς τὰς 25 λιθίνας πυραμίδας· προέχω γὰρ αὐτέων τοσοῦτον, ὅσον ὁ Ζεὺς τῶν ἄλλων θεῶν. κοντῷ γὰρ ὑποτύπτοντες ἐς λίμνην, ὅ τι πρόσσχοιτο τοῦ πηλοῦ τῷ κοντῷ, τοῦτο συλλέγοντες πλίνθους εἴρυσαν καί με τρόπῳ τοιούτῳ ἐξεποίησαν". τοῦτον μὲν τοσαῦτα ἀποδέξασθαι.

137 Μετὰ δὲ τοῦτον βασιλεῦσαι ἄνδρα τυφλὸν ἐξ Ἀνύ31 σιος πόλιος, τῷ ὄνομα Ἄνυσιν εἶναι. ἐπὶ τούτου βασιλεύοντος ἐλάσαι ἐπ' Αἴγυπτον χειρὶ πολλῇ Αἰθίοπάς τε καὶ Σαβακῶν τὸν Αἰθιόπων βασιλέα. τὸν μὲν δὴ τυφλὸν τοῦτον οἴχεσθαι φεύγοντα ἐς τὰ ἕλεα, τὸν

δὲ Αἰθίοπα βασιλεύειν Αἰγύπτου ἐπ' ἔτεα πεντήκοντα,
ἐν τοῖς αὐτὸν τάδε ἀποδέξασθαι· ὅκως τῶν τις Αἰγυ-
πτίων ἁμάρτοι τι, κτείνειν μὲν αὐτῶν οὐδένα ἐθέλειν,
τὸν δὲ κατὰ μέγαθος τοῦ ἀδικήματος ἑκάστῳ δικάζειν,
ἐπιτάσσοντα χώματα χοῦν πρὸς τῇ ἑωυτῶν πόλει, ὅθεν 5
ἕκαστος ἦν τῶν ἀδικεόντων. καὶ οὕτω ἔτι αἱ πόλιες
ἐγένοντο ὑψηλότεραι. τὸ μὲν γὰρ πρῶτον ἐχώσθησαν
ὑπὸ τῶν τὰς διώρυχας ὀρυξάντων ἐπὶ Σεσώστριος βα-
σιλέος, δεύτερα δὲ ἐπὶ τοῦ Αἰθίοπος, καὶ κάρτα ὑψηλαὶ
ἐγένοντο. ὑψηλέων δὲ καὶ ἑτερέων γενομένων ἐν τῇ 10
Αἰγύπτῳ πολίων, ὡς ἐμοὶ δοκεῖ, μάλιστα ἡ ἐν Βουβάστι
πόλις ἐξεχώσθη, ἐν τῇ καὶ ἱρόν ἐστι Βουβάστιος ἀξιαπη-
γητότατον· μέζω μὲν γὰρ ἄλλα καὶ πολυδαπανώτερά ἐστιν
ἱρά, ἡδονὴ δὲ ἰδέσθαι οὐδὲν τούτου μᾶλλον. ἡ δὲ
Βούβαστις κατὰ Ἑλλάδα γλῶσσάν ἐστιν Ἄρτεμις. τὸ 138
δ' ἱρὸν αὐτῆς ὧδε ἔχει· πλὴν τῆς ἐσόδου τὸ ἄλλο 15
νῆσός ἐστιν· ἐκ γὰρ τοῦ Νείλου διώρυχες ἐσέχουσιν οὐ
συμμίσγουσαι ἀλλήλῃσιν, ἀλλ' ἄχρι τῆς ἐσόδου τοῦ ἱροῦ
ἑκατέρη ἐσέχει, ἡ μὲν τῇ περιρρέουσα, ἡ δὲ τῇ, εὖρος
ἐοῦσα ἑκατέρη ἑκατὸν ποδῶν, δένδρεσι κατάσκιος. τὰ δὲ 20
προπύλαια ὕψος μὲν δέκα ὀργυιῶν ἐστιν, τύποισι δὲ
ἑξαπήχεσιν ἐσκευάδαται ἀξίοισι λόγου. ἐὸν δ' ἐν μέσῃ
τῇ πόλι τὸ ἱρὸν κατορᾶται πάντοθεν περιιόντι· ἅτε γὰρ
τῆς πόλιος μὲν ἐκκεχωσμένης ὑψοῦ, τοῦ δ' ἱροῦ οὐ κε-
κινημένου ὡς ἀρχῆθεν ἐποιήθη, ἔσοπτόν ἐστιν. περιθεῖ 25
δὲ αὐτὸ αἱμασιὴ ἐγγεγλυμμένη τύποισιν· ἔστι δὲ ἔσωθεν
ἄλσος δενδρέων μεγίστων πεφυτευμένον περὶ νηὸν μέγαν,
ἐν τῷ δὴ τὤγαλμα ἔνι· εὖρος δὲ καὶ μῆκος τοῦ ἱροῦ
πάντῃ σταδίου ἐστίν. κατὰ μὲν δὴ τὴν ἔσοδον ἐστρωμένη
ἐστὶν ὁδὸς λίθου ἐπὶ σταδίους τρεῖς μάλιστά κῃ, διὰ τῆς 30
ἀγορῆς φέρουσα ἐς τὸ πρὸς ἠῶ, εὖρος δὲ ὡς τεσσέρων
πλέθρων· τῇ δὲ καὶ τῇ τῆς ὁδοῦ δένδρεα οὐρανομήκεα
πέφυκεν· φέρει δ' ἐς Ἑρμέω ἱρόν. τὸ μὲν δὴ ἱρὸν τοῦτο
οὕτως ἔχει.

139   Τέλος δὲ τῆς ἀπαλλαγῆς τοῦ Αἰθίοπος ὧδε
ἔλεγον γενέσθαι· ὄψιν ἐν τῷ ὕπνῳ τοιήνδε ἰδόντα
αὐτὸν οἴχεσθαι φεύγοντα· ἐδόκει οἱ ἄνδρα ἐπιστάντα
συμβουλεύειν τοὺς ἱρέας τοὺς ἐν Αἰγύπτῳ συλλέξαντα
5 πάντας μέσους διαταμεῖν· ἰδόντα δὲ τὴν ὄψιν ταύτην
λέγειν αὐτόν, ὡς πρόφασίν οἱ δοκέοι ταύτην τοὺς θεοὺς
προδεικνύναι, ἵνα ἀσεβήσας περὶ τὰ ἱρὰ κακόν τι πρὸς
θεῶν ἢ πρὸς ἀνθρώπων λάβοι· οὔκων ποιήσειν ταῦτα,
ἀλλὰ γάρ οἱ ἐξεληλυθέναι τὸν χρόνον, ὁκόσον κεχρῆσθαι
10 ἄρξαντα Αἰγύπτου ἐκχωρήσειν. ἐν γὰρ τῇ Αἰθιοπίῃ
ἐόντι αὐτῷ τὰ μαντήια, τοῖς χρέωνται Αἰθίοπες, ἀνεῖλεν,
ὡς δέοι αὐτὸν Αἰγύπτου βασιλεῦσαι ἔτεα πεντήκοντα.
ὡς ὦν ὁ χρόνος οὗτος ἐξῆε καὶ αὐτὸν ἡ ὄψις τοῦ
ἐνυπνίου ἐπετάρασσεν, ἑκὼν ἀπαλλάσσετο ἐκ τῆς Αἰγύπτου
15 ὁ Σαβακῶς.

140   Ὡς δ' ἄρα οἴχεσθαι τὸν Αἰθίοπα ἐξ Αἰγύπτου,
αὖτις τὸν τυφλὸν ἄρχειν ἐκ τῶν ἑλέων ἀπικόμενον,
ἔνθα πεντήκοντα ἔτεα νῆσον χώσας σποδῷ τε καὶ γῇ
οἴκει· ὅκως γάρ οἱ φοιτᾶν σῖτον ἄγοντας Αἰγυπτίων
20 ὡς ἑκάστοισι προστετάχθαι σιγῇ τοῦ Αἰθίοπος, ἐς τὴν
δωρεὴν κελεύειν σφέας καὶ σποδὸν κομίζειν. ταύτην
τὴν νῆσον οὐδεὶς πρότερον ἐδυνάσθη Ἀμυρταίου ἐξευ-
ρεῖν, ἀλλὰ ἔτεα ἐπὶ πλέω ἢ ἑπτακόσια οὐκ οἷοί τε ἦσαν
αὐτὴν ἀνευρεῖν οἱ πρότεροι γενόμενοι βασιλεῖς Ἀμυρ-
25 ταίου· ὄνομα δὲ ταύτῃ τῇ νήσῳ Ἐλβώ, μέγαθος δ' ἐστὶ
πάντῃ δέκα σταδίων.

141   Μετὰ δὲ τοῦτον βασιλεῦσαι τὸν ἱρέα τοῦ Ἡφαί-
στου, τῷ ὄνομα εἶναι Σεθῶν· τὸν ἐν ἀλογίησιν ἔχειν
παραχρησάμενον τῶν μαχίμων Αἰγυπτίων ὡς οὐδὲν δεησό-
30 μενον αὐτῶν, ἄλλα τε δὴ ἄτιμα ποιεῦντα ἐς αὐτοὺς καὶ
σφεας ἀπελέσθαι τὰς ἀρούρας, τοῖς ἐπὶ τῶν προτέρων
βασιλέων δεδόσθαι ἐξαιρέτους ἑκάστῳ δυώδεκα ἀρούρας.
μετὰ δὲ ἐπ' Αἴγυπτον ἐλαύνειν στρατὸν μέγαν
Σαναχάριβον βασιλέα Ἀραβίων τε καὶ Ἀσσυρίων.

οὔκων δὴ ἐθέλειν τοὺς μαχίμους τῶν Αἰγυπτίων βοη-
θεῖν. τὸν δὲ ἰρέα ἐς ἀπορίην ἀπειλημένον ἐσελθόντα
ἐς τὸ μέγαρον πρὸς τὤγαλμα ἀποδύρεσθαι, οἷα κινδυνεύει
παθεῖν· ὀλοφυρόμενον δ' ἄρα μιν ἐπελθεῖν ὕπνον, καὶ
οἱ δόξαι ἐν τῇ ὄψει ἐπιστάντα τὸν θεὸν θαρσύνειν, 5
ὡς οὐδὲν πείσεται ἄχαρι ἀντιάζων τὸν Ἀραβίων στρατόν·
αὐτὸς γάρ οἱ πέμψειν τιμωρούς. τούτοισι δή μιν πίσυνον
τοῖς ἐνυπνίοισιν, παραλαβόντα Αἰγυπτίων τοὺς βουλο-
μένους οἱ ἕπεσθαι, στρατοπεδεύσασθαι ἐν Πηλουσίῳ
(ταύτῃ γάρ εἰσιν αἱ ἐσβολαί)· ἕπεσθαι δέ οἱ τῶν μαχίμων 10
μὲν οὐδένα ἀνδρῶν, καπήλους δὲ καὶ χειρώνακτας καὶ
ἀγοραίους ἀνθρώπους. ἐνθαῦτα ἀπικομένου τοῖς ἐναν-
τίοισιν ἐπιχυθέντας νυκτὸς μῦς ἀρουραίους κατὰ μὲν
φαγεῖν τοὺς φαρετρεῶνας αὐτῶν, κατὰ δὲ τὰ τόξα, πρὸς
δὲ τῶν ἀσπίδων τὰ ὄχανα, ὥστε τῇ ὑστεραίῃ φευγόντων 15
σφέων γυμνῶν πεσεῖν πολλούς. καὶ νῦν οὗτος ὁ βασι-
λεὺς ἕστηκεν ἐν τῷ ἱρῷ τοῦ Ἡφαίστου λίθινος, ἔχων ἐπὶ
τῆς χειρὸς μῦν, λέγων διὰ γραμμάτων τάδε· „ἐς ἐμέ τις
ὁρέων εὐσεβὴς ἔστω."

Ἐς μὲν τοσόνδε τοῦ λόγου Αἰγύπτιοί τε καὶ οἱ 142
ἱρεῖς ἔλεγον, ἀποδεικνύντες ἀπὸ τοῦ πρώτου βασιλέος 21
ἐς τοῦ Ἡφαίστου τὸν ἰρέα τοῦτον τὸν τελευταῖον
βασιλεύσαντα μίαν τε καὶ τεσσεράκοντα καὶ τριη-
κοσίας ἀνθρώπων γενεὰς γενομένας καὶ ἐν ταύ-
τῃσιν ἀρχιερέας καὶ βασιλέας ἑκατέρους τοσούτους γενο- 25
μένους. καίτοι τριηκόσιαι μὲν ἀνδρῶν γενεαὶ δυνέαται
μύρια ἔτεα· γενεαὶ γάρ τρεῖς ἀνδρῶν ἑκατὸν ἔτεά ἐστιν.
μιῆς δὲ καὶ τεσσεράκοντα ἔτι τῶν ἐπιλοίπων γενεῶν, αἳ
ἐπῆσαν τῇσι τριηκοσίῃσιν, ἐστὶ τεσσεράκοντα καὶ τριη-
κόσια καὶ χίλια ἔτεα. οὕτως ἐν μυρίοισί τε ἔτεσι καὶ 30
χιλίοισι καὶ πρὸς τριηκοσίοισί τε καὶ τεσσεράκοντα ἔλεγον
θεὸν ἀνθρωποειδέα οὐδένα γενέσθαι· οὐ μὲν οὐδὲ πρό-
τερον οὐδὲ ὕστερον ἐν τοῖς ὑπολοίποισιν Αἰγύπτου βασι-
λεῦσι γενομένοισιν ἔλεγον οὐδὲν τοιοῦτο. ἐν τοίνυν

τούτῳ τῷ χρόνῳ τετράκις ἔλεγον ἐξ ἠθέων τὸν ἥλιον
ἀνατεῖλαι· ἔνθα τε νῦν καταδύεται, ἐνθεῦτεν δὶς ἐπανα-
τεῖλαι, καὶ ἔνθεν νῦν ἀνατέλλει, ἐνθαῦτα δὶς καταδῦναι·
καὶ οὐδὲν τῶν κατ' Αἴγυπτον ὑπὸ ταῦτα ἑτεροιωθῆναι,
5 οὔτε τὰ ἐκ τῆς γῆς οὔτε τὰ ἐκ τοῦ ποταμοῦ σφι
γινόμενα, οὔτε τὰ ἀμφὶ νούσους οὔτε τὰ κατὰ τοὺς
θανάτους.

143   Πρότερον δὲ Ἑκαταίῳ τῷ λογοποιῷ ἐν Θήβῃσι
γενεηλογήσαντί τε ἑωυτὸν καὶ ἀναδήσαντι τὴν πα-
10 τριὴν ἐς ἑκκαιδέκατον θεὸν ἐποίησαν οἱ ἱρεῖς τοῦ
Διός, οἷόν τι καὶ ἐμοὶ οὐ γενεηλογήσαντι ἐμεωυτόν·
ἐσαγαγόντες ἐς τὸ μέγαρον ἔσω ἐὸν μέγα ἐξηρίθμεον
δεικνύντες κολοσσοὺς ξυλίνους τοσούτους, ὅσους περ
εἶπον· ἀρχιερεὺς γὰρ ἕκαστος αὐτόθι ἱστᾷ ἐπὶ τῆς ἑωυ-
15 τοῦ ζοῆς εἰκόνα ἑωυτοῦ· ἀριθμέοντες ὦν καὶ δεικνύντες
οἱ ἱρεῖς ἐμοὶ ἀπεδείκνυσαν παῖδα πατρὸς ἑωυτῶν ἕκαστον
ἐόντα, ἐκ τοῦ ἄγχιστα ἀποθανόντος τῆς εἰκόνος διεξιόντες
διὰ πασέων, ἐς ὃ ἀπέδεξαν ἁπάσας αὐτάς. Ἑκαταίῳ δὲ
γενεηλογήσαντι ἑωυτὸν καὶ ἀναδήσαντι ἐς ἑκκαιδέκατον
20 θεὸν ἀντεγενεηλόγησαν, οὐ δεκόμενοι παρ' αὐτοῦ ἀπὸ
θεοῦ γενέσθαι ἄνθρωπον· ἀντεγενεηλόγησαν δὲ ὧδε,
φάμενοι ἕκαστον τῶν κολοσσῶν πίρωμιν ἐκ πιρώμιος
γεγονέναι, ἐς ὃ τοὺς πέντε καὶ τεσσεράκοντα καὶ τριη-
κοσίους ἀπέδεξαν κολοσσούς, καὶ οὔτε ἐς θεὸν οὔτε ἐς
25 ἥρωα ἀνέδησαν αὐτούς. πίρωμις δέ ἐστι κατὰ Ἑλλάδα
144 γλῶσσαν καλὸς κἀγαθός. ἤδη ὦν τῶν αἱ εἰκόνες ἦσαν,
τοιούτους ἀπεδείκνυσάν σφεας πάντας ἐόντας, θεῶν δὲ
πολλὸν ἀπαλλαγμένους. τὸ δὲ πρότερον τῶν ἀνδρῶν
τούτων θεοὺς εἶναι τοὺς ἐν Αἰγύπτῳ ἄρχοντας οἰκέοντας
30 ἅμα τοῖς ἀνθρώποισιν, καὶ τούτων αἰεὶ ἕνα τὸν κρατέ-
οντα εἶναι· ὕστατον δὲ αὐτῆς βασιλεῦσαι Ὧρον τὸν
Ὀσίριος παῖδα, τὸν Ἀπόλλωνα Ἕλληνες ὀνομάζουσιν. τοῦ-
τον καταπαύσαντα Τυφῶνα βασιλεῦσαι ὕστατον Αἰγύπτου.
Ὄσιρις δέ ἐστι Διόνυσος κατὰ Ἑλλάδα γλῶσσαν.

Ἐν Ἕλλησι μὲν νῦν νεώτατοι τῶν θεῶν νομί- 145
ζονται εἶναι Ἡρακλῆς τε καὶ Διόνυσος καὶ Πάν,
παρ' Αἰγυπτίοισι δὲ Πὰν μὲν ἀρχαιότατος καὶ τῶν ὀκτὼ
τῶν πρώτων λεγομένων θεῶν, Ἡρακλῆς δὲ τῶν δευτέρων
τῶν δυώδεκα λεγομένων εἶναι, Διόνυσος δὲ τῶν τρίτων, 5
οἳ ἐκ τῶν δυώδεκα θεῶν ἐγένοντο. Ἡρακλεῖ μὲν δὴ
ὅσα αὐτοὶ Αἰγύπτιοί φασιν εἶναι ἔτεα ἐς Ἄμασιν βασι-
λέα, δεδήλωταί μοι πρόσθεν· Πανὶ δὲ ἔτι τούτων πλέονα
λέγεται εἶναι, Διονύσῳ δ' ἐλάχιστα τούτων, καὶ τούτῳ πεν-
τακισχίλια καὶ μύρια λογίζονται εἶναι ἐς Ἄμασιν βασιλέα. 10
καὶ ταῦτα Αἰγύπτιοι ἀτρεκέως φασὶν ἐπίστασθαι, αἰεί τε
λογιζόμενοι καὶ αἰεὶ ἀπογραφόμενοι τὰ ἔτεα. Διονύσῳ
μέν νῦν τῷ ἐκ Σεμέλης τῆς Κάδμου λεγομένῳ γενέσθαι
κατὰ ἑξακόσια ἔτεα καὶ χίλια μάλιστά ἐστιν ἐς ἐμέ,
Ἡρακλεῖ δὲ τῷ Ἀλκμήνης κατὰ εἰνακόσια ἔτεα, Πανὶ δὲ 15
τῷ ἐκ Πηνελόπης (ἐκ ταύτης γὰρ καὶ Ἑρμέω λέγεται
γενέσθαι ὑπὸ Ἑλλήνων ὁ Πάν) ἐλάσσω ἔτεά ἐστι τῶν
Τρωικῶν, κατὰ ὀκτακόσια μάλιστα ἐς ἐμέ. τούτων ὧν 146
ἀμφοτέρων πάρεστι χρῆσθαι τοῖς τις πείσεται λεγομένοισι
μᾶλλον· ἐμοὶ δ' ἂν ἡ περὶ αὐτῶν γνώμη ἀποδέδεκται. 20
εἰ μὲν γὰρ φανεροί τε ἐγένοντο καὶ κατεγήρασαν καὶ
οὗτοι ἐν τῇ Ἑλλάδι, κατά περ Ἡρακλῆς ὁ ἐξ Ἀμφι-
τρύωνος γενόμενος καὶ δὴ καὶ Διόνυσος ὁ ἐκ Σεμέλης
καὶ Πὰν ὁ ἐκ Πηνελόπης γενόμενος, ἔφη ἄν τις καὶ
τούτους ἄλλους ἄνδρας γενομένους ἔχειν τὰ ἐκείνων 25
ὀνόματα τῶν προγεγονότων θεῶν· νῦν δὲ Διόνυσόν τε
λέγουσιν οἱ Ἕλληνες ὡς αὐτίκα γενόμενον ἐς τὸν μηρὸν
ἐνερράψατο Ζεὺς καὶ ἤνεικεν ἐς Νύσην τὴν ὑπὲρ Αἰγύ-
πτου ἐοῦσαν ἐν τῇ Αἰθιοπίῃ, καὶ Πανός γε πέρι οὐκ
ἔχουσιν εἰπεῖν, ὅκῃ ἐτράπετο γενόμενος. δῆλά μοι ὧν 30
γέγονεν, ὅτι ὕστερον ἐπύθοντο οἱ Ἕλληνες τούτων τὰ
ὀνόματα ἢ τὰ τῶν ἄλλων θεῶν. ἀπ' οὗ δὲ ἐπύθοντο
χρόνου, ἀπὸ τούτου γενεηλογέουσιν αὐτῶν τὴν γένεσιν.
Ταῦτα μὲν νῦν αὐτοὶ Αἰγύπτιοι λέγουσιν, ὅσα δὲ 147

οἵ τε ἄλλοι ἄνθρωποι καὶ Αἰγύπτιοι λέγουσιν ὁμολο-
γέοντες τοῖς ἄλλοισι κατὰ ταύτην τὴν χώρην γενέσθαι,
ταῦτ᾽ ἤδη φράσω· προσέσται δέ τι αὐτοῖσι καὶ τῆς ἐμῆς
ὄψιος. ἐλευθερωθέντες Αἰγύπτιοι μετὰ τὸν ἰρέα
5 τοῦ Ἡφαίστου βασιλεύσαντα (οὐδένα γὰρ χρόνον οἷοί τε
ἦσαν ἄνευ βασιλέος διαιτᾶσθαι) ἐστήσαντο δυώδεκα
βασιλέας, δυώδεκα μοίρας δασάμενοι Αἴγυπτον πᾶσαν.
οὗτοι ἐπιγαμίας ποιησάμενοι ἐβασίλευον νόμοισι τοῖσδε
χρεώμενοι, μήτε καταιρεῖν ἀλλήλους μήτε πλέον τι
10 δίζησθαι ἔχειν τὸν ἕτερον τοῦ ἑτέρου, εἶναί τε φίλους τὰ
μάλιστα. τῶνδε δὲ εἵνεκα τοὺς νόμους τούτους ἐποιέοντο.
ἰσχυρῶς περιστέλλοντες· ἐκέχρητό σφι κατ᾽ ἀρχὰς αὐτίκα
ἐνισταμένοισιν ἐς τὰς τυραννίδας τὸν χαλκῇ φιάλῃ σπεί-
σαντα αὐτῶν ἐν τῷ ἰρῷ τοῦ Ἡφαίστου, τοῦτον ἁπάσης
15 βασιλεύσειν Αἰγύπτου· ἐς γὰρ δὴ τὰ πάντα ἰρὰ συνελέ-
148 γοντο. καὶ δή σφι μνημόσυνα ἔδοξε λιπέσθαι κοινῇ,
δόξαν δέ σφιν ἐποιήσαντο λαβύρινθον, ὀλίγον
ὑπὲρ τῆς λίμνης τῆς Μοίριος κατὰ Κροκοδείλων καλεο-
μένην πόλιν μάλιστά κῃ κείμενον· τὸν ἐγὼ ἤδη εἶδον
20 λόγου μέζω. εἰ γάρ τις τὰ ἐξ Ἑλλήνων τείχεά τε καὶ
ἔργων ἀπόδεξιν συλλογίσαιτο, ἐλάσσονος πόνου τε ἂν καὶ
δαπάνης φανείη ἐόντα τοῦ λαβυρίνθου τούτου. καίτοι
ἀξιόλογός γε καὶ ὁ ἐν Ἐφέσῳ ἐστὶ νηὸς καὶ ὁ ἐν Σάμῳ.
ἦσαν μέν νυν καὶ αἱ πυραμίδες λόγου μέζονες καὶ πολ-
25 λῶν ἑκάστη αὐτέων Ἑλληνικῶν ἔργων καὶ μεγάλων ἀντα-
ξίη, ὁ δὲ δὴ λαβύρινθος καὶ τὰς πυραμίδας ὑπερβάλλει.
τοῦ γὰρ δυώδεκα μέν εἰσιν αὐλαὶ κατάστεγοι, ἀντίπυλοι
ἀλλήλῃσιν, ἓξ μὲν πρὸς βορέω, ἓξ δὲ πρὸς νότον τετραμ-
μέναι, συνεχεῖς· τοῖχος δὲ ἔξωθεν ὁ αὐτός σφεας περι-
30 έργει. οἰκήματα δ᾽ ἔνεστι διπλά, τὰ μὲν ὑπόγαια, τὰ δὲ
μετέωρα ἐπ᾽ ἐκείνοισιν, τρισχίλια ἀριθμόν, πεντακοσίων
καὶ χιλίων ἑκάτερα. τὰ μέν νυν μετέωρα τῶν οἰκημάτων
αὐτοί τε ὡρῶμεν διεξιόντες καὶ αὐτοὶ θεησάμενοι λέγομεν,
τὰ δὲ αὐτῶν ὑπόγαια λόγοισιν ἐπυνθανόμεθα. οἱ γὰρ

ἐπεστεῶτες τῶν Αἰγυπτίων δεικνύναι αὐτὰ οὐδαμῶς
ἤθελον, φάμενοι θήκας αὐτόθι εἶναι τῶν τε ἀρχὴν τὸν
λαβύρινθον τοῦτον οἰκοδομησαμένων βασιλέων καὶ τῶν
ἱρῶν κροκοδείλων. οὕτω τῶν μὲν κάτω πέρι οἰκημάτων
ἀκοῇ παραλαβόντες λέγομεν, τὰ δὲ ἄνω μέζονα ἀνθρω- 5
πηίων ἔργων αὐτοὶ ὡρῶμεν· αἵ τε γὰρ ἔξοδοι διὰ τῶν
στεγέων καὶ οἱ εἱλιγμοὶ διὰ τῶν αὐλέων ἐόντες ποικιλώ-
τατοι θῶμα μυρίον παρείχοντο ἐξ αὐλῆς τε ἐς τὰ οἰκή-
ματα διεξιοῦσι καὶ ἐκ τῶν οἰκημάτων ἐς παστάδας, ἐς
στέγας τε ἄλλας ἐκ τῶν παστάδων καὶ ἐς αὐλὰς ἄλλας 10
ἐκ τῶν οἰκημάτων. ὀροφὴ δὲ πάντων τούτων λιθίνη
κατά περ οἱ τοῖχοι, οἱ δὲ τοῖχοι τύπων ἐγγεγλυμμένων
πλέοι, αὐλὴ δὲ ἑκάστη περίστυλος λίθου λευκοῦ ἁρμοσ-
μένου τὰ μάλιστα. τῆς δὲ γωνίης τελευτῶντος τοῦ λαβυ-
ρίνθου ἔχεται πυραμὶς τεσσερακοντόργυιος, ἐν τῇ ζῷα 15
μεγάλα ἐγγέγλυπται· ὁδὸς δ᾽ ἐς αὐτὴν ὑπὸ γῆν πεποίηται.
τοῦ δὲ λαβυρίνθου τούτου ἐόντος τοιούτου θῶμα ἔτι 149
μέζον παρέχεται ἡ Μοίριος καλεομένη λίμνη, παρ᾽
ἣν ὁ λαβύρινθος οὗτος οἰκοδόμηται· τῆς τὸ περίμετρον
τῆς περιόδου εἰσὶ στάδιοι ἑξακόσιοι καὶ τρισχίλιοι, σχοί- 20
νων ἑξήκοντα ἐόντων, ἴσοι καὶ αὐτῆς Αἰγύπτου τὸ παρὰ
θάλασσαν· κεῖται δὲ μακρὴ ἡ λίμνη πρὸς βορῆν τε καὶ
νότον, ἐοῦσα βάθος, τῇ βαθυτάτῃ αὐτὴ ἑωυτῆς, πεντηκον-
τόργυιος. ὅτι δὲ χειροποίητός ἐστι καὶ ὀρυκτή, αὐτὴ
δηλοῖ. ἐν γὰρ μέσῃ τῇ λίμνῃ μάλιστά κη ἑστᾶσι δύο 25
πυραμίδες, τοῦ ὕδατος ὑπερέχουσαι πεντήκοντα ὀργυιὰς
ἑκατέρη, καὶ τὸ κατ᾽ ὕδατος οἰκοδόμηται ἕτερον τοσοῦτον,
καὶ ἐπ᾽ ἀμφοτέρῃσιν ἔπεστι κολοσσὸς λίθινος καθήμενος ἐν
θρόνῳ. οὕτω αἱ μὲν πυραμίδες εἰσὶν ἑκατὸν ὀργυιῶν,
αἱ δ᾽ ἑκατὸν ὀργυιαὶ δίκαιαί εἰσι στάδιον ἑξάπλεθρον, 30
ἑξαπέδου τῆς ὀργυιῆς μετρεομένης καὶ τετραπήχεος, τῶν
ποδῶν μὲν τετραπαλαίστων ἐόντων, τοῦ δὲ πήχεος ἑξαπα-
λαίστου. τὸ δὲ ὕδωρ τὸ ἐν τῇ λίμνῃ αὐθιγενὲς μὲν οὐκ
ἔστιν (ἄνυδρος γὰρ δὴ δεινῶς ἐστιν ἡ ταύτῃ), ἐκ τοῦ

Νείλου δὲ κατὰ διώρυχα ἐσῆκται, καὶ ἓξ μὲν μῆνας ἔσω
ρεῖ ἐς τὴν λίμνην, ἓξ δὲ μῆνας ἔξω ἐς τὸν Νεῖλον αὖτις.
καὶ ἐπεὰν μὲν ἐκρέῃ ἔξω, ἡ δὲ τότε τοὺς ἓξ μῆνας ἐς τὸ
βασιλήιον καταβάλλει ἐπ' ἡμέρην ἑκάστην τάλαντον ἀργυ-
5 ρίου ἐκ τῶν ἰχθύων, ἐπεὰν δὲ ἐσίῃ τὸ ὕδωρ ἐς αὐτήν,
150 εἴκοσι μνέας. ἔλεγον δὲ οἱ ἐπιχώριοι καὶ ὡς ἐς τὴν
Σύρτιν τὴν ἐς Λιβύην ἐκδιδοῖ ἡ λίμνη αὕτη ὑπὸ γῆν,
τετραμμένη τὸ πρὸς ἑσπέρην ἐς τὴν μεσόγαιαν παρὰ τὸ
ὄρος τὸ ὑπὲρ Μέμφιος. ἐπείτε δὲ τοῦ ὀρύγματος τούτου
10 οὐκ ὥρων τὸν χοῦν οὐδαμοῦ ἐόντα, ἐπιμελὲς γὰρ δή μοι
ἦν, εἰρόμην τοὺς ἄγχιστα οἰκέοντας τῆς λίμνης, ὅκου εἴη
ὁ χοῦς ὁ ἐξορυχθείς. οἱ δὲ ἔφρασάν μοι ἵνα ἐξεφορήθη,
καὶ εὐπετέως ἔπειθον· ᾔδεα γὰρ λόγῳ καὶ ἐν Νίνῳ τῇ
Ἀσσυρίων πόλει γενόμενον ἕτερον τοιοῦτον. τὰ γὰρ
15 Σαρδαναπάλλου τοῦ Νίνου βασιλέος ἐόντα μεγάλα χρή-
ματα καὶ φυλασσόμενα ἐν θησαυροῖσι καταγαίοισιν ἐπε-
νόησαν κλῶπες ἐκφορῆσαι. ἐκ δὴ ὦν τῶν σφετέρων
οἰκίων ἀρξάμενοι οἱ κλῶπες ὑπὸ γῆν σταθμεόμενοι ἐς τὰ
βασιλήια οἰκία ὤρυσσον, τὸν δὲ χοῦν τὸν ἐκφορεόμενον
20 ἐκ τοῦ ὀρύγματος, ὅκως γίνοιτο νύξ, ἐς τὸν Τίγρην ποτα-
μὸν παραρρέοντα τὴν Νίνον ἐξεφόρεον, ἐς ὃ κατεργάσαντο
ὅ τι ἐβούλοντο. τοιοῦτον ἕτερον ἤκουσα καὶ κατὰ τὸ τῆς ἐν
Αἰγύπτῳ λίμνης ὄρυγμα γενέσθαι, πλὴν 'οὐ νυκτὸς ἀλλὰ
μετ' ἡμέρην ποιεύμενον· ὀρύσσοντας γὰρ τὸν χοῦν τοὺς
25 Αἰγυπτίους ἐς τὸν Νεῖλον φορεῖν, ὁ δὲ ὑπολαμβάνων
ἔμελλε διαχεῖν. ἡ μέν νυν λίμνη αὕτη οὕτω λέγεται ὀρυ-
χθῆναι.

151   Τῶν δὲ δυώδεκα βασιλέων δικαιοσύνῃ χρεωμένων,
ἀνὰ χρόνον ὡς ἔθυσαν ἐν τῷ ἱρῷ τοῦ Ἡφαίστου, τῇ
30 ὑστάτῃ τῆς ὀρτῆς μελλόντων κατασπείσειν ὁ ἀρχιερεὺς
ἐξήνεικέ σφι φιάλας χρυσέας, τῇσί περ ἐώθεσαν σπέν-
δειν, ἁμαρτὼν τοῦ ἀριθμοῦ, ἕνδεκα δυώδεκα ἐοῦσιν. ἐν-
θαῦτα ὡς οὐκ εἶχε φιάλην ὁ ἔσχατος ἑστεὼς αὐτῶν Ψαμ-
μήτιχος, περιελόμενος τὴν κυνῆν ἐοῦσαν χαλκῆν ὑπέσχε

τε καὶ ἔσπενδεν. κυνέας δὲ καὶ οἱ ἄλλοι ἅπαντες ἐφόρεόν
τε βασιλεῖς καὶ ἐτύγχανον τότε ἔχοντες. Ψαμμήτιχος
μὲν νυν οὐδενὶ δολερῷ νόῳ χρεώμενος ὑπέσχε τὴν κυνῆν,
οἱ δὲ φρενὶ λαβόντες τό τε ποιηθὲν ἐκ Ψαμμητίχου καὶ
τὸ χρηστήριον ὅ τι ἐκέχρητό σφιν, τὸν χαλκῇ σπείσαντα 5
αὐτῶν φιάλῃ τοῦτον βασιλέα ἔσεσθαι μοῦνον Αἰγύπτου,
ἀναμνησθέντες τοῦ χρησμοῦ κτεῖναι μὲν οὐκ ἐδι-
καίωσαν Ψαμμήτιχον, ὡς ἀνεύρισκον βασανίζοντες ἐξ
οὐδεμιῆς προνοίης αὐτὸν ποιήσαντα, ἐς δὲ τὰ ἕλεα
ἔδοξέ σφι διῶξαι ψιλώσαντας τὰ πλεῖστα τῆς δυνάμιος, 10
ἐκ δὲ τῶν ἑλέων ὁρμώμενον μὴ ἐπιμίσγεσθαι τῇ ἄλλῃ
Αἰγύπτῳ. τὸν δὲ Ψαμμήτιχον τοῦτον πρότερον φεύγοντα 152
τὸν Αἰθίοπα Σαβακῶν, ὅς οἱ τὸν πατέρα Νεκῶν ἀπέκτει-
νεν, τοῦτον φεύγοντα τότε ἐς Συρίην, ὡς ἀπηλλάχθη ἐκ τῆς
ὄψιος τοῦ ὀνείρου ὁ Αἰθίοψ, κατήγαγον Αἰγυπτίων οὗτοι, 15
οἳ ἐκ νομοῦ Σαΐτεώ εἰσιν. μετὰ δὲ βασιλεύοντα τὸ
δεύτερον πρὸς τῶν ἕνδεκα βασιλέων καταλαμβάνει μιν
διὰ τὴν κυνῆν φεύγειν ἐς τὰ ἕλεα. ἐπιστάμενος ὦν ὡς
περιυβρισμένος εἴη πρὸς αὐτῶν, ἐπενόει τείσασθαι τοὺς
διώξαντας. πέμψαντι δέ οἱ ἐς Βουτοῦν πόλιν ἐς τὸ 20
χρηστήριον τῆς Λητοῦς, ἔνθα δὴ Αἰγυπτίοισίν ἐστι μαν-
τήιον ἀψευδέστατον, ἦλθε χρησμός, ὡς τίσις ἥξει ἀπὸ
θαλάσσης χαλκέων ἀνδρῶν ἐπιφανέντων. καὶ τῷ
μὲν δὴ ἀπιστίη μεγάλη ὑπεκέχυτο χαλκέους οἱ ἄνδρας
ἥξειν ἐπικούρους· χρόνου δὲ οὐ πολλοῦ διελθόντος ἀναγ- 25
καίη κατέλαβεν Ἴωνάς τε καὶ Κᾶρας ἄνδρας κατὰ ληίην
ἐκπλώσαντας ἀπενειχθῆναι ἐς Αἴγυπτον, ἐκβάντας δὲ ἐς
γῆν καὶ ὁπλισθέντας χαλκῷ ἀγγέλλει τῶν τις Αἰγυπτίων
ἐς τὰ ἕλεα ἀπικόμενος τῷ Ψαμμητίχῳ, ὡς οὐκ ἰδὼν πρό-
τερον χαλκῷ ἄνδρας ὁπλισθέντας, ὡς χάλκεοι ἄνδρες 30
ἀπιγμένοι ἀπὸ θαλάσσης ληλατέουσι τὸ πεδίον. ὁ δὲ
μαθὼν τὸ χρηστήριον ἐπιτελεόμενον φίλα τε τοῖς Ἴωσι
καὶ Καρσὶ ποιεῖται καὶ σφεας μεγάλα ὑπισχνεόμενος
πείθει μετ᾽ ἑωυτοῦ γενέσθαι· ὡς δὲ ἔπεισεν, οὕτω ἅμα

τοῖσι βουλομένοισιν Αἰγυπτίοισι καὶ τοῖς ἐπικούροισι
καταιρεῖ τοὺς βασιλέας.

153   Κρατήσας δὲ Αἰγύπτου πάσης ὁ Ψαμμήτιχος
ἐποίησε τῷ Ἡφαίστῳ προπύλαια ἐν Μέμφι τὰ πρὸς
5 νότον ἄνεμον τετραμμένα, αὐλήν τε τῷ Ἄπι, ἐν τῇ τρέ-
φεται ἐπεὰν φανῇ ὁ Ἄπις, οἰκοδόμησεν ἐναντίον τῶν προ-
πυλαίων, πᾶσάν τε περίστυλον ἐοῦσαν καὶ τύπων πλέην·
ἀντὶ δὲ κιόνων ὑπεστᾶσι κολοσσοὶ δυωδεκαπήχεις τῇ
αὐλῇ. ὁ δὲ Ἄπις κατὰ τὴν Ἑλλήνων γλῶσσάν ἐστιν
154 Ἔπαφος. τοῖς δὲ Ἴωσι καὶ τοῖς Καρσὶ τοῖσι συγ-
11 κατεργασαμένοισιν αὐτῷ ὁ Ψαμμήτιχος διδοῖ χώρους
ἐνοικῆσαι ἀντίους ἀλλήλων, τοῦ Νείλου τὸ μέσον
ἔχοντος, τοῖς ὀνόματα ἐτέθη Στρατόπεδα. τούτους τε δὴ
σφι τοὺς χώρους διδοῖ καὶ τὰ ἄλλα τὰ ὑπέσχετο πάντα
15 ἀπέδωκεν. καὶ δὴ καὶ παῖδας παρέβαλεν αὐτοῖσιν Αἰγυ-
πτίους τὴν Ἑλλάδα γλῶσσαν ἐκδιδάσκεσθαι, ἀπὸ δὲ τού-
των ἐκμαθόντων τὴν γλῶσσαν οἱ νῦν ἑρμηνεῖς ἐν Αἰγύ-
πτῳ γεγόνασιν. οἱ δὲ Ἴωνές τε καὶ οἱ Κᾶρες τούτους
τοὺς χώρους οἴκησαν χρόνον ἐπὶ πολλόν· εἰσὶ δὲ οὗτοι
20 οἱ χῶροι πρὸς θαλάσσης ὀλίγον ἔνερθε Βουβάστιος
πόλιος ἐπὶ τῷ Πηλουσίῳ καλεομένῳ στόματι τοῦ Νείλου.
τούτους μὲν δὴ χρόνῳ ὕστερον βασιλεὺς Ἄμασις ἐξανα-
στήσας ἐνθεῦτεν κατοίκισεν ἐς Μέμφιν, φυλακὴν ἑωυτοῦ
ποιεύμενος πρὸς Αἰγυπτίων. τούτων δὲ οἰκισθέντων ἐν
25 Αἰγύπτῳ οἱ Ἕλληνες οὕτω ἐπιμισγόμενοι τούτοισι τὰ
περὶ Αἴγυπτον γινόμενα ἀπὸ Ψαμμητίχου βασιλέος ἀρξά-
μενοι πάντα καὶ τὰ ὕστερον ἐπιστάμεθα ἀτρεκέως· πρῶτοι
γὰρ οὗτοι ἐν Αἰγύπτῳ ἀλλόγλωσσοι κατοικίσθησαν. ἐξ
ὧν δὲ ἐξανέστησαν χώρων, ἐν τούτοισι δὴ οἵ τε ὁλκοὶ
30 τῶν νεῶν καὶ τὰ ἐρείπια τῶν οἰκημάτων τὸ μέχρι ἐμέο
ἦσαν. Ψαμμήτιχος μέν νυν οὕτως ἔσχεν Αἴγυπτον.

155   Τοῦδε δὲ τοῦ χρηστηρίου τοῦ ἐν Αἰγύπτῳ πολλὰ
ἐπεμνήσθην ἤδη, καὶ δὴ λόγον περὶ αὐτοῦ ὡς ἀξίον
ἐόντος ποιήσομαι· τὸ γὰρ χρηστήριον τοῦτο ἔστι μὲν

Δητοῦς ἱρόν, ἐν πόλι δὲ μεγάλῃ ἱδρυμένον κατὰ τὸ
Σεβεννυτικὸν καλεόμενον στόμα τοῦ Νείλου, ἀναπλέοντι
ἀπὸ θαλάσσης ἄνω. ὄνομα δὲ τῇ πόλι ταύτῃ ὅκου τὸ
χρηστήριόν ἐστι Βουτώ, ὡς καὶ πρότερον ὠνόμασταί
μοι. ἱρὸν δὲ ἔστιν ἐν τῇ Βουτοῖ ταύτῃ Ἀπόλλωνος καὶ
Ἀρτέμιδος. καὶ ὅ γε νηὸς τῆς Δητοῦς, ἐν τῷ δὴ τὸ
χρηστήριον ἔνι, αὐτός τε τυγχάνει ἐὼν μέγας καὶ τὰ
προπύλαια ἔχει ἐς ὕψος δέκα ὀργυιῶν. τὸ δέ μοι τῶν
φανερῶν ἦν θῶμα μέγιστον παρεχόμενον φράσω. ἔστιν
ἐν τῷ τεμένει τούτῳ Δητοῦς νηὸς ἐς ἑνὸς λίθου πεποιη- 10
μένος ἔς τε ὕψος καὶ ἐς μῆκος, καὶ τοῖχος ἕκαστος τού-
τοισιν ἴσος· τεσσεράκοντα πηχέων τούτων ἕκαστόν ἐστιν.
τὸ δὲ καταστέγασμα τῆς ὀροφῆς ἄλλος ἐπίκειται λίθος
ἔχων τὴν παρωροφίδα τετράπηχυν. οὗτος μέν νυν ὁ 156
νηὸς τῶν φανερῶν μοι τῶν περὶ τοῦτο τὸ ἱρόν ἐστι 15
θωμαστότατον, τῶν δὲ δευτέρων νῆσος ἡ Χέμμις
καλεομένη. ἔστι μὲν ἐν λίμνῃ βαθείῃ καὶ πλατείῃ
κειμένη παρὰ τὸ ἐν Βουτοῖ ἱρόν, λέγεται δὲ ὑπ᾽ Αἰγυ-
πτίων εἶναι αὕτη ἡ νῆσος πλωτή. αὐτὸς μὲν ἔγωγε
οὔτε πλέουσαν οὔτε κινηθεῖσαν εἶδον, τέθηπα δὲ ἀκούων 20
εἰ νῆσος ἀληθέως ἐστὶ πλωτή. ἐν δὴ ὦν ταύτῃ νηός τε
Ἀπόλλωνος μέγας ἔνι καὶ βωμοὶ τριφάσιοι ἐνιδρύαται,
ἐμπεφύκασι δ᾽ ἐν αὐτῇ φοίνικές τε συχνοὶ καὶ ἄλλα
δένδρεα καὶ καρποφόρα καὶ ἄφορα πολλά. λόγον δὲ
τόνδε ἐπιλέγοντες οἱ Αἰγύπτιοί φασιν εἶναι αὐτὴν πλω- 25
τήν, ὡς ἐν τῇ νήσῳ ταύτῃ οὐκ ἐούσῃ πρότερον πλωτῇ
Δητὼ ἐοῦσα τῶν ὀκτὼ θεῶν τῶν πρώτων γενομένων,
οἰκέουσα δὲ ἐν Βουτοῖ πόλι, ἵνα δή οἱ τὸ χρηστήριον
τοῦτο ἔστιν, Ἀπόλλωνα παρὰ Ἴσιος παρακαταθήκην δε-
ξαμένη διέσωσε κατακρύψασα ἐν τῇ νῦν πλωτῇ λεγομένῃ 30
νήσῳ, ὅτε τὸ πᾶν διζήμενος ὁ Τυφῶν ἐπῆλθεν, θέλων
ἐξευρεῖν τοῦ Ὀσίριος τὸν παῖδα. Ἀπόλλωνα δὲ καὶ
Ἄρτεμιν Διονύσου καὶ Δήμητρος λέγουσιν εἶναι παῖδας,
Δητοῦν δὲ τροφὸν αὐτοῖσι καὶ σώτειραν γενέσθαι. Αἰ-

γυπτιστὶ δὲ Ἀπόλλων μὲν Ὧρος, Δημήτηρ δὲ Ἶσις, Ἄρτε-
μις δὲ Βούβαστις. ἐκ τούτου δὲ τοῦ λόγου καὶ οὐδενὸς
ἄλλου Αἰσχύλος ὁ Εὐφορίωνος ἥρπασε τὸ ἐγὼ φράσω,
μοῦνος δὴ ποιητέων τῶν προγενομένων· ἐποίησε γὰρ
5 Ἄρτεμιν εἶναι θυγατέρα Δήμητρος. τὴν δὲ νῆσον διὰ
τοῦτο γενέσθαι πλωτήν. ταῦτα μὲν οὕτω λέγουσιν.

157 Ψαμμήτιχος δὲ ἐβασίλευσεν Αἰγύπτου τέσσερα καὶ
πεντήκοντα ἔτεα, τῶν τὰ ἑνὸς δέοντα τριήκοντα Ἄζωτον
τῆς Συρίης μεγάλην πόλιν προσκαθήμενος ἐπολιόρκει,
10 ἐς ὃ ἐξεῖλεν· αὕτη δὲ ἡ Ἄζωτος ἁπασέων πολίων ἐπὶ
πλεῖστον χρόνον πολιορκεομένη ἀντέσχε τῶν ἡμεῖς ἴδμεν.

158 Ψαμμητίχου δὲ Νεκῶς παῖς ἐγένετο καὶ ἐβασίλευσεν
Αἰγύπτου, ὃς τῇ διώρυχι ἐπεχείρησε πρῶτος τῇ ἐς
τὴν Ἐρυθρὴν θάλασσαν φερούσῃ, τὴν Δαρεῖος ὁ
15 Πέρσης δεύτερα διώρυξεν. τῆς μῆκος μέν ἐστι πλόος
ἡμέραι τέσσερες, εὖρος δὲ ὠρύχθη ὥστε τριήρεας δύο
πλεῖν ὁμοῦ ἐλαστρεομένας. ἦκται δὲ ἀπὸ τοῦ Νείλου τὸ
ὕδωρ ἐς αὐτήν, ἦκται δὲ κατύπερθε ὀλίγον Βουβάστιος
πόλιος παρὰ Πάτουμον τὴν Ἀραβίην πόλιν· ἐσέχει δὲ ἐς
20 τὴν Ἐρυθρὴν θάλασσαν. ὀρώρυκται δὲ πρῶτον μὲν τοῦ
πεδίου τοῦ Αἰγυπτίου τὰ πρὸς Ἀραβίην ἔχοντα, ἔχεται
δὲ κατύπερθε τοῦ πεδίου τὸ κατὰ Μέμφιν τεῖνον ὄρος,
ἐν τῷ αἱ λιθοτομίαι ἔνεισιν. τοῦ ὦν δὴ ὄρεος τούτου
παρὰ τὴν ὑπωρείην ἦκται ἡ διῶρυξ ἀπ᾽ ἑσπέρης μακρὴ
25 πρὸς τὴν ἠῶ καὶ ἔπειτα τείνει ἐς διασφάγας, φέρουσα
ἀπὸ τοῦ ὄρεος πρὸς μεσαμβρίην τε καὶ νότον ἄνεμον
ἐς τὸν κόλπον τὸν Ἀράβιον. τῇ δὲ ἐλάχιστόν ἐστι καὶ
συντομώτατον ἐκ τῆς βορηίης θαλάσσης ὑπερβῆναι ἐς
τὴν νοτίην καὶ Ἐρυθρὴν τὴν αὐτὴν ταύτην καλεομένην,
30 ἀπὸ τοῦ Κασίου ὄρεος τοῦ οὐρίζοντος Αἴγυπτόν τε καὶ
Συρίην, ἀπὸ τούτου εἰσὶ στάδιοι ἀπαρτὶ χίλιοι ἐς τὸν
Ἀράβιον κόλπον. τοῦτο μὲν τὸ συντομώτατον, ἡ δὲ
διῶρυξ πολλῷ μακροτέρη, ὅσῳ σκολιωτέρη ἐστίν· τὴν ἐπὶ
Νεκῶ βασιλέος ὀρύσσοντες Αἰγυπτίων ἀπώλοντο δυώδεκα

μυριάδες.   Νεκῶς μέν νυν μεταξὺ ὀρύσσων ἐπαύσατο
μαντηίου ἐμποδίου γενομένου τοιοῦδε, τῷ βαρβάρῳ αὐτὸν
προεργάζεσθαι. βαρβάρους δὲ πάντας οἱ Αἰγύπτιοι κα-
λέουσι τοὺς μὴ σφίσιν ὁμογλώσσους. παυσάμενος δὲ 159
τῆς διώρυχος ὁ Νεκῶς ἐτράπετο πρὸς στρατηίας, 5
καὶ τριήρεις αἱ μὲν ἐπὶ τῇ βορηίῃ θαλάσσῃ ἐποιήθησαν,
αἱ δ᾽ ἐν τῷ Ἀραβίῳ κόλπῳ ἐπὶ τῇ Ἐρυθρῇ θαλάσσῃ, τῶν
ἔτι οἱ ὁλκοὶ ἐπίδηλοι. καὶ ταύτῃσί τε ἐχρῆτο ἐν τῷ
δέοντι καὶ Συρίοισι πεζῇ ὁ Νεκῶς συμβαλὼν ἐν Μαγ-
δώλῳ ἐνίκησεν, μετὰ δὲ τὴν μάχην Κάδυτιν πόλιν τῆς 10
Συρίης ἐοῦσαν μεγάλην εἷλεν. ἐν τῇ δὲ ἐσθῆτι ἔτυχε
ταῦτα κατεργασάμενος, ἀνέθηκε τῷ Ἀπόλλωνι πέμψας
ἐς Βραγχίδας τὰς Μιλησίων. μετὰ δὲ ἑκκαίδεκα ἔτεα
τὰ πάντα ἄρξας τελευτᾷ, τῷ παιδὶ Ψάμμι παραδοὺς τὴν
ἀρχήν.
15

Ἐπὶ τοῦτον δὴ τὸν Ψάμμιν βασιλεύοντα Αἰ- 160
γύπτου ἀπίκοντο Ἠλείων ἄγγελοι, αὐχέοντες δι-
καιότατα καὶ κάλλιστα τιθέναι τὸν ἐν Ὀλυμπίῃ ἀγῶνα
πάντων ἀνθρώπων, καὶ δοκέοντες παρὰ ταῦτα οὐδ᾽ ἂν
τοὺς σοφωτάτους ἀνθρώπων Αἰγυπτίους οὐδὲν ἐπεξευρεῖν. 20
ὡς δὲ ἀπικόμενοι ἐς τὴν Αἴγυπτον οἱ Ἠλεῖοι ἔλεγον τῶν
εἵνεκα ἀπίκοντο, ἐνθαῦτα ὁ βασιλεὺς οὗτος συγκαλεῖται
Αἰγυπτίων τοὺς λεγομένους εἶναι σοφωτάτους. συνελ-
θόντες δὲ οἱ Αἰγύπτιοι ἐπυνθάνοντο τῶν Ἠλείων λε-
γόντων ἅπαντα τὰ κατήκει σφέας ποιεῖν περὶ τὸν ἀγῶνα· 25
ἀπηγησάμενοι δὲ τὰ πάντα ἔφασαν ἥκειν ἐπιμαθησόμενοι,
εἴ τι ἔχοιεν Αἰγύπτιοι τούτων δικαιότερον ἐπεξευρεῖν.
οἱ δὲ βουλευσάμενοι ἐπειρώτων τοὺς Ἠλείους, εἴ σφιν οἱ
πολῖται ἐναγωνίζονται. οἱ δὲ ἔφασαν καὶ σφέων καὶ
τῶν ἄλλων Ἑλλήνων ὁμοίως τῷ βουλομένῳ ἐξεῖναι ἀγω- 30
νίζεσθαι. οἱ δὲ Αἰγύπτιοι ἔφασάν σφεας οὕτω τιθέν-
τας παντὸς τοῦ δικαίου ἡμαρτηκέναι· οὐδεμίαν γὰρ εἶναι
μηχανήν, ὅκως οὐ τῷ ἀστῷ ἀγωνιζομένῳ προσθήσονται,
ἀδικέοντες τὸν ξεῖνον. ἀλλ᾽ εἰ δὴ βούλονται δικαίως

τιθέναι καὶ τούτου εἴνεκα ἀπικοίατο ἐς Αἴγυπτον, ξεί-
νοισιν ἀγωνιστῇσιν ἐκέλευον τὸν ἀγῶνα τιθέναι, Ἠλείων
δὲ μηδενὶ εἶναι ἀγωνίζεσθαι. ταῦτα μὲν Αἰγύπτιοι
Ἠλείοισιν ὑπεθήκαντο.

161 Ψάμμιος δὲ ἓξ ἔτεα μοῦνον βασιλεύσαντος Αἰγύ-
πτου καὶ στρατευσαμένου ἐς Αἰθιοπίην καὶ μεταυτίκα
τελευτήσαντος ἐξεδέξατο Ἀπρίης ὁ Ψάμμιος· ὃς μετὰ
Ψαμμήτιχον τὸν ἑωυτοῦ προπάτορα ἐγένετο εὐδαιμονέ-
στατος τῶν πρότερον βασιλέων, ἐπ᾽ ἔτεα πέντε καὶ εἴκοσι
ἄρξας. ἐν τοῖς ἐπί τε Σιδῶνα στρατὸν ἤλασε καὶ ἐναυμά-
χησε τῷ Τυρίῳ. ἐπεὶ δέ οἱ ἔδει κακῶς γενέσθαι, ἐγένετο
ἀπὸ προφάσιος, τὴν ἐγὼ μεζόνως μὲν ἐν τοῖσι Λιβυκοῖσι
λόγοισιν ἀπηγήσομαι, μετρίως δ᾽ ἐν τῷ παρεόντι· ἀπο-
πέμψας γὰρ στράτευμα ὁ Ἀπρίης ἐπὶ Κυρηναίους μεγα-
λωστὶ προσέπταισεν, Αἰγύπτιοι δὲ ταῦτα ἐπιμεμφόμενοι
ἀπέστησαν ἀπ᾽ αὐτοῦ, δοκέοντες τὸν Ἀπρίην ἐκ προνοίης
αὐτοὺς ἀποπέμψαι ἐς φαινόμενον κακόν, ἵνα δὴ σφέων
φθορὴ γένηται, αὐτὸς δὲ τῶν λοιπῶν Αἰγυπτίων ἀσφαλέ-
στερον ἄρχοι. ταῦτα δὲ δεινὰ ποιεύμενοι οὗτοί τε οἱ
ἀπονοστήσαντες καὶ οἱ τῶν ἀπολομένων φίλοι ἀπέστησαν
162 ἐκ τῆς ἰθείης. πυθόμενος δὲ Ἀπρίης ταῦτα πέμπει
ἐπ᾽ αὐτοὺς Ἄμασιν καταπαύσοντα λόγοισιν. ὁ δὲ ἐπείτε
ἀπικόμενος κατελάμβανε τοὺς Αἰγυπτίους ταῦτα μὴ ποιεῖν,
λέγοντος αὐτοῦ τῶν τις Αἰγυπτίων ὄπισθε στὰς περιέ-
θηκέν οἱ κυνῆν καὶ περιτιθεὶς ἔφη ἐπὶ βασιληίῃ περι-
τιθέναι. καὶ τῷ οὔ κως ἀεκούσιον ἐγίνετο τὸ ποιεύμενον,
ὡς διεδείκνυεν. ἐπείτε γὰρ ἐστήσαντό μιν βασιλέα
τῶν Αἰγυπτίων οἱ ἀπεστεῶτες, παρεσκευάζετο ὡς
ἐλῶν ἐπὶ τὸν Ἀπρίην. πυθόμενος δὲ ταῦτα ὁ Ἀπρίης
ἔπεμπεν ἐπ᾽ Ἄμασιν ἄνδρα δόκιμον τῶν περὶ ἑωυτὸν
Αἰγυπτίων, τῷ ὄνομα ἦν Πατάρβημις, ἐντειλάμενος αὐτῷ
ζῶντα Ἄμασιν ἀγαγεῖν παρ᾽ ἑωυτόν. ὡς δὲ ἀπικόμενος
τὸν Ἄμασιν ἐκάλει ὁ Πατάρβημις, ὁ Ἄμασις (ἔτυχε γὰρ
ἐπ᾽ ἵππου καθήμενος) ἐπάρας ἀπεματάισε καὶ τοῦτό μιν

ἐκέλευεν Ἀπρίῃ ἀπάγειν. ὅμως δὲ αὐτὸν ἀξιοῦν τὸν
Πατάρβημιν βασιλέος μεταπεμπομένου ἰέναι πρὸς αὐτόν·
τὸν δὲ αὐτῷ ὑποκρίνασθαι, ὡς ταῦτα πάλαι παρασκευάζε-
ται ποιεῖν, καὶ αὐτῷ οὐ μέμψεσθαι Ἀπρίην· παρέσεσθαι
γὰρ καὶ αὐτὸς καὶ ἄλλους ἄξειν. τὸν δὲ Πατάρβημιν ἔκ 5
τε τῶν λεγομένων οὐκ ἀγνοεῖν τὴν διάνοιαν καὶ παρα-
σκευαζόμενον ὁρῶντα σπουδῇ ἀπιέναι, βουλόμενον τὴν
ταχίστην βασιλεῖ δηλῶσαι τὰ πρησσόμενα. ὡς δὲ ἀπικέ-
σθαι αὐτὸν πρὸς τὸν Ἀπρίην οὐκ ἄγοντα τὸν Ἄμασιν,
οὐδένα λόγον ἑωυτῷ δόντα, ἀλλὰ περιθύμως ἔχοντα περι- 10
ταμεῖν προστάξαι αὐτοῦ τά τε ὦτα καὶ τὴν ῥῖνα. ἰδό-
μενοι δ'· οἱ λοιποὶ τῶν Αἰγυπτίων, οἳ ἔτι τὰ ἐκείνου
ἐφρόνεον, ἄνδρα τὸν δοκιμώτατον ἑωυτῶν οὕτω αἰσχρῶς
λύμῃ διακείμενον, οὐδένα δὴ χρόνον ἐπισχόντες ἀπιστέατο
πρὸς τοὺς ἑτέρους καὶ ἐδίδοσαν σφέας αὐτοὺς Ἀμάσι. 15
πυθόμενος δὲ καὶ ταῦτα ὁ Ἀπρίης ὥπλιζε τοὺς ἐπικούρους 163
καὶ ἤλαυνεν ἐπὶ τοὺς Αἰγυπτίους. εἶχε δὲ περὶ ἑωυτὸν
Κᾶράς τε καὶ Ἴωνας ἄνδρας ἐπικούρους τρισμυρίους, ἦν
δέ οἱ τὰ βασιλήια ἐν Σάι πόλι, μεγάλα ἐόντα καὶ ἀξιο-
θέητα. καὶ οἵ τε περὶ τὸν Ἀπρίην ἐπὶ τοὺς Αἰγυπτίους 20
ἦσαν καὶ οἱ περὶ τὸν Ἄμασιν ἐπὶ τοὺς ξείνους. ἔν τε
δὴ Μωμέμφι πόλι ἐγένοντο ἀμφότεροι καὶ πειρήσεσθαι
ἔμελλον ἀλλήλων.

Ἔστι δὲ Αἰγυπτίων ἑπτὰ γένεα, καὶ τούτων οἱ 164
μὲν ἱρεῖς, οἱ δὲ μάχιμοι κεκλέαται, οἱ δὲ βουκόλοι, οἱ δὲ 25
συβῶται, οἱ δὲ κάπηλοι, οἱ δὲ ἑρμηνεῖς, οἱ δὲ κυβερνῆται.
γένεα μὲν Αἰγυπτίων τοσαῦτά ἐστιν, ὀνόματα δέ σφι
κεῖται ἀπὸ τῶν τεχνέων. οἱ δὲ μάχιμοι αὐτῶν καλέ-
ονται μὲν Καλασίριές τε καὶ Ἑρμοτύβιες, ἐκ νο-
μῶν δὲ τῶνδέ εἰσιν· κατὰ γὰρ δὴ νομοὺς Αἴγυπτος ἅπασα 30
διαραίρηται. Ἑρμοτυβίων μὲν οἵδε εἰσὶ νομοί· Βου- 165
σιρίτης, Σαΐτης, Χεμμίτης, Παπρημίτης, νῆσος ἡ Προ-
σωπῖτις καλεομένη, Ναθῶ τὸ ἥμισυ. ἐκ μὲν τούτων τῶν
νομῶν Ἑρμοτύβιές εἰσιν, γενόμενοι, ὅτε ἐπὶ πλείστους·

ἐγένοντο, ἑκκαίδεκα μυριάδες. καὶ τούτων βαναυσίης
οὐδεὶς δεδάηκεν οὐδέν, ἀλλ᾽ ἀνεῖνται ἐς τὸ μάχιμον.
166 Καλασιρίων δὲ οἵδε ἄλλοι νομοί εἰσιν· Θηβαῖος,
Βουβαστίτης, Ἀφθίτης, Τανίτης, Μενδήσιος, Σεβεννύτης,
5 Ἀθριβίτης, Φαρβαιθίτης, Θμουίτης, Ὀνουφίτης, Ἀνύσιος,
Μυεκφορίτης· οὗτος ὁ νομὸς ἐν νήσῳ οἰκεῖ, ἀντίον Βου-
βάστιος πόλιος. οὗτοι δὲ οἱ νομοὶ Καλασιρίων εἰσίν, γε-
νόμενοι, ὅτε ἐπὶ πλείστους ἐγένοντο, πέντε καὶ εἴκοσι
μυριάδες ἀνδρῶν. οὐδὲ τούτοισιν ἔξεστι τέχνην ἐπασκῆ-
10 σαι οὐδεμίαν, ἀλλὰ τὰ ἐς πόλεμον ἐπασκέουσι μοῦνα, παῖς
167 παρὰ πατρὸς ἐκδεκόμενος. εἰ μέν νυν καὶ τοῦτο παρ᾽
Αἰγυπτίων μεμαθήκασιν οἱ Ἕλληνες, οὐκ ἔχω ἀτρεκέως
κρῖναι, ὁρέων καὶ Θρῆκας καὶ Σκύθας καὶ Πέρσας καὶ
Λυδοὺς καὶ σχεδὸν πάντας τοὺς βαρβάρους ἀποτιμο-
15 τέρους τῶν ἄλλων ἡγημένους πολιητέων τοὺς τὰς τέχνας
μανθάνοντας καὶ τοὺς ἐκγόνους τούτων, τοὺς δὲ ἀπαλλαγ-
μένους τῶν χειρωναξιῶν γενναίους νομίζοντας εἶναι, καὶ
μάλιστα τοὺς ἐς τὸν πόλεμον ἀνειμένους. μεμαθήκασι δ᾽
ὦν τοῦτο πάντες οἱ Ἕλληνες καὶ μάλιστα Λακεδαιμόνιοι,
168 ἥκιστα δὲ Κορίνθιοι ὄνονται τοὺς χειροτέχνας. γέρεα
21 δέ σφιν ἦν τάδε ἐξαραιρημένα μούνοισιν Αἰγυ-
πτίων πάρεξ τῶν ἱρέων, ἄρουραι ἐξαίρετοι δυώδεκα
ἑκάστῳ ἀτελεῖς. ἡ δὲ ἄρουρα ἑκατὸν πηχέων ἐστὶν Αἰ-
γυπτίων πάντῃ, ὁ δὲ Αἰγύπτιος πῆχυς τυγχάνει ἴσος ἐὼν
25 τῷ Σαμίῳ. ταῦτα μὲν δὴ τοῖς ἅπασιν ἦν ἐξαραιρημένα,
τάδε δὲ ἐν περιτροπῇ ἐκαρποῦντο καὶ οὐδαμὰ ὡυτοί·
Καλασιρίων χίλιοι καὶ Ἑρμοτυβίων ἐδορυφόρεον ἐνιαυτὸν
ἕκαστοι τὸν βασιλέα· τούτοισιν ὦν τάδε πάρεξ τῶν
ἀρουρέων ἄλλα ἐδίδοτο ἐπ᾽ ἡμέρῃ ἑκάστῃ, ὀπτοῦ σίτου
30 σταθμὸς πέντε μνέαι ἑκάστῳ, κρεῶν βοείων δύο μνέαι,
οἴνου τέσσερες ἀρυστῆρες. ταῦτα τοῖς αἰεὶ δορυφορέουσιν
ἐδίδοτο.
169 Ἐπείτε δὲ συνιόντες ὅ τε Ἀπρίης ἄγων τοὺς ἐπι-
κούρους καὶ ὁ Ἄμασις πάντας Αἰγυπτίους ἀπίκοντο ἐς

Μώμεμφιν πόλιν, συνέβαλον· καὶ ἐμαχέσαντο μὲν εὖ οἱ
ξεῖνοι, πλήθει δὲ πολλῷ ἐλάσσονες ἐόντες κατὰ τοῦτο
ἐσσώθησαν. Ἀπρίω δὲ λέγεται εἶναι ἥδε διάνοια, μηδ᾽
ἂν θεόν μιν μηδένα δύνασθαι παῦσαι τῆς βασιληίης·
οὕτω ἀσφαλέως ἑωυτῷ ἱδρῦσθαι ἐδόκει. καὶ δὴ τότε 5
συμβαλὼν ἐσσώθη καὶ ζωγρηθεὶς ἀπήχθη ἐς Σάιν
πόλιν, ἐς τὰ ἑωυτοῦ οἰκία πρότερον ἐόντα, τότε δὲ
Ἀμάσιος ἤδη. βασιλήια. ἐνθαῦτα δὲ τέως μὲν ἐτρέ-
φετο ἐν τοῖσι βασιληίοισιν, καὶ μιν Ἄμασις εὖ περιεῖπεν·
τέλος δὲ μεμφομένων Αἰγυπτίων ὡς οὐ ποιοῖ δίκαια 10
τρέφων τὸν σφίσι τε καὶ ἑωυτῷ ἔχθιστον, οὕτω δὴ παρα- ·
διδοῖ τὸν Ἀπρίην τοῖς Αἰγυπτίοισιν. οἱ δέ μιν ἀπέ-
πνιξαν καὶ ἔπειτα ἔθαψαν ἐν τῇσι πατρωίῃσι
ταφῇσιν. αἱ δέ εἰσιν ἐν τῷ ἱρῷ τῆς Ἀθηναίης, ἀγχο-
τάτω τοῦ μεγάρου, ἐσιόντι ἀριστερῆς χειρός. ἔθαψαν δὲ 15
Σαῖται πάντας τοὺς ἐκ νομοῦ τούτου γενομένους βασι-
λέας ἔσω ἐν τῷ ἱρῷ. καὶ γὰρ τὸ τοῦ Ἀμάσιος σῆμα
ἑκαστέρω μέν ἐστι τοῦ μεγάρου ἢ τὸ τοῦ Ἀπρίω καὶ τῶν
τούτου προπατόρων, ἔστι μέντοι καὶ τοῦτο ἐν τῇ αὐλῇ
τοῦ ἱροῦ, παστὰς λιθίνη μεγάλη καὶ ἠσκημένη στύλοισί τε 20
φοίνικας τὰ δένδρεα μεμιμημένοισι καὶ τῇ ἄλλῃ δαπάνῃ.
ἔσω δὲ ἐν τῇ παστάδι διξὰ θυρώματα ἔστηκεν, ἐν δὲ
τοῖς θυρώμασιν ἡ θήκη ἐστίν. εἰσὶ δὲ καὶ αἱ ταφαὶ τοῦ 170
οὐκ ὅσιον ποιεῦμαι ἐπὶ τοιούτῳ πρήγματι ἐξαγορεύειν
τοὔνομα ἐν Σάι, ἐν τῷ ἱρῷ τῆς Ἀθηναίης, ὄπισθε 25
τοῦ νηοῦ, παντὸς τοῦ τῆς Ἀθηναίης ἐχόμεναι τοίχου.
καὶ ἐν τῷ τεμένει ὀβελοὶ ἐστᾶσι μεγάλοι λίθινοι, λίμνη
τέ ἐστιν ἐχομένη λιθίνῃ κρηπῖδι κεκοσμημένη καὶ ἐργα-
σμένη εὖ κύκλῳ καὶ μέγαθος, ὡς ἐμοὶ ἐδόκει, ὅση περ
ἡ ἐν Δήλῳ ἡ τροχοειδὴς καλεομένη. ἐν δὲ τῇ λίμνῃ 171
ταύτῃ τὰ δείκηλα τῶν παθέων αὐτοῦ νυκτὸς ποιεῦσιν, τὰ 31
καλέουσι μυστήρια Αἰγύπτιοι. περὶ μέν νυν τούτων
εἰδότι μοι ἐπὶ πλέον ὡς ἕκαστα αὐτῶν ἔχει, εὔστομα
κείσθω. καὶ τῆς Δήμητρος τελετῆς πέρι, τὴν οἱ

Ἕλληνες θεσμοφόρια καλέουσιν, καὶ ταύτης μοι πέρι
εὔστομα κείσθω, πλὴν ὅσον αὐτῆς ὁσίη ἐστὶ λέγειν. αἱ
Δαναοῦ θυγατέρες ἦσαν αἱ τὴν τελετὴν ταύτην ἐξ Αἰγύ-
πτου ἐξαγαγοῦσαι καὶ διδάξασαι τὰς Πελασγιώτιδας
5 γυναῖκας· μετὰ δὲ ἐξαναστάσης πάσης Πελοποννήσου
ὑπὸ Δωριέων ἐξαπώλετο ἡ τελετή, οἱ δὲ ὑπολειφθέντες
Πελοποννησίων καὶ οὐκ ἐξαναστάντες Ἀρκάδες διέσῳζον
αὐτὴν μοῦνοι.

172   Ἀπρίῳ δὲ ὧδε καταραιρημένου ἐβασίλευσεν Ἄμα-
10 σις, νομοῦ μὲν Σαΐτεω ἐών, ἐκ τῆς δὲ ἦν πόλιος, ὄνομά
οἵ ἐστι Σιούφ. τὰ μὲν δὴ πρῶτα κατώνοντο τὸν Ἄμασιν
Αἰγύπτιοι καὶ ἐν οὐδεμιῇ μοίρῃ μεγάλῃ ἦγον, ἅτε δὴ
δημότην τὸ πρὶν ἐόντα καὶ οἰκίης οὐκ ἐπιφανέος· μετὰ
δὲ σοφίῃ αὐτοὺς ὁ Ἄμασις, οὐκ ἀγνωμοσύνῃ προσηγά-
15 γετο. ἦν οἱ ἄλλα τε ἀγαθὰ μυρία, ἐν δὲ καὶ ποδανιπτὴρ
χρύσεος, ἐν τῷ αὐτός τε ὁ Ἄμασις καὶ οἱ δαιτυμόνες οἱ
πάντες τοὺς πόδας ἑκάστοτε ἐναπενίζοντο· τοῦτον κατ'
ὦν κόψας ἄγαλμα δαίμονος ἐξ αὐτοῦ ἐποιήσατο καὶ
ἵδρυσε τῆς πόλιος ὅκου ἦν ἐπιτηδεότατον· οἱ δὲ Αἰγύ-
20 πτιοι φοιτῶντες πρὸς τὤγαλμα ἐσέβοντο μεγάλως· μαθὼν
δὲ ὁ Ἄμασις τὸ ἐκ τῶν ἀστῶν ποιεύμενον, συγκαλέσας
Αἰγυπτίους ἐξέφηνε φὰς ἐκ τοῦ ποδανιπτῆρος τὤγαλμα
γεγονέναι, ἐς τὸν πρότερον μὲν τοὺς Αἰγυπτίους ἐνεμεῖν
τε καὶ ἐνουρεῖν καὶ πόδας ἐναπονίζεσθαι, τότε δὲ μεγά-
25 λως σέβεσθαι. ἤδη ὦν ἔφη λέγων ὁμοίως αὐτὸς τῷ
ποδανιπτῆρι πεπρηγέναι· εἰ γὰρ πρότερον εἶναι δημότης,
ἀλλ' ἐν τῷ παρεόντι εἶναι αὐτῶν βασιλεύς· καὶ τιμᾶν τε
καὶ προμηθεῖσθαι ἑωυτὸν ἐκέλευεν. τοιούτῳ μὲν τρόπῳ
προσηγάγετο τοὺς Αἰγυπτίους ὥστε δικαιοῦν δουλεύειν.

173 ἐχρῆτο δὲ καταστάσει πρηγμάτων τοιῇδε· τὸ μὲν
31 ὄρθριον μέχρι ὅτεο πληθώρης ἀγορῆς προθύμως ἔπρησσε
τὰ προσφερόμενα πρήγματα, τὸ δὲ ἀπὸ τούτου ἔπινέ τε
καὶ κατέσκωπτε τοὺς συμπότας καὶ ἦν μάταιός τε καὶ
παιγνιήμων. ἀχθεσθέντες δὲ τούτοισιν οἱ φίλοι αὐτοῦ

ἐνουθέτεον αὐτὸν τοιάδε λέγοντες· „Ὦ βασιλεῦ, οὐκ
ὀρθῶς σεωυτοῦ προέστηκας ἐς τὸ ἄγαν φαῦλον προάγων
σεωυτόν· σὲ γὰρ χρῆν ἐν θρόνῳ σεμνῷ σεμνὸν θωκέοντα
δι᾽ ἡμέρης πρήσσειν τὰ πρήγματα, καὶ οὕτω Αἰγύπτιοί
τ᾽ ἂν ἠπιστέατο, ὡς ὑπ᾽ ἀνδρὸς μεγάλου ἄρχονται, καὶ 5
ἄμεινον σὺ ἂν ἤκουες· νῦν δὲ ποιεῖς οὐδαμῶς βασιλικά.“
ὁ δ᾽ ἀμείβετο τοῖσδε αὐτούς· „Τὰ τόξα οἱ ἐκτημένοι,
ἐπεὰν μὲν δέωνται χρῆσθαι, ἐντανύουσιν, ἐπεὰν δὲ χρή-
σωνται, ἐκλύουσιν. εἰ γὰρ δὴ τὸν πάντα χρόνον ἐντε-
ταμένα εἴη, ἐκραγείη ἄν, ὥστε ἐς τὸ δέον οὐκ ἂν ἔχοιεν 10
αὐτοῖσι χρῆσθαι. οὕτω δὲ καὶ ἀνθρώπου κατάστασις· εἰ
ἐθέλοι κατεσπουδάσθαι αἰεὶ μηδὲ ἐς παιγνίην τὸ μέρος
ἑωυτὸν ἀνιέναι, λάθοι ἂν ἤτοι μανεὶς ἢ ὅ γε ἀπόπληκτος
γενόμενος. τὰ ἐγὼ ἐπιστάμενος μέρος ἑκατέρῳ νέμω.“
ταῦτα μὲν τοὺς φίλους ἀμείψατο. 15

Λέγεται δὲ ὁ Ἄμασις, καὶ ὅτε ἦν ἰδιώτης, ὡς 174
φιλοπότης ἦν καὶ φιλοσκώμμων καὶ οὐδαμῶς κατε-
σπουδασμένος ἀνήρ· ὅκως δέ μιν ἐπιλείποι πίνοντά
τε καὶ εὐπαθέοντα τὰ ἐπιτήδεα, κλέπτεσκεν ἂν περιιών.
οἱ δ᾽ ἄν μιν φάμενοι ἔχειν τὰ σφέτερα χρήματα ἀρνεό- 20
μενον ἄγεσκον ἐπὶ μαντήιον, ὅκου ἑκάστοισιν εἴη. πολλὰ
μὲν δὴ καὶ ἡλίσκετο ὑπὸ τῶν μαντηίων, πολλὰ δὲ καὶ
ἀποφεύγεσκεν. ἐπείτε δὲ καὶ ἐβασίλευσεν, ἐποίησε τοιάδε·
ὅσοι μὲν αὐτὸν τῶν θεῶν ἀπέλυσαν μὴ φῶρα εἶναι,
τούτων μὲν τῶν ἱρῶν οὔτε ἐπεμέλετο οὔτε ἐς ἐπισκευὴν 25
ἐδίδου οὐδέν, οὐδὲ φοιτέων ἔθυεν ὡς οὐδενὸς ἐοῦσιν
ἀξίοισι ψευδέα τε μαντήια ἐκτημένοισιν· ὅσοι δέ μιν
κατέδησαν φῶρα εἶναι, τούτων δὲ ὡς ἀληθέως θεῶν
ἐόντων καὶ ἀψευδέα μαντήια παρεχομένων τὰ μάλιστα ἐπε-
μέλετο. καὶ τοῦτο μὲν ἐν Σάι τῇ Ἀθηναίῃ προπύ- 175
λαια θωμάσια οἷα ἐξεποίησεν, πολλὸν πάντας ὑπερ- 31
βαλλόμενος τῷ τε ὕψει καὶ τῷ μεγάθει, ὅσων τε τὸ μέ-
γαθος λίθων ἐστὶ καὶ ὁκοίων τέων· τοῦτο δὲ κολοσσοὺς
μεγάλους καὶ ἀνδρόσφιγγας περιμήκεας ἀνέθηκεν, λίθους

τε ἄλλους ἐς ἐπισκευὴν ὑπερφυέας τὸ μέγαθος ἐκόμισεν.
ἠγάγετο δὲ τούτων τοὺς μὲν ἐκ τῶν κατὰ Μέμφιν ἐου-
σέων λιθοτομιῶν, τοὺς δὲ ὑπερμεγάθεας ἐξ Ἐλεφαντίνης
πόλιος πλόον καὶ εἴκοσι ἡμερέων ἀπεχούσης ἀπὸ Σάιος.
5 τὸ δὲ οὐκ ἥκιστα αὐτῶν ἀλλὰ μάλιστα θωμάζω, ἐστὶ
τόδε· οἴκημα μουνόλιθον ἐκόμισεν ἐξ Ἐλεφαντίνης
πόλιος, καὶ τοῦτο ἐκόμιζον μὲν ἐπ᾽ ἔτεα τρία, δισχίλιοι
δέ οἱ προσετετάχατο ἄνδρες ἀγωγεῖς, καὶ οὗτοι ἅπαντες
ἦσαν κυβερνῆται. τῆς δὲ στέγης ταύτης τὸ μὲν μῆκος
10 ἔξωθέν ἐστιν εἷς τε καὶ εἴκοσι πήχεις, εὖρος δὲ τεσσερεσ-
καίδεκα, ὕψος δὲ ὀκτώ. ταῦτα μὲν τὰ μέτρα ἔξωθεν
τῆς στέγης τῆς μουνολίθου ἐστίν, ἀτὰρ ἔσωθεν τὸ μῆκος
ὀκτωκαίδεκα πηχέων καὶ πυγόνος, τὸ δὲ ὕψος πέντε
πηχέων ἐστίν. αὕτη τοῦ ἱροῦ κεῖται παρὰ τὴν ἔσοδον.
15 ἔσω γάρ μιν ἐς τὸ ἱρόν φασι τῶνδε εἴνεκα οὐκ ἐσελ-
κύσαι· τὸν ἀρχιτέκτονα αὐτῆς ἑλκομένης τῆς στέγης ἀνα-
στενάξαι οἷά τε χρόνου ἐγγεγονότος πολλοῦ καὶ ἀχθό-
μενον τῷ ἔργῳ, τὸν δὲ Ἄμασιν ἐνθύμιον ποιησάμενον
οὐκ ἐᾶν ἔτι προσωτέρω ἑλκύσαι. ἤδη δέ τινες λέγουσιν,
20 ὡς ἄνθρωπος διεφθάρη ὑπ᾽ αὐτῇ τῶν τις αὐτὴν μοχλευ-
176 όντων, καὶ ἀπὸ τούτου οὐκ ἐσελκυσθῆναι. ἀνέθηκε δὲ
καὶ ἐν τοῖς ἄλλοισιν ἱροῖσιν ὁ Ἄμασις πᾶσι τοῖς
ἐλλογίμοισιν ἔργα τὸ μέγαθος ἀξιοθέητα, ἐν δὲ καὶ
ἐν Μέμφι τὸν ὕπτιον κείμενον κολοσσὸν τοῦ Ἡφαιστείου
25 ἔμπροσθε, τοῦ πόδες πέντε καὶ ἑβδομήκοντά εἰσι τὸ μῆκος.
ἐπὶ δὲ τῷ αὐτῷ βάθρῳ ἑστᾶσιν Αἰθιοπικοῦ ἐόντες λίθου
δύο κολοσσοί, εἴκοσι ποδῶν τὸ μέγαθος ἐὼν ἑκάτερος, ὁ
μὲν ἔνθεν, ὁ δ᾽ ἔνθεν τοῦ μεγάλου. ἔστι δὲ λίθινος ἕτε-
ρος τοσοῦτος καὶ ἐν Σάι, κείμενος κατὰ τὸν αὐτὸν τρόπον
30 τῷ ἐν Μέμφι. τῇ Ἴσι τε τὸ ἐν Μέμφι ἱρὸν Ἄμασίς ἐστιν
ὁ ἐξοικοδομήσας, ἐὸν μέγα τε καὶ ἀξιοθεητότατον.
177 Ἐπ᾽ Ἀμάσιος δὲ βασιλέος λέγεται Αἴγυπτος μάλιστα
δὴ τότε εὐδαιμονῆσαι καὶ τὰ ἀπὸ τοῦ ποταμοῦ τῇ χώρῃ
γινόμενα καὶ τὰ ἀπὸ τῆς χώρης τοῖς ἀνθρώποισιν, καὶ

πόλις ἐν αὐτῇ γενέσθαι τὰς ἀπάσας τότε δισμυρίας τὰς
οἰκεομένας. νόμον τε Αἰγυπτίοισι τόνδε Ἄμασίς ἐστιν
ὁ καταστήσας, ἀποδεικνύναι ἔτεος ἑκάστου τῷ νομάρχῃ
πάντα τινὰ Αἰγυπτίων ὅθεν βιοῦται· μὴ δὲ ποιεῦντα
ταῦτα μηδὲ ἀποφαίνοντα δικαίην ζοὴν ἰθύνεσθαι θα- 5
νάτῳ. Σόλων δὲ ὁ Ἀθηναῖος λαβὼν ἐξ Αἰγύπτου τοῦ-
τον τὸν νόμον Ἀθηναίοισιν ἔθετο· τῷ ἐκεῖνοι ἐς αἰεὶ
χρέωνται, ἐόντι ἀμώμῳ νόμῳ.

Φιλέλλην δὲ γενόμενος ὁ Ἄμασις ἄλλα τε ἐς 178
Ἑλλήνων μετεξετέρους ἀπεδέξατο καὶ δὴ καὶ τοῖς ἀπικ- 10
νεομένοισιν ἐς Αἴγυπτον ἔδωκε Ναύκρατιν πόλιν
ἐνοικῆσαι, τοῖσι δὲ μὴ βουλομένοισιν αὐτῶν οἰκεῖν,
αὐτοῦ δὲ ναυτιλλομένοισιν, ἔδωκε χώρους ἐνιδρύσασθαι
βωμοὺς καὶ τεμένεα θεοῖσιν. τὸ μέν νυν μέγιστον αὐτῶν
τέμενος καὶ ὀνομαστότατον ἐὸν καὶ χρησιμώτατον, καλεό- 15
μενον δὲ Ἑλλήνιον, αἵδε πόλιές εἰσιν αἱ ἱδρυμέναι κοινῇ,
Ἰώνων μὲν Χίος καὶ Τέως καὶ Φώκαια καὶ Κλαζομεναί,
Δωριέων δὲ Ῥόδος καὶ Κνίδος καὶ Ἁλικαρνησσὸς καὶ Φάση-
λις, Αἰολέων δὲ ἡ Μυτιληναίων μούνη. τουτέων μέν ἐστι
τοῦτο τὸ τέμενος, καὶ προστάτας τοῦ ἐμπορίου αὖται αἱ 20
πόλιές εἰσιν αἱ παρέχουσαι· ὅσαι δὲ ἄλλαι πόλιες μετα-
ποιεῦνται, οὐδέν σφι μετεὸν μεταποιεῦνται. χωρὶς δὲ
Αἰγινῆται ἐπὶ ἑωυτῶν ἱδρύσαντο τέμενος Διός, καὶ ἄλλο
Σάμιοι Ἥρης καὶ Μιλήσιοι Ἀπόλλωνος. ἦν δὲ τὸ παλαιὸν 179
μούνη Ναύκρατις ἐμπόριον καὶ ἄλλο οὐδὲν Αἰγύπτου. 25
εἰ δέ τις ἐς τῶν τι ἄλλο στομάτων τοῦ Νείλου ἀπίκοιτο,
χρῆν ὀμόσαι μὴ μὲν ἑκόντα ἐλθεῖν, ἀπομόσαντα δὲ τῇ
νηὶ αὐτῇ πλεῖν ἐς τὸ Κανωβικόν· ἢ εἰ μή γε οἷά τε εἴη
πρὸς ἀνέμους ἀντίους πλεῖν, τὰ φορτία ἔδει περιάγειν
ἐν βάρισι περὶ τὸ Δέλτα, μέχρις οὗ ἀπίκοιτο ἐς Ναύ- 30
κρατιν. οὕτω μὲν δὴ Ναύκρατις ἐτετίμητο. Ἀμφικτυό- 180
νων δὲ μισθωσάντων τὸν ἐν Δελφοῖσι νῦν ἐόντα
νηὸν τριηκοσίων ταλάντων ἐξεργάσασθαι (ὁ γὰρ πρό-
τερον ἐὼν αὐτόθι αὐτόματος κατεκάη), τοὺς Δελφοὺς δὴ

ἐπέβαλλε τεταρτημόριον τοῦ μισθώματος παρασχεῖν. πλα-
νώμενοι δὲ οἱ Δελφοὶ περὶ τὰς πόλις ἐδωτίναζον, ποιεῦν-
τες δὲ τοῦτο οὐκ ἐλάχιστον ἐξ Αἰγύπτου ἠνείκαντο.
Ἄμασις μὲν γάρ σφιν ἔδωκε χίλια στυπτηρίης τάλαντα,
5 οἱ δὲ ἐν Αἰγύπτῳ οἰκέοντες Ἕλληνες εἴκοσι μνέας.

181   Κυρηναίοισι δ᾽ ἐς ἀλλήλους φιλότητά τε καὶ
συμμαχίην συνεθήκατο. ἐδικαίωσε δὲ καὶ γῆμαι
αὐτόθεν, εἴτ᾽ ἐπιθυμήσας Ἑλληνίδος γυναικός, εἴτε καὶ
ἄλλως φιλότητος Κυρηναίων εἵνεκα. γαμεῖ δὲ ὦν, οἱ μὲν
10 λέγουσι Βάττου, οἱ δὲ Ἀρκεσίλεω θυγατέρα, οἱ δὲ Κριτο-
βούλου ἀνδρὸς τῶν ἀστῶν δοκίμου, τῇ ὄνομα ἦν Λαδίκη.
τῇ ἐπείτε συγκλίνοιτο ὁ Ἄμασις, μίσγεσθαι οὐκ οἷός τε
ἐγίνετο, τῇσι δὲ ἄλλῃσι γυναιξὶν ἐχρῆτο. ἐπείτε δὲ πολλὸν
τοῦτο ἐγίνετο, εἶπεν ὁ Ἄμασις πρὸς τὴν Λαδίκην ταύτην
15 καλεομένην· „Ὦ γύναι, κατά με ἐφάρμαξας, καὶ ἔστι τοι
οὐδεμία μηχανὴ μὴ οὐκ ἀπολωλέναι κάκιστα γυναικῶν
πασέων.“ ἡ δὲ Λαδίκη, ἐπείτε οἱ ἀρνεομένη οὐδὲν ἐγίνετο
πρηΰτερος ὁ Ἄμασις, εὔχεται ἐν τῷ νῷ τῇ Ἀφροδίτῃ, ἤν
οἱ ὑπ᾽ ἐκείνην τὴν νύκτα μειχθῇ ὁ Ἄμασις, τοῦτο γάρ
20 οἱ κακοῦ εἶναι μῆχος, ἄγαλμά οἱ ἀποπέμψειν ἐς Κυρήνην.
μετὰ δὲ τὴν εὐχὴν αὐτίκα οἱ ἐμείχθη ὁ Ἄμασις. καὶ τὸ
ἐνθεῦτεν ἤδη, ὁκότε ἔλθοι πρὸς αὐτήν, ἐμίσγετο καὶ
κάρτα μιν ἔστερξε μετὰ τοῦτο. ἡ δὲ Λαδίκη ἀπέδωκε
τὴν εὐχὴν τῇ θεῷ· ποιησαμένη γὰρ ἄγαλμα ἀπέπεμψεν ἐς
25 Κυρήνην, τὸ ἔτι καὶ ἐς ἐμὲ ἦν σόον, ἔξω τετραμμένον
τοῦ Κυρηναίων ἄστεος. ταύτην τὴν Λαδίκην, ὡς ἐπεκρά-
τησε Καμβύσης Αἰγύπτου καὶ ἐπύθετο αὐτῆς ἥτις εἴη,
ἀπέπεμψεν ἀσινέα ἐς Κυρήνην.

182   Ἀνέθηκε δὲ καὶ ἀναθήματα ὁ Ἄμασις ἐς τὴν
30 Ἑλλάδα, τοῦτο μὲν ἐς Κυρήνην ἄγαλμα ἐπίχρυσον Ἀθη-
ναίης καὶ εἰκόνα ἑωυτοῦ γραφῇ εἰκασμένην, τοῦτο δὲ τῇ
ἐν Λίνδῳ Ἀθηναίῃ δύο τε ἀγάλματα λίθινα καὶ θώρηκα
λίνεον ἀξιοθέητον, τοῦτο δ᾽ ἐς Σάμον τῇ Ἥρῃ εἰκόνας
ἑωυτοῦ διφασίας ξυλίνας, αἳ ἐν τῷ νηῷ τῷ μεγάλῳ ἱδρύ-

ατο ἔτι καὶ τὸ μέχρις ἐμέο, ὄπισθε τῶν θυρέων. ἐς μέν
νυν Σάμον ἀνέθηκε κατὰ ξεινίην τὴν ἑωυτοῦ τε καὶ
Πολυκράτεος τοῦ Αἰάκεος, ἐς δὲ Λίνδον ξεινίης μὲν
οὐδεμιῆς εἵνεκεν, ὅτι δὲ τὸ ἱρὸν τὸ ἐν Λίνδῳ τὸ τῆς
Ἀθηναίης λέγεται τὰς Δαναοῦ θυγατέρας ἱδρύσασθαι 5
προσσχούσας, ὅτε ἀπεδίδρησκον τοὺς Αἰγύπτου παῖδας.
ταῦτα μὲν ἀνέθηκεν ὁ Ἄμασις. εἷλε δὲ Κύπρον πρῶτος
ἀνθρώπων καὶ κατεστρέψατο ἐς φόρου ἀπαγωγήν.

Γ.

1 Ἐπὶ τοῦτον δὴ τὸν Ἄμασιν Καμβύσης ὁ Κύρου
ἐστρατεύετο, ἄγων καὶ ἄλλους τῶν ἦρχε καὶ Ἑλλήνων
Ἴωνάς τε καὶ Αἰολέας, δι᾽ αἰτίην τοιήνδε· πέμψας
Καμβύσης ἐς Αἴγυπτον κήρυκα αἴτει Ἄμασιν θυ-
5 γατέρα, αἴτει δὲ ἐκ βουλῆς ἀνδρὸς Αἰγυπτίου, ὃς μεμ-
φόμενος Ἀμάσι ἔπρηξε ταῦτα, ὅτι μιν ἐξ ἁπάντων τῶν
ἐν Αἰγύπτῳ ἰητρῶν ἀποσπάσας ἀπὸ γυναικός τε καὶ τέ-
κνων ἔκδοτον ἐποίησεν ἐς Πέρσας, ὅτε Κῦρος πέμψας
παρὰ Ἄμασιν αἴτει ἰητρὸν ὀφθαλμῶν, ὃς εἴη ἄριστος τῶν
10 ἐν Αἰγύπτῳ. ταῦτα δὴ ἐπιμεμφόμενος ὁ Αἰγύπτιος
ἐνῆγε τῇ συμβουλῇ κελεύων αἰτεῖν τὸν Καμβύσεα Ἄμασιν
θυγατέρα, ἵνα ἢ δοὺς ἀνιῷτο ἢ μὴ δοὺς Καμβύσῃ ἀπέ-
χθοιτο. ὁ δὲ Ἄμασις τῇ δυνάμει τῶν Περσέων ἀχθό-
μενος καὶ ἀρρωδέων οὐκ εἶχεν οὔτε δοῦναι οὔτε ἀρνή-
15 σασθαι· εὖ γὰρ ἠπίστατο, ὅτι οὐκ ὡς γυναῖκά μιν ἔμελλε
Καμβύσης ἕξειν ἀλλ᾽ ὡς παλλακήν. ταῦτα δὴ ἐκλογιζό-
μενος ἐποίησε τάδε· ἦν Ἀπρίω τοῦ προτέρου βασιλέος
θυγάτηρ κάρτα μεγάλη τε καὶ εὐειδής, μούνη τοῦ οἴκου
λελειμμένη, ὄνομα δέ οἱ ἦν Νίτητις. ταύτην δὴ τὴν
20 παῖδα ὁ Ἄμασις κοσμήσας ἐσθῆτί τε καὶ χρυσῷ ἀποπέμπει
ἐς Πέρσας ὡς ἑωυτοῦ θυγατέρα. μετὰ δὲ χρόνον ὥς
μιν ἠσπάζετο Καμβύσης πατρόθεν ὀνομάζων, λέγει πρὸς
αὐτὸν ἡ παῖς· „Ὦ βασιλεῦ, διαβεβλημένος ὑπὸ Ἀμάσιος
οὐ μανθάνεις, ὅς ἐμέ σοι κόσμῳ ἀσκήσας ἀπέπεμψεν, ὡς
25 ἑωυτοῦ θυγατέρα διδούς, ἐοῦσαν τῇ ἀληθείῃ Ἀπρίω, τὸν
ἐκεῖνος ἐόντα ἑωυτοῦ δεσπότην μετ᾽ Αἰγυπτίων ἐπανα-
στὰς ἐφόνευσεν.“ τοῦτο δὴ τὸ ἔπος καὶ αὕτη ἡ αἰτίη

ἐγγενομένη ἤγαγε Καμβύσεα τὸν Κύρου μεγάλως θυμω-
θέντα ἐπ' Αἴγυπτον. οὕτω μέν νυν λέγουσι Πέρσαι.
Αἰγύπτιοι δὲ οἰκηιοῦνται Καμβύσεα, φάμενοί μιν ἐκ 2
ταύτης δὴ τῆς Ἀπρίω θυγατρὸς γενέσθαι· Κῦρον γὰρ
εἶναι τὸν πέμψαντα παρὰ Ἄμασιν ἐπὶ τὴν θυγατέρα, ἀλλ' 5
οὐ Καμβύσεα. λέγοντες δὲ ταῦτα οὐκ ὀρθῶς λέγουσιν.
οὐ μὲν οὐδὲ λέληθεν αὐτούς (εἰ γάρ τινες καὶ ἄλλοι, τὰ
Περσέων νόμιμα ἐπιστέαται καὶ Αἰγύπτιοι), ὅτι πρῶτα
μὲν νόθον οὔ σφι νόμος ἐστὶ βασιλεῦσαι γνησίου παρε-
όντος, αὖτις δὲ ὅτι Κασσανδάνης τῆς Φαρνάσπεω θυγα- 10
τρὸς ἦν παῖς Καμβύσης, ἀνδρὸς Ἀχαιμενίδεω, ἀλλ' οὐκ
ἐκ τῆς Αἰγυπτίης. ἀλλὰ παρατρέπουσι τὸν λόγον προσ-
ποιεύμενοι τῇ Κύρου οἰκίῃ συγγενεῖς εἶναι. καὶ ταῦτα 3
μὲν ὧδε ἔχει. λέγεται δὲ καὶ ὅδε λόγος, ἐμοὶ μὲν
οὐ πιθανός, ὡς τῶν Περσίδων γυναικῶν ἐσελθοῦσά τις 15
παρὰ τὰς Κύρου γυναῖκας, ὡς εἶδε τῇ Κασσανδάνῃ παρε-
στεῶτα τέκνα εὐειδέα τε καὶ μεγάλα, πολλῷ ἐχρῆτο τῷ
ἐπαίνῳ ὑπερθωμάζουσα, ἡ δὲ Κασσανδάνη, ἐοῦσα τοῦ
Κύρου γυνή, εἶπε τάδε· „Τοιῶνδε μέντοι ἐμὲ παίδων
μητέρα ἐοῦσαν Κῦρος ἐν ἀτιμίῃ ἔχει, τὴν δὲ ἀπ' Αἰγύ- 20
πτου ἐπίκτητον ἐν τιμῇ τίθεται." τὴν μὲν ἀχθομένην
τῇ Νιτήτι εἰπεῖν ταῦτα, τῶν δὲ οἱ παίδων τὸν πρεσβύ-
τερον εἰπεῖν Καμβύσεα· „Τοιγάρ τοι, ὦ μῆτερ, ἐπεὰν ἐγὼ
γένωμαι ἀνήρ, Αἰγύπτου τὰ μὲν ἄνω κάτω θήσω, τὰ δὲ
κάτω ἄνω." ταῦτα εἰπεῖν αὐτὸν ἔτεα ὡς δέκα κου γε- 25
γονότα, καὶ τὰς γυναῖκας ἐν θώματι γενέσθαι· τὸν δὲ
διαμνημονεύοντα οὕτω δή, ἐπείτε ἀνδρώθη καὶ ἔσχε τὴν
βασιληίην, ποιήσασθαι τὴν ἐπ' Αἴγυπτον στρατιήν.
   Συνήνεικε δὲ καὶ ἄλλο τι τοιόνδε· πρῆγμα 4
γενέσθαι ἐς τὴν ἐπιστράτευσιν ταύτην· ἦν τῶν ἐπι- 30
κούρων τῶν Ἀμάσιος ἀνὴρ γένος μὲν Ἁλικαρνησσεύς,
ὄνομα δέ οἱ ἦν Φάνης, καὶ γνώμην ἱκανὸς καὶ τὰ πο-
λέμια ἄλκιμος. οὗτος ὁ Φάνης μεμφόμενός κού τι
Ἀμάσι ἐκδιδρήσκει πλοίῳ ἐξ Αἰγύπτου, βουλόμενος

*Καμβύσῃ ἐλθεῖν ἐς λόγους. οἷα δὲ ἐόντα αὐτὸν ἐν τοῖς
ἐπικούροισι λόγου οὐ σμικροῦ ἐπιστάμενόν τε τὰ περὶ
Αἴγυπτον ἀτρεκέστατα, μεταδιώκει ὁ Ἄμασις σπουδὴν
ποιεύμενος ἑλεῖν, μεταδιώκει δὲ τῶν εὐνούχων τὸν πι-
στότατον ἀποστείλας τριήρει κατ' αὐτόν, ὃς αἱρεῖ μιν ἐν*
*Λυκίῃ, ἑλὼν δὲ οὐκ ἀνήγαγεν ἐς Αἴγυπτον· σοφίῃ γὰρ
μιν περιῆλθεν ὁ Φάνης. καταμεθύσας γὰρ τοὺς φυλά-
κους ἀπαλλάσσετο ἐς Πέρσας. ὁρμημένῳ δὲ στρατεύε-
σθαι Καμβύσῃ ἐπ' Αἴγυπτον καὶ ἀπορέοντι τὴν ἔλασιν,
ὅκως τὴν ἄνυδρον διεκπερᾷ, ἐπελθὼν φράζει μὲν καὶ τὰ*
*ἄλλα τὰ Ἀμάσιος πρήγματα, ἐξηγεῖται δὲ καὶ τὴν ἔλασιν,
ὧδε παραινέων, πέμψαντα παρὰ τὸν Ἀραβίων βασιλέα
δεῖσθαι τὴν διέξοδόν οἱ ἀσφαλέα παρασχεῖν. μούνῃ δὲ
ταύτῃ εἰσὶ φανεραὶ ἐσβολαὶ ἐς Αἴγυπτον· ἀπὸ γὰρ
Φοινίκης μέχρις οὔρων τῶν Καδύτιος πόλιός ἐστι Συρίων*
*τῶν Παλαιστίνων καλεομένων· ἀπὸ δὲ Καδύτιος ἐούσης
πόλιος, ὡς ἐμοὶ δοκεῖ, Σαρδίων οὐ πολλῷ ἐλάσσονος, ἀπὸ
ταύτης τὰ ἐμπόρια τὰ ἐπὶ θαλάσσης μέχρις Ἰηνύσου
πόλιός ἐστι τοῦ Ἀραβίου, ἀπὸ δὲ Ἰηνύσου αὖτις Συρίων
μέχρι Σερβωνίδος λίμνης, παρ' ἣν δὴ τὸ Κάσιον ὄρος*
*τείνει ἐς θάλασσαν· ἀπὸ δὲ Σερβωνίδος λίμνης, ἐν τῇ
δὴ λόγος τὸν Τυφῶ κεκρύφθαι, ἀπὸ ταύτης ἤδη Αἴ-
γυπτος. τὸ δὴ μεταξὺ Ἰηνύσου πόλιος καὶ Κασίου
τε ὄρεος καὶ τῆς Σερβωνίδος λίμνης, ἐὸν τοῦτο οὐκ
ὀλίγον χωρίον ἀλλὰ ὅσον τε ἐπὶ τρεῖς ἡμέρας ὁδοῦ,*
*ἄνυδρόν ἐστι δεινῶς. τὸ δὲ ὀλίγοι τῶν ἐς Αἴγυπτον
ναυτιλλομένων ἐννενώκασιν, τοῦτο ἔρχομαι φράσων. ἐς
Αἴγυπτον ἐκ τῆς Ἑλλάδος πάσης καὶ πρὸς ἐκ Φοινίκης
κέραμος ἐσάγεται πλήρης οἴνου δι' ἔτεος, καὶ ἓν
κεράμιον οἰνηρὸν ἀριθμῷ κεινὸν οὐκ ἔστιν ὡς λόγῳ*
*εἰπεῖν ἰδέσθαι. κοῦ δῆτα, εἴποι τις ἄν, ταῦτα ἀναισιμοῦ-
ται; ἐγὼ καὶ τοῦτο φράσω. δεῖ τὸν μὲν δήμαρχον ἕκα-
στον ἐκ τῆς ἑωυτοῦ πόλιος συλλέξαντα πάντα τὸν κέρα-
μον ἄγειν ἐς Μέμφιν, τοὺς δὲ ἐκ Μέμφιος ἐς ταῦτα δὴ*

τὰ ἄνυδρα τῆς Συρίης κομίζειν πλήσαντας ὕδατος. οὕτως
ὁ ἐπιφοιτέων κέραμος καὶ ἐξαιρεόμενος ἐν Αἰγύπτῳ ἐπὶ
τὸν παλαιὸν κομίζεται ἐς Συρίην. οὕτω μέν νυν Πέρσαι 7
εἰσὶν οἱ τὴν ἐσβολὴν ταύτην παρασκευάσαντες ἐς Αἴγυ-
πτον, κατὰ δὴ τὰ εἰρημένα σάξαντες ὕδατι, ἐπείτε τά- 5
χιστα παρέλαβον Αἴγυπτον. τότε δὲ οὐκ ἐόντος κω
ὕδατος ἑτοίμου, Καμβύσης πυθόμενος τοῦ Ἁλικαρνησσέος
ξείνου, πέμψας παρὰ τὸν Ἀράβιον ἀγγέλους καὶ
δεηθεὶς τῆς ἀσφαλείης ἔτυχεν, πίστις δούς τε καὶ
δεξάμενος παρ' αὐτοῦ. σέβονται δὲ Ἀράβιοι πίστις 8
ἀνθρώπων ὅμοια τοῖς μάλιστα. ποιεῦνται δὲ αὐτὰς τρό- 11
πῳ τοιῷδε· τῶν βουλομένων τὰ πιστὰ ποιεῖσθαι ἄλλος
ἀνήρ, ἀμφοτέρων αὐτῶν ἐν μέσῳ ἑστεώς, λίθῳ ὀξεῖ τὸ
ἔσω τῶν χειρῶν παρὰ τοὺς δακτύλους τοὺς μεγάλους
ἐπιτάμνει τῶν ποιευμένων τὰς πίστις, καὶ ἔπειτα λαβὼν 15
ἐκ τοῦ ἱματίου ἑκατέρου κροκύδα ἀλείφει τῷ αἵματι ἐν
μέσῳ κειμένους λίθους ἑπτά, τοῦτο δὲ ποιέων ἐπικαλεῖ
τε τὸν Διόνυσον καὶ τὴν Οὐρανίην. ἐπιτελέσαντος δὲ
τούτου ταῦτα ὁ τὰς πίστις ποιησάμενος τοῖσι φίλοισι
παρεγγυᾷ τὸν ξεῖνον ἢ καὶ τὸν ἀστόν, ἢν πρὸς ἀστὸν 20
ποιῆται, οἱ δὲ φίλοι καὶ αὐτοὶ τὰς πίστις δικαιοῦσι σέβε-
σθαι. Διόνυσον δὲ θεῶν μοῦνον καὶ τὴν Οὐρανίην
ἡγέονται εἶναι καὶ τῶν τριχῶν τὴν κουρὴν κείρεσθαί φα-
σι κατά περ αὐτὸν τὸν Διόνυσον κεκάρθαι· κείρονται δὲ
περιτρόχαλα, ὑποξυρῶντες τοὺς κροτάφους. ὀνομάζουσι 25
δὲ τὸν μὲν Διόνυσον Ὀροτάλτ, τὴν δὲ Οὐρανίην Ἀλιλάτ.

Ἐπεὶ ὦν τὴν πίστιν τοῖς ἀγγέλοισι τοῖσι παρὰ Καμ- 9
βύσεω ἀπιγμένοισιν ἐποιήσατο ὁ Ἀράβιος, ἐμηχανᾶτο
τοιάδε· ἀσκοὺς καμήλων πλήσας ὕδατος ἐπέσαξεν
ἐπὶ τὰς ζόας τῶν καμήλων πάσας, τοῦτο δὲ ποιήσας 30
ἤλασεν ἐς τὴν ἄνυδρον καὶ ὑπέμενεν ἐνθαῦτα τὸν
Καμβύσεω στρατόν. οὗτος μὲν ὁ πιθανώτερος τῶν λό-
γων εἴρηται, δεῖ δὲ καὶ τὸν ἧσσον πιθανόν, ἐπεί γε δὴ
λέγεται, ρηθῆναι. ποταμός ἐστι μέγας ἐν τῇ Ἀραβίῃ, τῷ

ὄνομα Κόρυς, ἐκδιδοῖ δὲ οὗτος ἐς τὴν Ἐρυθρὴν καλεο-
μένην θάλασσαν. ἀπὸ τούτου δὴ ὦν τοῦ ποταμοῦ λέγεται
τὸν βασιλέα τῶν Ἀραβίων, ῥαψάμενον ὠμοβοέων καὶ
ἄλλων δερμάτων ὀχετὸν μήκεϊ ἐξικνεόμενον ἐς τὴν ἄνυ-
δρον, ἀγαγεῖν διὰ δὴ τούτων τὸ ὕδωρ, ἐν δὲ τῇ ἀνύδρῳ
μεγάλας δεξαμενὰς ὀρύξασθαι, ἵνα δεκόμεναι τὸ ὕδωρ
σῴζωσιν (ὁδὸς δ' ἐστὶ δυώδεκα ἡμερέων ἀπὸ τοῦ ποταμοῦ
ἐς ταύτην τὴν ἄνυδρον), ἀγαγεῖν δέ μιν δι' ὀχετῶν
τριῶν ἐς τριξὰ χωρία.

10 Ἐν δὲ τῷ Πηλουσίῳ καλεομένῳ στόματι τοῦ Νείλου
11 ἐστρατοπεδεύετο Ψαμμήνιτος ὁ Ἀμάσιος παῖς, ὑπο-
μένων Καμβύσεα. Ἄμασιν γὰρ οὐ κατέλαβε ζῶντα Καμ-
βύσης ἐλάσας ἐπ' Αἴγυπτον, ἀλλὰ βασιλεύσας ὁ Ἄμασις
τέσσερα καὶ τεσσεράκοντα ἔτεα ἀπέθανεν, ἐν τοῖς οὐδέν
οἱ μέγα ἀνάρσιον πρῆγμα συνηνείχθη. ἀποθανὼν δὲ καὶ
ταριχευθεὶς ἐτάφη ἐν τῇσι ταφῇσι τῇσιν ἐν τῷ ἱρῷ, τὰς
αὐτὸς οἰκοδομήσατο. ἐπὶ Ψαμμηνίτου δὲ τοῦ Ἀμάσιος
βασιλεύοντος Αἰγύπτου φάσμα Αἰγυπτίοισι μέγιστον
δὴ ἐγένετο· ὕσθησαν γὰρ Θῆβαι αἱ Αἰγύπτιαι, οὔτε
πρότερον οὐδαμὰ ὑσθεῖσαι οὔτε ὕστερον τὸ μέχρις ἐμέο,
ὡς λέγουσιν αὐτοὶ Θηβαῖοι. οὐ γὰρ δὴ ὕεται τὰ ἄνω
τῆς Αἰγύπτου τὸ παράπαν· ἀλλὰ καὶ τότε ὕσθησαν αἱ
11 Θῆβαι ψακάδι. οἱ δὲ Πέρσαι ἐπείτε διεξελάσαντες τὴν
ἄνυδρον ἵζοντο πέλας τῶν Αἰγυπτίων ὡς συμ-
βαλέοντες, ἐνθαῦτα οἱ ἐπίκουροι οἱ τοῦ Αἰγυπτίου,
ἐόντες ἄνδρες Ἕλληνές τε καὶ Κᾶρες, μεμφόμενοι τῷ
Φάνῃ ὅτι στρατὸν ἤγαγεν ἐπ' Αἴγυπτον ἀλλόθροον,
μηχανῶνται πρῆγμα ἐς αὐτὸν τοιόνδε· ἦσαν τῷ Φάνῃ
παῖδες ἐν Αἰγύπτῳ καταλελειμμένοι, τοὺς ἀγαγόντες ἐς
τὸ στρατόπεδον καὶ ἐς ὄψιν τοῦ πατρὸς κρητῆρα ἐν
μέσῳ ἔστησαν ἀμφοτέρων τῶν στρατοπέδων, μετὰ δὲ
ἀγινέοντες κατὰ ἕνα ἕκαστον τῶν παίδων ἔσφαζον ἐς τὸν
κρητῆρα. διὰ πάντων δὲ διεξελθόντες τῶν παίδων οἶνόν
τε καὶ ὕδωρ ἐσεφόρεον ἐς αὐτόν, ἐμπιόντες δὲ τοῦ

αἵματος πάντες οἱ ἐπίκουροι οὕτω δὴ συνέβαλον. μάχης
δὲ γενομένης καρτερῆς καὶ πεσόντων ἐξ ἀμφοτέρων τῶν
στρατοπέδων πλήθει πολλῶν ἐτράποντο οἱ Αἰγύπτιοι.

Θῶμα δὲ μέγα εἶδον πυθόμενος παρὰ τῶν ἐπι- 12
χωρίων· τῶν γὰρ ὀστέων περικεχυμένων χωρὶς ἑκατέρων 5
τῶν ἐν τῇ μάχῃ ταύτῃ πεσόντων (χωρὶς μὲν γὰρ τῶν
Περσέων ἔκειτο τὰ ὀστέα, ὡς ἐχωρίσθη κατ᾽ ἀρχάς, ἑτέ-
ρωθι δὲ τῶν Αἰγυπτίων) αἱ μὲν τῶν Περσέων κε-
φαλαί εἰσιν ἀσθενεῖς οὕτω ὥστε, εἰ θέλεις ψήφῳ μούνῃ
βαλεῖν, διατετρανεῖς, αἱ δὲ τῶν Αἰγυπτίων οὕτω δή τι 10
ἰσχυραί, μόγις ἂν λίθῳ παίσας διαράξειας. αἴτιον δὲ
τούτου τόδε ἔλεγόν, καὶ ἐμέ γε εὐπετέως ἔπειθον, ὅτι
Αἰγύπτιοι μὲν αὐτίκα ἀπὸ παιδίων ἀρξάμενοι ξυρῶνται
τὰς κεφαλὰς καὶ πρὸς τὸν ἥλιον παχύνεται τὸ ὀστέον.
τὠυτὸ δὲ τοῦτο καὶ τοῦ μὴ φαλακροῦσθαι αἴτιόν ἐστιν· 15
Αἰγυπτίων γὰρ ἄν τις ἐλαχίστους ἴδοιτο φαλακροὺς
πάντων ἀνθρώπων. τούτοισι μὲν δὴ τοῦτό ἐστιν αἴτιον
ἰσχυρὰς φορεῖν τὰς κεφαλάς, τοῖς δὲ Πέρσῃσιν, ὅτι
ἀσθενέας φορέουσι τὰς κεφαλάς, αἴτιον τόδε· σκιητροφέ-
ουσιν ἐξ ἀρχῆς πίλους τιάρας φορέοντες. ταῦτα μέν νυν 20
τοιαῦτα. εἶδον δὲ καὶ ἄλλα ὅμοια τούτοισιν ἐν Παπ-
ρήμι ἐπὶ τῶν ἅμα Ἀχαιμένει τῷ Δαρείου διαφθαρέντων
ὑπὸ Ἰνάρω τοῦ Λίβυος.

Οἱ δὲ Αἰγύπτιοι ἐκ τῆς μάχης ὡς ἐτράποντο, ἔφευγον 13
οὐδενὶ κόσμῳ. κατειληθέντων δὲ ἐς Μέμφιν ἔπεμπεν 25
ἀνὰ ποταμὸν Καμβύσης νέα Μυτιληναίην κήρυκα ἄγου-
σαν ἄνδρα Πέρσην, ἐς ὁμολογίην προκαλεόμενος Αἰγυ-
πτίους. οἱ δὲ ἐπείτε τὴν νέα εἶδον ἐσελθοῦσαν ἐς τὴν
Μέμφιν, ἐκχυθέντες ἁλεῖς ἐκ τοῦ τείχεος τήν τε νέα
διέφθειραν καὶ τοὺς ἄνδρας κρεουργηδὸν διασπάσαντες 30
ἐφόρεον ἐς τὸ τεῖχος. καὶ Αἰγύπτιοι μὲν μετὰ τοῦτο
πολιορκεόμενοι χρόνῳ παρέστησαν, οἱ δὲ προσεχεῖς
Λίβυες δείσαντες τὰ περὶ τὴν Αἴγυπτον γεγονότα παρέ-
δοσαν σφέας αὐτοὺς ἀμαχητὶ καὶ φόρον τε ἐτάξαντο καὶ

δῶρα ἔπεμπον. ὡς δὲ Κυρηναῖοι καὶ Βαρκαῖοι,
δείσαντες ὁμοίως καὶ οἱ Λίβυες, ἕτερα τοιαῦτα ἐποίησαν.
Καμβύσης δὲ τὰ μὲν παρὰ Λιβύων ἐλθόντα δῶρα φιλο-
φρόνως ἐδέξατο, τὰ δὲ παρὰ Κυρηναίων ἀπικόμενα μεμ-
5 φθείς, ὡς ἐμοὶ δοκεῖ, ὅτι ἦν ὀλίγα (ἔπεμψαν γὰρ δὴ
πεντακοσίας μνέας ἀργυρίου οἱ Κυρηναῖοι), ταύτας δρασ-
σόμενος αὐτοχειρίῃ διέσπειρε τῇ στρατιῇ.

14　　　Ἡμέρῃ δὲ δεκάτῃ, ἀπ᾽ ἧς παρέλαβε τὸ τεῖχος τὸ ἐν
Μέμφι Καμβύσης, κατίσας ἐς τὸ προάστειον ἐπὶ λύμῃ
10 τὸν βασιλέα τῶν Αἰγυπτίων Ψαμμήνιτον, βασιλεύσαντα
μῆνας ἕξ, τοῦτον κατίσας σὺν ἄλλοισιν Αἰγυπτίοισι
διεπειρᾶτο αὐτοῦ τῆς ψυχῆς ποιέων τοιάδε·
στείλας αὐτοῦ τὴν θυγατέρα ἐσθῆτι δουληίῃ ἐξέπεμπεν
ἐπ᾽ ὕδωρ ἔχουσαν ὑδρήιον, συνέπεμπε δὲ καὶ ἄλλας παρ-
15 θένους ἀπολέξας ἀνδρῶν τῶν πρώτων, ὁμοίως ἐσταλμένας
τῇ τοῦ βασιλέος. ὡς δὲ βοῇ τε καὶ κλαυθμῷ παρῆσαν
αἱ παρθένοι παρὰ τοὺς πατέρας, οἱ μὲν ἄλλοι πάντες
ἀντεβόων τε καὶ ἀντέκλαιον ὁρῶντες τὰ τέκνα κεκακωμένα,
ὁ δὲ Ψαμμήνιτος προϊδὼν καὶ μαθὼν ἔκυψεν ἐς τὴν γῆν.
20 παρελθουσέων δὲ τῶν ὑδροφόρων, δεύτερά οἱ τὸν παῖδα
ἔπεμπε μετ᾽ ἄλλων Αἰγυπτίων δισχιλίων τὴν αὐτὴν
ἡλικίην ἐχόντων, τούς τε αὐχένας κάλῳ δεδεμένους καὶ
τὰ στόματα ἐγκεχαλινωμένους. ἤγοντο δὲ ποινὴν τείσον-
τες Μυτιληναίων τοῖς ἐν Μέμφι ἀπολομένοισι σὺν τῇ
25 νηί· ταῦτα γὰρ ἐδίκασαν οἱ βασιλήιοι δικασταί, ὑπὲρ
ἀνδρὸς ἑκάστου δέκα Αἰγυπτίων τῶν πρώτων ἀνταπόλ-
λυσθαι. ὁ δὲ ἰδὼν παρεξιόντας καὶ μαθὼν τὸν παῖδα
ἀγόμενον ἐπὶ θάνατον, τῶν ἄλλων Αἰγυπτίων τῶν περι-
καθημένων αὐτὸν κλαιόντων καὶ δεινὰ ποιεύντων, τὠυτὸ
30 ἐποίησε τὸ ἐπὶ τῇ θυγατρί. παρελθόντων δὲ καὶ τούτων,
συνήνεικεν ὥστε τῶν συμποτέων οἱ ἄνδρα ἀπηλικέστερον,
ἐκπεπτωκότα ἐκ τῶν ἐόντων ἔχοντά τε οὐδὲν εἰ μὴ ὅσα
πτωχὸς καὶ προσαιτέοντα τὴν στρατιήν, παριέναι Ψαμ-
μήνιτόν τε τὸν Ἀμάσιος καὶ τοὺς ἐν τῷ προαστείῳ καθη-

μένους τῶν Αἰγυπτίων. ὁ δὲ Ψαμμήνιτος ὡς εἶδεν, ἀνακλαύσας μέγα καὶ καλέσας ὀνομαστὶ τὸν ἑταῖρον ἐπλήξατο τὴν κεφαλήν. ἦσαν δ' ἄρα αὐτοῦ φύλακοι, οἳ τὸ ποιεύμενον πᾶν ἐξ ἐκείνου ἐπ' ἑκάστῃ ἐξόδῳ Καμβύσῃ ἐσήμαινον. θωμάσας δὲ ὁ Καμβύσης τὰ ποιεύμενα πέμ- 5 ψας ἄγγελον εἰρώτα αὐτὸν λέγων τάδε· „Δεσπότης σε Καμβύσης, Ψαμμήνιτε, εἰρωτᾷ διότι δὴ τὴν μὲν θυγατέρα ὁρέων κεκακωμένην καὶ τὸν παῖδα ἐπὶ θάνατον στείχοντα οὔτε ἀνέβωσας οὔτε ἀπέκλαυσας, τὸν δὲ πτω- χὸν οὐδέν σοι προσήκοντα, ὡς ἄλλων πυνθάνεται, ἐτί- 10 μησας"; ὁ μὲν δὴ ταῦτα ἐπειρώτα, ὁ δ' ἀμείβετο τοῖσδε· „Ὦ παῖ Κύρου, τὰ μὲν οἰκήια ἦν μέζω κακὰ ἢ ὥστε ἀνα- κλαίειν, τὸ δὲ τοῦ ἑταίρου πένθος ἄξιον ἦν δακρύων, ὃς ἐκ πολλῶν τε καὶ εὐδαιμόνων ἐκπεσὼν ἐς πτωχηίην ἀπῖκται ἐπὶ γήραος οὐδῷ." καὶ ταῦτα ὡς ἀπενειχθέντα 15 ὑπὸ τούτου εὖ δοκεῖν σφιν εἰρῆσθαι, ὡς λέγεται ὑπ' Αἰγυπτίων, δακρύειν μὲν Κροῖσον (ἐτετεύχει γὰρ καὶ οὗτος ἐπισπόμενος Καμβύσῃ ἐπ' Αἴγυπτον), δακρύειν δὲ Περσέων τοὺς παρεόντας, αὐτῷ τε Καμβύσῃ ἐσελθεῖν οἶκτόν τινα καὶ αὐτίκα κελεύειν τόν τέ οἱ παῖδα ἐκ τῶν 20 ἀπολλυμένων σῴζειν καὶ αὐτὸν ἐκ τοῦ προαστείου ἀνα- στήσαντας ἄγειν παρ' ἑωυτόν. τὸν μὲν δὴ παῖδα εὗρον 15 οἱ μετιόντες οὐκέτι περιεόντα ἀλλὰ πρῶτον κατακοπέντα, αὐτὸν δὲ Ψαμμήνιτον ἀναστήσαντες ἦγον παρὰ Καμβύσεα· ἔνθα τοῦ λοιποῦ διαιτᾶτο ἔχων οὐδὲν βίαιον. 25 εἰ δὲ καὶ ἠπιστήθη μὴ πολυπρηγμονεῖν, ἀπέλαβεν ἂν Αἴγυπτον ὥστε ἐπιτροπεύειν αὐτῆς, ἐπεὶ τιμᾶν ἐώθασι Πέρσαι τῶν βασιλέων τοὺς παῖδας· τῶν, εἰ καὶ σφεων ἀποστέωσιν, ὅμως τοῖς γε παισὶν αὐτῶν ἀποδιδοῦσι τὴν ἀρχήν. πολλοῖσι μέν νυν καὶ ἄλλοισιν ἔστι σταθμώσα- 30 σθαι, ὅτι τοῦτο οὕτω νενομίκασι ποιεῖν, ἐν δὲ τοῖσδε καὶ Ἰνάρῳ παιδὶ Θαννύρᾳ, ὃς ἀπέλαβε τήν οἱ ὁ πατὴρ εἶχεν ἀρχήν, καὶ τῷ Ἀμυρταίου Παυσίρι· καὶ γὰρ οὗτος ἀπέ- λαβε τὴν τοῦ πατρὸς ἀρχήν· καίτοι Ἰνάρῳ γε καὶ Ἀμυρ-

ταίου οὐδαμοί κω Πέρσας κακὰ πλέω ἐργάσαντο. νῦν δὲ
μηχανώμενος κακὰ ὁ Ψαμμήνιτος ἔλαβε τὸν μισ-
θόν· ἀπιστὰς γὰρ Αἰγυπτίους ἤλω, ἐπείτε δὲ ἐπάιστος
ἐγένετο ὑπὸ Καμβύσεω, αἷμα ταύρου πιὼν ἀπέθανε παρα-
χρῆμα. οὕτω δὴ οὗτος ἐτελεύτησεν.

16 Καμβύσης δὲ ἐκ Μέμφιος ἀπίκετο ἐς Σάιν πόλιν,
βουλόμενος ποιῆσαι τὰ δὴ καὶ ἐποίησεν. ἐπείτε γὰρ
ἐσῆλθεν ἐς τὰ τοῦ Ἀμάσιος οἰκία, αὐτίκα ἐκέλευεν ἐκ
τῆς ταφῆς τὸν Ἀμάσιος νέκυν ἐκφέρειν ἔξω· ὡς
δὲ ταῦτά οἱ ἐπιτελέα ἐγένετο, μαστιγοῦν ἐκέλευε καὶ τὰς
τρίχας ἀποτίλλειν καὶ κεντροῦν τε καὶ τἆλλα πάντα
λυμαίνεσθαι. ἐπείτε δὲ καὶ ταῦτα ἔκαμον ποιεῦντες (ὁ
γὰρ δὴ νεκρὸς ἅτε τεταριχευμένος ἀντεῖχέ τε καὶ οὐδὲν
διεχεῖτο), ἐκέλευσέ μιν ὁ Καμβύσης κατακαῦσαι, ἐντελ-
λόμενος οὐκ ὅσια. Πέρσαι γὰρ θεὸν νομίζουσιν εἶναι τὸ
πῦρ. τὸ ὦν κατακαίειν τοὺς νεκροὺς οὐδαμῶς ἐν νόμῳ
οὐδετέροισίν ἐστιν, Πέρσῃσι μὲν δι' ὅ περ εἴρηται, θεῷ
οὐ δίκαιον εἶναι λέγοντες νέμειν νεκρὸν ἀνθρώπου· Αἰγυ-
πτίοισι δὲ νενόμισται τὸ πῦρ θηρίον εἶναι ἔμψυχον,
πάντα δὲ αὐτὸ κατεσθίειν, τά περ ἂν λάβῃ, πλησθὲν δὲ
αὐτὸ τῆς βορῆς συναποθνήσκειν τῷ κατεσθιομένῳ. οὔκων
θηρίοισι νόμος οὐδαμῶς σφίν ἐστι τὸν νέκυν διδόναι·
καὶ διὰ ταῦτα ταριχεύουσιν, ἵνα μὴ κείμενος ὑπὸ εὐλέων
καταβρωθῇ. οὕτω οὐδετέροισι νομιζόμενα ἐνετέλλετο
ποιεῖν ὁ Καμβύσης. ὡς μέντοι Αἰγύπτιοι λέγουσιν, οὐκ
Ἄμασις ἦν ὁ ταῦτα παθών, ἀλλὰ ἄλλος τις τῶν Αἰγυπτίων
ἔχων τὴν αὐτὴν ἡλικίην Ἀμάσι, τῷ λυμαινόμενοι Πέρσαι
ἐδόκεον Ἀμάσι λυμαίνεσθαι. λέγουσι γὰρ ὡς πυθόμενος
ἐκ μαντηίου ὁ Ἄμασις τὰ περὶ ἑωυτὸν ἀποθανόντα μέλλοι
γίνεσθαι, οὕτω δὴ ἀκεόμενος τὰ ἐπιφερόμενα τὸν μὲν
ἄνθρωπον τοῦτον τὸν μαστιγωθέντα ἀποθανόντα ἔθαψεν
ἐπὶ τῇσι θύρῃσιν ἐντὸς τῆς ἑωυτοῦ θήκης, ἑωυτὸν δὲ
ἐνετείλατο τῷ παιδὶ ἐν μυχῷ τῆς θήκης ὡς μάλιστα
θεῖναι. αἱ μέν νυν ἐκ τοῦ Ἀμάσιος ἐντολαὶ αὗται αἱ ἐς

τὴν ταφήν τε καὶ τὸν ἄνθρωπον ἔχουσαι οὔ μοι δοκέουσιν ἀρχὴν γενέσθαι, ἄλλως δ' αὐτὰ Αἰγύπτιοι σεμνοῦν.

Μετὰ δὲ ταῦτα ὁ Καμβύσης ἐβουλεύσατο τρι- 17 φασίας στρατηίας, ἐπί τε Καρχηδονίους καὶ ἐπὶ Ἀμμωνίους καὶ ἐπὶ τοὺς μακροβίους Αἰθίοπας, οἰκημένους 5 δὲ Λιβύης ἐπὶ τῇ νοτίῃ θαλάσσῃ. βουλευομένῳ δέ οἱ ἔδοξεν ἐπὶ μὲν Καρχηδονίους τὸν ναυτικὸν στρατὸν ἀποστέλλειν, ἐπὶ δὲ Ἀμμωνίους τοῦ πεζοῦ ἀποκρίναντα, ἐπὶ δὲ τοὺς Αἰθίοπας κατόπτας πρῶτον, ὀψομένους τε τὴν ἐν τούτοισι τοῖς Αἰθίοψι λεγομένην εἶναι ἡλίου 10 τράπεζαν εἰ ἔστιν ἀληθέως, καὶ πρὸς ταύτῃ τὰ ἄλλα κατοψομένους, δῶρα δὲ τῷ λόγῳ φέροντας τῷ βασιλεῖ αὐτῶν. ἡ δὲ τράπεζα τοῦ ἡλίου τοιήδε τις λέγεται εἶναι· 18 λειμών ἐστιν ἐν τῷ προαστείῳ ἐπίπλεος κρεῶν ἐφθῶν πάντων τῶν τετραπόδων, ἐς τὸν τὰς μὲν νύκτας ἐπι- 15 τηδεύοντας τιθέναι τὰ κρέα τοὺς ἐν τέλει ἑκάστοτε ἐόντας τῶν ἀστῶν, τὰς δὲ ἡμέρας δαίνυσθαι προσιόντα τὸν βουλόμενον· φάναι δὲ τοὺς ἐπιχωρίους ταῦτα τὴν γῆν αὐτὴν ἀναδιδόναι ἑκάστοτε. ἡ μὲν δὴ τράπεζα τοῦ ἡλίου καλεομένη λέγεται εἶναι τοιήδε. Καμβύσῃ δὲ ὡς 19 ἔδοξε πέμπειν τοὺς κατασκόπους, αὐτίκα μετεπέμπετο ἐξ 21 Ἐλεφαντίνης πόλιος τῶν Ἰχθυοφάγων ἀνδρῶν τοὺς ἐπισταμένους τὴν Αἰθιοπίδα γλῶσσαν. ἐν ᾧ δὲ τούτους μετῇσαν, ἐν τούτῳ ἐκέλευεν ἐπὶ τὴν Καρχηδόνα πλεῖν τὸν ναυτικὸν στρατόν. Φοίνικες δὲ οὐκ 25 ἔφασαν ποιήσειν ταῦτα· ὁρκίοισί τε γὰρ μεγάλοισιν ἐν- δεδέσθαι καὶ οὐκ ἂν ποιεῖν ὅσια ἐπὶ τοὺς παῖδας τοὺς ἑωυτῶν στρατευόμενοι. Φοινίκων δὲ οὐ βουλομένων οἱ λοιποὶ οὐκ ἀξιόμαχοι ἐγίνοντο. Καρχηδόνιοι μέν νυν οὕτω δουλοσύνην διέφυγον πρὸς Περσέων. Καμβύσης 30 γὰρ βίην οὐκ ἐδικαίου προσφέρειν Φοίνιξιν, ὅτι σφέας τε αὐτοὺς ἐδεδώκεσαν Πέρσῃσι καὶ πᾶς ἐκ Φοινίκων ἤρτητο ὁ ναυτικὸς στρατός. δόντες δὲ καὶ Κύπριοι σφέας αὐτοὺς Πέρσῃσιν ἐστρατεύοντο ἐπ' Αἴγυπτον.

20   *Επείτε δὲ τῷ Καμβύσῃ ἐκ τῆς Ἐλεφαντίνης ἀπί-
κοντο οἱ Ἰχθυοφάγοι, ἔπεμπεν αὐτοὺς ἐς τοὺς
Αἰθίοπας ἐντειλάμενός τε τὰ λέγειν χρῆν καὶ δῶρα
φέροντας πορφύρεόν τε εἷμα καὶ χρύσεον στρεπτὸν
5 περιαυχένιον καὶ ψέλια, καὶ μύρου ἀλάβαστρον καὶ φοι-
νικηίου οἴνου κάδον. οἱ δὲ Αἰθίοπες οὗτοι, ἐς τοὺς
ἀπέπεμπεν ὁ Καμβύσης, λέγονται εἶναι μέγιστοι καὶ
κάλλιστοι ἀνθρώπων πάντων. νόμοισι δὲ καὶ ἄλλοισι
χρῆσθαι αὐτούς φασι κεχωρισμένοισι τῶν ἄλλων ἀνθρώ-
10 πων καὶ δὴ καὶ κατὰ τὴν βασιληίην τοιῷδε· τὸν ἂν τῶν
ἀστῶν κρίνωσι μέγιστόν τε εἶναι καὶ κατὰ τὸ μέγαθος
21 ἔχειν τὴν ἰσχύν, τοῦτον ἀξιοῦσι βασιλεύειν. ἐς τούτους
δὴ ὦν τοὺς ἄνδρας ὡς ἀπίκοντο οἱ Ἰχθυοφάγοι, διδόντες
τὰ δῶρα τῷ βασιλεῖ αὐτῶν ἔλεγον τάδε· „Βασιλεὺς
15 ὁ Περσέων Καμβύσης, βουλόμενος φίλος καὶ ξεῖνός τοι
γενέσθαι, ἡμέας τε ἀπέπεμψεν ἐς λόγους τοι ἐλθεῖν
κελεύων καὶ δῶρα ταῦτά τοι διδοῖ, τοῖς καὶ αὐτὸς
μάλιστα ἥδεται χρεώμενος.“ ὁ δὲ Αἰθίοψ μαθὼν ὅτι
κατόπται ἥκοιεν, λέγει πρὸς αὐτοὺς τοιάδε· „Οὔτε ὁ Περ-
20 σέων βασιλεὺς δῶρα ὑμέας ἔπεμψε φέροντας προτιμῶν
πολλοῦ ἐμοὶ ξεῖνος γενέσθαι, οὔτε ὑμεῖς λέγετε ἀληθέα
(ἥκετε γὰρ κατόπται τῆς ἐμῆς ἀρχῆς) οὔτε ἐκεῖνος ἀνήρ
ἐστι δίκαιος· εἰ γὰρ ἦν δίκαιος, οὔτ' ἂν ἐπεθύμησε
χώρης ἄλλης ἢ τῆς ἑωυτοῦ, οὔτ' ἂν ἐς δουλοσύνην
25 ἀνθρώπους ἦγεν, ὑπ' ὦν μηδὲν ἠδίκηται. νῦν δὲ αὐτῷ
τόξον τόδε διδόντες τάδε ἔπεα λέγετε· βασιλεὺς ὁ Αἰθιό-
πων συμβουλεύει τῷ Περσέων βασιλεῖ, ἐπεὰν οὕτω εὐπε-
τέως ἕλκωσι τὰ τόξα Πέρσαι ἐόντα μεγάθει τοσαῦτα,
τότε ἐπ' Αἰθίοπας τοὺς μακροβίους πλήθει ὑπερβαλλό-
30 μενον στρατεύεσθαι· μέχρι δὲ τούτου θεοῖσιν εἰδέναι
χάριν, οἳ οὐκ ἐπὶ νόον τρέπουσιν Αἰθιόπων παισὶ γῆν
22 ἄλλην προσκτᾶσθαι τῇ ἑωυτῶν.“ ταῦτα δὲ εἴπας καὶ
ἀνεὶς τὸ τόξον παρέδωκε τοῖς ἥκουσιν. λαβὼν δὲ τὸ εἷμα
τὸ πορφύρεον εἰρώτα, ὅ τι εἴη καὶ ὅκως πεποιημένον.

εἰπόντων δὲ τῶν Ἰχθυοφάγων τὴν ἀληθείην περὶ τῆς
πορφύρης καὶ τῆς βαφῆς, δολεροὺς μὲν τοὺς ἀνθρώπους
ἔφη εἶναι, δολερὰ δὲ αὐτῶν τὰ εἵματα. δεύτερα δὲ τὸν
χρύσεον εἰρώτα στρεπτὸν τὸν περιαυχένιον καὶ τὰ ψέλια.
ἐξηγεομένων δὲ τῶν Ἰχθυοφάγων τὸν κόσμον αὐτῶν 5
γελάσας ὁ βασιλεὺς καὶ νομίσας εἶναί σφεα πέδας εἶπεν,
ὡς παρ' ἑωυτοῖσίν εἰσι ῥωμαλεώτεραι τουτέων πέδαι.
τρίτον δὲ εἰρώτα τὸ μύρον· εἰπόντων δὲ τῆς ποιήσιος
πέρι καὶ ἀλείψιος, τὸν αὐτὸν λόγον τὸν καὶ περὶ τοῦ
εἵματος εἶπεν. ὡς δὲ ἐς τὸν οἶνον ἀπίκετο καὶ ἐπύθετο 10
αὐτοῦ τὴν ποίησιν, ὑπερησθεὶς τῷ πόματι ἐπείρετο, ὅ τι
τε σιτεῖται ὁ βασιλεὺς καὶ χρόνον ὁκόσον μακρότατον
ἀνὴρ Πέρσης ζώει. οἱ δὲ σιτεῖσθαι μὲν τὸν ἄρτον εἶπον,
ἐξηγησάμενοι τῶν πυρῶν τὴν φύσιν, ὀγδώκοντα δὲ ἔτεα
ζοῆς πλήρωμα ἀνδρὶ μακρότατον προκεῖσθαι· πρὸς ταῦτα 15
ὁ Αἰθίοψ ἔφη οὐδὲν θωμάζειν, εἰ σιτεόμενοι κόπρον
ἔτεα ὀλίγα ζώουσιν· οὐδὲ γὰρ ἂν τοσαῦτα δύνασθαι
ζώειν σφέας, εἰ μὴ τῷ πόματι ἀνέφερον, φράζων τοῖς
Ἰχθυοφάγοισι τὸν οἶνον· τούτῳ γὰρ ἑωυτοὺς ὑπὸ Περ-
σέων ἐσσοῦσθαι. ἀντειρομένων δὲ τὸν βασιλέα τῶν 22
Ἰχθυοφάγων τῆς ζοῆς καὶ διαίτης πέρι, ἔτεα μὲν 21
φάναι ἐς εἴκοσί τε καὶ ἑκατὸν τοὺς πολλοὺς αὐτῶν ἀπι-
κνεῖσθαι, ὑπερβάλλειν δέ τινας καὶ ταῦτα, σίτησιν δὲ
εἶναι κρέα ἑφθὰ καὶ πόμα γάλα. θῶμα δὲ ποιευμένων
τῶν κατασκόπων περὶ τῶν ἐτέων ἐπὶ κρήνην σφιν ἡγή- 25
σασθαι, ἀπ' ἧς λουόμενοι λιπαρώτεροι ἐγίνοντο, κατά
περ εἰ ἐλαίου εἴη· ὄζειν δὲ ἀπ' αὐτῆς ὡς εἰ ἴων. ἀσθενὲς
δὲ τὸ ὕδωρ τῆς κρήνης ταύτης οὕτω δή τι ἔλεγον εἶναι
οἱ κατάσκοποι ὥστε μηδὲν οἷόν τε εἶναι ἐπ' αὐτοῦ ἐπι-
πλεῖν, μήτε ξύλον μήτε τῶν ὅσα ξύλου ἐστὶν ἐλαφρό- 30
τερα, ἀλλὰ πάντα σφέα χωρεῖν ἐς βυσσόν. τὸ δὲ ὕδωρ
τοῦτο εἰ σφίν ἐστιν ἀληθέως οἷόν τι λέγεται, διὰ τοῦτο
ἂν εἶεν, τούτῳ τὰ πάντα χρεώμενοι, μακρόβιοι. ἀπὸ τῆς
κρήνης δὲ ἀπαλλασσομένων ἀγαγεῖν σφέας ἐς δεσμωτή-

ριον ἀνδρῶν, ἔνθα τοὺς πάντας ἐν πέδῃσι χρυσῇσι δεδέ-
σθαι. ἔστι δὲ ἐν τούτοισι τοῖς Αἰθίοψι πάντων ὁ χαλκὸς
σπανιώτατον καὶ τιμιώτατον. θεησάμενοι δὲ καὶ τὸ
δεσμωτήριον ἐθεήσαντο καὶ τὴν τοῦ ἡλίου λεγομένην
24 τράπεζαν. μετὰ δὲ ταύτην τελευταίας ἐθεήσαντο τὰς
6 θήκας αὐτῶν, αἳ λέγονται σκευάζεσθαι ἐξ ὑέλου τρόπῳ
τοιῷδε· ἐπεὰν τὸν νεκρὸν ἰσχνήνωσιν, εἴτε δὴ κατά περ
Αἰγύπτιοι εἴτε ἄλλως κως, γυψώσαντες ἅπαντα αὐτὸν
γραφῇ κοσμέουσιν, ἐξομοιοῦντες τὸ εἶδος ἐς τὸ δυνατόν,
10 ἔπειτα δέ οἱ περιιστᾶσι στήλην ἐξ ὑέλου πεποιημένην
κοίλην· ἡ δέ σφι πολλὴ καὶ εὐεργὸς ὀρύσσεται. ἐν μέσῃ
δὲ τῇ στήλῃ ἐνεὼν διαφαίνεται ὁ νέκυς, οὔτε ὀδμὴν
οὐδεμίαν ἄχαριν παρεχόμενος οὔτε ἄλλο ἀεικὲς οὐδέν·
καὶ ἔχει πάντα φανερὰ ὁμοίως αὐτῷ τῷ νέκυι. ἐνιαυτὸν
15 μὲν δὴ ἔχουσι τὴν στήλην ἐν τοῖς οἰκίοισιν οἱ μάλιστα
προσήκοντες πάντων τε ἀπαρχόμενοι καὶ θυσίας οἱ προσ-
άγοντες· μετὰ δὲ ταῦτα ἐκκομίσαντες ἱστᾶσι περὶ τὴν
πόλιν.

25 Θεησάμενοι δὲ τὰ πάντα οἱ κατάσκοποι ἀπαλλάσ-
20 σοντο ὀπίσω. ἀπαγγειλάντων δὲ ταῦτα τούτων αὐτίκα
ὁ Καμβύσης ὀργὴν ποιησάμενος ἐστρατεύετο ἐπὶ
τοὺς Αἰθίοπας, οὔτε παρασκευὴν σίτου οὐδεμίαν παρ-
αγγείλας, οὔτε λόγον ἑωυτῷ δούς, ὅτι ἐς τὰ ἔσχατα
γῆς ἔμελλε στρατεύεσθαι· οἷα δὲ ἐμμανής τε ἐὼν καὶ οὐ
25 φρενήρης, ὡς ἤκουε τῶν Ἰχθυοφάγων, ἐστρατεύετο, Ἑλλή-
νων μὲν τοὺς παρεόντας αὐτοῦ ταύτῃ τάξας ὑπομένειν,
τὸν δὲ πεζὸν πάντα ἅμα ἀγόμενος. ἐπείτε δὲ στρατευό-
μενος ἐγένετο ἐν Θήβῃσιν, ἀπέκρινε τοῦ στρατοῦ ὡς
πέντε μυριάδας, καὶ τούτοισι μὲν ἐνετέλλετο Ἀμμωνίους
30 ἐξανδραποδισαμένους τὸ χρηστήριον τὸ τοῦ Διὸς ἐμπρῆ-
σαι, αὐτὸς δὲ τὸν λοιπὸν ἄγων στρατὸν ᾖεν ἐπὶ τοὺς
Αἰθίοπας. πρὶν δὲ τῆς ὁδοῦ τὸ πέμπτον μέρος διελη-
λυθέναι τὴν στρατιήν, αὐτίκα πάντα αὐτοὺς τὰ εἶχον
σιτίων ἐχόμενα ἐπελελοίπει, μετὰ δὲ τὰ σιτία καὶ τὰ

ὑποξύγια ἐπέλιπε κατεσθιόμενα. εἰ μέν νυν μαθὼν
ταῦτα ὁ Καμβύσης ἐγνωσιμάχει καὶ ἀπῆγεν ὀπίσω τὸν
στρατόν, ἐπὶ τῇ ἀρχῆθεν γενομένῃ ἁμαρτάδι ἦν ἂν ἀνὴρ
σοφός· νῦν δὲ οὐδένα λόγον ποιεύμενος ᾔεν αἰεὶ ἐς τὸ
πρόσω. οἱ δὲ στρατιῶται ἕως μέν τι εἶχον ἐκ τῆς γῆς 5
λαμβάνειν, ποιηφαγέοντες διέζωον, ἐπεὶ δὲ ἐς τὴν ψάμ-
μον ἀπίκοντο, δεινὸν ἔργον αὐτῶν τινες ἐργάσαντο· ἐκ
δεκάδος γὰρ ἕνα σφέων αὐτῶν ἀποκληρώσαντες κατέ-
φαγον. πυθόμενος δὲ ταῦτα ὁ Καμβύσης, δείσας τὴν
ἀλληλοφαγίην, ἀπεὶς τὸν ἐπ᾽ Αἰθίοπας στόλον ὀπίσω 10
ἐπορεύετο καὶ ἀπικνεῖται ἐς Θήβας πολλοὺς ἀπολέσας
τοῦ στρατοῦ. ἐκ Θηβέων δὲ καταβὰς ἐς Μέμφιν τοὺς
Ἕλληνας ἀπῆκεν ἀποπλεῖν.

Ὁ μὲν ἐπ᾽ Αἰθίοπας στόλος οὕτως ἔπρηξεν, οἱ δ᾽ **26**
αὐτῶν ἐπ᾽ Ἀμμωνίους ἀποσταλέντες στρατεύεσθαι, 15
ἐπείτε ὁρμηθέντες ἐκ τῶν Θηβέων ἐπορεύοντο ἔχοντες
ἀγωγούς, ἀπικόμενοι μὲν φανεροί εἰσιν ἐς Ὄασιν
πόλιν, τὴν ἔχουσι μὲν Σάμιοι τῆς Αἰσχριωνίης φυλῆς
λεγόμενοι εἶναι, ἀπέχει δὲ ἑπτὰ ἡμερέων ὁδὸν ἀπὸ Θη-
βέων διὰ ψάμμου, ὀνομάζεται δὲ ὁ χῶρος οὗτος κατὰ 20
Ἑλλήνων γλῶσσαν Μακάρων νῆσος. ἐς μὲν δὴ τοῦτον
τὸν χῶρον λέγεται ἀπικέσθαι τὸν στρατόν, τὸ ἐνθεῦτεν
δέ, ὅτι μὴ αὐτοὶ Ἀμμώνιοι καὶ οἱ τούτων ἀκούσαντες,
ἄλλοι οὐδένες οὐδὲν ἔχουσιν εἰπεῖν περὶ αὐτῶν· οὔτε
γὰρ ἐς τοὺς Ἀμμωνίους ἀπίκοντο οὔτε ὀπίσω ἐνόστησαν. 25
λέγεται δὲ καὶ τάδε ὑπ᾽ αὐτῶν Ἀμμωνίων· ἐπειδὴ ἐκ
τῆς Ὀάσιος ταύτης ἰέναι διὰ τῆς ψάμμου ἐπὶ σφέας,
γενέσθαι τε αὐτοὺς μεταξύ κου μάλιστα αὐτῶν τε καὶ
τῆς Ὀάσιος, ἄριστον αἱρεομένοισιν αὐτοῖσιν ἐπιπνεῦσαι
νότον μέγαν τε καὶ ἐξαίσιον, φορέοντα δὲ θῖνας τῆς 30
ψάμμου καταχῶσαί σφεας, καὶ τρόπῳ τοιούτῳ ἀφανι-
σθῆναι. Ἀμμώνιοι μὲν οὕτω λέγουσι γενέσθαι περὶ τῆς
στρατιῆς ταύτης.

Ἀπιγμένου δὲ Καμβύσεω ἐς Μέμφιν ἐφάνη Αἰγυ- **27**

πτίοισιν ὁ Ἄπις, τὸν Ἕλληνες Ἔπαφον καλέουσιν·
ἐπιφανέος δὲ τούτου γενομένου αὐτίκα οἱ Αἰγύπτιοι
εἵματά τε ἐφόρεον τὰ κάλλιστα καὶ ἦσαν ἐν θαλίῃσιν.
ἰδὼν δὲ ταῦτα τοὺς Αἰγυπτίους ποιεῦντας ὁ Καμβύσης,
5 πάγχυ σφέας καταδόξας ἑωυτοῦ κακῶς πρήξαντος χαρ-
μόσυνα ταῦτα ποιεῖν, ἐκάλει τοὺς ἐπιτρόπους τῆς Μέμ-
φιος· ἀπικομένων δὲ ἐς ὄψιν εἴρετο, ὅ τι πρότερον μὲν
ἐόντος αὐτοῦ ἐν Μέμφι ἐποίευν τοιοῦτον οὐδὲν Αἰγύ-
πτιοι, τότε δὲ ἐπεὶ αὐτὸς παρείη τῆς στρατιῆς πλῆθός
10 τι ἀποβαλών. οἱ δὲ ἔφραζον, ὥς σφι θεὸς εἴη φανεὶς
διὰ χρόνου πολλοῦ ἐωθὼς ἐπιφαίνεσθαι, καὶ ὡς ἐπεὰν
φανῇ, τότε πάντες οἱ Αἰγύπτιοι κεχαρηκότες ὁρτάζοιεν.
ταῦτα ἀκούσας ὁ Καμβύσης ἔφη ψεύδεσθαί σφεας καὶ
28 ὡς ψευδομένους θανάτῳ ἐζημίου. ἀποκτείνας δὲ τούτους
15 δεύτερα τοὺς ἱρέας ἐκάλει ἐς ὄψιν. λεγόντων δὲ κατὰ
ταὐτὰ τῶν ἱρέων οὐ λήσειν ἔφη ἑωυτόν, εἰ θεός τις
χειροήθης ἀπιγμένος εἴη Αἰγυπτίοισιν. τοσαῦτα δὲ εἴπας
ἀπάγειν ἐκέλευε τὸν Ἄπιν τοὺς ἱρέας. οἱ μὲν δὴ μετῇ-
σαν ἄξοντες. ὁ δὲ Ἄπις οὗτος ὁ Ἔπαφος γίνεται μόσχος
20 ἐκ βοός, ἥτις οὐκέτι οἵη τε γίνεται ἐς γαστέρα ἄλλον
βάλλεσθαι γόνον. Αἰγύπτιοι δὲ λέγουσι σέλας ἐπὶ τὴν
βοῦν ἐκ τοῦ οὐρανοῦ κατίσχειν καί μιν ἐκ τούτου τίκτειν
τὸν Ἄπιν. ἔχει δὲ ὁ μόσχος οὗτος ὁ Ἄπις καλεόμενος
σημήια τοιάδε, ἐὼν μέλας ἐπὶ μὲν τῷ μετώπῳ λευκόν τι
25 τρίγωνον, ἐπὶ δὲ τοῦ νώτου αἰετὸν εἰκασμένον, ἐν δὲ τῇ
οὐρῇ τὰς τρίχας διπλάς, ὑπὸ δὲ τῇ γλώσσῃ κάνθαρον.
29 ὡς δὲ ἤγαγον τὸν Ἄπιν οἱ ἱρεῖς, ὁ Καμβύσης, οἷα ἐὼν
ὑπομαργότερος, σπασάμενος τὸ ἐγχειρίδιον, θέλων τύψαι
τὴν γαστέρα τοῦ Ἄπιος παίει τὸν μηρόν· γελάσας δὲ
30 εἶπε πρὸς τοὺς ἱρέας· „Ὦ κακαὶ κεφαλαί, τοιοῦτοι θεοὶ
γίνονται, ἔναιμοί τε καὶ σαρκώδεις καὶ ἐπαΐοντες σιδη-
ρίων; ἄξιος μὲν Αἰγυπτίων οὗτός γε ὁ θεός· ἀτάρ τοι
ὑμεῖς γε οὐ χαίροντες γέλωτα ἐμὲ θήσεσθε." ταῦτα
εἴπας ἐνετείλατο τοῖς ταῦτα πρήσσουσι τοὺς μὲν ἱρέας

ἀπομαστιγῶσαι, Αἰγυπτίων δὲ τῶν ἄλλων τὸν ἂν λάβωσιν
ὀρτάζοντα κτείνειν. ὀρτὴ μὲν δὴ διελέλυτο Αἰγυπτίοισιν,
οἱ δὲ ἱρεῖς ἐδικαιοῦντο, ὁ δὲ Ἆπις πεπληγμένος τὸν
μηρὸν ἔφθινεν ἐν τῷ ἱρῷ κατακείμενος. καὶ τὸν μὲν
τελευτήσαντα ἐκ τοῦ τρώματος ἔθαψαν οἱ ἱρεῖς λάθρῃ 5
Καμβύσεω.

Καμβύσης δέ, ὡς λέγουσιν Αἰγύπτιοι, αὐτίκα διὰ 30
τοῦτο τὸ ἀδίκημα ἐμάνη, ἐὼν οὐδὲ πρότερον φρενήρης.
καὶ πρῶτα μὲν ἐξεργάσατο τὸν ἀδελφεὸν Σμέρδιν
ἐόντα πατρὸς καὶ μητρὸς τῆς αὐτῆς, τὸν ἀπέπεμψεν ἐς 10
Πέρσας φθόνῳ ἐξ Αἰγύπτου, ὅτι τὸ τόξον μοῦνος Περ-
σέων ὅσον τε ἐπὶ δύο δακτύλους εἴρυσεν, τὸ παρὰ τοῦ
Αἰθίοπος ἤνεικαν οἱ Ἰχθυοφάγοι· τῶν δὲ ἄλλων Περσέων
οὐδεὶς οἷός τε ἐγένετο. ἀποιχομένου ὦν ἐς Πέρσας τοῦ
Σμέρδιος εἶδεν ὄψιν ὁ Καμβύσης ἐν τῷ ὕπνῳ τοιήνδε· 15
ἔδοξεν οἱ ἄγγελον ἐλθόντα ἐκ Περσέων ἀγγέλλειν, ὡς ἐν
τῷ θρόνῳ τῷ βασιληίῳ ἱζόμενος Σμέρδις τῇ κεφαλῇ τοῦ
οὐρανοῦ ψαύσειεν. πρὸς ὦν ταῦτα δείσας περὶ ἑωυτοῦ
μή μιν ἀποκτείνας ὁ ἀδελφεὸς ἄρχῃ, πέμπει Πρηξάσπεα
ἐς Πέρσας, ὃς ἦν οἱ ἀνὴρ Περσέων πιστότατος, ἀποκτε- 20
νέοντά μιν. ὁ δὲ ἀναβὰς ἐς Σοῦσα ἀπέκτεινε Σμέρδιν,
οἱ μὲν λέγουσιν ἐπ᾽ ἄγρην ἐξαγαγόντα, οἱ δὲ ἐς τὴν
Ἐρυθρὴν θάλασσαν προαγαγόντα καταποντῶσαι.

Πρῶτον μὲν δὴ λέγουσι Καμβύσῃ τῶν κακῶν ἄρξαι 31
τοῦτο, δεύτερα δὲ ἐξεργάσατο τὴν ἀδελφεὴν ἐπι- 25
σπομένην οἱ ἐς Αἴγυπτον, τῇ καὶ συνοίκει καὶ ἦν οἱ
ἀπ᾽ ἀμφοτέρων ἀδελφεή. ἔγημε δὲ αὐτὴν ὧδε· οὐδαμῶς
γὰρ ἐώθεσαν πρότερον τῇσιν ἀδελφεῇσι συνοικεῖν Πέρσαι·
ἠράσθη μιῆς τῶν ἀδελφεῶν Καμβύσης καὶ ἔπειτα βου-
λόμενος αὐτὴν γῆμαι, ὅτι οὐκ ἐωθότα ἐπενόει ποιήσειν, 30
εἴρετο καλέσας τοὺς βασιληίους δικαστάς, εἴ τις ἔστι
κελεύων νόμος τὸν βουλόμενον ἀδελφεῇ συνοικεῖν. ὁ
δὲ βασιλήιοι δικασταὶ κεκριμένοι ἄνδρες γίνονται Περ-
σέων, ἐς ὃ ἀποθάνωσιν ἤ σφι παρευρεθῇ τι ἄδικον, μέχρι

τούτου· οὗτοι δὲ τοῖς Πέρσῃσι δίκας δικάζουσι καὶ ἐξηγη-
ταὶ τῶν πατρίων θεσμῶν γίνονται, καὶ πάντα ἐς τούτους
ἀνάκειται. εἰρομένου ὦν τοῦ Καμβύσεω ὑπεκρίνοντο
αὐτῷ οὗτοι καὶ δίκαια καὶ ἀσφαλέα, φάμενοι νόμον
5 οὐδένα ἐξευρίσκειν, ὃς κελεύει ἀδελφεῇ συνοικεῖν ἀδελ-
φεόν, ἄλλον μέντοι ἐξευρηκέναι νόμον, τῷ βασιλεύοντι
Περσέων ἐξεῖναι ποιεῖν τὸ ἂν βούληται. οὕτω οὔτε τὸν
νόμον ἔλυσαν δείσαντες Καμβύσεα, ἵνα τε μὴ αὐτοὶ
ἀπόλωνται τὸν νόμον περιστέλλοντες, παρεξεῦρον ἄλλον
10 νόμον σύμμαχον τῷ θέλοντι γαμεῖν ἀδελφεάς. τότε μὲν
δὴ ὁ Καμβύσης ἔγημε τὴν ἐρωμένην, μετὰ μέντοι οὐ
πολλὸν χρόνον ἔσχεν ἄλλην ἀδελφεήν· τουτέων δῆτα τὴν
32 νεωτέρην ἐπισπομένην οἱ ἐπ᾽ Αἴγυπτον κτείνει. ἀμφὶ δὲ
τῷ θανάτῳ αὐτῆς διξὸς ὥσπερ περὶ Σμέρδιος λέγεται
15 λόγος. Ἕλληνες μὲν λέγουσι Καμβύσεα συμβαλεῖν σκύμ-
νον λέοντος σκύλακι κυνός, θεωρεῖν δὲ καὶ τὴν γυναῖκα
ταύτην· νικωμένου δὲ τοῦ σκύλακος ἀδελφεὸν αὐτοῦ
ἄλλον σκύλακα ἀπορρήξαντα τὸν δεσμὸν παραγενέσθαι
οἱ, δύο δὲ γενομένους οὕτω δὴ τοὺς σκύλακας ἐπικρατῆ-
20 σαι τοῦ σκύμνου. καὶ τὸν μὲν Καμβύσεα ἥδεσθαι θεώ-
μενον, τὴν δὲ παρημένην δακρύειν. Καμβύσεα δὲ μα-
θόντα τοῦτο ἐπειρέσθαι διότι δακρύει, τὴν δὲ εἰπεῖν ὡς
ἰδοῦσα τὸν σκύλακα τῷ ἀδελφεῷ τιμωρήσαντα δακρύσειεν,
μνησθεῖσά τε Σμέρδιος καὶ μαθοῦσα ὡς ἐκείνῳ οὐκ εἴη
25 ὁ τιμωρήσων. Ἕλληνες μὲν δὴ διὰ τοῦτο τὸ ἔπος φασὶν
αὐτὴν ἀπολέσθαι ὑπὸ Καμβύσεω, Αἰγύπτιοι δὲ ὡς τρα-
πέζῃ παρακαθημένων λαβοῦσαν θρίδακα τὴν γυναῖκα
περιτῖλαι καὶ ἐπανειρέσθαι τὸν ἄνδρα κότερον περιτε-
τιλμένη ἡ θρῖδαξ ἢ δασεῖα εἴη καλλίων, καὶ τὸν φάναι
30 δασεῖαν, τὴν δὲ εἰπεῖν· „Ταύτην μέντοι κοτὲ σὺ τὴν
θρίδακα ἐμιμήσαο, τὸν Κύρου οἶκον ἀποψιλώσας.“ τὸν
δὲ θυμωθέντα ἐμπηδῆσαι αὐτῇ ἐχούσῃ ἐν γαστρί, καί μιν
ἐκτρώσασαν ἀποθανεῖν.

88   Ταῦτα μὲν ἐς τοὺς οἰκηίους ὁ Καμβύσης

ἐξεμάνη, εἴτε δὴ διὰ τὸν Ἄπιν εἴτε καὶ ἄλλως, οἷα πολλὰ
ἔωθεν ἀνθρώπους κακὰ καταλαμβάνειν· καὶ γάρ τινα ἐκ
γενετῆς νοῦσον μεγάλην λέγεται ἔχειν ὁ Καμβύσης, τὴν
ἱρὴν ὀνομάζουσί τινες.   οὔ νύν τοι ἀεικὲς οὐδὲν ἦν τοῦ
σώματος νοῦσον μεγάλην νοσέοντος μηδὲ τὰς φρένας 5
ὑγιαίνειν.   τάδε δ' ἐς τοὺς ἄλλους Πέρσας ἐξεμάνη. 34
λέγεται γὰρ εἰπεῖν αὐτὸν πρὸς Πρηξάσπεα, τὸν ἐτίμα
τε μάλιστα καὶ οἱ τὰς ἀγγελίας ἐσεφόρει οὗτος, τούτου
τε ὁ παῖς οἰνοχόος ἦν τῷ Καμβύσῃ, τιμὴ δὲ καὶ αὕτη
οὐ σμικρή, εἰπεῖν δὲ λέγεται τάδε „Πρήξασπες, κοῖόν μέ 10
τινα νομίζουσι Πέρσαι εἶναι ἄνδρα, τίνας τε λόγους περὶ
ἐμέο ποιεῦνται;“ τὸν δὲ εἰπεῖν· „Ὦ δέσποτα, τὰ μὲν ἄλλα
πάντα μεγάλως ἐπαινέαι, τῇ δὲ φιλοινίῃ σέ φασι πλε-
όνως προσκεῖσθαι.“   τὸν μὲν δὴ λέγειν ταῦτα περὶ
Περσέων, τὸν δὲ θυμωθέντα ἀμείβεσθαι· „Νῦν ἄρα μέ 15
φασι Πέρσαι οἴνῳ προσκείμενον παραφρονεῖν καὶ οὐκ
εἶναι νοήμονα.   οὐδ' ἄρα σφέων οἱ πρότεροι λόγοι ἦσαν
ἀληθεῖς.“   πρότερον γὰρ δὴ ἄρα Περσέων οἱ συνέδρων
ἐόντων καὶ Κροίσου, εἴρετο Καμβύσης, κοῖός τις δοκέοι
ἀνὴρ εἶναι πρὸς τὸν πατέρα· οἱ δὲ ἀμείβοντο ὡς εἴη 20
ἀμείνων τοῦ πατρός· τά τε γὰρ ἐκείνου πάντα ἔχειν αὐτὸν
καὶ προσεκτῆσθαι Αἴγυπτόν τε καὶ τὴν θάλασσαν. Πέρ-
σαι μὲν ταῦτα ἔλεγον, Κροῖσος δὲ παρεών τε καὶ οὐκ
ἀρεσκόμενος τῇ κρίσει εἶπε πρὸς τὸν Καμβύσεα τάδε·
„Ἐμοὶ μέν νυν, ὦ παῖ Κύρου, οὐ δοκεῖς ὅμοιος εἶναι τῷ 25
πατρί· οὐ γάρ κώ τοι ἔστιν υἱὸς οἷον σὲ ἐκεῖνος κατε-
λίπετο.“   ἥσθη τε ταῦτα ἀκούσας ὁ Καμβύσης καὶ ἐπαίνει
τὴν Κροίσου κρίσιν.   τούτων δὴ ὦν ἐπιμνησθέντα ὀργῇ 35
λέγειν πρὸς τὸν Πρηξάσπεα· „Σύ νυν μάθε εἰ λέγουσι
Πέρσαι ἀληθέα εἴτε αὐτοὶ λέγοντες ταῦτα παραφρονέουσιν· 30
εἰ μὲν γὰρ τοῦ παιδὸς τοῦ σοῦ τοῦδε ἑστεῶτος ἐν τοῖσι
προθύροισι βαλὼν τύχω μέσης τῆς καρδίης, Πέρσαι
φανέονται λέγοντες οὐδέν· ἢν δὲ ἁμάρτω, φάναι Πέρσας
τε λέγειν ἀληθέα καὶ ἐμὲ μὴ σωφρονεῖν.“   ταῦτα δὲ

εἰπόντα καὶ διατείναντα τὸ τόξον βαλεῖν τὸν παῖδα,
πεσόντος δὲ τοῦ παιδὸς ἀνασχίζειν αὐτὸν κελεύειν καὶ
σκέψασθαι τὸ βλῆμα· ὡς δὲ ἐν τῇ καρδίῃ εὑρεθῆναι
ἐνεόντα τὸν ὀιστόν, εἰπεῖν πρὸς τὸν πατέρα τοῦ παιδὸς
5 γελάσαντα καὶ περιχαρέα γενόμενον· „Πρήξασπες, ὡς μὲν
ἐγώ τε οὐ μαίνομαι Πέρσαι τε παραφρονέουσιν, δῆλά τοι
γέγονεν· νῦν δέ μοι εἰπέ, τίνα εἶδες ἤδη πάντων ἀνθρώ-
πων οὕτως ἐπίσκοπα τοξεύοντα;" Πρηξάσπεα δὲ ὁρῶντα
ἄνδρα οὐ φρενήρεα καὶ περὶ ἑωυτῷ δειμαίνοντα εἰπεῖν·
10 „Δέσποτα, οὐδ᾽ ἂν αὐτὸν ἔγωγε δοκέω τὸν θεὸν οὕτω
ἂν καλῶς βαλεῖν." τότε μὲν ταῦτα ἐξεργάσατο, ἑτέρωθι
δὲ Περσέων ὁμοίους τοῖσι πρώτοισι δυώδεκα ἐπ᾽ οὐδεμιῇ
αἰτίῃ ἀξιοχρέῳ ἑλὼν ζώοντας ἐπὶ κεφαλὴν κατώρυξεν.

86 Ταῦτα δέ μιν ποιεῦντα ἐδικαίωσε Κροῖσος ὁ
15 Λυδὸς νουθετῆσαι τοῖσδε τοῖς ἔπεσιν· „Ὦ βασιλεῦ,
μὴ πάντα ἡλικίῃ καὶ θυμῷ ἐπίτρεπε, ἀλλ᾽ ἴσχε καὶ κατα-
λάμβανε σεωυτόν· ἀγαθόν τοι πρόνοον εἶναι, σοφὸν δὲ
ἡ προμηθείη· σὺ δὲ κτείνεις μὲν ἄνδρας σεωυτοῦ πολι-
ήτας ἐπ᾽ οὐδεμιῇ αἰτίῃ ἀξιοχρέῳ ἑλών, κτείνεις δὲ παῖδας.
20 ἢν δὲ πολλὰ τοιαῦτα ποιῇς, ὅρα ὅκως μή σεο ἀποστή-
σονται Πέρσαι. ἐμοὶ δὲ πατὴρ σὸς Κῦρος ἐνετέλλετο
πολλὰ κελεύων σε νουθετεῖν καὶ ὑποτίθεσθαι, ὅ τι ἂν
εὑρίσκω ἀγαθόν." ὁ μὲν δὴ εὐνοίην φαίνων συνεβού-
λευέν οἱ ταῦτα, ὁ δ᾽ ἀμείβετο τοῖσδε· „Σὺ καὶ ἐμοὶ
25 τολμᾷς συμβουλεύειν, ὃς χρηστῶς μὲν τὴν σεωυτοῦ πα-
τρίδα ἐπετρόπευσας, εὖ δὲ τῷ πατρὶ τῷ ἐμῷ συνεβούλευ-
σας, κελεύων αὐτὸν Ἀράξεα ποταμὸν διαβάντα ἰέναι ἐπὶ
Μασσαγέτας βουλομένων ἐκείνων διαβαίνειν ἐς τὴν ἡμε-
τέρην, καὶ ἀπὸ μὲν σεωυτὸν ὤλεσας τῆς σεωυτοῦ πατρίδος
30 κακῶς προστάς, ἀπὸ δὲ Κῦρον πειθόμενόν σοι· ἀλλ᾽ οὔτι
χαίρων, ἐπεί τοι καὶ πάλαι ἐς σὲ προφάσιός τεο ἐδεόμην
ἐπιλαβέσθαι." ταῦτα δὲ εἴπας ἐλάμβανε τὸ τόξον ὡς
κατατοξεύσων αὐτόν, Κροῖσος δὲ ἀναδραμὼν ἔθει
ἔξω· ὁ δὲ ἐπείτε τοξεῦσαι οὐκ εἶχεν, ἐνετείλατο τοῖς

θεράπουσι λαβόντας μιν ἀποκτεῖναι. οἱ δὲ θεράποντες
ἐπιστάμενοι τὸν τρόπον αὐτοῦ κατακρύπτουσι τὸν Κροῖ-
σον ἐπὶ τῷδε τῷ λόγῳ ὥστε, εἰ μὲν μεταμελήσῃ τῷ Καμ-
βύσῃ καὶ ἐπιζητῇ τὸν Κροῖσον, οἱ δὲ ἐκφήναντες αὐτὸν
δῶρα λάψονται ζωάγρια Κροίσου, ἢν δὲ μὴ μεταμέληται 5
μηδὲ ποθῇ μιν, τότε καταχρῆσθαι. ἐπόθησέ τε δὴ ὁ
Καμβύσης τὸν Κροῖσον οὐ πολλῷ μετέπειτα χρόνῳ ὕστε-
ρον, καὶ οἱ θεράποντες μαθόντες τοῦτο ἐπηγγέλλοντο
αὐτῷ ὡς περιείη. Καμβύσης δὲ Κροίσῳ μὲν συνήδεσθαι
ἔφη περιεόντι, ἐκείνους μέντοι τοὺς περιποιήσαντας οὐ 10
καταπροΐξεσθαι ἀλλ᾽ ἀποκτενεῖν· καὶ ἐποίησε ταῦτα.

Ὁ μὲν δὴ τοιαῦτα πολλὰ ἐς Πέρσας τε καὶ τοὺς 37
συμμάχους ἐξεμαίνετο, μένων ἐν Μέμφι καὶ θήκας τε
παλαιὰς ἀνοίγων καὶ σκεπτόμενος τοὺς νεκρούς.
ὡς δὲ δὴ καὶ ἐς τοῦ Ἡφαίστου τὸ ἱρὸν ἦλθε καὶ πολλὰ 15
τῷ ἀγάλματι κατεγέλασεν· ἔστι γὰρ τοῦ Ἡφαίστου τὤ-
γαλμα τοῖσι Φοινικηίοισι Παταίκοισιν ἐμφερέστατον, τοὺς
οἱ Φοίνικες ἐν τῇσι πρῴρῃσι τῶν τριηρέων περιάγουσιν.
ὃς δὲ τούτους μὴ ὄπωπεν, ἐγὼ δέ οἱ σημανέω· πυγμαίου
ἀνδρὸς μίμησίς ἐστιν. ἐσῆλθε δὲ καὶ ἐς τῶν Καβείρων 20
τὸ ἱρόν, ἐς τὸ οὐ θεμιτόν ἐστιν ἐσιέναι ἄλλον γε ἢ τὸν
ἱρέα· ταῦτα δὲ τὰ ἀγάλματα καὶ ἐνέπρησε πολλὰ κατα-
σκώψας. ἔστι δὲ καὶ ταῦτα ὅμοια τοῖς τοῦ Ἡφαίστου·
τούτου δέ σφεας παῖδας λέγουσιν εἶναι. πανταχῇ ὦν 38
μοι δῆλά ἐστιν ὅτι ἐμάνη μεγάλως ὁ Καμβύσης· οὐ γὰρ 25
ἂν ἱροῖσί τε καὶ νομαίοισιν ἐπεχείρησε καταγελᾶν. εἰ
γάρ τις προθείη πᾶσιν ἀνθρώποισιν ἐκλέξασθαι κελεύων
νόμους τοὺς καλλίστους ἐκ τῶν πάντων νόμων, διασκε-
ψάμενοι ἂν ἑλοίατο ἕκαστοι τοὺς ἑωυτῶν· οὕτω νομί-
ζουσι πολλόν τι καλλίστους τοὺς ἑωυτῶν νόμους 30
ἕκαστοι εἶναι. οὔκων οἰκός ἐστιν ἄλλον γε ἢ μαινό-
μενον ἄνδρα γέλωτα τὰ τοιαῦτα τίθεσθαι. ὡς δὲ οὕτω
νενομίκασι τὰ περὶ τοὺς νόμους πάντες ἄνθρωποι, πολ-
λοῖσί τε καὶ ἄλλοισι τεκμηρίοισι πάρεστι σταθμώσασθαι,

ἐν δὲ δὴ καὶ τῷδε· Δαρεῖος ἐπὶ τῆς ἑωυτοῦ ἀρχῆς καλέ-
σας Ἑλλήνων τοὺς παρεόντας εἴρετο, ἐπὶ κόσῳ ἂν χρή-
ματι βουλοίατο τοὺς πατέρας ἀποθνῄσκοντας κατασιτεῖ-
σθαι· οἱ δὲ ἐπ᾽ οὐδενὶ ἔφασαν ἔρδειν ἂν τοῦτο. Δαρεῖος
δὲ μετὰ ταῦτα καλέσας Ἰνδῶν τοὺς καλεομένους Καλλα-
τίας, οἳ τοὺς γονέας κατεσθίουσιν, εἴρετο, παρεόντων
τῶν Ἑλλήνων καὶ δι᾽ ἑρμηνέος μανθανόντων τὰ λεγόμενα,
ἐπὶ τίνι χρήματι δεξαίατ᾽ ἂν τελευτῶντας τοὺς πατέρας
κατακαίειν πυρί· οἱ δὲ ἀμβώσαντες μέγα εὐφημεῖν μιν
ἐκέλευον. οὕτω μέν νυν ταῦτα νενόμισται, καὶ ὀρθῶς
μοι δοκεῖ Πίνδαρος ποιῆσαι νόμον πάντων βασιλέα φή-
σας εἶναι.

39 Καμβύσεω δὲ ἐπ Αἴγυπτον στρατευομένου ἐποιή-
σαντο καὶ Λακεδαιμόνιοι στρατηίην ἐπὶ Σάμον τε καὶ
Πολυκράτεα τὸν Αἰάκεος, ὃς ἔσχε Σάμον ἐπαναστάς, καὶ
τὰ μὲν πρῶτα τριχῇ δασάμενος τὴν πόλιν τοῖς ἀδελφεοῖσι
Πανταγνώτῳ καὶ Συλοσῶντι ἔνειμεν, μετὰ δὲ τὸν μὲν
αὐτῶν ἀποκτείνας, τὸν δὲ νεώτερον Συλοσῶντα ἐξελάσας
ἔσχε πᾶσαν Σάμον, ἴσχων δὲ ξεινίην Ἀμάσι τῷ Αἰγύπτου
βασιλεῖ συνεθήκατο, πέμπων τε δῶρα καὶ δεκόμενος ἅμα
παρ᾽ ἐκείνου. ἐν χρόνῳ δὲ ὀλίγῳ αὐτίκα τοῦ Πολυ-
κράτεος τὰ πρήγματα ηὔξετο καὶ ἦν βεβωμένα
ἀνά τε τὴν Ἰωνίην καὶ τὴν ἄλλην Ἑλλάδα· ὅκου
γὰρ ἰθύσειε στρατεύεσθαι, πάντα οἱ ἐχώρει εὐτυχέως.
ἔκτητο δὲ πεντηκοντέρους τε ἑκατὸν καὶ χιλίους τοξότας.
ἔφερε δὲ καὶ ἦγε πάντας διακρίνων οὐδένα· τῷ γὰρ φίλῳ
ἔφη χαριεῖσθαι μᾶλλον ἀποδιδοὺς τὰ ἔλαβεν ἢ ἀρχὴν
μηδὲ λαβών. συχνὰς μὲν δὴ τῶν νήσων ἀραιρήκει, πολλὰ
δὲ καὶ τῆς ἠπείρου ἄστεα. ἐν δὲ δὴ καὶ Λεσβίους παν-
στρατιῇ βοηθέοντας Μιλησίοισι ναυμαχίῃ κρατήσας εἷλεν.
οἳ τὴν τάφρον περὶ τὸ τεῖχος τὸ ἐν Σάμῳ πᾶσαν δε-
40 δεμένοι ὤρυξαν. καί κως τὸν Ἄμασιν εὐτυχέων με-
γάλως ὁ Πολυκράτης οὐκ ἐλάνθανεν, ἀλλὰ οἱ τοῦτ᾽
ἦν ἐπιμελές. πολλῷ δὲ ἔτι πλέονός οἱ εὐτυχίης γινομένης

γράψας ἐς βιβλίον τάδε ἐπέστειλεν ἐς Σάμον· „Ἄμασις
Πολυκράτεϊ ὧδε λέγει. ἡδὺ μὲν πυνθάνεσθαι ἄνδρα
φίλον καὶ ξεῖνον εὖ πρήσσοντα, ἐμοὶ δὲ αἱ σαὶ μεγάλαι
εὐτυχίαι οὐκ ἀρέσκουσιν, τὸ θεῖον ἐπισταμένῳ ὡς ἔστι
φθονερόν. καί κως βούλομαι καὶ αὐτὸς καὶ τῶν ἂν 5
κήδωμαι τὸ μέν τι εὐτυχεῖν τῶν πρηγμάτων, τὸ δὲ προσ-
πταίειν, καὶ οὕτω διαφέρειν τὸν αἰῶνα ἐναλλὰξ πρήσσων
ἢ εὐτυχεῖν τὰ πάντα. οὐδένα γάρ κω λόγῳ οἶδα ἀκούσας,
ὅστις ἐς τέλος οὐ κακῶς ἐτελεύτησε πρόρριζος, εὐτυχέων
τὰ πάντα. σύ νυν ἐμοὶ πειθόμενος ποίησον πρὸς τὰς 10
εὐτυχίας τοιάδε· φροντίσας τὸ ἂν εὕρῃς ἐόν τοι πλεί-
στου ἄξιον καὶ ἐπ’ ᾧ σὺ ἀπολομένῳ μάλιστα τὴν ψυχὴν
ἀλγήσεις, τοῦτο ἀπόβαλε οὕτω ὅκως μηκέτι ἥξει ἐς ἀν-
θρώπους. ἤν τε μὴ ἐναλλὰξ ἤδη τὠπὸ τούτου αἱ εὐτυ-
χίαι τοι τῇσι πάθησι προσπίπτωσιν, τρόπῳ τῷ ἐξ ἐμέο 15
ὑποκειμένῳ ἀκέο.“ ταῦτα ἐπιλεξάμενος ὁ Πολυκράτης 41
καὶ νόῳ λαβὼν ὥς οἱ εὖ ὑπετίθετο Ἄμασις, ἐδίζητο, ἐπ’
ᾧ ἂν μάλιστα τὴν ψυχὴν ἀσηθείη ἀπολομένῳ τῶν κει-
μηλίων, διζήμενος δ’ εὕρισκε τόδε· ἦν οἱ σφρηγὶς τὴν
ἐφόρει χρυσόδετος, σμαράγδου μὲν λίθου ἐοῦσα, ἔργον 20
δὲ ἦν Θεοδώρου τοῦ Τηλεκλέος Σαμίου. ἐπεὶ ὦν ταύ-
την οἱ ἐδόκει ἀποβαλεῖν, ἐποίει τοιάδε· πεντηκόντερον
πληρώσας ἀνδρῶν ἐσέβη ἐς αὐτήν, μετὰ δὲ ἀναγαγεῖν
ἐκέλευεν ἐς τὸ πέλαγος· ὡς δὲ ἀπὸ τῆς νήσου ἑκὰς ἐγένετο,
περιελόμενος τὴν σφρηγῖδα πάντων ὁρώντων τῶν συμ- 25
πλόων ῥίπτει ἐς τὸ πέλαγος. τοῦτο δὲ ποιήσας ἀπέπλει,
ἀπικόμενος δὲ ἐς τὰ οἰκία συμφορῇ ἐχρῆτο. πέμπτῃ δὲ ἢ 42
ἕκτῃ ἡμέρῃ ἀπὸ τούτων τάδε οἱ συνήνεικε γενέσθαι· ἀνὴρ
ἁλιεὺς λαβὼν ἰχθὺν μέγαν τε καὶ καλὸν ἠξίου μιν Πο-
λυκράτεϊ δῶρον δοθῆναι· φέρων δὴ ἐπὶ τὰς θύρας 30
Πολυκράτεϊ ἔφη ἐθέλειν ἐλθεῖν ἐς ὄψιν, χωρήσαντος δέ
οἱ τούτου ἔλεγε διδοὺς τὸν ἰχθύν· „Ὦ βασιλεῦ, ἐγὼ τόνδε
ἑλὼν οὐκ ἐδικαίωσα φέρειν ἐς ἀγορήν, καίπερ γε ἐὼν
ἀποχειροβίοτος, ἀλλά μοι ἐδόκει σέο τε εἶναι ἄξιος καὶ

τῆς σῆς ἀρχῆς· σοὶ δή μιν φέρων δίδωμι.᾿ ὁ δὲ ἡσθεὶς
τοῖς ἔπεσιν ἀμείβεται τοῖσδε· „Κάρτα τε εὖ ἐποίησας καὶ
χάρις διπλῆ τῶν τε λόγων καὶ τοῦ δώρου· καί σε ἐπὶ
δεῖπνόν καλέομεν.“ ὁ μὲν δὴ ἁλιεὺς μέγα ποιεύμενος
5 ταῦτα ἦεν ἐς τὰ οἰκία, τὸν δὲ ἰχθὺν τάμνοντες οἱ θε-
ράποντές εὑρίσκουσιν ἐν τῇ νηδύϊ αὐτοῦ ἐνεοῦσαν τὴν
Πολυκράτεος σφρηγῖδα. ὡς δὲ εἶδόν τε καὶ ἔλαβον τά-
χιστα, ἔφερον κεχαρηκότες παρὰ τὸν Πολυκράτεα, δι-
δόντες δέ οἱ τὴν σφρηγῖδα ἔλεγον ὅτεῳ τρόπῳ εὑρέθη.
10 τὸν δὲ ὡς ἐσῆλθε θεῖον εἶναι τὸ πρῆγμα, γράφει ἐς
βιβλίον πάντα τὰ ποιήσαντά μιν οἷα καταλελάβηκεν, γρά-
43 ψας δὲ ἐς Αἴγυπτον ἐπέθηκεν. ἐπιλεξάμενος δὲ ὁ Ἄμασις
τὸ βιβλίον, τὸ παρὰ τοῦ Πολυκράτεος ἧκον, ἔμαθεν ὅτι
ἐκκομίσαι τε ἀδύνατον εἴη ἀνθρώπῳ ἄνθρωπον ἐκ τοῦ
15 μέλλοντος γίνεσθαι πρήγματος καὶ ὅτι οὐκ εὖ τελευτήσειν
μέλλοι Πολυκράτης εὐτυχέων τὰ πάντα, ὃς καὶ τὰ ἀπο-
βάλλει εὑρίσκει. πέμψας δέ οἱ κήρυκα ἐς Σάμον, διαλύε-
σθαι ἔφη τὴν ξεινίην. τοῦδε δὲ εἵνεκεν ταῦτα ἐποίει,
ἵνα μὴ συντυχίης δεινῆς τε καὶ μεγάλης Πολυκράτεα
20 καταλαβούσης αὐτὸς ἀλγήσειε τὴν ψυχὴν ὡς περὶ ξείνου
ἀνδρός.

44 Ἐπὶ τοῦτον δὴ ὦν τὸν Πολυκράτεα εὐτυχέοντα τὰ
πάντα, ἐστρατεύοντο Λακεδαιμόνιοι ἐπικαλεσαμένων τῶν
(μετὰ ταῦτα Κυδωνίην τὴν ἐν Κρήτῃ κτισάντων) Σαμίων.
25 πέμψας δὲ κήρυκα λάθρῃ Σαμίων Πολυκράτης παρὰ
Καμβύσεα τὸν Κύρου συλλέγοντα στρατὸν ἐπ᾿ Αἴγυ-
πτον, ἐδεήθη ὅκως ἂν καὶ παρ᾿ ἑωυτὸν πέμψας ἐς Σάμον
δέοιτο στρατοῦ. Καμβύσης δὲ ἀκούσας τούτων προθύμως
ἔπεμπεν ἐς Σάμον δεησόμενος Πολυκράτεος στρατὸν ναυ-
30 τικὸν ἅμα πέμψαι ἑωυτῷ ἐπ᾿ Αἴγυπτον. ὁ δὲ ἐπιλέξας
τῶν ἀστῶν τοὺς ὑπώπτευε μάλιστα ἐς ἐπανάστασιν
ἀπέπεμπε τεσσεράκοντα τριήρεσιν, ἐντειλάμενος Καμ-
45 βύσῃ ὀπίσω τούτους μὴ ἀποπέμπειν. οἱ μὲν δὴ λέγουσι
τοὺς ἀποπεμφθέντας Σαμίων ὑπὸ Πολυκράτεος οὐκ ἀπι-

κέσθαι ἐς Αἴγυπτον, ἀλλ' ἐπείτε ἐγένοντο ἐν Καρπάθῳ
πλέοντες, δοῦναι σφίσι λόγον, καί σφιν ἀδεῖν τὸ προσω-
τέρω μηκέτι πλεῖν· οἱ δὲ λέγουσιν ἀπικομένους τε ἐς
Αἴγυπτον καὶ φυλασσομένους ἐνθεῦτεν αὐτοὺς ἀποδρῆναι.
καταπλέουσι δὲ ἐς τὴν Σάμον Πολυκράτης νηυσὶν ἀντιά-   5
σας ἐς μάχην κατέστη· νικήσαντες δὲ οἱ κατιόντες ἀπέ-
βησαν ἐς τὴν νῆσον, πεζομαχήσαντες δὲ ἐν αὐτῇ
ἐσσώθησαν καὶ οὕτω δὴ ἔπλεον ἐς Λακεδαίμονα. εἰσὶ
δὲ οἳ λέγουσι τοὺς ἀπ' Αἰγύπτου νικῆσαι Πολυκράτεα,
λέγοντες ἐμοὶ δοκεῖν οὐκ ὀρθῶς. οὐδὲν γὰρ ἔδει σφέας   10
Λακεδαιμονίους ἐπικαλεῖσθαι, εἴ περ αὐτοὶ ἦσαν ἱκανοὶ
Πολυκράτεα παραστήσασθαι. πρὸς δὲ τούτοισιν οὐδὲ
λόγος αἱρεῖ, τῷ ἐπίκουροί τε μισθωτοὶ καὶ τοξόται οἰκήιοι
ἦσαν πλήθεϊ πολλοί, τοῦτον ὑπὸ τῶν κατιόντων Σαμίων
ἐόντων ὀλίγων ἐσσωθῆναι· τῶν δ' ὑπ' ἑωυτῷ ἐόντων   15
πολιητέων τὰ τέκνα καὶ τὰς γυναῖκας ὁ Πολυκράτης ἐς
τοὺς νεωσοίκους συνειλήσας εἶχεν ἑτοίμους, ἢν ἄρα προ-
διδῶσιν οὗτοι πρὸς τοὺς κατιόντας, ὑποπρῆσαι αὐτοῖσι
τοῖσι νεωσοίκοισιν.

     Ἐπείτε δὲ οἱ ἐξελασθέντες Σαμίων ὑπὸ Πολυ- 46
κράτεος ἀπίκοντο ἐς τὴν Σπάρτην, καταστάντες ἐπὶ   21
τοὺς ἄρχοντας ἔλεγον πολλὰ οἷα κάρτα δεόμενοι. οἱ δέ
σφι τῇ πρώτῃ καταστάσει ὑπεκρίναντο τὰ μὲν πρῶτα
λεχθέντα ἐπιλεληθέναι, τὰ δὲ ὕστερα οὐ συνιέναι. μετὰ
δὲ ταῦτα δεύτερα καταστάντες ἄλλο μὲν εἶπον οὐδέν,   25
θύλακον δὲ φέροντες ἔφασαν τὸν θύλακον ἀλφίτων
δεῖσθαι. οἱ δέ σφιν ὑπεκρίναντο τῷ θυλάκῳ περιεργά-
σθαι· βοηθεῖν δ' ὦν ἔδοξεν αὐτοῖσιν. καὶ ἔπειτα παρα- 47
σκευασάμενοι ἐστρατεύοντο Λακεδαιμόνιοι ἐπὶ Σά-
μον, ὡς μὲν Σάμιοι λέγουσιν, εὐεργεσίας ἐκτίνοντες,   30
ὅτι σφι πρότεροι αὐτοὶ νηυσὶν ἐβοήθησαν ἐπὶ Μεσση-
νίους, ὡς δὲ Λακεδαιμόνιοι λέγουσιν, οὐκ οὕτω τιμω-
ρῆσαι δεομένοισι Σαμίοισιν ἐστρατεύοντο ὡς τείσασθαι
βουλόμενοι τοῦ κρητῆρος τῆς ἁρπαγῆς, τὸν ἦγον Κροίσῳ,

καὶ τοῦ θώρηκος, τὸν αὐτοῖσιν Ἄμασις ὁ Αἰγύπτου βασι-
λεὺς ἔπεμψε δῶρον. καὶ γὰρ θώρηκα ἐληίσαντο τῷ προ-
τέρῳ ἔτει ἢ τὸν κρητῆρα οἱ Σάμιοι, ἐόντα μὲν λίνεον
καὶ ζῴων ἐννυφασμένων συχνῶν, κεκοσμημένον δὲ χρυσῷ
5 καὶ εἰρίοισιν ἀπὸ ξύλου· τῶν δὲ εἵνεκα θωμάσαι ἄξιον,
ἁρπεδόνη ἑκάστη τοῦ θώρηκος ἐοῦσα λεπτὴ ἔχει ἁρπε-
δόνας ἐν ἑωυτῇ τριηκοσίας καὶ ἑξήκοντα, πάσας φανεράς.
τοιοῦτος ἕτερός ἐστι καὶ τὸν ἐν Λίνδῳ ἀνέθηκε τῇ Ἀθη-
ναίῃ Ἄμασις.

48 Συνεπελάβοντο δὲ τοῦ στρατεύματος τοῦ ἐπὶ
11 Σάμον ὥστε γενέσθαι καὶ Κορίνθιοι προθύμως·
ὕβρισμα γὰρ καὶ ἐς τούτους εἶχεν ἐκ τῶν Σαμίων γενό-
μενον γενεῇ πρότερον τοῦ στρατεύματος τούτου, κατὰ δὲ
τὸν αὐτὸν χρόνον τοῦ κρητῆρος τῇ ἁρπαγῇ γεγονός.
15 Κερκυραίων γὰρ παῖδας τριηκοσίους ἀνδρῶν τῶν
πρώτων Περίανδρος ὁ Κυψέλου ἐς Σάρδις ἀπέπεμψε
παρὰ Ἀλυάττεα ἐπ᾽ ἐκτομῇ· προσσχόντων δὲ ἐς τὴν
Σάμον τῶν ἀγόντων τοὺς παῖδας Κορινθίων, πυθόμενοι
οἱ Σάμιοι τὸν λόγον, ἐπ᾽ οἷσιν ἀγοίατο ἐς Σάρδις, πρῶτα
20 μὲν τοὺς παῖδας ἐδίδαξαν ἱροῦ ἅψασθαι Ἀρτέμιδος, μετὰ
δὲ οὐ περιορῶντες ἀπέλκειν τοὺς ἱκέτας ἐκ τοῦ ἱροῦ,
σιτίων δὲ τοὺς παῖδας ἐργόντων τῶν Κορινθίων, ἐποιή-
σαντο οἱ Σάμιοι ὁρτήν, τῇ καὶ νῦν ἔτι χρέωνται κατὰ
ταὐτά· νυκτὸς γὰρ ἐπιγενομένης, ὅσον χρόνον ἱκέτευον
25 οἱ παῖδες, ἵστασαν χοροὺς παρθένων τε καὶ ἠιθέων,
ἱστάντες δὲ τοὺς χοροὺς τρωκτὰ σησάμου τε καὶ μέλιτος
ἐποιήσαντο νόμον φέρεσθαι, ἵνα ἁρπάζοντες οἱ τῶν
Κερκυραίων παῖδες ἔχοιεν τροφήν. ἐς τοῦτο δὲ τόδε
ἐγίνετο, ἐς ὃ οἱ Κορίνθιοι τῶν παίδων οἱ φύλακοι
30 οἴχοντο ἀπολιπόντες τοὺς δὲ παῖδας ἀπήγαγον ἐς Κέρκυ-
49 ραν οἱ Σάμιοι. εἰ μέν νυν Περιάνδρου τελευτήσαντος
τοῖσι Κορινθίοισι φίλα ἦν πρὸς τοὺς Κερκυραίους, οἱ
δὲ οὐκ ἂν συνελάβοντο τοῦ στρατεύματος τοῦ ἐπὶ Σάμον
ταύτης εἵνεκεν τῆς αἰτίης. νῦν δὲ αἰεὶ ἐπείτε ἔκτισαν

τὴν νῆσον, εἰσὶν ἀλλήλοισι διάφοροι ἐόντες ἑωυτοῖσιν. τούτων ὦν εἵνεκεν ἀπεμνησικάκεον τοῖσι Σαμίοισιν οἱ Κορίνθιοι. ἀπέπεμπε δὲ ἐς Σάρδις ἐπ᾽ ἐκτομῇ Περίανδρος τῶν πρώτων Κερκυραίων ἐπιλέξας τοὺς παῖδας τιμωρεόμενος· πρότεροι γὰρ οἱ Κερκυραῖοι ἦρξαν ἐς αὐτὸν πρῆγμα ἀτάσθαλον ποιήσαντες. ἐπείτε γὰρ τὴν ἑωυτοῦ γυναῖκα Μέλισσαν Περίανδρος ἀπέκτεινεν, συμφορὴν τοιήνδε οἱ ἄλλην συνέβη πρὸς τῇ γεγονυίῃ γενέσθαι· ἦσάν οἱ ἐκ Μελίσσης δύο παῖδες, ἡλικίην ὁ μὲν ἑπτακαίδεκα, ὁ δὲ ὀκτωκαίδεκα ἔτεα γεγονώς. τούτους ὁ μητροπάτωρ Προκλῆς, ἐὼν Ἐπιδαύρου τύραννος, μεταπεμψάμενος παρ᾽ ἑωυτὸν ἐφιλοφρονεῖτο, ὡς οἰκὸς ἦν θυγατρὸς ἐόντας τῆς ἑωυτοῦ παῖδας. ἐπείτε δέ σφεας ἀπεπέμπετο, εἶπε προπέμπων αὐτούς· „Ἄρα ἴστε, ὦ παῖδες, ὃς ὑμέων τὴν μητέρα ἀπέκτεινεν;" τοῦτό τὸ ἔπος ὁ μὲν πρεσβύτερος αὐτῶν ἐν οὐδενὶ λόγῳ ἐποιήσατο· ὁ δὲ νεώτερος, τῷ ὄνομα ἦν Λυκόφρων, ἤλγησεν ἀκούσας οὕτω ὥστε ἀπικόμενος ἐς τὴν Κόρινθον ἅτε φονέα τῆς μητρὸς τὸν πατέρα οὔτε προσεῖπεν, διαλεγομένῳ τε οὔτε προσδιελέγετο ἱστορέοντί τε λόγον οὐδένα ἐδίδου. τέλος δέ μιν περιθύμως ἔχων ὁ Περίανδρος ἐξελαύνει ἐκ τῶν οἰκίων. ἐξελάσας δὲ τοῦτον ἱστόρει τὸν πρεσβύτερον, τά σφιν ὁ μητροπάτωρ διελέχθη. ὁ δέ οἱ ἀπηγεῖτο, ὥς σφεας φιλοφρόνως ἐδέξατο, ἐκείνου δὲ τοῦ ἔπεος, τό σφιν ὁ Προκλῆς ἀποστέλλων εἶπεν, ἅτε οὐ νόῳ λαβών, οὐκ ἐμέμνητο. Περίανδρος δὲ οὐδεμίαν μηχανὴν ἔφη εἶναι μὴ οὔ σφιν ἐκεῖνον ὑποθέσθαι τι, ἐλιπάρει τε ἱστορέων. ὁ δὲ ἀναμνησθεὶς εἶπε καὶ τοῦτο. Περίανδρος δὲ νόῳ λαβὼν καὶ μαλακὸν ἐνδιδόναι βουλόμενος οὐδέν, ᾗ ὁ ἐξελασθεὶς ὑπ᾽ αὐτοῦ παῖς δίαιταν ἐποιεῖτο, ἐς τούτους πέμπων ἄγγελον ἀπηγόρευε μή μιν δέκεσθαι οἰκίοισιν. ὁ δὲ ὅκως ἀπελαυνόμενος ἔλθοι ἐς ἄλλην οἰκίην, ἀπηλαύνετ᾽ ἂν καὶ ἀπὸ ταύτης, ἀπειλέοντός τε τοῦ Περιάνδρου τοῖσι δεξαμένοισι καὶ ἐξέργειν κελεύ-

οντος. ἀπελαυνόμενος δ' ἂν ἦεν ἐπ' ἑτέρην τῶν ἑταίρων·
οἱ δὲ ἅτε Περιάνδρου ἐόντα παῖδα, καίπερ δειμαίνοντες,
52 ὅμως ἐδέκοντο. τέλος δὲ ὁ Περίανδρος κήρυγμα ἐποιή-
σατο. ὃς ἂν ἢ οἰκίοισιν ὑποδέξηταί μιν ἢ προσδιαλεχθῇ,
5 ἱρὴν ζημίην τοῦτον τῷ Ἀπόλλωνι ὀφείλειν, ὅσην δὴ εἶπας.
πρὸς ὧν δὴ τοῦτο τὸ κήρυγμα οὔτε τίς οἱ διαλέγεσθαι
οὔτε οἰκίοισι δέκεσθαι ἤθελεν· πρὸς δὲ οὐδὲ αὐτὸς ἐκεῖνος
ἐδικαίου πειρᾶσθαι ἀπειρημένου, ἀλλὰ διακαρτερέων ἐν
τῇσι στοιῇσιν ἐκαλινδεῖτο. τετάρτῃ δὲ ἡμέρῃ ἰδών μιν
10 ὁ Περίανδρος ἀλουσίῃσί τε καὶ ἀσιτίῃσι συμπεπτωκότα
οἴκτιρεν· ὑπεὶς δὲ τῆς ὀργῆς ἦεν ἆσσον καὶ ἔλεγεν· „Ὦ
παῖ, κότερα τούτων αἱρετώτερά ἐστιν, ταῦτα τὰ νῦν ἔχων
πρήσσεις, ἢ τὴν τυραννίδα καὶ τὰ ἀγαθὰ τὰ νῦν ἐγὼ
ἔχω, ταῦτα ἐόντα τῷ πατρὶ ἐπιτήδεον παραλαμβάνειν;
15 ὃς ἐὼν ἐμός τε παῖς καὶ Κορίνθου τῆς εὐδαίμονος βασι-
λεὺς ἀλήτην βίον εἵλεο, ἀντιστατέων τε καὶ ὀργῇ χρεώ-
μενος ἐς τόν σε ἥκιστα ἐχρῆν. εἰ γάρ τις συμφορὴ ἐν
αὐτοῖσι γέγονεν, ἐξ ἧς ὑποψίην ἐς ἐμὲ ἔχεις, ἐμοί τε
αὕτη γέγονε καὶ ἐγὼ αὐτῆς τὸ πλέον μέτοχός εἰμι, ὅσῳ
20 αὐτός σφεα ἐξεργασάμην. σὺ δὲ μαθὼν ὅσῳ φθονεῖσθαι
κρέσσον ἐστὶν ἢ οἰκτίρεσθαι, ἅμα τε ὁκοῖόν τι ἐς τοὺς
τοκέας καὶ ἐς τοὺς κρέσσονας τεθυμῶσθαι, ἄπιθι ἐς τὰ
οἰκία.“ Περίανδρος μὲν τούτοισιν αὐτὸν κατελάμβανεν,
ὁ δὲ ἄλλο μὲν οὐδὲν ἀμείβεται τὸν πατέρα, ἔφη δέ μιν
25 ἱρὴν ζημίην ὀφείλειν τῷ θεῷ ἑωυτῷ ἐς λόγους ἀπικό-
μενον. μαθὼν δὲ ὁ Περίανδρος ὡς ἄπορόν τι τὸ κακὸν
εἴη τοῦ παιδὸς καὶ ἀνίκητον, ἐξ ὀφθαλμῶν μιν ἀπο-
πέμπεται στείλας πλοῖον ἐς Κέρκυραν· ἐπεκράτει γὰρ καὶ
ταύτης. ἀποστείλας δὲ τοῦτον ὁ Περίανδρος ἐστρατεύετο
30 ἐπὶ τὸν πενθερὸν Προκλέα, ὡς τῶν παρεόντων οἱ πρηγ-
μάτων ἐόντα αἰτιώτατον, καὶ εἷλε μὲν τὴν Ἐπίδαυρον,
53 εἷλε δὲ αὐτὸν Προκλέα καὶ ἐζώγρησεν. ἐπεὶ δὲ τοῦ
χρόνου προβαίνοντος ὅ τε Περίανδρος παρηβήκει καὶ
συνεγινώσκετο ἑωυτῷ οὐκέτι εἶναι δυνατὸς τὰ πρήγματα

ἐπορᾶν τε καὶ διέπειν, πέμψας ἐς τὴν Κέρκυραν ἀπε-
κάλει τὸν Λυκόφρονα ἐπὶ τὴν τυραννίδα· ἐν γὰρ δὴ τῷ
πρεσβυτέρῳ τῶν παίδων νόον οὐκ ἐνώρα, ἀλλά οἱ κατε-
φαίνετο εἶναι νωθέστερος. ὁ δὲ Λυκόφρων οὐδὲ ἀνα-
κρίσιος ἠξίωσε τὸν φέροντα τὴν ἀγγελίην. Περίανδρος 5
δὲ περιεχόμενὸς τοῦ νεηνίω δεύτερα ἀπέστειλεν ἐπ᾽
αὐτὸν τὴν ἀδελφεήν, ἑωυτοῦ δὲ θυγατέρα, δοκέων μιν
μάλιστα ταύτῃ ἂν πείθεσθαι. ἀπικομένης δὲ ταύτης καὶ
λεγούσης· „Ὦ παῖ, βούλεαι τήν τε τυραννίδα ἐς ἄλλους
πεσεῖν καὶ τὸν οἶκον τοῦ πατρὸς διαφορηθέντα μᾶλλον 10
ἢ αὐτός σφεα κατελθὼν ἔχειν; ἄπιθι ἐς τὰ οἰκία, παῦσαι
σεωυτὸν ζημιῶν. φιλοτιμίη κτῆμα σκαιόν· μὴ τῷ κακῷ
τὸ κακὸν ἰῶ. πολλοὶ τῶν δικαίων τὰ ἐπιεικέστερα προ-
τιθεῖσιν. πολλοὶ δὲ ἤδη τὰ μητρῷα διζήμενοι τὰ πατρῷα
ἀπέβαλον. τυραννὶς χρῆμα σφαλερόν, πολλοὶ δὲ αὐτῆς 15
ἐρασταί εἰσιν, ὁ δὲ γέρων τε ἤδη καὶ παρηβηκώς· μὴ
δῷς τὰ σεωυτοῦ ἀγαθὰ ἄλλοισιν.“ ἡ μὲν δὴ τὰ ἐπαγω-
γότατα διδαχθεῖσα ὑπὸ τοῦ πατρὸς ἔλεγε πρὸς αὐτόν, ὁ
δὲ ὑποκρινόμενος ἔφη οὐδαμὰ ἥξειν ἐς Κόρινθον, ἔστ᾽
ἂν πυνθάνηται περιεόντα τὸν πατέρα. ἀπαγγειλάσης δὲ 20
ταύτης ταῦτα τὸ τρίτον Περίανδρος κήρυκα πέμπει βου-
λόμενος αὐτὸς μὲν ἐς Κέρκυραν ἥκειν, ἐκεῖνον δὲ ἐκέλευεν
ἐς Κόρινθον ἀπικόμενον διάδοχον γίνεσθαι τῆς τυραν-
νίδος. καταινέσαντος δ᾽ ἐπὶ τούτοισι τοῦ παιδὸς ὁ μὲν
Περίανδρος ἐστέλλετο ἐς τὴν Κέρκυραν, ὁ δὲ παῖς οἱ ἐς 25
τὴν Κόρινθον. μαθόντες δὲ οἱ Κερκυραῖοι τούτων
ἕκαστα, ἵνα μή σφι Περίανδρος ἐς τὴν χώρην ἀπίκηται,
κτείνουσι τὸν νεηνίσκον. ἀντὶ τούτων μὲν Περίανδρος
Κερκυραίους ἐτιμωρεῖτο.

   Λακεδαιμόνιοι δὲ στόλῳ μεγάλῳ ὡς ἀπίκοντο, 54
ἐπολιόρκεον Σάμον· προσβαλόντες δὲ πρὸς τὸ τεῖχος 31
τοῦ μὲν πρὸς θαλάσσῃ ἑστεῶτος πύργου κατὰ τὸ προ-
άστειον τῆς πόλιος ἐπέβησαν, μετὰ δὲ αὐτοῦ βοηθήσαντος
Πολυκράτεος χειρὶ πολλῇ ἀπηλάσθησαν. κατὰ δὲ τὸν

ἐπάνω πύργον τὸν ἐπὶ τῆς ῥάχιος τοῦ ὄρεος ἐπεόντα
ἐπεξῆλθον οἵ τε ἐπίκουροι καὶ αὐτῶν Σαμίων συχνοί,
δεξάμενοι δὲ τοὺς Λακεδαιμονίους ἐπ᾽ ὀλίγον χρόνον
55 ἔφευγον ὀπίσω· οἱ δὲ ἐπισπόμενοι ἔκτεινον. εἰ μέν νυν
5 οἱ παρεόντες Λακεδαιμονίων ὅμοιοι ἐγένοντο ταύτην τὴν
ἡμέρην Ἀρχίῃ τε καὶ Λυκώπῃ, αἱρέθη ἂν Σάμος. Ἀρχίης
γὰρ καὶ Λυκώπης μοῦνοι συνεσπεσόντες φεύγουσιν ἐς
τὸ τεῖχος τοῖσι Σαμίοισι καὶ ἀποκλησθέντες τῆς ὀπίσω
ὁδοῦ ἀπέθανον ἐν τῇ πόλει τῇ Σαμίων. τρίτῳ δὲ ἀπ᾽
10 Ἀρχίω τούτου γεγονότι ἄλλῳ Ἀρχίῃ τῷ Σαμίου τοῦ Ἀρχίω
αὐτὸς ἐν Πιτάνῃ συνεγενόμην (δήμου γὰρ τούτου ἦν),
ὃς ξείνων πάντων μάλιστα ἐτίμα τε Σαμίους καὶ οἱ τῷ
πατρὶ ἔφη Σάμιον τοὔνομα τεθῆναι, ὅτι οἱ ὁ πατὴρ
Ἀρχίης ἐν Σάμῳ ἀριστεύσας ἐτελεύτησεν. τιμᾶν δὲ Σα-
15 μίους ἔφη, διότι ταφῆναί οἱ τὸν πάππον δημοσίῃ ὑπὸ
56 Σαμίων. Λακεδαιμόνιοι δέ, ὥς σφι τεσσεράκοντα ἐγεγό-
νεσαν ἡμέραι πολιορκέουσι Σάμον ἐς τὸ πρόσω τε οὐδὲν
προεκόπτετο τῶν πρηγμάτων, ἀπαλλάσσοντο ἐς Πελοπόν-
νησον. ὡς δὲ ὁ ματαιότερος λόγος ὥρμηται λέγεσθαι,
20 Πολυκράτεα ἐπιχώριον νόμισμα κόψαντα πολλὸν μο-
λύβδου καταχρυσώσαντα δοῦναί σφι, τοὺς δὲ δεξαμένους
οὕτω δὴ ἀπαλλάσσεσθαι. ταύτην πρώτην στρατιὴν ἐς
τὴν Ἀσίην Λακεδαιμόνιοι Δωριεῖς ἐποιήσαντο.
57 Οἱ δ᾽ ἐπὶ τὸν Πολυκράτεα στρατευσάμενοι
25 Σαμίων, ἐπεὶ οἱ Λακεδαιμόνιοι αὐτοὺς ἀπολιπεῖν ἔμελ-
λον, καὶ αὐτοὶ ἀπέπλεον ἐς Σίφνον· χρημάτων γὰρ
ἐδέοντο, τὰ δὲ τῶν Σιφνίων πρήγματα ἤκμαζε τοῦτον
τὸν χρόνον, καὶ νησιωτέων μάλιστα ἐπλούτεον, ἅτε ἐόν-
των αὐτοῖσιν ἐν τῇ νήσῳ χρυσέων καὶ ἀργυρέων μετάλ-
30 λων, οὕτω ὥστε ἀπὸ τῆς δεκάτης τῶν γινομένων αὐτό-
θεν χρημάτων θησαυρὸς ἐν Δελφοῖσιν ἀνάκειται ὅμοια
τοῖσι πλουσιωτάτοισιν· αὐτοὶ δὲ τὰ γινόμενα τῷ ἐνιαυτῷ
ἑκάστῳ χρήματα διενέμοντο. ὅτε ὦν ἐποιεῦντο τὸν θη-
σαυρόν, ἐχρέωντο τῷ χρηστηρίῳ, εἰ αὐτοῖσι τὰ παρεόντα

ἀγαθὰ οἷά τέ ἐστι πολλὸν χρόνον παραμένειν· ἡ δὲ
Πυθίη ἔχρησέ σφι τάδε·

    Ἀλλ' ὅταν ἐν Σίφνῳ πρυτανήϊα λευκὰ γένηται
    Λεύκοφρύς τ' ἀγορή, τότε δὴ δεῖ φράδμονος ἀνδρός
    Φράσσασθαι ξύλινόν τε λόχον κήρυκά τ' ἐρυθρόν.   5

τοῖσι δὲ Σιφνίοισιν ἦν τότε ἡ ἀγορὴ καὶ τὸ πρυτανήϊον
Παρίῳ λίθῳ ἠσκημένα. τοῦτον τὸν χρησμὸν οὐκ οἷοί 58
τε ἦσαν γνῶναι οὔτε τότε ἰθὺς οὔτε τῶν Σαμίων ἀπιγ-
μένων. ἐπείτε γὰρ τάχιστα πρὸς τὴν Σίφνον προσῖ-
σχον οἱ Σάμιοι, ἔπεμπον τῶν νεῶν μίαν πρέσβεας ἄγου- 10
σαν ἐς τὴν πόλιν. τὸ δὲ παλαιὸν ἅπασαι αἱ νέες ἦσαν
μιλτηλιφεῖς· καὶ ἦν τοῦτο τὸ ἡ Πυθίη προηγόρευε τοῖσι
Σιφνίοισι φυλάξασθαι τὸν ξύλινον λόχον κελεύουσα καὶ
κήρυκα ἐρυθρόν. ἀπικόμενοι ὦν οἱ ἄγγελοι ἐδέοντο τῶν
Σιφνίων δέκα τάλαντά σφι χρῆσαι· οὐ φασκόντων δὲ 15
χρήσειν τῶν Σιφνίων αὐτοῖσιν οἱ Σάμιοι τοὺς χώρους
αὐτῶν ἐπόρθεον. πυθόμενοι δ' ἰθὺς ἧκον οἱ Σίφνιοι
βοηθέοντες καὶ συμβαλόντες αὐτοῖσιν ἐσσώθησαν, καὶ
αὐτῶν πολλοὶ ἀπεκλήσθησαν τοῦ ἄστεος ὑπὸ τῶν Σαμίων·
καὶ αὐτοὺς μετὰ ταῦτα ἑκατὸν τάλαντα ἔπρηξαν. παρὰ 59
δὲ Ἑρμιονέων νῆσον ἀντὶ χρημάτων παρέλαβον, Ὑδρέην 21
τὴν ἐπὶ Πελοποννήσῳ, καὶ αὐτὴν Τροιζηνίοισι παρακατέ-
θεντο· αὐτοὶ δὲ Κυδωνίην τὴν ἐν Κρήτῃ ἔκτισαν
οὐκ ἐπὶ τοῦτο πλέοντες, ἀλλὰ Ζακυνθίους ἐξελῶντες ἐκ
τῆς νήσου. ἔμειναν δ' ἐν ταύτῃ καὶ εὐδαιμόνησαν ἐπ' 25
ἔτεα πέντε, ὥστε τὰ ἱρὰ τὰ ἐν Κυδωνίῃ ἐόντα νῦν οὗτοι
εἰσιν οἱ ποιήσαντες καὶ τὸν τῆς Δικτύνης νηόν. ἕκτῳ
δὲ ἔτει Αἰγινῆται αὐτοὺς ναυμαχίῃ νικήσαντες ἠνδραπο-
δίσαντο μετὰ Κρητῶν καὶ τῶν νεῶν καπρίους ἐχουσέων
τὰς πρῴρας ἠκρωτηρίασαν καὶ ἀνέθεσαν ἐς τὸ ἱρὸν τῆς 30
Ἀθηναίης ἐν Αἰγίνῃ. ταῦτα δὲ ἐποίησαν ἔγκοτον ἔχοντες
Σαμίοισιν Αἰγινῆται. πρότεροι γὰρ Σάμιοι ἐπ' Ἀμφικρά-
τεος βασιλεύοντος ἐν Σάμῳ στρατευσάμενοι ἐπ' Αἴγιναν

μεγάλα κακὰ ἐποίησαν Αἰγινήτας καὶ ἔπαθον ὑπ' ἐκείνων.
ἡ μὲν αἰτίη αὕτη.

60 · Ἐμήκυνα δὲ περὶ Σαμίων μᾶλλον, ὅτι σφι τρία
ἐστὶ μέγιστα ἀπάντων Ἑλλήνων ἐξεργασμένα, ὄρεός
5 τε ὑψηλοῦ ἐς πεντήκοντα καὶ ἑκατὸν ὀργυιάς, τούτου
ὄρυγμα κάτωθεν ἀρξάμενον, ἀμφίστομον. τὸ μὲν μῆκος
τοῦ ὀρύγματος ἑπτὰ στάδιοί εἰσιν, τὸ δὲ ὕψος καὶ εὖρος
ὀκτὼ ἑκάτερον πόδες. διὰ παντὸς δὲ αὐτοῦ ἄλλο ὄρυγμα
εἰκοσίπηχυ βάθος ὤρυκται, τρίπουν δὲ τὸ εὖρος, δι' οὗ
10 τὸ ὕδωρ ὀχετευόμενον διὰ σωλήνων παραγίνεται ἐς τὴν
πόλιν ἀγόμενον ἀπὸ μεγάλης πηγῆς. ἀρχιτέκτων δὲ τοῦ
ὀρύγματος τούτου ἐγένετο Μεγαρεὺς Εὐπαλῖνος Ναυ-
στρόφου. τοῦτο μὲν δὴ ἓν τῶν τριῶν ἐστιν, δεύτερον δὲ
περὶ λιμένα χῶμα ἐν θαλάσσῃ, βάθος καὶ εἴκοσι ὀργυιῶν,
15 μῆκος δὲ τοῦ χώματος μέζον δύο σταδίων. τρίτον δέ
σφιν ἐξέργασται νηὸς μέγιστος πάντων νηῶν, τῶν ἡμεῖς
ἴδμεν, τοῦ ἀρχιτέκτων πρῶτος ἐγένετο Ῥοῖκος Φίλεω
ἐπιχώριος. τούτων εἵνεκεν μᾶλλόν τι περὶ Σαμίων
ἐμήκυνα.

61 Καμβύσῃ δὲ τῷ Κύρου χρονίζοντι περὶ Αἴγυ-
21 πτον καὶ παραφρονήσαντι ἐπανιστέαται ἄνδρες μάγοι
δύο ἀδελφεοί, τῶν τὸν ἕτερον κατελελοίπει τῶν οἰκίων
μελεδωνὸν ὁ Καμβύσης. οὗτος δὴ ὦν οἱ ἐπανέστη μα-
θών τε τὸν Σμέρδιος θάνατον ὡς κρύπτοιτο γενόμενος,
25 καὶ ὡς ὀλίγοι ἦσαν οἱ ἐπιστάμενοι αὐτὸν Περσέων, οἱ
δὲ πολλοὶ περιεόντα μιν εἰδείησαν. πρὸς ταῦτα βου-
λεύσας τάδε ἐπεχείρησε τοῖσι βασιληίοισιν· ἦν οἱ ἀδελ-
φεός, τὸν εἶπά οἱ συνεπαναστῆναι, οἰκὼς μάλιστα τὸ
εἶδος Σμέρδι τῷ Κύρου, τὸν ὁ Καμβύσης, ἐόντα ἑωυτοῦ
30 ἀδελφεόν, ἀπέκτεινεν. ἦν τε δὴ ὅμοιος τῷ Σμέρδι καὶ
δὴ καὶ ὄνομα τὠυτὸ εἶχε Σμέρδιν. τοῦτον τὸν ἄνδρα
ἀναγνώσας ὁ μάγος Πατιζείθης ὥς οἱ αὐτὸς πάντα δια-
πρήξει, εἶσε ἄγων ἐς τὸν βασιλήιον θρόνον. ποιήσας
δὲ τοῦτο κήρυκας τῇ τε ἄλλῃ διέπεμπε καὶ δὴ καὶ ἐς

Αἴγυπτον προερέοντα τῷ στρατῷ ὡς Σμέρδιος τοῦ Κύρου
ἀκουστέα εἴη τοῦ λοιποῦ ἀλλ' οὐ Καμβύσεω. οἵ τε δὴ 62
ὧν ἄλλοι κήρυκες προηγόρευον ταῦτα καὶ δὴ καὶ ὁ ἐπ'
Αἴγυπτον ταχθείς (εὕρισκε γὰρ Καμβύσεα καὶ τὸν
στρατὸν ἐόντα τῆς Συρίης ἐν Ἀγβατάνοισι) προηγόρευε 5
στὰς ἐς μέσον τὰ ἐντεταλμένα ἐκ τοῦ μάγου. Καμβύσης
δὲ ἀκούσας ταῦτα ἐκ τοῦ κήρυκος καὶ ἐλπίσας μιν λέγειν
ἀληθέα αὐτός τε προδεδόσθαι ἐκ Πρηξάσπεος (πεμφθέντα
γὰρ αὐτὸν ὡς ἀποκτενέοντα Σμέρδιν οὐ ποιῆσαι ταῦτα),
βλέψας ἐς τὸν Πρηξάσπεα εἶπεν· „Πρήξασπες, οὕτω μοι 10
διέπρηξας τό τοι προσέθηκα πρῆγμα;" ὁ δὲ εἶπεν· „Ὦ
δέσποτα, οὐκ ἔστι ταῦτα ἀληθέα, ὅκως κοτέ σοι Σμέρδις
ἀδελφεὸς ὁ σὸς ἐπανέστηκεν, οὐδὲ ὅκως τι ἐξ ἐκείνου
τοῦ ἀνδρὸς νεῖκός τοι ἔσται ἢ μέγα ἢ σμικρόν. ἐγὼ
γὰρ αὐτός, ποιήσας τὰ σύ με ἐκέλευες, ἔθαψά μιν χερσὶ 15
τῇσιν ἐμεωυτοῦ. εἰ μέν νυν οἱ τεθνεῶτες ἀνεστᾶσιν,
προσδέκεό τοι καὶ Ἀστυάγεα τὸν Μῆδον ἐπαναστήσεσθαι·
εἰ δ' ἔστιν ὥσπερ πρὸ τοῦ, οὐ μή τί τοι ἔκ γε ἐκείνου
νεώτερον ἀναβλάστῃ. νῦν ὦν μοι δοκεῖ μεταδιώξαντας
τὸν κήρυκα ἐξετάζειν εἰρωτῶντας, παρ' ὅτεο ἥκων 20
προαγορεύει ἡμῖν Σμέρδιος βασιλέος ἀκούειν." ταῦτα 63
εἴπαντος Πρηξάσπεος (ἤρεσε γὰρ Καμβύσῃ) αὐτίκα μετα-
δίωκτος γενόμενος ὁ κῆρυξ ἧκεν· ἀπιγμένον δέ μιν
εἴρετο ὁ Πρηξάσπης τάδε· „Ὤνθρωπε, φῂς γὰρ ἥκειν
παρὰ Σμέρδιος τοῦ Κύρου ἄγγελος. νῦν ὦν εἴπας τὴν 25
ἀληθείην ἄπιθι χαίρων, κότερα αὐτός τοι Σμέρδις φαι-
νόμενος ἐς ὄψιν ἐνετέλλετο ταῦτα ἢ τῶν τις ἐκείνου
ὑπηρετέων." ὁ δὲ εἶπεν· „Ἐγὼ Σμέρδιν μὲν τὸν Κύρου,
ἐξ ὅτεο βασιλεὺς Καμβύσης ἤλασεν ἐς Αἴγυπτον, οὔκω
ὄπωπα· ὁ δέ μοι μάγος, τὸν Καμβύσης ἐπίτροπον τῶν 30
οἰκίων ἀπέδεξεν, οὗτος ταῦτα ἐνετείλατο, φὰς Σμέρδιν
τὸν Κύρου εἶναι τὸν ταῦτα ἐπιθέμενον εἶπαι πρὸς
ὑμέας." ὁ μὲν δὴ σφιν ἔλεγεν οὐδὲν ἐπικατεψευσμένος,
Καμβύσης δὲ εἶπεν· „Πρήξασπες, σὺ μὲν οἷα ἀνὴρ ἀγαθὸς ·

ποιήσας τὸ κελευόμενον αἰτίην ἐκπέφευγας· ἐμοὶ δὲ τίς
ἂν εἴη Περσέων ὁ ἐπανεστεὼς ἐπιβατεύων τοῦ Σμέρδιος
ὀνόματος;" ὁ δὲ εἶπεν· „Εγώ μοι δοκέω συνιέναι τὸ
γεγονὸς τοῦτο, ὦ βασιλεῦ· οἱ μάγοι εἰσί τοι οἱ ἐπαν-
5 εστεῶτες, τόν τε ἔλιπες μελεδωνὸν τῶν οἰκίων, Πατι-
64 ξείθης καὶ ὁ τούτου ἀδελφεὸς Σμέρδις." ἐνθαῦτα
ἀκούσαντα Καμβύσεα τὸ Σμέρδιος ὄνομα ἔτυψεν
ἡ ἀληθείη τῶν τε λόγων καὶ τοῦ ἐνυπνίου· ὃς ἐδόκει ἐν
τῷ ὕπνῳ ἀπαγγεῖλαί τινά οἱ ὡς Σμέρδις ἱζόμενος ἐς τὸν
10 βασιλήιον θρόνον ψαύσειε τῇ κεφαλῇ τοῦ οὐρανοῦ.
μαθὼν δὲ ὡς μάτην ἀπολωλεκὼς εἴη τὸν ἀδελφεόν, ἀπέ-
κλαιε Σμέρδιν, ἀποκλαύσας δὲ καὶ περιημεκτήσας τῇ
ἁπάσῃ συμφορῇ ἀναθρῴσκει ἐπὶ τὸν ἵππον, ἐν νῷ ἔχων
τὴν ταχίστην ἐς Σοῦσα στρατεύεσθαι ἐπὶ τὸν μάγον.
15 καί οἱ ἀναθρῴσκοντι ἐπὶ τὸν ἵππον τοῦ κολεοῦ τοῦ
ξίφεος ὁ μύκης ἀποπίπτει, γυμνωθὲν δὲ τὸ ξίφος
παίει τὸν μηρόν· τρωματισθεὶς δὲ κατὰ τοῦτο τῇ αὐτὸς
πρότερον τὸν τῶν Αἰγυπτίων θεὸν Ἆπιν ἔπληξεν, ὥς οἱ
καιρίην ἔδοξε τετύφθαι, εἴρετο ὁ Καμβύσης, ὅ τι τῇ
20 πόλει ὄνομα εἴη. οἱ δὲ εἶπαν ὅτι Αγβάτανα. τῷ δὲ ἔτι
πρότερον ἐκέχρητο ἐκ Βουτοῦς πόλιος ἐν Ἀγβατάνοισι
τελευτήσειν τὸν βίον. ὁ μὲν δὴ ἐν τοῖσι Μηδικοῖσιν
Ἀγβατάνοισιν ἐδόκει τελευτήσειν γηραιός, ἐν τοῖς οἱ ἦν
τὰ πάντα πρήγματα, τὸ δὲ χρηστήριον ἐν τοῖς ἐν Συρίῃ
25 Ἀγβατάνοισιν ἔλεγεν ἄρα. καὶ δὲ ὡς τότε ἐπειρόμενος
ἐπύθετο τῆς πόλιος τὸ ὄνομα, ὑπὸ τῆς συμφορῆς τῆς τε
ἐκ τοῦ μάγου ἐκπεπληγμένος καὶ τοῦ τρώματος ἐσωφρό-
νησεν, συλλαβὼν δὲ τὸ θεοπρόπιον εἶπεν· „Ενθαῦτα
Καμβύσεα τὸν Κύρου ἐστὶ πεπρωμένον τελευτᾶν."

65 Τότε μὲν τοσαῦτα. ἡμέρῃσι δὲ ὕστερον ὡς εἴκοσι
31 μεταπεμψάμενος Περσέων τῶν παρεόντων τοὺς
λογιμωτάτους ἔλεγέ σφι τάδε· „Ω Πέρσαι, καταλελά-
βηκέ με, τὸ πάντων μάλιστα ἔκρυπτον πρηγμάτων, τοῦτο
ἐς ὑμέας ἐκφῆναι. ἐγὼ γὰρ ἐὼν ἐν Αἰγύπτῳ εἶδον ὄψιν

ἐν τῷ ὕπνῳ, τὴν μηδαμὰ ὄφελον ἰδεῖν· ἐδόκεον δέ μοι
ἄγγελον ἐλθόντα ἐξ οἴκου ἀγγέλλειν, ὡς Σμέρδις ἱζόμενος
ἐς τὸν βασιλήιον θρόνον ψαύσειε τῇ κεφαλῇ τοῦ οὐρανοῦ.
δείσας δὲ μὴ ἀπαιρεθέω τὴν ἀρχὴν πρὸς τοῦ ἀδελφεοῦ,
ἐποίησα ταχύτερα ἢ σοφώτερα· ἐν τῇ γὰρ ἀνθρωπηίῃ 5
φύσει οὐκ ἐνῆν ἄρα τὸ μέλλον γίνεσθαι ἀποτρέπειν, ἐγὼ
δὲ ὁ μάταιος Πρηξάσπεα ἀποπέμπω ἐς Σοῦσα ἀποκτε-
νέοντα Σμέρδιν. ἐξεργασθέντος δὲ κακοῦ τοσούτου ἀδεῶς
διαιτώμην, οὐδαμὰ ἐπιλεξάμενος μή κοτέ τίς μοι Σμέρ-
διος ὑπαραιρημένου ἄλλος ἐπανασταίη ἀνθρώπων. παν- 10
τὸς δὲ τοῦ μέλλοντος ἔσεσθαι ἁμαρτὼν ἀδελφεοκτόνος
τε οὐδὲν δέον γέγονα καὶ τῆς βασιληίης οὐδὲν ἧσσον
ἐστέρημαι. Σμέρδις γὰρ δὴ ἦν ὁ μάγος, τόν μοι ὁ δαί-
μων προέφαινεν ἐν τῇ ὄψει ἐπαναστήσεσθαι. τὸ μὲν δὴ
ἔργον ἐξέργασταί μοι, καὶ Σμέρδιν τὸν Κύρου μηκέτι 15
ὑμῖν ἐόντα λογίζεσθε· οἱ δὲ ὑμῖν μάγοι κρατέουσι τῶν
βασιληίων, τόν τε ἔλιπον ἐπίτροπον τῶν οἰκίων καὶ ὁ
ἐκείνου ἀδελφεὸς Σμέρδις. τὸν μέν νυν μάλιστα χρῆν
ἐμέο αἰσχρὰ πρὸς τῶν μάγων πεπονθότος τιμωρεῖν ἐμοί,
οὗτος μὲν ἀνοσίῳ μόρῳ τετελεύτηκεν ὑπὸ τῶν ἑωυτοῦ 20
οἰκηιοτάτων· τούτου δὲ μηκέτι ἐόντος, δεύτερα τῶν λοι-
πῶν ὑμῖν, ὦ Πέρσαι, γίνεταί μοι ἀναγκαιότατον ἐντέλ-
λεσθαι, τὰ θέλω μοι γενέσθαι τελευτῶν τὸν βίον· καὶ
δὴ ὑμῖν τάδε ἐπισκήπτω θεοὺς τοὺς βασιληίους ἐπικα-
λέων καὶ πᾶσιν ὑμῖν καὶ μάλιστα Ἀχαιμενιδέων τοῖς 25
παρεοῦσιν, μὴ περιιδεῖν τὴν ἡγεμονίην αὗτις ἐς Μήδους
περιελθοῦσαν, ἀλλ’ εἴτε δόλῳ ἔχουσιν αὐτὴν κτησάμενοι,
δόλῳ ἀπαιρεθῆναι ὑπὸ ὑμέων, εἴτε καὶ σθένει τέῳ κατ-
εργασάμενοι, σθένει κατὰ τὸ καρτερὸν ἀνασώσασθαι.
καὶ ταῦτα μὲν ποιεῦσιν ὑμῖν γῆ τε καρπὸν ἐκφέροι καὶ 30
γυναῖκές τε καὶ ποῖμναι τίκτοιεν, ἐοῦσιν ἐς τὸν ἅπαντα
χρόνον ἐλευθέροισιν· μὴ δὲ ἀνασωσαμένοισι τὴν ἀρχὴν
μηδ’ ἐπιχειρήσασιν ἀνασῴζειν τὰ ἐναντία τούτοισιν ἀρῶ-
μαι ὑμῖν γενέσθαι, καὶ πρὸς ἔτι τούτοισι τὸ τέλος Περ-

σέων ἑκάστῳ ἐπιγενέσθαι οἷον ἐμοὶ ἐπιγέγονεν." ἅμα τε
εἴπας ταῦτα ὁ Καμβύσης ἀπέκλαιε πᾶσαν τὴν ἑωυτοῦ
πρῆξιν.

66   Πέρσαι δὲ ὡς τὸν βασιλέα εἶδον ἀνακλαύσαντα,
5 πάντες τά τε ἐσθῆτος ἐχόμενα εἶχον, ταῦτα κατηρείκοντο
καὶ οἰμωγῇ ἀφθόνῳ διεχρέωντο. μετὰ δὲ ταῦτα ὡς
ἐσφακέλισέ τε τὸ ὀστέον καὶ ὁ μηρὸς τάχιστα ἐσάπη,
521 a. Chr. ἀπήνεικε Καμβύσεα τὸν Κύρου, βασιλεύσαντα μὲν
τὰ πάντα ἑπτὰ ἔτεα καὶ πέντε μῆνας, ἄπαιδα δὲ τὸ
10 παράπαν ἐόντα ἔρσενος καὶ θήλεος γόνου. Περσέων δὲ
τοῖς παρεοῦσιν ἀπιστίη πολλὴ ὑπεκέχυτο τοὺς μάγους
ἔχειν τὰ πρήγματα, ἀλλ' ἠπιστέατο ἐπὶ διαβολῇ εἰπεῖν
Καμβύσεα τὰ εἶπε περὶ τοῦ Σμέρδιος θανάτου, ἵνα οἱ
67 ἐκπολεμωθῇ πᾶν τὸ Περσικόν. οὗτοι μέν νυν ἠπιστέατο
15 Σμέρδιν τὸν Κύρου βασιλέα ἐνεστεῶτα· δεινῶς γὰρ καὶ
ὁ Πρηξάσπης ἔξαρνος ἦν μὴ μὲν ἀποκτεῖναι Σμέρδιν·
οὐ γὰρ ἦν οἱ ἀσφαλὲς Καμβύσεω τετελευτηκότος φάναι
τὸν Κύρου υἱὸν ἀπολωλεκέναι αὐτοχειρίῃ. ὁ δὲ δὴ
μάγος τελευτήσαντος Καμβύσεω ἀδεῶς ἐβασίλευσεν,
20 ἐπιβατεύων τοῦ ὁμωνύμου Σμέρδιος τοῦ Κύρου, μῆνας
ἑπτὰ τοὺς ἐπιλοίπους Καμβύσῃ ἐς τὰ ὀκτὼ ἔτεα τῆς
πληρώσιος· ἐν τοῖς ἀπεδέξατο ἐς τοὺς ὑπηκόους πάντας
εὐεργεσίας μεγάλας, ὥστε ἀποθανόντος αὐτοῦ πόθον
ἔχειν πάντας τοὺς ἐν τῇ Ἀσίῃ, πάρεξ αὐτῶν Περσέων.
25 διαπέμψας γὰρ ὁ μάγος ἐς πᾶν ἔθνος τῶν ἦρχε προεῖπεν
ἀτελείην εἶναι στρατηίης καὶ φόρου ἐπ' ἔτεα τρία.
68 προεῖπε μὲν δὴ ταῦτα αὐτίκα ἐνιστάμενος ἐς τὴν ἀρχήν,
ὀγδόῳ δὲ μηνὶ ἐγένετο κατάδηλος τρόπῳ τοιῷδε· Ὀτάνης
ἦν Φαρνάσπεω μὲν παῖς, γένει δὲ καὶ χρήμασιν ὅμοιος
30 τῷ πρώτῳ Περσέων· οὗτος ὁ Ὀτάνης πρῶτος ὑπώ-
πτευσε τὸν μάγον, ὡς οὐκ εἴη ὁ Κύρου Σμέρδις, ἀλλ'
ὅς περ ἦν, τῇδε συμβαλλόμενος, ὅτι τε οὐκ ἐξεφοίτα ἐκ
τῆς ἀκροπόλιος καὶ ὅτι οὐκ ἐκάλει ἐς ὄψιν ἑωυτῷ οὐδένα
τῶν λογίμων Περσέων. ὑποπτεύσας δέ μιν ἐποίει τάδε·

ἔσχεν αὐτοῦ Καμβύσης θυγατέρα, τῇ ὄνομα ἦν Φαιδύμη·
τὴν αὐτὴν δὴ ταύτην εἶχε τότε ὁ μάγος καὶ ταύτῃ τε
συνοίκει καὶ τῇσιν ἄλλῃσι πάσῃσι τῇσι τοῦ Καμβύσεω
γυναιξίν. πέμπων δὴ ὦν ὁ Ὀτάνης παρὰ ταύτην τὴν
θυγατέρα ἐπυνθάνετο, παρ᾽ ὅτεῳ ἀνθρώπων κοιμῷτο,
εἴτε μετὰ Σμέρδιος τοῦ Κύρου εἴτε μετὰ ἄλλου τέο. ἡ δέ
οἱ ἀντέπεμπε φαμένη οὐ γινώσκειν· οὔτε γὰρ τὸν Κύρου
Σμέρδιν ἰδέσθαι οὐδαμὰ οὔτε ὅστις εἴη ὁ συνοικέων
αὐτῇ εἰδέναι. ἔπεμπε δεύτερα ὁ Ὀτάνης λέγων· „Εἰ μὴ
αὐτὴ Σμέρδιν τὸν Κύρου γινώσκεις, σὺ δὲ παρὰ Ἀτόσσης
πύθεο, ὅτεῳ τούτῳ συνοικεῖ αὐτή τε ἐκείνη καὶ σύ·
πάντως γὰρ δή κου τόν γε ἑωυτῆς ἀδελφεὸν γινώσκει.“
ἀντιπέμπει πρὸς ταῦτα ἡ θυγάτηρ· „Οὔτε Ἀτόσσῃ δύνα-
μαι ἐς λόγους ἐλθεῖν οὔτε ἄλλην οὐδεμίαν ἰδέσθαι τῶν
συγκαθημένων γυναικῶν· ἐπείτε γὰρ τάχιστα οὗτος
ὥνθρωπος, ὅστις κοτέ ἐστιν, παρέλαβε τὴν βασιληίην,
διέσπειρεν ἡμέας ἄλλην ἄλλῃ τάξας.“ ἀκούοντι δὲ ταῦτα 69
τῷ Ὀτάνῃ μᾶλλον κατεφαίνετο τὸ πρῆγμα. τρίτην δὲ
ἀγγελίην ἐσπέμπει παρ᾽ αὐτὴν λέγουσαν ταῦτα· „Ὦ θύ-
γατερ, δεῖ σε γεγονυῖαν εὖ κίνδυνον ἀναλαβέσθαι, τὸν
ἂν ὁ πατὴρ ὑποδύνειν κελεύῃ· εἰ γὰρ δὴ μή ἐστιν
ὁ Κύρου Σμέρδις, ἀλλὰ τὸν καταδοκέω ἐγώ, οὔτοι μιν
σοί τε συγκοιμώμενον καὶ τὸ Περσέων κράτος ἔχοντα δεῖ
χαίροντα ἀπαλλάσσειν, ἀλλὰ δοῦναι δίκην. νῦν ὦν ποί-
ησον τάδε· ἐπεάν σοι συνεύδῃ καὶ μάθῃς αὐτὸν κατυπνω-
μένον, ἄφασον αὐτοῦ τὰ ὦτα· καὶ ἢν μὲν φαίνηται ἔχων
ὦτα, νόμιζε σεωυτὴν Σμέρδι τῷ Κύρου συνοικεῖν, ἢν δὲ
μὴ ἔχων, σὺ δὲ τῷ μάγῳ Σμέρδι.“ ἀντιπέμπει πρὸς ταῦτα
ἡ Φαιδύμη φαμένη κινδυνεύσειν μεγάλως, ἢν ποιῇ ταῦτα·
εἰ γὰρ δὴ μὴ τυγχάνῃ τὰ ὦτα ἔχων, ἐπίλαπτος δὲ ἀφάσ-
σουσα ἔσται, εὖ εἰδέναι ὡς ἀιστώσει μιν· ὅμως μέντοι
ποιήσειν ταῦτα. ἡ μὲν δὴ ὑπεδέξατο ταῦτα τῷ πατρὶ
κατεργάσεσθαι· τοῦ δὲ μάγου τούτου τοῦ Σμέρδιος Κῦρος
ὁ Καμβύσεω ἄρχων τὰ ὦτα ἀπέταμεν ἐπ᾽ αἰτίῃ δή τινι οὐ

σμικρῇ. ἢ ὧν δὴ Φαιδύμη αὕτη, ἡ τοῦ Ὀτάνεω θυγάτηρ,
πάντα ἐπιτελέουσα τὰ ὑπεδέξατο τῷ πατρί, ἐπείτε αὐτῆς
μέρος ἐγίνετο τῆς ἀπίξιος παρὰ τὸν μάγον (ἐν περιτροπῇ
γὰρ δὴ αἱ γυναῖκες φοιτῶσι τοῖς Πέρσῃσιν), ἐλθοῦσα
5 παρ᾽ αὐτὸν ηὗδεν, ὑπνωμένου δὲ καρτερῶς τοῦ μάγου
ἥφασε τὰ ὦτα. μαθοῦσα δὲ οὐ χαλεπῶς ἀλλ᾽ εὐπετέως
οὐκ ἔχοντα τὸν ἄνδρα ὦτα, ὡς ἡμέρη τάχιστα ἐγεγόνει,
πέμψασα ἐσήμηνε τῷ πατρὶ τὰ γενόμενα.

70 Ὁ δὲ Ὀτάνης παραλαβὼν Ἀσπαθίνην καὶ
10 Γωβρύην, Περσέων τε πρώτους ἐόντας καὶ ἑωυτῷ ἐπι-
τηδεοτάτους ἐς πίστιν, ἀπηγήσατο πᾶν τὸ πρῆγμα· οἱ δὲ
καὶ αὐτοὶ ἄρα ὑπώπτευον οὕτω τοῦτο ἔχειν, ἀνενείκαντος
δὲ τοῦ Ὀτάνεω τοὺς λόγους ἐδέξαντο. καὶ ἔδοξέ σφιν
ἕκαστον ἄνδρα Περσέων προσεταιρίσασθαι τοῦτον, ὅτεῳ
15 πιστεύει μάλιστα. Ὀτάνης μέν νυν ἐσάγεται Ἰνταφρένεα,
Γωβρύης δὲ Μεγάβυζον, Ἀσπαθίνης δὲ Ὑδάρνεα. γεγο-
νότων δὲ τούτων ἓξ παραγίνεται ἐς τὰ Σοῦσα Δα-
ρεῖος ὁ Ὑστάσπεος ἐκ Περσέων ἥκων· τούτων γὰρ δὴ
ἦν οἱ ὁ πατὴρ ὕπαρχος. ἐπεὶ ὧν οὗτος ἀπίκετο, τοῖς ἓξ
20 τῶν Περσέων ἔδοξε καὶ Δαρεῖον προσεταιρίσασθαι.
71 συνελθόντες δὲ οὗτοι ἐόντες ἑπτὰ ἐδίδοσαν σφίσι
πίστις καὶ λόγους. ἐπείτε δὲ ἐς Δαρεῖον ἀπίκετο
γνώμην ἀποφαίνεσθαι, ἔλεγέ σφι τάδε· „Ἐγὼ ταῦτα ἐδό-
κεον μὲν αὐτὸς μοῦνος ἐπίστασθαι, ὅτι τε ὁ μάγος εἴη
25 ὁ βασιλεύων καὶ Σμέρδις ὁ Κύρου τετελεύτηκεν· καὶ
αὐτοῦ τούτου εἵνεκεν ἥκω σπουδῇ ὡς συστήσων ἐπὶ τῷ
μάγῳ θάνατον. ἐπείτε δὲ συνήνεικεν ὥστε καὶ ὑμέας
εἰδέναι καὶ μὴ μοῦνον ἐμέ, ποιεῖν αὐτίκα μοι δοκεῖ καὶ
μὴ ὑπερβάλλεσθαι· οὐ γὰρ ἄμεινον.“ εἶπε πρὸς ταῦτα
30 ὁ Ὀτάνης· „Ὦ παῖ Ὑστάσπεος, εἴς τε πατρὸς ἀγαθοῦ καὶ
ἐκφαίνειν ἔοικας σεωυτὸν ἐόντα τοῦ πατρὸς οὐδὲν ἥσσω·
τὴν μέντοι ἐπιχείρησιν ταύτην μὴ οὕτω συντάχυνε ἀβού-
λως, ἀλλ᾽ ἐπὶ τὸ σωφρονέστερον αὐτὴν λάμβανε· δεῖ γὰρ
πλέονας γενομένους οὕτως ἐπιχειρεῖν.“ λέγει πρὸς ταῦτα

Δαρεῖος· „Ἄνδρες οἱ παρεόντες, τρόπῳ τῷ εἰρημένῳ ἐξ
Ὀτάνεω εἰ χρήσεσθε, ἐπίστασθε ὅτι ἀπολεῖσθε κάκιστα·
ἐξοίσει γάρ τις πρὸς τὸν μάγον, ἰδίῃ περιβαλλόμενος
ἑωυτῷ κέρδεα. μάλιστα μὲν νυν ὠφείλετε ἐπ᾽ ὑμέων
αὐτῶν βαλλόμενοι ποιεῖν ταῦτα· ἐπείτε δὲ ὑμῖν ἀνα- 5
φέρειν ἐς πλέονας ἐδόκει καὶ ἐμοὶ ὑπερέθεσθε, ἢ ποιέω-
μεν σήμερον ἢ ἴστε ὑμῖν ὅτι, ἢν ὑπερπέσῃ ἡ νῦν ἡμέρη,
ὡς οὐκ ἄλλος φθὰς ἐμέο κατήγορος ἔσται, ἀλλά σφεα
αὐτὸς ἐγὼ κατερέω πρὸς τὸν μάγον.“ λέγει πρὸς ταῦτα 72
Ὀτάνης, ἐπειδὴ ὥρα σπερχόμενον Δαρεῖον· „Ἐπείτε ἡμέας 10
συνταχύνειν ἀναγκάζεις καὶ ὑπερβάλλεσθαι οὐκ ἐᾷς, ἴθι
ἐξηγέο αὐτός, ὅτεῳ τρόπῳ πάριμεν ἐς τὰ βασιλήια καὶ
ἐπιχειρήσομεν αὐτοῖσιν. φυλακὰς γὰρ δὴ διεστεώσας οἶδάς
κου καὶ αὐτός, εἰ μὴ ἰδών, ἀλλ᾽ ἀκούσας· ἃς τέῳ τρόπῳ
περήσομεν;“ ἀμείβεται Δαρεῖος τοῖσδε· „Ὀτάνη, ἦ πολλά 15
ἐστι τὰ λόγῳ μὲν οὐκ οἷά τε δηλῶσαι, ἔργῳ δέ· ἄλλα δ᾽
ἐστὶ τὰ λόγῳ μὲν οἷά τε, ἔργον δὲ οὐδὲν ἀπ᾽ αὐτῶν
λαμπρὸν γίνεται. ὑμεῖς δὲ ἴστε φυλακὰς τὰς κατεστεώσας
ἐούσας οὐδὲν χαλεπὰς παρελθεῖν. τοῦτο μὲν γὰρ ἡμέων
ἐόντων τοιῶνδε οὐδεὶς ὅστις οὐ παρήσει, τὰ μέν κου 20
καταιδεόμενος ἡμέας, τὰ δέ κου καὶ δειμαίνων· τοῦτο δὲ
ἔχω αὐτὸς σκῆψιν εὐπρεπεστάτην τῇ πάριμεν, φὰς ἄρτι
τε ἥκειν ἐκ Περσέων καὶ βούλεσθαί τι ἔπος παρὰ τοῦ
πατρὸς σημῆναι τῷ βασιλεῖ. ἔνθα γάρ τι δεῖ ψεῦδος
λέγεσθαι, λεγέσθω. τοῦ γὰρ αὐτοῦ γλιχόμεθα οἵ τε 25
ψευδόμενοι καὶ οἱ τῇ ἀληθείῃ διαχρεώμενοι. οἱ μέν γε
ψεύδονται τότε, ἐπεάν τι μέλλωσι τοῖς ψεύδεσι πείσαντες
κερδήσεσθαι, οἱ δ᾽ ἀληθίζονται, ἵνα τι τῇ ἀληθείῃ ἐπι-
σπάσωνται κέρδος καί τις μᾶλλόν σφιν ἐπιτράπηται.
οὕτω οὐ ταὐτὰ ἀσκέοντες τὠυτοῦ περιεχόμεθα. εἰ δὲ 30
μηδὲν κερδήσεσθαι μέλλοιεν, ὁμοίως ἂν ὅ τε ἀληθιζό-
μενος ψευδὴς εἴη καὶ ὁ ψευδόμενος ἀληθής. ὃς ἂν μέν
νυν τῶν πυλουρῶν ἑκὼν παρίῃ, αὐτῷ οἱ ἄμεινον ἐς
χρόνον ἔσται· ὃς δ᾽ ἂν ἀντιβαίνειν πειρᾶται, διαδει-

κνύσθω ἐνθαῦτα ἐὼν πολέμιος, καὶ ἔπειτα ὠσάμενοι ἔσω
73 ἔργου ἐχώμεθα." λέγει Γωβρύης μετὰ ταῦτα· „Ἄνδρες
φίλοι, ἡμῖν κότε κάλλιον παρέξει ἀνασώσασθαι τὴν ἀρ-
χήν, ἢ εἴ γε μὴ οἷοί τε ἐσόμεθα αὐτὴν ἀναλαβεῖν, ἀπο-
5 θανεῖν; ὅτε γε ἀρχόμεθα μὲν ἐόντες Πέρσαι ὑπὸ Μήδου
ἀνδρὸς μάγου, καὶ τούτου ὦτα οὐκ ἔχοντος. ὅσοι τε
ὑμέων Καμβύσῃ νοσέοντι παρεγένοντο, πάντως κου μέ-
μνησθε τὰ ἐπέσκηψε Πέρσῃσι τελευτῶν τὸν βίον μὴ
πειρωμένοισιν ἀνακτᾶσθαι τὴν ἀρχήν· τὰ τότε οὐκ ἐνεδε-
10 κόμεθα, ἀλλ' ἐπὶ διαβολῇ ἐδοκέομεν εἰπεῖν Καμβύσεα.
νῦν ὦν τίθεμαι ψῆφον πείθεσθαι Δαρείῳ καὶ μὴ δια-
λύεσθαι ἐκ τοῦ συλλόγου τοῦδε, ἀλλ' ἢ ἰόντας ἐπὶ τὸν
μάγον ἰθέως." ταῦτα εἶπε Γωβρύης, καὶ πάντες ταύτῃ
αἴνεον.

74 Ἐν ᾧ δὲ οὗτοι ταῦτα ἐβουλεύοντο, ἐγίνετο κατὰ
16 συντυχίην τάδε. τοῖσι μάγοισιν ἔδοξε βουλευομέ-
νοισι Πρηξάσπεα φίλον προσθέσθαι, ὅτι τε ἐπε-
πόνθει πρὸς Καμβύσεω ἀνάρσια, ὅς οἱ τὸν παῖδα τοξεύσας
ἀπολωλέκει, καὶ διότι μοῦνος ἠπίστατο τὸν Σμέρδιος τοῦ
20 Κύρου θάνατον αὐτοχειρίῃ μιν ἀπολέσας, πρὸς δ' ἔτι
ἐόντα ἐν αἴνῃ μεγίστῃ τὸν Πρηξάσπεα ἐν Πέρσῃσιν.
τούτων δή μιν εἵνεκεν καλέσαντες φίλον προσεκτῶντο
πίστει τε λαβόντες καὶ ὀρκίοισιν, ἦ μὲν ἕξειν παρ' ἑωυτῷ
μηδ' ἐξοίσειν μηδενὶ ἀνθρώπων τὴν ἀπὸ σφέων ἀπάτην
25 ἐς Πέρσας γεγονυῖαν, ὑπισχνεόμενοι τὰ πάντα οἱ μυρία
δώσειν. ὑποδεκομένου δὲ τοῦ Πρηξάσπεος ποιήσειν
ταῦτα, ὡς ἀνέπεισάν μιν οἱ μάγοι, δεύτερα προσέφερον,
αὐτοὶ μὲν φάμενοι Πέρσας πάντας συγκαλεῖν ὑπὸ τὸ
βασιλήιον τεῖχος, κεῖνον δ' ἐκέλευον ἀναβάντα ἐπὶ πύρ-
30 γον ἀγορεῦσαι, ὡς ὑπὸ τοῦ Κύρου Σμέρδιος ἄρχονται
καὶ ὑπ' οὐδενὸς ἄλλου. ταῦτα δὲ οὕτω ἐνετέλλοντο ὡς
πιστοτάτου δῆθεν ἐόντος αὐτοῦ ἐν Πέρσῃσιν, καὶ πολλάκις
ἀποδεξαμένου γνώμην ὡς περιείη ὁ Κύρου Σμέρδις, καὶ
75 ἐξαρνησαμένου τὸν φόνον αὐτοῦ. φαμένου δὲ καὶ ταῦτα

ἑτοίμου εἶναι ποιεῖν τοῦ Πρηξάσπεος συγκαλέσαντες
Πέρσας οἱ μάγοι ἀνεβίβασαν αὐτὸν ἐπὶ πύργον
καὶ ἀγορεύειν ἐκέλευον. ὁ δὲ τῶν μὲν ἐκεῖνοι προσ-
εδέοντο αὐτοῦ, τούτων μὲν ἑκὼν ἐπελήθετο, ἀρξάμενος
δὲ ἀπ᾽ Ἀχαιμένεος ἐγενεηλόγησε τὴν πατριὴν τὴν Κύρου, 5
μετὰ δὲ ὡς ἐς τοῦτον κατέβη, τελευτῶν ἔλεγεν ὅσα ἀγαθὰ
Κῦρος Πέρσας πεποιήκοι, διεξελθὼν δὲ ταῦτα ἐξέφαινε
τὴν ἀληθείην, φάμενος πρότερον μὲν κρύπτειν (οὐ γάρ
οἱ εἶναι ἀσφαλὲς λέγειν τὰ γενόμενα), ἐν δὲ τῷ παρεόντι
ἀναγκαίην μιν καταλαμβάνειν φαίνειν· καὶ δὴ ἔλεγε τὸν 10
μὲν Κύρου Σμέρδιν ὡς αὐτὸς ὑπὸ Καμβύσεω ἀναγκα-
ζόμενος ἀποκτείνειεν, τοὺς μάγους δὲ βασιλεύειν. Πέρσῃσι
δὲ πολλὰ ἐπαρησάμενος, εἰ μὴ ἀνακτησαίατο ὀπίσω τὴν
ἀρχὴν καὶ τοὺς μάγους τεισαίατο, ἀπῆκεν ἑωυτὸν ἐπὶ
κεφαλὴν φέρεσθαι ἀπὸ τοῦ πύργου κάτω. Πρη- 15
ξάσπης μέν νυν ἐὼν τὸν πάντα χρόνον ἀνὴρ δόκιμος
οὕτω ἐτελεύτησεν.

Οἱ δὲ δὴ ἑπτὰ τῶν Περσέων ὡς ἐβουλεύσαντο 76
αὐτίκα ἐπιχειρεῖν τοῖσι μάγοισι καὶ μὴ ὑπερβάλλεσθαι,
ἦσαν εὐξάμενοι τοῖσι θεοῖσιν, τῶν περὶ Πρηξάσπεα 20
πρηχθέντων εἰδότες οὐδέν. ἔν τε δὴ τῇ ὁδῷ μέσῃ στεί-
χοντες ἐγίνοντο καὶ τὰ περὶ Πρηξάσπεα γεγονότα ἐπυν-
θάνοντο. ἐνθαῦτα ἐκστάντες τῆς ὁδοῦ ἐδίδοσαν αὖτις
σφίσι λόγους, οἱ μὲν ἀμφὶ τὸν Ὀτάνεα πάγχυ κελεύοντες
ὑπερβάλλεσθαι μηδὲ οἰδεόντων τῶν πρηγμάτων ἐπιτίθε- 25
σθαι, οἱ δὲ ἀμφὶ τὸν Δαρεῖον αὐτίκα τε ἰέναι καὶ τὰ
δεδογμένα ποιεῖν μηδὲ ὑπερβάλλεσθαι. ὠθιζομένων δ᾽
αὐτῶν ἐφάνη ἰρήκων ἑπτὰ ζεύγεα δύο αἰγυπιῶν
ζεύγεα διώκοντα καὶ τίλλοντά τε καὶ ἀμύσσοντα.
ἰδόντες δὲ ταῦτα οἱ ἑπτὰ τήν τε Δαρείου πάντες αἴνεον 30
γνώμην καὶ ἔπειτα ᾖσαν ἐπὶ τὰ βασιλήια τεθαρσηκότες
τοῖς ὄρνισιν. ἐπιστᾶσι δὲ ἐπὶ τὰς πύλας ἐγίνετο οἷόν 77
τι Δαρείῳ ἡ γνώμη ἔφερεν· καταιδεόμενοι γὰρ οἱ φύ-
λακοι ἄνδρας τοὺς Περσέων πρώτους καὶ οὐδὲν

τοιοῦτο ὑποπτεύοντες ἐξ αὐτῶν ἔσεσθαι, παρίεσαν θείῃ
πομπῇ χρεωμένους, οὐδ' ἐπειρώτα οὐδείς. ἐπείτε δὲ καὶ
παρῆλθον ἐς τὴν αὐλήν, ἐνέκυρσαν τοῖς τὰς ἀγγελίας
ἐσφέρουσιν εὐνούχοισιν, οἳ σφεας ἱστόρεον ὅ τι θέλοντες
5 ἥκοιεν· καὶ ἅμα ἱστορέοντες τούτους τοῖσι πυλουροῖσιν
ἀπείλεον ὅτι σφέας παρῆκαν, ἴσχον τε βουλομένους τοὺς
ἑπτὰ ἐς τὸ πρόσω παριέναι. οἱ δὲ διακελευσάμενοι καὶ
σπασάμενοι τὰ ἐγχειρίδια τούτους μὲν τοὺς ἴσχοντας
αὐτοῦ ταύτῃ συγκεντέουσιν, αὐτοὶ δὲ ἦσαν δρόμῳ ἐς τὸν
78 ἀνδρεῶνα. οἱ δὲ μάγοι ἔτυχον ἀμφότεροι τηνικαῦτα
11 ἐόντες τε ἔσω καὶ τὰ ἀπὸ Πρηξάσπεος γενόμενα ἐν βουλῇ
ἔχοντες. ἐπεὶ ὦν εἶδον τοὺς εὐνούχους τεθορυβημένους
τε καὶ βοῶντας, ἀνά τε ἔδραμον πάλιν ἀμφότεροι, καὶ
ὡς ἔμαθον τὸ ποιεύμενον, πρὸς ἀλκὴν ἐτράποντο\
15 ὁ μὲν δὴ αὐτῶν φθάνει τὰ τόξα κατελόμενος, ὁ δὲ πρὸς
τὴν αἰχμὴν ἐτράπετο. ἐνθαῦτα δὴ συνέμισγον ἀλλήλοισιν.
τῷ μὲν δὴ τὰ τόξα ἀναλαβόντι αὐτῶν, ἐόντων τε ἀγχοῦ
τῶν πολεμίων καὶ προσκειμένων, ἦν χρηστὰ οὐδέν· ὁ δ'
ἕτερος τῇ αἰχμῇ ἠμύνετο καὶ τοῦτο μὲν Ἀσπαθίνην παίει
20 ἐς τὸν μηρόν, τοῦτο δὲ Ἰνταφρένεα ἐς τὸν ὀφθαλμόν·
καὶ ἐστερήθη μὲν τοῦ ὀφθαλμοῦ ἐκ τοῦ τρώματος ὁ Ἰν-
ταφρένης, οὐ μέντοι ἀπέθανέ γε. τῶν μὲν δὴ μάγων
οὔτερος τρωματίζει τούτους, ὁ δὲ ἕτερος, ἐπείτε οἱ τὰ
τόξα οὐδὲν χρηστὰ ἐγίνετο, ἦν γὰρ δὴ θάλαμος ἐσέχων
25 ἐς τὸν ἀνδρεῶνα, ἐς τοῦτον καταφεύγει, θέλων αὐτοῦ
προσθεῖναι τὰς θύρας. καὶ οἱ συνεσπίπτουσι τῶν ἑπτὰ
δύο, Δαρεῖός τε καὶ Γωβρύης· συμπλακέντος δὲ Γωβρύῳ
τῷ μάγῳ ὁ Δαρεῖος ἐπεστεὼς ἠπόρει οἷα ἐν σκότει, προ-
μηθεόμενος μὴ πλήξῃ τὸν Γωβρύην. ὁρέων δέ μιν ἀρ-
30 γὸν ἐπεστεῶτα ὁ Γωβρύης εἴρετο, ὅ τι οὐ χρῆται τῇ
χειρί· ὁ δὲ εἶπεν· „Προμηθεόμενος σέο, μὴ πλήξω.“
Γωβρύης δὲ ἀμείβετο· „Ὦθει τὸ ξίφος καὶ δι' ἀμφοτέ-
ρων.“ Δαρεῖος δὲ πειθόμενος ὦσέ τε τὸ ἐγχειρίδιον καὶ
79 ἔτυχέ κως τοῦ μάγου. ἀποκτείναντες δὲ τοὺς μάγους

καὶ ἀποταμόντες αὐτῶν τὰς κεφαλὰς τοὺς μὲν τρωματίας
ἑωυτῶν αὐτοῦ λείπουσι καὶ ἀδυνασίης εἵνεκεν καὶ φυ-
λακῆς τῆς ἀκροπόλιος, οἱ δὲ πέντε αὐτῶν ἔχοντες
τῶν μάγων τὰς κεφαλὰς ἔθεον ἔξω, βοῇ τε καὶ
πατάγῳ χρεώμενοι, καὶ Πέρσας τοὺς ἄλλους ἐπεκαλέοντο 5
ἐξηγεόμενοί τε τὸ πρῆγμα καὶ δεικνύοντες τὰς κεφαλάς·
καὶ ἅμα ἔκτεινον πάντα τινὰ τῶν μάγων τὸν ἐν ποσὶ
γινόμενον. οἱ δὲ Πέρσαι μαθόντες τό τε γεγονὸς ἐκ
τῶν ἑπτὰ καὶ τῶν μάγων τὴν ἀπάτην ἐδικαίουν καὶ αὐτοὶ
ἕτερα τοιαῦτα ποιεῖν, σπασάμενοι δὲ τὰ ἐγχειρίδια ἔκτει- 10
νον ὅκου τινὰ μάγον εὕρισκον· εἰ δὲ μὴ νὺξ ἐπελθοῦσα
ἔσχεν, ἔλιπον ἂν οὐδένα μάγον· ταύτην τὴν ἡμέρην
θεραπεύουσι Πέρσαι κοινῇ μάλιστα τῶν ἡμερέων καὶ ἐν
αὐτῇ ὁρτὴν μεγάλην ἀνάγουσιν, ἣ κέκληται ὑπὸ Περσέων
μαγοφόνια, ἐν τῇ μάγον οὐδένα ἔξεστι φανῆναι ἐς τὸ 15
φῶς, ἀλλὰ κατ' οἴκους ἑωυτοὺς οἱ μάγοι ἔχουσι τὴν
ἡμέρην ταύτην.

Ἔπειτε δὲ κατέστη ὁ θόρυβος καὶ ἐντὸς πέντε ἡμε- 80
ρέων ἐγένετο, ἐβουλεύοντο οἱ ἐπαναστάντες τοῖσι
μάγοισι περὶ τῶν πάντων πρηγμάτων, καὶ ἐλέχθησαν 20
λόγοι ἄπιστοι μὲν ἐνίοισιν Ἑλλήνων, ἐλέχθησαν δ' ὧν.
Ὀτάνης μὲν ἐκέλευεν ἐς μέσον Πέρσῃσι κατα-
θεῖναι τὰ πρήγματα, λέγων τάδε· „Ἐμοὶ δοκεῖ ἕνα
μὲν ἡμέων μούναρχον μηκέτι γενέσθαι· οὔτε γὰρ ἡδὺ
οὔτε ἀγαθόν. εἴδετε μὲν γὰρ τὴν Καμβύσεω ὕβριν ἐπ' 25
ὅσον ἐπεξῆλθεν, μετεσχήκατε δὲ καὶ τῆς τοῦ μάγου ὕβριος.
κῶς δ' ἂν εἴη χρῆμα κατηρτημένον μουναρχίη, τῇ ἔξεστιν
ἀνευθύνῳ ποιεῖν τὰ βούλεται; καὶ γὰρ ἂν τὸν ἄριστον
ἀνδρῶν πάντων στάντα ἐς ταύτην τὴν ἀρχὴν ἐκτὸς τῶν
ἐωθότων νοημάτων στήσειεν. ἐγγίνεται μὲν γὰρ οἱ ὕβρις 30
ὑπὸ τῶν παρεόντων ἀγαθῶν, φθόνος δὲ ἀρχῆθεν ἐμφύ-
εται ἀνθρώπῳ. δύο δ' ἔχων ταῦτα ἔχει πᾶσαν κακό-
τητα· τὰ μὲν γὰρ ὕβρει κεκορημένος ἔρδει πολλὰ καὶ
ἀτάσθαλα, τὰ δὲ φθόνῳ. καίτοι ἄνδρα γε τύραννον

ἄφθονον ἔδει εἶναι, ἔχοντά γε πάντα τὰ ἀγαθά· τὸ δὲ
ὑπεναντίον τούτου ἐς τοὺς πολιήτας πέφυκεν· φθονεῖ
γὰρ τοῖς ἀρίστοισι περιεοῦσί τε καὶ ζώουσιν, χαίρει δὲ
τοῖσι κακίστοισι τῶν ἀστῶν, διαβολὰς δὲ ἄριστος ἐνδέ-
5 κεσθαι. ἀναρμοστότατον δὲ πάντων· ἤν τε γὰρ αὐτὸν
μετρίως θωμάζῃς, ἄχθεται ὅτι οὐ κάρτα θεραπεύεται, ἤν
τε θεραπεύῃ τις κάρτα, ἄχθεται ἅτε θωπί. τὰ δὲ δὴ
μέγιστα ἔρχομαι ἐρέων· νόμαιά τε κινεῖ πάτρια καὶ
βιᾶται γυναῖκας κτείνει τε ἀκρίτους. πλῆθος δὲ ἄρχον
10 πρῶτα μὲν ὄνομα πάντων κάλλιστον ἔχει, ἰσονομίην,
δεύτερα δὲ τούτων τῶν ὁ μούναρχος ποιεῖ οὐδέν· πάλῳ
μὲν ἀρχὰς ἄρχει, ὑπεύθυνον δὲ ἀρχὴν ἔχει, βουλεύματα
δὲ πάντα ἐς τὸ κοινὸν ἀναφέρει. τίθεμαι ὦν γνώμην
μετέντας ἡμέας μουναρχίην τὸ πλῆθος ἀέξειν· ἐν γὰρ
15 τῷ πολλῷ ἔνι τὰ πάντα.“

81 Ὀτάνης μὲν δὴ ταύτην τὴν γνώμην ἐσέφερεν, Μεγά-
βυζος δὲ ὀλιγαρχίῃ ἐκέλευε ἐπιτρέπειν, λέγων
τάδε· „Τὰ μὲν Ὀτάνης εἶπε τυραννίδα παύων, λελέχθω
κἀμοὶ ταῦτα, τὰ δ' ἐς τὸ πλῆθος ἄνωγε φέρειν τὸ κρά-
20 τος, γνώμης τῆς ἀρίστης ἡμάρτηκεν· ὁμίλου γὰρ ἀχρηίου
οὐδέν ἐστιν ἀσυνετώτερον οὐδὲ ὑβριστότερον. καίτοι
τυράννου ὕβριν φεύγοντας ἄνδρας ἐς δήμου ἀκολάστου
ὕβριν πεσεῖν ἐστὶν οὐδαμῶς ἀνασχετόν. ὁ μὲν γὰρ εἴ
τι ποιεῖ, γινώσκων ποιεῖ, τῷ δὲ οὐδὲ γινώσκειν ἔνι·
25 κῶς γὰρ ἂν γινώσκοι ὃς οὔτ' ἐδιδάχθη οὔτε εἶδε καλὸν
οὐδὲν οἰκήιον, ὠθεῖ τε ἐμπεσὼν τὰ πρήγματα ἄνευ νόου,
χειμάρρῳ ποταμῷ εἴκελος; δήμῳ μὲν νυν, οἳ Πέρσῃσι
κακὸν νοέουσιν, οὗτοι χρήσθων, ἡμεῖς δὲ ἀνδρῶν τῶν
ἀρίστων ἐπιλέξαντες ὁμιλίην τούτοισι περιθέωμεν τὸ
30 κράτος· ἐν γὰρ δὴ τούτοισι καὶ αὐτοὶ ἐνεσόμεθα, ἀρίστων
δὲ ἀνδρῶν οἰκὸς ἄριστα βουλεύματα γίνεσθαι.“

82 Μεγάβυζος μὲν δὴ ταύτην γνώμην ἐσέφερεν, τρίτος
δὲ Δαρεῖος ἀπεδείκνυτο γνώμην, λέγων· „Ἐμοὶ δὲ
τὰ μὲν εἶπε Μεγάβυζος ἐς τὸ πλῆθος ἔχοντα δοκεῖ ὀρθῶς

λέξαι, τὰ δὲ ἐς ὀλιγαρχίην οὐκ ὀρθῶς. τριῶν γὰρ προ-
κειμένων καὶ πάντων τῶν λέγω ἀρίστων ἐόντων, δήμου
τε ἀρίστου καὶ ὀλιγαρχίης καὶ μουνάρχου, πολλῷ τοῦτο
προέχειν λέγω. ἀνδρὸς γὰρ ἑνὸς τοῦ ἀρίστου οὐδὲν
ἄμεινον ἂν φανείη· γνώμῃ γὰρ τοιαύτῃ χρεώμενος 5
ἐπιτροπεύοι ἂν ἀμωμήτως τοῦ πλήθεος, σιγῷτό τε ἂν
βουλεύματα ἐπὶ δυσμενέας ἄνδρας οὕτω μάλιστα. ἐν
δὲ ὀλιγαρχίῃ πολλοῖσιν ἀρετὴν ἐπασκέουσιν ἐς τὸ κοινὸν
ἔχθεα ἴδια ἰσχυρὰ φιλεῖ ἐγγίνεσθαι· αὐτὸς γὰρ ἕκαστος
βουλόμενος κορυφαῖος εἶναι γνώμῃσί τε νικᾶν ἐς ἔχθεα 10
μεγάλα ἀλλήλοισιν ἀπικνέονται, ἐξ ὧν στάσιες ἐγγίνον-
ται, ἐκ δὲ τῶν στασίων φόνος, ἐκ δὲ τοῦ φόνου ἀπέβη
ἐς μουναρχίην, καὶ ἐν τούτῳ διέδεξεν, ὅσῳ ἐστὶ τοῦτο
ἄριστον. δήμου τε αὖ ἄρχοντος ἀδύνατα μὴ οὐ κακό-
τητα ἐγγίνεσθαι· κακότητος τοίνυν ἐγγινομένης ἐς τὰ 15
κοινὰ ἔχθεα μὲν οὐκ ἐγγίνεται τοῖσι κακοῖσιν, φιλίαι δὲ
ἰσχυραί· οἱ γὰρ κακοῦντες τὰ κοινὰ συγκύψαντες ποιεῦσιν.
τοῦτο δὲ τοιοῦτο γίνεται ἐς ὃ ἂν προστάς τις τοῦ δήμου
τοὺς τοιούτους παύσῃ· ἐκ δὲ αὐτῶν θωμάζεται οὗτος δὴ
ὑπὸ τοῦ δήμου, θωμαζόμενος δὲ ἀν' ὧν ἐφάνη μού- 20
ναρχος· καὶ ἐν τούτῳ δηλοῖ καὶ οὗτος ὡς ἡ μουναρχίη
κράτιστον. ἑνὶ δὲ ἔπει πάντα συλλαβόντα εἰπεῖν, κόθεν
ἡμῖν ἡ ἐλευθερίη ἐγένετο καὶ τέο δόντος; κότερα παρὰ
δήμου ἢ ὀλιγαρχίης ἢ μουνάρχου; ἔχω τοίνυν γνώμην
ἡμέας ἐλευθερωθέντας διὰ ἕνα ἄνδρα τὸ τοιοῦτο περι- 25
στέλλειν, χωρίς τε τούτου πατρίους νόμους μὴ λύειν
ἔχοντας εὖ· οὐ γὰρ ἄμεινον."

Γνῶμαι μὲν δὴ τρεῖς αὗται προεκέατο, οἱ δὲ τέσ- 83
σερες τῶν ἑπτὰ ἀνδρῶν προσέθεντο ταύτῃ. ὡς δὲ ἐσ-
σώθη τῇ γνώμῃ ὁ Ὀτάνης Πέρσῃσιν ἰσονομίην σπεύδων 30
ποιῆσαι, ἔλεξεν ἐς μέσον αὐτοῖσι τάδε· „Ἄνδρες
στασιῶται, δῆλα γὰρ δὴ ὅτι δεῖ ἕνα γέ τινα ἡμέων βασι-
λέα γενέσθαι, ἤτοι κλήρῳ γε λαχόντα, ἢ ἐπιτρεψάντων
τῷ Περσέων πλήθει τὸν ἂν ἐκεῖνο ἕληται, ἢ ἄλλῃ τινὶ

μηχανῇ· ἐγὼ μέν νυν ὑμῖν οὐκ ἐναγωνιεῦμαι· οὔτε
γὰρ ἄρχειν οὔτε ἄρχεσθαι ἐθέλω· ἐπὶ τούτῳ δὲ ὑπεξί-
σταμαι τῆς ἀρχῆς, ἐπ' ᾧ τε ὑπ' οὐδενὸς ὑμέων ἄρξομαι,
οὔτε αὐτὸς ἐγὼ οὔτε οἱ ἀπ' ἐμέο αἰεὶ γινόμενοι." τούτου
5 εἴπαντος ταῦτα ὡς συνεχώρεον οἱ ἓξ ἐπὶ τούτοισιν, οὗτος
μὲν δή σφιν οὐκ ἐνηγωνίζετο, ἀλλ' ἐκ τοῦ μέσου καθ-
ῆστο. καὶ νῦν αὕτη ἡ οἰκίη διατελεῖ μούνη ἐλευθέρη
ἐοῦσα Περσέων καὶ ἄρχεται τοσαῦτα ὅσα αὐτὴ θέλει,
84 νόμους οὐκ ὑπερβαίνουσα τοὺς Περσέων. οἱ δὲ λοιποὶ
10 τῶν ἑπτὰ ἐβουλεύοντο, ὡς βασιλέα δικαιότατα
στήσονται. καί σφιν ἔδοξεν Ὀτάνῃ μὲν καὶ τοῖς ἀπὸ
Ὀτάνεω αἰεὶ γινομένοισιν, ἢν ἐς ἄλλον τινὰ τῶν ἑπτὰ
ἔλθῃ ἡ βασιληίη, ἐξαίρετα δίδοσθαι ἐσθῆτά τε Μηδικὴν
ἔτεος ἑκάστου καὶ τὴν πᾶσαν δωρεήν, ἣ γίνεται ἐν Πέρ-
15 σῃσι τιμιωτάτη. τοῦδε δὲ εἵνεκεν ἐβούλευσάν οἱ δίδο-
σθαι ταῦτα, ὅτι ἐβούλευσέ τε πρῶτος τὸ πρῆγμα καὶ
συνέστησεν αὐτούς. ταῦτα μὲν δὴ Ὀτάνῃ ἐξαίρετα, τάδε
δὲ ἐς τὸ κοινὸν ἐβούλευσαν, παριέναι ἐς τὰ βασιλήια
πάντα τὸν βουλόμενον τῶν ἑπτὰ ἄνευ ἐσαγγελέος, ἢν
20 μὴ τυγχάνῃ εὕδων μετὰ γυναικὸς βασιλεύς, γαμεῖν δὲ
μὴ ἐξεῖναι ἄλλοθεν τῷ βασιλεῖ ἢ ἐκ τῶν συνεπαναστάν-
των. περὶ δὲ τῆς βασιληίης ἐβούλευσαν τοιόνδε· ὅτεο
ἂν ὁ ἵππος ἡλίου ἐπανατέλλοντος πρῶτος φθέγξηται ἐν
τῷ προαστείῳ αὐτῶν ἐπιβεβηκότων, τοῦτον ἔχειν τὴν
25 βασιληίην.

85   Δαρείῳ δὲ ἦν ἱπποκόμος ἀνὴρ σοφός, τῷ ὄνομα
ἦν Οἰβάρης· πρὸς τοῦτον τὸν ἄνδρα, ἐπείτε διελύθη-
σαν, ἔλεξε Δαρεῖος τάδε· „Οἴβαρες, ἡμῖν δέδοκται περὶ
τῆς βασιληίης ποιεῖν κατὰ τάδε· ὅτεο ἂν ὁ ἵππος πρῶτος
30 φθέγξηται ἅμα τῷ ἡλίῳ ἀνιόντι αὐτῶν ἐπαναβεβηκότων,
τοῦτον ἔχειν τὴν βασιληίην. νῦν ὦν εἴ τινα ἔχεις σο-
φίην, μηχανῶ ὡς ἂν ἡμεῖς σχῶμεν τοῦτο τὸ γέρας καὶ
μὴ ἄλλος τις." ἀμείβεται Οἰβάρης τοῖσδε· „Εἰ μὲν δή,
ὦ δέσποτα, ἐν τούτῳ τοί ἐστιν ἢ βασιλέα εἶναι ἢ μή,

θάρσει τούτου εἵνεκεν καὶ θυμὸν ἔχε ἀγαθόν, ὡς βασι-
λεὺς οὐδεὶς ἄλλος πρὸ σέο ἔσται· τοιαῦτα ἔχω φάρμακα."
λέγει Δαρεῖος· „Εἰ τοίνυν τι τοιοῦτον ἔχεις σόφισμα,
ὥρη μηχανᾶσθαι καὶ μὴ ἀναβάλλεσθαι, ὡς τῆς ἐπιούσης
ἡμέρης ὁ ἀγὼν ἡμῖν ἐστιν." ἀκούσας ταῦτα ὁ Οἰβάρης 5
ποιεῖ τοιόνδε· ὡς ἐγίνετο ἡ νύξ, τῶν θηλέων ἵππων
μίαν, τὴν ὁ Δαρείου ἵππος ἔστεργε μάλιστα, ταύτην ἀγα-
γὼν ἐς τὸ προάστειον κατέδησε καὶ ἐπήγαγε τὸν Δαρείου
ἵππον καὶ τὰ μὲν πολλὰ περιῆγεν ἀγχοῦ τῇ ἵππῳ ἐγ-
χρίμπτων, τέλος δὲ ἐπῆκεν ὀχεῦσαι. ἅμ᾽ ἡμέρῃ δὲ δια- 86
φωσκούσῃ οἱ ἕξ, κατὰ συνεθήκαντο, παρῆσαν ἐπὶ τῶν 11
ἵππων· διεξελαυνόντων δὲ τὸ προάστειον, ὡς κατὰ τοῦτο
τὸ χωρίον ἐγίνοντο, ἵνα τῆς παροιχομένης νυκτὸς κατε-
δέδετο ἡ θήλεια ἵππος, ἐνθαῦτα ὁ Δαρείου ἵππος προσ-
δραμὼν ἐχρεμέτισεν· ἅμα δὲ τῷ ἵππῳ τοῦτο ποιήσαντι 15
ἀστραπὴ ἐξ αἰθρίης καὶ βροντὴ ἐγένετο. ἐπιγενόμενα δὲ
ταῦτα τῷ Δαρείῳ ἐτελέωσέ μιν ὥσπερ ἐκ συνθέτου τέο
γενόμενα· οἱ δὲ καταθορόντες ἀπὸ τῶν ἵππων προσεκύ-
νεον τὸν Δαρεῖον.

Οἱ μὲν δή φασι τὸν Οἰβάρεα ταῦτα μηχανήσασθαι, 87
οἱ δὲ τοιάδε (καὶ γὰρ ἐπ᾽ ἀμφότερα λέγεται ὑπὸ Περ- 21
σέων), ὡς τῆς ἵππου ταύτης τῶν ἄρθρων ἐπιψαύσας τῇ
χειρὶ ἔχοι αὐτὴν κρύψας ἐν τῇσιν ἀναξυρίσιν· ὡς δὲ
ἅμα τῷ ἡλίῳ ἀνιόντι ἀπίεσθαι μέλλειν τοὺς ἵππους, τὸν
Οἰβάρεα τοῦτον ἐξείραντα τὴν χεῖρα πρὸς τοῦ Δαρείου 25
ἵππου τοὺς μυκτῆρας προσενεῖκαι, τὸν δὲ αἰσθόμενον
φριμάξασθαί τε καὶ χρεμετίσαι.

Δαρεῖός τε δὴ ὁ Ὑστάσπεος βασιλεὺς ἀπεδέ- 88
δεκτο, καὶ οἱ ἦσαν ἐν τῇ Ἀσίῃ πάντες κατήκοοι πλὴν
Ἀραβίων, Κύρου τε καταστρεψαμένου καὶ ὕστερον αὖτις 30
Καμβύσεω. Ἀράβιοι δὲ οὐδαμὰ κατήκουσαν ἐπὶ δουλο-
σύνῃ Πέρσῃσιν, ἀλλὰ ξεῖνοι ἐγένοντο παρέντες Καμβύσεα
ἐπ᾽ Αἴγυπτον· ἀεκόντων γὰρ Ἀραβίων οὐκ ἂν ἐσβάλοιεν
Πέρσαι ἐς Αἴγυπτον. γάμους τε τοὺς πρώτους ἐγάμει

ἐν Πέρσῃσιν ὁ Δαρεῖος, Κύρου μὲν δύο θυγατέρας
Ἄτοσσάν τε καὶ Ἀρτυστώνην, τὴν μὲν Ἄτοσσαν προσυνοι-
κήσασαν Καμβύσῃ τε τῷ ἀδελφεῷ καὶ αὖτις τῷ μάγῳ,
τὴν δὲ Ἀρτυστώνην παρθένον. ἑτέρην δὲ Σμέρδιος τοῦ
5 Κύρου θυγατέρα ἔγημεν, τῇ ὄνομα ἦν Πάρμυς· ἔσχε δὲ
καὶ τὴν τοῦ Ὀτάνεω θυγατέρα, ἣ τὸν μάγον κατάδηλον
ἐποίησεν. δυνάμιός τε πάντα οἱ ἐπιμπλέατο. πρῶτον μέν
νυν τύπον ποιησάμενος λίθινον ἔστησεν· ζῷον δέ οἱ
ἐνῆν ἀνὴρ ἱππεύς, ἐπέγραψε δὲ γράμματα λέγοντα τάδε·
10 „Δαρεῖος ὁ Ὑστάσπεος σύν τε τοῦ ἵππου τῇ ἀρετῇ" τὸ
ὄνομα λέγων „καὶ Οἰβάρεος τοῦ ἱπποκόμου ἐκτήσατο τὴν
89 Περσέων βασιληίην." ποιήσας δὲ ταῦτα ἐν Πέρσῃσιν
ἀρχὰς κατεστήσατο εἴκοσι, τὰς αὐτοὶ καλέουσι σα-
τραπηίας· καταστήσας δὲ τὰς ἀρχὰς καὶ ἄρχοντας ἐπι-
15 στήσας ἐτάξατο φόρους οἱ προσιέναι κατὰ ἔθνεά τε
καὶ πρὸς τοῖς ἔθνεσι τοὺς πλησιοχώρους προστάσσων,
καὶ ὑπερβαίνων τοὺς προσεχέας τὰ ἑκαστέρω ἄλλοισιν
ἄλλα ἔθνεα νέμων. ἀρχὰς δὲ καὶ φόρων πρόσοδον
τὴν ἐπέτειον κατὰ τάδε διεῖλεν· τοῖς μὲν αὐτῶν ἀρ-
20 γύριον ἀπαγινέουσιν εἴρητο Βαβυλώνιον σταθμὸν τά-
λαντον ἀπαγινεῖν, τοῖς δὲ χρυσίον ἀπαγινέουσιν Εὐβο-
ϊκόν. τὸ δὲ Βαβυλώνιον τάλαντον δύναται Εὐβοΐδας
ἑβδομήκοντα καὶ ὀκτὼ μνέας. ἐπὶ γὰρ Κύρου ἄρχοντος
καὶ αὖτις Καμβύσεω ἦν κατεστηκὸς οὐδὲν φόρου πέρι,
25 ἀλλὰ δῶρα ἀγίνεον· διὰ δὲ ταύτην τὴν ἐπίταξιν τοῦ
φόρου καὶ παραπλήσια ταύτῃ ἄλλα λέγουσι Πέρσαι, ὡς
Δαρεῖος μὲν ἦν κάπηλος, Καμβύσης δὲ δεσπότης, Κῦρος
δὲ πατήρ, ὁ μὲν ὅτι ἐκαπήλευε πάντα τὰ πρήγματα, ὁ δὲ
ὅτι χαλεπός τε ἦν καὶ ὀλίγωρος, ὁ δὲ ὅτι ἤπιός τε καὶ
90 ἀγαθά σφι πάντα ἐμηχανήσατο. ἀπὸ μὲν δὴ Ἰώνων καὶ
31 Μαγνήτων τῶν ἐν τῇ Ἀσίῃ καὶ Αἰολέων καὶ Καρῶν καὶ
Λυκίων καὶ Μιλυῶν καὶ Παμφύλων (εἷς γὰρ ἦν οἱ
τεταγμένος οὗτος φόρος) προσῆε τετρακόσια τάλαντα
ἀργυρίου. ὁ μὲν δὴ πρῶτος οὗτός οἱ νομὸς κατεστήκει·

ἀπὸ δὲ Μυσῶν καὶ Λυδῶν καὶ Λασονίων καὶ Καβαλίων
καὶ Ὑτεννέων πεντακόσια τάλαντα· δεύτερος νομὸς οὗτος.
ἀπὸ δὲ Ἑλλησποντίων τῶν ἐπὶ δεξιὰ ἐσπλέοντι καὶ
Φρυγῶν καὶ Θρηκῶν τῶν ἐν τῇ Ἀσίῃ καὶ Παφλαγόνων
καὶ Μαριανδυνῶν καὶ Συρίων ἑξήκοντα καὶ τριηκόσια 5
τάλαντα ἦν φόρος· νομὸς τρίτος οὗτος. ἀπὸ δὲ Κιλίκων
ἵπποι τε λευκοὶ ἑξήκοντα καὶ τριηκόσιοι, ἑκάστης ἡμέρης
εἷς γινόμενος, καὶ τάλαντα ἀργυρίου πεντακόσια. τούτων
δὲ τεσσεράκοντα μὲν καὶ ἑκατὸν ἐς τὴν φρουρέουσαν
ἵππον τὴν Κιλικίην χώρην ἀναισιμοῦτο, τὰ δὲ τριηκόσια 10
καὶ ἑξήκοντα Δαρείῳ ἐφοίτα· νομὸς τέταρτος οὗτος. ἀπὸ 91
δὲ Ποσειδηίου πόλιος, τὴν Ἀμφίλοχος ὁ Ἀμφιάρεω οἴκισεν
ἐπ᾽ οὔροισι τοῖσι Κιλίκων τε καὶ Συρίων, ἀρξάμενον
ἀπὸ ταύτης μέχρι Αἰγύπτου, πλὴν μοίρης τῆς Ἀραβίων
(ταῦτα γὰρ ἦν ἀτελέα), πεντήκοντα καὶ τριηκόσια τά- 15
λαντα φόρος ἦν· ἔστι δὲ ἐν τῷ νομῷ τούτῳ Φοινίκη τε
πᾶσα καὶ Συρίη ἡ Παλαιστίνη καλεομένη καὶ Κύπρος·
νομὸς πέμπτος οὗτος. ἀπ᾽ Αἰγύπτου δὲ καὶ Λιβύων
τῶν προσεχέων Αἰγύπτῳ καὶ Κυρήνης τε καὶ Βάρκης
(ἐς γὰρ τὸν Αἰγύπτιον νομὸν αὗται ἐκεκοσμέατο) ἑπτα- 20
κόσια προσῆε τάλαντα, πάρεξ τοῦ ἐκ τῆς Μοίριος λίμνης
γινομένου ἀργυρίου, τὸ ἐγίνετο ἐκ τῶν ἰχθύων· τούτου
τε δὴ χωρὶς τοῦ ἀργυρίου καὶ τοῦ ἐπιμετρεομένου σίτου
προσῆεν ἑπτακόσια τάλαντα· σίτου γὰρ δυοκαίδεκα μυρι-
άδας Περσέων τέ τοῖς ἐν τῷ Λευκῷ τείχει τῷ ἐν Μέμφι 25
κατοικημένοισι καταμετρέουσι καὶ τοῖσι τούτων ἐπικού-
ροισιν· νομὸς ἕκτος οὗτος. Σατταγύδαι δὲ καὶ Γανδάριοι
καὶ Δαδίκαι τε καὶ Ἀπαρύται ἐς τὠυτὸ τεταγμένοι ἑβδο-
μήκοντα καὶ ἑκατὸν τάλαντα προσέφερον· νομὸς δὲ οὗτος
ἕβδομος. ἀπὸ Σούσων δὲ καὶ τῆς ἄλλης Κισσίων χώρης 30
τριηκόσια· νομὸς ὄγδοος οὗτος. ἀπὸ Βαβυλῶνος δὲ καὶ 92
τῆς λοιπῆς Ἀσσυρίης χίλιά οἱ προσῆε τάλαντα ἀργυρίου
καὶ παῖδες ἐκτομίαι πεντακόσιοι· νομὸς εἴνατος οὗτος.
ἀπὸ δὲ Ἀγβατάνων καὶ τῆς λοιπῆς Μηδικῆς καὶ Παρι-

κανίων καὶ Ὀρθοκορυβαντίων πεντήκοντα καὶ τετρακόσια
τάλαντα· νομὸς δέκατος οὗτος. Κάσπιοι δὲ καὶ Παυ-
σίκαι καὶ Παντίμαθοί τε καὶ Δαρεῖται ἐς τὠυτὸ συμ-
φέροντες διηκόσια τάλαντα ἀπαγίνεον· νομὸς ἑνδέκατος
5 οὗτος. ἀπὸ Βακτριανῶν δὲ μέχρι Αἰγλῶν ἑξήκοντα καὶ
τριηκόσια τάλαντα φόρος ἦν· νομὸς δυωδέκατος οὗτος.
93 ἀπὸ Πακτυικῆς δὲ καὶ Ἀρμενίων καὶ τῶν προσεχέων
μέχρι τοῦ πόντου τοῦ Εὐξείνου τετρακόσια τάλαντα·
νομὸς τρίτος καὶ δέκατος οὗτος. ἀπὸ δὲ Σαγαρτίων καὶ
10 Σαραγγέων καὶ Θαμαναίων καὶ Οὐτίων καὶ Μύκων καὶ
τῶν ἐν τῇσι νήσοισιν οἰκεόντων τῇσιν ἐν τῇ Ἐρυθρῇ
θαλάσσῃ, ἐν τῇσι τοὺς ἀνασπάστους καλεομένους κατοι-
κίζει βασιλεύς, ἀπὸ τούτων πάντων ἑξακόσια τάλαντα
ἐγίνετο φόρος· νομὸς τέταρτος καὶ δέκατος οὗτος. Σάκαι
15 δὲ καὶ Κάσπιοι πεντήκοντα καὶ διηκόσια ἀπαγίνεον
τάλαντα· νομὸς πέμπτος καὶ δέκατος οὗτος. Πάρθοι δὲ
καὶ Χοράσμιοι καὶ Σόγδοι τε καὶ Ἄρειοι τριηκόσια τά-
94 λαντα· νομὸς ἕκτος καὶ δέκατος οὗτος. Παρικάνιοι δὲ
καὶ Αἰθίοπες οἱ ἐκ τῆς Ἀσίης τετρακόσια τάλαντα ἀπα-
20 γίνεον· νομὸς ἕβδομος καὶ δέκατος οὗτος. Ματιηνοῖσι
δὲ καὶ Σάσπειρσι καὶ Ἀλαροδίοισι διηκόσια ἐπετέτακτο
τάλαντα· νομὸς ὄγδοος καὶ δέκατος οὗτος. Μόσχοισι δὲ
καὶ Τιβαρηνοῖσι καὶ Μάκρωσι καὶ Μοσσυνοίκοισι καὶ
Μαρσὶ τριηκόσια τάλαντα προείρητο· νομὸς εἴνατος καὶ
25 δέκατος οὗτος. Ἰνδῶν δὲ πλῆθός τε πολλῷ πλεῖστόν
ἐστι πάντων τῶν ἡμεῖς ἴδμεν ἀνθρώπων καὶ φόρον ἀπα-
γίνεον πρὸς πάντας τοὺς ἄλλους, ἑξήκοντα καὶ τριηκόσια
95 τάλαντα ψήγματος· νομὸς εἰκοστὸς οὗτος. τὸ μὲν δὴ
ἀργύριον τὸ Βαβυλώνιον πρὸς τὸ Εὐβοϊκὸν συμβαλλό-
30 μενον τάλαντον γίνεται ὀγδώκοντα καὶ ὀκτακόσια καὶ
εἰνακισχίλια τάλαντα, τὸ δὲ χρυσίον τρισκαιδεκαστάσιον
λογιζομένων, τὸ ψῆγμα εὑρίσκεται ἐὸν Εὐβοϊκῶν ταλάν-
των ὀγδώκοντα καὶ ἑξακοσίων καὶ τετρακισχιλίων. τούτων
ὧν πάντων συντιθέμενον τὸ πλῆθος Εὐβοϊκὰ τάλαντα

συνελέγετο ἐς τὸν ἐπέτειον φόρον Δαρείῳ μύρια καὶ
τετρακισχίλια καὶ πεντακόσια καὶ ἑξήκοντα· τὸ δ' ἔτι
τούτων ἔλασσον ἀπιεὶς οὐ λέγω.

Οὗτος Δαρείῳ προσῇε φόρος ἀπὸ τῆς τε Ἀσίης **96**
καὶ τῆς Λιβύης ὀλιγαχόθεν. προϊόντος μέντοι τοῦ χρόνου 5
καὶ ἀπὸ νήσων προσῇεν ἄλλος φόρος καὶ τῶν ἐν τῇ
Εὐρώπῃ μέχρι Θεσσαλίης οἰκημένων. τοῦτον τὸν φόρον
θησαυρίζει βασιλεὺς τρόπῳ τοιῷδε· ἐς πίθους κεραμίνους
τήξας καταχεῖ, πλήσας δὲ τὸ ἄγγος περιαιρεῖ τὸν κέρα-
μον. ἐπεὰν δὲ δεηθῇ χρημάτων, κατακόπτει τοσοῦτο, 10
ὅσον ἂν ἑκάστοτε δέηται.

Αὗται μέν νυν ἀρχαί τε ἦσαν καὶ φόρων ἐπιτάξιες· **97**
ἡ Περσὶς δὲ χώρη μούνη μοι οὐκ εἴρηται δασμοφόρος·
ἀτελέα γὰρ Πέρσαι νέμονται χώρην. οἵδε δὲ φόρον
μὲν οὐδένα ἐτάχθησαν φέρειν, δῶρα δὲ ἀγίνεον· 15
Αἰθίοπες οἱ πρόσουροι Αἰγύπτῳ, τοὺς Καμβύσης ἐλαύ-
νων ἐπὶ τοὺς μακροβίους Αἰθίοπας κατεστρέψατο, οἳ
περί τε Νύσην τὴν ἱρὴν κατοίκηνται καὶ τῷ Διονύσῳ
ἀνάγουσι τὰς ὀρτάς. οὗτοι συναμφότεροι διὰ τρίτου
ἔτεος ἀγίνεον, ἀγινέουσι δὲ καὶ τὸ μέχρις ἐμέο, δύο χοί- 20
νικας ἀπύρου χρυσίου καὶ διηκοσίας φάλαγγας ἐβένου
καὶ πέντε παῖδας Αἰθίοπας καὶ ἐλέφαντος ὀδόντας μεγά-
λους εἴκοσι. Κόλχοι δὲ τὰ ἐτάξαντο ἐς τὴν δωρεὴν καὶ
οἱ προσεχεῖς μέχρι Καυκάσιος ὄρεος (ἐς τοῦτο γὰρ τὸ
ὄρος ὑπὸ Πέρσῃσιν ἄρχεται, τὰ δὲ πρὸς βορῆν ἄνεμον 25
τοῦ Καυκάσιος Περσέων οὐδὲν ἔτι φροντίζει), οὗτοι ὦν
δῶρα τὰ ἐτάξαντο ἔτι καὶ ἐς ἐμὲ διὰ πεντετηρίδος ἀγί-
νεον, ἑκατὸν παῖδας καὶ ἑκατὸν παρθένους. Ἀράβιοι
δὲ χίλια τάλαντα ἀγίνεον λιβανωτοῦ ἀνὰ πᾶν ἔτος.
ταῦτα μὲν οὗτοι δῶρα πάρεξ τοῦ φόρου βασιλεῖ ἐκό- 30
μιζον. τὸν δὲ χρυσὸν τοῦτον τὸν πολλὸν οἱ Ἰνδοί, **98**
ἀπ' οὗ τὸ ψῆγμα βασιλεῖ τὸ εἰρημένον κομίζουσιν, τρόπῳ
τοιῷδε κτῶνται. ἔστι τῆς Ἰνδικῆς χώρης τὸ πρὸς ἥλιον
ἀνίσχοντα ψάμμος· τῶν γὰρ ἡμεῖς ἴδμεν, τῶν καὶ πέρι

ἀτρεκές τι λέγεται, πρῶτοι πρὸς ἠῶ καὶ ἡλίου ἀνατολὰς
οἰκέουσιν ἀνθρώπων τῶν ἐν τῇ Ἀσίῃ Ἰνδοί· Ἰνδῶν γὰρ
τὸ πρὸς τὴν ἠῶ ἐρημίη ἐστὶ διὰ τὴν ψάμμον. ἔστι δὲ
πολλὰ ἔθνεα Ἰνδῶν καὶ οὐκ ὁμόφωνα σφίσιν, καὶ οἱ μὲν
5 αὐτῶν νομάδες εἰσίν, οἱ δὲ οὔ, οἱ δὲ ἐν τοῖς ἕλεσιν οἰ-
κέουσι τοῦ ποταμοῦ καὶ ἰχθύας σιτέονται ὠμούς, τοὺς
αἱρέουσιν ἐκ πλοίων καλαμίνων ὁρμώμενοι· καλάμου δὲ
ἓν γόνυ πλοῖον ἕκαστον ποιεῖται. οὗτοι μὲν δὴ τῶν
Ἰνδῶν φορέουσιν ἐσθῆτα φλοΐνην· ἐπεὰν ἐκ τοῦ ποτα-
10 μοῦ φλοῦν ἀμήσωνται καὶ κόψωσιν, τὸ ἐνθεῦτεν φορμοῦ
99 τρόπον καταπλέξαντες ὡς θώρηκα ἐνδύνουσιν. ἄλλοι δὲ
τῶν Ἰνδῶν πρὸς ἠῶ οἰκέοντες τούτων νομάδες εἰσὶ καὶ
κρεῶν ἐδεσταὶ ὠμῶν, καλέονται δὲ Παδαῖοι. νομαί-
οισι δὲ τοιοῖσδε λέγονται χρῆσθαι· ὃς ἂν κάμῃ τῶν
15 ἀστῶν, ἤν τε γυνὴ ἤν τε ἀνήρ, τὸν μὲν ἄνδρα ἄνδρες
οἱ μάλιστά οἱ ὁμιλέοντες κτείνουσιν, φάμενοι αὐτὸν τηκό-
μενον τῇ νούσῳ τὰ κρέα σφίσι διαφθείρεσθαι· ὁ δὲ
ἄπαρνός ἐστι μὴ μὲν νοσεῖν· οἱ δὲ οὐ συγγινωσκόμενοι
ἀποκτείναντες κατευωχέονται. ἣ δὲ ἂν γυνὴ κάμῃ, ὡσαύ-
20 τως αἱ ἐπιχρεώμεναι μάλιστα γυναῖκες ταὐτὰ τοῖς ἀν-
δράσι ποιεῦσιν. τὸν γὰρ δὴ ἐς γῆρας ἀπικόμενον θύ-
σαντες κατευωχέονται. ἐς δὲ τούτου λόγον οὐ πολλοί
τινες αὐτῶν ἀπικνέονται· πρὸ γὰρ τοῦ τὸν ἐς νοῦσον
100 πίπτοντα πάντα κτείνουσιν. ἑτέρων δέ ἐστιν Ἰνδῶν
25 ὅδε ἄλλος τρόπος· οὔτε κτείνουσιν οὐδὲν ἔμψυχον
οὔτε τι σπείρουσιν οὔτε οἰκίας νομίζουσιν ἐκτῆσθαι,
ποιηφαγέουσι δέ, καὶ αὐτοῖσιν ἔστιν ὅσον κέγχρος τὸ
μέγαθος ἐν κάλυκι, αὐτόματον ἐκ τῆς γῆς γινόμενον, τὸ
συλλέγοντες αὐτῇ τῇ κάλυκι ἕψουσί τε καὶ σιτέονται.
30 ὃς δ' ἂν ἐς νοῦσον αὐτῶν πέσῃ, ἐλθὼν ἐς τὴν ἔρημον
κεῖται· φροντίζει δὲ οὐδεὶς οὔτε ἀποθανόντος οὔτε κά-
101 μνοντος. μεῖξις δὲ τούτων τῶν Ἰνδῶν τῶν κατέλεξα
πάντων ἐμφανής ἐστι κατά περ τῶν προβάτων, καὶ τὸ
χρῶμα φορέουσιν ὅμοιον πάντες καὶ παραπλήσιον Αἰ-

θίοψιν. ἡ γονὴ δὲ αὐτῶν, τὴν ἀπίενται ἐς τὰς γυναῖ-
κας, οὐ κατά περ τῶν ἄλλων ἀνθρώπων ἐστὶ λευκή,
ἀλλὰ μέλαινα κατά περ τὸ χρῶμα· τοιαύτην δὲ καὶ Αἰ-
θίοπες ἀπίενται θορήν. οὗτοι μὲν τῶν Ἰνδῶν ἑκαστέρω
τῶν Περσέων οἰκέουσι καὶ πρὸς νότου ἀνέμου καὶ Δα- 5
ρείου βασιλέος οὐδαμὰ ὑπήκουσαν.

Ἄλλοι δὲ τῶν Ἰνδῶν Κασπατύρῳ τε πόλει καὶ τῇ 102
Πακτυϊκῇ χώρῃ εἰσὶ πρόσουροι, πρὸς ἄρκτου τε καὶ
βορέω ἀνέμου κατοικημένοι τῶν ἄλλων Ἰνδῶν, οἳ Βακτρί-
οισι παραπλησίην ἔχουσι δίαιταν· οὗτοι καὶ μαχιμώτατοί 10
εἰσιν Ἰνδῶν καὶ οἱ ἐπὶ τὸν χρυσὸν στελλόμενοί
εἰσιν οὗτοι· κατὰ γὰρ τοῦτό ἐστιν ἐρημίη διὰ τὴν
ψάμμον. ἐν δὴ ὦν τῇ ἐρημίῃ ταύτῃ καὶ τῇ ψάμμῳ γί-
νονται μύρμηκες μεγάθεα ἔχοντες κυνῶν μὲν ἐλάσσονα,
ἀλωπέκων δὲ μέζονα· εἰσὶ γὰρ αὐτῶν καὶ παρὰ βασιλεῖ 15
τῷ Περσέων ἐνθεῦτεν θηρευθέντες. οὗτοι ὦν οἱ μύρ-
μηκες ποιεύμενοι οἴκησιν ὑπὸ γῆν ἀναφορέουσι τὴν
ψάμμον κατά περ οἱ ἐν τοῖς Ἕλλησι μύρμηκες κατὰ τὸν
αὐτὸν τρόπον, εἰσὶ δὲ καὶ τὸ εἶδος ὁμοιότατοι· ἡ δὲ
ψάμμος ἡ ἀναφερομένη ἐστὶ χρυσῖτις. ἐπὶ δὴ ταύτην 20
τὴν ψάμμον στέλλονται ἐς τὴν ἔρημον οἱ Ἰνδοί, ζευξά-
μενος ἕκαστος καμήλους τρεῖς, σειρηφόρον μὲν ἑκατέ-
ρωθεν ἔρσενα παρέλκειν, θήλειαν δὲ ἐς μέσον· ἐπὶ ταύ-
την δὴ αὐτὸς ἀναβαίνει, ἐπιτηδεύσας ὅκως ἀπὸ τέκνων
ὡς νεωτάτων ἀποσπάσας ζεύξει· αἱ γάρ σφι κάμηλοι 25
ἵππων οὐκ ἥσσονες ἐς ταχυτῆτά εἰσιν, χωρὶς δὲ ἄχθεα
δυνατώτεραι πολλὸν φέρειν. τὸ μὲν δὴ εἶδος ὁκοῖόν τι 103
ἔχει ἡ κάμηλος, ἐπισταμένοισι τοῖς Ἕλλησι οὐ συγγράφω·
τὸ δὲ μὴ ἐπιστέαται αὐτῆς, τοῦτο φράσω. κάμηλος ἐν
τοῖς ὀπισθίοισι σκέλεσι ἔχει τέσσερας μηρούς καὶ γού- 30
νατα τέσσερα, τά τε αἰδοῖα διὰ τῶν ὀπισθίων σκελέων
πρὸς τὴν οὐρὴν τετραμμένα. οἱ δὲ δὴ Ἰνδοὶ τρόπῳ 104
τοιούτῳ καὶ ζεύξει τοιαύτῃ χρεώμενοι ἐλαύνουσιν ἐπὶ
τὸν χρυσὸν λελογισμένως, ὅκως καυμάτων τῶν θερμο-

τάτων ἐόντων ἔσονται ἐν τῇ ἁρπαγῇ· ὑπὸ γὰρ τοῦ καύ-
ματος οἱ μύρμηκες ἀφανεῖς γίνονται ὑπὸ γῆν. θερμό-
τατος δέ ἐστιν ὁ ἥλιος τούτοισι τοῖς ἀνθρώποισι τὸ
ἑωθινόν, οὐ κατά περ τοῖς ἄλλοισι μεσαμβρίης, ἀλλ'
5 ὑπερτείλας μέχρις οὗ ἀγορῆς διαλύσιος. τοῦτον δὲ τὸν
χρόνον καίει πολλῷ μᾶλλον ἢ τῇ μεσαμβρίῃ τὴν Ἑλλάδα,
οὕτως ὥστε ἐν ὕδατι λόγος αὐτούς ἐστι βρέχεσθαι τηνι-
καῦτα. μεσοῦσα δὲ ἡ ἡμέρη σχεδὸν παραπλησίως καίει
τούς τε ἄλλους ἀνθρώπους καὶ τοὺς Ἰνδούς. ἀποκλινο-
10 μένης δὲ τῆς μεσαμβρίης γίνεταί σφιν ὁ ἥλιος κατά περ
τοῖς ἄλλοισιν ὁ ἑωθινός. καὶ τὸ ἀπὸ τούτου ἀπιὼν ἐπὶ
μᾶλλον ψύχει, ἐς ὃ ἐπὶ δυσμῇσιν ἐὼν καὶ τὸ κάρτα
105 ψύχει. ἐπεὰν δὲ ἔλθωσιν ἐς τὸν χῶρον οἱ Ἰνδοὶ ἔχοντες
θυλάκια, ἐμπλήσαντες ταῦτα τῆς ψάμμου τὴν ταχίστην
15 ἐλαύνουσιν ὀπίσω· αὐτίκα γὰρ οἱ μύρμηκες ὀδμῇ, ὡς δὴ
λέγεται ὑπὸ Περσέων, μαθόντες διώκουσιν. εἶναι δὲ
ταχυτῆτα οὐδενὶ ἑτέρῳ ὅμοιον, οὕτω ὥστε, εἰ μὴ προ-
λαμβάνειν τοὺς Ἰνδοὺς τῆς ὁδοῦ ἐν ᾧ τοὺς μύρμηκας
συλλέγεσθαι, οὐδένα ἄν σφεων ἀποσῴζεσθαι. τοὺς μέν
20 νυν ἔρσενας τῶν καμήλων, εἶναι γὰρ ἥσσονας θεῖν τῶν
θηλέων, παραλύεσθαι ἐπελκομένους, οὐκ ὁμοῦ ἀμφοτέ-
ρους· τὰς δὲ θηλείας ἀναμιμνησκομένας τῶν ἔλιπον
τέκνων ἐνδιδόναι μαλακὸν οὐδέν. τὸν μὲν δὴ πλέω τοῦ
χρυσοῦ οὕτω οἱ Ἰνδοὶ κτῶνται, ὡς Πέρσαι φασίν· ἄλλος
25 δὲ σπανιώτερός ἐστιν ἐν τῇ χώρῃ ὀρυσσόμενος.

106 Αἱ δ' ἐσχατιαί κως τῆς οἰκεομένης τὰ κάλ-
λιστα ἔλαχον, κατά περ ἡ Ἑλλὰς τὰς ὥρας πολλόν τι
κάλλιστα κεκρημένας ἔλαχεν. τοῦτο μὲν γὰρ πρὸς τὴν ἠῶ
ἐσχάτη τῶν οἰκεομένων ἡ Ἰνδική ἐστιν, ὥσπερ ὀλίγῳ
30 πρότερον εἴρηκα· ἐν ταύτῃ τοῦτο μὲν τὰ ἔμψυχα, τὰ
τετράποδά τε καὶ τὰ πετεινά, πολλῷ μέζω ἢ ἐν τοῖς
ἄλλοισι χωρίοισίν ἐστιν, πάρεξ τῶν ἵππων (οὗτοι δὲ ἑσ-
σοῦνται ὑπὸ τῶν Μηδικῶν, Νησαίων δὲ καλεομένων
ἵππων), τοῦτο δὲ χρυσὸς ἄπλετος αὐτόθι ἐστίν, ὁ μὲν

ὀρυσσόμενος, ὁ δὲ καταφορεόμενος ὑπὸ ποταμῶν, ὁ δὲ
ὥσπερ ἐσήμηνα ἁρπαζόμενος. τὰ δὲ δένδρεα τὰ ἄγρια
αὐτόθι φέρει καρπὸν εἴρια καλλονῇ τε προφέροντα καὶ
ἀρετῇ τῶν ἀπὸ τῶν ὀίων· καὶ ἐσθῆτι Ἰνδοὶ ἀπὸ τούτων
τῶν δενδρέων χρέωνται. πρὸς δ᾽ αὖ μεσαμβρίης ἐσχάτη 107
Ἀραβίη τῶν οἰκεομένων χωρέων ἐστίν, ἐν δὲ ταύτῃ 6
λιβανωτός τέ ἐστι μούνῃ χωρέων πασέων φυόμενος καὶ
σμύρνη καὶ κασίη καὶ κινάμωμον καὶ λήδανον. ταῦτα
πάντα πλὴν τῆς σμύρνης δυσπετέως κτῶνται οἱ Ἀράβιοι.
τὸν μέν γε λιβανωτὸν συλλέγουσι τὴν στύρακα θυμιῶν- 10
τες, τὴν ἐς Ἕλληνας Φοίνικες ἐξάγουσιν· ταύτην θυμι-
ῶντες λαμβάνουσιν· τὰ γὰρ δένδρεα ταῦτα τὰ λιβανωτο-
φόρα ὄφιες ὑπόπτεροι, σμικροὶ τὰ μεγάθεα, ποικίλοι τὰ
εἴδεα, φυλάσσουσι πλήθει πολλοὶ περὶ δένδρεον ἕκαστον,
οὗτοι οἵ περ ἐπ᾽ Αἴγυπτον ἐπιστρατεύονται. οὐδενὶ δὲ 15
ἄλλῳ ἀπελαύνονται ἀπὸ τῶν δενδρέων ἢ τῆς στύρακος
τῷ καπνῷ. λέγουσι δὲ καὶ τόδε Ἀράβιοι, ὡς πᾶσα ἂν 108
γῆ ἐπίμπλατο τῶν ὀφίων τούτων, εἰ μὴ γίνεσθαι κατ᾽
αὐτοὺς οἷόν τι καὶ κατὰ τὰς ἐχίδνας ἠπιστάμην γίνεσθαι.
καί κως τοῦ θείου ἡ προνοίη, ὥσπερ καὶ οἰκός ἐστιν, 20
ἐοῦσα σοφή, ὅσα μὲν ψυχήν τε δειλὰ καὶ ἐδώδιμα,
ταῦτα μὲν πάντα πολύγονα πεποίηκεν, ἵνα μὴ ἐπιλίπῃ
κατεσθιόμενα, ὅσα δὲ σχέτλια καὶ ἀνιηρά, ὀλιγόγονα.
τοῦτο μέν, ὅτι ὁ λαγὸς ὑπὸ παντὸς θηρεύεται θηρίου
καὶ ὄρνιθος καὶ ἀνθρώπου, οὕτω δή τι πολύγονόν ἐστιν· 25
ἐπικυΐσκεται μοῦνον πάντων θηρίων, καὶ τὸ μὲν δασὺ
τῶν τέκνων ἐν τῇ γαστρί, τὸ δὲ ψιλόν, τὸ δὲ ἄρτι ἐν
τῇσι μήτρῃσι πλάσσεται, τὸ δὲ ἀναιρεῖται. τοῦτο μὲν
δὴ τοιοῦτό ἐστιν, ἡ δὲ δὴ λέαινα, ἐὸν ἰσχυρότατον καὶ
θρασύτατον, ἅπαξ ἐν τῷ βίῳ τίκτει ἕν· τίκτουσα γὰρ 30
συνεκβάλλει τῷ τέκνῳ τὰς μήτρας. τὸ δὲ αἴτιον τούτου
τόδε ἐστίν· ἐπεὰν ὁ σκύμνος ἐν τῇ μητρὶ ἐὼν ἄρχηται
διακινεόμενος, ὁ δὲ ἔχων ὄνυχας θηρίων πολλὸν πάντων
ὀξυτάτους ἀμύσσει τὰς μήτρας, αὐξόμενός τε πολλῷ

μᾶλλον ἐσικνεῖται καταγράφων· πέλας τε δὴ ὁ τόκος
109 ἐστὶ καὶ τὸ παράπαν λείπεται αὐτέων ὑγιὲς οὐδέν. ὡς
δὲ καὶ αἱ ἔχιδναί τε καὶ οἱ ἐν Ἀραβίοισιν ὑπόπτεροι
ὄφιες εἰ ἐγίνοντο ὡς ἡ φύσις αὐτοῖσιν ὑπάρχει, οὐκ ἂν
5 ἦν βιώσιμα ἀνθρώποισιν· νῦν δ' ἐπεὰν θορνύωνται κατὰ
ζεύγεα καὶ ἐν αὐτῇ ᾖ ὁ ἔρσην τῇ ἐκποιήσει, ἀπιεμένου
αὐτοῦ τὴν γονὴν ἡ θήλεια ἅπτεται τῆς δειρῆς καὶ ἐμ-
φῦσα οὐκ ἀνιεῖ πρὶν ἂν διαφάγῃ. ὁ μὲν δὴ ἔρσην ἀπο-
θνῄσκει τρόπῳ τῷ εἰρημένῳ, ἡ δὲ θήλεια τίσιν τοιήνδε
10 ἀποτίνει τῷ ἔρσενι· τῷ γονεῖ τιμωρέοντα ἔτι ἐν τῇ γαστρὶ
ἐόντα τὰ τέκνα διεσθίει τὴν μητέρα, διαφαγόντα δὲ τὴν
νηδὺν αὐτῆς οὕτω τὴν ἔκδυσιν ποιεῖται. οἱ δὲ ἄλλοι
ὄφιες ἐόντες ἀνθρώπων οὐ δηλήμονες τίκτουσί τε ᾠὰ καὶ
ἐκλέπουσι πολλόν τι χρῆμα τῶν τέκνων. αἱ μέν νυν
15 ἔχιδναι κατὰ πᾶσαν τὴν γῆν εἰσιν, οἱ δὲ ὑπόπτεροι
ἐόντες ἀθρόοι εἰσὶν ἐν τῇ Ἀραβίῃ καὶ οὐδαμῇ ἄλλῃ·
κατὰ τοῦτο δοκέουσι πολλοὶ εἶναι.

110 Τὸν μὲν δὴ λιβανωτὸν τοῦτον οὕτω κτῶνται Ἀρά-
βιοι, τὴν δὲ κασίην ὧδε· ἐπεὰν καταδήσωνται βύρσῃσι
20 καὶ δέρμασιν ἄλλοισι πᾶν τὸ σῶμα καὶ τὸ πρόσωπον
πλὴν αὐτῶν τῶν ὀφθαλμῶν, ἔρχονται ἐπὶ τὴν κασίην·
ἡ δὲ ἐν λίμνῃ φύεται οὐ βαθείῃ, περὶ δὲ αὐτὴν καὶ ἐν
αὐτῇ αὐλίζεταί κου θηρία πτερωτά, τῇσι νυκτερίσι προσ-
είκελα μάλιστα, καὶ τέτριγε δεινόν, καὶ ἐς ἀλκὴν ἄλκιμα·
25 τὰ δεῖ ἀπαμυνομένους ἀπὸ τῶν ὀφθαλμῶν οὕτω δρέπειν
111 τὴν κασίην. τὸ δὲ δὴ κινάμωμον ἔτι τούτων θωμα-
στότερον συλλέγουσιν· ὅκου μὲν γὰρ γίνεται καὶ
ἥτις μιν γῆ ἡ τρέφουσά ἐστιν, οὐκ ἔχουσιν εἰπεῖν, πλὴν
ὅτι λόγῳ οἰκότι χρεώμενοι ἐν τοῖσδε χωρίοισί φασί τινες
30 αὐτὸ φύεσθαι, ἐν τοῖς ὁ Διόνυσος ἐτράφη. ὄρνιθας δὲ
λέγουσι μεγάλας φορεῖν ταῦτα τὰ κάρφεα, τὰ ἡμεῖς ἀπὸ
Φοινίκων μαθόντες κινάμωμον καλέομεν, φορεῖν δὲ τὰς
ὄρνιθας ἐς νεοσσιὰς προσπεπλασμένας ἐκ πηλοῦ πρὸς
ἀποκρήμνοισιν ὄρεσιν, ἔνθα πρόσβασιν ἀνθρώπῳ οὐδε-

μίαν εἶναι. πρὸς ὧν δὴ ταῦτα τοὺς Ἀραβίους σοφίζεσθαι
τάδε, βοῶν τε καὶ ὄνων τῶν ἀπογινομένων καὶ τῶν
ἄλλων ὑποζυγίων τὰ μέλεα διαταμόντας ὡς μέγιστα
κομίζειν ἐς ταῦτα τὰ χωρία καί σφεα θέντας ἀγχοῦ τῶν
νεοσσιῶν ἀπαλλάσσεσθαι ἑκὰς αὐτέων· τὰς δὲ ὄρνιθας 5
καταπετομένας αὐτῶν τὰ μέλεα ἀναφορεῖν ἐπὶ τὰς νεοσ-
σιάς, τὰς δὲ οὐ δυναμένας ἴσχειν καταρρήγνυσθαι ἐπὶ
γῆν· τοὺς δὲ ἐπιόντας συλλέγειν οὕτω τὸ κινάμωμον,
συλλεγόμενον δὲ ἐκ τούτων ἀπικνεῖσθαι ἐς τὰς ἄλλας
χώρας. τὸ δὲ δὴ λήδανον, τὸ καλέουσιν Ἀράβιοι 112
λάδανον, ἔτι τούτου θωμασιώτερον γίνεται. ἐν γὰρ 11
δυσοδμοτάτῳ γινόμενον εὐωδέστατόν ἐστιν· τῶν γὰρ αἰγῶν
τῶν τράγων ἐν τοῖς πώγωσιν εὑρίσκεται ἐγγινόμενον
οἷον γλοιὸς ἀπὸ τῆς ὕλης. χρήσιμον δ' ἐς πολλὰ τῶν
μύρων ἐστίν, θυμιῶσί τε μάλιστα τοῦτο Ἀράβιοι. 15

Τοσαῦτα μὲν θυωμάτων πέρι εἰρήσθω, ἀπόζει δὲ 113
τῆς χώρης τῆς Ἀραβίης θεσπέσιον ὡς ἡδύ. δύο δὲ
γένεα ὁίων σφιν ἔστι θώματος ἄξια, τὰ οὐδαμόθι
ἑτέρωθί ἐστιν· τὸ μὲν αὐτῶν ἕτερον ἔχει τὰς οὐρὰς μα-
κράς, τριῶν πηχέων οὐκ ἐλάσσονας, τὰς εἴ τις ἐπείη 20
σφιν ἐπέλκειν, ἕλκεα ἂν ἔχοιεν ἀνατριβομένων πρὸς τῇ
γῇ τῶν οὐρέων· νῦν δ' ἅπας τις τῶν ποιμένων ἐπίστα-
ται ξυλοργεῖν ἐς τοσοῦτο· ἁμαξίδας γὰρ ποιεῦντες ὑπο-
δέουσιν αὐτὰς τῇσιν οὐρῇσιν, ἑνὸς ἑκάστου κτήνεος τὴν
οὐρὴν ἐπὶ ἀμαξίδα καταδέοντες. τὸ δὲ ἕτερον γένος τῶν 25
ὁίων τὰς οὐρὰς πλατέας φορέουσι καὶ ἐπὶ πῆχυν πλάτος.

Ἀποκλινομένης δὲ μεσαμβρίης παρήκει πρὸς δύνοντα 114
ἥλιον ἡ Αἰθιοπίη χώρη ἐσχάτη τῶν οἰκεομένων· αὕτη
δὲ χρυσόν τε φέρει πολλὸν καὶ ἐλέφαντας ἀμφιλαφέας
καὶ δένδρεα πάντα ἄγρια καὶ ἔβενον καὶ ἄνδρας μεγί- 30
στους καὶ καλλίστους καὶ μακροβιωτάτους.

Αὗται μὲν νυν ἔν τε τῇ Ἀσίῃ ἐσχατιαί εἰσι καὶ ἐν 115
τῇ Λιβύῃ· περὶ δὲ τῶν ἐν τῇ Εὐρώπῃ τῶν πρὸς
ἑσπέρην ἐσχατιῶν ἔχω μὲν οὐκ ἀτρεκέως λέγειν· οὔτε

γὰρ ἔγωγε ἐνδέχομαι Ἠριδανὸν καλεῖσθαι πρὸς βαρβάρων
ποταμὸν ἐκδιδόντα ἐς θάλασσαν τὴν πρὸς βορῆν ἄνεμον,
ἀπ᾽ ὅτεο τὸ ἤλεκτρον φοιτᾶν λόγος ἐστίν, οὔτε νήσους
οἶδα Κασσιτερίδας ἐούσας, ἐκ τῶν ὁ κασσίτερος ἡμῖν
5 φοιτᾷ. τοῦτο μὲν γὰρ αὐτὸ κατηγορεῖ τοὔνομα ὡς ἔστιν
Ἑλληνικὸν καὶ οὐ βάρβαρον, ὑπὸ ποιητέω δέ τινος ποι-
ηθέν· τοῦτο δὲ οὐδενὸς αὐτόπτεω γενομένου δύναμαι
ἀκοῦσαι, τοῦτο μελετῶν, ὅκως θάλασσά ἐστι τὰ ἐπέκεινα
τῆς Εὐρώπης. ἐξ ἐσχάτης δ᾽ ὧν ὅ τε κασσίτερος ἡμῖν
116 φοιτᾷ καὶ τὸ ἤλεκτρον. πρὸς δὲ ἄρκτου τῆς Εὐρώπης
11 πολλῷ τι πλεῖστος χρυσὸς φαίνεται ἐών. ὅκως μὲν γινό-
μενος, οὐκ ἔχω οὐδὲ τοῦτο ἀτρεκέως εἶπαι, λέγεται δὲ
ὑπὲκ τῶν γρυπῶν ἁρπάζειν Ἀριμασποὺς ἄνδρας μου-
νοφθάλμους. πείθομαι δὲ οὐδὲ τοῦτο, ὅκως μουνόφθαλ-
15 μοι ἄνδρες φύονται, φύσιν ἔχοντες τὴν ἄλλην ὁμοίην
τοῖς ἄλλοισιν ἀνθρώποισιν. αἱ δὲ ὧν ἐσχατιαὶ οἴκασι
περικλήουσαι τὴν ἄλλην χώρην καὶ ἐντὸς ἀπέργουσαι τὰ
κάλλιστα δοκέοντα ἡμῖν εἶναι καὶ σπανιώτατα ἔχειν
τὰ αὐτά.

117 Ἔστι δὲ πεδίον ἐν τῇ Ἀσίῃ περικεκλημένον
21 ὄρει πάντοθεν, διασφάγες δὲ τοῦ ὄρεός εἰσι
πέντε· τοῦτο τὸ πεδίον ἦν μέν κοτε Χορασμίων, ἐν
οὔροισιν ἐὸν Χορασμίων τε αὐτῶν καὶ Ὑρκανίων καὶ
Πάρθων καὶ Σαραγγέων καὶ Θαμαναίων, ἐπείτε δὲ Πέρσαι
25 ἔχουσι τὸ κράτος, ἐστὶ τοῦ βασιλέος. ἐκ δὴ ὧν τοῦ περι-
κλήοντος ὄρεος τούτου ῥεῖ ποταμὸς μέγας, ὄνομα δέ οἴ ἐστιν
Ἄκης. οὗτος πρότερον μὲν ἄρδεσκε διαλελαμμένος πενταχοῦ
τούτων τῶν εἰρημένων τὰς χώρας, διὰ διασφάγος ἀγό-
μενος ἑκάστης ἑκάστοισιν, ἐπείτε δὲ ὑπὸ τῷ Πέρσῃ εἰσίν,
30 πεπόνθασι τοιόνδε· τὰς διασφάγας τῶν ὀρέων ἐνδείμας
ὁ βασιλεὺς πύλας ἐπ᾽ ἑκάστῃ διασφάγι ἔστησεν, ἀπο-
κεκλημένου δὲ τοῦ ὕδατος τῆς διεξόδου τὸ πεδίον τὸ
ἐντὸς τῶν ὀρέων πέλαγος γίνεται, ἐνδιδόντος μὲν τοῦ
ποταμοῦ, ἔχοντος δὲ οὐδαμῇ ἐξήλυσιν. οὗτοι ὧν οἵ περ

ἔμπροσθε ἐώθεσαν χρῆσθαι τῷ ὕδατι, οὐκ ἔχοντες αὐτῷ
χρῆσθαι συμφορῇ μεγάλῃ διαχρέωνται. τὸν μὲν γὰρ
χειμῶνα ὕει σφιν ὁ θεὸς ὥσπερ καὶ τοῖς ἄλλοισιν ἀν-
θρώποισιν, τοῦ δὲ θέρεος σπείροντες μελίνην καὶ σήσαμον
χρηίσκονται τῷ ὕδατι. ἐπεὰν ὧν μηδέν σφι παραδιδῶται 5
τοῦ ὕδατος, ἐλθόντες ἐς τοὺς Πέρσας αὐτοί τε καὶ
γυναῖκες, στάντες κατὰ τὰς θύρας τοῦ βασιλέος βοῶσιν
ὠρυόμενοι, ὁ δὲ βασιλεὺς τοῖσι δεομένοισιν αὐτῶν μά-
λιστα ἐντέλλεται ἀνοίγειν τὰς πύλας τὰς ἐς τοῦτο φε-
ρούσας. ἐπεὰν δὲ διάκορος ἡ γῆ σφεων γένηται πίνουσα 10
τὸ ὕδωρ, αὗται μὲν αἱ πύλαι ἀποκλήονται, ἄλλας δ'
ἐντέλλεται ἀνοίγειν ἄλλοισι τοῖσι δεομένοισι μάλιστα
τῶν λοιπῶν. ὡς δ' ἐγὼ οἶδα ἀκούσας, χρήματα μεγάλα
πρησσόμενος ἀνοίγει πάρεξ τοῦ φόρου. ταῦτα μὲν δὴ
ἔχει οὕτω. 15

Τῶν δὲ τῷ μάγῳ ἐπαναστάντων ἑπτὰ ἀνδρῶν 118
ἕνα αὐτῶν Ἰνταφρένεα κατέλαβεν ὑβρίσαντα τάδε
ἀποθανεῖν αὐτίκα μετὰ τὴν ἐπανάστασιν· ἤθελεν ἐς τὰ
βασιλήια ἐσελθὼν χρηματίσασθαι τῷ βασιλεῖ· καὶ γὰρ
δὴ καὶ ὁ νόμος οὕτω εἶχεν, τοῖς ἐπαναστᾶσι τῷ μάγῳ 20
ἔσοδον εἶναι παρὰ βασιλέα ἄνευ ἀγγέλου, ἢν μὴ γυναικὶ
τυγχάνῃ μισγόμενος βασιλεύς. οὔκων δὴ Ἰνταφρένης
ἐδικαίου οὐδένα οἱ ἐσαγγεῖλαι, ἀλλ' ὅτι ἦν τῶν ἑπτά,
ἐσιέναι ἤθελεν· ὁ δὲ πυλουρὸς καὶ ὁ ἀγγελιηφόρος οὐ
περιώρων, φάμενοι τὸν βασιλέα γυναικὶ μίσγεσθαι. ὁ 25
δὲ Ἰνταφρένης δοκέων σφέας ψεύδεα λέγειν ποιεῖ τοιάδε·
σπασάμενος τὸν ἀκινάκην ἀποτάμνει αὐτῶν τά τε ὦτα
καὶ τὰς ῥῖνας, καὶ ἀνείρας περὶ τὸν χαλινὸν τοῦ ἵππου
περὶ τοὺς αὐχένας σφέων ἔδησε καὶ ἀπῆκεν. οἱ δὲ τῷ 119
βασιλεῖ δεικνύουσιν ἑωυτοὺς καὶ τὴν αἰτίην εἶπον, δι' 30
ἣν πεπονθότες εἴησαν. Δαρεῖος δὲ ἀρρωδήσας, μὴ κοινῷ
λόγῳ οἱ ἓξ πεποιηκότες ἔωσι ταῦτα, μεταπεμπόμενος ἕνα
ἕκαστον ἀπεπειρᾶτο γνώμης, εἰ συνέπαινοί εἰσι τῷ πε-
ποιημένῳ. ἐπείτε δὲ ἐξέμαθεν, ὡς οὐ σὺν κείνοισιν εἴη,

ταῦτα πεποιηκώς, ἔλαβεν αὐτόν τε τὸν Ἰνταφρένεα καὶ
τοὺς παῖδας αὐτοῦ καὶ τοὺς οἰκηίους πάντας, ἐλπίδας
πολλὰς ἔχων μετὰ τῶν σύγγενέων μιν ἐπιβουλεύειν οἱ
ἐπανάστασιν, συλλαβὼν δέ σφεας ἔδησε τὴν ἐπὶ θανάτῳ.
5 ἡ δὲ γυνὴ τοῦ Ἰνταφρένεος φοιτῶσα ἐπὶ τὰς θύρας τοῦ
βασιλέος κλαίεσκεν ἂν καὶ ὀδυρέσκετο· ποιεῦσα δὲ αἰεὶ
τὠυτὸ τοῦτο τὸν Δαρεῖον ἔπεισεν οἰκτῖραί μιν, πέμψας
δὲ ἄγγελον ἔλεγε τάδε· „Ὦ γύναι, βασιλεύς τοι Δαρεῖος
διδοῖ ἕνα τῶν δεδεμένων οἰκηίων ῥύσασθαι, τὸν βούλεαι
10 ἐκ πάντων." ἡ δὲ βουλευσαμένη ὑπεκρίνετο τάδε· „Εἰ
μὲν δή μοι διδοῖ βασιλεὺς ἑνὸς τὴν ψυχήν, αἱρέομαι ἐκ
πάντων τὸν ἀδελφεόν." πυθόμενος δὲ Δαρεῖος ταῦτα
καὶ θωμάσας τὸν λόγον, πέμψας ἠγόρευεν· „Ὦ γύναι,
εἰρωτᾷ σε βασιλεὺς τίνα ἔχουσα γνώμην, τὸν ἄνδρα τε
15 καὶ τὰ τέκνα ἐγκαταλιποῦσα, τὸν ἀδελφεὸν εἵλεο περι-
εῖναί τοι, ὃς καὶ ἀλλοτριώτερός τοι τῶν παίδων καὶ
ἧσσον κεχαρισμένος τοῦ ἀνδρός ἐστιν." ἡ δ' ἀμείβετο
τοῖσδε· „Ὦ βασιλεῦ, ἀνὴρ μέν μοι ἂν ἄλλος γένοιτο, εἰ
δαίμων ἐθέλοι, καὶ τέκνα ἄλλα, εἰ ταῦτα ἀποβάλοιμι·
20 πατρὸς δὲ καὶ μητρὸς οὐκέτι μέο ζωόντων ἀδελφεὸς ἂν
ἄλλος οὐδενὶ τρόπῳ γένοιτο. ταύτῃ τῇ γνώμῃ χρεωμένη
ἔλεξα ταῦτα." εὖ τε δὴ ἔδοξε τῷ Δαρείῳ εἰπεῖν ἡ γυνή,
καί οἱ ἀπῆκε τοῦτόν τε τὸν παραιτεῖτο καὶ τῶν παίδων
τὸν πρεσβύτατον, ἡσθεὶς αὐτῇ, τοὺς δὲ ἄλλους ἀπέκτεινε
25 πάντας. τῶν μὲν δὴ ἑπτὰ εἰς αὐτίκα τρόπῳ τῷ εἰρημένῳ
ἀπολώλει.

120 Κατὰ δέ κου μάλιστα τὴν Καμβύσεω νοῦσον ἐγί-
νετο τάδε. ὑπὸ Κύρου κατασταθεὶς ἦν Σαρδίων ὕπαρ-
χος Ὀροίτης ἀνὴρ Πέρσης. οὗτος ἐπεθύμησε πρήγ-
30 ματος οὐκ ὁσίου· οὔτε γάρ τι παθὼν οὔτε ἀκούσας
μάταιον ἔπος πρὸς Πολυκράτεος τοῦ Σαμίου οὐδὲ
ἰδὼν πρότερον ἐπεθύμει λαβὼν αὐτὸν ἀπολέσαι,
ὡς μὲν οἱ πλέονες λέγουσιν, διὰ τοιήνδε τινὰ αἰτίην· ἐπὶ
τῶν βασιλέος θυρέων καθήμενον τόν τε Ὀροίτεα καὶ

ἄλλον Πέρσην, τῷ ὄνομα εἶναι Μιτροβάτεα, νομοῦ ἄρ-
χοντα τοῦ ἐν Δασκυλείῳ, τούτους ἐκ λόγων ἐς νείκεα
συμπεσεῖν· κρινομένων δὲ περὶ ἀρετῆς εἰπεῖν τὸν Μιτρο-
βάτεα τῷ Ὀροίτῃ προφέροντα· „Σὺ γὰρ ἐν ἀνδρῶν λόγῳ,
ὃς βασιλεῖ νῆσον Σάμον πρὸς τῷ σῷ νομῷ προσκειμένην 5
οὐ προσεκτήσαο, ὧδε δή τι ἐοῦσαν εὐπετέα χειρωθῆναι,
τὴν τῶν τις ἐπιχωρίων πεντεκαίδεκα ὁπλίτῃσιν ἐπαναστὰς
ἔσχε καὶ νῦν αὐτῆς τυραννεύει.“ οἱ μὲν δή μίν φασι
τοῦτο ἀκούσαντα καὶ ἀλγήσαντα τῷ ὀνείδει ἐπιθυμῆσαι
οὐκ οὕτω τὸν εἴπαντα ταῦτα τείσασθαι ὡς Πολυκράτεα 10
πάντως ἀπολέσαι, δι᾽ ὅντινα κακῶς ἤκουσεν. οἱ δὲ ἐλάσ- 121
σονες λέγουσι πέμψαι Ὀροίτεα ἐς Σάμον κήρυκα ὅτεο δὴ
χρήματος δεησόμενον (οὐ γὰρ ὦν δὴ τοῦτό γε λέγεται),
καὶ τὸν Πολυκράτεα τυχεῖν κατακείμενον ἐν ἀνδρεῶνι,
παρεῖναι δέ οἱ καὶ Ἀνακρέοντα τὸν Τήιον· καί κως εἴτε 15
ἐκ προνοίης αὐτὸν κατηλογέοντα τὰ Ὀροίτεω πρήγματα,
εἴτε καὶ συντυχίη τις τοιαύτη ἐπεγένετο· τόν τε γὰρ
κήρυκα τὸν Ὀροίτεω παρελθόντα διαλέγεσθαι καὶ τὸν
Πολυκράτεα (τυχεῖν γὰρ ἀπεστραμμένον πρὸς τὸν τοῖχον)
οὔτε τι μεταστραφῆναι οὔτε ὑποκρίνασθαι. αἴτιαι μὲν 122
δὴ αὗται διφάσιαι λέγονται τοῦ θανάτου τοῦ Πολυκρά- 21
τεος γενέσθαι, πάρεστι δὲ πείθεσθαι ὁκοτέρῃ τις βού-
λεται αὐτέων. ὁ δὴ ὦν Ὀροίτης ἱζόμενος ἐν Μαγνησίῃ
τῇ ὑπὲρ Μαιάνδρου ποταμοῦ οἰκημένῃ ἔπεμπε Μύρσον
τὸν Γύγεω ἄνδρα Λυδὸν ἐς Σάμον ἀγγελίην φέροντα, 25
μαθὼν τοῦ Πολυκράτεος τὸν νόον. Πολυκράτης γὰρ
ἐστι πρῶτος, τῶν ἡμεῖς ἴδμεν, Ἑλλήνων, ὃς θαλασσο-
κρατεῖν ἐπενοήθη, πάρεξ Μίνω τε τοῦ Κνωσσίου καὶ εἰ
δή τις ἄλλος πρότερος τούτου ἦρξε τῆς θαλάσσης· τῆς
δὲ ἀνθρωπηίης λεγομένης γενεῆς Πολυκράτης πρῶτος, 30
ἐλπίδας πολλὰς ἔχων Ἰωνίης τε καὶ νήσων ἄρξειν. μαθὼν
ὦν ταῦτά μιν διανοεύμενον ὁ Ὀροίτης πέμψας ἀγγελίην
ἔλεγε τάδε· „Ὀροίτης Πολυκράτει ὧδε λέγει. πυνθάνο-
μαι ἐπιβουλεύειν σε πρήγμασι μεγάλοισι καὶ χρήματά τοι

οὐκ εἶναι κατὰ τὰ φρονήματα. σύ νυν ὧδε ποιήσας
ὀρθώσεις μὲν σεωυτόν, σώσεις δὲ καὶ ἐμέ· ἐμοὶ γὰρ
βασιλεὺς Καμβύσης ἐπιβουλεύει θάνατον καί μοι τοῦτο
ἐξαγγέλλεται σαφηνέως. σύ νυν ἐμὲ ἐκκομίσας αὐτὸν
5 καὶ χρήματα, τὰ μὲν αὐτῶν αὐτὸς ἔχε, τὰ δὲ ἐμὲ ἔα
ἔχειν· εἵνεκέν τε χρημάτων ἄρξεις ἁπάσης τῆς Ἑλλάδος.
εἰ δέ μοι ἀπιστεῖς τὰ περὶ τῶν χρημάτων, πέμψον ὅστις
123 τοι πιστότατος τυγχάνει ἐών, τῷ ἐγὼ ἀποδέξω." ταῦτα
ἀκούσας Πολυκράτης ἤσθη τε καὶ ἐβούλετο· καί κως
10 ἱμείρετο γὰρ χρημάτων μεγάλως, ἀποπέμπει πρῶτα κατο-
ψόμενον Μαιάνδριον Μαιανδρίου ἄνδρα τῶν ἀστῶν, ὅς
οἱ ἦν γραμματιστής· ὃς χρόνῳ οὐ πολλῷ ὕστερον τούτων
τὸν κόσμον τὸν ἐκ τοῦ ἀνδρεῶνος τοῦ Πολυκράτεος
ἐόντα ἀξιοθέητον ἀνέθηκε πάντα ἐς τὸ Ἥραιον. ὁ δὲ
15 Ὀροίτης μαθὼν τὸν κατάσκοπον ἐόντα προσδόκιμον ἐποίει
τοιάδε· λάρνακας ὀκτὼ πληρώσας λίθων πλὴν κάρτα
βραχέος τοῦ περὶ αὐτὰ τὰ χείλεα, ἐπιπολῆς τῶν λίθων
χρυσὸν ἐπέβαλεν, καταδήσας δὲ τὰς λάρνακας εἶχεν
ἑτοίμας. ἐλθὼν δὲ ὁ Μαιάνδριος καὶ θεησάμενος ἀπήγ-
124 γελλε τῷ Πολυκράτει. ὁ δὲ πολλὰ μὲν τῶν μαντίων
21 ἀπαγορευόντων πολλὰ δὲ τῶν φίλων ἐστέλλετο αὐτὸς
ἀπιέναι, πρὸς δὲ καὶ ἰδούσης τῆς θυγατρὸς ὄψιν ἐνυ-
πνίου τοιήνδε· ἐδόκει οἱ τὸν πατέρα ἐν τῷ ἠέρι μετέ-
ωρον ἐόντα λοῦσθαι μὲν ὑπὸ τοῦ Διός, χρίεσθαι δὲ ὑπὸ
25 τοῦ Ἡλίου. ταύτην ἰδοῦσα τὴν ὄψιν παντοίη ἐγίνετο
μὴ ἀποδημῆσαι τὸν Πολυκράτεα παρὰ τὸν Ὀροίτεα, καὶ
δὴ καὶ ἰόντος αὐτοῦ ἐπὶ τὴν πεντηκόντερον ἐπεφημίζετο.
ὁ δέ οἱ ἠπείλησεν, ἢν σῶς ἀπονοστήσῃ, πολλόν μιν
χρόνον παρθενεύεσθαι. ἡ δὲ ἠρήσατο ἐπιτελέα ταῦτα
30 γενέσθαι· βούλεσθαι γὰρ παρθενεύεσθαι πλέω χρόνον ἢ
125 τοῦ πατρὸς ἐστερῆσθαι. Πολυκράτης δὲ πάσης συμβου-
λίης ἀλογήσας ἔπλει παρὰ τὸν Ὀροίτεα, ἅμα ἀγόμενος
ἄλλους τε πολλοὺς τῶν ἑταίρων, ἐν δὲ δὴ καὶ Δημοκήδεα
τὸν Καλλιφῶντος Κροτωνιήτην ἄνδρα, ἰητρόν τε ἐόντα

καὶ τὴν τέχνην ἀσκέοντα ἄριστα τῶν κατ' ἑωυτόν. ἀπικό-
μενός δὲ ἐς τὴν Μαγνησίην ὁ Πολυκράτης διεφθάρη
κακῶς, οὔτε ἑωυτοῦ ἀξίως οὔτε τῶν ἑωυτοῦ φρονημάτων·
ὅτι γὰρ μὴ οἱ Συρηκοσίων γενόμενοι τύραννοι, οὐδὲ εἰς
τῶν ἄλλων Ἑλληνικῶν τυράννων ἄξιός ἐστι Πολυκράτει 5
μεγαλοπρεπείην συμβληθῆναι. ἀποκτείνας δέ μιν οὐκ
ἀξίως ἀπηγήσιος Ὀροίτης ἀνεσταύρωσεν· τῶν δὲ οἱ ἑπο-
μένων ὅσοι μὲν ἦσαν Σάμιοι, ἀπῆκεν, κελεύων σφέας
ἑωυτῷ χάριν εἰδέναι ἐόντας ἐλευθέρους, ὅσοι δὲ ἦσαν
ξεῖνοί τε καὶ δοῦλοι τῶν ἑπομένων, ἐν ἀνδραπόδων 10
λόγῳ ποιεύμενος εἶχεν. Πολυκράτης δὲ ἀνακρεμάμενος
ἐπετέλει πᾶσαν τὴν ὄψιν τῆς θυγατρός· ἐλοῦτο μὲν γὰρ
ὑπὸ τοῦ Διός, ὅκως ὕοι, ἐχρίετο δὲ ὑπὸ τοῦ ἡλίου ἀνιεὶς
αὐτὸς ἐκ τοῦ σώματος ἰκμάδα. Πολυκράτεος μὲν δὴ αἱ
πολλαὶ εὐτυχίαι ἐς τοῦτο ἐτελεύτησαν. 15

Χρόνῳ δὲ οὐ πολλῷ ὕστερον καὶ Ὀροίτεα Πο- 126
λυκράτεος τίσιες μετῆλθον. μετὰ γὰρ τὸν Καμ-
βύσεω θάνατον καὶ τῶν μάγων τὴν βασιληίην μένων ἐν
τῆσι Σάρδισιν Ὀροίτης ὠφέλει μὲν οὐδὲν Πέρσας ὑπὸ
Μήδων ἀπαραιρημένους τὴν ἀρχήν· ὁ δὲ ἐν ταύτῃ τῇ 20
ταραχῇ κατὰ μὲν ἔκτεινε Μιτροβάτεα τὸν ἐκ Δασκυλείου
ὕπαρχον, ὅς οἱ ὠνείδισε τὰ ἐς Πολυκράτεα ἔχοντα, κατὰ
δὲ τοῦ Μιτροβάτεω τὸν παῖδα Κρανάσπην, ἄνδρας ἐν
Πέρσῃσι δοκίμους, ἄλλα τε ἐξύβρισε παντοῖα καί τινα
ἀγγαρήιον ἐλθόντα Δαρείου παρ' αὐτόν, ὡς οὐ πρὸς 25
ἡδονήν οἱ ἦν τὰ ἀγγελλόμενα, κτείνει μιν ὀπίσω κομι-
ζόμενον ἄνδρας οἱ ὑπείσας κατ' ὁδόν, ἀποκτείνας δέ μιν
ἠφάνισεν αὐτῷ ἵππῳ. Δαρεῖος δὲ ὡς ἔσχε τὴν ἀρχήν, 127
ἐπεθύμει τὸν Ὀροίτεα τείσασθαι πάντων τε τῶν ἀδικη-
μάτων εἵνεκεν καὶ μάλιστα Μιτροβάτεω καὶ τοῦ παιδός. 30
ἐκ μὲν δὴ τῆς ἰθείης στρατὸν ἐπ' αὐτὸν οὐκ ἐδόκει
πέμπειν, ἅτε οἰδεόντων ἔτι τῶν πρηγμάτων καὶ νεωστὶ
ἔχων τὴν ἀρχὴν καὶ τὸν Ὀροίτεα μεγάλην τὴν ἰσχὺν
πυνθανόμενος ἔχειν, τὸν χίλιοι μὲν Περσέων ἐδορυφό-

ρεον, εἶχε δὲ νομὸν τόν τε Φρύγιον καὶ Λύδιον καὶ
Ἰωνικόν. πρὸς ταῦτα δὴ ὦν ὁ Δαρεῖος τάδε ἐμηχανή-
σατο· συγκαλέσας Περσέων τοὺς λογιμωτάτους ἔλεγέ σφι
τάδε· „Ὦ Πέρσαι, τίς ἄν μοι τοῦτο ὑμέων ὑποστὰς ἐπι-
5 τελέσειε σοφίῃ καὶ μὴ βίῃ τε καὶ ὁμίλῳ; ἔνθα γὰρ σοφίης
δεῖ, βίης ἔργον οὐδέν. ὑμέων δὴ ὦν τίς ἄν μοι Ὀροίτεα
ἢ ζῶντα ἀγάγοι ἢ ἀποκτείνειεν; ὃς ὠφέλησε μέν κω
Πέρσας οὐδέν, κακὰ δὲ μεγάλα ἔοργεν· τοῦτο μὲν δύο
ἡμέων ἠίστωσεν, Μιτροβάτεά τε καὶ τὸν παῖδα αὐτοῦ,
10 τοῦτο δὲ τοὺς ἀνακαλέοντας αὐτὸν καὶ πεμπομένους ὑπ᾽
ἐμέο κτείνει, ὕβριν οὐκ ἀνάσχετον φαίνων. πρίν τι ὦν
μέζον ἐξεργάσασθαί μιν Πέρσας κακόν, καταλαπτέος ἐστὶν
128 ἡμῖν θανάτῳ.“ Δαρεῖος μὲν ταῦτα ἐπειρώτα, τῶν δὲ
ἄνδρες τριήκοντα ὑπέστησαν, αὐτὸς ἕκαστος ἐθέλων
15 ποιεῖν ταῦτα. ἐρίζοντας δὲ Δαρεῖος κατελάμβανε κε-
λεύων πάλλεσθαι· παλλομένων δὲ λαγχάνει ἐκ πάντων
Βαγαῖος ὁ Ἀρτόντεω. λαχὼν δὲ ὁ Βαγαῖος ποιεῖ τάδε·
βιβλία γραψάμενος πολλὰ καὶ περὶ πολλῶν ἐόντα πρηγ-
μάτων σφρηγῖδά σφιν ἐπέβαλε τὴν Δαρείου, μετὰ δὲ
20 ᾖεν ἔχων ταῦτα ἐς τὰς Σάρδις. ἀπικόμενος δὲ καὶ
Ὀροίτεω ἐς ὄψιν ἐλθὼν τῶν βιβλίων ἓν ἕκαστον περι-
αιρεόμενος ἐδίδου τῷ γραμματιστῇ τῷ βασιληίῳ ἐπι-
λέγεσθαι· γραμματιστὰς δὲ βασιληίους οἱ πάντες ὕπαρ-
χοι ἔχουσιν· ἀποπειρώμενος δὲ τῶν δορυφόρων ἐδίδου
25 τὰ βιβλία ὁ Βαγαῖος, εἴ οἱ ἐνδεξαίατο ἀπόστασιν ἀπὸ
Ὀροίτεω. ὁρέων δέ σφεας τά τε βιβλία σεβομένους
μεγάλως καὶ τὰ λεγόμενα ἐκ τῶν βιβλίων ἔτι μεζόνως,
διδοῖ ἄλλο, ἐν τῷ ἐνῆν ἔπεα τάδε· „Ὦ Πέρσαι, βασιλεὺς
Δαρεῖος ἀπαγορεύει ὑμῖν μὴ δορυφορεῖν Ὀροίτεα.“ οἱ δὲ
30 ἀκούσαντες τούτων μετῆκάν οἱ τὰς αἰχμάς. ἰδὼν δὲ
τοῦτό σφεας ὁ Βαγαῖος πειθομένους τῷ βιβλίῳ, ἐνθαῦτα
δὴ θαρσήσας τὸ τελευταῖον τῶν βιβλίων διδοῖ τῷ γραμ-
ματιστῇ, ἐν τῷ ἐγέγραπτο· „Βασιλεὺς Δαρεῖος Πέρσῃσι
τοῖς ἐν Σάρδισιν ἐντέλλεται κτείνειν Ὀροίτεα.“ οἱ δὲ

δορυφόροι ὡς ἤκουσαν ταῦτα, σπασάμενοι τοὺς ἀκινάκας
κτείνουσι παραυτίκα μιν. οὕτω δὴ Ὀροίτεα τὸν Πέρσην
Πολυκράτεος τοῦ Σαμίου τίσιες μετῆλθον.

Ἀπικομένων δὲ καὶ ἀνακομισθέντων τῶν Ὀροίτεω **129**
χρημάτων ἐς τὰ Σοῦσα συνήνεικε χρόνῳ οὐ πολλῷ 5
ὕστερον βασιλέα Δαρεῖον ἐν ἄγρῃ θηρῶν ἀποθρώ-
σκοντα ἀπ᾽ ἵππου στραφῆναι τὸν πόδα. καί κως ἰσχυ-
ροτέρως ἐστράφη· ὁ γάρ οἱ ἀστράγαλος ἐξεχώρησεν ἐκ
τῶν ἄρθρων. νομίζων δὲ καὶ πρότερον περὶ ἑωυτὸν
ἔχειν Αἰγυπτίων τοὺς δοκέοντας εἶναι πρώτους τὴν 10
ἰητρικήν, τούτοισιν ἐχρῆτο. οἱ δὲ στρεβλοῦντες καὶ βιώ-
μενοι τὸν πόδα κακὸν μέζον ἐργάζοντο. ἐπ᾽ ἑπτὰ μὲν
δὴ ἡμέρας καὶ ἑπτὰ νύκτας ὑπὸ τοῦ παρεόντος κακοῦ
ὁ Δαρεῖος ἀγρυπνίῃσιν εἴχετο, τῇ δὲ δὴ ὀγδόῃ ἡμέρῃ
ἔχοντί οἱ φλαύρως παρακούσας τις πρότερον ἔτι ἐν Σάρ- 15
δισι τοῦ Κροτωνιήτεω Δημοκήδεος τὴν τέχνην
ἀγγέλλει τῷ Δαρείῳ· ὁ δὲ ἄγειν μιν τὴν ταχίστην
παρ᾽ ἑωυτὸν ἐκέλευσεν. τὸν δὲ ὡς ἐξεῦρον ἐν τοῖς Ὀροί-
τεω ἀνδραπόδοισιν ὅκου δὴ ἀπημελημένον, παρῆγον ἐς
μέσον πέδας τε ἕλκοντα καὶ ῥάκεσιν ἐσθημένον. σταθέντα **130**
δὲ ἐς μέσον εἰρώτα ὁ Δαρεῖος τὴν τέχνην εἰ ἐπίσταιτο· 21
ὁ δὲ οὐκ ὑπεδέκετο, ἀρρωδέων μὴ ἑωυτὸν ἐκφήνας τὸ
παράπαν τῆς Ἑλλάδος ᾖ ἀπεστερημένος. κατεφάνη τε
τῷ Δαρείῳ τεχνάζειν ἐπιστάμενος καὶ τοὺς ἀγαγόντας
αὐτὸν ἐκέλευσε μάστιγάς τε καὶ κέντρα παραφέρειν ἐς 25
τὸ μέσον. ὁ δὲ ἐνθαῦτα δὴ ἑωυτὸν ἐκφαίνει, φὰς
ἀτρεκέως μὲν οὐκ ἐπίστασθαι, ὁμιλήσας δὲ ἰητρῷ φλαύ-
ρως ἔχειν τὴν τέχνην. μετὰ δὲ ὥς οἱ ἐπέτρεψεν, Ἑλλη-
νικοῖσιν ἰήμασι χρεώμενος καὶ ἤπια μετὰ τὰ ἰσχυρὰ
προσάγων ὕπνου τέ μιν λαγχάνειν ἐποίει καὶ ἐν χρόνῳ 30
ὀλίγῳ ὑγιέα μιν ἀπέδεξεν, οὐδαμὰ ἔτι ἐλπίζοντα ἀρτίπουν
ἔσεσθαι. δωρεῖται δή μιν μετὰ ταῦτα ὁ Δαρεῖος πεδέων
χρυσέων δύο ζεύγεσιν· ὁ δέ μιν ἐπείρετο, εἴ οἱ διπλήσιον
τὸ κακὸν ἐπίτηδες νέμει, ὅτι μιν ὑγιέα ἐποίησεν. ἡσθεὶς

δὲ τῷ ἔπει ὁ Δαρεῖος ἀποπέμπει μιν παρὰ τὰς ἑωυτοῦ
γυναῖκας. παράγοντες δὲ οἱ εὐνοῦχοι ἔλεγον πρὸς τὰς
γυναῖκας, ὡς βασιλεῖ οὗτος εἴη ὃς τὴν ψυχὴν ἀπέδωκεν.
ὑποτύπτουσα δὲ αὐτέων ἑκάστη φιάλῃ τοῦ χρυσοῦ ἐς
5 θήκην ἐδωρεῖτο Δημοκήδεα οὕτω δή τι δαψιλεῖ δωρεῇ,
ὡς τοὺς ἀποπίπτοντας ἀπὸ τῶν φιαλέων στατῆρας ἑπό-
μενος ὁ οἰκέτης, τῷ ὄνομα ἦν Σκίτων, ἀνελέγετο καί οἱ
χρῆμα πολλόν τι χρυσοῦ συνελέχθη.

181 Ὁ δὲ Δημοκήδης οὗτος ὧδε ἐκ Κρότωνος ἀπιγ-
10 μένος Πολυκράτει ὡμίλησεν· πατρὶ συνείχετο ἐν τῇ Κρό-
τωνι ὀργὴν χαλεπᾷ· τοῦτον ἐπείτε οὐκ ἐδύνατο φέρειν,
ἀπολιπὼν οἴχετο ἐς Αἴγιναν. καταστὰς δὲ ἐς ταύτην
πρώτῳ ἔτει ὑπερεβάλετο τοὺς ἄλλους ἰητρούς, ἀσκευής
περ ἐὼν καὶ ἔχων οὐδὲν τῶν ὅσα περὶ τὴν τέχνην ἐστὶν
15 ἐργαλήια. καί μιν δευτέρῳ ἔτει ταλάντου Αἰγινῆται
δημοσίῃ μισθοῦνται, τρίτῳ δὲ ἔτει Ἀθηναῖοι ἑκατὸν
μνέων, τετάρτῳ δὲ ἔτει Πολυκράτης δυῶν ταλάντων.
οὕτω μὲν ἀπίκετο ἐς τὴν Σάμον, καὶ ἀπὸ τούτου τοῦ
182 ἀνδρὸς οὐκ ἥκιστα Κροτωνιῆται ἰητροὶ εὐδοκίμησαν. τότε
20 δὴ ὁ Δημοκήδης ἐν τοῖσι Σούσοισιν ἐξιησάμενος Δαρεῖον
οἶκόν τε μέγιστον εἶχε καὶ ὁμοτράπεζος βασιλεῖ ἐγεγόνει,
πλήν τε ἑνὸς τοῦ ἐς Ἕλληνας ἀπιέναι πάντα τἄλλα οἱ
παρῆν. καὶ τοῦτο μὲν τοὺς Αἰγυπτίους ἰητρούς, οἳ
βασιλέα πρότερον ἰῶντο, μέλλοντας ἀνασκολοπιεῖσθαι
25 ὅτι ὑπὸ Ἕλληνος ἰητροῦ ἐσσώθησαν, τούτους βασιλέα
παραιτησάμενος ἐρρύσατο· τοῦτο δὲ μάντιν Ἠλεῖον Πο-
λυκράτει ἐπισπόμενον καὶ ἀπημελημένον ἐν τοῖς ἀνδρα-
πόδοισιν ἐρρύσατο. ἦν δὲ μέγιστον πρῆγμα Δημοκήδης
παρὰ βασιλεῖ.

183 Ἐν χρόνῳ δὲ ὀλίγῳ μετὰ ταῦτα τάδε ἄλλα συνή-
31 νεικε γενέσθαι· Ἀτόσσῃ τῇ Κύρου μὲν θυγατρί,
Δαρείου δὲ γυναικὶ ἐπὶ τοῦ μαστοῦ ἔφυ φῦμα, μετὰ δὲ
ἐκραγὲν ἐνέμετο πρόσω. ὅσον μὲν δὴ χρόνον ἦν ἔλασ-
σον, ἡ δὲ κρύπτουσα καὶ αἰσχυνομένη ἔφραζεν οὐδενί,

ἐπείτε δὲ ἐν κακῷ ἦν, μετεπέμψατο τὸν Δημοκήδεα
καί οἱ ἐπέδεξεν. ὁ δὲ φὰς ὑγιέα ποιήσειν ἐξορκοῖ μιν
ἦ μέν οἱ ἀντυπουργήσειν ἐκείνην τοῦτο, τὸ ἂν αὐτῆς
δεηθῇ, δεήσεσθαι δὲ οὐδενὸς τῶν ὅσα ἐς αἰσχύνην ἐστὶ
φέροντα. ὡς δὲ ἄρα μιν μετὰ ταῦτα ἰώμενος ὑγιέα 134
ἀπέδεξεν, ἐνθαῦτα δὴ διδαχθεῖσα ὑπὸ τοῦ Δημοκήδεος 6
ἡ Ἄτοσσα προσέφερεν ἐν τῇ κοίτῃ Δαρείῳ λόγον
τοιόνδε· „Ὦ βασιλεῦ, ἔχων δύναμιν τοσαύτην κάθησαι,
οὔτε τι ἔθνος προσκτώμενος οὔτε δύναμιν Πέρσῃσιν.
οἰκὸς δέ ἐστιν ἄνδρα καὶ νέον καὶ χρημάτων μεγάλων 10
δεσπότην φαίνεσθαί τι ἀποδεικνύμενον, ἵνα καὶ Πέρσαι
ἐκμάθωσιν, ὅτι ὑπ' ἀνδρὸς ἄρχονται. ἐπ' ἀμφότερα δέ
τοι φέρει ταῦτα ποιεῖν, καὶ ἵνα σφέων Πέρσαι ἐπίστων-
ται ἄνδρα εἶναι τὸν προεστεῶτα καὶ ἵνα τρίβωνται
πολέμῳ μηδὲ σχολὴν ἄγοντες ἐπιβουλεύωσί τοι. νῦν 15
γὰρ ἄν τι καὶ ἀποδέξαιο ἔργον, ἕως νέος εἶς ἡλικίην·
αὐξομένῳ γὰρ τῷ σώματι συναύξονται καὶ αἱ φρένες,
γηράσκοντι δὲ συγγηράσκουσι καὶ ἐς τὰ πρήγματα πάντα
ἀπαμβλύνονται.“ ἡ μὲν δὴ ταῦτα ἐκ διδαχῆς ἔλεγεν, ὁ
δ' ἀμείβετο τοῖσδε· „Ὦ γύναι, πάντα ὅσα περ αὐτὸς 20
ἐπινοέω ποιήσειν εἴρηκας· ἐγὼ γὰρ βεβούλευμαι ζεύξας
γέφυραν ἐκ τῆσδε τῆς ἠπείρου ἐς τὴν ἑτέρην ἤπειρον
ἐπὶ Σκύθας στρατεύεσθαι· καὶ ταῦτα ὀλίγου χρόνου
ἔσται τελεόμενα.“ λέγει Ἄτοσσα τάδε· „Ὅρα νυν, ἐπὶ
Σκύθας μὲν τὴν πρώτην ἰέναι ἔασον· οὗτοι γάρ, ἐπεὰν 25
σὺ βούλῃ, ἔσονταί τοι· σὺ δέ μοι ἐπὶ τὴν Ἑλλάδα στρα-
τεύεσθαι. ἐπιθυμέω γὰρ λόγῳ πυνθανομένη Λακαίνας
τέ μοι γενέσθαι θεραπαίνας καὶ Ἀργείας καὶ Ἀττικὰς καὶ
Κορινθίας. ἔχεις δὲ ἄνδρα ἐπιτηδεότατον ἀνδρῶν πάν-
των δεῖξαί τε ἕκαστα τῆς Ἑλλάδος καὶ κατηγήσασθαι, 30
τοῦτον ὅς σεο τὸν πόδα ἐξιήσατο.“ ἀμείβεται Δαρεῖος·
„Ὦ γύναι, ἐπεὶ τοίνυν τοι δοκεῖ τῆς Ἑλλάδος ἡμέας
πρῶτα ἀποπειρᾶσθαι, κατασκόπους μοι δοκεῖ Περσέων
πρῶτον ἄμεινον εἶναι ὁμοῦ τούτῳ τῷ σὺ λέγεις πέμψαι

ἐς αὐτούς, οἳ μαθόντες καὶ ἰδόντες ἐξαγγελέουσιν ἕκαστα
αὐτῶν ἡμῖν· καὶ ἔπειτα ἐξεπιστάμενος ἐπ' αὐτοὺς τρέ-
ψομαι." ταῦτα εἶπε καὶ ἅμα ἔπος τε καὶ ἔργον ἐποίει.
135 ἐπείτε γὰρ τάχιστα ἡμέρη ἐπέλαμψεν, καλέσας Περσέων
5 ἄνδρας δοκίμους πεντεκαίδεκα ἐνετέλλετό σφιν
ἑπομένους Δημοκήδει διεξελθεῖν τὰ παραθαλάσ-
σια τῆς Ἑλλάδος, ὅκως τε μὴ διαδρήσεταί σφεας
ὁ Δημοκήδης, ἀλλά μιν πάντως ὀπίσω ἀπάξουσιν. ἐντει-
λάμενος δὲ τούτοισι ταῦτα, δεύτερα καλέσας αὐτὸν Δη-
10 μοκήδεα ἐδεῖτο αὐτοῦ, ὅκως ἐξηγησάμενος πᾶσαν καὶ ἐπι-
δέξας τὴν Ἑλλάδα τοῖς Πέρσῃσιν ὀπίσω ἥξει· δῶρα δέ
μιν τῷ πατρὶ καὶ τοῖς ἀδελφεοῖσιν ἐκέλευε πάντα τὰ
ἐκείνου ἔπιπλα λαβόντα ἄγειν, φὰς ἄλλα οἱ πολλαπλήσια
ἀντιδώσειν· πρὸς δὲ ἐς τὰ δῶρα ὁλκάδα οἱ ἔφη συμβα-
15 λεῖσθαι πλήσας ἀγαθῶν παντοίων, τὴν ἅμα οἱ πλεύ-
σεσθαι. Δαρεῖος μὲν δή, δοκεῖν ἐμοί, ἀπ' οὐδενὸς δο-
λεροῦ νόου ἐπηγγέλλετό οἱ ταῦτα, Δημοκήδης δὲ δείσας
μή ἑο ἐκπειρῷτο Δαρεῖος, οὔτι ἐπιδραμὼν πάντα τὰ δι-
δόμενα ἐδέκετο, ἀλλὰ τὰ μὲν ἑωυτοῦ κατὰ χώρην ἔφη
20 καταλείψειν, ἵνα ὀπίσω σφέα ἀπελθὼν ἔχοι, τὴν μέντοι
ὁλκάδα, τήν οἱ Δαρεῖός ἐπηγγέλλετο ἐς τὴν δωρεὴν τοῖς
ἀδελφεοῖσιν, δέκεσθαι ἔφη. ἐντειλάμενος δὲ καὶ τούτῳ
136 ταὐτὰ ὁ Δαρεῖος ἀποστέλλει αὐτοὺς ἐπὶ θάλασσαν. κατα-
βάντες δὲ οὗτοι ἐς Φοινίκην καὶ Φοινίκης ἐς Σιδῶνα
25 πόλιν αὐτίκα μὲν τριήρεας δύο ἐπλήρωσαν, ἅμα δὲ αὐ-
τῇσι καὶ γαῦλον μέγαν παντοίων ἀγαθῶν· παρεσκευα-
σμένοι δὲ πάντα ἔπλεον ἐς τὴν Ἑλλάδα, προσίσχοντες
δὲ αὐτῆς τὰ παραθαλάσσια ἐθηεῦντο καὶ ἀπεγράφοντο,
ἐς ὃ τὰ πολλὰ αὐτῆς καὶ ὀνομαστὰ θεησάμενοι ἀπίκοντο
30 τῆς Ἰταλίης ἐς Τάραντα. ἐνθαῦτα δὲ ἐκ ῥηστώνης τῆς
Δημοκήδεος Ἀριστοφιλίδης τῶν Ταραντίνων ὁ βασιλεὺς
τοῦτο μὲν τὰ πηδάλια παρέλυσε τῶν Μηδικέων νεῶν,
τοῦτο δὲ αὐτοὺς τοὺς Πέρσας εἶρξεν ὡς κατασκόπους
δῆθεν ἐόντας· ἐν ᾧ δὲ οὗτοι ταῦτα ἔπασχον, ὁ Δημο-

κήδης ἐς τὴν Κρότωνα ἀπικνεῖται. ἀπιγμένου δὲ
ἤδη τούτου ἐς τὴν ἑωυτοῦ ὁ Ἀριστοφιλίδης ἔλυσε τοὺς
Πέρσας καὶ τὰ παρέλαβε τῶν νεῶν ἀπέδωκέ σφιν. πλέ- 137
οντες δὲ ἐνθεῦτεν οἱ Πέρσαι καὶ διώκοντες Δημοκήδεα
ἀπικνέονται ἐς τὴν Κρότωνα, εὑρόντες δέ μιν ἀγοράζοντα 5
ἅπτοντο αὐτοῦ. τῶν δὲ Κροτωνιητέων οἱ μὲν καταρρω-
δέοντες τὰ Περσικὰ πρήγματα προϊέναι ἕτοιμοι ἦσαν, οἱ
δὲ ἀντάπτοντό τε καὶ τοῖσι σκυτάλοισιν ἔπαιον τοὺς
Πέρσας προϊσχομένους ἔπεα τάδε· „Ἄνδρες Κροτωνιῆται,
ὁρᾶτε τὰ ποιεῖτε· ἄνδρα βασιλέος δρηπέτην γενόμενον 10
ἐξαιρεῖσθε. κῶς ταῦτα βασιλεῖ Δαρείῳ ἐκχρήσει περιυ-
βρίσθαι; κῶς δὲ ὑμῖν τὰ ποιεύμενα ἕξει καλῶς, ἢν ἀπέ-
λησθε ἡμέας; ἐπὶ τίνα δὲ τῆσδε προτέρην στρατευσόμεθα
πόλιν; τίνα δὲ προτέρην ἀνδραποδίζεσθαι πειρησόμεθα;“
ταῦτα λέγοντες τοὺς Κροτωνιήτας οὔκων ἔπειθον, ἀλλ' 15
ἐξαιρεθέντες τε τὸν Δημοκήδεα καὶ τὸν γαῦλον τὸν ἅμα
ἤγοντο ἀπαιρεθέντες ἀπέπλεον ὀπίσω ἐς τὴν Ἀσίην,
οὐδ' ἔτι ἐζήτησαν τὸ προσωτέρω τῆς Ἑλλάδος ἀπικόμενοι
ἐκμαθεῖν, ἐστερημένοι τοῦ ἡγεμόνος. τοσόνδε μέντοι
ἐνετείλατό σφι Δημοκήδης ἀναγομένοισιν, κελεύων εἰπεῖν 20
σφεας Δαρείῳ ὅτι ἄρμοσται τὴν Μίλωνος θυγατέρα
Δημοκήδης γυναῖκα. τοῦ γὰρ δὴ παλαιστέω Μίλωνος
ἦν ὄνομα πολλὸν παρὰ βασιλεῖ. κατὰ δὲ τοῦτό μοι δοκεῖ
σπεῦσαι τὸν γάμον τοῦτον τελέσας χρήματα μεγάλα Δη-
μοκήδης, ἵνα φανῇ πρὸς Δαρείου ἐὼν καὶ ἐν τῇ ἑωυτοῦ 25
δόκιμος. ἀναχθέντες δὲ ἐκ τῆς Κρότωνος οἱ Πέρσαι 138
ἐκπίπτουσι τῇσι νηυσὶν ἐς Ἰηπυγίην, καί σφεας δουλεύ-
οντας ἐνθαῦτα Γίλλος ἀνὴρ Ταραντῖνος φυγὰς ῥυσά-
μενος ἀπήγαγε παρὰ βασιλέα Δαρεῖον. ὁ δὲ ἀντὶ τού-
των ἕτοιμος ἦν διδόναι τοῦτο ὅ τι βούλοιτο αὐτός. 30
Γίλλος δὲ αἱρεῖται κάτοδόν οἱ ἐς Τάραντα γενέσθαι,
προαπηγησάμενος τὴν συμφορήν· ἵνα δὲ μὴ συνταράξῃ
τὴν Ἑλλάδα, ἢν δι' αὐτὸν στόλος μέγας πλέῃ ἐπὶ τὴν
Ἰταλίην, Κνιδίους μούνους ἀποχρῆν οἱ ἔφη τοὺς κατά-

γοντας γίνεσθαι, δοκέων ἀπὸ τούτων ἐόντων τοῖσι Τα-
ραντίνοισι φίλων μάλιστα δὴ τὴν κάτοδόν οἱ ἔσεσθαι.
Δαρεῖος δὲ ὑποδεξάμενος ἐπετέλει· πέμψας γὰρ ἄγγελον
ἐς Κνίδον κατάγειν σφέας ἐκέλευε Γίλλον ἐς Τάραντα·
5 πειθόμενοι δὲ Δαρείῳ Κνίδιοι Ταραντίνους οὔκων ἔπει-
θον, βίην δὲ ἀδύνατοι ἦσαν προσφέρειν. ταῦτα μὲν νυν
οὕτω ἐπρήχθη, οὗτοι δὲ πρῶτοι ἐκ τῆς Ἀσίης ἐς τὴν
Ἑλλάδα ἀπίκοντο Πέρσαι, καὶ οὗτοι διὰ τοιόνδε πρῆγμα
κατάσκοποι ἐγένοντο.

139 Μετὰ δὲ ταῦτα Σάμον βασιλεὺς Δαρεῖος αἱρεῖ,
11 πολίων πασέων πρώτην Ἑλληνίδων καὶ βαρβάρων, διὰ
τοιήνδε τινὰ αἰτίην· Καμβύσεω τοῦ Κύρου στρατευο-
μένου ἐπ᾽ Αἴγυπτον ἄλλοι τε συχνοὶ ἐς τὴν Αἴγυπτον
ἀπίκοντο Ἑλλήνων, οἱ μέν, ὡς οἰκός, κατ᾽ ἐμπορίην
15 στρατευόμενοι, οἱ δέ τινες καὶ αὐτῆς τῆς χώρης θεηταί·
τῶν ἦν καὶ Συλοσῶν ὁ Αἰάκεος, Πολυκράτεός τε
ἐὼν ἀδελφεὸς καὶ φεύγων ἐκ Σάμου. τοῦτον τὸν
Συλοσῶντα κατέλαβεν εὐτυχίη τις τοιήδε· λαβὼν χλανίδα
καὶ περιβαλόμενος πυρρὴν ἠγόραζεν ἐν τῇ Μέμφι. ἰδὼν
20 δὲ αὐτὸν Δαρεῖος, δορυφόρος τε ἐὼν Καμβύσεω καὶ
λόγου οὐδενός κω μεγάλου, ἐπεθύμησε τῆς χλανίδος καὶ
αὐτὴν προσελθὼν ὠνεῖτο. ὁ δὲ Συλοσῶν ὁρέων τὸν
Δαρεῖον μεγάλως ἐπιθυμέοντα τῆς χλανίδος, θείῃ τύχῃ
χρεώμενος λέγει· „Ἐγὼ ταύτην πωλέω μὲν οὐδενὸς χρή-
25 ματος, δίδωμι δὲ ἄλλως, εἴ περ οὕτω δεῖ γενέσθαι."
πάντως τοίνυν αἰνέσας ταῦτα ὁ Δαρεῖος παραλαμβάνει
τὸ εἷμα. ὁ μὲν δὴ Συλοσῶν ἠπίστατο τοῦτό οἱ ἀπολω-
140 λέναι δι᾽ εὐηθείην. ὡς δὲ τοῦ χρόνου προβαίνοντος
Καμβύσης τε ἀπέθανε καὶ τῷ μάγῳ ἐπανέστησαν οἱ ἑπτὰ
30 καὶ ἐκ τῶν ἑπτὰ Δαρεῖος τὴν βασιληίην ἔσχεν, πυνθά-
νεται ὁ Συλοσῶν, ὡς ἡ βασιληίη περιεληλύθοι ἐς τοῦτον
τὸν ἄνδρα, τῷ κοτὲ αὐτὸς ἔδωκεν ἐν Αἰγύπτῳ δεηθέντι
τὸ εἷμα. ἀναβὰς δὲ ἐς τὰ Σοῦσα ἵζετο ἐς τὰ πρόθυρα
τῶν βασιλέος οἰκίων καὶ ἔφη Δαρείου εὐεργέτης εἶναι.

ἀγγέλλει ταῦτα ἀκούσας ὁ πυλουρὸς τῷ βασιλεῖ· ὁ δὲ
θωμάσας λέγει πρὸς αὐτόν· „Καὶ τίς ἐστιν Ἑλλήνων
εὐεργέτης, τῷ ἐγὼ προαιδέομαι, νεωστὶ μὲν τὴν ἀρχὴν ἔχων;
ἀναβέβηκε δ' ἤ τις ἢ οὐδείς κω παρ' ἡμέας αὐτῶν, ἔχω
δὲ χρέος εἰπεῖν οὐδὲν ἀνδρὸς Ἕλληνος· ὅμως δὲ αὐτὸν 5
παράγετε ἔσω, ἵνα εἰδέω τί θέλων λέγει ταῦτα." παρῆγεν
ὁ πυλουρὸς τὸν Συλοσῶντα, στάντα δὲ ἐς μέσον εἰρώ-
των οἱ ἑρμηνεῖς τίς τε εἴη καὶ τί ποιήσας εὐεργέτης
φησὶν εἶναι βασιλέος. εἶπεν ὦν ὁ Συλοσῶν πάντα τὰ
περὶ τὴν χλανίδα γενόμενα καὶ ὡς αὐτὸς εἴη κεῖνος ὁ 10
δούς. ἀμείβεται πρὸς ταῦτα Δαρεῖος· „Ὦ γενναιότατε
ἀνδρῶν, σὺ κεῖνος εἶς, ὃς ἐμοὶ οὐδεμίαν ἔχοντί κω δύ-
ναμιν ἔδωκας, εἰ καὶ σμικρά, ἀλλ' ὧν ἴση γε ἡ χάρις
ὁμοίως ὡς εἰ νῦν κοθέν τι μέγα λάβοιμι. ἀντ' ὧν τοι
χρυσὸν καὶ ἄργυρον ἄπλετον δίδωμι, ὡς μή κοτέ τοι 15
μεταμελήσῃ Δαρεῖον τὸν Ὑστάσπεος εὖ ποιήσαντι." λέγει
πρὸς ταῦτα ὁ Συλοσῶν· „Ἐμοὶ μήτε χρυσόν, ὦ βασιλεῦ,
μήτε ἄργυρον δίδου, ἀλλ' ἀνασωσάμενός μοι δὸς τὴν
πατρίδα Σάμον, τὴν νῦν ἀδελφεοῦ τοῦ ἐμοῦ Πολυκρά-
τεος ἀποθανόντος ὑπὸ Ὀροίτεω ἔχει δοῦλος ἡμέτερος, 20
ταύτην μοι δὸς ἄνευ τε φόνου καὶ ἐξανδραποδίσιος."
ταῦτα ἀκούσας Δαρεῖος ἀπέστελλε στρατιήν τε καὶ στρα- 141
τηγὸν Ὀτάνεα ἀνδρῶν τῶν ἑπτὰ γενόμενον, ἐντειλάμενος,
ὅσων ἐδεήθη ὁ Συλοσῶν, ταῦτά οἱ ποιεῖν ἐπιτελέα.
καταβὰς δὲ ἐπὶ τὴν θάλασσαν ὁ Ὀτάνης ἔστελλε τὴν 25
στρατιήν.

Τῆς δὲ Σάμου Μαιάνδριος ὁ Μαιανδρίου 142
εἶχε τὸ κράτος, ἐπιτροπαίην παρὰ Πολυκράτεος
λαβὼν τὴν ἀρχήν· τῷ δικαιοτάτῳ ἀνδρῶν βουλομένῳ
γενέσθαι οὐκ ἐξεγένετο. ἐπειδὴ γάρ οἱ ἐξηγγέλθη ὁ Πο- 30
λυκράτεος θάνατος, ἐποίει τοιάδε· πρῶτα μὲν Διὸς
Ἐλευθερίου βωμὸν ἱδρύσατο καὶ τέμενος περὶ αὐτὸν
οὔρισε τοῦτο τὸ νῦν ἐν τῷ προαστείῳ ἐστίν· μετὰ δέ, ὥς
οἱ ταῦτα ἐπεποίητο, ἐκκλησίην συναγείρας πάντων τῶν

ἀστῶν ἔλεξε τάδε· „Ἐμοί, ὡς ἴστε καὶ ὑμεῖς, σκῆπτρον
καὶ δύναμις πᾶσα ἡ Πολυκράτεος ἐπιτέτραπται, καί μοι
παρέχει νῦν ὑμέων ἄρχειν· ἐγὼ δὲ τὰ τῷ πέλας ἐπι-
πλήσσω, αὐτὸς κατὰ δύναμιν οὐ ποιήσω· οὔτε γάρ μοι
5 Πολυκράτης ἤρεσκε δεσπόζων ἀνδρῶν ὁμοίων ἑωυτῷ οὔτε
ἄλλος ὅστις τοιαῦτα ποιεῖ. Πολυκράτης μέν νυν ἐξέπλησε
μοῖραν τὴν ἑωυτοῦ, ἐγὼ δὲ ἐς μέσον τὴν ἀρχὴν τιθεὶς
ἰσονομίην ὑμῖν προαγορεύω. τοσάδε μέντοι δικαιῶ γέρεα
ἐμεωυτῷ γενέσθαι, ἐκ μέν γε τῶν Πολυκράτεος χρημά-
10 των ἐξαίρετα ἓξ τάλαντά μοι γενέσθαι, ἱερεωσύνην δὲ
πρὸς τούτοισιν αἱρέομαι αὐτῷ τέ μοι καὶ τοῖς ἀπ' ἐμέο
αἰεὶ γινομένοισι τοῦ Διὸς τοῦ Ἐλευθερίου, τῷ αὐτός τε
ἱρὸν ἱδρυσάμην καὶ τὴν ἐλευθερίην ὑμῖν περιτίθημι."
ὁ μὲν δὴ ταῦτα τοῖσι Σαμίοισιν ἐπηγγέλλετο, τῶν δέ τις
15 ἐξαναστὰς εἶπεν· „Ἀλλ' οὐδ' ἄξιός εἰς σύ γε ἡμέων
ἄρχειν, γεγονώς τε κακῶς καὶ ἐὼν ὄλεθρος, ἀλλὰ μᾶλλον
143 ὅκως λόγον δώσεις τῶν μετεχείρισας χρημάτων." ταῦτα
εἶπεν ἐὼν ἐν τοῖς ἀστοῖσι δόκιμος, τῷ ὄνομα ἦν Τελέ-
σαρχος. Μαιάνδριος δὲ νόῳ λαβὼν ὡς, εἰ μετήσει τὴν
20 ἀρχήν, ἄλλος τις ἀντ' αὐτοῦ τύραννος καταστήσεται, οὐ
δὴ ἔτι ἐν νῷ εἶχε μετιέναι αὐτήν, ἀλλ' ὡς ἀνεχώρησεν
ἐς τὴν ἀκρόπολιν, μεταπεμπόμενος ἕνα ἕκαστον ὡς δὴ
λόγον τῶν χρημάτων δώσων, συνέλαβέ σφεας καὶ κατέ-
δησεν. οἱ μὲν δὴ ἐδεδέατο, Μαιάνδριον δὲ μετὰ ταῦτα
25 κατέλαβε νοῦσος. ἐλπίζων δέ μιν ἀποθανεῖσθαι ὁ ἀδελ-
φεός, τῷ ὄνομα ἦν Λυκάρητος, ἵνα εὐπετεστέρως κατάσχῃ
τὰ ἐν τῇ Σάμῳ πρήγματα, κατακτείνει τοὺς δεσμώτας
πάντας· οὐ γὰρ δή, ὡς οἴκασιν, ἐβούλοντο εἶναι ἐλεύ-
θεροι.

144   Ἐπειδὴ ὦν ἀπίκοντο ἐς τὴν Σάμον οἱ Πέρσαι
31 κατάγοντες Συλοσῶντα, οὔτε τίς σφι χεῖρας ἀνταείρεται,
ὑπόσπονδοί τε ἔφασαν εἶναι ἕτοιμοι οἱ τοῦ Μαιανδρίου
στασιῶται καὶ αὐτὸς Μαιάνδριος ἐκχωρῆσαι ἐκ τῆς νήσου.
καταινέσαντος δ' ἐπὶ τούτοισιν Ὀτάνεω καὶ σπεισαμένου

τῶν Περσέων οἱ πλεῖστον ἄξιοι θρόνους θέμενοι κατε-
ναντίον τῆς ἀκροπόλιος ἐκαθέατο. Μαιανδρίῳ δὲ τῷ 145
τυράννῳ ἦν ἀδελφεὸς ὑπομαργότερος, τῷ ὄνομα
ἦν Χαρίλεως· οὗτος ὅ τι δὴ ἐξαμαρτὼν ἐν γοργύρῃ
ἐδέδετο· καὶ δὴ τότε ἐπακούσας τε τὰ πρησσόμενα καὶ 5
διακύψας διὰ τῆς γοργύρης, ὡς εἶδε τοὺς Πέρσας εἰρη-
ναίως καθημένους, ἐβόα τε καὶ ἔφη λέγων Μαιανδρίῳ
θέλειν ἐλθεῖν ἐς λόγους. ἐπακούσας δὲ ὁ Μαιάνδριος
λύσαντας αὐτὸν ἐκέλευεν ἄγειν παρ᾽ ἑωυτόν. ὡς δὲ
ἤχθη τάχιστα, λοιδορέων τε καὶ κακίζων μιν ἀνέπειθεν 10
ἐπιθέσθαι τοῖς Πέρσῃσιν, λέγων τοιάδε· „Ἐμὲ μέν, ὦ
κάκιστε ἀνδρῶν, ἐόντα σεωυτοῦ ἀδελφεὸν καὶ ἀδικήσαντα
οὐδὲν ἄξιον δεσμοῦ δήσας γοργύρης ἠξίωσας, ὁρέων δὲ
τοὺς Πέρσας ἐκβάλλοντάς τέ σε καὶ ἄνοικον ποιέοντας
οὐ τολμᾷς τείσασθαι, οὕτω δή τι ἐόντας εὐπετέας χειρω- 15
θῆναι; ἀλλ᾽ εἴ τοι σύ σφεας καταρρώδηκας, ἐμοὶ δὸς
τοὺς ἐπικούρους, καί σφεας ἐγὼ τιμωρήσομαι τῆς ἐνθάδε
ἀπίξιος· αὐτὸν δέ σε ἐκπέμψαι ἐκ τῆς νήσου ἕτοιμός
εἰμι.“ ταῦτα ἔλεξεν ὁ Χαρίλεως· Μαιάνδριος δὲ ὑπέλαβε 146
τὸν λόγον, ὡς μὲν ἐγὼ δοκέω, οὐκ ἐς τοῦτο ἀφροσύνης 20
ἀπικόμενος ὡς δόξαι τὴν ἑωυτοῦ δύναμιν περιέσεσθαι
τῆς βασιλέος, ἀλλὰ φθονήσας μᾶλλον Συλοσῶντι, εἰ ἀπο-
νητὶ ἔμελλεν ἀπολάψεσθαι ἀκέραιον τὴν πόλιν. ἐρεθίσας
ὦν τοὺς Πέρσας ἤθελεν ὡς ἀσθενέστατα ποιῆσαι τὰ
Σάμια πρήγματα καὶ οὕτω παραδιδόναι, εὖ ἐξεπιστά- 25
μενος ὡς παθόντες οἱ Πέρσαι κακῶς προσεμπικρανεῖσθαι
ἔμελλον τοῖσι Σαμίοισιν, εἰδώς τε ἑωυτῷ ἀσφαλέα ἔκ-
δυσιν ἐοῦσαν ἐκ τῆς νήσου τότε ἐπεὰν αὐτὸς βούληται·
ἐπεποίητο γάρ οἱ κρυπτὴ διῶρυξ ἐκ τῆς ἀκροπόλιος
φέρουσα ἐπὶ θάλασσαν. αὐτὸς μὲν δὴ ὁ Μαιάνδριος 30
ἐκπλεῖ ἐκ τῆς Σάμου, τοὺς δ᾽ ἐπικούρους πάντας ὁπλίσας
ὁ Χαρίλεως καὶ ἀναπετάσας τὰς πύλας ἐξῆκεν ἐπὶ τοὺς
Πέρσας οὔτε προσδεκομένους τοιοῦτο οὐδὲν δοκέοντάς
τε δὴ πάντα συμβεβάναι. ἐμπεσόντες δὲ οἱ ἐπίκουροι

τῶν Περσέων τοὺς διφροφορεομένους τε καὶ λόγου
πλείστου ἐόντας ἔκτεινον. καὶ οὗτοι μὲν ταῦτα ἐποίευν,
ἡ δὲ ἄλλη στρατιὴ ἡ Περσικὴ ἐπεβοήθει, πιεζεόμενοι δὲ
οἱ ἐπίκουροι ὀπίσω κατειλήθησαν ἐς τὴν ἀκρόπολιν.
147 Ὀτάνης δὲ ὁ στρατηγὸς ἰδὼν πάθος μέγα Πέρσας πεπον-
6 θότας, τὰς μὲν ἐντολάς τὰς Δαρεῖός οἱ ἀποστέλλων
ἐνετέλλετο, μήτε κτείνειν μηδένα Σαμίων μήτε ἀνδρα-
ποδίζεσθαι ἀπαθέα τε κακῶν ἀποδοῦναι τὴν νῆσον
Συλοσῶντι, τουτέων μὲν τῶν ἐντολέων μεμνημένος ἐπε-
10 λανθάνετο, ὁ δὲ παρήγγειλε τῇ στρατιῇ πάντα τὸν ἂν
λάβωσιν, καὶ ἄνδρα καὶ παῖδα, ὁμοίως κτείνειν. ἐνθαῦτα
τῆς στρατιῆς οἱ μὲν τὴν ἀκρόπολιν ἐπολιόρκεον, οἱ δὲ
ἔκτεινον πάντα τὸν ἐμποδὼν γινόμενον, ὁμοίως ἔν τε
ἱρῷ καὶ ἔξω ἱροῦ.
148   Μαιάνδριος δ' ἀποδρὰς ἐκ τῆς Σάμου ἐκπλεῖ ἐς
16 Λακεδαίμονα· ἀπικόμενος δὲ ἐς αὐτὴν καὶ ἀνενεικά-
μενος τὰ ἔχων ἐξεχώρησεν ἐποίει τοιάδε· ὅκως ποτήρια
ἀργύρεά τε καὶ χρύσεα προθέοιτο, οἱ μὲν θεράποντες
αὐτοῦ ἐξέσμων αὐτά, ὁ δ' ἂν τὸν χρόνον τοῦτον τῷ
20 Κλεομένει τῷ Ἀναξανδρίδεω ἐν λόγοισιν ἐών,
βασιλεύοντι Σπάρτης, προῆγέ μιν ἐς τὰ οἰκία· ὅκως δὲ
ἴδοιτο Κλεομένης τὰ ποτήρια, ἀπεθώμαζέ τε καὶ ἐξε-
πλήσσετο· ὁ δὲ ἂν ἐκέλευεν αὐτὸν ἀποφέρεσθαι αὐτῶν
ὅσα βούλοιτο. τοῦτο καὶ δὶς καὶ τρὶς εἴπαντος Μαιαν-
25 δρίου ὁ Κλεομένης δικαιότατος ἀνδρῶν γίνεται, ὃς
λαβεῖν μὲν διδόμενα οὐκ ἐδικαίου, μαθὼν δὲ ὡς ἄλλοισι
διδοὺς τῶν ἀστῶν εὑρήσεται τιμωρίην, βὰς ἐπὶ τοὺς
ἐφόρους ἄμεινον εἶναι ἔφη τῇ Σπάρτῃ τὸν ξεῖνον τὸν
Σάμιον ἀπαλλάσσεσθαι ἐκ τῆς Πελοποννήσου, ἵνα μὴ
30 ἀναπείσῃ ἢ αὐτὸν ἢ ἄλλον τινὰ Σπαρτιητέων κακὸν
γενέσθαι. οἱ δ' ὑπακούσαντες ἐξεκήρυξαν Μαιάνδριον.
149 τὴν δὲ Σάμον σαγηνεύσαντες οἱ Πέρσαι παρέδοσαν
Συλοσῶντι ἔρημον ἐοῦσαν ἀνδρῶν. ὑστέρῳ μέντοι
χρόνῳ καὶ συγκατοίκισεν αὐτὴν ὁ στρατηγὸς Ὀτάνης ἐκ

τε ὄψιος ὀνείρου καὶ νούσου, ἥ μιν κατέλαβε νοσῆσαι τὰ αἰδοῖα.

Ἐπὶ δὲ Σάμον στρατεύματος ναυτικοῦ οἰχομένου 150 Βαβυλώνιοι ἀπέστησαν, κάρτα εὖ παρεσκευασμένοι· ἐν ὅσῳ γὰρ ὅ τε μάγος ἦρχε καὶ οἱ ἑπτὰ ἐπανέστησαν, 5 ἐν τούτῳ παντὶ τῷ χρόνῳ καὶ τῇ ταραχῇ ἐς τὴν πολιορκίην παρεσκευάδατο. καί κως ταῦτα ποιεῦντες ἐλάνθανον. ἐπείτε δὲ ἐκ τοῦ ἐμφανέος ἀπέστησαν, ἐποίησαν τοιόνδε· τὰς μητέρας ἐξελόντες γυναῖκα ἕκαστος μίαν προσεξαιρεῖτο, τὴν ἐβούλετο ἐκ τῶν ἑωυτοῦ οἰκίων, τὰς 10 δὲ λοιπὰς ἁπάσας συναγαγόντες ἀπέπνιξαν· τὴν δὲ μίαν ἕκαστος σιτοποιὸν ἐξαιρεῖτο. ἀπέπνιξαν δὲ αὐτάς, ἵνα μή σφεων τὸν σῖτον ἀναισιμώσωσιν. πυθόμενος δὲ ταῦτα 151 ὁ Δαρεῖος καὶ συλλέξας πᾶσαν τὴν ἑωυτοῦ δύναμιν ἐστρατεύετο ἐπ᾽ αὐτούς, ἐπελάσας δὲ ἐπὶ τὴν Βαβυ- 15 λῶνα ἐπολιόρκει φροντίζοντας οὐδὲν τῆς πολιορκίης. ἀναβαίνοντες γὰρ ἐπὶ τοὺς προμαχεῶνας τοῦ τείχεος οἱ Βαβυλώνιοι κατωρχέοντο καὶ κατέσκωπτον Δαρεῖον καὶ τὴν στρατιὴν αὐτοῦ, καί τις αὐτῶν εἶπε τοῦτο τὸ ἔπος· „Τί κάθησθε, ὦ Πέρσαι, ἐνθαῦτα, ἀλλ᾽ οὐκ ἀπαλλάσ- 20 σεσθε; τότε γὰρ αἱρήσετε ἡμέας, ἐπεὰν ἡμίονοι τέκωσιν.“ τοῦτο εἶπε τῶν τις Βαβυλωνίων, οὐδαμὰ ἐλπίζων ἂν ἡμίονον τεκεῖν. ἑπτὰ δὲ μηνῶν καὶ ἐνιαυτοῦ διεληλυ- 152 θότος ἤδη ὁ Δαρεῖός τε ἤσχαλλε καὶ ἡ στρατιὴ πᾶσα οὐ δυνατὴ ἐοῦσα ἐλεῖν τοὺς Βαβυλωνίους. καίτοι πάντα 25 σοφίσματα καὶ πάσας μηχανὰς ἐπεποιήκει ἐς αὐτοὺς Δαρεῖος· ἀλλ᾽ οὐδ᾽ ὣς ἐδύνατο ἐλεῖν σφεας, ἄλλοισί τε σοφίσμασι πειρησάμενος καὶ δὴ καὶ τῷ Κῦρος εἷλέ σφεας, καὶ τούτῳ ἐπειρήθη. ἀλλὰ γὰρ δεινῶς ἦσαν ἐν φυλακῇσιν οἱ Βαβυλώνιοι, οὐδέ σφεας οἷός τε ἦν ἐλεῖν. 30 ἐνθαῦτα εἰκοστῷ μηνὶ Ζωπύρῳ τῷ Μεγαβύζου τούτου 153 ὃς τῶν ἑπτὰ ἀνδρῶν ἐγένετο τῶν τὸν μάγον κατελόν- των, τούτου τοῦ Μεγαβύζου παιδὶ Ζωπύρῳ ἐγένετο τέρας τόδε· τῶν οἱ σιτοφόρων ἡμιόνων μία ἔτεκεν. ὡς

δέ οἱ ἐξηγγέλθη καὶ ὑπὸ ἀπιστίης αὐτὸς ὁ Ζώπυρος εἶδε
τὸ βρέφος, ἀπείπας τοῖσιν ἰδοῦσι μηδενὶ φράζειν τὸ
γεγονὸς ἐβουλεύετο. καὶ οἱ πρὸς τὰ τοῦ Βαβυλωνίου
ῥήματα, ὃς κατ' ἀρχὰς ἔφησεν, ἐπεάν περ ἡμίονοι τέκωσιν,
5 τότε τὸ τεῖχος ἁλώσεσθαι, πρὸς ταύτην τὴν φήμην
Ζωπύρῳ ἐδόκει εἶναι ἁλώσιμος ἡ Βαβυλών· σὺν γὰρ
θεῷ ἐκεῖνόν τε εἰπεῖν καὶ ἑωυτῷ τεκεῖν τὴν ἡμίονον.
154 ὡς δέ οἱ ἐδόκει μόρσιμον εἶναι ἤδη τῇ Βαβυλῶνι ἁλίσκε-
σθαι, προσελθὼν Δαρείου ἀπεπυνθάνετο, εἰ περὶ πολλοῦ
10 κάρτα ποιεῖται τὴν Βαβυλῶνα ἑλεῖν. πυθόμενος δὲ ὡς
πολλοῦ τιμῷτο, ἄλλο ἐβουλεύετο, ὅκως αὐτός τε ἔσται ὁ
ἑλὼν αὐτὴν καὶ ἑωυτοῦ τὸ ἔργον ἔσται· κάρτα γὰρ ἐν
τοῖς Πέρσῃσιν αἱ ἀγαθοργίαι ἐς τὸ πρόσω μεγάθεος
τιμῶνται. ἄλλῳ μέν νυν οὐκ ἐφράζετο ἔργῳ δυνατὸς
15 εἶναί μιν ὑποχειρίην ποιῆσαι, εἰ δ' ἑωυτὸν λωβησάμενος
αὐτομολήσειεν ἐς αὐτούς. ἐνθαῦτα ἐν ἐλαφρῷ ποιησά-
μενος ἑωυτὸν λωβᾶται λώβην ἀνήκεστον· ἀποταμὼν
γὰρ ἑωυτοῦ τὴν ῥῖνα καὶ τὰ ὦτα καὶ τὴν κόμην κακῶς
155 περικείρας καὶ μαστιγώσας ἦλθε παρὰ Δαρεῖον. Δα-
20 ρεῖος δὲ κάρτα βαρέως ἤνεικεν ἰδὼν ἄνδρα δοκιμώτατον
λελωβημένον, ἔκ τε τοῦ θρόνου ἀναπηδήσας ἀνέβωσέ τε
καὶ εἴρετό μιν, ὅστις εἴη ὁ λωβησάμενος καὶ ὅ τι ποιή-
σαντα. ὁ δὲ εἶπεν· „Οὐκ ἔστι οὗτος ἀνὴρ ὅτι μὴ σύ,
τῷ ἐστὶ δύναμις τοσαύτη ἐμὲ δὴ ὧδε διαθεῖναι, οὐδέ τις
25 ἀλλοτρίων, ὦ βασιλεῦ, τάδε ἔργασται, ἀλλ' αὐτὸς ἐγὼ
ἐμεωυτόν, δεινόν τι ποιεύμενος Ἀσσυρίους Πέρσῃσι κατα-
γελᾶν." ὁ δ' ἀμείβετο· „Ὦ σχετλιώτατε ἀνδρῶν, ἔργῳ
τῷ αἰσχίστῳ ὄνομα τὸ κάλλιστον ἔθεο, φὰς διὰ τοὺς
πολιορκεομένους σεωυτὸν ἀνηκέστως διαθεῖναι· τί δ', ὦ
30 μάταιε, λελωβημένου σέο θᾶσσον οἱ πολέμιοι παραστή-
σονται; κῶς οὐκ ἐξέπλωσας τῶν φρενῶν σεωυτὸν δια-
φθείρας;" ὁ δὲ εἶπεν· „Εἰ μέν τοι ὑπερετίθεα τὰ ἔμελ-
λον ποιήσειν, οὐκ ἄν με περιεῖδες· νῦν δ' ἐπ' ἐμεωυτοῦ
βαλόμενος ἔπρηξα. ἤδη ὦν ἦν μὴ τῶν σῶν δεήσῃ,

αἱρέομεν Βαβυλῶνα. ἐγὼ μὲν γὰρ ὡς ἔχω αὐτομολήσω
ἐς τὸ τεῖχος καὶ φήσω πρὸς αὐτοὺς ὡς ὑπὸ σέο τάδε
πέπονθα. καὶ δοκέω πείσας σφέας ταῦτα ἔχειν οὕτω
τεύξεσθαι στρατιῆς. σὺ δέ, ἀπ᾿ ἧς ἂν ἡμέρης ἐγὼ
ἐσέλθω ἐς τὸ τεῖχος, ἀπὸ ταύτης ἐς δεκάτην ἡμέρην τῆς 5
σεωυτοῦ στρατιῆς, τῆς οὐδεμία ἔσται ὥρη ἀπολλυμένης,
ταύτης χιλίους τάξον κατὰ τὰς Σεμιράμιος καλεομένας
πύλας· μετὰ δὲ αὖτις ἀπὸ τῆς δεκάτης ἐς ἑβδόμην ἄλλους
μοι τάξον δισχιλίους κατὰ τὰς Νινίων καλεομένας πύλας·
ἀπὸ δὲ τῆς ἑβδόμης διαλείπειν εἴκοσι ἡμέρας καὶ ἔπειτα 10
ἄλλους κάτισον ἀγαγὼν κατὰ τὰς Χαλδαίων καλεομένας
πύλας, τετρακισχιλίους. ἐχόντων δὲ μήτε οἱ πρότεροι
μηδὲν τῶν ἀμυνόντων μήτε οὗτοι πλὴν ἐγχειρίδιον·
τοῦτο δὲ ἐᾶν ἔχειν. μετὰ δὲ τὴν εἰκοστὴν ἡμέρην ἰθέως
τὴν μὲν ἄλλην στρατιὴν κελεύειν πέριξ προσβάλλειν πρὸς 15
τὸ τεῖχος, ·Πέρσας δέ μοι τάξον κατά τε τὰς Βηλίδας
καλεομένας καὶ Κισσίας πύλας· ὡς γὰρ ἐγὼ δοκέω, ἐμέο
μεγάλα ἔργα ἀποδεξαμένου τά τε ἄλλα ἐπιτρέψονται
ἐμοὶ Βαβυλώνιοι καὶ δὴ καὶ τῶν πυλέων τὰς βαλανάγρας·
τὸ δὲ ἐνθεῦτεν ἐμοί τε καὶ Πέρσῃσι μελήσει τὰ δεῖ 20
ποιεῖν." ταῦτα ἐντειλάμενος ἦεν ἐπὶ τὰς πύλας, 156
πολλὰ ἐπιστρεφόμενος ὡς δὴ ἀληθέως αὐτόμολος.
ὁρῶντες δὲ ἀπὸ τῶν πύργων οἱ κατὰ τοῦτο τεταγμένοι
κατέτρεχον κάτω καὶ ὀλίγον τι παρακλίναντες τὴν ἑτέ-
ρην πύλην εἰρώτων, τίς τε εἴη καὶ ὅτεο δεόμενος ἥκοι. 25
ὁ δέ σφιν ἠγόρευεν, ὡς εἴη τε Ζώπυρος καὶ αὐτομολέοι
ἐς ἐκείνους. ἦγον δή μιν οἱ πυλουροί, ταῦτα ὡς ἤκου-
σαν, ἐπὶ τὰ κοινὰ τῶν Βαβυλωνίων· καταστὰς δὲ ἐπ᾿
αὐτὰ κατοικτίζετο, φὰς ὑπὸ Δαρείου πεπονθέναι τὰ
ἐπεπόνθει ὑπ᾿ ἑωυτοῦ, παθεῖν δὲ ταῦτα διότι συμβου- 30
λεῦσαί οἱ ἀπανιστάναι τὴν στρατιήν, ἐπείτε δὴ οὐδεὶς πόρος
ἐφαίνετο τῆς ἁλώσιος. „Νῦν τε," ἔφη λέγων, „ἐγὼ ὑμῖν,
ὦ Βαβυλώνιοι, ἥκω μέγιστον ἀγαθόν, Δαρείῳ δὲ καὶ τῇ
στρατιῇ μέγιστον κακόν· οὐ γὰρ δὴ ἐμέ γε ὧδε λωβησά-

μενος καταπροΐξεται· ἐπίσταμαι δ᾽ αὐτοῦ πάσας τὰς διεξ-
157 όδους τῶν βουλευμάτων." τοιαῦτα ἔλεγεν. οἱ δὲ Βα-
βυλώνιοι ὁρῶντες ἄνδρα τὸν ἐν Πέρσῃσι δοκιμώτατον
ῥινός τε καὶ ὤτων ἐστερημένον μάστιξί τε καὶ αἵματι
5 ἀναπεφυρμένον, πάγχυ ἐλπίσαντες λέγειν μιν ἀληθέα καὶ
σφιν ἥκειν σύμμαχον, ἐπιτρέπεσθαι ἕτοιμοι ἦσαν τῶν
ἐδεῖτο σφέων· ἐδεῖτο δὲ στρατιῆς. ὁ δὲ ἐπείτε αὐτῶν
τοῦτο παρέλαβεν, ἐποίει τά περ τῷ Δαρείῳ συνεθήκατο·
ἐξαγαγὼν γὰρ τῇ δεκάτῃ ἡμέρῃ τὴν στρατιὴν τῶν Βαβυ-
10 λωνίων καὶ κυκλωσάμενος τοὺς χιλίους, τοὺς πρώτους
ἐνετείλατο Δαρείῳ τάξαι, τούτους κατεφόνευσεν. μαθόντες
δέ μιν οἱ Βαβυλώνιοι τοῖς ἔπεσι τὰ ἔργα παρεχόμενον
ὅμοια, πάγχυ περιχαρεῖς ἐόντες πᾶν δὴ ἕτοιμοι ἦσαν ὑπη-
ρετεῖν. ὁ δὲ διαλιπὼν ἡμέρας τὰς συγκειμένας αὖτις
15 ἐπιλεξάμενος τῶν Βαβυλωνίων ἐξήγαγε καὶ κατεφόνευσε
τῶν Δαρείου στρατιωτέων τοὺς δισχιλίους. ἰδόντες δὲ
καὶ τοῦτο τὸ ἔργον οἱ Βαβυλώνιοι πάντες Ζώπυρον εἶχον
ἐν στόμασιν αἰνέοντες. ὁ δὲ αὖτις διαλιπὼν τὰς συγκει-
μένας ἡμέρας ἐξήγαγεν ἐς τὸ προειρημένον καὶ κυκλω-
20 σάμενος κατεφόνευσε τοὺς τετρακισχιλίους. ὡς δὲ καὶ
τοῦτο κατέργαστο, πάντα δὴ ἦν ἐν τοῖσι Βαβυλωνίοισι
Ζώπυρος, καὶ στρατάρχης τε οὗτός σφι καὶ τειχοφύλαξ
158 ἀπεδέδεκτο. προσβολὴν δὲ Δαρείου κατὰ τὰ συγκείμενα
ποιευμένου πέριξ τὸ τεῖχος, ἐνθαῦτα δὴ πάντα τὸν δόλον
25 ὁ Ζώπυρος ἐξέφαινεν. οἱ μὲν γὰρ Βαβυλώνιοι ἀναβάντες
ἐπὶ τὸ τεῖχος ἠμύνοντο τὴν Δαρείου στρατιὴν προσβάλ-
λουσαν, ὁ δὲ Ζώπυρος τάς τε Κισσίας καὶ Βηλίδας κα-
λεομένας πύλας ἀναπετάσας ἐσῆκε τοὺς Πέρσας ἐς τὸ
τεῖχος. τῶν δὲ Βαβυλωνίων οἳ μὲν εἶδον τὸ ποιηθέν,
30 οὗτοι μὲν ἔφευγον ἐς τοῦ Διὸς τοῦ Βήλου τὸ ἱρόν, οἳ
δὲ οὐκ εἶδον, ἔμενον ἐν τῇ ἑωυτοῦ τάξει ἕκαστος, ἐς ὃ
δὴ καὶ οὗτοι ἔμαθον προδεδομένοι.
159   Βαβυλὼν μέν νυν οὕτω τὸ δεύτερον αἱρέθη, Δα-
ρεῖος δὲ ἐπείτε ἐκράτησε τῶν Βαβυλωνίων, τοῦτο μέν

σφεων τὸ τεῖχος περιεῖλε καὶ τὰς πύλας πάσας ἀπέ-
σπασε (τὸ γὰρ πρότερον ἑλὼν Κῦρος τὴν Βαβυλῶνα
ἐποίησε τούτων οὐδέτερον), τοῦτο δὲ ὁ Δαρεῖος τῶν
ἀνδρῶν τοὺς κορυφαίους μάλιστα ἐς τρισχιλίους ἀνεσκο-
λόπισεν, τοῖσι δὲ λοιποῖσι Βαβυλωνίοισιν ἀπέδωκε τὴν 5
πόλιν οἰκεῖν. ὡς δ᾽ ἕξουσι γυναῖκας οἱ Βαβυλώνιοι, ἵνα
σφι γενεὴ ὑπογίνηται, τάδε Δαρεῖος προϊδὼν ἐποίησε
(τὰς γὰρ ἑωυτῶν, ὡς καὶ κατ᾽ ἀρχὰς δεδήλωται, ἀπέπνι-
ξαν οἱ Βαβυλώνιοι τοῦ σίτου προορῶντες)· ἐπέταξε τοῖσι
περιοίκοισιν ἔθνεσι γυναῖκας ἐς Βαβυλῶνα κατιστάναι, 10
ὅσας δὴ ἑκάστοισιν ἐπιτάσσων, ὥστε πέντε μυριάδων τὸ
κεφαλαίωμα τῶν γυναικῶν συνῆλθεν. ἐκ τουτέων δὲ
τῶν γυναικῶν οἱ νῦν Βαβυλώνιοι γεγόνασιν.

Ζωπύρου δὲ οὐδεὶς ἀγαθοεργίην Περσέων ὑπερε- **160**
βάλετο παρὰ Δαρείῳ κριτῇ, οὔτε τῶν ὕστερον γενομένων 15
οὔτε τῶν πρότερον, ὅτι μὴ Κῦρος μοῦνος· τούτῳ γὰρ
οὐδεὶς Περσέων ἠξίωσέ κω ἑωυτὸν συμβαλεῖν. πολλάκις
δὲ Δαρεῖον λέγεται γνώμην τήνδε ἀποδέξασθαι, ὡς βού-
λοιτο ἂν Ζώπυρον εἶναι ἀπαθέα τῆς ἀεικείης μᾶλλον ἢ
Βαβυλῶνάς οἱ εἴκοσι πρὸς τῇ ἐούσῃ προσγενέσθαι. ἐτί- 20
μησε δέ μιν μεγάλως· καὶ γὰρ δῶρά οἱ ἀνὰ πᾶν ἔτος
ἐδίδου ταῦτα τὰ Πέρσῃσίν ἐστι τιμιώτατα καὶ τὴν Βαβυ-
λῶνά οἱ ἔδωκεν ἀτελέα νέμεσθαι μέχρι τῆς ἐκείνου ζοῆς
καὶ ἄλλα πολλὰ ἐπέδωκεν. Ζωπύρου δὲ τούτου γίνεται
Μεγάβυζος, ὃς ἐν Αἰγύπτῳ ἀντία Ἀθηναίων καὶ τῶν 25
συμμάχων ἐστρατήγησεν· Μεγαβύζου δὲ τούτου γίνεται
Ζώπυρος, ὃς ἐς Ἀθήνας ηὐτομόλησεν ἐκ Περσέων.

Δ.

1   *Μετὰ δὲ τὴν Βαβυλῶνος αἵρεσιν ἐγένετο ἐπὶ Σκύθας αὐτοῦ Δαρείου ἔλασις.* ἀνθεούσης γὰρ τῆς Ἀσίης ἀνδράσι καὶ χρημάτων μεγάλων συνιόντων ἐπεθύμησεν ὁ Δαρεῖος τείσασθαι Σκύθας, ὅτι ἐκεῖνοι πρό-
5 τεροι ἐσβαλόντες ἐς τὴν Μηδικὴν καὶ νικήσαντες μάχῃ τοὺς ἀντιουμένους ὑπῆρξαν ἀδικίης. τῆς γὰρ ἄνω Ἀσίης ἦρξαν, ὡς καὶ πρότερόν μοι εἴρηται, Σκύθαι ἔτεα δυῶν δέοντα τριήκοντα. Κιμμερίους γὰρ ἐπιδιώκοντες ἐσέβαλον ἐς τὴν Ἀσίην, καταπαύσαντες τῆς ἀρχῆς Μήδους· οὗτοι
10 γὰρ πρὶν ἢ Σκύθας ἀπικέσθαι ἦρχον τῆς Ἀσίης. τοὺς δὲ Σκύθας ἀποδημήσαντας ὀκτὼ καὶ εἴκοσι ἔτεα καὶ διὰ χρόνου τοσούτου κατιόντας ἐς τὴν σφετέρην ἐξεδέξατο οὐκ ἐλάσσων πόνος τοῦ Μηδικοῦ· εὗρον γὰρ ἀντιουμένην σφίσι στρατιὴν οὐκ ὀλίγην· αἱ γὰρ τῶν Σκυθέων γυ-
15 ναῖκες, ὥς σφιν οἱ ἄνδρες ἀπῆσαν χρόνον πολλόν, ἐφοί-
2 των παρὰ τοὺς δούλους. *τοὺς δὲ δούλους οἱ Σκύθαι πάντας τυφλοῦσι τοῦ γάλακτος εἵνεκεν τοῦ πίνουσιν,* ποιεῦντες ὧδε· ἐπεὰν φυσητῆρας λάβωσιν ὀστεΐνους, αὐλοῖσι προσεμφερεστάτους, τούτους ἐσθέντες ἐς τῶν
20 θηλέων ἵππων τὰ ἄρθρα φυσῶσι τοῖσι στόμασιν, ἄλλοι δὲ ἄλλων φυσώντων ἀμέλγουσιν. φασὶ δὲ τοῦδε εἵνεκα τοῦτο ποιεῖν· τὰς φλέβας τε πίμπλασθαι φυσωμένας τῆς ἵππου καὶ τὸ οὖθαρ κατίεσθαι. ἐπεὰν δὲ ἀμέλξωσιν, τὸ γάλα ἐσχέαντες ἐς ξύλινα ἀγγήια κοῖλα καὶ περιστίξαντες
25 κατὰ τὰ ἀγγήια τοὺς τυφλοὺς δονέουσι τὸ γάλα, καὶ τὸ μὲν αὐτοῦ ἐπιστάμενον ἀπαρύσαντες ἡγέονται εἶναι τιμιώ-τερον, τὸ δ' ὑπιστάμενον ἧσσον τοῦ ἑτέρου. τούτων μὲν

εἴνεκα ἅπαντα τὸν ἂν λάβωσιν οἱ Σκύθαι ἐκτυφλοῦσιν·
οὐ γὰρ ἀρόται εἰσὶν ἀλλὰ νομάδες. ἐκ τούτων δὴ ὦν 3
σφι τῶν δούλων καὶ τῶν γυναικῶν ἐπετράφη νεότης,
οἳ ἐπείτε ἔμαθον τὴν σφετέρην γένεσιν, ἠντιοῦντό
αὐτοῖσι κατιοῦσιν ἐκ τῶν Μήδων. καὶ πρῶτα μὲν 5
τὴν χώρην ἀπετάμοντο, τάφρον ὀρυξάμενοι εὐρεῖαν κατα-
τείνουσαν ἐκ τῶν Ταυρικῶν ὀρέων ἐς τὴν Μαιῆτιν
λίμνην, τῇ πέρ ἐστι μεγίστη· μετὰ δὲ πειρωμένοισιν
ἐσβάλλειν τοῖσι Σκύθῃσι ἀντικατιζόμενοι ἐμάχοντο. γινο-
μένης δὲ μάχης πολλάκις καὶ οὐ δυναμένων οὐδὲν πλέον 10
ἔχειν τῶν Σκυθέων τῇ μάχῃ, εἷς αὐτῶν ἔλεξε τάδε· „Οἷα
ποιεῦμεν, ἄνδρες Σκύθαι. δούλοισι τοῖς ἡμετέροισι μαχό-
μενοι αὐτοί τε κτεινόμενοι ἐλάσσονες γινόμεθα καὶ ἐκεί-
νους κτείνοντες ἐλασσόνων τὸ λοιπὸν ἄρξομεν. νῦν ὦν
μοι δοκεῖ αἰχμὰς μὲν καὶ τόξα μετεῖναι, λαβόντα δὲ ἕκα- 15
στον τοῦ ἵππου τὴν μάστιγα ἰέναι ἆσσον αὐτῶν. μέχρι
μὲν γὰρ ὥρων ἡμέας ὅπλα ἔχοντας, οἱ δὲ ἐνόμιζον ὅμοιοί
τε καὶ ἐξ ὁμοίων ἡμῖν εἶναι· ἐπεὰν δὲ ἴδωνται μάστιγας
ἀντὶ ὅπλων ἔχοντας, μαθόντες ὡς εἰσὶν ἡμέτεροι δοῦλοι
καὶ συγγνόντες τοῦτο οὐκ ὑπομενέουσιν.“ ταῦτα ἀκού- 4
σαντες οἱ Σκύθαι ἐποίευν ἐπιτελέα· οἱ δ’ ἐκπλαγέντες 21
τῷ γινομένῳ τῆς μάχης τε ἐπελάθοντο καὶ ἔφευγον.
οὕτως οἱ Σκύθαι τῆς τε Ἀσίης ἦρξαν καὶ ἐξελασθέντες
αὖτις ὑπὸ Μήδων κατῆλθον τρόπῳ τοιούτῳ ἐς τὴν σφε-
τέρην. τῶν δὲ εἵνεκα ὁ Δαρεῖος τείσασθαι βουλόμενος 25
συνήγειρεν ἐπ’ αὐτοὺς στράτευμα.

Ὡς δὲ Σκύθαι λέγουσιν, νεώτατον ἀπάντων 5
ἐθνέων εἶναι τὸ σφέτερον, τοῦτο δὲ γενέσθαι ὧδε·
ἄνδρα γενέσθαι πρῶτον ἐν τῇ γῇ ταύτῃ ἐούσῃ ἐρήμῳ,
τῷ ὄνομα εἶναι Ταργιτάον· τοῦ δὲ Ταργιτάου τούτου 30
τοὺς τοκέας λέγουσιν εἶναι, ἐμοὶ μὲν οὐ πιστὰ λέγοντες,
λέγουσι δ’ ὦν, Δία τε καὶ Βορυσθένεος τοῦ ποταμοῦ
θυγατέρα. γένεος μὲν τοιούτου δή τινος γενέσθαι τὸν
Ταργιτάον, τούτου δὲ γενέσθαι παῖδας τρεῖς, Λι-

πόξαϊν καὶ Ἀρπόξαϊν καὶ νεώτατον Κολάξαϊν. ἐπὶ
τούτων ἀρχόντων ἐκ τοῦ οὐρανοῦ φερόμενα χρύσεα ποιή-
ματα, ἄροτρόν τε καὶ ζυγὸν καὶ σάγαριν καὶ φιάλην,
πεσεῖν ἐς τὴν Σκυθικήν. καὶ τῶν ἰδόντα πρῶτον τὸν
πρεσβύτατον ἆσσον ἰέναι βουλόμενον αὐτὰ λαβεῖν, τὸν
δὲ χρυσὸν ἐπιόντος καίεσθαι. ἀπαλλαχθέντος δὲ τούτου
προσιέναι τὸν δεύτερον, καὶ τὸν αὖτις ταὐτὰ ποιεῖν.
τοὺς μὲν δὴ καιόμενον τὸν χρυσὸν ἀπώσασθαι, τρίτῳ δὲ
τῷ νεωτάτῳ ἐπελθόντι κατασβῆναι, καί μιν ἐκεῖνον κο-
μίσαι ἐς ἑωυτοῦ· καὶ τοὺς πρεσβυτέρους ἀδελφεοὺς πρὸς
ταῦτα συγγνόντας τὴν βασιληίην πᾶσαν παραδοῦναι τῷ
νεωτάτῳ. ἀπὸ μὲν δὴ Διποξάιος γεγονέναι τούτους τῶν
Σκυθέων, οἳ Αὐχάται γένος καλέονται, ἀπὸ δὲ τοῦ μέσου
Ἀρποξάιος, οἳ Κατίαροί τε καὶ Τράσπιες καλέονται, ἀπὸ
δὲ τοῦ νεωτάτου αὐτῶν τοὺς βασιλέας, οἳ καλέονται
Παραλάται· σύμπασι δὲ εἶναι ὄνομα Σκολότους, τοῦ βα-
σιλέος ἐπωνυμίην· Σκύθας δὲ Ἕλληνες ὠνόμασαν. γεγο-
νέναι μέν νυν σφέας ὧδε λέγουσιν οἱ Σκύθαι, ἔτεα δὲ
σφίσιν ἐπείτε γεγόνασι τὰ σύμπαντα λέγουσιν εἶναι ἀπὸ
τοῦ πρώτου βασιλέος Ταργιτάου ἐς τὴν Δαρείου διάβασιν
τὴν ἐπὶ σφέας χιλίων οὐ πλέω ἀλλὰ τοσαῦτα. τὸν δὲ
χρυσὸν τοῦτον τὸν ἰρὸν φυλάσσουσιν οἱ βασιλεῖς
ἐς τὰ μάλιστα καὶ θυσίῃσι μεγάλῃσιν ἱλασκόμενοι μετέρ-
χονται ἀνὰ πᾶν ἔτος. ὃς δ' ἂν ἔχων τὸν χρυσὸν
τὸν ἰρὸν ἐν τῇ ὁρτῇ ὑπαίθριος κατακοιμηθῇ, οὗτος
λέγεται ὑπὸ Σκυθέων οὐ διενιαυτίζειν· δίδοσθαι δέ
οἱ διὰ τοῦτο ὅσα ἂν ἵππῳ ἐν ἡμέρῃ μιῇ περιελάσῃ
αὐτός. τῆς δὲ χώρης ἐούσης μεγάλης τριφασίας τὰς
βασιληίας τοῖς παισὶ τοῖς ἑωυτοῦ καταστήσασθαι Κο-
λάξαϊν καὶ τουτέων μίαν ποιῆσαι μεγίστην, ἐν τῇ τὸν
χρυσὸν φυλάσσεσθαι. τὰ δὲ κατύπερθε πρὸς βορῆν
λέγουσιν ἄνεμον τῶν ὑπεροίκων τῆς χώρης οὐκ οἷά τε
εἶναι ἔτι προσωτέρω οὔτε ὁρᾶν οὔτε διεξιέναι ὑπὸ
πτερῶν κεχυμένων· πτερῶν γὰρ καὶ τὴν γῆν καὶ τὸν

ἠέρα εἶναι πλέον, καὶ ταῦτα εἶναι τὰ ἀποκλήοντα
τὴν ὄψιν.

Σκύθαι μὲν ὧδε ὑπὲρ σφέων τε αὐτῶν καὶ τῆς 8
χώρης τῆς κατύπερθε λέγουσιν, Ἑλλήνων δὲ οἱ τὸν
Πόντον οἰκέοντες ὧδε. Ἡρακλέα ἐλαύνοντα τὰς Γη- 5
ρυόνεω βοῦς ἀπικέσθαι ἐς γῆν ταύτην ἐοῦσαν ἐρήμην,
ἥντινα νῦν Σκύθαι νέμονται. Γηρυόνεα δὲ οἰκεῖν
ἔξω τοῦ Πόντου, κατοικημένον τὴν Ἕλληνες λέγουσιν
Ἐρύθειαν νῆσον, τὴν πρὸς Γηδείροισι τοῖς ἔξω Ἡρα-
κλείων στηλέων ἐπὶ τῷ Ὠκεανῷ. τὸν δὲ Ὠκεανὸν λόγῳ 10
μὲν λέγουσιν ἀπὸ ἡλίου ἀνατολέων ἀρξάμενον γῆν περὶ
πᾶσαν ῥεῖν, ἔργῳ δὲ οὐκ ἀποδεικνῦσιν. ἐνθεῦτεν τὸν
Ἡρακλέα ὡς ἀπικέσθαι ἐς τὴν νῦν Σκυθικὴν χώρην
καλεομένην· (καταλαβεῖν γὰρ αὐτὸν χειμῶνά τε καὶ
κρυμόν), ἐπειρυσάμενον τὴν λεοντῆν κατυπνῶσαι, τὰς 15
δέ οἱ ἵππους ὑπὸ τοῦ ἅρματος νεμομένας ἐν τούτῳ
τῷ χρόνῳ ἀφανισθῆναι θείῃ τύχῃ. ὡς δ᾽ ἐγερθῆναι 9
τὸν Ἡρακλέα, δίζησθαι, πάντα δὲ τῆς χώρης ἐπεξελ-
θόντα τέλος ἀπικέσθαι ἐς τὴν Ὑλαίην καλεομένην
γῆν· ἐνθαῦτα δὲ αὐτὸν εὑρεῖν ἐν ἄντρῳ μιξοπάρθενόν 20
τινα, ἔχιδναν διφυέα, τῆς τὰ μὲν ἄνω ἀπὸ τῶν γλουτῶν
εἶναι γυναικός, τὰ δὲ ἔνερθε ὄφιος. ἰδόντα δὲ καὶ
θωμάσαντα ἐπειρέσθαι μιν, εἴ κου εἶδεν ἵππους πλανω-
μένας· τὴν δὲ φάναι ἑωυτὴν ἔχειν καὶ οὐκ ἀποδώσειν
ἐκείνῳ πρὶν ἢ οἱ μιχθῇ· τὸν δὲ Ἡρακλέα μιχθῆναι 25
ἐπὶ τῷ μισθῷ τούτῳ. κείνην τε δὴ ὑπερβάλλεσθαι
τὴν ἀπόδοσιν τῶν ἵππων, βουλομένην ὡς πλεῖστον
χρόνον συνεῖναι τῷ Ἡρακλεῖ, καὶ τὸν κομισάμενον
ἐθέλειν ἀπαλλάσσεσθαι· τέλος δὲ ἀποδιδοῦσαν αὐτὴν
εἰπεῖν· „Ἵππους μὲν δὴ ταύτας ἀπικομένας ἐνθάδε ἔσωσά 30
τοι ἐγώ, σῶστρα δὲ σὺ παρέσχες· ἔχω γὰρ ἐκ σέο
παῖδας τρεῖς. τούτους, ἐπεὰν γένωνται τρόφιες, ὅ τι
χρὴ ποιεῖν, ἐξηγέο σύ, εἴτε αὐτοῦ κατοικίζω (χώρης
γὰρ τῆσδε ἔχω τὸ κράτος αὐτή) εἴτε ἀποπέμπω παρὰ

σέ." τὴν μὲν δὴ ταῦτα ἐπειρωτᾶν, τὸν δὲ λέγουσι πρὸς ταῦτα εἰπεῖν· „Επεὰν ἀνδρωθέντας ἴδῃ τοὺς παῖ-δας, τάδε ποιεῦσα οὐκ ἂν ἁμαρτάνοις· τὸν μὲν ἂν ὁρᾷς αὐτῶν τόδε τὸ τόξον ὧδε διατεινόμενον καὶ τῷ ζω-
5 στῆρι τῷδε κατὰ τάδε ζωννύμενον, τοῦτον μὲν τῆσδε τῆς χώρης οἰκήτορα ποιέο· ὃς δ' ἂν τούτων τῶν ἔργων τῶν ἐντέλλομαι λείπηται, ἔκπεμπε ἐκ τῆς χώρης. καὶ ταῦτα ποιεῦσα αὐτή τε εὐφρανέαι καὶ τὰ ἐντεταλμένα
10 ποιήσεις." τὸν μὲν δὴ εἰρύσαντα τῶν τόξων τὸ ἔτερον
10 (δύο γὰρ δὴ φορεῖν τέως Ἡρακλέα) καὶ τὸν ζωστῆρα προδέξαντα παραδοῦναι τὸ τόξον τε καὶ τὸν ζωστῆρα ἔχοντα ἐπ' ἄκρης τῆς συμβολῆς φιάλην χρυσῆν, δόντα δὲ ἀπαλλάσεσθαι, τὴν δ', ἐπεί οἱ γενομένους τοὺς παῖδας ἀνδρωθῆναι, τοῦτο μέν σφιν ὀνόματα θέσθαι,
15 τῷ μὲν Ἀγάθυρσον αὐτῶν, τῷ δ' ἐπομένῳ Γελωνόν, Σκύθην δὲ τῷ νεωτάτῳ, τοῦτο δὲ τῆς ἐπιστολῆς με-μνημένην αὐτὴν ποιῆσαι τὰ ἐντεταλμένα. καὶ δὴ δύο μέν οἱ τῶν παίδων, τόν τε Ἀγάθυρσον καὶ τὸν Γελω-νόν, οὐκ οἵους τε γενομένους ἐξικέσθαι πρὸς τὸν προ-
20 κείμενον ἄεθλον, οἴχεσθαι ἐκ τῆς χώρης ἐκβληθέντας ὑπὸ τῆς γειναμένης, τὸν δὲ νεώτατον αὐτῶν Σκύθην ἐπιτελέσαντα καταμεῖναι ἐν τῇ χώρῃ. καὶ ἀπὸ μὲν Σκύθεω τοῦ Ἡρακλέος γενέσθαι τοὺς αἰεὶ βασιλέας γινομένους Σκυθέων, ἀπὸ δὲ τῆς φιάλης ἔτι καὶ ἐς
25 τόδε φιάλας ἐκ τῶν ζωστήρων φορεῖν Σκύθας· τὸ δὴ μοῦνον μηχανήσασθαι τὴν μητέρα Σκύθη. ταῦτα δὲ Ἑλλήνων οἱ τὸν Πόντον οἰκέοντες λέγουσιν.

11 Ἔστι δὲ καὶ ἄλλος λόγος ἔχων ὧδε, τῷ μάλιστα λεγομένῳ αὐτὸς πρόσκειμαι· Σκύθας τοὺς νομάδας
30 οἰκέοντας ἐν τῇ Ἀσίῃ, πολέμῳ πιεσθέντας ὑπὸ Μασσα-γετέων, οἴχεσθαι διαβάντας ποταμὸν Ἀράξεα ἐπὶ γῆν τὴν Κιμμερίην (τὴν γὰρ νῦν νέμονται Σκύθαι, αὕτη λέγεται τὸ παλαιὸν εἶναι Κιμμερίων), τοὺς δὲ Κιμμε-ρίους ἐπιόντων Σκυθέων βουλεύεσθαι ὡς στρατοῦ ἐπι-

ὄντος μεγάλου, καὶ δὴ τὰς γνώμας σφέων κεχωρισμέ-
νας, ἐντόνους μὲν ἀμφοτέρας, ἀμείνω δὲ τὴν τῶν
βασιλέων· τὴν μὲν δὴ τοῦ δήμου φέρειν γνώμην
ὡς ἀπαλλάσσεσθαι πρῆγμα εἴη μηδὲ πρὸς πολλοὺς μέ-
νοντας κινδυνεύειν, τὴν δὲ τῶν βασιλέων διαμάχεσθαι 5
περὶ τῆς χώρης τοῖς ἐπιοῦσιν. οὔκων δὴ ἐθέλειν
πείθεσθαι οὔτε τοῖς βασιλεῦσι τὸν δῆμον οὔτε τῷ
δήμῳ τοὺς βασιλέας. τοὺς μὲν δὴ ἀπαλλάσσεσθαι βου-
λεύεσθαι ἀμαχητὶ τὴν χώρην παραδόντας τοῖς ἐπιοῦσιν,
τοῖς δὲ βασιλεῦσι δόξαι ἐν τῇ ἑωυτῶν κεῖσθαι ἀπο- 10
θανόντας μηδὲ συμφεύγειν τῷ δήμῳ, λογισαμένους ὅσα
τε ἀγαθὰ πεπόνθασι καὶ ὅσα φεύγοντας ἐκ τῆς πατρί-
δος κακὰ ἐπίδοξα καταλαμβάνειν. ὡς δὲ δόξαι σφι
ταῦτα, διαστάντας καὶ ἀριθμὸν ἴσους γενομένους μά-
χεσθαι πρὸς ἀλλήλους· καὶ τοὺς μὲν ἀποθανόντας 15
πάντας ὑπ' ἑωυτῶν θάψαι τὸν δῆμον τῶν Κιμμερίων
παρὰ ποταμὸν Τύρην (καὶ σφεων ἔτι δῆλός ἐστιν ὁ
τάφος), θάψαντας δὲ οὕτω τὴν ἔξοδον ἐκ τῆς χώρης
ποιεῖσθαι, Σκύθας δὲ ἐπελθόντας λαβεῖν ἐρήμην τὴν
χώρην. καὶ νῦν ἔστι μὲν ἐν τῇ Σκυθικῇ Κιμμέρια 12
τείχεα, ἔστι δὲ πορθμήια Κιμμέρια, ἔστι δὲ καὶ χώρη 21
ὄνομα Κιμμερίη, ἔστι δὲ Βόσπορος Κιμμέριος καλεό-
μενος. φαίνονται δὲ οἱ Κιμμέριοι φυγόντες ἐς τὴν
Ἀσίην τοὺς Σκύθας καὶ τὴν χερσόνησον κτίσαντες, ἐν
τῇ νῦν Σινώπη πόλις Ἑλλὰς οἴκηται. φανεροὶ δέ εἰσι 25
καὶ οἱ Σκύθαι διώξαντες αὐτοὺς καὶ ἐσβαλόντες ἐς γῆν
τὴν Μηδικήν, ἁμαρτόντες τῆς ὁδοῦ. οἱ μὲν γὰρ Κιμ-
μέριοι αἰεὶ τὴν παρὰ θάλασσαν ἔφευγον, οἱ δὲ Σκύ-
θαι ἐν δεξιῇ τὸν Καύκασον ἔχοντες ἐδίωκον, ἐς ὃ ἐσέ-
βαλον ἐς γῆν τὴν Μηδικήν, ἐς μεσόγαιαν τῆς ὁδοῦ 30
τραφθέντες. οὗτος δὲ ἄλλος ξυνὸς Ἑλλήνων τε 'καὶ
βαρβάρων λεγόμενος λόγος εἴρηται.

Ἔφη δὲ Ἀριστῆς ὁ Καϋστροβίου ἀνὴρ Προκοννή- 13
σιος, ποιέων ἔπεα, ἀπικέσθαι ἐς Ἰσσηδόνας φοιβόλαπτος

γενόμενος, Ἰσσηδόνων δὲ ὑπεροικεῖν Ἀριμασποὺς ἄνδρας
μουνοφθάλμους, ὑπὲρ δὲ τούτων τοὺς χρυσοφύλακας γρῦπας, τούτων δὲ τοὺς Ὑπερβορείους κατήκοντας ἐπὶ θάλασσαν. τούτους ὦν πάντας πλὴν Ὑπερβορείων ἀρξάντων
Ἀριμασπῶν αἰεὶ τοῖσι πλησιοχώροισιν ἐπιτίθεσθαι, καὶ
ὑπὸ μὲν Ἀριμασπῶν ἐξωθεῖσθαι ἐκ τῆς χώρης Ἰσσηδόνας, ὑπὸ δὲ Ἰσσηδόνων Σκύθας, Κιμμερίους δὲ οἰκέοντας ἐπὶ τῇ νοτίῃ θαλάσσῃ ὑπὸ Σκυθέων · πιεζομένους ἐκλείπειν τὴν χώρην. οὕτω οὐδὲ οὗτος συμφέ
10 ρεται περὶ τῆς χώρης ταύτης Σκύθῃσιν.

14 Καὶ ὅθεν μὲν ἦν Ἀριστῆς ὁ ταῦτα ποιήσας, εἴρηται· τὸν δὲ περὶ αὐτοῦ ἤκουον λόγον ἐν Προκοννήσῳ καὶ Κυζίκῳ, λέξω. Ἀριστῆν γὰρ λέγουσιν, ἐόντα
τῶν ἀστῶν οὐδενὸς γένος ὑποδεέστερον, ἐσελθόντα ἐς κνα
15 φήιον ἐν Προκοννήσῳ ἀποθανεῖν, καὶ τὸν κναφέα κατακλήσαντα τὸ ἐργαστήριον οἴχεσθαι ἀγγελέοντα τοῖς
προσήκουσι τῷ νεκρῷ. ἐσκεδασμένου δὲ ἤδη τοῦ λόγου
ἀνὰ τὴν πόλιν ὡς τεθνεὼς εἴη ὁ Ἀριστῆς, ἐς ἀμφισβασίας τοῖς λέγουσιν ἀπικνεῖσθαι ἄνδρα Κυζικηνὸν
20 ἤκοντα ἐξ Ἀρτάκης πόλιος, φάντα συντυχεῖν τέ οἱ ἰόντι
ἐπὶ Κυζίκου καὶ ἐς λόγους ἀπικέσθαι. καὶ τοῦτον μὲν
ἐντεταμένως ἀμφισβατεῖν, τοὺς δὲ προσήκοντας τῷ
νεκρῷ ἐπὶ τὸ κναφήιον παρεῖναι ἔχοντας τὰ πρόσφορα
ὡς ἀναιρησομένους. ἀνοιχθέντος δὲ τοῦ οἰκήματος οὔτε
25 τεθνεῶτα οὔτε ζῶντα φαίνεσθαι Ἀριστῆν. μετὰ δὲ
ἑβδόμῳ ἔτει φανέντα αὐτὸν ἐς Προκόννησον ποιῆσαι
τὰ ἔπεα ταῦτα, τὰ νῦν ὑπ' Ἑλλήνων Ἀριμάσπεια καλεῖ
15 ται, ποιήσαντα δὲ ἀφανισθῆναι τὸ δεύτερον. ταῦτα
μὲν αἱ πόλιες αὗται λέγουσιν, τάδε δὲ οἶδα Μεταποντί
30 νοισι τοῖς ἐν Ἰταλίῃ συγκυρήσαντα μετὰ τὴν ἀφάνισιν
τὴν δευτέρην Ἀριστέω ἔτεσι τεσσεράκοντα καὶ διηκοσίοισιν, ὡς ἐγὼ συμβαλλόμενος τὰ ἐν Προκοννήσῳ τε καὶ
Μεταποντίῳ εὕρισκον. Μεταποντῖνοί φασιν αὐτὸν Ἀριστῆν φανέντα σφιν ἐς τὴν χώρην κελεῦσαι βωμὸν

Ἀπόλλωνος ἰδρύσασθαι καὶ Ἀριστέω τοῦ Προκοννησίου
ἐπωνυμίην ἔχοντα ἀνδριάντα παρ' αὐτὸν ἱστάναι· φά-
ναι γάρ σφι τὸν Ἀπόλλωνα Ἰταλιωτέων μούνοισι δὴ
ἀπικέσθαι ἐς τὴν χώρην, καὶ αὐτός οἱ ἕπεσθαι ὁ νῦν
ἐὼν Ἀριστῆς· τότε δέ, ὅτε εἵπετο τῷ θεῷ, εἶναι κόραξ. 5
καὶ τὸν μὲν εἰπόντα ταῦτα ἀφανισθῆναι, σφέας δὲ
Μεταποντῖνοι λέγουσιν ἐς Δελφοὺς πέμψαντας τὸν θεὸν
ἐπειρωτᾶν, ὅ τι τὸ φάσμα τοῦ ἀνθρώπου εἴη. τὴν δὲ
Πυθίην σφέας κελεύειν πείθεσθαι τῷ φάσματι, πειθο-
μένοισι δὲ ἄμεινον συνοίσεσθαι. καὶ σφέας δεξαμένους 10
ταῦτα ποιῆσαι ἐπιτελέα. καὶ νῦν ἕστηκεν ἀνδριὰς ἐπω-
νυμίην ἔχων Ἀριστέω παρ' αὐτῷ τῷ ἀγάλματι τοῦ
Ἀπόλλωνος, πέριξ δὲ αὐτὸν δάφναι ἑστᾶσιν· τὸ δὲ
ἄγαλμα ἐν τῇ ἀγορῇ ἵδρυται. Ἀριστέω μέν νυν πέρι
τοσαῦτα εἰρήσθω. 15

Τῆς δὲ γῆς, τῆς πέρι ὅδε ὁ λόγος ὥρμηται λέγεσθαι, 16
οὐδεὶς οἶδεν ἀτρεκέως, ὅ τι τὸ κατύπερθέ ἐστιν·
οὐδενὸς γὰρ δὴ αὐτόπτεω εἰδέναι φαμένου δύναμαι
πυθέσθαι· οὐδὲ γὰρ οὐδὲ Ἀριστῆς, τοῦ περ ὀλίγῳ
πρότερον τούτων μνήμην ἐποιεύμην, οὐδὲ οὗτος προ- 20
σωτέρω Ἰσσηδόνων ἐν αὐτοῖσι τοῖς ἔπεσι ποιέων ἔφησεν
ἀπικέσθαι, ἀλλὰ τὰ κατύπερθε ἔλεγεν ἀκοῇ, φὰς Ἰσση-
δόνας εἶναι τοὺς ταῦτα λέγοντας. ἀλλ' ὅσον μὲν ἡμεῖς
ἀτρεκέως ἐπὶ μακρότατον οἷοί τε ἐγενόμεθα ἀκοῇ ἐξι-
κέσθαι, πᾶν εἰρήσεται. ἀπὸ τοῦ Βορυσθενειτέων ἐμ- 17
πορίου (τοῦτο γὰρ τῶν παραθαλασσίων μεσαίτατόν ἐστι 25
πάσης τῆς Σκυθίης), ἀπὸ τούτου πρῶτοι Καλλιππίδαι
νέμονται ἐόντες Ἕλληνες Σκύθαι, ὑπὲρ δὲ τούτων ἄλλο
ἔθνος, οἳ Ἀλιζῶνες καλέονται. οὗτοι δὲ καὶ οἱ Καλλιπ-
πίδαι τὰ μὲν ἄλλα κατὰ ταὐτὰ Σκύθῃσιν ἐπασκέουσιν, 30
σῖτον δὲ καὶ σπείρουσι καὶ σιτέονται, καὶ κρόμμυα καὶ
σκόροδα καὶ φακοὺς καὶ κέγχρους. ὑπὲρ δὲ Ἀλιζώνων
οἰκέουσι Σκύθαι ἀροτῆρες, οἳ οὐκ ἐπὶ σιτήσει σπεί-
ρουσι τὸν σῖτον ἀλλ' ἐπὶ πρήσει. τούτων δὲ κατύπερθε

οἰκέουσι Νευροί, Νευρῶν δὲ τὸ πρὸς βορῆν ἄνεμον
ἔρημος ἀνθρώπων, ὅσον ἡμεῖς ἴδμεν. ταῦτα μὲν παρὰ
τὸν Ὕπανιν ποταμόν ἐστιν ἔθνεα πρὸς ἑσπέρης τοῦ Βο-
18 ρυσθένεος. ἀτὰρ διαβάντι τὸν Βορυσθένεα ἀπὸ θαλάσ-
5 σης πρῶτον μὲν ἡ Ὑλαίη, ἀπὸ δὲ ταύτης ἄνω ἰόντι
οἰκέουσι Σκύθαι γεωργοί, τοὺς Ἕλληνες οἱ οἰκέοντες
ἐπὶ τῷ Ὑπάνι ποταμῷ καλέουσι Βορυσθενείτας, σφέας
δὲ αὐτοὺς Ὀλβιοπολίτας. οὗτοι ὧν οἱ γεωργοὶ Σκύθαι
νέμονται τὸ μὲν πρὸς τὴν ἠῶ ἐπὶ τρεῖς ἡμέρας ὁδοῦ,
10 κατήκοντες ἐπὶ ποταμόν, τῷ ὄνομα κεῖται Παντικάπης,
τὸ δὲ πρὸς βορῆν ἄνεμον πλόον ἀνὰ τὸν Βορυσθένεα
ἡμερέων ἕνδεκα· ἡ δὲ κατύπερθε τούτων ἔρημός ἐστιν
ἐπὶ πολλόν. μετὰ δὲ τὴν ἔρημον Ἀνδροφάγοι οἰκέου-
σιν, ἔθνος ἐὸν ἴδιον καὶ οὐδαμῶς Σκυθικόν. τὸ δὲ τού-
15 των κατύπερθε ἔρημος ἤδη ἀληθέως καὶ ἔθνος ἀνθρώ-
19 πων οὐδέν, ὅσον ἡμεῖς ἴδμεν. τὸ δὲ πρὸς τὴν ἠῶ τῶν
γεωργῶν τούτων Σκυθέων διαβάντι τὸν Παντικάπην
ποταμὸν νομάδες ἤδη Σκύθαι νέμονται, οὔτε τι σπεί-
ροντες οὐδὲν οὔτε ἀροῦντες· ψιλὴ δὲ δενδρέων ἡ πᾶσα
20 αὕτη πλὴν τῆς Ὑλαίης. οἱ δὲ νομάδες οὗτοι τὸ πρὸς
τὴν ἠῶ ἡμερέων τεσσέρων καὶ δέκα ὁδὸν νέμονται χώρην
20 κατατείνουσαν ἐπὶ ποταμὸν Γέρρον. πέρην δὲ τοῦ Γέρ-
ρου ταῦτα δὴ τὰ καλεόμενα βασιλήϊά ἐστι καὶ Σκύ-
θαι οἱ ἄριστοί τε καὶ πλεῖστοι καὶ τοὺς ἄλλους νομί-
25 ζοντες Σκύθας δούλους σφετέρους εἶναι· κατήκουσι δὲ
οὗτοι τὸ μὲν πρὸς μεσαμβρίην ἐς τὴν Ταυρικήν, τὸ δὲ
πρὸς ἠῶ ἐπί τε τάφρον, τὴν δὴ οἱ ἐκ τῶν τυφλῶν
γενόμενοι ὤρυξαν, καὶ ἐπὶ τῆς λίμνης τῆς Μαιήτιδος
τὸ ἐμπόριον, τὸ καλεῖται Κρημνοί· τὰ δὲ αὐτῶν κατή-
30 κουσιν ἐπὶ ποταμὸν Τάναϊν. τὰ δὲ κατύπερθε πρὸς βο-
ρῆν ἄνεμον τῶν βασιληίων Σκυθέων οἰκέουσι Μελάγ-
χλαινοι, ἄλλο ἔθνος καὶ οὐ Σκυθικόν. Μελαγχλαίνων
δὲ τὸ κατύπερθε λίμναι καὶ ἔρημός ἐστιν ἀνθρώπων,
κατ' ὅσον ἡμεῖς ἴδμεν.

Τάναϊν δὲ ποταμὸν διαβάντι οὐκέτι Σκυθική, ἀλλ' **21**
ἡ μὲν πρώτη τῶν λαξίων Σαυροματέων ἐστίν, οἳ ἐκ
τοῦ μυχοῦ ἀρξάμενοι τῆς Μαιήτιδος λίμνης νέμονται τὸ
πρὸς βορῆν ἄνεμον, ἡμερέων πεντεκαίδεκα ὁδόν, πᾶσαν
ἐοῦσαν ψιλὴν καὶ ἀγρίων καὶ ἡμέρων δενδρέων· ὑπεροι- 5
κέουσι δὲ τούτων δευτέρην λάξιν ἔχοντες Βουδῖνοι,
γῆν νεμόμενοι πᾶσαν δασεῖαν ὕλη παντοίῃ. Βουδίνων **22**
δὲ κατύπερθε πρὸς βορῆν ἐστὶ πρώτη μὲν ἔρημος ἐπ'
ἡμερέων ἑπτὰ ὁδόν, μετὰ δὲ τὴν ἔρημον ἀποκλίνοντι
μᾶλλον πρὸς ἀπηλιώτην ἄνεμον νέμονται Θυσσαγέται, 10
ἔθνος πολλὸν καὶ ἴδιον· ζῶσι δὲ ἀπὸ θήρης. συνεχεῖς
δὲ τούτοισιν ἐν τοῖς αὐτοῖσι τόποισι κατοικημένοι εἰσίν,
τοῖς ὄνομα κεῖται Ἰύρκαι, καὶ οὗτοι ἀπὸ θήρης ζῶντες
τρόπῳ τοιῷδε· λοχᾷ ἐπὶ δένδρεον ἀναβάς, τὰ δέ ἐστι
πυκνὰ ἀνὰ πᾶσαν τὴν χώρην· ἵππος δὲ ἑκάστῳ δεδιδαγ- 15
μένος ἐπὶ γαστέρα κεῖσθαι ταπεινότητος εἵνεκα ἔτοιμός
ἐστι καὶ κύων· ἐπεὰν δὲ ἀπίδη τὸ θηρίον ἀπὸ τοῦ δεν-
δρέου, τοξεύσας ἐπιβὰς ἐπὶ τὸν ἵππον διώκει, καὶ ὁ κύων
ἔχεται. ὑπὲρ δὲ τούτων τὸ πρὸς τὴν ἠῶ ἀποκλίνοντι
οἰκέουσι Σκύθαι ἄλλοι, ἀπὸ τῶν βασιληίων Σκυθέων 20
ἀποστάντες καὶ οὕτως ἀπικόμενοι ἐς τοῦτον τὸν χῶρον.

Μέχρι μὲν δὴ τῆς τούτων τῶν Σκυθέων χώρης ἐστὶν **23**
ἡ καταλεχθεῖσα πᾶσα πεδιάς τε γῆ καὶ βαθύγαιος, τὸ δ'
ἀπὸ τούτου λιθώδης τέ ἐστι καὶ τρηχεῖα. διεξελθόντι
δὲ καὶ τῆς τρηχείης χῶρον πολλὸν οἰκέουσιν ὑπώρειαν 25
ὀρέων ὑψηλῶν ἄνθρωποι λεγόμενοι εἶναι πάντες
φαλακροὶ ἐκ γενετῆς γινόμενοι, καὶ ἔρσενες καὶ θήλειαι
ὁμοίως, καὶ σιμοὶ καὶ γένεια ἔχοντες μεγάλα, φωνὴν δὲ
ἰδίην ἱέντες, ἐσθῆτι δὲ χρεώμενοι Σκυθικῇ, ζῶντες δὲ
ἀπὸ δενδρέων. ποντικὸν μὲν ὄνομα τῷ δενδρέῳ, ἀπ' οὗ 30
ζῶσιν, μέγαθος δὲ κατὰ συκῆν μάλιστά κη· καρπὸν δὲ
φορεῖ κυάμῳ ἴσον, πυρῆνα δὲ ἔχει· τοῦτο ἐπεὰν γένηται
πέπον, σακκέουσιν ἱματίοισιν, ἀπορρεῖ δὲ ἀπ' αὐτοῦ παχὺ
καὶ μέλαν, ὄνομα δὲ τῷ ἀπορρέοντί ἐστιν ἄσχυ. τοῦτο

καὶ λείχουσι καὶ γάλακτι συμμίσγοντες πίνουσιν, καὶ ἀπὸ
τῆς παχύτητος αὐτοῦ τῆς τρυγὸς παλάθας συντιθεῖσι καὶ
ταύτας σιτέονται. πρόβατα γάρ σφιν οὐ πολλά ἐστιν·
οὐ γάρ τι σπουδαῖαι αἱ νομαὶ αὐτόθι εἰσίν. ὑπὸ δεν-
5 δρέῳ δὲ ἕκαστος κατοίκηται, τὸν μὲν χειμῶνα ἐπεὰν τὸ
δένδρεον περικαλύψῃ πίλῳ στεγνῷ λευκῷ, τὸ δὲ θέρος
ἄνευ πίλου. τούτους οὐδεὶς ἀδικεῖ ἀνθρώπων· ἱροὶ γὰρ
λέγονται εἶναι. οὐδέ τι ἀρήιον ὅπλον ἐκτέαται. καὶ
τοῦτο μὲν τοῖς περιοικέουσιν οὗτοί εἰσιν οἱ τὰς διαφορὰς
10 διαιρέοντες, τοῦτο δέ, ὃς ἂν φεύγων καταφύγῃ ἐς τού-
τους, ὑπ' οὐδενὸς ἀδικεῖται· ὄνομα δέ σφίν ἐστιν Ἀρ-
γιππαῖοι.

24 Μέχρι μέν νυν τῶν φαλακρῶν τούτων πολλὴ
περιφανείη τῆς χώρης ἐστὶ καὶ τῶν ἔμπροσθε ἐθνέων·
15 καὶ γὰρ Σκυθέων τινὲς ἀπικνέονται ἐς αὐτούς, τῶν οὐ
χαλεπόν ἐστι πυθέσθαι, καὶ Ἑλλήνων τῶν ἐκ Βορυσθέ-
νεός τε ἐμπορίου καὶ τῶν ἄλλων Ποντικῶν ἐμπορίων.
Σκυθέων δὲ οἵ ἂν ἔλθωσιν ἐς αὐτούς, δι' ἑπτὰ ἑρμη-
25 νέων καὶ δι' ἑπτὰ γλωσσέων διαπρήσσονται. μέχρι μὲν
δὴ τούτων γινώσκεται, τὸ δὲ τῶν φαλακρῶν κατύ-
21 περθε οὐδεὶς ἀτρεκέως οἶδε φράσαι· ὄρεα γὰρ ὑψηλὰ
ἀποτάμνει ἄβατα καὶ οὐδεὶς σφεα ὑπερβαίνει· οἱ δὲ φα-
λακροὶ οὗτοι λέγουσιν, ἐμοὶ μὲν οὐ πιστὰ λέγοντες, οἰκεῖν
τὰ ὄρεα αἰγίποδας ἄνδρας, ὑπερβάντι δὲ τούτους ἀνθρώ-
25 πους ἄλλους, οἳ τὴν ἑξάμηνον καθεύδουσιν· τοῦτο δὲ οὐκ
ἐνδέκομαι ἀρχήν. ἀλλὰ τὸ μὲν πρὸς ἠῶ τῶν φαλακρῶν
γινώσκεται ἀτρεκέως ὑπὸ Ἰσσηδόνων οἰκεόμενον, τὸ μέν-
τοι κατύπερθε πρὸς βορῆν ἄνεμον οὐ γινώσκεται οὔτε
τῶν φαλακρῶν οὔτε τῶν Ἰσσηδόνων, εἰ μὴ ὅσα αὐτῶν
26 τούτων λεγόντων. νόμοισι δὲ Ἰσσηδόνες τοιοῖσδε
31 λέγονται χρῆσθαι· ἐπεὰν ἀνδρὶ ἀποθάνῃ πατήρ, οἱ
προσήκοντες πάντες προσάγουσι πρόβατα καὶ ἔπειτα ταῦτα
θύσαντες καὶ καταταμόντες τὰ κρέα κατατάμνουσι καὶ
τὸν τοῦ δεκομένου τεθνεῶτα γονέα, ἀναμείξαντες δὲ

πάντα τὰ κρέα δαῖτα προτίθενται. τὴν δὲ κεφαλὴν αὐτοῦ
ψιλώσαντες καὶ ἐκκαθήραντες καταχρυσοῦσι καὶ ἔπειτα
ἅτε ἀγάλματι χρέωνται, θυσίας μεγάλας ἐπετείους ἐπι-
τελέοντες. παῖς δὲ πατρὶ τοῦτο ποιεῖ, κατά περ Ἕλληνες
τὰ γενέσια. ἄλλως δὲ δίκαιοι καὶ οὗτοι λέγονται εἶναι, 5
ἰσοκρατεῖς δὲ ὁμοίως αἱ γυναῖκες τοῖς ἀνδράσιν. γινώ- 27
σκονται μὲν δὴ καὶ οὗτοι, τὸ δὲ ἀπὸ τούτων τὸ κατύ-
περθε Ἰσσηδόνες εἰσὶν οἱ λέγοντες τοὺς μουνοφθάλμους
ἀνθρώπους καὶ τοὺς χρυσοφύλακας γρῦπας εἶναι,
παρὰ δὲ τούτων Σκύθαι παραλαβόντες λέγουσιν· παρὰ δὲ 10
Σκυθέων ἡμεῖς οἱ ἄλλοι νενομίκαμεν, καὶ ὀνομάζομεν
αὐτοὺς Σκυθιστὶ Ἀριμασπούς· ἄριμα γὰρ ἓν καλέουσι
Σκύθαι, σποῦ δὲ ὀφθαλμόν.

Δυσχείμερος δὲ αὕτη ἡ καταλεχθεῖσα πᾶσα 28
χώρη οὕτω δή τί ἐστιν, ἔνθα τοὺς μὲν ὀκτὼ τῶν μηνῶν 15
ἀφόρητος οἷος γίνεται κρυμός, ἐν τοῖς ὕδωρ ἐκχέας πη-
λὸν οὐ ποιήσεις, πῦρ δὲ ἀνακαίων ποιήσεις πηλόν· ἡ δὲ
θάλασσα πήγνυται καὶ ὁ Βόσπορος πᾶς ὁ Κιμμέριος, καὶ
ἐπὶ τοῦ κρυστάλλου οἱ ἐντὸς τάφρου Σκύθαι κατοικημένοι
στρατεύονται καὶ τὰς ἁμάξας ἐπελαύνουσι πέρην ἐς τοὺς 20
Σίνδους. οὕτω μὲν δὴ τοὺς ὀκτὼ μῆνας διατελεῖ χειμὼν
ἐών, τοὺς δ' ἐπιλοίπους τέσσερας ψύχεα αὐτόθι ἐστίν.
κεχώρισται δὲ οὗτος ὁ χειμὼν τοὺς τρόπους πᾶσι τοῖς
ἐν ἄλλοισι χωρίοισι γινομένοισι χειμῶσιν, ἐν τῷ τὴν μὲν
ὡραίην οὐκ ὕει λόγου ἄξιον οὐδέν, τὸ δὲ θέρος ὕων οὐκ 25
ἀνιεῖ. βρονταί τε ἦμος τῇ ἄλλῃ γίνονται, τηνικαῦτα μὲν
οὐ γίνονται, θέρεος δὲ ἀμφιλαφεῖς· ἢν δὲ χειμῶνος βροντὴ
γένηται, ὡς τέρας θωμάζεται· ὣς δὲ καὶ ἢν σεισμὸς γέ-
νηται, ἤν τε θέρεος ἤν τε χειμῶνος, ἐν τῇ Σκυθικῇ τέρας
νενόμισται. ἵπποι δὲ ἀνεχόμενοι φέρουσι τὸν χειμῶνα 30
τοῦτον, ἡμίονοι δὲ οὐδὲ ὄνοι οὐκ ἀνέχονται ἀρχήν· τῇ
δὲ ἄλλῃ ἵπποι μὲν ἐν κρυμῷ ἑστεῶτες ἀποσφακελίζουσιν,
ὄνοι δὲ καὶ ἡμίονοι ἀνέχονται. δοκεῖ δέ μοι καὶ τὸ 29
γένος τῶν βοῶν τὸ κόλον διὰ ταῦτα οὐ φύειν κέρεα

αὐτόθι· μαρτυρεῖ δέ μοι τῇ γνώμῃ καὶ Ὁμήρου ἔπος ἐν
Ὀδυσσηίῃ ἔχον ὧδε·

Καὶ Διβύην, ὅθι τ᾽ ἄρνες ἄφαρ κεραοὶ τελέθουσι,
ὀρθῶς εἰρημένον, ἐν τοῖσι θερμοῖσι ταχὺ παραγίνεσθαι
5 τὰ κέρεα. ἐν δὲ τοῖς ἰσχυροῖσι ψύχεσιν ἢ οὐ φύει κέρεα
τὰ κτήνεα ἀρχὴν ἢ φύοντα φύει μόγις.

30   Ἐνθαῦτα μέν νυν διὰ τὰ ψύχεα γίνεται ταῦτα· θω-
μάζω δέ (προσθήκας γὰρ δή μοι ὁ λόγος ἐξ ἀρχῆς ἐδί-
ζητο), ὅτι ἐν τῇ Ἠλείῃ πάσῃ χώρῃ οὐ δυνέαται
10 γίνεσθαι ἡμίονοι, οὔτε ψυχροῦ τοῦ χώρου ἐόντος οὔτε
ἄλλου φανεροῦ αἰτίου οὐδενός. φασὶ δὲ αὐτοὶ Ἠλεῖοι
ἐκ κατάρης τέο οὐ γίνεσθαι σφίσιν ἡμιόνους. ἀλλ᾽ ἐπεὰν
προσίῃ ἡ ὥρη κυΐσκεσθαι τὰς ἵππους, ἐξελαύνουσιν ἐς
τοὺς πλησιοχώρους αὐτὰς καὶ ἔπειτά σφιν ἐν τῇ τῶν
15 πέλας ἐπιεῖσι τοὺς ὄνους, ἐς ὃ ἂν σχῶσιν αἱ ἵπποι ἐν
γαστρί· ἔπειτα δὲ ὀπίσω ἀπελαύνουσιν.

31   Περὶ δὲ τῶν πτερῶν, τῶν Σκύθαι λέγουσιν ἀνά-
πλεον εἶναι τὸν ἠέρα, καὶ τούτων εἵνεκα οὐκ οἷά τε
εἶναι οὔτε ἰδεῖν τὸ πρόσω τῆς ἠπείρου οὔτε διεξιέναι,
20 τήνδε ἔχω περὶ αὐτῶν γνώμην· τὰ κατύπερθε ταύτης τῆς
χώρης αἰεὶ νίφεται, ἐλάσσονι δὲ τοῦ θέρεος ἢ τοῦ χει-
μῶνος, ὥσπερ καὶ οἰκός· ἤδη ὧν ὅστις ἀγχόθεν χιόνα
ἁδρὴν πίπτουσαν εἶδεν, οἶδε τὸ λέγω· ἔοικε γὰρ ἡ χιὼν
πτεροῖσιν· καὶ διὰ τὸν χειμῶνα τοῦτον ἐόντα τοιοῦτον
25 ἀνοίκητα τὰ πρὸς βορῆν ἐστὶ τῆς ἠπείρου ταύτης. τὰ
ὧν πτερὰ εἰκάζοντας τὴν χιόνα τοὺς Σκύθας τε καὶ
τοὺς περιοίκους δοκέω λέγειν. ταῦτα μέν νυν τὰ λέγεται
μακρότατα εἴρηται.

32   Ὑπερβορείων δὲ πέρι ἀνθρώπων οὔτε τι Σκύ-
30 θαι λέγουσιν οὔτε τινὲς ἄλλοι τῶν ταύτῃ οἰκημένων, εἰ
μὴ ἄρα Ἰσσηδόνες. ὡς δ᾽ ἐγὼ δοκέω, οὐδ᾽ οὗτοι λέγου-
σιν οὐδέν· ἔλεγον γὰρ ἂν καὶ Σκύθαι, ὡς περὶ τῶν μου-
νοφθάλμων λέγουσιν. ἀλλ᾽ Ἡσιόδῳ μέν ἐστι περὶ Ὑπερ-
βορείων εἰρημένα, ἔστι δὲ καὶ Ὁμήρῳ ἐν Ἐπιγόνοισιν,

εἰ δὴ τῷ ἐόντι γε Ὅμηρος ταῦτα τὰ ἔπεα ἐποίησεν.
πολλῷ δέ τι πλεῖστα περὶ αὐτῶν Δήλιοι λέγουσιν, **33**
φάμενοι ἱρὰ ἐνδεδεμένα ἐν καλάμῃ πυρῶν ἐξ Ὑπερβορέων
φερόμενα ἀπικνεῖσθαι ἐς Σκύθας, ἀπὸ δὲ Σκυθέων ἤδη
δεκομένους αἰεὶ τοὺς πλησιοχώρους ἑκάστους κομίζειν 5
αὐτὰ τὸ πρὸς ἑσπέρης ἑκαστάτω ἐπὶ τὸν Ἀδρίην, ἐνθεῦτεν
δὲ πρὸς μεσαμβρίην προπεμπόμενα πρώτους Δωδωναίους
Ἑλλήνων δέκεσθαι, ἀπὸ δὲ τούτων καταβαίνειν ἐπὶ τὸν
Μηλιέα κόλπον καὶ διαπορεύεσθαι ἐς Εὔβοιαν, πόλιν τε
ἐς πόλιν πέμπειν μέχρι Καρύστου, τὸ δ' ἀπὸ ταύτης 10
ἐκλείπειν Ἄνδρον· Καρυστίους γὰρ εἶναι τοὺς κομίζοντας
ἐς Τῆνον, Τηνίους δὲ ἐς Δῆλον. ἀπικνεῖσθαι μέν νυν
οὕτω ταῦτα τὰ ἱρὰ λέγουσιν ἐς Δῆλον, πρῶτον δὲ τοὺς
Ὑπερβορέους πέμψαι φερούσας τὰ ἱρὰ δύο κούρας, τὰς
ὀνομάζουσι Δήλιοι εἶναι Ὑπερόχην τε καὶ Λαοδίκην· 15
ἅμα δὲ αὐτῇσιν ἀσφαλείης εἵνεκεν πέμψαι τοὺς Ὑπερ-
βορέους τῶν ἀστῶν ἄνδρας πέντε πομπούς, τούτους οἳ
νῦν Περφερεῖς καλέονται, τιμὰς μεγάλας ἐν Δήλῳ ἔχον-
τες. ἐπεὶ δὲ τοῖς Ὑπερβορέοισι τοὺς ἀποπεμφθέντας
ὀπίσω οὐκ ἀπονοστεῖν, δεινὰ ποιευμένους εἰ σφέας αἰεὶ 20
καταλάψεται ἀποστέλλοντας μὴ ἀποδέκεσθαι, οὕτω δὴ
φέροντας ἐς τοὺς οὔρους τὰ ἱρὰ ἐνδεδεμένα ἐν πυρῶν
καλάμῃ τοῖσι πλησιοχώροισιν ἐπισκήπτειν κελεύοντας προ-
πέμπειν σφέα ἀπὸ ἑωυτῶν ἐς ἄλλο ἔθνος. καὶ ταῦτα μὲν
οὕτω προπεμπόμενα ἀπικνεῖσθαι λέγουσιν ἐς Δῆλον· οἶδα 25
δὲ αὐτὸς τούτοισι τοῖς ἱροῖσι τόδε ποιεύμενον προσφερές,
τὰς Θρήσσας καὶ τὰς Παιονίδας γυναῖκας, ἐπεὰν θύωσι
τῇ Ἀρτέμιδι τῇ βασιλείῃ, οὐκ ἄνευ πυρῶν καλάμης ἐρδού-
σας τὰ ἱρά. καὶ ταῦτα μὲν δὴ ταύτας οἶδα ποιεύσας, **34**
τῇσι δὲ παρθένοισι ταύτῃσι τῇσιν ἐξ Ὑπερβορέων τελευ- 30
τησάσῃσιν ἐν Δήλῳ κείρονται καὶ αἱ κοῦραι καὶ οἱ παῖ-
δες οἱ Δηλίων· αἱ μὲν πρὸ γάμου πλόκαμον ἀποταμό-
μεναι καὶ περὶ ἄτρακτον εἰλίξασαι ἐπὶ τὸ σῆμα τιθεῖσι
(τὸ δὲ σῆμά ἐστιν ἔσω ἐς τὸ Ἀρτεμίσιον ἐσιόντι ἀριστε-

ῥῆς χειρός, ἐπιπέφυκε δέ οἱ ἐλαίη), ὅσοι δὲ παῖδες τῶν
Δηλίων περὶ χλόην τινὰ εἱλίξαντες τῶν τριχῶν τιθεῖσι
35 καὶ οὗτοι ἐπὶ τὸ σῆμα. αὗται μὲν δὴ ταύτην τιμὴν
ἔχουσι πρὸς τῶν Δήλου οἰκητόρων, φασὶ δὲ οἱ αὐτοὶ
5 οὗτοι καὶ τὴν Ἄργην τε καὶ τὴν Ὦπιν, ἐούσας παρθένους
ἐξ Ὑπερβορέων, κατὰ τοὺς αὐτοὺς τούτους ἀνθρώπους
πορευομένας ἀπικέσθαι ἐς Δῆλον ἔτι πρότερον Ὑπερόχης
τε καὶ Λαοδίκης. ταύτας μέν νυν τῇ Εἰλειθυίῃ ἀπο-
φερούσας ἀντὶ τοῦ ὠκυτόκου τὸν ἐτάξαντο φόρον ἀπι-
10 κέσθαι, τὴν δὲ Ἄργην τε καὶ τὴν Ὦπιν ἅμα αὐτοῖσι
τοῖσι θεοῖσιν ἀπικέσθαι λέγουσι καί σφι τιμὰς ἄλλας
δεδόσθαι πρὸς σφέων· καὶ γὰρ ἀγείρειν σφι τὰς γυναῖ-
κας, ἐπονομαζούσας τὰ ὀνόματα ἐν τῷ ὕμνῳ, τόν σφιν
Ὠλὴν ἀνὴρ Λύκιος ἐποίησεν, παρὰ δὲ σφέων μαθόντας
15 νησιώτας τε καὶ Ἴωνας ὑμνεῖν Ὦπίν τε καὶ Ἄργην ὀνο-
μάζοντάς τε καὶ ἀγείροντας. (οὗτος δὲ ὁ Ὠλὴν καὶ
τοὺς ἄλλους τοὺς παλαιοὺς ὕμνους ἐποίησεν ἐκ Λυκίης
ἐλθὼν τοὺς ἀειδομένους ἐν Δήλῳ), καὶ τῶν μηρίων
καταγιζομένων ἐπὶ τῷ βωμῷ τὴν σποδὸν ταύτην ἐπὶ
20 τὴν θήκην τὴν Ὦπιός τε καὶ Ἄργης ἀναισιμοῦσθαι
ἐπιβαλλομένην. ἡ δὲ θήκη αὐτέων ἐστὶν ὄπισθε τοῦ
Ἀρτεμισίου, πρὸς ἠῶ τετραμμένη, ἀγχοτάτω τοῦ Κηίων
ἱστιητορίου.

86 . Καὶ ταῦτα μὲν Ὑπερβορέων πέρι εἰρήσθω. τὸν γὰρ
25 περὶ Ἀβάριος λόγον τοῦ λεγομένου εἶναι Ὑπερβορέου
οὐ λέγω, λέγοντα ὡς τὸν ὀιστὸν περιέφερε κατὰ πᾶσαν
γῆν οὐδὲν σιτεόμενος. εἰ δέ εἰσιν ὑπερβόρειοί τινες
ἄνθρωποι, εἰσὶ καὶ ὑπερνότιοι ἄλλοι. γελῶ δὲ ὁρέων
γῆς περιόδους γράψαντας πολλοὺς ἤδη καὶ οὐδένα
30 νουνεχόντως ἐξηγησάμενον· οἳ Ὠκεανόν τε ῥέοντα
γράφουσι πέριξ τὴν γῆν, ἐοῦσαν κυκλοτερέα ὡς ἀπὸ
τόρνου, καὶ τὴν Ἀσίην τῇ Εὐρώπῃ ποιέουσιν ἴσην.
ἐν ὀλίγοισι γὰρ ἐγὼ δηλώσω μέγαθός τε ἑκάστης
αὐτέων καὶ οἵη τίς ἐστιν ἐς γραφὴν ἑκάστη.

'Ασίην μὲν Πέρσαι οἰκέουσι κατήκοντες ἐπὶ τὴν 37
νοτίην θάλασσαν τὴν Ἐρυθρὴν καλεομένην· τούτων δ'
ὑπεροικέουσι πρὸς βορέω ἀνέμου Μῆδοι, Μήδων δὲ Σά-
σπειρες, Σασπείρων δὲ Κόλχοι κατήκοντες ἐπὶ τὴν βο-
ρηίην θάλασσαν, ἐς τὴν Φᾶσις ποταμὸς ἐκδιδοῖ. ταῦτα 5
τέσσερα ἔθνεα οἰκεῖ ἐκ θαλάσσης ἐς θάλασσαν. ἐνθεῦτεν 38
δὲ τὸ πρὸς ἑσπέρης ἀκταὶ διφάσιαι ἀπ' αὐτῆς κατατεί-
νουσιν ἐς θάλασσαν, τὰς ἐγὼ ἀπηγήσομαι. ἔνθεν μὲν ἡ
ἀκτὴ ἡ ἑτέρη τὰ πρὸς βορῆν ἀπὸ Φάσιος ἀρξαμένη παρα-
τέταται ἐς θάλασσαν παρά τε τὸν Πόντον καὶ τὸν Ἑλλήσ- 10
ποντον μέχρι Σιγείου τοῦ Τρωικοῦ, τὰ δὲ πρὸς νότου
ἡ αὐτὴ αὕτη ἀκτὴ ἀπὸ τοῦ Μυριανδικοῦ κόλπου τοῦ
πρὸς Φοινίκῃ κειμένου τείνει τὰ ἐς θάλασσαν μέχρι Τριο-
πίου ἄκρης. οἰκεῖ δ' ἐν τῇ ἀκτῇ ταύτῃ ἔθνεα ἀνθρώπων
τριήκοντα. αὕτη μέν νυν ἡ ἑτέρη τῶν ἀκτέων, ἡ δὲ δὴ 39
ἑτέρη ἀπὸ Περσέων ἀρξαμένη παρατέταται ἐς τὴν Ἐρυ- 16
θρὴν θάλασσαν, ἥ τε Περσικὴ καὶ ἀπὸ ταύτης ἐκδεκο-
μένη ἡ Ἀσσυρίη καὶ ἀπὸ Ἀσσυρίης ἡ Ἀραβίη· λήγει δὲ
αὕτη, οὐ λήγουσα εἰ μὴ νόμῳ, ἐς τὸν κόλπον τὸν Ἀρά-
βιον, ἐς τὸν Δαρεῖος ἐκ τοῦ Νείλου διώρυχα ἐσήγαγεν. 20
μέχρι μὲν νυν Φοινίκης ἀπὸ Περσέων χῶρος πλατὺς καὶ
πολλός ἐστιν, τὸ δ' ἀπὸ Φοινίκης παρήκει διὰ τῆσδε τῆς
θαλάσσης ἡ ἀκτὴ αὕτη παρά τε Συρίην τὴν Παλαιστίνην
καὶ Αἴγυπτον, ἐς τὴν τελευτᾷ· ἐν τῇ ἔθνεά ἐστι τρία
μοῦνα. ταῦτα μὲν ἀπὸ Περσέων τὰ πρὸς ἑσπέρης τῆς 40
Ἀσίης ἔχοντά ἐστιν, τὰ δὲ κατύπερθε Περσέων καὶ Μήδων 25
καὶ Σασπείρων καὶ Κόλχων, τὰ πρὸς ἠῶ τε καὶ ἥλιον
ἀνατέλλοντα, ἔνθεν μὲν ἡ Ἐρυθρὴ παρήκει θάλασσα,
πρὸς βορέω δὲ ἡ Κασπίη τε θάλασσα καὶ ὁ Ἀράξης
ποταμός, ῥέων πρὸς ἥλιον ἀνίσχοντα. μέχρι δὲ τῆς 30
Ἰνδικῆς οἰκεῖται ἡ Ἀσίη· τὸ δὲ ἀπὸ ταύτης ἔρημος ἤδη
τὸ πρὸς τὴν ἠῶ, οὐδὲ ἔχει οὐδεὶς φράσαι οἷον δή τι ἐστίν.

Τοιαύτη μὲν καὶ τοσαύτη ἡ Ἀσίη ἐστίν, ἡ δὲ Λιβύη 41
ἐν τῇ ἀκτῇ τῇ ἑτέρῃ ἐστίν· ἀπὸ γὰρ Αἰγύπτου Λιβύη

ἤδη ἐκδέκεται. κατὰ μέν νυν Αἴγυπτον ἡ ἀκτὴ αὕτη
στεινή ἐστιν· ἀπὸ γὰρ τῆσδε τῆς θαλάσσης ἐς τὴν Ἐρυ-
θρὴν θάλασσαν δέκα μυριάδες εἰσὶν ὀργυιῶν, αὗται δ᾽
ἂν εἶεν χίλιοι στάδιοι· τὸ δὲ ἀπὸ τοῦ στεινοῦ τούτου
5 κάρτα πλατεῖα τυγχάνει ἐοῦσα ἡ ἀκτή, ἥτις Λιβύη κέκλη-
42 ται. θωμάζω ὦν τῶν διουρισάντων καὶ διελόντων Λι-
βύην τε καὶ Ἀσίην καὶ Εὐρώπην· οὐ γὰρ σμικρὰ τὰ δια-
φέροντα αὐτέων ἐστίν· μήκει μὲν γὰρ παρ᾽ ἀμφοτέρας
παρήκει ἡ Εὐρώπη, εὔρεος δὲ πέρι οὐδὲ συμβάλλειν ἀξίη
10 φαίνεταί μοι εἶναι. Λιβύη μὲν γὰρ δηλοῖ ἑωυτὴν ἐοῦσα
περίρρυτος, πλὴν ὅσον αὐτῆς πρὸς τὴν Ἀσίην οὐρίζει,
Νεκῶ τοῦ Αἰγυπτίων βασιλέος πρῶτον τῶν ἡμεῖς ἴδμεν
καταδέξαντος, ὃς ἐπείτε τὴν διώρυχα ἐπαύσατο ὀρύσσων
τὴν ἐκ τοῦ Νείλου διέχουσαν ἐς τὸν Ἀράβιον κόλπον,
15 ἀπέπεμψε Φοίνικας ἄνδρας πλοίοισιν, ἐντειλά-
μενος ἐς τὸ ὀπίσω δι᾽ Ἡρακλείων στηλέων διεκ-
πλεῖν, ἕως ἐς τὴν βορηίην θάλασσαν καὶ οὕτως ἐς Αἴ-
γυπτον ἀπικνεῖσθαι. ὁρμηθέντες ὦν οἱ Φοίνικες ἐκ τῆς
Ἐρυθρῆς θαλάσσης ἔπλεον τὴν νοτίην θάλασσαν· ὅκως
20 δὲ γίνοιτο φθινόπωρον, προσίσχοντες ἂν σπείρεσκον τὴν
γῆν, ἵνα ἑκάστοτε τῆς Λιβύης πλέοντες γινοίατο, καὶ
μένεσκον τὸν ἄμητον· θερίσαντες δ᾽ ἂν τὸν σῖτον ἔπλεον,
ὥστε δύο ἐτέων διεξελθόντων τρίτῳ ἔτει κάμψαντες Ἡρα-
κλείας στήλας ἀπίκοντο ἐς Αἴγυπτον. καὶ ἔλεγον ἐμοὶ
25 μὲν οὐ πιστά, ἄλλῳ δὲ δή τεῳ, ὡς περιπλέοντες τὴν Λι-
43 βύην τὸν ἥλιον ἔσχον ἐς τὰ δεξιά. οὕτω μὲν αὕτη
ἐγνώσθη τὸ πρῶτον, μετὰ δὲ Καρχηδόνιοί εἰσιν οἱ λέ-
γοντες περιπλῶσαι, ἐπεὶ Σατάσπης γε ὁ Τεάσπιος ἀνὴρ
Ἀχαιμενίδης οὐ περιέπλωσε Λιβύην, ἐπ᾽ αὐτὸ τοῦτο
30 πεμφθείς, ἀλλὰ δείσας τό τε μῆκος τοῦ πλόου καὶ τὴν
ἐρημίην ἀπῆλθεν ὀπίσω, οὐδ᾽ ἐπετέλεσε τὸν ἐπέταξέν οἱ
ἡ μήτηρ ἄεθλον. θυγατέρα γὰρ Ζωπύρου τοῦ Μεγα-
βύζου ἐβιήσατο παρθένον· ἔπειτα μέλλοντος αὐτοῦ διὰ
ταύτην τὴν αἰτίην ἀνασκολοπιεῖσθαι ὑπὸ Ξέρξεω βασι-

λέος ἡ μήτηρ τοῦ Σατάσπεος ἐοῦσα Δαρείου ἀδελφεὴ
παραιτήσατο, φᾶσά οἱ αὐτὴ μέζω ζημίην ἐπιθήσειν ἤ περ
ἐκεῖνον. Διβύην γὰρ οἱ ἀνάγκην ἔσεσθαι περιπλεῖν, ἐς
ὃ ἂν ἀπίκηται περιπλέων αὐτὴν ἐς τὸν Ἀράβιον κόλπον.
συγχωρήσαντος δὲ Ξέρξεω ἐπὶ τούτοισιν ὁ Σατάσπης ἀπι-
κόμενος ἐς Αἴγυπτον καὶ λαβὼν νέα τε καὶ ναύτας παρὰ
τούτων ἔπλει ἐπὶ Ἡρακλείας στήλας· διεκπλώσας δὲ καὶ
κάμψας τὸ ἀκρωτήριον τῆς Διβύης, τῷ ὄνομα Σολόεις
ἐστίν, ἔπλει πρὸς μεσαμβρίην, περήσας δὲ θάλασσαν πολ-
λὴν ἐν πολλοῖσι μησίν, ἐπείτε τοῦ πλέονος αἰεὶ ἔδει,
ἀποστρέψας ὀπίσω ἀπέπλει ἐς Αἴγυπτον. ἐκ δὲ ταύτης
ἀπικόμενος παρὰ βασιλέα Ξέρξην ἔλεγε φὰς τὰ προσω-
τάτω ἀνθρώπους μικροὺς παραπλεῖν ἐσθῆτι φοινικηίῃ
διαχρεωμένους, οἵ, ὅκως σφεῖς καταγοίατο τῇ νηί, φεύ-
γεσκον πρὸς τὰ ὄρεα καταλείποντες τὰς πόλις· αὐτοὶ δὲ
ἀδικεῖν οὐδὲν ἐσιόντες, πρόβατα δὲ μοῦνα ἐξ αὐτῶν λαμ-
βάνειν. τοῦ δὲ μὴ περιπλῶσαι Διβύην παντελέως αἴτιον
τόδε ἔλεγεν, τὸ πλοῖον τὸ πρόσω οὐ δυνατὸν ἔτι εἶναι
προβαίνειν ἀλλ᾽ ἐνίσχεσθαι. Ξέρξης δὲ οὔ οἱ συγγι-
νώσκων λέγειν ἀληθέα οὐκ ἐπιτελέσαντά τε τὸν προκεί-
μενον ἄεθλον ἀνεσκολόπισεν, τὴν ἀρχαίην δίκην ἐπιτιμῶν.
τούτου δὲ τοῦ Σατάσπεος εὐνοῦχος ἀπέδρη ἐς Σάμον,
ἐπείτε ἐπύθετο τάχιστα τὸν δεσπότην τετελευτηκότα, ἔχων
χρήματα μεγάλα, τὰ Σάμιος ἀνὴρ κατέσχεν, τοῦ · ἐπιστά-
μενος τὸ ὄνομα ἑκὼν ἐπιλήθομαι.

Τῆς δὲ Ἀσίης τὰ πολλὰ ὑπὸ Δαρείου ἐξευρέθη, **44**
ὃς βουλόμενος Ἰνδὸν ποταμόν, ὃς κροκοδείλους δεύτερος
οὗτος ποταμῶν πάντων παρέχεται, τοῦτον τὸν ποταμὸν
εἰδέναι τῇ ἐς θάλασσαν ἐκδιδοῖ, πέμπει πλοίοισιν ἄλλους
τε τοῖς ἐπίστευε τὴν ἀληθείην ἐρεῖν καὶ δὴ καὶ Σκύ-
λακα ἄνδρα Καρυανδέα. οἱ δὲ ὁρμηθέντες ἐκ Κασπα-
τύρου τε πόλιος καὶ τῆς Πακτυικῆς γῆς ἔπλεον κατὰ
ποταμὸν πρὸς ἠῶ τε καὶ ἡλίου ἀνατολὰς ἐς θάλασσαν,
διὰ θαλάσσης δὲ πρὸς ἑσπέρην πλέοντες τριηκοστῷ μηνὶ

ἀπικνέονται ἐς τοῦτον τὸν χῶρον, ὅθεν ὁ Αἰγυπτίων
βασιλεὺς τοὺς Φοίνικας τοὺς πρότερον εἶπα ἀπέστειλε
περιπλεῖν Λιβύην. μετὰ δὲ τούτους περιπλώσαντας Ἰν-
δούς τε κατεστρέψατο Δαρεῖος καὶ τῇ θαλάσσῃ ταύτῃ
5 ἐχρῆτο. οὕτω καὶ τῆς Ἀσίης, πλὴν τὰ πρὸς ἥλιον
ἀνίσχοντα, τὰ ἄλλα ἀνεύρηται ὅμοια παρεχομένη τῇ
Λιβύῃ.

45 Ἡ δὲ Εὐρώπη πρὸς οὐδαμῶν φανερή ἐστι γινω-
σκομένη, οὔτε τὰ πρὸς ἥλιον ἀνατέλλοντα οὔτε τὰ πρὸς
10 βορῆν, εἰ περίρρυτός ἐστιν· μήκει δὲ γινώσκεται παρ'
ἀμφοτέρας παρήκουσα. οὐδ' ἔχω συμβαλέσθαι ἐπ' ὅτεο
μιῇ ἐούσῃ γῇ ὀνόματα τριφάσια κεῖται, ἐπωνυμίας
ἔχοντα γυναικῶν, καὶ οὐρίσματα αὐτῇ Νεῖλός τε ὁ Αἰ-
γύπτιος ποταμὸς ἐτέθη καὶ Φᾶσις ὁ Κόλχος (οἱ δὲ Τά-
15 ναῖν ποταμὸν τὸν Μαιήτην καὶ Πορθμήια τὰ Κιμμέρια
λέγουσιν), οὐδὲ τῶν διουρισάντων τὰ ὀνόματα πυθέσθαι,
καὶ ὅθεν ἔθεντο τὰς ἐπωνυμίας. ἤδη γὰρ Λιβύη μὲν ἐπὶ
Λιβύης λέγεται ὑπὸ τῶν πολλῶν Ἑλλήνων ἔχειν τὸ ὄνομα
γυναικὸς αὐτόχθονος, ἡ δὲ Ἀσίη ἐπὶ τῆς Προμηθέος
20 γυναικὸς τὴν ἐπωνυμίην. καὶ τούτου μὲν μεταλαμβά-
νονται τοῦ ὀνόματος Λυδοί, φάμενοι ἐπὶ Ἀσίω τοῦ Κότυος
τοῦ Μάνεω κεκλῆσθαι τὴν Ἀσίην, ἀλλ' οὐκ ἐπὶ τῆς Προ-
μηθέος Ἀσίης· ἀπ' ὅτεο καὶ τὴν ἐν Σάρδισι φυλὴν κε-
κλῆσθαι Ἀσιάδα. ἡ δὲ δὴ Εὐρώπη οὔτε εἰ περίρρυτός
25 ἐστι γινώσκεται πρὸς οὐδαμῶν ἀνθρώπων, οὔτε ὁκόθεν
τὸ ὄνομα ἔλαβε τοῦτο, οὔτε ὅστις οἱ ἦν ὁ θέμενος φαί-
νεται, εἰ μὴ ἀπὸ τῆς Τυρίης φήσομεν Εὐρώπης λαβεῖν
τὸ ὄνομα τὴν χώρην· πρότερον δὲ ἦν ἄρα ἀνώνυμος
ὥσπερ αἱ ἕτεραι. ἀλλ' αὕτη γε ἐκ τῆς Ἀσίης τε φαίνε-
30 ται ἐοῦσα καὶ οὐκ ἀπικομένη ἐς τὴν γῆν ταύτην, ἥτις
νῦν ὑπὸ Ἑλλήνων Εὐρώπη καλεῖται, ἀλλ' ὅσον ἐκ Φοι-
νίκης ἐς Κρήτην, ἐκ Κρήτης δὲ ἐς Λυκίην. ταῦτα μέν
νυν ἐπὶ τοσοῦτον εἰρήσθω· τοῖσι γὰρ νομιζομένοισιν
αὐτῶν χρησόμεθα.

Ὁ δὲ Πόντος ὁ Εὔξεινος, ἐπ᾽ ὃν ἐστρατεύετο ὁ Δα- 46
ρεῖος, χωρέων πασέων παρέχεται ἔξω τοῦ Σκυθικοῦ
ἔθνεα ἀμαθέστατα· οὔτε γὰρ ἔθνος τῶν ἐντὸς τοῦ Πόν-
του οὐδὲν ἔχομεν προβαλέσθαι σοφίης πέρι οὔτε ἄνδρα
λόγιμον οἴδαμεν γενόμενον, πάρεξ τοῦ Σκυθικοῦ ἔθνεος 5
καὶ Ἀναχάρσιος. τῷ δὲ Σκυθικῷ γένει ἓν μὲν τὸ
μέγιστον τῶν ἀνθρωπηίων πρηγμάτων σοφώτατα πάν-
των ἐξεύρηται τῶν ἡμεῖς ἴδμεν, τὰ μέντοι ἄλλα οὐκ
ἄγαμαι. τὸ δὲ μέγιστον οὕτω σφιν ἀνεύρηται ὥστε ἀπο-
φυγεῖν τε μηδένα ἐπελθόντα ἐπὶ σφέας, μὴ βουλομένους 10
τε ἐξευρεθῆναι καταλαβεῖν μὴ οἷόν τε εἶναι· τοῖς γὰρ
μήτε ἄστεα μήτε τείχεα ᾖ ἐκτισμένα, ἀλλὰ φερέοικοι ἐόντες
πάντες ἔωσιν ἱπποτοξόται, ζῶντες μὴ ἀπ᾽ ἀρότου ἀλλ᾽
ἀπὸ κτηνέων, οἰκήματά τέ σφιν ᾖ ἐπὶ ζευγέων, κῶς οὐκ
ἂν εἴησαν οὗτοι ἄμαχοί τε καὶ ἄποροι προσμίσγειν; ἐξεύ- 47
ρηται δέ σφι ταῦτα τῆς τε γῆς ἐούσης ἐπιτηδέης καὶ τῶν 15
ποταμῶν ἐόντων σφι συμμάχων· ἥ τε γὰρ γῆ ἐοῦσα πε-
διὰς αὕτη ποιώδης τε καὶ εὔυδρός ἐστιν, ποταμοί τε δι᾽
αὐτῆς ῥέουσιν οὐ πολλῷ τεῳ ἀριθμὸν ἐλάσσονες τῶν
ἐν Αἰγύπτῳ διωρύχων. ὅσοι δὲ ὀνομαστοί τέ εἰσιν 20
αὐτῶν καὶ προσπλωτοὶ ἀπὸ θαλάσσης, τούτους ὀνο-
μανέω. Ἴστρος μὲν πεντάστομος, μετὰ δὲ Τύρης τε καὶ
Ὕπανις καὶ Βορυσθένης καὶ Παντικάπης καὶ Ὑπάκυρις
καὶ Γέρρος καὶ Τάναϊς· ῥέουσι δὲ οἵδε κατὰ τάδε.

Ἴστρος μέν, ἐὼν μέγιστος ποταμῶν πάντων 48
τῶν ἡμεῖς ἴδμεν, ἴσος αἰεὶ αὐτὸς ἑωυτῷ ῥεῖ καὶ θέρεος 25
καὶ χειμῶνος, πρῶτος δὲ τὸ ἀπ᾽ ἑσπέρης τῶν ἐν τῇ Σκυ-
θικῇ ῥέων κατὰ τοιόνδε μέγιστος γέγονεν, ποταμῶν καὶ
ἄλλων ἐς αὐτὸν ἐκδιδόντων. εἰσὶ δὲ οἵδε οἱ μέγαν αὐτὸν
ποιεῦντες, διὰ μέν γε τῆς Σκυθικῆς χώρης πέντε μεγάλοι 30
ῥέοντες, τόν τε Σκύθαι Πόρατα καλέουσιν, Ἕλληνες δὲ
Πυρετόν, καὶ ἄλλος Τιάραντος καὶ Ἄραρός τε καὶ Νά-
παρις καὶ Ὀρδησσός. ὁ μὲν πρῶτος λεχθεὶς τῶν ποτα-
μῶν μέγας καὶ πρὸς ἠῶ ῥέων ἀνακοινοῦται τῷ Ἴστρῳ τὸ

ὕδωρ, ὁ δὲ δεύτερος λεχθεὶς Τιάραντος πρὸς ἑσπέρης τε
μᾶλλον καὶ ἐλάσσων, ὁ δὲ δὴ Ἄραρός τε καὶ ὁ Νάπαρις
καὶ ὁ Ὀρδησσὸς διὰ μέσου τούτων ἰόντες ἐσβάλλουσιν
ἐς τὸν Ἴστρον. οὗτοι μὲν αὐθιγενεῖς Σκυθικοὶ ποταμοὶ
5 συμπληθύουσιν αὐτόν, ἐκ δὲ Ἀγαθύρσων Μάρις ποταμὸς
49 ῥέων συμμίσγεται τῷ Ἴστρῳ. ἐκ δὲ τοῦ Αἵμου τῶν κο-
ρυφέων τρεῖς ἄλλοι μεγάλοι ῥέοντες πρὸς βορῆν ἄνεμον
ἐσβάλλουσιν ἐς αὐτόν, Ἄτλας καὶ Αὔρας καὶ Τίβισις· διὰ
δὲ Θρῄκης καὶ Θρηκῶν τῶν Κροβύζων ῥέοντες Ἄθρυς
10 καὶ Νόης καὶ Ἀρτάνης ἐκδιδοῦσιν ἐς τὸν Ἴστρον· ἐκ δὲ
Παιόνων καὶ ὄρεος Ῥοδόπης Σκίος ποταμὸς μέσον σχίζων
τὸν Αἷμον ἐκδιδοῖ ἐς αὐτόν. ἐξ Ἰλλυριῶν δὲ ῥέων πρὸς
βορῆν ἄνεμον Ἄγγρος ποταμὸς ἐσβάλλει ἐς πεδίον τὸ
Τριβαλλικὸν καὶ ἐς ποταμὸν Βρόγγον, ὁ δὲ Βρόγγος ἐς
15 τὸν Ἴστρον· οὕτω ἀμφοτέρους ἐόντας μεγάλους ὁ Ἴστρος
δέκεται. ἐκ δὲ τῆς κατύπερθε χώρης Ὀμβρικῶν Κάρπις
ποταμὸς καὶ ἄλλος Ἄλπις πρὸς βορῆν ἄνεμον καὶ οὗτοι
ῥέοντες ἐκδιδοῦσιν ἐς αὐτόν. ῥεῖ γὰρ δὴ διὰ πάσης
τῆς Εὐρώπης ὁ Ἴστρος, ἀρξάμενος ἐκ Κελτῶν, οἳ ἔσχατοι
20 πρὸς ἡλίου δυσμέων μετὰ Κύνητας οἰκέουσι τῶν ἐν τῇ
Εὐρώπῃ· ῥέων δὲ διὰ πάσης τῆς Εὐρώπης ἐς τὰ πλάγια
50 τῆς Σκυθικῆς ἐσβάλλει. τούτων ὦν τῶν καταλεχθέντων
καὶ ἄλλων πολλῶν συμβαλλομένων τὸ σφέτερον ὕδωρ
γίνεται ὁ Ἴστρος ποταμῶν μέγιστος, ἐπεὶ ὕδωρ γε ἓν
25 πρὸς ἓν συμβάλλειν ὁ Νεῖλος πλήθει ἀποκρατεῖ· ἐς γὰρ
δὴ τοῦτον οὔτε ποταμὸς οὔτε κρήνη οὐδεμία ἐκδιδοῦσα
ἐς πλῆθός οἱ συμβάλλεται. ἴσος δὲ αἰεὶ ῥεῖ ἔν τε θέρει
καὶ χειμῶνι ὁ Ἴστρος κατὰ τοιόνδε τι, ὡς ἐμοὶ δοκεῖ·
τοῦ μὲν χειμῶνός ἐστιν ὅσος περ ἐστίν, ὀλίγῳ τε μέζων
30 τῆς ἑωυτοῦ φύσιος γίνεται· ὕεται γὰρ ἡ γῆ αὕτη τοῦ
χειμῶνος πάμπαν ὀλίγῳ, νιφετῷ δὲ πάντα χρῆται. τοῦ
δὲ θέρεος ἡ χιὼν ἡ ἐν τῷ χειμῶνι πεσοῦσα, ἐοῦσα ἀμ-
φιλαφής, τηκομένη πάντοθεν ἐκδιδοῖ ἐς τὸν Ἴστρον.
αὕτη τε δὴ ἡ χιὼν ἐκδιδοῦσα ἐς αὐτὸν συμπληθύει καὶ

ὄμβροι πολλοί τε καὶ λάβροι σὺν αὐτῇ· ὕει γὰρ δὴ τὸ
θέρος. ὅσῳ δὲ πλέον ἐπ' ἑωυτὸν ὕδωρ ὁ ἥλιος ἐπέλ-
κεται ἐν τῷ θέρει ἢ ἐν τῷ χειμῶνι, τοσούτῳ τὰ συμ-
μισγόμενα τῷ Ἴστρῳ πολλαπλήσιά ἐστι τοῦ θέρεος ἤ περ
τοῦ χειμῶνος· ἀντιτιθέμενα δὲ ταῦτα ἀντισήκωσις γίνε- 5
ται, ὥστε ἴσον μιν αἰεὶ φαίνεσθαι ἐόντα.

Εἷς μὲν δὴ τῶν ποταμῶν τοῖσι Σκύθῃσίν ἐστιν ὁ 51
Ἴστρος, μετὰ δὲ τοῦτον Τύρης, ὃς ἀπὸ βορέω μὲν
ἀνέμου ὁρμᾶται, ἄρχεται δὲ ῥέων ἐκ λίμνης μεγάλης,
ἣ οὐρίζει τήν τε Σκυθικὴν καὶ τὴν Νευρίδα γῆν. ἐπὶ 10
δὲ τῷ στόματι αὐτοῦ κατοίκηνται Ἕλληνες, οἳ Τυρῖται
καλέονται. τρίτος δὲ Ὕπανις ποταμὸς ὁρμᾶται μὲν ἐκ 52
τῆς Σκυθικῆς, ῥεῖ δὲ ἐκ λίμνης μεγάλης, τὴν πέριξ
νέμονται ἵπποι ἄγριοι λευκοί. καλεῖται δὲ ἡ λίμνη
αὕτη ὀρθῶς μήτηρ Ὑπάνιος. ἐκ ταύτης ὦν ἀνατέλλων 15
ὁ Ὕπανις ποταμὸς ῥεῖ ἐπὶ μὲν πέντε ἡμερέων πλόον
βραχὺς καὶ γλυκὺς ἔτι, ἀπὸ δὲ τούτου πρὸς θαλάσσης
τεσσέρων ἡμερέων πλόον πικρὸς αἰνῶς. ἐκδιδοῖ γὰρ ἐς
αὐτὸν κρήνη πικρή, οὕτω δή τι ἐοῦσα πικρή, ἣ μεγάθει
σμικρὴ ἐοῦσα κιρνᾷ τὸν Ὕπανιν, ἐόντα ποταμὸν ἐν ὀλί- 20
γοισι μέγαν. ἔστι δὲ ἡ κρήνη αὕτη ἐν οὔροισι χώρης
τῆς τε ἀροτήρων Σκυθέων καὶ Ἀλιζώνων· ὄνομα δὲ τῇ
κρήνῃ καὶ ὅθεν ῥεῖ τῷ χώρῳ Σκυθιστὶ μὲν Ἐξαμπαῖος,
κατὰ δὲ τὴν Ἑλλήνων γλῶσσαν Ἱραὶ ὁδοί. συνάγουσι
δὲ τὰ τέρματα ὅ τε Τύρης καὶ ὁ Ὕπανις κατὰ Ἀλιζῶνας· 25
τὸ δὲ ἀπὸ τούτου ἀποστρέψας ἑκάτερος ῥεῖ εὐρύνων τὸ
μέσον.

Τέταρτος δὲ Βορυσθένης ποταμός, ὅς ἐστι μέ- 53
γιστός τε μετὰ Ἴστρον τούτων καὶ πολυαρκέστατος κατὰ
γνώμας τὰς ἡμετέρας οὔτι μοῦνον τῶν Σκυθικῶν ποτα- 30
μῶν ἀλλὰ καὶ τῶν ἄλλων ἁπάντων, πλὴν Νείλου τοῦ
Αἰγυπτίου· τούτῳ γὰρ οὐκ οἷά τέ ἐστι συμβαλεῖν ἄλλον
ποταμόν· τῶν δὲ λοιπῶν ὁ Βορυσθένης ἐστὶ πολυαρκέ-
στατος, ὃς νομάς τε καλλίστας καὶ εὐκομιδεστάτας κτήνεσι

παρέχεται ἰχθύας τε ἀρίστους διακριδὸν καὶ πλείστους,
πίνεσθαί τε ἥδιστός ἐστιν, ῥεῖ τε καθαρὸς παρὰ θολε-
ροῖσιν, σπόρος τε παρ' αὐτὸν ἄριστος γίνεται, ποίη τε,
τῇ οὐ σπείρεται ἡ χώρη, βαθυτάτη. ἅλες τε ἐπὶ τῷ
5 στόματι αὐτοῦ αὐτόματοι πήγνυνται ἄπλετοι. κήτεά τε
μεγάλα ἀνάκανθα, τὰ ἀντακαίους καλέουσιν, παρέχεται ἐς
ταρίχευσιν, ἄλλα τε πολλὰ θωμάσαι ἄξια. μέχρι μέν νυν
Γέρρου χώρου, ἐς τὸν τεσσεράκοντα ἡμερέων πλόος ἐστίν,
γινώσκεται ῥέων ἀπὸ βορέω ἀνέμου, τὸ δὲ κατύπερθε
10 δι' ὧν ῥεῖ ἀνθρώπων οὐδεὶς ἔχει φράσαι· φαίνεται δὲ
ῥέων δι' ἐρήμου ἐς τῶν γεωργῶν Σκυθέων τὴν χώρην·
οὗτοι γὰρ οἱ Σκύθαι παρ' αὐτὸν ἐπὶ δέκα ἡμερέων
πλόον νέμονται. μούνου δὲ τούτου τοῦ ποταμοῦ καὶ
Νείλου οὐκ ἔχω φράσαι τὰς πηγάς, δοκέω δέ, οὐδὲ οὐδεὶς
15 Ἑλλήνων. ἀγχοῦ τε δὴ θαλάσσης ὁ Βορυσθένης ῥέων
γίνεται καί οἱ συμμίσγεται ὁ Ὕπανις ἐς τὠυτὸ ἕλος ἐκ-
διδούς. τὸ δὲ μεταξὺ τῶν ποταμῶν τούτων ἐὸν ἔμβολον
τῆς χώρης Ἱππόλεω ἄκρη καλεῖται, ἐν δὲ αὐτῷ ἱρὸν
Δήμητρος ἐνίδρυται· πέρην δὲ τοῦ ἱροῦ ἐπὶ τῷ Ὑπάνι
20 Βορυσθενεῖται κατοίκηνται.

54 Ταῦτα μὲν τὰ ἀπὸ τούτων τῶν ποταμῶν, μετὰ δὲ
τούτους πέμπτος ποταμὸς ἄλλος, τῷ ὄνομα Παντι-
κάπης· ῥεῖ δὲ καὶ οὗτος ἀπὸ βορέω τε καὶ ἐκ λίμνης,
καὶ τὸ μεταξὺ τούτου τε καὶ τοῦ Βορυσθένεος νέμονται
25 οἱ γεωργοὶ Σκύθαι, ἐκδιδοῖ δὲ ἐς τὴν Ὑλαίην, παραμει-
55 ψάμενος δὲ ταύτην τῷ Βορυσθένει συμμίσγεται. ἕκτος
δὲ Ὑπάκυρις ποταμός, ὃς ὁρμᾶται μὲν ἐκ λίμνης, διὰ
μέσων δὲ τῶν νομάδων Σκυθέων ῥέων ἐκδιδοῖ κατὰ
Καρκινῖτιν πόλιν, ἐς δεξιὴν ἀπέργων τήν τε Ὑλαίην καὶ
56 τὸν Ἀχιλλήιον δρόμον καλεόμενον. ἕβδομος δὲ Γέρρος
31 ποταμὸς ἀπέσχισται μὲν ἀπὸ τοῦ Βορυσθένεος κατὰ
τοῦτο τῆς χώρης, ἐς ὃ γινώσκεται ὁ Βορυσθένης. ἀπέ-
σχισται μέν νυν ἐκ τούτου τοῦ χώρου, ὄνομα δὲ ἔχει τό
περ ὁ χῶρος αὐτός, Γέρρος, ῥέων δὲ ἐς θάλασσαν

οὐρίζει τήν τε τῶν νομάδων χώρην καὶ τὴν τῶν βασι- ' ληίων Σκυθέων, ἐκδιδοῖ δὲ ἐς τὸν Ὑπάκυριν. ὄγδοος 57 δὲ δὴ Τάναϊς ποταμός, ὃς ῥεῖ τἀνέκαθεν ἐκ λίμνης μεγάλης ὁρμώμενος, ἐκδιδοῖ δὲ ἐς μέζω ἔτι λίμνην καλεο- μένην Μαιῆτιν, ἣ οὐρίζει Σκύθας τε τοὺς βασιληίους 5 καὶ Σαυρομάτας. ἐς δὲ Τάναϊν τοῦτον ἄλλος ποταμὸς ἐσβάλλει, τῷ ὄνομά ἐστιν Ὕργις.

Τοῖσι μὲν δὴ ὀνομαστοῖσι ποταμοῖσιν οὕτω 58 δή τι οἱ Σκύθαι ἐσκευάδαται, τοῖς δὲ κτήνεσιν ἡ ποίη ἀναφυομένη ἐν τῇ Σκυθικῇ ἐστιν· ἐπιχολωτάτη πασέων 10 ποιέων, τῶν ἡμεῖς ἴδμεν· ἀνοιγομένοισι δὲ τοῖς κτήνεσιν ἔστι σταθμώσασθαι, ὅτι τοῦτο οὕτως ἔχει.

Τὰ μὲν δὴ μέγιστα οὕτω σφιν εὔπορά ἐστιν, τὰ δὲ 59 λοιπὰ νόμαια κατὰ τάδε σφι διάκειται. θεοὺς μὲν μού- νους τούσδε ἱλάσκονται, Ἱστίην μὲν μάλιστα, ἐπὶ δὲ 15 Δία τε καὶ Γῆν, νομίζοντες τὴν Γῆν τοῦ Διὸς εἶναι γυναῖκα, μετὰ δὲ τούτους Ἀπόλλωνά τε καὶ Οὐρανίην Ἀφροδίτην καὶ Ἡρακλέα καὶ Ἄρεα. τούτους μὲν πάντες Σκύθαι νενομίκασιν, οἱ δὲ καλεόμενοι βασιλήιοι Σκύθαι καὶ τῷ Ποσειδέωνι θύουσιν. ὀνομάζεται δὲ Σκυθιστὶ 20 Ἱστίη μὲν Ταβιτί, Ζεὺς δὲ ὀρθότατα κατὰ γνώμην γε τὴν ἐμὴν καλεόμενος Παπαῖος, Γῆ δὲ Ἀπί, Ἀπόλλων δὲ Οἰτόσυρος, Οὐρανίη δὲ Ἀφροδίτη Ἀργίμπασα, Ποσειδέων δὲ Θαγιμασάδας. ἀγάλματα δὲ καὶ βωμοὺς καὶ νηοὺς οὐ νομίζουσι ποιεῖν πλὴν Ἄρεϊ· τούτῳ δὲ νομίζουσιν. 25

Θυσίη δὲ ἡ αὐτὴ πᾶσι κατέστηκε περὶ πάντα 60 τὰ ἱρὰ ὁμοίως, ἑρδομένη ὧδε· τὸ μὲν ἱρήιον αὐτὸ ἐμ- πεποδισμένον τοὺς ἐμπροσθίους πόδας ἕστηκεν, ὁ δὲ θύων ὄπισθε τοῦ κτήνεος ἑστεὼς σπάσας τὴν ἀρχὴν τοῦ στρόφου καταβάλλει μιν, πίπτοντος δὲ τοῦ ἱρηίου ἐπι- 30 καλεῖ τὸν θεόν, τῷ ἂν θύῃ, καὶ ἔπειτα βρόχῳ περὶ ὧν ἔβαλε τὸν αὐχένα, σκυταλίδα δὲ ἐμβαλὼν περιάγει καὶ ἀποπνίγει, οὔτε πῦρ ἀνακαύσας οὔτε καταρξάμενος οὔτ' ἐπισπείσας· ἀποπνίξας δὲ καὶ ἀποδείρας τρέπεται πρὸς

61 ἔψησιν. τῆς δὲ γῆς τῆς Σκυθικῆς αἰνῶς ἀξύλου ἐούσης
ὧδέ σφιν ἐς τὴν ἔψησιν τῶν κρεῶν ἐξεύρηται. ἐπεὰν
ἀποδείρωσι τὰ ἱρήια, γυμνοῦσι τὰ ὀστέα τῶν κρεῶν·
ἔπειτα δὲ ἐσβάλλουσιν, ἢν μὲν τύχωσιν ἔχοντες, ἐς λέ-
5 βητας ἐπιχωρίους, μάλιστα Λεσβίοισι κρητῆρσι προσεικέ-
λους, χωρὶς ἢ ὅτι πολλῷ μέζονας· ἐς τούτους ἐσβάλλοντες
ἕψουσιν ὑποκαίοντες τὰ ὀστέα τῶν ἱρηίων· ἢν δὲ μή
σφι παρῇ λέβης, οἱ δὲ ἐς τὰς γαστέρας τῶν ἱρηίων
ἐσβάλλοντες τὰ κρέα πάντα καὶ παραμείξαντες ὕδωρ
10 ὑποκαίουσι τὰ ὀστέα. τὰ δὲ αἴθεται κάλλιστα, αἱ δὲ
γαστέρες χωρέουσιν εὐπετέως τὰ κρέα ἐψιλωμένα τῶν
ὀστέων· καὶ οὕτω βοῦς τε ἑωυτὸν ἐξέψει καὶ τἄλλα ἱρήια
ἑωυτὸ ἕκαστον. ἐπεὰν δὲ ἐψηθῇ τὰ κρέα, ὁ θύσας τῶν
κρεῶν καὶ τῶν σπλάγχνων ἀπαρξάμενος ῥίπτει ἐς τὸ
15 ἔμπροσθε. θύουσι δὲ καὶ τὰ ἄλλα πρόβατα καὶ ἵππους
μάλιστα.

62 Τοῖς μὲν δὴ ἄλλοισι τῶν θεῶν οὕτω θύουσι καὶ
ταῦτα τῶν κτηνέων, τῷ δὲ Ἄρει ὧδε· κατὰ νομοὺς
ἑκάστους τῶν ἀρχέων ἐσίδρυταί σφιν Ἄρεος ἱρὸν
20 τοιόνδε· φρυγάνων φάκελοι συννενέαται ὅσον τε ἐπὶ
σταδίους τρεῖς μῆκος καὶ εὖρος, ὕψος δὲ ἔλασσον. ἄνω
δὲ τούτου τετράγωνον ἄπεδον πεποίηται, καὶ τὰ μὲν
τρία τῶν κώλων ἐστὶν ἀπότομα, κατὰ δὲ τὸ ἓν ἐπιβατόν.
ἔτεος δὲ ἑκάστου ἁμάξας πεντήκοντα καὶ ἑκατὸν ἐπι-
25 νέουσι φρυγάνων· ὑπονοστεῖ γὰρ δὴ αἰεὶ ὑπὸ τῶν χει-
μώνων. ἐπὶ τούτου δὴ τοῦ ὄγκου ἀκινάκης σιδήρεος
ἵδρυται ἀρχαῖος ἑκάστοισιν, καὶ τοῦτ' ἐστὶ τοῦ Ἄρεος τὸ
ἄγαλμα. τούτῳ δὲ τῷ ἀκινάκῃ θυσίας ἐπετείους προσά-
γουσι προβάτων καὶ ἵππων, καὶ δὴ καὶ τοῖσδ' ἔτι πλέω
30 θύουσιν ἢ τοῖς ἄλλοισι θεοῖσιν. ὅσους ἂν τῶν πολεμίων
ζωγρήσωσιν, ἀπὸ τῶν ἑκατὸν ἀνδρῶν ἄνδρα ἕνα θύουσι
τρόπῳ οὐ τῷ αὐτῷ καὶ τὰ πρόβατα, ἀλλ' ἑτεροίῳ· ἐπεὰν
γὰρ οἶνον ἐπισπείσωσι κατὰ τῶν κεφαλέων, ἀποσφάζουσι
τοὺς ἀνθρώπους ἐς ἄγγος καὶ ἔπειτα ἀνενείκαντες ἄνω

ἐπὶ τὸν ὄγκον τῶν φρυγάνων καταχέουσι τὸ αἷμα τοῦ
ἀκινάκεω. ἄνω μὲν δὴ φορέουσι τοῦτο, κάτω δὲ παρὰ
τὸ ἱρὸν ποιεῦσι τάδε· τῶν ἀποσφαγέντων ἀνδρῶν τοὺς
δεξιοὺς ὤμους πάντας ἀποτάμνοντες σὺν τῇσι χερσὶν ἐς
τὸν ἠέρα ἱεῖσι καὶ ἔπειτα καὶ τὰ ἄλλα ἀπέρξαντες ἱρήια 5
ἀπαλλάσσονται· χεὶρ δὲ τῇ ἂν πέσῃ κεῖται καὶ χωρὶς ὁ
νεκρός. θυσίαι μέν νυν αὐταί σφι κατεστᾶσιν, ὗσι δὲ 63
οὗτοι οὐδὲν νομίζουσιν οὐδὲ τρέφειν ἐν τῇ χώρῃ τὸ
παράπαν θέλουσιν.

   Τὰ δ᾽ ἐς πόλεμον ἔχοντα ὧδέ σφι διάκειται· 64
ἐπεὰν τὸν πρῶτον ἄνδρα καταβάλῃ ἀνὴρ Σκύθης, τοῦ 11
αἵματος ἐμπίνει· ὅσους δ᾽ ἂν φονεύσῃ ἐν τῇ μάχῃ, τού-
των τὰς κεφαλὰς ἀποφέρει τῷ βασιλεῖ· ἀπενείκας μὲν
γὰρ κεφαλὴν τῆς ληίης μεταλαμβάνει τὴν ἂν λάβωσιν, μὴ
ἐνείκας δὲ οὔ. ἀποδείρει δὲ αὐτὴν τρόπῳ τοιῷδε· περι- 15
ταμὼν κύκλῳ περὶ τὰ ὦτα καὶ λαβόμενος τῆς κεφαλῆς
ἐκσείει, μετὰ δὲ σαρκίσας βοὸς πλευρῇ δέψει τῇσι χερσίν,
ὀργάσας δὲ αὐτὸ ἅτε χειρόμακτρον ἔκτηται, ἐκ δὲ τῶν
χαλινῶν τοῦ ἵππου τὸν αὐτὸς ἐλαύνει, ἐκ τούτου ἐξάπτει
καὶ ἀγάλλεται· ὃς γὰρ ἂν πλεῖστα χειρόμακτρα ἔχῃ, ἀνὴρ 20
ἄριστος οὗτος κέκριται. πολλοὶ δὲ αὐτῶν ἐκ τῶν ἀπο-
δαρμάτων καὶ χλαίνας ἐπείννσθαι ποιεῦσιν, συρράπτοντες
κατά περ βαίτας· πολλοὶ δὲ ἀνδρῶν ἐχθρῶν τὰς δεξιὰς
χεῖρας νεκρῶν ἐόντων ἀποδείραντες αὐτοῖσιν ὄνυξι κα-
λύπτρας τῶν φαρετρέων ποιεῦνται· δέρμα δὲ ἀνθρώπου 25
καὶ παχὺ καὶ λαμπρὸν ἦν ἄρα, σχεδὸν δερμάτων πάντων
λαμπρότατον λευκότητι. πολλοὶ δὲ καὶ ὅλους ἄνδρας
ἐκδείραντες καὶ διατείναντες ἐπὶ ξύλων ἐπ᾽ ἵππων πε-
ριφέρουσιν. ταῦτα μὲν δὴ οὕτω σφι νενόμισται, αὐτὰς 65
δὲ τὰς κεφαλάς, οὔτι πάντων ἀλλὰ τῶν ἐχθίστων, 30
ποιεῦσι τάδε· ἀποπρίσας πᾶν τὸ ἔνερθε τῶν ὀφρύων
ἐκκαθαίρει· καὶ ἢν μὲν ᾖ πένης, ὁ δὲ ἔξωθεν ὠμοβοῆν
μούνην περιτείνας οὕτω χρῆται, ἢν δὲ ᾖ πλούσιος, τὴν
μὲν ὠμοβοῆν περιτείνει, ἔσωθεν δὲ καταχρυσώσας οὕτω

χρῆται ποτηρίῳ. ποιεῦσι δὲ τοῦτο καὶ ἐκ τῶν οἰκηίων,
ἢν σφι διάφοροι γένωνται καὶ ἢν ἐπικρατήσῃ αὐτοῦ παρὰ
τῷ βασιλεῖ. ξείνων δέ οἱ ἐλθόντων, τῶν ἂν λόγον ποι-
ῆται, τὰς κεφαλὰς ταύτας παραφέρει καὶ ἐπιλέγει ὥς οἱ
5 ἐόντες οἰκήιοι πόλεμον προσεθήκαντο καί σφεων αὐτὸς
66 ἐπεκράτησεν, ταύτην ἀνδραγαθίην λέγοντες. ἅπαξ δὲ τοῦ
ἐνιαυτοῦ ἑκάστου ὁ νομάρχης ἕκαστος ἐν τῷ ἑωυτοῦ
νομῷ κιρνᾷ κρητῆρα οἴνου, ἀπ᾽ οὗ πίνουσι τῶν Σκυθέων
τοῖς ἂν ἄνδρες πολέμιοι ἀραιρημένοι ἔωσιν· τοῖς δ᾽ ἂν μὴ
10 κατεργασμένον ᾖ τοῦτο, οὐ γεύονται τοῦ οἴνου τούτου,
ἀλλ᾽ ἠτιμωμένοι ἀποκαθέαται· ὄνειδος δέ σφίν ἐστι
μέγιστον τοῦτο· ὅσοι δὲ ἂν αὐτῶν καὶ κάρτα πολλοὺς
ἄνδρας ἀραιρηκότες ἔωσιν, οὗτοι δὲ σύνδυο κύλικας
ἔχοντες πίνουσιν ὁμοῦ.

67 _Μάντιες δὲ Σκυθέων εἰσὶ πολλοί_, οἳ μαντεύον-
15 ται ῥάβδοισι ἰτεΐνῃσι πολλῇσιν ὧδε· ἐπεὰν φακέλους
ῥάβδων μεγάλους ἐνείκωνται, θέντες χαμαὶ διεξειλίσ-
σουσιν αὐτούς, καὶ ἐπὶ μίαν ἑκάστην ῥάβδον τιθέντες
θεσπίζουσιν, ἅμα τε λέγοντες ταῦτα συνειλέουσι τὰς
20 ῥάβδους ὀπίσω καὶ αὖτις κατὰ μίαν συντιθεῖσιν. αὕτη
μέν σφιν ἡ μαντικὴ πατρῴη ἐστίν, οἱ δὲ Ἐνάρεις οἱ ἀν-
δρόγυνοι τὴν Ἀφροδίτην σφίσι λέγουσι μαντικὴν δοῦναι·
φιλύρης ὦν φλοιῷ μαντεύονται· ἐπεὰν τὴν φιλύρην τρίχα
σχίσῃ, διαπλέκων ἐν τοῖσι δακτύλοισι τοῖς ἑωυτοῦ καὶ
68 διαλύων χρῇ. ἐπεὰν δὲ βασιλεὺς ὁ Σκυθέων κάμῃ,
25 μεταπέμπεται τῶν μαντίων ἄνδρας τρεῖς τοὺς εὐδοκι-
μέοντας μάλιστα, οἳ τρόπῳ τῷ εἰρημένῳ μαντεύονται·
καὶ λέγουσιν οὗτοι ὡς τὸ ἐπίπαν μάλιστα τάδε, ὡς τὰς
βασιληίας ἱστίας ἐπιώρκηκεν ὅς καὶ ὅς, λέγοντες τῶν
30 ἀστῶν τὸν ἂν δὴ λέγωσιν. τὰς δὲ βασιληίας ἱστίας νόμος
Σκύθῃσι τὰ μάλιστά ἐστιν ὀμνύναι τότε, ἐπεὰν τὸν
μέγιστον ὅρκον ἐθέλωσιν ὀμνύναι. αὐτίκα δὲ διαλελαμ-
μένος ἄγεται οὗτος, τὸν ἂν δὴ φῶσιν ἐπιορκῆσαι, ἀπιγ-
μένον δὲ ἐλέγχουσιν οἱ μάντιες, ὡς ἐπιορκήσας φαίνεται

ἐν τῇ μαντικῇ τὰς βασιληίας ἱστίας καὶ διὰ ταῦτα ἀλγεῖ
ὁ βασιλεύς· ὁ δὲ ἀρνεῖται, οὐ φάμενος ἐπιορκῆσαι, καὶ
δεινολογεῖται. ἀρνεομένου δὲ τούτου ὁ βασιλεὺς μετα-
πέμπεται ἄλλους διπλησίους μάντιας· καὶ ἢν μὲν καὶ
οὗτοι ἐσορῶντες ἐς τὴν μαντικὴν καταδήσωσιν ἐπιορκῆ- 5
σαι, τοῦ δὲ ἰθέως τὴν κεφαλὴν ἀποτάμνουσι καὶ τὰ
χρήματα αὐτοῦ διαλαγχάνουσιν οἱ πρῶτοί τῶν μαντίων·
ἢν δὲ οἱ ἐπελθόντες μάντιες ἀπολύσωσιν, ἄλλοι πάρεισι
μάντιες καὶ μάλα ἄλλοι· ἢν ὧν οἱ πλέονες τὸν ἄνθρω-
πον ἀπολύσωσιν, δέδοκται τοῖσι πρώτοισι τῶν μαντίων 10
αὐτοῖσιν ἀπόλλυσθαι. ἀπολλῦσι δῆτα αὐτοὺς τρόπῳ 69
τοιῷδε· ἐπεὰν ἄμαξαν φρυγάνων πλήσωσι καὶ ὑποζεύ-
ξωσι βοῦς, ἐμποδίσαντες τοὺς μάντιας καὶ χεῖρας ὀπίσω
δήσαντες καὶ στομώσαντες κατεργνῦσιν ἐς μέσα τὰ φρύ-
γανα, ὑποπρήσαντες δὲ αὐτὰ ἀπιεῖσι φοβήσαντες τοὺς 15
βοῦς. πολλοὶ μὲν δὴ συγκατακαίονται τοῖς μάντισι
βόες, πολλοὶ δὲ περικεκαυμένοι ἀποφεύγουσιν, ἐπεὰν
αὐτῶν ὁ ῥυμὸς κατακαυθῇ. κατακαίουσι δὲ τρόπῳ τῷ
εἰρημένῳ καὶ δι' ἄλλας αἰτίας τοὺς μάντιας, ψευδομάν-
τιας καλέοντες. τοὺς δ' ἂν ἀποκτείνῃ βασιλεύς, τούτων 20
οὐδὲ τοὺς παῖδας λείπει, ἀλλὰ πάντα τὰ ἔρσενα κτείνει,
τὰ δὲ θήλεα οὐκ ἀδικεῖ.

Ὅρκια δὲ ποιεῦνται Σκύθαι ὧδε πρὸς τοὺς ἂν 70
ποιέωνται· ἐς κύλικα μεγάλην κεραμίνην οἶνον ἐγχέαντες
αἷμα συμμίσγουσι τῶν τὸ ὅρκιον ταμνομένων, τύψαντες 25
ὑπέατι ἢ ἐπιταμόντες μαχαίρῃ σμικρὸν τοῦ σώματος καὶ
ἔπειτα ἀποβάψαντες ἐς τὴν κύλικα ἀκινάκην καὶ ὀϊστοὺς
καὶ σάγαριν καὶ ἀκόντιον· ἐπεὰν δὲ ταῦτα ποιήσωσιν,
κατεύχονται πολλὰ καὶ ἔπειτα ἀποπίνουσιν αὐτοί τε οἱ
τὸ ὅρκιον ποιεύμενοι καὶ τῶν ἑπομένων οἱ πλείστου 30
ἄξιοι.

Ταφαὶ δὲ τῶν βασιλέων ἐν Γέρροισίν εἰσιν, ἐς 71
ὃ ὁ Βορυσθένης ἐστὶ προσπλωτός. ἐνθαῦτα, ἐπεάν σφιν
ἀποθάνῃ ὁ βασιλεύς, ὄρυγμα γῆς μέγα ὀρύσσουσι τετρά-

γωνον, ἕτοιμον δὲ τοῦτο ποιήσαντες ἀναλαμβάνουσι τὸν
νεκρόν, κατακεκηρωμένον μὲν τὸ σῶμα, τὴν δὲ νηδὺν
ἀνασχισθεῖσαν καὶ καθαρθεῖσαν, πλέην κυπέρου κεκομ-
μένου καὶ θυμιήματος καὶ σελίνου σπέρματος καὶ ἀννή-
σου, συνερραμμένην ὀπίσω, καὶ κομίζουσιν ἐν ἁμάξῃ ἐς
ἄλλο ἔθνος. οἳ δὲ ἂν παραδέξωνται κομισθέντα τὸν
νεκρόν, ποιεῦσι τά περ οἱ βασιλήιοι Σκύθαι· τοῦ ὠτὸς
ἀποτάμνονται, τρίχας περικείρονται, βραχίονας περιτάμ-
νονται, μέτωπον καὶ ῥῖνα καταμύσσονται, διὰ τῆς ἀρι-
στερῆς χειρὸς ὀιστοὺς διαβυνέονται. ἐνθεῦτεν δὲ κομί-
ζουσιν ἐν τῇ ἁμάξῃ τοῦ βασιλέος τὸν νέκυν ἐς ἄλλο
ἔθνος τῶν ἄρχουσιν· οἱ δέ σφιν ἕπονται ἐς τοὺς πρότερον
ἦλθον. ἐπεὰν δὲ πάντας περιέλθωσι τὸν νέκυν κομί-
ζοντες, ἐν Γέρροισιν ἔσχατα κατοικημένοισίν εἰσι τῶν
ἐθνέων τῶν ἄρχουσι καὶ ἐν τῇσι ταφῇσιν. καὶ ἔπειτα,
ἐπεὰν θέωσι τὸν νέκυν ἐν τῇσι θήκῃσιν ἐπὶ στιβάδος,
παραπήξαντες αἰχμὰς ἔνθεν καὶ ἔνθεν τοῦ νεκροῦ ξύλα
ὑπερτείνουσι καὶ ἔπειτα ῥιψὶ καταστεγάζουσιν, ἐν δὲ τῇ
λοιπῇ εὐρυχωρίῃ τῆς θήκης τῶν παλλακέων τε μίαν
ἀποπνίξαντες θάπτουσι καὶ τὸν οἰνοχόον καὶ μάγειρον
καὶ ἱπποκόμον καὶ διήκονον καὶ ἀγγελιηφόρον καὶ ἵππους
καὶ τῶν ἄλλων ἁπάντων ἀπαρχὰς καὶ φιάλας χρυσέας·
ἀργύρῳ δὲ οὐδὲν οὐδὲ χαλκῷ χρέωνται. ταῦτα δὲ ποι-
ήσαντες χοῦσι πάντες χῶμα μέγα, ἀμιλλόμενοι καὶ προ-
θυμεόμενοι ὡς μέγιστον ποιῆσαι. ἐνιαυτοῦ δὲ περιφερο-
μένου αὖτις ποιεῦσι τοιόνδε· λαβόντες τῶν λοιπῶν θερα-
πόντων τοὺς ἐπιτηδεοτάτους (οἱ δέ εἰσι Σκύθαι ἐγγενεῖς·
οὗτοι γὰρ θεραπεύουσι τοὺς ἂν αὐτὸς ὁ βασιλεὺς κελεύσῃ,
ἀργυρώνητοι δὲ οὐκ εἰσί σφι θεράποντες), τούτων ὦν
τῶν διηκόνων ἐπεὰν ἀποπνίξωσι πεντήκοντα καὶ ἵππους
τοὺς καλλιστεύοντας πεντήκοντα, ἐξελόντες αὐτῶν τὴν
κοιλίην καὶ καθήραντες ἐμπιπλᾶσιν ἀχύρων καὶ συρρά-
πτουσιν· ἀψῖδος δὲ ἥμισυ ἐπὶ δύο ξύλα στήσαντες
ὕπτιον καὶ τὸ ἕτερον ἥμισυ τῆς ἀψῖδος ἐπ' ἕτερα δύο,

καταπήξαντες τρόπῳ τοιούτῳ πολλὰ ταῦτα, ἔπειτα τῶν
ἵππων κατὰ τὰ μήκεα ξύλα παχέα διελάσαντες μέχρι
τῶν τραχήλων ἀναβιβάζουσιν αὐτοὺς ἐπὶ τὰς ἀψῖδας·
τῶν δὲ αἱ μὲν πρότεραι ἀψῖδες ὑπέχουσι τοὺς ὤμους
τῶν ἵππων, αἱ δὲ ὄπισθε παρὰ τοὺς μηροὺς τὰς γαστέρας 5
ὑπολαμβάνουσιν· σκέλεα δὲ ἀμφότερα κατακρέμαται με-
τέωρα. χαλινοὺς δὲ καὶ στόμια ἐμβαλόντες κατατείνουσιν
ἐς τὸ πρόσθε αὐτῶν καὶ ἔπειτα ἐκ πασσάλων δέουσιν.
τῶν δὲ δὴ νεηνίσκων τῶν ἀποπεπνιγμένων τῶν πεντή-
κοντα ἕνα ἕκαστον ἀναβιβάζουσιν ἐπὶ τὸν ἵππον, ὧδε 10
ἀναβιβάζοντες, ἐπεὰν νεκροῦ ἑκάστου παρὰ τὴν ἄκανθαν
ξύλον ὀρθὸν διελάσωσι μέχρι τοῦ τραχήλου· κάτωθεν
δὲ ὑπερέχει τοῦ ξύλου τούτου, τὸ ἐς τόρμον πηγνύουσι
τοῦ ἑτέρου ξύλου τοῦ διὰ τοῦ ἵππου. ἐπιστήσαντες δὲ
κύκλῳ περὶ τὸ σῆμα ἱππέας τοιούτους ἀπελαύνουσιν. 15

Οὕτω μὲν τοὺς βασιλέας θάπτουσιν, τοὺς δὲ ἄλλους 72
Σκύθας, ἐπεὰν ἀποθάνωσιν, περιάγουσιν οἱ ἀγχο-
τάτω προσήκοντες κατὰ τοὺς φίλους ἐν ἁμάξῃσι κει-
μένους, τῶν δὲ ἕκαστος ὑποδεκόμενος εὐωχεῖ τοὺς ἑπο-
μένους καὶ τῷ νεκρῷ πάντων παρατιθεῖ τῶν καὶ τοῖς 20
ἄλλοισιν· ἡμέρας δὲ τεσσεράκοντα οὕτω οἱ ἰδιῶται περιά-
γονται, ἔπειτα θάπτονται. θάψαντες δὲ οἱ Σκύθαι
καθαίρονται τρόπῳ τοιῷδε· σμησάμενοι τὰς κεφαλὰς
καὶ ἐκπλυνάμενοι ποιεῦσι περὶ τὸ σῶμα τάδε· ἐπεὰν ξύλα
στήσωσι τρία ἐς ἄλληλα κεκλιμένα, περὶ ταῦτα πίλους 25
εἰρινέους περιτείνουσιν, συμφράξαντες δὲ ὡς μάλιστα λί-
θους ἐκ πυρὸς διαφανέας ἐσβάλλουσιν ἐς σκάφην κει-
μένην ἐν μέσῳ τῶν ξύλων τε καὶ τῶν πίλων. ἔστι δέ 74
σφι κάνναβις φυομένη ἐν τῇ χώρῃ πλὴν παχύτητος καὶ
μεγάθεος τῷ λίνῳ ἐμφερεστάτη. ταύτῃ δὲ πολλῷ ὑπερ- 30
φέρει ἡ κάνναβις. αὕτη καὶ αὐτομάτη καὶ σπειρομένη
φύεται, καὶ ἐξ αὐτῆς Θρήικες μὲν καὶ εἵματα ποιεῦνται
τοῖσι λινέοισιν ὁμοιότατα. οὐδ' ἄν, ὅστις μὴ κάρτα τρί-
βων εἴη αὐτῆς, διαγνοίη λίνου ἢ καννάβιός ἐστιν. ὃς

δὲ μὴ εἰδέ κω τὴν κανναβίδα, λίνεον δοκήσει εἶναι τὸ
75 εἷμα. ταύτης ὦν οἱ Σκύθαι τῆς καννάβιος τὸ σπέρμα
ἐπεὰν λάβωσιν, ὑποδύνουσιν ὑπὸ τοὺς πίλους καὶ ἔπειτα
ἐπιβάλλουσι τὸ σπέρμα ἐπὶ τοὺς διαφανέας λίθους· τὸ δὲ
5 θυμιᾶται ἐπιβαλλόμενον καὶ ἀτμίδα παρέχεται τοσαύτην,
ὥστε Ἑλληνικὴ οὐδεμία ἄν μιν πυρίη ἀποκρατήσειεν. οἱ
δὲ Σκύθαι ἀγάμενοι τῇ πυρίῃ ὠρύονται· τοῦτό σφιν ἀντὶ
λουτροῦ ἐστιν· οὐ γὰρ δὴ λούονται ὕδατι τὸ παράπαν
τὸ σῶμα· αἱ δὲ γυναῖκες αὐτῶν ὕδωρ παραχέουσαι κατα-
10 σώχουσι περὶ λίθον τρηχὺν τῆς κυπαρίσσου καὶ κέδρου
καὶ λιβάνου ξύλου, καὶ ἔπειτα τὸ κατασωχόμενον τοῦτο
παχὺ ἐὸν καταπλάσσονται πᾶν τὸ σῶμα καὶ τὸ πρόσωπον·
καὶ ἅμα μὲν εὐωδίη σφέας ἀπὸ τούτου ἴσχει, ἅμα δὲ
ἀπαιρέουσαι τῇ δευτέρῃ ἡμέρῃ τὴν καταπλαστὺν γίνονται
15 καθαραὶ καὶ λαμπραί.

76 Ξεινικοῖσι δὲ νομαίοισι καὶ οὗτοι αἰνῶς χρῆ-
σθαι φεύγουσιν, μήτε τέων ἄλλων, Ἑλληνικοῖσι δὲ καὶ
ἥκιστα, ὡς διέδεξαν Ἀναχάρσι τε καὶ δεύτερα αὖτις
Σκύλῃ. τοῦτο μὲν γὰρ Ἀνάχαρσις ἐπείτε γῆν πολλὴν
20 θεωρήσας καὶ ἀποδεξάμενος κατ' αὐτὴν σοφίην πολλὴν
ἐκομίζετο ἐς ἤθεα τὰ Σκυθέων, πλέων δι' Ἑλλησπόντου
προσίσχει ἐς Κύζικον, καὶ εὗρε γὰρ τῇ Μητρὶ τῶν θεῶν
ἀνάγοντας τοὺς Κυζικηνοὺς ὁρτὴν μεγαλοπρεπέως, εὔξατο
τῇ Μητρὶ ὁ Ἀνάχαρσις, ἢν σῶς καὶ ὑγιὴς ἀπονοστήσῃ ἐς
25 ἑωυτοῦ, θύσειν τε κατὰ ταὐτά, κατὰ ὥρα τοὺς Κυζικη-
νοὺς ποιεῦντας, καὶ παννυχίδα στήσειν. ὡς δὲ ἀπίκετο
ἐς τὴν Σκυθικήν, καταδὺς ἐς τὴν καλεομένην Ὑλαίην (ἡ
δ' ἔστι μὲν παρὰ τὸν Ἀχιλλήιον δρόμον, τυγχάνει δὲ
πᾶσα ἐοῦσα δενδρέων παντοίων πλέη), ἐς ταύτην δὴ κα-
30 ταδὺς ὁ Ἀνάχαρσις τὴν ὁρτὴν ἐπετέλει πᾶσαν τῇ θεῷ
τύμπανόν τε ἔχων καὶ ἐκδησάμενος ἀγάλματα. καὶ τῶν
τις Σκυθέων καταφρασθεὶς αὐτὸν ταῦτα ποιεῦντα ἐσή-
μηνε τῷ βασιλεῖ Σαυλίῳ· ὁ δὲ καὶ αὐτὸς ἀπικόμενος ὡς
εἶδε τὸν Ἀνάχαρσιν ποιεῦντα ταῦτα, τοξεύσας αὐτὸν

ἀπέκτεινεν. καὶ νῦν ἤν τις εἴρηται περὶ Ἀναχάρσιος, οὔ
φασί μιν Σκύθαι γινώσκειν, διὰ τοῦτο ὅτι ἐξεδήμησέ τε
ἐς τὴν Ἑλλάδα καὶ ξεινικοῖσιν ἔθεσι διεχρήσατο. ὡς δ'
ἐγὼ ἤκουσα Τύμνεω τοῦ Ἀριαπείθεος ἐπιτρόπου, εἶναι
αὐτὸν Ἰδανθύρσου τοῦ Σκυθέων βασιλέος πάτρων, παῖδα 5
δὲ εἶναι Γνούρου τοῦ Λύκου τοῦ Σπαργαπείθεος. εἰ ὧν
ταύτης ἦν τῆς οἰκίης ὁ Ἀνάχαρσις, ἴστω ὑπὸ τοῦ ἀδελ-
φεοῦ ἀποθανών· Ἰδάνθυρσος γὰρ ἦν παῖς Σαυλίου,
Σαύλιος δὲ ἦν ὁ ἀποκτείνας Ἀνάχαρσιν. καίτοι τινὰ ἤδη 77
ἤκουσα λόγον ἄλλον ὑπὸ Πελοποννησίων λεγόμενον, ὡς 10
ὑπὸ τοῦ Σκυθέων βασιλέος Ἀνάχαρσις ἀποπεμφθεὶς τῆς
Ἑλλάδος μαθητὴς γένοιτο, ὀπίσω τε ἀπονοστήσας φαίη
πρὸς τὸν ἀποπέμψαντα Ἕλληνας πάντας ἀσχόλους εἶναι
ἐς πᾶσαν σοφίην πλὴν Λακεδαιμονίων, τούτοισι δὲ εἶναι
μούνοισι σωφρόνως δοῦναί τε καὶ δέξασθαι λόγον. ἀλλ' 15
οὗτος μὲν ὁ λόγος ἄλλως πέπλασται ὑπ' αὐτῶν Ἑλλή-
νων, ὁ δ' ὧν ἀνὴρ ὥσπερ πρότερον εἰρέθη διεφθάρη.

Οὗτος μὲν νυν οὕτω δὴ ἔπρηξε διὰ ξεινικά τε νό- 78
μαια καὶ Ἑλληνικάς ὁμιλίας. πολλοῖσι δὲ κάρτα ἔτεσιν
ὕστερον Σκύλης ὁ Ἀριαπείθεος ἔπαθε παραπλήσια 20
τούτῳ. Ἀριαπείθει γὰρ τῷ Σκυθέων βασιλεῖ γίνεται
μετ' ἄλλων παίδων Σκύλης· ἐξ Ἰστριηνῆς δὲ γυναικὸς
οὗτος γίνεται καὶ οὐδαμῶς ἐγχωρίης, τὸν ἡ μήτηρ αὕτη
γλῶσσάν τε Ἑλλάδα καὶ γράμματα ἐδίδαξεν. μετὰ δὲ
χρόνῳ ὕστερον Ἀριαπείθης μὲν τελευτᾷ δόλῳ ὑπὸ Σπαργα- 25
πείθεος τοῦ Ἀγαθύρσων βασιλέος, Σκύλης δὲ τήν τε
βασιληίην παρέλαβε καὶ τὴν γυναῖκα τοῦ πατρός, τῇ
ὄνομα ἦν Ὀποίη. ἦν δὲ αὕτη ἡ Ὀποίη ἀστή, ἐξ ἧς ἦν
Ὄρικος Ἀριαπείθει παῖς. βασιλεύων δὲ Σκυθέων ὁ Σκύ-
λης διαίτῃ οὐδαμῶς ἠρέσκετο Σκυθικῇ, ἀλλὰ πολλὸν πρὸς 30
τὰ Ἑλληνικὰ μᾶλλον τετραμμένος ἦν ἀπὸ παιδεύσιος τῆς
ἐπεπαίδευτο, ἐποίει τε τοιοῦτο· εὖτε ἀγάγοι τὴν στρατιὴν
τὴν Σκυθέων ἐς τὸ Βορυσθενειτέων ἄστυ (οἱ δὲ Βορυ-
σθενεῖται οὗτοι λέγουσι σφέας αὐτοὺς εἶναι Μιλησίους),

ἐς τούτους ὅκως ἔλθοι ὁ Σκύλης, τὴν μὲν στρατιὴν κατα-
λίπεσκεν ἐν τῷ προαστείῳ, αὐτὸς δὲ ὅκως ἔλθοι ἐς τὸ
τεῖχος καὶ τὰς πύλας ἐγκλήσειεν, τὴν στολὴν ἀποθέμενος
τὴν Σκυθικὴν λάβεσκεν ἂν Ἑλληνίδα ἐσθῆτα, ἔχων δ'
5 ἂν ταύτην ἠγόραζεν οὔτε δορυφόρων ἐπομένων οὔτε
ἄλλου οὐδενός (τὰς δὲ πύλας ἐφύλασσον, μή τίς μιν
Σκυθέων ἴδοι ἔχοντα ταύτην τὴν στολήν), καὶ τἆλλα
ἐχρῆτο διαίτῃ Ἑλληνικῇ καὶ θεοῖσιν ἱρὰ ἐποίει κατὰ νό-
μους τοὺς Ἑλλήνων. ὅτε δὲ διατρίψειε μῆνα ἢ πλέον
10 τούτου, ἀπαλλάσσετο ἐνδὺς τὴν Σκυθικὴν στολήν. ταῦτα
ποιέσκε πολλάκις, καὶ οἰκία τε ἐδείματο ἐν Βορυσθένει
79 καὶ γυναῖκα ἔγημεν ἐς αὐτὰ ἐπιχωρίην. ἐπείτε δὲ ἔδει
οἱ κακῶς γενέσθαι, ἐγένετο ἀπὸ προφάσιος τοιῆσδε· ἐπε-
θύμησε Διονύσῳ Βακχείῳ τελεσθῆναι· μέλλοντι δέ οἱ ἐς
15 χεῖρας ἄγεσθαι τὴν τελετὴν ἐγένετο φάσμα μέγιστον. ἦν
οἱ ἐν Βορυσθενειτέων τῇ πόλι οἰκίης μεγάλης καὶ πολυ-
τελέος περιβολή, τῆς καὶ ὀλίγῳ τι πρότερον τούτων μνή-
μην εἶχον, τὴν πέριξ λευκοῦ λίθου σφίγγες τε καὶ γρῦπες
ἕστασαν· ἐς ταύτην ὁ θεὸς ἐνέσκηψε βέλος. καὶ ἡ μὲν
20 κατεκάη πᾶσα, Σκύλης δὲ οὐδὲν τούτου εἵνεκα ἧσσον
ἐπετέλεσε τὴν τελετήν. Σκύθαι δὲ τοῦ βακχεύειν πέρι
Ἕλλησιν ὀνειδίζουσιν· οὐ γάρ φασιν οἰκὸς εἶναι θεὸν
ἐξευρίσκειν τοῦτον, ὅστις μαίνεσθαι ἐνάγει ἀνθρώπους.
ἐπείτε δὲ ἐτελέσθη τῷ Βακχείῳ ὁ Σκύλης, διεπρήστευε
25 τῶν τις Βορυσθενειτέων πρὸς τοὺς Σκύθας λέγων· „Ἡμῖν
γὰρ καταγελᾶτε, ὦ Σκύθαι, ὅτι βακχεύομεν καὶ ἡμέας ὁ
θεὸς λαμβάνει· νῦν οὗτος ὁ δαίμων καὶ τὸν ὑμέτερον
βασιλέα λελάβηκεν, καὶ βακχεύει τε καὶ ὑπὸ τοῦ θεοῦ
μαίνεται. εἰ δέ μοι ἀπιστεῖτε, ἕπεσθε, καὶ ὑμῖν ἐγὼ
30 δείξω." εἵποντο τῶν Σκυθέων οἱ προεστεῶτες, καὶ
αὐτοὺς ἀναγαγὼν ὁ Βορυσθενείτης λάθρῃ ἐπὶ πύργον
κάτισεν. ἐπείτε δὲ παρῇε σὺν τῷ θιάσῳ ὁ Σκύλης καὶ
εἶδόν μιν βακχεύοντα οἱ Σκύθαι, κάρτα συμφορὴν μεγά-
λην ἐποιήσαντο, ἐξελθόντες δὲ ἐσήμαινον πάσῃ τῇ στρα-

τιῇ τὰ ἴδοιεν. ·ὡς δὲ μετὰ ταῦτα ἐξήλαυνεν ὁ Σκύλης 80
ἐς ἤθεα τὰ ἑωυτοῦ, οἱ Σκύθαι προστησάμενοι τὸν ἀδελ-
φεὸν αὐτοῦ Ὀκταμασάδην, γεγονότα ἐκ τῆς Τήρεω θυγα-
τρός, ἐπανιστέατο τῷ Σκύλῃ. ὁ δὲ μαθὼν τὸ γινόμενον
ἐπ' ἑωυτῷ καὶ τὴν αἰτίην δι' ἣν ἐποιεῖτο, καταφεύγει ἐς 5
τὴν Θρήκην. πυθόμενος δὲ ὁ Ὀκταμασάδης ταῦτα ἐστρα-
τεύετο ἐπὶ τὴν Θρήκην· ἐπείτε δὲ ἐπὶ τῷ Ἴστρῳ ἐγένετο,
ἠντίασάν μιν οἱ Θρῇκες, μελλόντων δὲ αὐτῶν συνάπτειν
ἔπεμψε Σιτάλκης παρὰ τὸν Ὀκταμασάδην λέγων τοιάδε·
„Τί δεῖ ἡμέας ἀλλήλων πειρηθῆναι; εἷς μέν μεο τῆς 10
ἀδελφεῆς παῖς, ἔχεις δέ μεο ἀδελφεόν. σὺ δή μοι ἀπόδος
τοῦτον, καὶ ἐγὼ σοὶ τὸν σὸν Σκύλην παραδίδωμι· στρα-
τιῇ δέ μήτε σὺ κινδυνεύσῃς μήτ' ἐγώ." ταῦτά οἱ πέμψας
ὁ Σιτάλκης ἐπεκηρυκεύετο· ἦν γὰρ παρὰ τῷ Ὀκταμασάδῃ
ἀδελφεὸς Σιτάλκεω πεφευγώς. ὁ δὲ Ὀκταμασάδης καται- 15
νεῖ ταῦτα, ἐκδοὺς δὲ τὸν ἑωυτοῦ μήτρωα Σιτάλκῃ ἔλαβε
τὸν ἀδελφεὸν Σκύλην. καὶ Σιτάλκης μὲν παραλαβὼν τὸν
ἀδελφεὸν ἀπήγετο, Σκύλεω δὲ Ὀκταμασάδης αὐτοῦ ταύτῃ
ἀπέταμε τὴν κεφαλήν. οὕτω μὲν περιστέλλουσι τὰ σφέ-
τερα νόμαια Σκύθαι, τοῖσι δὲ παρακτωμένοισι ξεινικοὺς 20
νόμους τοιαῦτα ἐπιτίμια διδοῦσιν.

Πλῆθος δὲ τὸ Σκυθέων οὐκ οἷός τε ἐγενόμην 81
ἀτρεκέως πυθέσθαι, ἀλλὰ διαφόρους λόγους περὶ τοῦ ἀρι-
θμοῦ ἤκουον· καὶ γὰρ κάρτα πολλοὺς εἶναί σφεας καὶ
ὀλίγους ὡς Σκύθας εἶναι. τοσόνδε μέντοι ἀπέφαινόν 25
μοι ἐς ὄψιν· ἔστι μεταξὺ Βορυσθένεός τε ποταμοῦ καὶ
Ὑπάνιος χῶρος, ὄνομα δέ οἱ ἐστιν Ἐξαμπαῖος, τοῦ καὶ
ὀλίγῳ τι πρότερον τούτων μνήμην εἶχον, φάμενος ἐν
αὐτῷ κρήνην ὕδατος πικροῦ εἶναι, ἀπ' ἧς τὸ ὕδωρ ἀπορ-
ρέον τὸν Ὕπανιν ἄποτον ποιεῖν. ἐν τούτῳ τῷ χώρῳ 30
κεῖται χαλκήιον, μεγάθει καὶ ἑξαπλήσιον τοῦ ἐπὶ στόματι
τοῦ Πόντου κρητῆρος, τὸν Παυσανίης ὁ Κλεομβρότου
ἀνέθηκεν. ὃς δὲ μὴ εἶδέ κω τοῦτον, ὧδε δηλώσω· ἑξα-
κοσίους ἀμφορέας εὐπετέως χωρεῖ τὸ ἐν Σκύθῃσι χαλ-

κήιον, πάχος δὲ τὸ Σκυθικὸν τοῦτο χαλκήιόν ἐστι δακτύ-
λων ἕξ. τοῦτο ὦν ἔλεγον οἱ ἐπιχώριοι ἀπὸ ἀρδίων
γενέσθαι. βουλόμενον γὰρ τὸν σφέτερον βασιλέα, τῷ
ὄνομα εἶναι Ἀριάνταν, εἰδέναι τὸ πλῆθος τὸ Σκυθέων
5 κελεύειν μιν πάντας Σκύθας ἄρδιν ἕκαστον μίαν κομίσαι·
ὃς δ' ἂν μὴ κομίσῃ, θάνατον ἀπείλει. κομισθῆναί τε δὴ
χρῆμα πολλὸν ἀρδίων καὶ οἱ δόξαι ἐξ αὐτέων μνημόσυ-
νον ποιήσαντι λιπέσθαι· ἐκ τουτέων δή μιν τὸ χαλκήιον
ποιῆσαι τοῦτο καὶ ἀναθεῖναι ἐς τὸν Ἐξαμπαῖον τοῦτον.
82 ταῦτα δὲ περὶ τοῦ πλήθεος τοῦ Σκυθέων ἤκουον. θω-
11 μάσια δὲ ἡ χώρη αὕτη οὐκ ἔχει, χωρὶς ἢ ὅτι ποταμούς
τε πολλῷ μεγίστους καὶ ἀριθμὸν πλείστους. τὸ δὲ ἀπο-
θωμάσαι ἄξιον καὶ πάρεξ τῶν ποταμῶν καὶ τοῦ μεγάθεος
τοῦ πεδίου παρέχεται, εἰρήσεται· ἴχνος Ἡρακλέος φαί-
15 νουσιν ἐν πέτρῃ ἐνεόν, τὸ ἔοικε μὲν βήματι ἀνδρός, ἔστι
δὲ τὸ μέγαθος δίπηχυ, παρὰ τὸν Τύρην ποταμόν. τοῦτο
μέν νυν τοιοῦτό ἐστιν, ἀναβήσομαι δὲ ἐς τὸν κατ' ἀρχὰς
ᾖα λέξων λόγον.

83 Παρασκευαζομένου Δαρείου ἐπὶ τοὺς Σκύθας
20 καὶ περιπέμποντος ἀγγέλους ἐπιτάξοντας τοῖς μὲν πεζὸν
στρατόν, τοῖς δὲ νέας παρέχειν, τοῖς δὲ ζευγνύναι τὸν
Θρήκιον Βόσπορον, Ἀρτάβανος ὁ Ὑστάσπεος, ἀδελφεὸς
ἐὼν Δαρείου, ἔχρηζε μηδαμῶς αὐτὸν στρατιὴν ἐπὶ Σκύ-
θας ποιεῖσθαι, καταλέγων τῶν Σκυθέων τὴν ἀπορίην.
25 ἀλλ' οὐ γὰρ ἔπειθε συμβουλεύων οἱ χρηστά, ὁ μὲν ἐπέ-
παυτο, ὁ δέ, ἐπειδή οἱ τὰ πάντα παρεσκεύαστο, ἐξήλαυνε
84 τὸν στρατὸν ἐκ Σούσων. ἐνθαῦτα τῶν Περσέων Οἰό-
βαζος ἐδεήθη Δαρείου τριῶν ἐόντων οἱ παίδων καὶ
πάντων στρατευομένων ἕνα αὐτῷ καταλειφθῆναι. ὁ
30 δέ οἱ ἔφη ὡς φίλῳ ἐόντι καὶ μετρίων δεομένῳ πάντας
τοὺς παῖδας καταλείψειν. ὁ μὲν δὴ Οἰόβαζος περιχαρὴς
ἦν, ἐλπίζων τοὺς υἱέας στρατιῆς ἀπολελύσθαι, ὁ δὲ κε-
λεύει τοὺς ἐπὶ τούτων ἐπεστεῶτας ἀποκτεῖναι πάντας τοὺς
85 Οἰοβάζου παῖδας. καὶ οὗτοι μὲν ἀποσφαγέντες αὐτοῦ

ταύτῃ ἐλείποντο, Δαρεῖος δὲ ἐπείτε πορευόμενος ἐκ Σού-
σων ἀπίκετο τῆς Καλχηδονίης ἐπὶ τὸν Βόσπορον, ἵνα
ἔζευκτο ἡ γέφυρα, ἐνθεῦτεν ἐσβὰς ἐς νέα ἔπλει ἐπὶ τὰς
Κυανέας καλεομένας, τὰς πρότερον πλαγκτὰς Ἕλληνές
φασιν εἶναι, ἐζόμενος δὲ ἐπὶ ῥίῳ ἐθηεῖτο τὸν Πόν- 5
τον, ἐόντα ἀξιοθέητον· πελαγέων γὰρ ἁπάντων πέφυκε
θωμασιώτατος, τοῦ τὸ μὲν μῆκος στάδιοί εἰσιν ἑκατὸν
καὶ χίλιοι καὶ μύριοι, τὸ δὲ εὖρος, τῇ εὐρύτατος αὐτὸς
ἑωυτοῦ, στάδιοι τριηκόσιοι καὶ τρισχίλιοι. τούτου τοῦ
πελάγεος τὸ στόμα ἐστὶν εὖρος τέσσερες στάδιοι, μῆκος 10
δὲ τοῦ στόματος, ὁ αὐχήν, τὸ δὴ Βόσπορος κέκληται, κατ᾽
ὃ δὴ ἔζευκτο ἡ γέφυρα, ἐπὶ σταδίους εἴκοσι καὶ ἑκατόν
ἐστιν· τείνει δ᾽ ἐς τὴν Προποντίδα ὁ Βόσπορος. ἡ δὲ
Προποντίς, ἐοῦσα εὖρος μὲν σταδίων πεντακοσίων, μῆ-
κος δὲ τετρακοσίων καὶ χιλίων, καταδιδοῖ ἐς τὸν Ἑλλήσ- 15
ποντον, ἐόντα στεινότητα μὲν ἑπτὰ σταδίους, μῆκος δὲ
τετρακοσίους. ἐκδιδοῖ δὲ ὁ Ἑλλήσποντος ἐς χάσμα
πελάγεος τὸ δὴ Αἰγαῖον καλεῖται. μεμέτρηται δὲ ταῦτα 86
ὧδε· νηῦς ἐπίπαν μάλιστά κη κατανύει ἐν μακρημερίῃ
ὀργυιὰς ἑπτακισμυρίας, νυκτὸς δὲ ἑξακισμυρίας. ἤδη ὦν 20
ἐς μὲν Φᾶσιν ἀπὸ τοῦ στόματος (τοῦτο γάρ ἐστι τοῦ
Πόντου μακρότατον) ἡμερέων ἐννέα πλόος ἐστὶ καὶ νυκτῶν
ὀκτώ· αὗται ἕνδεκα μυριάδες καὶ ἑκατὸν ὀργυιῶν γίνον-
ται, ἐκ δὲ τῶν ὀργυιῶν τουτέων στάδιοι ἑκατὸν καὶ χίλιοι
καὶ μύριοί εἰσιν. ἐς δὲ Θεμισκύρην τὴν ἐπὶ Θερμώδοντι 25
ποταμῷ ἐκ τῆς Σινδικῆς (κατὰ τοῦτο γάρ ἐστι τοῦ Πόν-
του εὐρύτατον) τριῶν τε ἡμερέων καὶ δύο νυκτῶν πλόος·
αὗται δὲ τρεῖς μυριάδες καὶ τριήκοντα ὀργυιῶν γίνονται,
στάδιοι δὲ τριηκόσιοι καὶ τρισχίλιοι. ὁ μέν νυν Πόντος
οὗτος καὶ Βόσπορός τε καὶ Ἑλλήσποντος οὕτω τέ μοι 30
μεμετρέαται καὶ κατὰ τὰ εἰρημένα πεφύκασιν, παρέχεται
δὲ καὶ λίμνην ὁ Πόντος οὗτος ἐκδιδοῦσαν ἐς αὐτὸν οὐ
πολλῷ τεῳ ἐλάσσω ἑωυτοῦ, ἣ Μαιῆτίς τε καλεῖται καὶ
μήτηρ τοῦ Πόντου. ὁ δὲ Δαρεῖος ὡς ἐθεήσατο τὸν 87

Πόντον, ἔπλει ὀπίσω ἐπὶ τὴν γέφυραν, τῆς ἀρχιτέκ-
των ἐγένετο Μανδροκλῆς Σάμιος· θεησάμενος δὲ καὶ τὸν
Βόσπορον στήλας ἔστησε δύο ἐπ' αὐτῷ λίθου λευκοῦ,
ἐνταμὼν γράμματα ἐς μὲν τὴν Ἀσσύρια, ἐς δὲ τὴν Ἑλλη-
5 νικά, ἔθνεα πάντα ὅσα περ ἦγεν· ἦγε δὲ πάντα τῶν
ἦρχεν· τούτων μυριάδες ἐξηριθμήθησαν, χωρὶς τοῦ ναυτι-
κοῦ, ἑβδομήκοντα σὺν ἱππεῦσιν, νέες δὲ ἑξακόσιαι συνε-
λέχθησαν. τῇσι μέν νυν στήλῃσι ταύτῃσι Βυζάντιοι κο-
μίσαντες ἐς τὴν πόλιν ὕστερον τούτων ἐχρήσαντο πρὸς
10 τὸν βωμὸν τῆς Ὀρθωσίης Ἀρτέμιδος, χωρὶς ἑνὸς λίθου·
οὗτος δὲ κατελείφθη παρὰ τοῦ Διονύσου τὸν νηὸν ἐν
Βυζαντίῳ γραμμάτων Ἀσσυρίων πλέος. τοῦ δὲ Βοσπόρου
ὁ χῶρος, τὸν ἔζευξε βασιλεὺς Δαρεῖος, ὡς ἐμοὶ δοκεῖν
συμβαλλομένῳ, μέσον ἐστὶ Βυζαντίου τε καὶ τοῦ ἐπὶ στό-
15 ματι ἱροῦ.

88 Δαρεῖος δὲ μετὰ ταῦτα ἡσθεὶς τῇ σχεδίῃ τὸν ἀρ-
χιτέκτονα αὐτῆς Μανδροκλέα τὸν Σάμιον ἐδωρή-
σατο πᾶσι δέκα. ἀπ' ὧν δὴ Μανδροκλῆς ἀπαρχήν, ζῷα
γραψάμενος πᾶσαν τὴν ζεῦξιν τοῦ Βοσπόρου καὶ βασιλέα
20 τε Δαρεῖον ἐν προεδρίῃ καθήμενον καὶ τὸν στρατὸν
αὐτοῦ διαβαίνοντα, ταῦτα γραψάμενος ἀνέθηκεν ἐς τὸ
Ἥραιον, ἐπιγράψας τάδε·

Βόσπορον ἰχθυόεντα γεφυρώσας ἀνέθηκε
Μανδροκλέης Ἥρῃ μνημόσυνον σχεδίης,
25 Αὐτῷ μὲν στέφανον περιθείς, Σαμίοισι δὲ κῦδος,
Δαρείου βασιλέος ἐκτελέσας κατὰ νοῦν.

89 ταῦτα μέν νυν τοῦ ζεύξαντος τὴν γέφυραν μνημόσυνα
ἐγένετο, Δαρεῖος δὲ δωρησάμενος Μανδροκλέα διέβαινε
ἐς τὴν Εὐρώπην, τοῖς Ἴωσι παραγγείλας πλεῖν ἐς
30 τὸν Πόντον μέχρι Ἴστρου ποταμοῦ, ἐπεὰν δὲ ἀπί-
κωνται ἐς τὸν Ἴστρον, ἐνθαῦτα αὐτὸν περιμένειν, ζευ-
γνύντας τὸν ποταμόν· τὸ γὰρ δὴ ναυτικὸν ἦγον Ἴωνές
τε καὶ Αἰολεῖς καὶ Ἑλλησπόντιοι. ὁ μὲν δὴ ναυτικὸς

στρατὸς τὰς Κυανέας διεκπλώσας ἔπλει ἰθὺ τοῦ Ἴστρου, ἀναπλώσας δὲ ἀνὰ ποταμὸν δυῶν ἡμερέων πλόον ἀπὸ θαλάσσης τοῦ ποταμοῦ τὸν αὐχένα, ἐκ τοῦ σχίζεται τὰ στόματα τοῦ Ἴστρου, ἐζεύγνυεν. Δαρεῖος δὲ ὡς διέβη τὸν Βόσπορον κατὰ τὴν σχεδίην, ἐπορεύετο διὰ τῆς Θρήκης, ἀπικόμενος δὲ ἐπὶ Τεάρου ποταμοῦ τὰς πηγὰς ἐστρατοπεδεύσατο ἡμέρας τρεῖς. ὁ δὲ Τέαρος λέγεται ὑπὸ τῶν περιοίκων εἶναι ποταμῶν ἄριστος τά τε ἄλλα τὰ ἐς ἄκεσιν φέροντα καὶ δὴ καὶ ἀνδράσι καὶ ἵπποισι ψώρην ἀκέσασθαι. εἰσὶ δὲ αὐτοῦ αἱ πηγαὶ δυῶν δέουσαι τεσσεράκοντα, ἐκ πέτρης τῆς αὐτῆς ῥέουσαι· καὶ αἱ μὲν αὐτέων εἰσὶ ψυχραί, αἱ δὲ θερμαί. ὁδὸς δ᾽ ἐπ᾽ αὐτάς ἐστιν ἴση ἔξ Ἡραίου τε πόλιος τῆς παρὰ Περίνθῳ καὶ ἐξ Ἀπολλωνίης τῆς ἐν τῷ Εὐξείνῳ πόντῳ, δυῶν ἡμερέων ἑκατέρη. ἐκδιδοῖ δὲ ὁ Τέαρος οὗτος ἐς τὸν Κοντάδεσδον ποταμόν, ὁ δὲ Κοντάδεσδος ἐς τὸν Ἀγριάνην, ὁ δὲ Ἀγριάνης ἐς τὸν Ἕβρον, ὁ δὲ ἐς θάλασσαν τὴν παρ᾽ Αἴνῳ πόλι. ἐπὶ τοῦτον ὦν τὸν ποταμὸν ἀπικόμενος ὁ Δαρεῖος ὡς ἐστρατοπεδεύσατο, ἡσθεὶς τῷ ποταμῷ στήλην ἔστησε καὶ ἐνθαῦτα, γράμματα ἐγγράψας λέγοντα τάδε· „Τεάρου ποταμοῦ κεφαλαὶ ὕδωρ ἄριστόν τε καὶ κάλλιστον παρέχονται πάντων ποταμῶν· καὶ ἐπ᾽ αὐτὰς ἀπίκετο ἐλαύνων ἐπὶ Σκύθας στρατὸν ἀνὴρ ἄριστός τε καὶ κάλλιστος πάντων ἀνθρώπων, Δαρεῖος ὁ Ὑστάσπεος, Περσέων τε καὶ πάσης τῆς ἠπείρου βασιλεύς.“ ταῦτα δὴ ἐνθαῦτα ἐγράφη.

Δαρεῖος δὲ ἐνθεῦτεν ὁρμηθεὶς ἀπίκετο ἐπ᾽ ἄλλον ποταμόν, τῷ ὄνομα Ἀρτισκός ἐστιν, ὃς διὰ Ὀδρυσέων ῥεῖ. ἐπὶ τοῦτον δὴ τὸν ποταμὸν ἀπικόμενος ἐποίησε τοιόνδε· ἀποδέξας χωρίον τῇ στρατιῇ ἐκέλευε πάντα ἄνδρα λίθον ἕνα παρεξιόντα τιθέναι ἐς τὸ ἀποδεδεγμένον τοῦτο χωρίον. ὡς δὲ ταῦτα ἡ στρατιὴ ἐπετέλεσεν, ἐνθαῦτα κολωνοὺς μεγάλους τῶν λίθων καταλιπὼν ἀπήλαυνε τὴν στρατιήν. πρὶν δὲ ἀπικέσθαι ἐπὶ τὸν Ἴστρον,

πρώτους αίρεῖ Γέτας τοὺς ἀθανατίζοντας. οἱ μὲν γὰρ
τὸν Σαλμυδησσὸν ἔχοντες Θρῆκες καὶ ὑπὲρ Ἀπολλωνίης
τε καὶ Μεσαμβρίης πόλιος οἰκημένοι, καλεόμενοι δὲ Σκυρ-
μιάδαι καὶ Νιψαῖοι, ἀμαχητὶ σφέας αὐτοὺς παρέδοσαν
5 Δαρείῳ· οἱ δὲ Γέται πρὸς ἀγνωμοσύνην τραπόμενοι
αὐτίκα ἐδουλώθησαν, Θρηκῶν ἐόντες ἀνδρηιότατοι καὶ
94 δικαιότατοι. ἀθανατίζουσι δὲ τόνδε τὸν τρόπον·
οὔτε ἀποθνήσκειν ἑωυτοὺς νομίζουσιν ἰέναι τε τὸν
ἀπολλύμενον παρὰ Σάλμοξιν δαίμονα. οἱ δὲ αὐτῶν
10 τὸν αὐτὸν τοῦτον ὀνομάζουσι Γεβελέιζιν. διὰ πεντετη-
ρίδος δὲ τὸν πάλῳ λαχόντα αἰεὶ σφέων αὐτῶν ἀποπέμ-
πουσιν ἄγγελον παρὰ τὸν Σάλμοξιν, ἐντελλόμενοι τῶν
ἂν ἑκάστοτε δέωνται. πέμπουσι δὲ ὧδε· οἱ μὲν αὐτῶν
ταχθέντες ἀκόντια τρία ἔχουσιν, ἄλλοι δὲ διαλαβόντες
15 τοῦ ἀποπεμπομένου παρὰ τὸν Σάλμοξιν τὰς χεῖρας καὶ
τοὺς πόδας, ἀνακινήσαντες αὐτὸν μετέωρον ῥιπτέουσιν
ἐς τὰς λόγχας. ἢν μὲν δὴ ἀποθάνῃ ἀναπαρείς, τοῖς δὲ
ἵλεος ὁ θεὸς δοκεῖ εἶναι· ἢν δὲ μὴ ἀποθάνῃ, αἰτιῶνται
αὐτὸν τὸν ἄγγελον, φάμενοί μιν ἄνδρα κακὸν εἶναι,
20 αἰτιησάμενοι δὲ τοῦτον ἄλλον ἀποπέμπουσιν· ἐντέλλονται
δὲ ἔτι ζῶντι. οὗτοι οἱ αὐτοὶ Θρῆκες καὶ πρὸς βροντήν
τε καὶ ἀστραπὴν τοξεύοντες ἄνω πρὸς τὸν οὐρανὸν ἀπει-
λέουσι τῷ θεῷ, οὐδένα ἄλλον θεὸν νομίζοντες εἶναι εἰ
95 μὴ τὸν σφέτερον. ὡς δὲ ἐγὼ πυνθάνομαι τῶν τὸν Ἑλλήσ-
25 ποντον οἰκεόντων Ἑλλήνων, τὸν Σάλμοξιν τοῦτον ἐόντα
ἄνθρωπον δουλεῦσαι ἐν Σάμῳ, δουλεῦσαι δὲ Πυθαγόρῃ
τῷ Μνησάρχου· ἐνθεῦτεν δὲ αὐτὸν γενόμενον ἐλεύθερον
χρήματα κτήσασθαι συχνά, κτησάμενον δὲ ἀπελθεῖν ἐς
τὴν ἑωυτοῦ· ἅτε δὲ κακοβίων τε ἐόντων τῶν Θρηκῶν
30 καὶ ὑπαφρονεστέρων, τὸν Σάλμοξιν τοῦτον ἐπιστάμενον
δίαιτάν τε Ἰάδα καὶ ἤθεα βαθύτερα ἢ κατὰ Θρῆκας, οἷα
Ἕλλησί τε ὁμιλήσαντα καὶ Ἑλλήνων οὐ τῷ ἀσθενεστάτῳ
σοφιστῇ Πυθαγόρῃ, κατασκευάσασθαι ἀνδρεῶνα, ἐς τὸν
πανδοκεύοντα τῶν ἀστῶν τοὺς πρώτους καὶ εὐωχέοντα

ἀναδιδάσκειν, ὡς οὔτε αὐτὸς οὔτε οἱ συμπόται αὐτοῦ
οὔτε οἱ ἐκ τούτων αἰεὶ γινόμενοι ἀποθανέονται, ἀλλ᾽
ἥξουσιν ἐς χῶρον τοῦτον, ἵνα αἰεὶ περιεόντες ἕξουσι τὰ
πάντα ἀγαθά. ἐν ᾧ δὲ ἐποίει τὰ καταλεχθέντα καὶ
ἔλεγε ταῦτα, ἐν τούτῳ κατάγαιον οἴκημα ἐποιεῖτο. ὡς 5
δέ οἱ παντελέως εἶχε τὸ οἴκημα, ἐκ μὲν τῶν Θρηκῶν
ἠφανίσθη, καταβὰς δὲ κάτω ἐς τὸ κατάγαιον οἴκημα
διαιτᾶτο ἐπ᾽ ἔτεα τρία. οἱ δέ μιν ἐπόθεόν τε καὶ ἐπέν-
θεον ὡς τεθνεῶτα· τετάρτῳ δὲ ἔτει ἐφάνη τοῖς Θρηξίν,
καὶ οὕτω πιθανά σφιν ἐγένετο τὰ ἔλεγεν ὁ Σάλμοξις. 10
ταῦτά φασί μιν ποιῆσαι. ἐγὼ δὲ περὶ μὲν τοῦ κατα- 96
γαίου οἰκήματος οὔτε ἀπιστέω οὔτε ὦν πιστεύω τι λίην,
δοκέω δὲ πολλοῖσιν ἔτεσι πρότερον τὸν Σάλμοξιν τοῦτον
γενέσθαι Πυθαγόρεω. εἴτε δὲ ἐγένετό τις Σάλμοξις
ἄνθρωπος, εἴτε ἐστὶ δαίμων τις Γέτῃσιν οὗτος ἐπιχώριος, 15
χαιρέτω. οὗτοι μὲν δὴ τρόπῳ τοιούτῳ χρεώμενοι ὡς
ἐχειρώθησαν ὑπὸ Περσέων, εἵποντο τῷ ἄλλῳ στρατῷ.

Δαρεῖος δὲ ὡς ἀπίκετο καὶ ὁ πεζὸς ἅμ᾽ αὐτῷ στρα- 97
τὸς ἐπὶ τὸν Ἴστρον, ἐνθαῦτα διαβάντων πάντων Δαρεῖος
ἐκέλευσε τούς τε Ἴωνας τὴν σχεδίην λύσαντας ἔπεσθαι 20
κατ᾽ ἤπειρον ἑωυτῷ καὶ τὸν ἐκ τῶν νεῶν στρατόν. μελ-
λόντων δὲ τῶν Ἰώνων λύειν καὶ ποιεῖν τὰ κελευ-
όμενα Κώης ὁ Ἐρξάνδρου, στρατηγὸς ἐὼν Μυτιλη-
ναίων, ἔλεξε Δαρείῳ τάδε, πυθόμενος πρότερον εἰ οἱ
φίλον εἴη γνώμην ἀποδέκεσθαι παρὰ τοῦ βουλομένου 25
ἀποδείκνυσθαι· „Ὦ βασιλεῦ, ἐπὶ γῆν γὰρ μέλλεις στρα-
τεύεσθαι τῆς οὔτε ἀρηρομένον φανήσεται οὐδὲν οὔτε
πόλις οἰκεομένη· σύ νυν γέφυραν ταύτην ἔα κατὰ χώρην
ἑστάναι, φυλάκους αὐτῆς λιπὼν τούτους, οἵ περ μιν
ἔζευξαν. καὶ ἤν τε κατὰ νόον πρήξωμεν εὑρόντες Σκύ- 30
θας, ἔστιν ἄποδος ἡμῖν, ἤν τε καὶ μή σφεας εὑρεῖν
δυνεώμεθα, ἥ γε ἄποδος ἡμῖν ἀσφαλής· οὐ γὰρ ἔδεισά
κω μὴ ἑσσωθέωμεν ὑπὸ Σκυθέων μάχῃ, ἀλλὰ μᾶλλον μὴ
οὐ δυνάμενοί σφεας εὑρεῖν πάθωμέν τι ἀλώμενοι. καὶ

τάδε λέγειν φαίη τις ἄν με ἐμεωυτοῦ εἵνεκεν, ὡς κατα-
μένῳ. ἐγὼ δὲ γνώμην μὲν τὴν εὕρισκον ἀρίστην σοί,
βασιλεῦ, ἐς μέσον φέρω, αὐτὸς μέντοι ἕψομαί τοι καὶ
οὐκ ἂν λειφθείην." κάρτα τε ἥσθη τῇ γνώμῃ Δαρεῖος
5 καί μιν ἠμείψατο τοῖσδε· „Ξεῖνε Λέσβιε, σωθέντος ἐμέο
ὀπίσω ἐς οἶκον τὸν ἐμὸν ἐπιφάνηθί μοι πάντως, ἵνα σε
ἀντὶ χρηστῆς συμβουλίης χρηστοῖσιν ἔργοισιν ἀμείψωμαι."
98 ταῦτα εἴπας καὶ ἀπάψας ἄμματα ἑξήκοντα ἐν ἱμάντι,
καλέσας ἐς λόγους τοὺς Ἰώνων τυράννους ἔλεγε
10 τάδε· „Ἄνδρες Ἴωνες, ἡ μὲν πρότερον γνώμη ἀπο-
δεχθεῖσα ἐς τὴν γέφυραν μετείσθω μοι, ἔχοντες δὲ τὸν
ἱμάντα τόνδε ποιεῖτε τάδε· ἐπεὰν ἐμὲ ἴδητε τάχιστα
πορευόμενον ἐπὶ Σκύθας, ἀπὸ τούτου ἀρξάμενοι τοῦ
χρόνου λύετε ἄμμα ἓν ἑκάστης ἡμέρης· ἢν δὲ ἐν τούτῳ
15 τῷ χρόνῳ μὴ παρέω, ἀλλὰ διεξέλθωσιν ὑμῖν αἱ ἡμέραι
τῶν ἀμμάτων, ἀποπλεῖτε ἐς τὴν ὑμετέρην αὐτῶν. μέχρι
δὲ τούτου, ἐπείτε οὕτω μετέδοξεν, φυλάσσετε τὴν σχεδίην,
πᾶσαν προθυμίην σωτηρίης τε καὶ φυλακῆς παρεχόμενοι.
ταῦτα δὲ ποιέοντες ἐμοὶ μεγάλως χαριεῖσθε." Δαρεῖος
20 μὲν ταῦτα εἴπας ἐς τὸ πρόσω ἠπείγετο.
99   Τῆς δὲ Σκυθικῆς γῆς ἡ Θρήκη τὸ ἐς θάλασσαν
πρόκειται. κόλπου δὲ ἀγομένου τῆς γῆς ταύτης ἡ Σκυ-
θική τε ἐκδέκεται καὶ ὁ Ἴστρος ἐκδιδοῖ ἐς αὐτήν, πρὸς
εὖρον ἄνεμον τὸ στόμα τετραμμένος. τὸ δὲ ἀπὸ Ἴστρου
25 ἔρχομαι σημανέων τὸ πρὸς θάλασσαν αὐτῆς τῆς
Σκυθικῆς χώρης ἐς μέτρησιν. ἀπὸ Ἴστρου αὕτη
ἤδη ἡ ἀρχαία Σκυθίη ἐστίν, πρὸς μεσαμβρίην τε καὶ
νότον ἄνεμον κειμένη, μέχρι πόλιος καλεομένης Καρκινί-
τιδος. τὸ δὲ ἀπὸ ταύτης τὴν μὲν ἐπὶ θάλασσαν τὴν
30 αὐτὴν φέρουσαν, ἐοῦσαν ὀρεινήν τε χώρην καὶ προκει-
μένην τὸ ἐς πόντον, νέμεται τὸ Ταυρικὸν ἔθνος μέχρι
χερσονήσου τῆς τρηχείης καλεομένης· αὕτη δὲ ἐς θάλασ-
σαν τὴν πρὸς ἀπηλιώτην ἄνεμον κατήκει. ἔστι γὰρ τῆς
Σκυθικῆς τὰ δύο μέρεα τῶν οὔρων ἐς θάλασσαν φέροντα,

τήν τε πρὸς μεσαμβρίην καὶ τὴν πρὸς τὴν ἠῶ, κατά περ
τῆς Ἀττικῆς χώρης· καὶ παραπλήσια ταύτη καὶ οἱ Ταῦροι
νέμονται τῆς Σκυθικῆς, ὡς εἰ τῆς Ἀττικῆς ἄλλο ἔθνος
καὶ μὴ Ἀθηναῖοι νεμοίατο τὸν γουνὸν τὸν Σουνιακόν,
μᾶλλον ἐς τὸν πόντον ἀνέχοντα, τὸν ἀπὸ Θορικοῦ μέχρι 5
Ἀναφλύστου δήμου. λέγω δὲ ὡς εἶναι ταῦτα σμικρὰ
μεγάλοισι συμβαλεῖν. τοιοῦτον ἡ Ταυρική ἐστιν. ὃς δὲ
τῆς Ἀττικῆς ταῦτα μὴ παραπέπλωκεν, ἐγὼ δὲ ἄλλως δη-
λώσω· ὡς εἰ τῆς Ἰηπυγίης ἄλλο ἔθνος καὶ μὴ Ἰήπυγες
ἀρξάμενοι ἐκ Βρεντεσίου λιμένος ἀποταμοίατο μέχρι 10
Τάραντος καὶ νεμοίατο τὴν ἄκρην. δύο δὲ λέγων ταῦτα
πολλὰ λέγω παρόμοια, τοῖς ἄλλοισιν ἔοικεν ἡ Ταυρική.
τὸ δ' ἀπὸ τῆς Ταυρικῆς ἤδη Σκύθαι τὰ κατύπερθε τῶν 100
Ταύρων καὶ τὰ πρὸς θαλάσσης τῆς ἠοίης νέμονται, τοῦ
τε Βοσπόρου τοῦ Κιμμερίου τὰ πρὸς ἑσπέρης καὶ τῆς 15
λίμνης τῆς Μαιήτιδος μέχρι Τανάιδος ποταμοῦ, ὃς ἐκ-
διδοῖ ἐς μυχὸν τῆς λίμνης ταύτης. ἤδη ὦν ἀπὸ μὲν
Ἴστρου τὰ κατύπερθε ἐς τὴν μεσόγαιαν φέροντα ἀπο-
κλήεται ἡ Σκυθικὴ ὑπὸ πρώτων Ἀγαθύρσων, μετὰ δὲ
Νευρῶν, ἔπειτα δὲ Ἀνδροφάγων, τελευταίων δὲ Με- 20
λαγχλαίνων. ἔστι ὦν τῆς Σκυθικῆς ὡς ἐούσης τετρα- 101
γώνου, τῶν δύο μερέων κατηκόντων ἐς θάλασσαν, πάντη
ἴσον τό τε ἐς τὴν μεσόγαιαν φέρον καὶ τὸ παρὰ τὴν
θάλασσαν. ἀπὸ γὰρ Ἴστρου ἐπὶ Βορυσθένεα δέκα ἡμε-
ρέων ὁδός, ἀπὸ Βορυσθένεός τε ἐπὶ τὴν λίμνην τὴν 25
Μαιῆτιν ἑτερέων δέκα· καὶ τὸ ἀπὸ θαλάσσης ἐς μεσό-
γαιαν ἐς τοὺς Μελαγχλαίνους τοὺς κατύπερθε Σκυθέων
οἰκημένους εἴκοσι ἡμερέων ὁδός. ἡ δὲ ὁδὸς ἡ ἡμερησίη
ἀνὰ διηκόσια στάδια συμβέβληταί μοι. οὕτως ἂν εἴη τῆς
Σκυθικῆς τὰ ἐπικάρσια τετρακισχιλίων σταδίων καὶ τὰ 30
ὄρθια τὰ ἐς τὴν μεσόγαιαν φέροντα ἑτέρων τοσούτων
σταδίων. ἡ μέν νυν γῆ αὕτη ἐστὶ μέγαθος τοσαύτη.

Οἱ δὲ Σκύθαι δόντες σφίσι λόγον, ὡς οὐκ οἷοί τέ 102
εἰσι τὸν Δαρείου στρατὸν ἰθυμαχίῃ διώσασθαι μοῦνοι,

ἔπεμπον ἐς τοὺς πλησιοχώρους ἀγγέλους· τῶν δὲ καὶ δὴ
οἱ βασιλεῖς συνελθόντες ἐβουλεύοντο ὡς στρατοῦ
ἐπελαύνοντος μεγάλου. ἦσαν δὲ οἱ συνελθόντες βασι-
λεῖς Ταύρων καὶ Ἀγαθύρσων καὶ Νευρῶν καὶ Ἀνδρο-
5 φάγων καὶ Μελαγχλαίνων καὶ Γελωνῶν καὶ Βουδίνων
103 καὶ Σαυροματέων. τούτων Ταῦροι μὲν νόμοισι τοιοῖσδε
χρέωνται· θύουσι μὲν τῇ Παρθένῳ τούς τε ναυηγοὺς
καὶ τοὺς ἂν λάβωσιν Ἑλλήνων ἐπαναχθέντες τρόπῳ
τοιῷδε· καταρξάμενοι ῥοπάλῳ παίουσι τὴν κεφαλήν. οἱ
10 μὲν δὴ λέγουσιν ὡς τὸ σῶμα ἀπὸ τοῦ κρημνοῦ ὠθέουσι
κάτω (ἐπὶ γὰρ κρημνοῦ ἵδρυται τὸ ἱρόν), τὴν δὲ κεφαλὴν
ἀνασταυροῦσιν, οἱ δὲ κατὰ μὲν τὴν κεφαλὴν ὁμολογέουσιν,
τὸ μέντοι σῶμα οὐκ ὠθεῖσθαι ἀπὸ τοῦ κρημνοῦ λέγουσιν
ἀλλὰ γῇ κρύπτεσθαι. τὴν δὲ δαίμονα ταύτην, τῇ θύουσιν,
15 λέγουσιν αὐτοὶ Ταῦροι Ἰφιγένειαν τὴν Ἀγαμέμνονος
εἶναι. πολεμίους δὲ ἄνδρας, τοὺς ἂν χειρώσωνται, ποι-
εῦσι τάδε· ἀποταμὼν κεφαλὴν ἀποφέρεται ἐς τὰ οἰκία,
ἔπειτα ἐπὶ ξύλου μεγάλου ἀναπείρας ἱστᾷ ὑπὲρ τῆς οἰκίης
ὑπερέχουσαν πολλόν, μάλιστα δὲ ὑπὲρ τῆς καπνοδόκης·
20 φασὶ δὲ τούτους φυλάκους τῆς οἰκίης πάσης ὑπεραιω-
104 ρεῖσθαι. ζῶσι δὲ ἀπὸ ληίης τε καὶ πολέμου. Ἀγάθυρσοι
δὲ ἁβρότατοι ἄνδρες εἰσὶ καὶ χρυσοφόροι τὰ μάλιστα,
ἐπίκοινον δὲ τῶν γυναικῶν τὴν μεῖξιν ποιεῦνται, ἵνα
κασίγνητοί τε ἀλλήλων ἔωσι καὶ οἰκήιοι ἐόντες πάντες
25 μήτε φθόνῳ μήτ᾽ ἔχθει χρέωνται ἐς ἀλλήλους. τὰ δὲ
105 ἄλλα νόμαια Θρηξὶ προσκεχωρήκασιν. Νευροὶ δὲ νόμοισι
μὲν χρέωνται Σκυθικοῖσιν, γενεῇ δὲ μιῇ πρότερόν σφεας
τῆς Δαρείου στρατηλασίης κατέλαβεν ἐκλιπεῖν τὴν χώρην
πᾶσαν ὑπὸ ὀφίων. ὄφιας γάρ σφι πολλοὺς μὲν ἡ χώρη
30 ἀνέφαινεν, οἱ δὲ πλέονες ἄνωθέν σφιν ἐκ τῶν ἐρήμων
ἐπέπεσον, ἐς ὃ πιεζόμενοι οἴκησαν μετὰ Βουδίνων τὴν
ἑωυτῶν ἐκλιπόντες. κινδυνεύουσι δὲ οἱ ἄνθρωποι οὗτοι
γόητες εἶναι. λέγονται γὰρ ὑπὸ Σκυθέων καὶ Ἑλλήνων
τῶν ἐν τῇ Σκυθικῇ κατοικημένων ὡς ἔτεος ἑκάστου

ἅπαξ τῶν Νευρῶν ἕκαστος λύκος γίνεται ἡμέρας ὀλίγας
καὶ αὖτις ὀπίσω ἐς τὠυτὸ κατίσταται. ἐμὲ μέν νυν
ταῦτα λέγοντες οὐ πείθουσιν, λέγουσι δὲ οὐδὲν ἧσσον,
καὶ ὀμνῦσι δὲ λέγοντες. Ἀνδροφάγοι δὲ ἀγριώτατα 106
πάντων ἀνθρώπων ἔχουσιν ἤθεα, οὔτε δίκην νομί- 5
ζοντες οὔτε νόμῳ οὐδενὶ χρεώμενοι. νομάδες δέ εἰσιν,
ἐσθῆτα δὲ φορέουσι τῇ Σκυθικῇ ὁμοίην, γλῶσσαν δὲ
ἰδίην ἔχουσιν, ἀνθρωποφαγέουσι δὲ μοῦνοι τούτων.
Μελάγχλαινοι δὲ εἵματα μὲν μέλανα φορέουσι πάντες, 107
ἐπ' ὧν καὶ τὰς ἐπωνυμίας ἔχουσιν, νόμοισι δὲ Σκυ- 10
θικοῖσι χρέωνται. Βουδῖνοι δέ, ἔθνος ἐὸν μέγα καὶ 108
πολλόν, γλαυκόν τε πᾶν ἰσχυρῶς ἐστι καὶ πυρρόν.
πόλις δὲ ἐν αὐτοῖσι πεπόλισται ξυλίνη, ὄνομα δὲ τῇ
πόλι ἐστὶ Γελωνός· τοῦ δὲ τείχεος μέγαθος κῶλον
ἕκαστον τριήκοντα σταδίων ἐστίν, ὑψηλὸν δὲ καὶ πᾶν 15
ξύλινον, καὶ αἱ οἰκίαι αὐτῶν ξύλιναι καὶ τὰ ἱρά. ἔστι
γὰρ δὴ αὐτόθι Ἑλληνικῶν θεῶν ἱρὰ Ἑλληνικῶς κατε-
σκευασμένα ἀγάλμασί τε καὶ βωμοῖσι καὶ νηοῖσι ξυλί-
νοισιν, καὶ τῷ Διονύσῳ τριετηρίδας ἀνάγουσι καὶ βακ-
χεύουσιν. εἰσὶ γὰρ οἱ Γελωνοὶ τὸ ἀρχαῖον Ἕλληνες, 20
ἐκ τῶν δὲ ἐμπορίων ἐξαναστάντες οἴκησαν ἐν τοῖσι
Βουδίνοισιν· καὶ γλώσσῃ τὰ μὲν Σκυθικῇ, τὰ δὲ Ἑλ-
ληνικῇ χρέωνται. Βουδῖνοι δὲ οὐ τῇ αὐτῇ γλώσσῃ 109
χρέωνται καὶ Γελωνοί, οὐδὲ δίαιτα ἡ αὐτή· οἱ μὲν γὰρ
Βουδῖνοι ἐόντες αὐτόχθονες νομάδες τέ εἰσι καὶ φθει- 25
ροτραγέουσι μοῦνοι τῶν ταύτῃ, Γελωνοὶ δὲ γῆς τε
ἐργάται καὶ σιτοφάγοι καὶ κήπους ἐκτημένοι, οὐδὲν
τὴν ἰδέην ὅμοιοι οὐδὲ τὸ χρῶμα. ὑπὸ μέντοι Ἑλλήνων
καλέονται καὶ οἱ Βουδῖνοι Γελωνοί, οὐκ ὀρθῶς καλεό-
μενοι. ἡ δὲ χώρη σφέων πᾶσά ἐστι δασεῖα ἴδῃσι παν- 30
τοίῃσιν· ἐν δὲ τῇ ἴδῃ τῇ πλείστῃ ἐστὶ λίμνη μεγάλη τε
καὶ πολλὴ καὶ ἕλος καὶ κάλαμος περὶ αὐτήν. ἐν δὲ
ταύτῃ ἐνύδριες ἁλίσκονται καὶ κάστορες καὶ ἄλλα θηρία
τετραγωνοπρόσωπα, τῶν τὰ δέρματα παρὰ τὰς σισύρνας

παραρράπτεται, καὶ οἱ ὄρχιες αὐτοῖσίν εἰσι χρήσιμοι ἐς
ὑστερέων ἄκεσιν.

110 Σαυρομ ατέων δὲ πέρι ὧδε λέγεται. ὅτε Ἕλλη-
νες Ἀμαζόσιν ἐμαχ έσαντο (τὰς δὲ Ἀμαζόνας καλέουσι
5 Σκύθαι Οἰόρπατα, δύναται δὲ τὸ ὄνομα τοῦτο κατὰ
Ἑλλάδα γλῶσσαν ἀνδροκτόνοι· οἰὸρ γὰρ καλέουσιν ἄνδρα,
τὸ δὲ πατὰ κτείνειν), τότε λόγος τοὺς Ἕλληνας νικήσαν-
τας τῇ ἐπὶ Θερμώδοντι μάχῃ ἀποπλεῖν ἄγοντας τρισὶ
πλοίοισι τῶν Ἀμαζόνων ὅσας ἐδυνέατο ζωγρῆσαι, τὰς δὲ
10 ἐν τῷ πελάγει ἐπιθεμένας ἐκκόψαι τοὺς ἄνδρας. πλοῖα
δὲ οὐ γινώσκειν αὐτὰς οὐδὲ πηδαλίοισι χρῆσθαι οὐδὲ
ἱστίοισιν οὐδὲ εἰρεσίῃ· ἀλλ' ἐπεὶ ἐξέκοψαν τοὺς ἄνδρας,
ἐφέροντο κατὰ κῦμα καὶ ἄνεμον· καὶ ἀπικνέονται τῆς
λίμνης τῆς Μαιήτιδος ἐπὶ Κρημνούς. οἱ δὲ Κρημνοί
15 εἰσι γῆς τῆς Σκυθέων τῶν ἐλευθέρων. ἐνθαῦτα ἀπο-
βᾶσαι ἀπὸ τῶν πλοίων αἱ Ἀμαζόνες ὁδοιπόρεον ἐς τὴν
οἰκεομένην. ἐντυχοῦσαι δὲ πρώτῳ ἱπποφορβίῳ τοῦτο
διήρπασαν καὶ ἐπὶ τούτων ἱππαζόμεναι ἐληίζοντο τὰ τῶν
111 Σκυθέων. οἱ δὲ Σκύθαι οὐκ εἶχον συμβαλέσθαι τὸ
20 πρῆγμα· οὔτε γὰρ φωνὴν οὔτε ἐσθῆτα οὔτε τὸ ἔθνος
ἐγίνωσκον, ἀλλ' ἐν θώματι ἦσαν ὁκόθεν ἔλθοιεν, ἐδόκεον
δ' αὐτὰς εἶναι ἄνδρας τὴν πρώτην ἡλικίην ἔχοντας, μά-
χην τε δὴ πρὸς αὐτὰς ἐποιεῦντο. ἐκ δὲ τῆς μάχης τῶν
νεκρῶν ἐκράτησαν οἱ Σκύθαι καὶ οὕτως ἔγνωσαν ἐούσας
25 γυναῖκας. βουλευομένοισιν ὧν αὐτοῖσιν ἔδοξε κτείνειν
μὲν οὐδενὶ τρόπῳ ἔτι αὐτάς, ἑωυτῶν δὲ τοὺς νεωτάτους
ἀποπέμψαι ἐς αὐτάς, πλῆθος εἰκάσαντας ὅσαι περ ἐκεῖναι
ἦσαν· τούτους δὲ στρατοπεδεύεσθαι πλησίον ἐκεινέων καὶ
ποιεῖν τά περ ἂν καὶ ἐκεῖναι ποιέωσιν· ἢν δὲ αὐτοὺς
30 διώκωσιν, μάχεσθαι μὲν μή, ὑποφεύγειν δέ· ἐπεὰν δὲ
παύσωνται, ἐλθόντας αὖτις πλησίον στρατοπεδεύεσθαι.
ταῦτα ἐβουλεύσαντο οἱ Σκύθαι βουλόμενοι ἐξ αὐτέων
112 παῖδας ἐκγενήσεσθαι. ἀποπεμφθέντες δὲ οἱ νεηνίσκοι
ἐποίευν τὰ ἐντεταλμένα. ἐπεὶ δὲ ἔμαθον αὐτοὺς αἱ

Ἀμαζόνες ἐπ᾽ οὐδεμιῇ δηλήσει ἀπιγμένους, ἔων χαίρειν·
προσεχώρεον δὲ πλησιαιτέρω τὸ στρατόπεδον τῷ στρα-
τοπέδῳ ἐπ᾽ ἡμέρῃ ἑκάστῃ. εἶχον δὲ οὐδὲν οὐδ᾽ οἱ νεη-
νίσκοι, ὥσπερ οὐδὲ αἱ Ἀμαζόνες, εἰ μὴ τὰ ὅπλα καὶ τοὺς
ἵππους· ἀλλὰ ζοὴν ἔζωον τὴν αὐτὴν ἐκείνῃσιν, θηρεύοντές 5
τε καὶ ληιζόμενοι. ἐποίεον δὲ αἱ Ἀμαζόνες ἐς τὴν μεσαμ- 113
βρίην τοιόνδε· ἐγίνοντο σποράδες κατὰ μίαν τε καὶ δύο,
πρόσω δὴ ἀπ᾽ ἀλληλέων ἐς εὐμαρείην ἀποσκιδνάμεναι.
μαθόντες δὲ καὶ οἱ Σκύθαι ἐποίεον τὠυτὸ τοῦτο. καὶ
τις μουνωθεισέων τινὶ αὐτέων ἐνεχρίμπτετο, καὶ ἡ Ἀμα- 10
ζὼν οὐκ ἀπωθεῖτο ἀλλὰ περιεῖδε χρήσασθαι. καὶ φωνῆ-
σαι μὲν οὐκ εἶχε (οὐ γὰρ συνίεσαν ἀλλήλων), τῇ δὲ χειρὶ
ἔφραζεν ἐς τὴν ὑστεραίην ἐλθεῖν ἐς τὠυτὸ χωρίον καὶ
ἕτερον ἄγειν, σημαίνουσα δύο γενέσθαι καὶ αὐτὴ ἑτέρην
ἄξειν. ὁ δέ νεηνίσκος ἐπεὶ ἀπῆλθεν, ἔλεξε ταῦτα πρὸς 15
τοὺς λοιπούς· τῇ δὲ δευτεραίῃ ἦλθεν ἐς τὸ χωρίον αὐτός
τε οὗτος καὶ ἕτερον ἦγεν, καὶ τὴν Ἀμαζόνα εὗρε δευτέρην
αὐτὴν ὑπομένουσαν. οἱ δὲ λοιποὶ νεηνίσκοι ὡς ἐπύθοντο
ταῦτα, καὶ αὐτοὶ ἐκτιλώσαντο τὰς λοιπὰς τῶν Ἀμαζόνων.
μετὰ δὲ συμμείξαντες τὰ στρατόπεδα οἴκεον ὁμοῦ, γυναῖκα 114
ἔχων ἕκαστος ταύτην τῇ τὸ πρῶτον συνεμίχθη. τὴν δὲ 21
φωνὴν τὴν μὲν τῶν γυναικῶν οἱ ἄνδρες οὐκ ἐδυνέατο
μαθεῖν, τὴν δὲ τῶν ἀνδρῶν αἱ γυναῖκες συνέλαβον.
ἐπεὶ δὲ συνῆκαν ἀλλήλων, ἔλεξαν πρὸς τὰς Ἀμαζόνας
τάδε οἱ ἄνδρες· „Ἡμῖν εἰσὶ μὲν τοκεῖς, εἰσὶ δὲ κτήσιες. 25
νῦν ὦν μηκέτι πλέονα χρόνον ζοὴν τοιήνδε ἔχωμεν, ἀλλ᾽
ἀπελθόντες ἐς τὸ πλῆθος διαιτώμεθα· γυναῖκας δὲ ἕξο-
μεν ὑμέας καὶ οὐδαμὰς ἄλλας." αἱ δὲ πρὸς ταῦτα ἔλεξαν
τάδε· „Ἡμεῖς οὐκ ἂν δυναίμεθα οἰκεῖν μετὰ τῶν ὑμετε-
ρέων γυναικῶν· οὐ γὰρ τὰ αὐτὰ νόμαια ἡμῖν τε κά- 30
κείνῃσίν ἐστιν. ἡμεῖς μὲν τοξεύομέν τε καὶ ἀκοντίζομεν
καὶ ἱππαζόμεθα, ἔργα δὲ γυναικήια οὐκ ἐμάθομεν· αἱ δὲ
ὑμέτεραι γυναῖκες τούτων μὲν οὐδὲν τῶν ἡμεῖς κατελέ-
ξαμεν ποιεῦσιν, ἔργα δὲ γυναικήια ἐργάζονται μένουσαι

ἐν τῇσιν ἁμάξῃσιν, οὔτ' ἐπὶ θήρην ἰοῦσαι οὔτε ἄλλῃ
οὐδαμῇ. οὐκ ἂν ὦν δυναίμεθα ἐκείνῃσι συμφέρεσθαι.
ἀλλ' εἰ βούλεσθε γυναῖκας ἔχειν ἡμέας καὶ δοκεῖν εἶναι
δίκαιοι, ἐλθόντες παρὰ τοὺς τοκέας ἀπολάχετε τῶν κτη-
5 μάτων τὸ μέρος, καὶ ἔπειτα ἐλθόντες οἰκέωμεν ἐπ' ἡμέων
115 αὐτῶν." ἐπείθοντο καὶ ἐποίησαν ταῦτα οἱ νεηνίσκοι.
ἐπείτε δὲ ἀπολαχόντες τῶν κτημάτων τὸ ἐπιβάλλον ἦλθον
ὀπίσω παρὰ τὰς Ἀμαζόνας, ἔλεξαν αἱ γυναῖκες πρὸς
αὐτοὺς τάδε· „Ἡμέας ἔχει φόβος τε καὶ δέος, ὅκως χρὴ
10 οἰκεῖν ἐν τῷδε τῷ χώρῳ τοῦτο μὲν ὑμέας ἀποστερησάσας
πατέρων, τοῦτο δὲ τὴν γῆν τὴν ὑμετέρην δηλησαμένας
πολλά. ἀλλ' ἐπείτε ἀξιοῦτε ἡμέας γυναῖκας ἔχειν, τάδε
ποιεῖτε ἅμα ἡμῖν· φέρετε ἐξαναστέωμεν ἐκ τῆς γῆς τῆσδε
116 καὶ περήσαντες Τάναϊν ποταμὸν οἰκέωμεν." ἐπείθοντο
15 καὶ ταῦτα οἱ νεηνίσκοι. διαβάντες δὲ τὸν Τάναϊν ὁδοι-
πόρεον πρὸς ἥλιον ἀνίσχοντα τριῶν μὲν ἡμερέων ἀπὸ
τοῦ Τανάιδος ὁδόν, τριῶν δὲ ἀπὸ τῆς λίμνης τῆς Μαιή-
τιδος πρὸς βορῆν ἄνεμον. ἀπικόμενοι δὲ ἐς τοῦτον τὸν
χῶρον, ἐν τῷ νῦν κατοίκηνται, οἴκησαν τοῦτον. καὶ
20 διαίτῃ ἀπὸ τούτου χρέωνται τῇ παλαιῇ τῶν Σαυρομάτέων
αἱ γυναῖκες, καὶ ἐπὶ θήρην ἐπ' ἵππων ἐκφοιτῶσαι ἅμα
τοῖς ἀνδράσι καὶ χωρὶς τῶν ἀνδρῶν, καὶ ἐς πόλεμον
φοιτῶσαι καὶ στολὴν τὴν αὐτὴν τοῖς ἀνδράσι φορέουσαι.
117 φωνῇ δὲ οἱ Σαυρομάται νομίζουσι Σκυθικῇ, σολοικίζον-
25 τες αὐτῇ ἀπὸ τοῦ ἀρχαίου, ἐπεὶ οὐ χρηστῶς ἐξέμαθον
αὐτὴν αἱ Ἀμαζόνες. τὰ περὶ γάμων δὲ ὧδέ σφι διάκει-
ται· οὐ γαμεῖται παρθένος οὐδεμία, πρὶν ἂν τῶν πολε-
μίων ἄνδρα ἀποκτείνῃ. αἱ δέ τινες αὐτέων καὶ τελευ-
τῶσι γηραιαὶ πρὶν γήμασθαι, οὐ δυνάμεναι τὸν νόμον
30 ἐκπλῆσαι.
118 Ἐπὶ τούτων ὦν τῶν καταλεχθέντων ἐθνέων τοὺς
βασιλέας ἁλισμένους ἀπικόμενοι τῶν Σκυθέων
οἱ ἄγγελοι ἔλεγον ἐκδιδάσκοντες ὡς ὁ Πέρσης, ἐπειδή
οἱ τὰ ἐν τῇ ἠπείρῳ τῇ ἑτέρῃ πάντα κατέστραπται, γέφυ-

ϱαν ζεύξας ἐπὶ τῷ αὐχένι τοῦ Βοσπόρου διαβέβηκεν ἐς
τήνδε τὴν ἤπειρον, διαβὰς δὲ καὶ καταστρεψάμενος Θρῆ-
κας γεφυροῖ ποταμὸν Ἴστρον, βουλόμενος καὶ τάδε πάντα
ὑπ᾽ ἑωυτῷ ποιήσασθαι. „Ὑμεῖς ὧν μηδενὶ τρόπῳ ἐκ τοῦ
μέσου καθήμενοι περιίδητε ἡμέας διαφθαρέντας, ἀλλὰ 5
τὠυτὸ νοήσαντες ἀντιάζωμεν τὸν ἐπιόντα. οὔκων ποιή-
σετε ταῦτα; ἡμεῖς μὲν πιεζόμενοι ἢ ἐκλείψομεν τὴν χώ-
ϱην ἢ μένοντες ὁμολογίῃ χρησόμεθα. τί γὰρ πάθωμεν
μὴ βουλομένων ὑμέων τιμωρεῖν; ὑμῖν δὲ οὐδὲν ἐπὶ τούτῳ
ἔσται ἐλαφρότερον· ἥκει γὰρ ὁ Πέρσης οὐδέν τι μᾶλλον 10
ἐπ᾽ ἡμέας ἢ οὐ καὶ ἐπ᾽ ὑμέας, οὐδέ οἱ καταχρήσει ἡμέας
καταστρεψαμένῳ ὑμέων ἀπέχεσθαι. μέγα δὲ ὑμῖν λόγων
τῶνδε μαρτύριον ἐρέομεν· εἰ γὰρ ἐπ᾽ ἡμέας μούνους
ἐστρατηλάτει ὁ Πέρσης τείσασθαι τῆς πρόσθε δουλοσύ-
νης βουλόμενος, χρῆν αὐτὸν πάντων τῶν ἄλλων ἀπεχό- 15
μενον ἰέναι οὕτω ἐπὶ τὴν ἡμετέρην, καὶ ἂν ἐδήλου πᾶσιν
ὡς ἐπὶ Σκύθας ἐλαύνει καὶ οὐκ ἐπὶ τοὺς ἄλλους. νῦν
δὲ ἐπείτε τάχιστα διέβη ἐς τήνδε τὴν ἤπειρον, τοὺς αἰεὶ
ἐμποδὼν γινομένους ἡμεροῦται πάντας. τούς τε δὴ ἄλλους
ἔχει ὑπ᾽ ἑωυτῷ Θρῆκας καὶ δὴ καὶ τοὺς ἡμῖν ἐόντας πλη- 20
σιοχώρους Γέτας." ταῦτα Σκυθέων ἐπαγγελλομένων ἐβου- 119
λεύοντο οἱ βασιλεῖς οἱ ἀπὸ τῶν ἐθνέων ἥκοντες, καί
σφεων ἐσχίσθησαν αἱ γνῶμαι. ὁ μὲν Γελωνὸς καὶ
ὁ Βουδῖνος καὶ ὁ Σαυρομάτης κατὰ τὠυτὸ γενόμενοι
ὑπεδέκοντο Σκύθῃσι τιμωρήσειν, ὁ δὲ Ἀγάθυρσος καὶ 25
Νευρὸς καὶ Ἀνδροφάγος καὶ οἱ τῶν Μελαγχλαίνων καὶ
Ταύρων τάδε Σκύθῃσιν ὑπεκρίναντο· „Εἰ μὲν μὴ ὑμεῖς
ἔατε οἱ πρότερον ἀδικήσαντες Πέρσας καὶ ἄρξαντες πολέ-
μου, τούτων δεόμενοι τῶν νῦν δεῖσθε, λέγειν τε ἂν
ἐφαίνεσθε ἡμῖν ὀρθά, καὶ ἡμεῖς ὑπακούσαντες τὠυτὸ ἂν 30
ὑμῖν ἐπρήσσομεν. νῦν δὲ ὑμεῖς τε ἐς τὴν ἐκείνων ἐσβα-
λόντες γῆν ἄνευ ἡμέων ἐπεκρατεῖτε Περσέων, ὅσον χρόνον
ὑμῖν ὁ θεὸς παρεδίδου, καὶ ἐκεῖνοι, ἐπεί σφεας ὡυτὸς
θεὸς ἐγείρει, τὴν ὁμοίην ὑμῖν ἀποδιδοῦσιν. ἡμεῖς δὲ

οὔτε τι τότε ἠδικήσαμεν τοὺς ἄνδρας τούτους οὐδὲν οὔτε
νῦν πρότεροι πειρησόμεθα ἀδικεῖν. ἢν μέντοι ἐπίῃ καὶ
ἐπὶ τὴν ἡμετέρην ἄρξῃ τε ἀδικέων, καὶ ἡμεῖς οὐ περι-
οψόμεθα. μέχρι δὲ τοῦτο ἴδωμεν, μενέομεν παρ᾽ ἡμῖν
5 αὐτοῖσιν· ἥκειν γὰρ δοκέομεν οὐκ ἐπ᾽ ἡμέας Πέρσας, ἀλλ᾽
ἐπὶ τοὺς αἰτίους τῆς ἀδικίης γενομένους."

120 Ταῦτα ὡς ἀπενειχθέντα ἐπύθοντο οἱ Σκύθαι,
ἐβουλεύοντο ἰθυμαχίην μὲν μηδεμίαν ποιεῖσθαι ἐκ τοῦ
ἐμφανέος, ὅτε δή σφιν οὗτοί γε σύμμαχοι οὐ προσεγί-
10 νοντο, ὑπεξιόντες δὲ καὶ ὑπεξελαύνοντες τὰ φρέατα, τὰ
παρεξίοιεν αὐτοί, καὶ τὰς κρήνας συγχοῦν, τὴν ποίην
τε ἐκ τῆς γῆς ἐκτρίβειν, διχοῦ σφέας διελόντες. καὶ
πρὸς μὲν τὴν μίαν τῶν μοιρέων, τῆς ἐβασίλευε Σκώπα-
σις, προσχωρεῖν Σαυρομάτας· τούτους μὲν δὴ ὑπάγειν,
15 ἢν ἐπὶ τοῦτο τράπηται ὁ Πέρσης, ἰθὺ Τανάιδος ποταμοῦ
παρὰ τὴν Μαιῆτιν λίμνην ὑποφεύγοντας, ἀπελαύνοντός
τε τοῦ Πέρσεω ἐπιόντας διώκειν. αὕτη μέν σφι μία ἦν
μοῖρα τῆς βασιληίης, τεταγμένη ταύτην τὴν ὁδόν, ᾗ περ
εἴρηται. τὰς δὲ δύο τῶν βασιληίων, τήν τε μεγάλην,
20 τῆς ἦρχεν Ἰδάνθυρσος, καὶ τὴν τρίτην, τῆς ἐβασίλευε
Τάξακις, συνελθούσας ἐς τὠυτὸ καὶ Γελωνῶν τε καὶ
Βουδίνων προσγενομένων, ἡμέρης καὶ τούτους ὁδῷ προ-
έχοντας τῶν Περσέων ὑπεξάγειν, ὑπιόντας τε καὶ ποιεῦν-
τας τὰ βεβουλευμένα. πρῶτα μέν νυν ὑπάγειν σφέας
25 ἰθὺ τῶν χωρέων τῶν ἀπειπαμένων τὴν σφετέρην συμ-
μαχίην, ἵνα καὶ τούτους ἐκπολεμώσωσιν· εἰ δὲ μὴ ἑκόντες
γε ὑπέδυσαν τὸν πόλεμον τὸν πρὸς Πέρσας, ἀλλ᾽ ἀέκον-
τας ἐκπολεμώσεσθαι· μετὰ δὲ τοῦτο ὑποστρέφειν ἐς τὴν
σφετέρην καὶ ἐπιχειρεῖν, ἢν δὴ βουλευομένοισι δοκῇ.

121 Ταῦτα οἱ Σκύθαι βουλευσάμενοι ὑπηντίαζον τὴν
31 Δαρείου στρατιήν, προδρόμους ἀποστείλαντες τῶν
ἱππέων τοὺς ἀρίστους. τὰς δὲ ἁμάξας, ἐν τῇσί σφι διαι-
τᾶτο τὰ τέκνα τε καὶ αἱ γυναῖκες, πάσας καὶ τὰ πρόβατα
πάντα, πλὴν ὅσα σφιν ἐς φορβὴν ἱκανὰ ἦν, τοσαῦτα ὑπο-

λιπόμενοι τὰ ἄλλα ἅμα τῇσιν ἁμάξῃσι προέπεμψαν, ἐν-
τειλάμενοι αἰεὶ τὸ πρὸς βορέω ἐλαύνειν. ταῦτα μὲν δὴ 122
προεκομίζετο, τῶν δὲ Σκυθέων οἱ πρόδρομοι ὡς εὗρον
τοὺς Πέρσας ὅσον τε τριῶν ἡμερέων ὁδὸν ἀπέχοντας ἀπὸ
τοῦ Ἴστρου, οὗτοι μὲν τούτους εὑρόντες ἡμέρης ὁδῷ 5
προέχοντες ἐστρατοπεδεύοντο τὰ ἐκ τῆς γῆς φυόμενα
λεαίνοντες. οἱ δὲ Πέρσαι ὡς εἶδον ἐπιφανεῖσαν τῶν
Σκυθέων τὴν ἵππον, ἐπῇσαν κατὰ στίβον αἰεὶ ὑπαγόν-
των. καὶ ἔπειτα (πρὸς γὰρ τὴν μίαν τῶν μοιρέων ἴθυ-
σαν) οἱ Πέρσαι ἐδίωκον πρὸς ἠῶ τε καὶ ἰθὺ Τα- 10
νάιδος. διαβάντων δὲ τούτων τὸν Τάναϊν ποταμὸν οἱ
Πέρσαι ἐπιδιαβάντες ἐδίωκον, ἐς ὃ τῶν Σαυρομάτεων
τὴν χώρην διεξελθόντες ἀπίκοντο ἐς τὴν τῶν Βουδίνων.
ὅσον μὲν δὴ χρόνον οἱ Πέρσαι ἦσαν διὰ τῆς Σκυθικῆς 123
καὶ τῆς Σαυρομάτιδος χώρης, οἱ δὲ εἶχον οὐδὲν σίνεσθαι, 15
ἅτε τῆς χώρης ἐούσης χέρσου· ἐπείτε δὲ ἐς τὴν τῶν Βου-
δίνων χώρην ἐσέβαλλον, ἐνθαῦτα δὴ ἐντυχόντες τῷ ξυ-
λίνῳ τείχει, ἐκλελοιπότων τῶν Βουδίνων καὶ κεκενωμένου
τοῦ τείχεος πάντων, ἐνέπρησαν αὐτό. τοῦτο δὲ ποιή-
σαντες εἵποντο αἰεὶ τὸ πρόσω κατὰ στίβον, ἐς ὃ διεξελ- 20
θόντες ταύτην ἐς τὴν ἔρημον ἀπίκοντο. ἡ δὲ ἔρημος
αὕτη ὑπὸ οὐδαμῶν νέμεται ἀνδρῶν, κεῖται δὲ ὑπὲρ τῆς
Βουδίνων χώρης, ἐοῦσα πλῆθος ἑπτὰ ἡμερέων ὁδοῦ. ὑπὲρ
δὲ τῆς ἐρήμου Θυσσαγέται οἰκέουσιν, ποταμοὶ δὲ ἐξ αὐτῶν
τέσσερες μεγάλοι ῥέοντες διὰ Μαιητέων ἐκδιδοῦσιν ἐς 25
τὴν λίμνην τὴν καλεομένην Μαιῆτιν, τοῖς ὀνόματα κεῖται
τάδε, Λύκος, Ὄαρος, Τάναϊς, Σύργις.
    Ἐπεὶ ὦν ὁ Δαρεῖος ἦλθεν ἐς τὴν ἔρημον, παυσά- 124
μενος τοῦ δρόμου ἵδρυσε τὴν στρατιὴν ἐπὶ ποταμῷ Ὀάρῳ.
τοῦτο δὲ ποιήσας ὀκτὼ τείχεα ἐτείχει μεγάλα, ἴσον 30
ἀπ' ἀλλήλων ἀπέχοντα, σταδίους ὡς ἑξήκοντα μάλιστά
κῃ, τῶν ἔτι ἐς ἐμὲ τὰ ἐρείπια σόα ἦν. ἐν ᾧ δὲ οὗτος
πρὸς ταῦτα ἐτρέπετο, οἱ διωκόμενοι Σκύθαι περιελθόντες
τὰ κατύπερθε ὑπέστρεφον ἐς τὴν Σκυθικήν. ἀφανισθέν-

των δὲ τούτων τὸ παράπαν, ὡς οὐκέτι ἐφαντάζοντό σφιν,
οὕτω δὴ ὁ Δαρεῖος τείχεα μὲν ἐκεῖνα ἡμίεργα μετῆκεν,
αὐτὸς δὲ ὑποστρέψας ἦε πρὸς ἑσπέρην, δοκέων τούτους
τε πάντας τοὺς Σκύθας εἶναι καὶ πρὸς ἑσπέρην σφέας
125 φεύγειν. ἐλαύνων δὲ τὴν ταχίστην τὸν στρατὸν ὡς ἐς
6 τὴν Σκυθικὴν ἀπίκετο, ἐνέκυρσεν ἀμφοτέρῃσι τῇσι
μοίρῃσι τῶν Σκυθέων, ἐντυχὼν δὲ ἐδίωκεν ὑπεκφέ-
ροντας ἡμέρης ὁδῷ. καὶ οὐ γὰρ ἀνίει ἐπιὼν ὁ Δαρεῖος,
οἱ Σκύθαι κατὰ τὰ βεβουλευμένα ὑπέφευγον ἐς
10 τῶν ἀπειπαμένων τὴν σφετέρην συμμαχίην, πρώτην δὲ
ἐς τῶν Μελαγχλαίνων τὴν γῆν. ὡς δὲ ἐσβαλόντες τού-
τους ἐτάραξαν οἵ τε Σκύθαι καὶ οἱ Πέρσαι, κατηγέοντο
οἱ Σκύθαι ἐς τῶν Ἀνδροφάγων τοὺς χώρους, ταραχθέντων
δὲ καὶ τούτων ὑπῆγον ἐπὶ τὴν Νευρίδα, ταρασσομένων
15 δὲ καὶ τούτων ἦσαν ὑποφεύγοντες οἱ Σκύθαι ἐς τοὺς Ἀγα-
θύρσους. Ἀγάθυρσοι δὲ ὁρῶντες καὶ τοὺς ὁμούρους φεύγον-
τας ὑπὸ Σκυθέων καὶ τεταραγμένους, πρὶν ἢ σφιν ἐμβαλεῖν
τοὺς Σκύθας πέμψαντες κήρυκα ἀπηγόρευον Σκύθῃσι μὴ
ἐπιβαίνειν τῶν σφετέρων οὔρων, προλέγοντες ὡς εἰ πει-
20 ρήσονται ἐσβάλλοντες, σφίσι πρῶτα διαμαχήσονται. Ἀγά-
θυρσοι μὲν προείπαντες ταῦτα ἐβοήθεον ἐπὶ τοὺς οὔρους,
ἐρύκειν ἐν νῷ ἔχοντες τοὺς ἐπιόντας· Μελάγχλαινοι δὲ
καὶ Ἀνδροφάγοι καὶ Νευροὶ ἐσβαλόντων τῶν Περσέων
ἅμα Σκύθῃσιν οὔτε πρὸς ἀλκὴν ἐτρέποντο ἐπιλαθόμενοί
25 τε τῆς ἀπειλῆς ἔφευγον αἰεὶ τὸ πρὸς βορέω ἐς τὴν ἔρη-
μον τεταραγμένοι. οἱ δὲ Σκύθαι ἐς μὲν τοὺς Ἀγαθύρ-
σους οὐκέτι ἀπείπαντας ἀπικνέοντο, οἱ δὲ ἐκ τῆς Νευρί-
δος χώρης ἐς τὴν σφετέρην κατηγέοντο τοῖς Πέρσῃσιν.
126 Ὡς δὲ πολλὸν τοῦτο ἐγίνετο καὶ οὐκ ἐπαύετο, πέμ-
30 ψας Δαρεῖος ἱππέα παρὰ τὸν Σκυθέων βασιλέα
Ἰδάνθυρσον ἔλεγε τάδε· „Δαιμόνιε ἀνδρῶν, τί φεύ-
γεις αἰεί, ἐξεόν τοι τῶνδε τὰ ἕτερα ποιεῖν; εἰ μὲν γὰρ
ἀξιόχρεος δοκεῖς εἶναι σεωυτῷ τοῖσι ἐμοῖσι πρήγμασιν ἀν-
τιωθῆναι, σὺ δὲ στάς τε καὶ παυσάμενος πλάνης μάχε-

σθαι· εἰ δὲ συγγινώσκεαι εἶναι ἥσσων, σὺ δὲ καὶ οὕτω
παυσάμενος τοῦ δρόμου δεσπότῃ τῷ σῷ δῶρα φέρων γῆν
τε καὶ ὕδωρ ἐλθὲ ἐς λόγους." πρὸς ταῦτα ὁ Σκυθέων 127
βασιλεὺς Ἰδάνθυρσος λέγει τάδε· „Οὕτω τὸ ἐμὸν
ἔχει, ὦ Πέρσα· ἐγὼ οὐδένα κω ἀνθρώπων δείσας ἔφυγον 5
οὔτε πρότερον οὔτε νῦν σὲ φεύγω· οὐδέ τι νεώτερόν
εἰμι ποιήσας νῦν ἢ καὶ ἐν εἰρήνῃ ἐώθεα ποιεῖν. ὅ τι
δὲ οὐκ αὐτίκα μάχομαί τοι, ἐγὼ καὶ τοῦτο σημανέω·
ἡμῖν οὔτε ἄστεα οὔτε γῆ πεφυτευμένη ἔστιν, τῶν πέρι
δείσαντες, μὴ ἁλῷ ἢ καρῇ, ταχύτερον ἂν ὑμῖν συμμίσ- 10
γοιμεν ἐς μάχην· εἰ δὲ δέοι πάντως ἐς τοῦτο κατὰ τάχος
ἀπικνεῖσθαι, τυγχάνουσιν ἡμῖν ἐόντες τάφοι πατρῷοι.
φέρετε, τούτους ἀνευρόντες συγχεῖν πειρᾶσθε αὐτούς, καὶ
γνώσεσθε τότε εἴτε ὑμῖν μαχησόμεθα περὶ τῶν τάφων
εἴτε καὶ οὐ μαχησόμεθα. πρότερον δέ, ἢν μὴ ἡμέας 15
λόγος αἱρῇ, οὐ συμμείξομέν τοι. ἀμφὶ μὲν μάχῃ τοσαῦτα
εἰρήσθω, δεσπότας δὲ ἐμοὺς ἐγὼ Δία τε νομίζω τὸν ἐμὸν
πρόγονον καὶ Ἱστίην τὴν Σκυθέων βασίλειαν μούνους
εἶναι. σοὶ δὲ ἀντὶ μὲν δώρων γῆς τε καὶ ὕδατος δῶρα
πέμψω τοιαῦτα οἷα σοὶ πρέπει ἐλθεῖν, ἀντὶ δὲ τοῦ ὅτι 20
δεσπότης ἔφησας εἶναι ἐμός, κλαίειν λέγω."
     Ὁ μὲν δὴ κῆρυξ οἰχώκει ἀγγελέων ταῦτα Δαρείῳ, 128
οἱ δὲ Σκυθέων βασιλεῖς ἀκούσαντες τῆς δουλοσύνης τὸ
ὄνομα ὀργῆς ἐπλήσθησαν. τὴν μὲν δὴ μετὰ Σαυρομα-
τέων μοῖραν ταχθεῖσαν, τῆς ἦρχε Σκώπασις, πέμπουσιν 25
Ἴωσι κελεύοντες ἐς λόγους ἀπικέσθαι, τούτοισιν οἳ τὸν
Ἴστρον ἐζευγμένον ἐφρούρεον· αὐτῶν δὲ τοῖς ὑπολει-
πομένοισιν ἔδοξε πλανᾶν μὲν μηκέτι Πέρσας, σῖτα
δὲ ἑκάστοτε ἀναιρεομένοισιν ἐπιτίθεσθαι. νωμῶν-
τες ὦν σῖτα ἀναιρεομένους τοὺς Δαρείου ἐποίευν τὰ 30
βεβουλευμένα. ἡ μὲν δὴ ἵππος τὴν ἵππον αἰεὶ τρέπεσκεν
ἡ τῶν Σκυθέων, οἱ δὲ τῶν Περσέων ἱππόται φεύγοντες
ἐσέπιπτον ἐς τὸν πεζόν, ὁ δὲ πεζὸς ἂν ἐπεκούρει· οἱ δὲ
Σκύθαι ἐσαράξαντες τὴν ἵππον ὑπέστρεφον, τὸν πεζὸν

φοβεόμενοι. ἐποιέοντο δὲ καὶ τὰς νύκτας παραπλησίας
129 προσβολὰς οἱ Σκύθαι. τὸ δὲ τοῖς Πέρσῃσί τε ἦν
σύμμαχον καὶ τοῖσι Σκύθῃσιν ἀντίξοον ἐπιτιθεμένοισι
τῷ Δαρείου στρατοπέδῳ, θῶμα μέγιστον ἐρέω. οὔτε γὰρ
5 ὄνον οὔτε ἡμίονον γῆ ἡ Σκυθικὴ φέρει, ὡς καὶ πρότερόν
μοι δεδήλωται· οὐδὲ ἔστιν ἐν τῇ Σκυθικῇ πάσῃ χώρῃ τὸ
παράπαν οὔτε ὄνος οὔτε ἡμίονος διὰ τὰ ψύχεα. ὑβρί-
ζοντες ὦν οἱ ὄνοι ἐτάρασσον τὴν ἵππον τῶν Σκυθέων.
πολλάκις δέ, ἐπελαννόντων ἐπὶ τοὺς Πέρσας μεταξύ, ὅκως
10 ἀκούσειαν οἱ ἵπποι τῶν ὄνων τῆς φωνῆς, ἐταράσσοντό
τε ὑποστρεφόμενοι καὶ ἐν θώματι ἔσκον, ὀρθὰ ἱστάντες
τὰ ὦτα, ἅτε οὔτε ἀκούσαντες πρότερον φωνῆς τοιαύτης
οὔτε ἰδόντες τὸ εἶδος. ταῦτα μέν νυν ἐπὶ σμικρόν τι
130 ἐφέροντο τοῦ πολέμου. οἱ δὲ Σκύθαι ὅκως τοὺς Πέρ-
15 σας ἴδοιεν τεθορυβημένους, ἵνα παραμένοιέν τε ἐπὶ πλέω
χρόνον ἐν τῇ Σκυθικῇ καὶ παραμένοντες ἀνιῷατο τῶν
πάντων ἐπιδεεῖς ἐόντες, ἐποίεον τοιάδε· ὅκως τῶν προ-
βάτων τῶν σφετέρων αὐτῶν καταλίποιεν μετὰ τῶν νο-
μέων, αὐτοὶ ἂν ὑπεξήλαυνον ἐς ἄλλον χῶρον· οἱ δὲ ἂν
20 Πέρσαι ἐπελθόντες λάβεσκον τὰ πρόβατα καὶ λαβόντες
131 ἐπηείροντο ἂν τῷ πεποιημένῳ. πολλάκις δὲ τοιούτου
γινομένου τέλος Δαρεῖός τε ἐν ἀπορίῃσιν εἴχετο καὶ
οἱ Σκυθέων βασιλεῖς μαθόντες τοῦτο ἔπεμπον κή-
ρυκα δῶρα Δαρείῳ φέροντα ὄρνιθά τε καὶ μῦν καὶ
25 βάτραχον καὶ ὀιστοὺς πέντε. Πέρσαι δὲ τὸν φέροντα τὰ
δῶρα ἐπειρώτεον τὸν νόον τῶν διδομένων· ὁ δὲ οὐδὲν
ἔφη οἱ ἐπεστάλθαι ἄλλο ἢ δόντα τὴν ταχίστην ἀπαλλάσ-
σεσθαι· αὐτοὺς δὲ τοὺς Πέρσας ἐκέλευεν, εἰ σοφοί εἰσιν,
γνῶναι τὸ θέλει τὰ δῶρα λέγειν. ταῦτα ἀκούσαντες οἱ
132 Πέρσαι ἐβουλεύοντο. Δαρείου μέν νυν ἡ γνώμη ἦν
31 Σκύθας ἑωυτῷ διδόναι σφέας τε αὐτοὺς καὶ γῆν τε καὶ
ὕδωρ, εἰκάζων τῇδε, ὡς μῦς μὲν ἐν γῇ γίνεται καρπὸν
τὸν αὐτὸν ἀνθρώπῳ σιτεόμενος, βάτραχος δὲ ἐν ὕδατι,
ὄρνις δὲ μάλιστα ἔοικεν ἵππῳ, τοὺς δὲ ὀιστοὺς ὡς τὴν

ἑωυτῶν ἀλκὴν παραδιδοῦσιν. αὕτη μὲν Δαρείῳ ἀπεδέ-
δεκτο ἡ γνώμη, συνεστήκει δὲ ταύτῃ τῇ γνώμῃ ἡ Γω-
βρύω, τῶν ἀνδρῶν τῶν ἑπτὰ ἑνὸς τῶν τὸν μάγον κατε-
λόντων, εἰκάζοντος τὰ δῶρα λέγειν· „Ἢν μὴ ὄρνιθες
γενόμενοι ἀναπτῆσθε ἐς τὸν οὐρανόν, ὦ Πέρσαι, ἢ μύες ₅
γενόμενοι κατὰ τῆς γῆς καταδύητε, ἢ βάτραχοι γενόμενοι
ἐς τὰς λίμνας ἐσπηδήσητε, οὐκ ἀπονοστήσετε ὀπίσω ὑπὸ
τῶνδε τῶν τοξευμάτων βαλλόμενοι."

Πέρσαι μὲν δὴ τὰ δῶρα εἴκαζον· ἡ δὲ Σκυθέων **133**
μία μοῖρα ἡ ταχθεῖσα πρότερον μὲν παρὰ τὴν Μαιῆ- ₁₀
τιν λίμνην φρουρεῖν, τότε δὲ ἐπὶ τὸν Ἴστρον Ἴωσιν
ἐς λόγους ἐλθεῖν, ὡς ἀπίκετο ἐπὶ τὴν γέφυραν, ἔλεγε
τάδε· „Ἄνδρες Ἴωνες, ἐλευθερίην ἥκομεν ὑμῖν φέροντες,
ἤν πέρ γε ἐθέλητε ἐσακούειν. πυνθανόμεθα γὰρ Δα-
ρεῖον ἐντείλασθαι ὑμῖν ἑξήκοντα ἡμέρας μούνας φρουρή- ₁₅
σαντας τὴν γέφυραν, αὐτοῦ μὴ παραγενομένου ἐν τούτῳ
τῷ χρόνῳ ἀπαλλάσσεσθαι ἐς τὴν ὑμετέρην. νῦν ὦν ὑμεῖς
τάδε ποιεῦντες ἐκτὸς μὲν ἔσεσθε πρὸς ἐκείνου αἰτίης,
ἐκτὸς δὲ πρὸς ἡμέων· τὰς προκειμένας ἡμέρας παραμεί-
ναντες· τὸ ἀπὸ τούτου ἀπαλλάσσεσθε." οὗτοι μέν νυν ₂₀
ὑποδεξαμένων Ἰώνων ποιήσειν ταῦτα ὀπίσω τὴν ταχίστην
ἠπείγοντο. Πέρσῃσι δὲ μετὰ τὰ δῶρα ἐλθόντα Δαρείῳ **134**
ἀντετάχθησαν οἱ ὑπολειφθέντες Σκύθαι πεζῷ καὶ ἵπποι-
σιν ὡς συμβαλέοντες. τεταγμένοισι δὲ τοῖσι Σκύθῃσι
λαγὸς ἐς τὸ μέσον διῇξεν· τῶν δὲ ὡς ἕκαστοι ὥρων ₂₅
τὸν λαγὸν ἐδίωκον. ταραχθέντων δὲ τῶν Σκυθέων καὶ
βοῇ χρεωμένων εἴρετο ὁ Δαρεῖος τῶν ἀντιπολέμων τὸν
θόρυβον· πυθόμενος δέ σφεας τὸν λαγὸν διώκοντας εἶπεν
ἄρα πρὸς τούς περ ἐώθει καὶ τὰ ἄλλα λέγειν· „Οὗτοι
ὤνδρες ἡμέων πολλὸν καταφρονέουσιν, καί μοι νῦν φαί- ₃₀
νεται Γωβρύης εἰπεῖν περὶ τῶν Σκυθικῶν δώρων ὀρθῶς.
ὡς ὦν οὕτως ἤδη δοκεόντων καὶ αὐτῷ μοι ἔχειν, βουλῆς
ἀγαθῆς δεῖ, ὅκως ἀσφαλέως ἡ κομιδὴ ἡμῖν ἔσται τὸ
ὀπίσω." πρὸς ταῦτα Γωβρύης εἶπεν· „Ὦ βασιλεῦ,

ἐγὼ σχεδὸν μὲν καὶ λόγῳ ἠπιστάμην τούτων τῶν ἀνδρῶν
τὴν ἀπορίην, ἐλθὼν δὲ μᾶλλον ἐξέμαθον, ὁρέων αὐτοὺς
ἐμπαίζοντας ἡμῖν. νῦν ὦν μοι δοκεῖ, ἐπεὰν τάχιστα νὺξ
ἐπέλθῃ, ἐκκαύσαντας τὰ πυρὰ ὡς ἐώθαμεν καὶ ἄλλοτε
5 ποιεῖν, τῶν στρατιωτέων τοὺς ἀσθενεστάτους ἐς τὰς τα-
λαιπωρίας ἐξαπατήσαντας καὶ τοὺς ὄνους πάντας κατα-
δήσαντας ἀπαλλάσσεσθαι, πρὶν ἢ καὶ ἐπὶ τὸν Ἴστρον
ἰθῦσαι Σκύθας λύσοντας τὴν γέφυραν, ἢ καί τι Ἴωσι
δόξαι τὸ ἡμέας οἷόν τε ἔσται ἐξεργάσασθαι."

185   Γωβρύης μὲν ταῦτα συνεβούλευεν, μετὰ δὲ νύξ τε
11 ἐγένετο καὶ Δαρεῖος ἐχρῆτο τῇ γνώμῃ ταύτῃ· τοὺς μὲν
καματηροὺς τῶν ἀνδρῶν καὶ τῶν ἦν ἐλάχιστος ἀπολ-
λυμένων λόγος, καὶ τοὺς ὄνους πάντας καταδήσας κατ-
έλιπεν αὐτοῦ ἐν τῷ στρατοπέδῳ· κατέλιπε δὲ τούς τε
15 ὄνους καὶ τοὺς ἀσθενέας τῆς στρατιῆς τῶνδε εἴνεκεν,
ἵνα οἱ μὲν ὄνοι βοὴν παρέχωνται· οἱ δὲ ἄνθρωποι ἀσθε-
νέης μὲν εἴνεκεν κατελείποντο, προφάσιος δὲ τῇσδε δη-
λαδή, ὡς αὐτὸς μὲν σὺν τῷ καθαρῷ τοῦ στρατοῦ ἐπιθή-
σεσθαι μέλλοι τοῖσι Σκύθῃσιν, οὗτοι δὲ τὸ στρατόπεδον
20 τοῦτον τὸν χρόνον ῥυοίατο. ταῦτα τοῖς ὑπολειπομένοισιν
ὑπερθέμενος ὁ Δαρεῖος καὶ πυρὰ ἐκκαύσας τὴν ταχίστην
ἠπείγετο ἐπὶ τὸν Ἴστρον. οἱ δὲ ὄνοι ἐρημωθέντες τοῦ
ὁμίλου οὕτω δὴ μᾶλλον πολλῷ ἵεσαν τῆς φωνῆς, ἀκού-
οντες δὲ οἱ Σκύθαι τῶν ὄνων πάγχυ κατὰ χώρην ἤλ-
186 πιζον τοὺς Πέρσας εἶναι. ἡμέρης δὲ γενομένης γνόντες
26 οἱ ὑπολειφθέντες ὡς προδεδομένοι εἶεν ὑπὸ Δαρείου,
χεῖράς τε προετείνοντο τοῖσι Σκύθῃσι καὶ ἔλεγον
τὰ κατήκοντα· οἱ δὲ ὡς ἤκουσαν ταῦτα, τὴν ταχίστην
συστραφέντες, αἵ τε δύο μοῖραι τῶν Σκυθέων καὶ ἡ μία
30 καὶ Σαυρομάται καὶ Βουδῖνοι καὶ Γελωνοί, ἐδίωκον τοὺς
Πέρσας ἰθὺ τοῦ Ἴστρου. ἅτε δὲ τοῦ Περσικοῦ μὲν τοῦ
πολλοῦ ἐόντος πεζοῦ στρατοῦ καὶ τὰς ὁδοὺς οὐκ ἐπιστα-
μένου ὥστε οὐ τετμημένων τῶν ὁδῶν, τοῦ δὲ Σκυθικοῦ
ἱππότεω καὶ τὰ σύντομα τῆς ὁδοῦ ἐπισταμένου ἁμαρτόν-

τες ἀλλήλων, ἔφθησαν πολλῷ οἱ Σκύθαι τοὺς Πέρ-
σας ἐπὶ τὴν γέφυραν ἀπικόμενοι. μαθόντες δὲ τοὺς
Πέρσας οὔκω ἀπιγμένους ἔλεγον πρὸς τοὺς Ἴωνας ἐόντας
ἐν τῇσι νηυσίν· „Ἄνδρες Ἴωνες, αἵ τε ἡμέραι ὑμῖν τοῦ
ἀριθμοῦ διοίχηνται καὶ οὐ ποιεῖτε δίκαια ἔτι παραμένοντες. 5
ἀλλ᾽ ἐπεὶ πρότερον δειμαίνοντες ἐμένετε, νῦν λύσαντες
τὸν πόρον τὴν ταχίστην ἄπιτε χαίροντες ἐλεύθεροι, θεοῖσί
τε καὶ Σκύθῃσιν εἰδότες χάριν. τὸν δὲ πρότερον ἐόντα
ὑμέων δεσπότην ἡμεῖς παραστησόμεθα οὕτως ὥστε ἐπὶ
μηδαμοὺς ἔτι ἀνθρώπους αὐτὸν στρατεύσασθαι.“ 10
   Πρὸς ταῦτα Ἴωνες ἐβουλεύοντο. Μιλτιάδεω μὲν 137
δὴ τοῦ Ἀθηναίου, στρατηγέοντος καὶ τυραννεύοντος
Χερσονησιτέων τῶν ἐν Ἑλλησπόντῳ, ἦν γνώμη πείθεσθαι
Σκύθῃσι καὶ ἐλευθεροῦν Ἰωνίην, Ἱστιαίου δὲ τοῦ Μι-
λησίου ἐναντίη ταύτῃ, λέγοντος ὡς νῦν μὲν διὰ Δα- 15
ρεῖον ἕκαστος αὐτῶν τυραννεύει πόλιος, τῆς Δαρείου δὲ
δυνάμιος καταιρεθείσης οὔτε αὐτὸς Μιλησίων οἷός τε
ἔσεσθαι ἄρχειν οὔτε ἄλλον οὐδένα οὐδαμῶν· βουλήσεσθαι
γὰρ ἑκάστην τῶν πολίων δημοκρατεῖσθαι μᾶλλον ἢ τυραν-
νεύεσθαι. Ἱστιαίου δὲ γνώμην ταύτην ἀποδεικνυμένου 20
αὐτίκα πάντες ἦσαν τετραμμένοι, πρότερον τὴν Μιλτιά-
δεω αἱρεόμενοι. ἦσαν δὲ οὗτοι οἱ διαφέροντές τε τὴν 138
ψῆφον καὶ ἐόντες λόγου πρὸς βασιλέος, Ἑλλησποντίων
μὲν τύραννοι Δάφνις τε Ἀβυδηνὸς καὶ Ἵπποκλος Λαμ-
ψακηνὸς καὶ Ἡρόφαντος Παριηνὸς καὶ Μητρόδωρος Προ- 25
κοννήσιος καὶ Ἀρισταγόρης Κυζικηνὸς καὶ Ἀρίστων Βυ-
ζάντιος· οὗτοι μὲν ἦσαν οἱ ἐξ Ἑλλησπόντου, ἀπ᾽ Ἰωνίης
δὲ Στράττις τε Χῖος καὶ Αἰάκης Σάμιος καὶ Λαοδάμας
Φωκαιεὺς καὶ Ἱστιαῖος Μιλήσιος, τοῦ ἦν γνώμη ἡ προ-
κειμένη ἐναντίη τῇ Μιλτιάδεω. Αἰολέων δὲ παρῆν λό- 30
γιμος μοῦνος Ἀρισταγόρης Κυμαῖος. οὗτοι ὦν ἐπείτε 139
τὴν Ἱστιαίου αἱρέοντο γνώμην, ἔδοξε σφι πρὸς ταύτῃ
τάδε ἔργα τε καὶ ἔπεα προσθεῖναι, τῆς μὲν γεφύρης λύειν
τὰ κατὰ τοὺς Σκύθας ἐόντα, λύειν δὲ ὅσον τόξευμα

ἐξικνεῖται, ἵνα καὶ ποιεῖν τι δοκέωσι ποιεῦντες μηδὲν
καὶ οἱ Σκύθαι μὴ πειρῷατο βιώμενοι διαβῆναι τὸν
Ἴστρον κατὰ τὴν γέφυραν, εἰπεῖν τε λύοντας τῆς γεφύ-
ρης τὸ ἐς τὴν Σκυθικὴν ἔχον ὡς πάντα ποιήσουσι τὰ
5 Σκύθῃσίν ἐστιν ἐν ἡδονῇ. ταῦτα μὲν προσέθηκαν τῇ
γνώμῃ, μετὰ δὲ ἐκ πάντων ὑπεκρίνατο Ἱστιαῖος τάδε
λέγων· „Ἄνδρες Σκύθαι, χρηστὰ ἥκετε φέροντες καὶ ἐς
καιρὸν ἐπείγεσθε· καὶ τά τε ἀπ' ὑμέων ἡμῖν χρηστῶς
ὁδοῦται καὶ τὰ ἀπ' ἡμέων ἐς ὑμέας ἐπιτηδέως ὑπηρετεῖ-
10 ται. ὡς γὰρ ὁρᾶτε, καὶ λύομεν τὸν πόρον καὶ προθυ-
μίην πᾶσαν ἔξομεν, θέλοντες εἶναι ἐλεύθεροι. ἐν ᾧ δὲ
ἡμεῖς τάδε λύομεν, ὑμέας καιρός ἐστι δίζησθαι ἐκείνους,
εὑρόντας δὲ ὑπέρ τε ἡμέων καὶ ὑμέων αὐτῶν τείσασθαι
οὕτως ὡς κείνους πρέπει."

140   Σκύθαι μὲν τὸ δεύτερον Ἴωσι πιστεύοντες λέγειν
16 ἀληθέα ὑπέστρεφον ἐπὶ ζήτησιν τῶν Περσέων καὶ
ἡμάρτανον πάσης τῆς ἐκείνων διεξόδου. αἴτιοι δὲ τούτου
αὐτοὶ οἱ Σκύθαι ἐγένοντο, τὰς νομὰς τῶν ἵππων τὰς
ταύτῃ διαφθείραντες καὶ τὰ ὕδατα συγχώσαντες. εἰ γὰρ
20 ταῦτα μὴ ἐποίησαν, παρεῖχεν ἄν σφιν, εἰ ἐβούλοντο,
εὐπετέως ἐξευρεῖν τοὺς Πέρσας· νῦν δὲ τά σφιν ἐδόκει
ἄριστα βεβουλεῦσθαι, κατὰ ταῦτα ἐσφάλησαν. Σκύθαι
μὲν νυν τῆς σφετέρης χώρης τῇ χιλός τε τοῖς ἵπποισι
καὶ ὕδατα ἦν, ταύτῃ διεξιόντες ἐδίζηντο τοὺς ἀντιπολέ-
25 μους, δοκέοντες καὶ ἐκείνους διὰ τοιούτων τὴν ἀπόδρησιν
ποιεῖσθαι· οἱ δὲ δὴ Πέρσαι τὸν πρότερον ἑωυτῶν γενό-
μενον στίβον, τοῦτον φυλάσσοντες ἦσαν καὶ οὕτω μόγις
εὗρον τὸν πόρον. οἷα δὲ νυκτός τε ἀπικόμενοι καὶ
λελυμένης τῆς γεφύρης ἐντυχόντες ἐς πᾶσαν ἀρρωδίην
141 ἀπίκοντο, μή σφεας οἱ Ἴωνες ἔωσιν ἀπολελοιπότες. ἦν
31 δὲ περὶ Δαρεῖον ἀνὴρ Αἰγύπτιος φωνέων μέγιστον ἀν-
θρώπων· τοῦτον τὸν ἄνδρα καταστάντα ἐπὶ τοῦ χείλεος
τοῦ Ἴστρου ἐκέλευε Δαρεῖος καλεῖν Ἱστιαῖον Μιλήσιον.
ὁ μὲν δὴ ἐποίει ταῦτα, Ἱστιαῖος δὲ ἐπακούσας τῷ πρώτῳ

κελεύσματι τάς τε νέας ἁπάσας παρεῖχε διαπορθμεύειν
τὴν στρατιὴν καὶ τὴν γέφυραν ἔζευξεν. Πέρσαι μὲν ὦν 142
οὕτω ἐκφεύγουσιν, Σκύθαι δὲ διζήμενοι καὶ τὸ δεύτερον
ἥμαρτον τῶν Περσέων, καὶ τοῦτο μέν, ὡς ἐόντας Ἴωνας
ἐλευθέρους, κακίστους τε καὶ ἀνανδροτάτους κρίνουσιν 5
εἶναι ἁπάντων ἀνθρώπων, τοῦτο δέ, ὡς δούλων Ἰώνων
τὸν λόγον ποιεύμενοι, ἀνδράποδα φιλοδέσποτά φασιν
εἶναι καὶ ἄδρηστα μάλιστα. ταῦτα μὲν δὴ Σκύθῃσιν ἐς
Ἴωνας ἀπέρριπται.

Δαρεῖος δὲ διὰ τῆς Θρήκης πορευόμενος ἀπίκετο 143
ἐς Σηστὸν τῆς Χερσονήσου· ἐνθεῦτεν δὲ αὐτὸς μὲν διέβη 11
τῇσι νηυσὶν ἐς τὴν Ἀσίην, λείπει δὲ στρατηγὸν ἐν
τῇ Εὐρώπῃ Μεγάβαζον ἄνδρα Πέρσην, τῷ Δαρεῖός
κοτε ἔδωκε γέρας, τοιόνδε εἴπας ἐν Πέρσῃσιν ἔπος· ὁρ-
μημένου Δαρείου ροιὰς τρώγειν, ὡς ἄνοιξε τάχιστα τὴν 15
πρώτην τῶν ροιῶν, εἴρετο αὐτὸν ὁ ἀδελφεὸς Ἀρτάβανος,
ὅ τι βούλοιτ᾿ ἄν οἱ τοσοῦτο πλῆθος γενέσθαι ὅσοι ἐν
τῇ ροιῇ κόκκοι. Δαρεῖος δὲ εἶπε Μεγαβάζους ἄν οἱ το-
σούτους ἀριθμὸν γενέσθαι βούλεσθαι μᾶλλον ἢ τὴν Ἑλ-
λάδα ὑπήκοον. ἐν μὲν δὴ Πέρσῃσι ταῦτά μιν εἴπας 20
ἐτίμα, τότε δὲ αὐτὸν ὑπέλιπε στρατηγὸν ἔχοντα τῆς στρα-
τιῆς τῆς ἑωυτοῦ ὀκτὼ μυριάδας. οὗτος δὲ ὁ Μεγάβαζος 144
εἴπας τόδε τὸ ἔπος ἐλίπετο ἀθάνατον μνήμην πρὸς Ἑλλησ-
ποντίων· γενόμενος γὰρ ἐν Βυζαντίῳ ἐπύθετο ἑπτακαί-
δεκα ἔτεσι πρότερον Καλχηδονίους κτίσαντας τὴν χώρην 25
Βυζαντίων, πυθόμενος δὲ ἔφη Καλχηδονίους τοῦτον τὸν
χρόνον τυγχάνειν ἐόντας τυφλούς· οὐ γὰρ ἄν τοῦ καλ-
λίονος παρεόντος κτίζειν χῶρον τὸν αἰσχίονα ἑλέσθαι, εἰ
μὴ ἦσαν τυφλοί. οὗτος δὴ ὦν τότε ὁ Μεγάβαζος στρα-
τηγὸς λειφθεὶς ἐν τῇ χώρῃ Ἑλλησποντίων τοὺς μὴ μηδί- 30
ζοντας κατεστρέφετο.

Οὗτος μέν νυν ταῦτα ἔπρησσεν, τὸν αὐτὸν δὲ τοῦ- 145
τον χρόνον ἐγίνετο ἐπὶ Λιβύην ἄλλος στρατιῆς μέγας
στόλος, διὰ πρόφασιν τὴν ἐγὼ ἀπηγήσομαι προδιηγησά-

μένος πρότερον τάδε. τῶν ἐκ τῆς Ἀργοῦς ἐπιβατέων
παίδων παῖδες ἐξελασθέντες ὑπὸ Πελασγῶν τῶν
ἐκ Βραυρῶνος ληισαμένων τὰς Ἀθηναίων γυναῖκας, ὑπὸ
τούτων ἐξελασθέντες ἐκ Δήμνου οἴχοντο πλέοντες ἐς
Λακεδαίμονα, ἱζόμενοι δὲ ἐν τῷ Τηϋγέτῳ πῦρ ἀνέκαιον.
Λακεδαιμόνιοι δὲ ἰδόντες ἄγγελον ἔπεμπον πευσόμενοι,
τίνες τε καὶ ὁκόθεν εἰσίν· οἱ δὲ τῷ ἀγγέλῳ εἰρωτῶντι
ἔλεγον, ὡς εἴησαν μὲν Μινύαι, παῖδες δὲ εἶεν τῶν
ἐν τῇ Ἀργοῖ πλεόντων ἡρώων, προσσχόντας δὲ τούτους
ἐς Δήμνον φυτεῦσαι σφέας. οἱ δὲ Λακεδαιμόνιοι ἀκη-
κοότες τὸν λόγον τῆς γενεῆς τῶν Μινυῶν, πέμψαντες
τὸ δεύτερον εἰρώτων, τί θέλοντες ἥκοιέν τε ἐς τὴν χώρην
καὶ πῦρ αἴθοιεν. οἱ δὲ ἔφασαν ὑπὸ Πελασγῶν ἐκβλη-
θέντες ἥκειν ἐς τοὺς πατέρας· δικαιότατον γὰρ εἶναι οὕτω
τοῦτο γίνεσθαι· δεῖσθαι δὲ οἰκεῖν ἅμα τούτοισι μοῖράν
τε τιμέων μετέχοντες καὶ τῆς γῆς ἀπολαχόντες. Λακε-
δαιμονίοισι δὲ ἔαδε δέκεσθαι τοὺς Μινύας, ἐπ᾽ οἷσι θέ-
λουσιν αὐτοί. μάλιστα δὲ ἐνῆγέ σφεας ὥστε ποιεῖν ταῦτα
τῶν Τυνδαριδέων ἡ ναυτιλίη ἐν τῇ Ἀργοῖ. δεξάμενοι δὲ
τοὺς Μινύας γῆς τε μετέδοσαν καὶ ἐς φυλὰς διεδάσαντο.
οἱ δὲ αὐτίκα μὲν γάμους ἔγημαν, τὰς δὲ ἐκ Δήμνου
146 ἤγοντο, ἐξέδοσαν ἄλλοισιν. χρόνου δὲ οὐ πολλοῦ διελ-
θόντος αὐτίκα οἱ Μινύαι ἐξύβρισαν, τῆς τε βασιληίης
μεταιτέοντες καὶ ἄλλα ποιέοντες οὐκ ὅσια. τοῖς ὦν Λακε-
δαιμονίοισιν ἔδοξε αὐτοὺς ἀποκτεῖναι, συλλαβόντες δέ
σφεας κατέβαλον ἐς ἐρκτήν. κτείνουσι δὲ τοὺς ἂν κτεί-
νωσι Λακεδαιμόνιοι νυκτός, μετ᾽ ἡμέρην δὲ οὐδένα. ἐπεὶ
ὦν ἔμελλόν σφεας καταχρήσασθαι, παραιτήσαντο αἱ
γυναῖκες τῶν Μινυῶν, ἐοῦσαι ἀσταί τε καὶ τῶν πρώ-
των Σπαρτιητέων θυγατέρες, ἐσελθεῖν τε ἐς τὴν ἐρ-
κτὴν καὶ ἐς λόγους ἐλθεῖν ἑκάστη τῷ ἑωυτῆς ἀνδρί. οἱ
δέ σφεας παρῆκαν, οὐδένα δόλον δοκέοντες ἐξ αὐτέων
ἔσεσθαι. αἱ δὲ ἐπείτε ἐσῆλθον, ποιέουσι τοιάδε· πᾶσαν
τὴν εἶχον ἐσθῆτα παραδοῦσαι τοῖς ἀνδράσιν αὐταὶ τὴν

τῶν ἀνδρῶν ἔλαβον. οἱ δὲ Μινύαι ἐνδύντες τὴν γυναι-
κηΐην ἐσθῆτα ἅτε γυναῖκες ἐξῆσαν ἔξω, ἐκφυγόντες δὲ
τρόπῳ τοιούτῳ, ἵζοντο αὖτις ἐς τὸ Τηΰγετον.

Τὸν δὲ αὐτὸν τοῦτον χρόνον Θήρας ὁ Αὐτεσίωνος 147
τοῦ Τεισαμενοῦ τοῦ Θερσάνδρου τοῦ Πολυνείκεος ἔστελ- 5
λεν ἐς ἀποικίην ἐκ Δακεδαίμονος. ἦν δὲ ὁ Θήρας
οὗτος, γένος ἐὼν Καδμεῖος, τῆς μητρὸς ἀδελφεὸς τοῖς
Ἀριστοδήμου παισὶν Εὐρυσθένει καὶ Προκλεῖ· ἐόντων δ'
ἔτι τῶν παίδων τούτων, νηπίων ἐπιτροπαίην εἶχεν ὁ
Θήρας τὴν ἐν Σπάρτῃ βασιληΐην. αὐξηθέντων δὲ τῶν 10
ἀδελφιδέων καὶ παραλαβόντων τὴν ἀρχήν, οὕτω δὴ ὁ
Θήρας δεινὸν ποιεύμενος ἄρχεσθαι ὑπ' ἄλλων, ἐπείτε
ἐγεύσατο ἀρχῆς, οὐκ ἔφη μενεῖν ἐν τῇ Δακεδαίμονι ἀλλ'
ἀποπλεύσεσθαι ἐς τοὺς συγγενέας. ἦσαν δὲ ἐν τῇ νῦν
Θήρῃ καλεομένῃ νήσῳ, πρότερον δὲ Καλλίστῃ τῇ 15
αὐτῇ ταύτῃ, ἀπόγονοι Μεμβλιάρου τοῦ Ποικίλεω ἀν-
δρὸς Φοίνικος. Κάδμος γὰρ ὁ Ἀγήνορος Εὐρώπην διζή-
μενος προσέσχεν ἐς τὴν νῦν Θήρην καλεομένην· προσ-
σχόντι δὲ εἴτε δή οἱ ἡ χώρη ἤρεσεν, εἴτε καὶ ἄλλως
ἠθέλησε ποιῆσαι τοῦτο, καταλείπει γὰρ ἐν τῇ νήσῳ 20
ταύτῃ ἄλλους τε τῶν Φοινίκων καὶ δὴ καὶ τῶν ἑωυτοῦ
συγγενέων Μεμβλίαρον. οὗτοι ἐνέμοντο τὴν Καλλίστην
καλεομένην ἐπὶ γενεάς, πρὶν ἢ Θήραν ἐλθεῖν ἐκ Δακε-
δαίμονος, ὀκτὼ ἀνδρῶν. ἐπὶ τούτους δὴ ὦν ὁ Θήρας 148
λεὼν ἔχων ἀπὸ τῶν φυλέων ἔστελλεν, συνοικήσων τού- 25
τοισι καὶ οὐδαμῶς ἐξελῶν αὐτοὺς ἀλλὰ κάρτα οἰκηιεύ-
μενος. ἐπείτε δὲ καὶ οἱ Μινύαι ἐκδράντες ἐκ τῆς ἐρκτῆς
ἵζοντο ἐς τὸ Τηΰγετον, τῶν Δακεδαιμονίων βουλομένων
σφέας ἀπολλύναι παραιτεῖται ὁ Θήρας, ὅκως μήτε φόνος
γένηται, αὐτός τε ὑπεδέκετό σφεας ἐξάξειν ἐκ τῆς χώρης. 30
συγχωρησάντων δὲ τῇ γνώμῃ τῶν Δακεδαιμονίων τρισὶ
τριηκοντέροισιν ἐς τοὺς Μεμβλιάρου ἀπογόνους
ἔπλωσεν, οὔτι πάντας ἄγων τοὺς Μινύας ἀλλ' ὀλίγους
τινάς. οἱ γὰρ πλέονες αὐτῶν ἐτράποντο ἐς τοὺς Παρω-

ρεήτας καὶ Καύκωνας, τούτους δὲ ἐξελάσαντες ἐκ τῆς
χώρης σφέας αὐτοὺς ἓξ μοίρας διεῖλον, καὶ ἔπειτα ἔκτι-
σαν πόλιας τάσδε ἐν αὐτοῖσιν, Δέπρεον, Μάκιστον, Φρίξας,
Πύργον, Ἔπιον, Νούδιον· τουτέων δὲ τὰς πλέονας ἐπ'
5 ἐμέο Ἠλεῖοι ἐπόρθησαν. τῇ δὲ νήσῳ ἐπὶ τοῦ οἰκιστέω
149 Θήρῃ ἡ ἐπωνυμίη ἐγένετο. ὁ δὲ παῖς οὐ γὰρ ἔφη οἱ
συμπλεύσεσθαι, τοιγαρῶν ἔφη αὐτὸν καταλείψειν ὄιν
ἐν λύκοισιν· ἐπὶ τοῦ ἔπεος τούτου ὄνομα τῷ νεηνίσκῳ
τούτῳ Οἰόλυκος ἐγένετο, καί κως τὸ ὄνομα τοῦτο
10 ἐπεκράτησεν. Οἰολύκου δὲ γίνεται Αἰγεύς, ἐπ' οὗ Αἰ-
γεῖδαι καλέονται, φυλὴ μεγάλη ἐν Σπάρτῃ. τοῖς δὲ ἐν
τῇ φυλῇ ταύτῃ ἀνδράσιν οὐ γὰρ ὑπέμειναν τὰ τέκνα,
ἱδρύσαντο ἐκ θεοπροπίου Ἐρινύων τῶν Λαΐου τε καὶ
Οἰδιπόδεω ἱρόν. καὶ μετὰ τοῦτο ὑπέμεινε τὠυτὸ τοῦτο
15 καὶ ἐν Θήρῃ τοῖς ἀπὸ τῶν ἀνδρῶν τούτων γεγονόσιν.

150 Μέχρι μέν νυν τούτου τοῦ λόγου Λακεδαιμόνιοι
Θηραίοισι κατὰ ταὐτὰ λέγουσιν, τὸ δὲ ἀπὸ τούτου μοῦνοι
Θηραῖοι ὧδε γενέσθαι λέγουσιν. Γρῖννος ὁ Αἰσανίου,
ἐὼν Θήρα τούτου ἀπόγονος καὶ βασιλεύων Θήρης
20 τῆς νήσου, ἀπίκετο ἐς Δελφοὺς ἄγων ἀπὸ τῆς πόλιος
ἑκατόμβην· εἵποντο δέ οἱ καὶ ἄλλοι τῶν πολιητέων καὶ
δὴ καὶ Βάττος ὁ Πολυμνήστου, ἐὼν γένος Εὐφημίδης
τῶν Μινυῶν. χρεωμένῳ δὲ τῷ Γρίννῳ τῷ βασιλεῖ τῶν
Θηραίων περὶ ἄλλων χρῇ ἡ Πυθίη κτίζειν ἐν Λιβύῃ
25 πόλιν. ὁ δὲ ἀμείβετο λέγων· „Ἐγὼ μέν, ὦναξ, πρεσ-
βύτερός τε ἤδη εἰμὶ καὶ βαρὺς ἀείρεσθαι· σὺ δέ τινα
τῶνδε τῶν νεωτέρων κέλευε ταῦτα ποιεῖν." ἅμα τε ἔλεγε
ταῦτα καὶ ἐδείκνυεν ἐς τὸν Βάττον. τότε μὲν τοσαῦτα,
μετὰ δὲ ἀπελθόντες ἀλογίην εἶχον τοῦ χρηστηρίου, οὔτε
30 Λιβύην εἰδότες ὅκου γῆς εἴη οὔτε τολμῶντες ἐς ἀφανὲς
151 χρῆμα ἀποστέλλειν ἀποικίην. ἑπτὰ δὲ ἐτέων μετὰ ταῦτα
οὐκ ὗε τὴν Θήρην, ἐν τοῖς τὰ δένδρεα πάντα σφι τὰ ἐν
τῇ νήσῳ πλὴν ἑνὸς ἐξαυάνθη. χρεωμένοισι δὲ τοῖσι
Θηραίοισι προέφερεν ἡ Πυθίη τὴν ἐς Λιβύην ἀποικίην.

ἐπείτε δὲ κακοῦ οὐδὲν ἦν σφι μῆχος, πέμπουσιν ἐς Κρή-
την ἀγγέλους διζημένους, εἴ τις Κρητῶν ἢ μετοίκων
ἀπιγμένος εἴη ἐς Λιβύην. περιπλανώμενοι δὲ αὐτὴν
οὗτοι ἀπίκοντο καὶ ἐς Ἴτανον πόλιν, ἐν ταύτῃ δὲ συμ-
μίσγουσιν ἀνδρὶ πορφυρεῖ, τῷ ὄνομα ἦν Κορώβιος, ὃς 5
ἔφη ὑπ᾽ ἀνέμων ἀπενειχθεὶς ἀπικέσθαι ἐς Λιβύην καὶ
Λιβύης ἐς Πλατεῖαν νῆσον. μισθῷ δὲ τοῦτον πείσαντες
ἦγον ἐς Θήρην, ἐκ δὲ Θήρης ἔπλεον κατάσκοποι
ἄνδρες τὰ πρῶτα οὐ πολλοί· κατηγησαμένου δὲ τοῦ
Κορωβίου ἐς τὴν νῆσον ταύτην δὴ τὴν Πλατεῖαν 10
τὸν μὲν Κορώβιον λείπουσιν, σιτία καταλιπόντες ὅσων
δὴ μηνῶν, αὐτοὶ δὲ ἔπλεον τὴν ταχίστην ἀπαγγελέοντες
Θηραίοισι περὶ τῆς νήσου. ἀποδημεόντων δὲ τούτων 152
πλέω χρόνον τοῦ συγκειμένου τὸν Κορώβιον ἐπέλιπε τὰ
πάντα. μετὰ δὲ νηῦς Σαμίη, τῆς ναύκληρος ἦν Κωλαῖος, 15
πλέουσα ἐπ᾽ Αἰγύπτου ἀπηνείχθη ἐς τὴν Πλατεῖαν ταύ-
την. πυθόμενοι δὲ οἱ Σάμιοι παρὰ τοῦ Κορωβίου τὸν
πάντα λόγον σιτία οἱ ἐνιαυτοῦ καταλείπουσιν. αὐτοὶ δὲ
ἀναχθέντες ἐκ τῆς νήσου καὶ γλιχόμενοι Αἰγύπτου ἔπλεον,
ἀποφερόμενοι ἀπηλιώτῃ ἀνέμῳ. καὶ οὐ γὰρ ἀνίει τὸ 20
πνεῦμα, Ἡρακλείας στήλας διεκπερήσαντες ἀπίκοντο ἐς
Ταρτησσόν, θείῃ πομπῇ χρεώμενοι. τὸ δὲ ἐμπόριον
τοῦτο ἦν ἀκήρατον τοῦτον τὸν χρόνον, ὥστε ἀπονοστή-
σαντες οὗτοι ὀπίσω μέγιστα δὴ Ἑλλήνων πάντων τῶν
ἡμεῖς ἀτρεκείην ἴδμεν ἐκ φορτίων ἐκέρδησαν, μετά γε 25
Σώστρατον τὸν Λαοδάμαντος Αἰγινήτην· τούτῳ γὰρ οὐκ
οἷά τέ ἐστιν ἐρίσαι ἄλλον. οἱ δὲ Σάμιοι τὴν δεκάτην
τῶν ἐπικερδίων ἐξελόντες ἓξ τάλαντα ἐποιήσαντο χαλκήιον
κρητῆρος Ἀργολικοῦ τρόπον· πέριξ δὲ αὐτοῦ γρυπῶν
κεφαλαὶ πρόκροσσοί εἰσιν· καὶ ἀνέθηκαν ἐς τὸ Ἥραιον, 30
ὑποστήσαντες αὐτῷ τρεῖς χαλκέους κολοσσοὺς ἑπταπήχεας,
τοῖς γούνασιν ἐρηρεισμένους. Κυρηναίοισι δὲ καὶ Θη-
ραίοισιν ἐς Σαμίους ἀπὸ τούτου τοῦ ἔργου πρῶτα φιλίαι
μεγάλαι συνεκρήθησαν. οἱ δὲ Θηραῖοι ἐπείτε τὸν 153

Κορώβιον λιπόντες ἐν τῇ νήσῳ ἀπίκοντο ἐς τὴν Θήρην,
ἀπήγγελλον, ὥς σφιν εἴη νῆσος ἐπὶ Διβύῃ ἐκτισμένη.
Θηραίοισι δὲ ἔαδε ἀδελφεόν τε ἀπ᾽ ἀδελφεοῦ πέμπειν
πάλῳ λαγχάνοντα καὶ ἀπὸ τῶν χώρων ἀπάντων ἑπτὰ
5 ἐόντων ἄνδρας, εἶναι δέ σφεων καὶ ἡγεμόνα καὶ βασιλέα
Βάττον. οὕτω δὴ στέλλουσι δύο πεντηκοντέρους
ἐς τὴν Πλατεῖαν.

154 Ταῦτα δὲ Θηραῖοι λέγουσιν, τὰ δ᾽ ἐπίλοιπα τοῦ λόγου
συμφέρονται ἤδη Θηραῖοι Κυρηναίοισιν. Κυρηναῖοι γὰρ
10 τὰ περὶ Βάττον οὐδαμῶς ὁμολογέουσι Θηραίοισιν.
λέγουσι γὰρ οὕτω· ἔστι τῆς Κρήτης Ὀαξὸς πόλις, ἐν
τῇ ἐγένετο Ἐτέαρχος βασιλεύς, ὃς ἐπὶ θυγατρὶ ἀμήτορι,
τῇ ὄνομα ἦν Φρονίμη, ἐπὶ ταύτῃ ἔγημεν ἄλλην γυναῖκα.
ἡ δὲ ἐπεσελθοῦσα ἐδικαίου καὶ τῷ ἔργῳ εἶναι μητρυιὴ
15 τῇ Φρονίμῃ, παρέχουσά τε κακὰ καὶ πᾶν ἐπ᾽ αὐτῇ μη-
χανωμένη, καὶ τέλος μαχλοσύνην ἐπενείκασά οἱ πείθει
τὸν ἄνδρα ταῦτα ἔχειν οὕτω. ὁ δὲ ἀναγνωσθεὶς ὑπὸ
τῆς γυναικὸς ἔργον οὐκ ὅσιον ἐμηχανᾶτο ἐπὶ τῇ θυ-
γατρί. ἦν γὰρ δὴ Θεμίσων ἀνὴρ Θηραῖος ἔμπορος ἐν
20 τῇ Ὀαξῷ· τοῦτον ὁ Ἐτέαρχος παραλαβὼν ἐπὶ ξείνια
ἐξορκοῖ ἦ μέν οἱ διηκονήσειν ὅ τι ἂν δεηθῇ. ἐπείτε δὴ
ἐξώρκωσεν, ἀγαγών οἱ παραδιδοῖ τὴν ἑωυτοῦ θυγατέρα
καὶ ταύτην ἐκέλευε καταποντῶσαι ἀπαγαγόντα. ὁ δὲ
Θεμίσων περιημεκτήσας τῇ ἀπάτῃ τοῦ ὅρκου καὶ δια-
25 λυσάμενος τὴν ξεινίην ἐποίει τοιάδε· παραλαβὼν τὴν
παῖδα ἀπέπλει, ὡς δὲ ἐγίνετο ἐν τῷ πελάγει, ἀποσιού-
μενος τὴν ἐξόρκωσιν τοῦ Ἐτεάρχου σχοινίοισιν αὐτὴν
διαδήσας κατῆκεν ἐς τὸ πέλαγος, ἀνασπάσας δὲ ἀπίκετο
155 ἐς τὴν Θήρην. ἐνθεῦτεν δὲ τὴν Φρονίμην παραλαβὼν
30 Πολύμνηστος, ἐὼν τῶν Θηραίων ἀνὴρ δόκιμος, ἐπαλ-
λακεύετο. χρόνου δὲ περιιόντος ἐξεγένετό οἱ παῖς ἰσχό-
φωνος καὶ τραυλός, τῷ ὄνομα ἐτέθη Βάττος, ὡς Θηραῖοί
τε καὶ Κυρηναῖοι λέγουσιν, ὡς μέντοι ἐγὼ δοκέω, ἄλλο
τι· Βάττος δὲ μετωνομάσθη, ἐπείτε ἐς Διβύην ἀπίκετο,

ἀπό τε τοῦ χρηστηρίου τοῦ γενομένου ἐν Δελφοῖσιν
αὐτῷ καὶ ἀπὸ τῆς τιμῆς, τὴν ἔσχε τὴν ἐπωνυμίην ποιεύ-
μενος· Λίβυες γὰρ βασιλέα βάττον καλέουσιν, καὶ τούτου
εἵνεκα δοκέω θεσπίζουσαν τὴν Πυθίην καλέσαι μιν Λι-
βυκῇ γλώσσῃ, εἰδυῖαν ὡς βασιλεὺς ἔσται ἐν Λιβύῃ. 5
ἐπείτε γὰρ ἠνδρώθη οὗτος, ἦλθεν ἐς Δελφοὺς περὶ τῆς
φωνῆς· ἐπειρωτῶντι δέ οἱ χρῇ ἡ Πυθίη τάδε·

> Βάττ', ἐπὶ φωνὴν ἦλθες· ἄναξ δέ σε Φοῖβος Ἀπόλλων
> Ἐς Λιβύην πέμπει μηλοτρόφον οἰκιστῆρα,

ὥσπερ εἰ εἴποι Ἑλλάδι γλώσσῃ χρεωμένη· „Ὦ βασιλεῦ, 10
ἐπὶ φωνὴν ἦλθες.“ ὁ δ' ἀμείβετο τοῖσδε· „Ὦναξ, ἐγὼ
μὲν ἦλθον παρὰ σὲ χρησόμενος περὶ τῆς φωνῆς, σὺ δέ
μοι ἄλλα ἀδύνατα χρῇς, κελεύων Λιβύην ἀποικίζειν· τέῳ
δυνάμει, κοίῃ χειρί;“ ταῦτα λέγων οὐκὶ ἔπειθεν ἄλλα οἱ
χρῆν· ὡς δὲ κατὰ ταὐτὰ ἐθέσπιζέν οἱ καὶ πρότερον, 15
οἴχετο μεταξὺ ἀπολιπὼν ὁ Βάττος ἐς τὴν Θήρην. μετὰ 156
δὲ αὐτῷ τε τούτῳ καὶ τοῖς ἄλλοισι Θηραίοισι συνεφέρετο
παλιγκότως. ἀγνοεῦντες δὲ τὰς συμφορὰς οἱ Θηραῖοι
ἔπεμπον ἐς Δελφοὺς περὶ τῶν παρεόντων κακῶν. ἡ δὲ
Πυθίη σφιν ἔχρησε συγκτίζουσι Βάττῳ Κυρήνην τῆς 20
Λιβύης ἄμεινον πρήξειν. ἀπέστελλον μετὰ ταῦτα τὸν
Βάττον οἱ Θηραῖοι δύο πεντηκοντέροισιν. πλώσαντες δὲ
ἐς τὴν Λιβύην οὗτοι, οὐ γὰρ εἶχον ὅ τι ποιέωσιν ἄλλο,
ὀπίσω ἀπαλλάσσοντο ἐς τὴν Θήρην· οἱ δὲ Θηραῖοι κατα-
γομένους ἔβαλλον καὶ οὐκ ἔων τῇ γῇ προσίσχειν, ἀλλ' 25
ὀπίσω πλεῖν ἐκέλευον. οἱ δὲ ἀναγκαζόμενοι ὀπίσω ἀπέ-
πλεον καὶ ἔκτισαν νῆσον ἐπὶ Λιβύῃ κειμένην, τῇ ὄνομα,
ὡς καὶ πρότερον εἰρέθη, ἐστὶ Πλατεῖα. λέγεται ·δὲ
ἴση εἶναι ἡ νῆσος τῇ νῦν Κυρηναίων πόλει.

Ταύτην οἰκέοντες δύο ἔτεα, οὐδὲν γάρ σφι χρη- 157
στὸν συνεφέρετο, ἕνα σφέων αὐτῶν καταλιπόντες οἱ 31
λοιποὶ πάντες ἀπέπλεον ἐς Δελφούς, ἀπικόμενοι δὲ ἐπὶ
τὸ χρηστήριον ἐχρέωντο, φάμενοι οἰκεῖν τε τὴν Λιβύην

καὶ οὐδὲν ἄμεινον πρήσσειν οἰκέοντες. ἡ δὲ Πυθίη σφι
πρὸς ταῦτα χρῇ τάδε·

Αἰ τὺ ἐμεῦ Λιβύαν μαλοτρόφον οἶδας ἄμεινον,
Μὴ ἐλθὼν ἐλθόντος, ἄγαν ἄγαμαι σοφίαν σευ.

5 ἀκούσαντες δὲ τούτων οἱ ἀμφὶ τὸν Βάττον ἀπέπλεον
ὀπίσω· οὐ γὰρ δή σφεας ἀπίει ὁ θεὸς τῆς ἀποικίης, πρὶν
δὴ ἀπίκωνται ἐς αὐτὴν Λιβύην. ἀπικόμενοι δὲ ἐς τὴν
νῆσον καὶ ἀναλαβόντες τὸν ἔλιπον, ἔκτισαν αὐτῆς τῆς
Λιβύης χῶρον ἀντίον τῆς νήσου, τῷ ὄνομα ἦν
10 Ἄξιρις, τὸν νάπαι τε κάλλισται ἐπ' ἀμφότερα συγ-
158 κλήουσι καὶ ποταμὸς τὰ ἐπὶ θάτερα παραρρεῖ. τοῦτον
οἴκεον τὸν χῶρον ἓξ ἔτεα· ἑβδόμῳ δέ σφεας ἔτει παραι-
τησάμενοι Λίβυες ὡς ἐς ἀμείνονα χῶρον ἄξουσιν, ἀνέ-
γνωσαν ἐκλιπεῖν. ἦγον δέ σφεας ἐνθεῦτεν οἱ Λίβυες
15 ἀναστήσαντες πρὸς ἑσπέρην, καὶ τὸν κάλλιστον τῶν
χώρων ἵνα διεξιόντες οἱ Ἕλληνες μὴ ἴδοιεν, συμμετρη-
σάμενοι τὴν ὥρην τῆς ἡμέρης νυκτὸς παρῆγον. ἔστι δὲ
τῷ χώρῳ τούτῳ ὄνομα Ἴρασα. ἀγαγόντες δέ σφεας ἐπὶ
κρήνην λεγομένην εἶναι Ἀπόλλωνος εἶπαν· „Ἄνδρες Ἕλ-
20 ληνες, ἐνθαῦτα ὑμῖν ἐπιτήδεον οἰκεῖν· ἐνθαῦτα γὰρ ὁ
οὐρανὸς τέτρηται.“

159 Ἐπὶ μέν νυν Βάττου τε τοῦ οἰκιστέω τῆς ζοῆς.
ἄρξαντος ἐπὶ τεσσεράκοντα ἔτεα, καὶ τοῦ παιδὸς αὐτοῦ
Ἀρκεσίλεω, ἄρξαντος ἐκκαίδεκα ἔτεα, οἴκεον οἱ Κυρηναῖοι
25 ἐόντες τοσοῦτοι, ὅσοι ἀρχὴν ἐς τὴν ἀποικίην ἐστάλησαν·
ἐπὶ δὲ τοῦ τρίτου, Βάττου τοῦ εὐδαίμονος καλεομένου,
Ἕλληνας πάντας ὥρμησε χρήσασα ἡ Πυθίη πλεῖν συνοι-
κήσοντας Κυρηναίοισι Λιβύην. ἐπεκαλέοντο γὰρ οἱ
Κυρηναῖοι ἐπὶ γῆς ἀναδασμῷ· ἔχρησε δὲ ὧδε ἔχοντα·

30 Ὃς δέ κεν ἐς Λιβύην πολυήρατον ὕστερον ἔλθῃ
Γᾶς ἀναδαιομένας, μετά οἵ ποκά φαμι μελησεῖν.

συλλεχθέντος δὲ ὁμίλου πολλοῦ ἐς τὴν Κυρήνην περι-

ταμνόμενοι γῆν πολλὴν οἱ περίοικοι Λίβυες καὶ ὁ βασιλεὺς αὐτῶν, τῷ ὄνομα ἦν Ἀδικράν, οἷα τῆς τε χώρης
στερισκόμενοι καὶ περιυβριζόμενοι ὑπὸ τῶν Κυρηναίων,
πέμψαντες ἐς Αἴγυπτον ἔδοσαν σφέας αὐτοὺς Ἀπρίῃ
τῷ Αἰγύπτου βασιλεῖ. ὁ δὲ συλλέξας στρατὸν Αἰγυ 5
πτίων πολλὸν ἔπεμπεν ἐπὶ τὴν Κυρήνην. οἱ δὲ Κυρηναῖοι ἐκστρατευσάμενοι ἐς Ἴρασα χῶρον καὶ ἐπὶ κρήνην
Θέστιν συνέβαλόν τε τοῖς Αἰγυπτίοισι καὶ ἐνίκησαν τῇ
συμβολῇ. ἅτε γὰρ οὐ πεπειρημένοι πρότερον Αἰγύπτιοι
Ἑλλήνων καὶ παραχρεώμενοι διεφθάρησαν οὕτω, ὥστε 10
ὀλίγοι τινὲς αὐτῶν ἀπενόστησαν ἐς Αἴγυπτον. ἀντὶ τούτων Αἰγύπτιοι καὶ ταῦτα ἐπιμεμφόμενοι Ἀπρίῃ ἀπέστησαν ἀπ' αὐτοῦ.

Τούτου δὲ τοῦ Βάττου παῖς γίνεται Ἀρκεσίλεως, 160
ὃς βασιλεύσας πρῶτα τοῖς ἑωυτοῦ ἀδελφεοῖσιν ἐστασία 15
σεν, ἐς ὃ μιν οὗτοι ἀπολιπόντες οἴχοντο ἐς ἄλλον χῶρον
τῆς Λιβύης καὶ ἐπ' ἑωυτῶν βαλόμενοι ἔκτισαν πόλιν
ταύτην, ἣ τότε καὶ νῦν Βάρκη καλεῖται· κτίζοντες δ'
ἅμα αὐτὴν ἀπιστᾶσιν ἀπὸ τῶν Κυρηναίων τοὺς Λίβυας.
μετὰ δὲ Ἀρκεσίλεως ἐς τοὺς ὑποδεξαμένους τε τῶν Λι 20
βύων καὶ ἀποστάντας τοὺς αὐτοὺς τούτους ἐστρατεύετο·
οἱ δὲ Λίβυες δείσαντες αὐτὸν οἴχοντο φεύγοντες πρὸς
τοὺς ἠοίους τῶν Λιβύων. ὁ δὲ Ἀρκεσίλεως εἴπετο φεύγουσιν, ἐς ὃ ἐν Λεύκωνί τε τῆς Λιβύης ἐγένετο ἐπιδιώκων καὶ ἔδοξε τοῖς Λίβυσιν ἐπιθέσθαι οἱ. συμβαλόντες 25
δὲ ἐνίκησαν τοὺς Κυρηναίους τοσοῦτο, ὥστε ἑπτακισχιλίους ὁπλίτας Κυρηναίων ἐνθαῦτα πεσεῖν. μετὰ δὲ τὸ
τρῶμα τοῦτο Ἀρκεσίλεων μὲν κάμνοντά τε καὶ φάρμακον
πεπωκότα ὁ ἀδελφεὸς Λέαρχος ἀποπνίγει, Λέαρχον δὲ ἡ
γυνὴ ἡ Ἀρκεσίλεω δόλῳ κτείνει, τῇ ὄνομα ἦν Ἐρυξώ. 30
διεδέξατο δὲ τὴν βασιληίην τοῦ Ἀρκεσίλεω ὁ παῖς 161
Βάττος, χωλός τε ἐὼν καὶ οὐκ ἀρτίπους. οἱ δὲ Κυρηναῖοι πρὸς τὴν καταλαβοῦσαν συμφορὴν ἔπεμπον ἐς
Δελφοὺς ἐπειρησομένους, ὅντινα τρόπον καταστησάμενοι

κάλλιστα ἂν οἰκέοιεν. ἡ δὲ Πυθίη ἐκέλευεν ἐκ Μαντι-
νέης τῆς Ἀρκάδων καταρτιστῆρα ἀγαγέσθαι. αἴτεον ὦν
οἱ Κυρηναῖοι, καὶ οἱ Μαντινεῖς ἔδοσαν ἄνδρα τῶν ἀστῶν
δοκιμώτατον, τῷ ὄνομα ἦν Δημῶναξ. οὗτος ἀνὴρ ἀπι-
κόμενος ἐς τὴν Κυρήνην καὶ μαθὼν ἕκαστα τοῦτο μὲν
τριφύλους ἐποίησέ σφεας, τῇδε διαθείς· Θηραίων μὲν καὶ
τῶν περιοίκων μίαν μοῖραν ἐποίησεν, ἄλλην δὲ Πελοπον-
νησίων καὶ Κρητῶν, τρίτην δὲ νησιωτέων πάντων· τοῦτο
δὲ τῷ βασιλεῖ Βάττῳ τεμένεα ἐξελὼν καὶ ἱερεωσύνας τὰ
10 ἄλλα πάντα τὰ πρότερον εἶχον οἱ βασιλεῖς ἐς μέσον τῷ
δήμῳ ἔθηκεν.

162   Ἐπὶ μὲν δὴ τούτου τοῦ Βάττου οὕτω διετέλει ἐόντα,
ἐπὶ δὲ τοῦ τούτου παιδὸς Ἀρκεσίλεω πολλὴ ταραχὴ περὶ
τῶν τιμέων ἐγένετο. Ἀρκεσίλεως γὰρ ὁ Βάττου τε
15 τοῦ χωλοῦ καὶ Φερετίμης οὐκ ἔφη ἀνέξεσθαι κατὰ ὁ
Μαντινεὺς Δημῶναξ ἔταξεν, ἀλλὰ ἀπαίτει τὰ τῶν προ-
γόνων γέρεα. ἐνθεῦτεν στασιάζων ἐσσώθη καὶ ἔφυγεν
ἐς Σάμον, ἡ δὲ μήτηρ οἱ ἐς Σαλαμῖνα τῆς Κύπρου
ἔφυγεν. τῆς δὲ Σαλαμῖνος τοῦτον τὸν χρόνον ἐπεκράτει
20 Εὐέλθων, ὃς τὸ ἐν Δελφοῖσι θυμιητήριον, ἐὸν ἀξιοθέητον,
ἀνέθηκεν, τὸ ἐν τῷ Κορινθίων θησαυρῷ κεῖται. ἀπικομένη
δὲ παρὰ τοῦτον ἡ Φερετίμη ἐδεῖτο στρατιῆς, ἣ κατάξει
σφέας ἐς τὴν Κυρήνην. ὁ δὲ Εὐέλθων πᾶν μᾶλλον ἢ
στρατιήν οἱ ἐδίδου· ἡ δὲ λαμβάνουσα τὸ διδόμενον καλὸν
25 μὲν ἔφη καὶ τοῦτο εἶναι, κάλλιον δὲ ἐκεῖνο, τὸ δοῦναί
οἱ δεομένῃ στρατιήν· καὶ τοῦτο γὰρ ἐπὶ παντὶ τῷ διδο-
μένῳ ἔλεγεν, τελευταῖόν οἱ ἐξέπεμψε δῶρον ὁ Εὐέλθων
ἄτρακτον χρύσεον καὶ ἠλακάτην, προσῆν δὲ καὶ εἴριον·
ἐπειπάσης δὲ αὖτις τῆς Φερετίμης τὠυτὸ ἔπος ὁ Εὐέλ-
30 θων ἔφη τοιούτοισι γυναῖκας δωρεῖσθαι ἀλλ' οὐ στρατιῇ.
163 ὁ δὲ Ἀρκεσίλεως τοῦτον τὸν χρόνον ἐὼν ἐν Σάμῳ
συνήγειρε πάντα ἄνδρα ἐπὶ γῆς ἀναδασμῷ. συλλεγο-
μένου δὲ στρατοῦ πολλοῦ ἐστάλη ἐς Δελφοὺς Ἀρκεσίλεως
χρησόμενος τῷ χρηστηρίῳ περὶ κατόδου. ἡ δὲ Πυθίη

οἱ χρῇ τάδε· „Ἐπὶ μὲν τέσσερας Βάττους καὶ Ἀρκεσί-
λεως τέσσερας, ὀκτὼ ἀνδρῶν γενεάς, διδοῖ ὑμῖν Λοξίης
βασιλεύειν Κυρήνης· πλέον μέντοι τούτου οὐδὲ πειρᾶσθαι
παραινεῖ. σὺ μέντοι ἥσυχος εἶναι κατελθὼν ἐς τὴν σεωυ-
τοῦ. ἢν δὲ τὴν κάμινον εὕρῃς πλέην ἀμφορέων, μὴ 5
ἐξοπτήσῃς τοὺς ἀμφορέας ἀλλ' ἀπόπεμπε κατ' οὖρον· εἰ
δὲ ἐξοπτήσεις τὴν κάμινον, μὴ ἐσέλθῃς ἐς τὴν ἀμφίρρυ-
τον· εἰ δὲ μή, ἀποθανέαι καὶ αὐτὸς καὶ ταῦρος ὁ καλλι-
στεύων." ταῦτα ἡ Πυθίη Ἀρκεσίλεῳ χρῇ. ὁ δὲ παρα- 164
λαβὼν τοὺς ἐκ τῆς Σάμου κατῆλθεν ἐς τὴν Κυ- 10
ρήνην καὶ ἐπικρατήσας τῶν πρηγμάτων τοῦ μαντηίου
οὐκ ἐμέμνητο, ἀλλὰ δίκας τοὺς ἀντιστασιώτας αἴτει τῆς
ἑωυτοῦ φυγῆς. τῶν δὲ οἱ μὲν τὸ παράπαν ἐκ τῆς χώρης
ἀπαλλάσσοντο, τοὺς δέ τινας χειρωσάμενος ὁ Ἀρκεσίλεως
ἐς Κύπρον ἀπέστειλεν ἐπὶ διαφθορῇ. τούτους μέν νυν 15
Κνίδιοι ἀπενειχθέντας πρὸς τὴν σφετέρην ἐρρύσαντο καὶ
ἐς Θήρην ἀπέστειλαν· ἑτέρους δέ τινας τῶν Κυρηναίων
ἐς πύργον μέγαν Ἀγλωμάχου καταφυγόντας ἰδιωτικὸν
ὕλην περινήσας ὁ Ἀρκεσίλεως ἐνέπρησεν. μαθὼν δὲ ἐπ'
ἐξεργασμένοισι τὸ μαντήιον ἐὸν τοῦτο, ὅτι μιν ἡ Πυθίη 20
οὐκ ἔα εὑρόντα ἐν τῇ καμίνῳ τοὺς ἀμφορέας ἐξοπτῆσαι,
ἔργετο ἑκὼν τῆς Κυρηναίων πόλιος, δειμαίνων τε τὸν
κεχρημένον θάνατον καὶ δοκέων ἀμφίρρυτον τὴν Κυρή-
νην εἶναι. εἶχε δὲ γυναῖκα συγγενέα ἑωυτοῦ, θυγατέρα
δὲ τῶν Βαρκαίων τοῦ βασιλέος, τῷ ὄνομα ἦν Ἀλάζειρ· 25
παρὰ τοῦτον ἀπικνεῖται, καί μιν Βαρκαῖοί τε ἄνδρες καὶ
τῶν ἐκ Κυρήνης φυγάδων τινὲς καταμαθόντες ἀγοράζοντα
κτείνουσιν, πρὸς δὲ καὶ τὸν πενθερὸν αὐτοῦ Ἀλάζειρα.
Ἀρκεσίλεως μέν νυν εἴτε ἑκὼν εἴτε ἀέκων ἁμαρτὼν τοῦ
χρησμοῦ ἐξέπλησε μοῖραν τὴν ἑωυτοῦ. 30
    Ἡ δὲ μήτηρ Φερετίμη, τέως μὲν ὁ Ἀρκεσίλεως ἐν 165
τῇ Βάρκῃ διαιτᾶτο ἐξεργασμένος ἑωυτῷ κακόν, ἡ δὲ εἶχεν
αὐτὴ τοῦ παιδὸς τὰ γέρεα ἐν Κυρήνῃ καὶ τἄλλα νεμομένη
καὶ ἐν βουλῇ παρίζουσα. ἐπείτε δὲ ἔμαθεν ἐν τῇ Βάρκῃ

ἀποθανόντα οἱ τὸν παῖδα, φεύγουσα οἰχώκει ἐς Αἴ-
γυπτον. ἦσαν γὰρ οἱ ἐκ τοῦ Ἀρκεσίλεω εὐεργεσίαι ἐς
Καμβύσεα τὸν Κύρου πεποιημέναι· οὗτος γὰρ ἦν ὁ Ἀρ-
κεσίλεως, ὃς Κυρήνην Καμβύσῃ ἔδωκε καὶ φόρον ἐτάξατο.
5 ἀπικομένη δὲ ἐς Αἴγυπτον ἡ Φερετίμη Ἀρυάνδεω ἱκέτις
ἵζετο, τιμωρῆσαι ἑωυτῇ κελεύουσα, προϊσχομένη πρόφασιν
166 ὡς διὰ τὸν μηδισμὸν ὁ παῖς οἱ τέθνηκεν. ὁ δὲ Ἀρυάν-
δης ἦν οὗτος τῆς Αἰγύπτου ὕπαρχος ὑπὸ Καμβύσεω
κατεστεώς, ὃς ὑστέρῳ χρόνῳ τούτων παρισούμενος Δαρείῳ
10 διεφθάρη. πυθόμενος γὰρ καὶ ἰδὼν Δαρεῖον ἐπιθυμέοντα
μνημόσυνον ἑωυτοῦ λιπέσθαι τοῦτο τὸ μὴ ἄλλῳ εἴη βα-
σιλεῖ κατεργασμένον, ἐμιμεῖτο τοῦτον, ἐς ὃ ἔλαβε τὸν
μισθόν. Δαρεῖος μὲν γὰρ χρυσίον καθαρώτατον ἀπεψή-
σας ἐς τὸ δυνατώτατον νόμισμα ἐκόψατο, Ἀρυάνδης δὲ
15 ἄρχων Αἰγύπτου ἀργύριον τὠυτὸ τοῦτο ἐποίει· καὶ νῦν
ἐστὶν ἀργύριον καθαρώτατον τὸ Ἀρυανδικόν. μαθὼν δὲ
Δαρεῖός μιν ταῦτα ποιεῦντα, αἰτίην οἱ ἄλλην ἐπενείκας ὥς
167 οἱ ἐπανίσταιτο, ἀπέκτεινεν. τότε δὲ οὗτος ὁ Ἀρυάνδης
κατοικτίρας Φερετίμην διδοῖ αὐτῇ στρατὸν τὸν ἐξ
20 Αἰγύπτου ἅπαντα, καὶ τὸν πεζὸν καὶ τὸν ναυτικόν·
στρατηγὸν δὲ τοῦ μὲν πεζοῦ Ἄμασιν ἀπέδεξεν ἄνδρα
Μαράφιον, τοῦ δὲ ναυτικοῦ Βάδρην ἐόντα Πασαργάδην
γένος. πρὶν δὲ ἢ ἀποστεῖλαι τὴν στρατιήν, ὁ Ἀρυάνδης
πέμψας ἐς τὴν Βάρκην κήρυκα ἐπυνθάνετο, τίς εἴη ὁ
25 Ἀρκεσίλεων ἀποκτείνας. οἱ δὲ Βαρκαῖοι αὐτοὶ ὑπεδέχοντο
πάντες· πολλά τε γὰρ καὶ κακὰ πάσχειν ὑπ' αὐτοῦ. πυ-
θόμενος δὲ ταῦτα ὁ Ἀρυάνδης οὕτω δὴ τὴν στρατιὴν
ἀπέστειλέν ἅμα τῇ Φερετίμῃ. αὕτη μὲν νυν ἡ αἰτίη
πρόσχημα τοῦ λόγου ἐγίνετο, ἀπεπέμπετο δὲ ἡ στρατιή,
30 ὡς ἐμοὶ δοκεῖν, ἐπὶ Διβύων καταστροφῇ. Διβύων γὰρ
δὴ ἔθνεα πολλὰ καὶ παντοῖά ἐστιν, καὶ τὰ μὲν αὐτῶν
ὀλίγα βασιλέος ἦν ὑπήκοα, τὰ δὲ πλέω ἐφρόντιζε Δαρείου
οὐδέν.
168 Οἰκέουσι δὲ κατὰ τάδε Δίβυες. ἀπ' Αἰγύπτου

ἀρξάμενοι πρῶτοι Ἀδυρμαχίδαι Λιβύων κατοίκηνται,
οἳ νόμοισι μὲν τὰ πλέω Αἰγυπτίοισι χρέωνται, ἐσθῆτα
δὲ φορέουσιν οἵην περ οἱ ἄλλοι Λίβυες. αἱ δὲ γυναῖκες
αὐτῶν ψέλιον περὶ ἑκατέρῃ τῶν κνημέων φορέουσι χάλ-
κεον· τὰς κεφαλὰς δὲ κομῶσαι, τοὺς φθεῖρας ἐπεὰν λά-
βωσι τοὺς ἑωυτῆς ἑκάστη ἀντιδάκνει καὶ οὕτω ῥίπτει.
οὗτοι δὲ μοῦνοι Λιβύων τοῦτο ἐργάζονται, καὶ τῷ βα-
σιλεῖ μοῦνοι τὰς παρθένους μελλούσας συνοικεῖν ἐπι-
δεικνύουσιν· ἣ δὲ ἂν τῷ βασιλεῖ ἀρεστὴ γένηται, ὑπὸ
τούτου διαπαρθενεύεται. παρήκουσι δὲ οὗτοι οἱ Ἀδυρ-
μαχίδαι ἀπ᾽ Αἰγύπτου μέχρι λιμένος, τῷ ὄνομα Πλυνός
ἐστιν. τούτων δὲ ἔχονται Γιλιγάμαι, νεμόμενοι τὸ πρὸς
ἑσπέρην μέχρι Ἀφροδισιάδος νήσου. ἐν δὲ τῷ μεταξὺ
τούτου ἥ τε Πλατεῖα νῆσος ἐπίκειται, τὴν ἔκτισαν Κυ-
ρηναῖοι, καὶ ἐν τῇ ἠπείρῳ Μενέλαος λιμήν ἐστι καὶ
Ἄξιρις, τὴν οἱ Κυρηναῖοι οἴκεον· καὶ τὸ σίλφιον ἄρχεται
ἀπὸ τούτου. παρήκει δὲ ἀπὸ Πλατείης νήσου μέχρι τοῦ
στόματος τῆς Σύρτιος τὸ σίλφιον. νόμοισι δὲ χρέωνται
οὗτοι παραπλησίοισι τοῖς ἑτέροισιν. Γιλιγαμέων δὲ ἔχον-
ται τὸ πρὸς ἑσπέρης Ἀσβύσται· οὗτοι ὑπὲρ Κυρήνης
οἰκέουσιν. ἐπὶ θάλασσαν δὲ οὐ κατήκουσιν Ἀσβύσται·
τὸ γὰρ παρὰ θάλασσαν Κυρηναῖοι νέμονται. τεθριππο-
βάται δὲ οὐκ ἥκιστα ἀλλὰ μάλιστα Λιβύων εἰσίν, νόμους
δὲ τοὺς πλέονας μιμεῖσθαι ἐπιτηδεύουσι τοὺς Κυρηναίων.
Ἀσβυστέων δὲ ἔχονται τὸ πρὸς ἑσπέρης Αὐσχίσαι· οὗτοι
ὑπὲρ Βάρκης οἰκέουσιν, κατήκοντες ἐπὶ θάλασσαν κατ᾽
Εὐεσπερίδας. Αὐσχισέων δὲ κατὰ μέσον τῆς χώρης οἰκέ-
ουσι Βάκαλες, ὀλίγον ἔθνος, κατήκοντες ἐπὶ θάλασσαν
κατὰ Ταύχειρα πόλιν τῆς Βαρκαίης· νόμοισι δὲ τοῖς
αὐτοῖσι χρέωνται τοῖς καὶ οἱ ὑπὲρ Κυρήνης. Αὐσχισέων
δὲ τούτων τὸ πρὸς ἑσπέρης ἔχονται Νασαμῶνες, ἔθνος
ἐὸν πολλόν, οἳ τὸ θέρος καταλείποντες ἐπὶ τῇ θαλάσσῃ
τὰ πρόβατα ἀναβαίνουσιν ἐς Αὔγιλα χῶρον ὀπωριεῦντες
τοὺς φοίνικας· οἱ δὲ πολλοὶ καὶ ἀμφιλαφεῖς πεφύκασιν,

πάντες ἐόντες καρποφόροι. τοὺς δὲ ἀττελέβους ἐπεὰν
θηρεύσωσιν, αὐήναντες πρὸς τὸν ἥλιον καταλέουσι καὶ
ἔπειτα ἐπὶ γάλα ἐπιπάσσοντες πίνουσιν. γυναῖκας δὲ
νομίζοντες πολλὰς ἔχειν ἕκαστος ἐπίχοινον αὐτέων τὴν
5 μεῖξιν ποιεῦνται τρόπῳ παραπλησίῳ τῷ καὶ Μασσαγέται·
ἐπεὰν σκίπωνα προστήσωνται, μίσγονται. πρῶτον δὲ γα-
μέοντος Νασαμῶνος ἀνδρὸς νόμος ἐστὶ τὴν νύμφην νυκτὶ
τῇ πρώτῃ διὰ πάντων διεξελθεῖν τῶν δαιτυμόνων μισγο-
μένην· τῶν δὲ ὡς ἕκαστός οἱ μιχθῇ, διδοῖ δῶρον τὸ ἂν
10 ἔχῃ φερόμενος ἐξ οἴκου. ὀρκίοισι δὲ καὶ μαντικῇ χρέων-
ται τοιῇδε· ὀμνύουσι μὲν τοὺς παρὰ σφίσιν ἄνδρας δι-
καιοτάτους καὶ ἀρίστους λεγομένους γενέσθαι, τούτους,
τῶν τύμβων ἁπτόμενοι. μαντεύονται δὲ ἐπὶ τῶν προ-
γόνων φοιτῶντες τὰ σήματα καὶ κατευξάμενοι ἐπικατα-
15 κοιμῶνται· τὸ δ' ἂν ἴδῃ ἐνύπνιον, τούτῳ χρῆται. πίστισι
δὲ τοιῇσίδε χρέωνται· ἐκ τῆς χειρὸς διδοῖ πιεῖν καὶ αὐτὸς
ἐκ τῆς τοῦ ἑτέρου πίνει· ἢν δὲ μὴ ἔχωσιν ὑγρὸν μηδέν,
173 οἱ δὲ τῆς χαμᾶθεν σποδοῦ λαβόντες λείχουσιν. Νασαμῶσι
δὲ προσόμουροί εἰσι Ψύλλοι. οὗτοι ἐξαπολώλασι τρόπῳ
20 τοιῷδε· ὁ νότος σφι πνέων ἄνεμος τὰ ἔλυτρα τῶν ὑδά-
των ἐξηύηνεν, ἡ δὲ χώρη σφι πᾶσα ἐντὸς ἐοῦσα τῆς
Σύρτιος ἦν ἄνυδρος· οἱ δὲ βουλευσάμενοι κοινῷ λόγῳ
ἐστρατεύοντο ἐπὶ τὸν νότον (λέγω δὲ ταῦτα τὰ λέγουσι
Λίβυες), καὶ ἐπείτε ἐγίνοντο ἐν τῇ ψάμμῳ, πνεύσας ὁ
25 νότος κατέχωσέ σφεας. ἐξαπολομένων δὲ τούτων ἔχουσι
174 τὴν χώρην οἱ Νασαμῶνες. τούτων δὲ κατύπερθε πρὸς
νότον ἄνεμον ἐν τῇ θηριώδει οἰκέουσι Γαράμαντες, οἳ
πάντα ἄνθρωπον φεύγουσι καὶ παντὸς ὁμιλίην, καὶ οὔτε
ὅπλον ἐκτέαται ἀρήιον οὐδὲν οὔτε ἀμύνεσθαι ἐπιστέαται.
175 οὗτοι μὲν δὴ κατύπερθε οἰκέουσι Νασαμώνων, τὸ δὲ
31 παρὰ τὴν θάλασσαν ἔχονται τὸ πρὸς ἑσπέρης Μάκαι, οἳ
λόφους κείρονται, τὸ μὲν μέσον τῶν τριχῶν ἀνιέντες
αὔξεσθαι, τὰ δὲ ἔνθεν καὶ ἔνθεν κείροντες ἐν χροῖ, ἐς
δὲ τὸν πόλεμον στρουθῶν καταγαίων δορὰς φορέουσι

προβλήματα. διὰ δὲ αὐτῶν Κῖννψ ποταμὸς ῥέων ἐκ
λόφου καλεομένου Χαρίτων ἐς θάλασσαν ἐκδιδοῖ. ὁ δὲ
λόφος οὗτος ὁ Χαρίτων δασὺς ἴδῃσίν ἐστιν, ἐούσης τῆς
ἄλλης τῆς προκαταλεχθείσης Λιβύης ψιλῆς· ἀπὸ θαλάσσης
δὲ ἐς αὐτὸν στάδιοι διηκόσιοί εἰσιν. Μαχέων δὲ τούτων 176
ἐχόμενοι Γινδᾶνές εἰσιν, τῶν αἱ γυναῖκες περισφύρια 6
δερμάτων πολλὰ ἑκάστη φορεῖ κατὰ τοιόνδε τι, ὡς λέ-
γεται· κατ᾽ ἄνδρα ἕκαστον μιχθέντα περισφύριον περι-
δεῖται· ἢ δ᾽ ἂν πλεῖστα ἔχῃ, αὕτη ἀρίστη δέδοκται εἶναι
ὡς ὑπὸ πλείστων ἀνδρῶν φιληθεῖσα. ἀκτὴν δὲ προ- 177
έχουσαν ἐς τὸν πόντον τούτων τῶν Γινδάνων νέμονται 11
Λωτοφάγοι, οἳ τὸν καρπὸν μοῦνον τοῦ λωτοῦ τρώ-
γοντες ζώουσιν. ὁ δὲ τοῦ λωτοῦ καρπός ἐστι μέγαθος
ὅσον τε τῆς σχίνου, γλυκύτητα δὲ τοῦ φοίνικος τῷ καρπῷ
προσείκελος. ποιεῦνται δὲ ἐκ τοῦ καρποῦ τούτου οἱ 15
Λωτοφάγοι καὶ οἶνον. Λωτοφάγων δὲ τὸ παρὰ θάλασ- 178
σαν ἔχονται Μάχλυες, τῷ λωτῷ μὲν καὶ οὗτοι χρεώ-
μενοι, ἀτὰρ ἧσσόν γε τῶν πρότερον λεχθέντων. κατ-
ήκουσι δὲ ἐπὶ ποταμὸν μέγαν, τῷ ὄνομα Τρίτων ἐστίν·
ἐκδιδοῖ δὲ οὗτος ἐς λίμνην μεγάλην Τριτωνίδα· ἐν δὲ 20
αὐτῇ νῆσος ἔνι, τῇ ὄνομα Φλά. ταύτην δὲ τὴν νῆσον
Λακεδαιμονίοισί φασι λόγιον εἶναι κτίσαι.

Ἔστι δὲ καὶ ὅδε λόγος λεγόμενος, Ἰήσονα, 179
ἐπείτε οἱ ἐξεργάσθη ὑπὸ τῷ Πηλίῳ ἡ Ἀργώ, ἐσθέμενον
ἐς αὐτὴν ἄλλην τε ἑκατόμβην καὶ δὴ καὶ τρίποδα χάλκεον 25
περιπλεῖν Πελοπόννησον, βουλόμενον ἐς Δελφοὺς ἀπι-
κέσθαι. καί μιν, ὡς πλέοντα γενέσθαι κατὰ Μαλέην,
ὑπολαβεῖν ἄνεμον βορῆν καὶ ἀποφέρειν πρὸς τὴν
Λιβύην· πρὶν δὲ κατιδέσθαι γῆν, ἐν τοῖς βράχεσι γενέ-
σθαι λίμνης τῆς Τριτωνίδος. καὶ οἱ ἀπορέοντι τὴν ἐξα- 30
γωγὴν λόγος ἐστὶ φανῆναι Τρίτωνα καὶ κελεύειν τὸν
Ἰήσονα ἑωυτῷ δοῦναι τὸν τρίποδα, φάμενόν σφι καὶ τὸν
πόρον δείξειν καὶ ἀπήμονας ἀποστελεῖν. πειθομένου δὲ
τοῦ Ἰήσονος οὕτω δὴ τόν τε διέκπλουν τῶν βραχέων

δεικνύναι τὸν Τρίτωνά σφι καὶ τὸν τρίποδα θεῖναι ἐν
τῷ ἑωυτοῦ ἱρῷ ἐπιθεσπίσαντά τε τῷ τρίποδι καὶ τοῖσι
σὺν Ἰήσονι σημήναντα τὸν πάντα λόγον, ὡς ἐπεὰν τὸν
τρίποδα κομίσηται τῶν τις ἐκγόνων τῶν ἐν τῇ Ἀργοῖ
5 συμπλεόντων, τότε ἑκατὸν πόλιας οἰκῆσαι περὶ τὴν Τρι-
τωνίδα λίμνην Ἑλληνίδας πᾶσαν εἶναι ἀνάγκην. ταῦτα
ἀκούσαντας τοὺς ἐπιχωρίους τῶν Λιβύων κρύψαι τὸν
τρίποδα.

180   Τούτων δὲ ἔχονται τῶν Μαχλύων Αὐσεῖς. οὗτοι
10 δὲ καὶ οἱ Μάχλυες πέριξ τὴν Τριτωνίδα λίμνην οἰκέ-
ουσιν, τὸ μέσον δέ σφιν οὐρίζει ὁ Τρίτων. καὶ οἱ μὲν
Μάχλυες τὰ ὀπίσω κομῶσι τῆς κεφαλῆς, οἱ δὲ Αὐσεῖς
τὰ ἔμπροσθε. ὁρτῇ δὲ ἐνιαυσίῃ Ἀθηναίης αἱ παρθένοι
αὐτῶν δίχα διαστᾶσαι μάχονται πρὸς ἀλλήλας λίθοισί τε
15 καὶ ξύλοισιν, τῷ αὐθιγενεῖ θεῷ λέγουσαι τὰ πάτρια ἀπο-
τελεῖν, τὴν Ἀθηναίην καλέομεν. τὰς δὲ ἀποθνῃσκούσας
τῶν παρθένων ἐκ τῶν τρωμάτων ψευδοπαρθένους κα-
λέουσιν. πρὶν δὲ ἀνεῖναι αὐτὰς μάχεσθαι, τάδε ποιεῦσιν
κοινῇ· παρθένον τὴν καλλιστεύουσαν ἑκάστοτε κοσμήσαν-
20 τες κυνῇ τε Κορινθίῃ καὶ πανοπλίῃ Ἑλληνικῇ καὶ ἐπ'
ἅρμα ἀναβιβάσαντες περιάγουσι τὴν λίμνην κύκλῳ. ὁτέοισι
δὲ τὸ πάλαι ἐκόσμεον τὰς παρθένους πρὶν ἤ σφιν Ἕλλη-
νας παροικισθῆναι, οὐκ ἔχω εἰπεῖν, δοκέω δ' ὢν Αἰγυ-
πτίοισιν ὅπλοισι κοσμεῖσθαι αὐτάς· ἀπὸ γὰρ Αἰγύπτου καὶ
25 τὴν ἀσπίδα καὶ τὸ κράνος φημὶ ἀπῖχθαι ἐς τοὺς Ἕλλη-
νας. τὴν δὲ Ἀθηναίην φασὶ Ποσειδέωνος εἶναι θυγα-
τέρα καὶ τῆς Τριτωνίδος λίμνης, καί μιν μεμφθεῖσάν
τι τῷ πατρὶ δοῦναι ἑωυτὴν τῷ Διί, τὸν δὲ Δία ἑωυτοῦ
μιν ποιήσασθαι θυγατέρα. ταῦτα μὲν λέγουσιν, μεῖξιν δὲ
30 ἐπίκοινον τῶν γυναικῶν ποιέονται, οὔτε συνοικέοντες
κτηνηδόν τε μισγόμενοι. ἐπεὰν δὲ γυναικὶ τὸ παιδίον
ἀδρὸν γένηται, συμφοιτῶσιν ἐς τὠυτὸ οἱ ἄνδρες τρίτου
μηνός, καὶ τῷ ἂν οἴκῃ τῶν ἀνδρῶν τὸ παιδίον, τούτου
παῖς νομίζεται.

Οὗτοι μὲν οἱ παραθαλάσσιοι τῶν νομάδων Λιβύων 181
εἰρέαται, ὑπὲρ δὲ τούτων ἐς μεσόγαιαν ἡ θηριώ-
δης ἐστὶ Λιβύη, ὑπὲρ δὲ τῆς θηριώδεος ὀφρύη ψάμμου
κατήκει, παρατείνουσα ἀπὸ Θηβέων τῶν Αἰγυπτίων ἐπ'
Ἡρακλείας στήλας. ἐν δὲ τῇ ὀφρύῃ ταύτῃ μάλιστα διὰ 5
δέκα ἡμερέων ὁδοῦ ἁλός ἐστι τρύφεα κατὰ χόνδρους με-
γάλους ἐν κολωνοῖσιν, καὶ ἐν κορυφῇσιν ἑκάστου τοῦ κο-
λωνοῦ ἀνακοντίζει ἐκ μέσου τοῦ ἁλὸς ὕδωρ ψυχρὸν καὶ
γλυκύ, περὶ δὲ αὐτὸ ἄνθρωποι οἰκέουσιν ἔσχατοι πρὸς
τῆς ἐρήμου καὶ ὑπὲρ τῆς θηριώδεος, πρῶτοι μὲν ἀπὸ 10
Θηβέων διὰ δέκα ἡμερέων ὁδοῦ Ἀμμώνιοι, ἔχοντες τὸ
ἱρὸν ἀπὸ τοῦ Θηβαιέος Διός· καὶ γὰρ τὸ ἐν Θήβῃσιν,
ὡς καὶ πρότερον εἴρηταί μοι, κριοπρόσωπον τοῦ Διὸς
τὤγαλμά ἐστιν. τυγχάνει δὲ καὶ ἄλλο σφιν ὕδωρ κρη-
ναῖον ἐόν, τὸ τὸν μὲν ὄρθρον γίνεται χλιαρόν, ἀγορῆς 15
δὲ πληθυούσης ψυχρότερον· μεσαμβρίη τέ ἐστι καὶ τὸ
κάρτα γίνεται ψυχρόν. τηνικαῦτα δὲ ἄρδουσι τοὺς κή-
πους· ἀποκλινομένης δὲ τῆς ἡμέρης ὑπίεται τοῦ ψυχροῦ,
ἐς ὃ δύεταί τε ὁ ἥλιος καὶ τὸ ὕδωρ γίνεται χλιαρόν·
ἐπὶ δὲ μᾶλλον ἰὸν ἐς τὸ θερμὸν ἐς μέσας νύκτας πελάζει, 20
τηνικαῦτα δὲ ζεῖ ἀμβολάδην· παρέρχονταί τε μέσαι νύκτες
καὶ ψύχεται μέχρι ἐς ἠῶ. ἐπίκλησιν δὲ αὕτη ἡ κρήνη
καλεῖται ἡλίου.

Μετὰ δὲ Ἀμμωνίους, διὰ τῆς ὀφρύης τῆς ψάμμου 182
δι' ἀλλέων δέκα ἡμερέων ὁδοῦ, κολωνός τε ἁλός ἐστιν 25
ὅμοιος τῷ Ἀμμωνίῳ καὶ ὕδωρ, καὶ ἄνθρωποι περὶ αὐτὸν
οἰκέουσιν· τῷ δὲ χώρῳ τούτῳ ὄνομα Αὔγιλά ἐστιν. ἐς
τοῦτον τὸν χῶρον οἱ Νασαμῶνες ὀπωριεῦντες τοὺς φοί-
νικας φοιτῶσιν. ἀπὸ δὲ Αὐγίλων διὰ δέκα ἡμερέων 183
ἀλλέων ὁδοῦ ἕτερος ἁλὸς κολωνὸς καὶ ὕδωρ καὶ φοίνικες 30
καρποφόροι πολλοί, κατά περ καὶ ἐν τοῖς ἑτέροισιν· καὶ
ἄνθρωποι οἰκέουσιν ἐν αὐτῷ, τοῖς ὄνομα Γαράμαντές
ἐστιν, ἔθνος μέγα ἰσχυρῶς, οἳ ἐπὶ τὸν ἅλα γῆν ἐπιφο-
ρέοντες οὕτω σπείρουσιν. συντομώτατον δ' ἐστὶν ἐς τοὺς

Δωτοφάγους, ἐκ τῶν τριήκοντα ἡμερέων ἐς αὐτοὺς ὁδός
ἐστιν, ἐν τοῖς καὶ οἱ ὀπισθονόμοι βόες γίνονται. ὀπι-
σθονόμοι δὲ διὰ τόδε εἰσίν· τὰ κέρεα ἔχουσι κεκυφότα ἐς
τὸ ἔμπροσθε. διὰ τοῦτο ὀπίσω ἀναχωρέοντες νέμονται·
5 ἐς γὰρ τὸ ἔμπροσθε οὐκ οἷοί τέ εἰσι προεμβαλλόντων ἐς
τὴν γῆν τῶν κερέων. ἄλλο δὲ οὐδὲν διαφέρουσι τῶν
ἄλλων βοῶν ὅτι μὴ τοῦτο καὶ τὸ δέρμα ἐς παχύτητά τε
καὶ τρῖψιν. οἱ Γαράμαντες δὲ οὗτοι τοὺς τρωγλοδύτας
Αἰθίοπας θηρεύουσι τοῖσι τεθρίπποισιν· οἱ γὰρ τρωγλο-
10 δύται Αἰθίοπες πόδας τάχιστοι ἀνθρώπων πάντων εἰσίν,
τῶν ἡμεῖς πέρι λόγους ἀποφερομένους ἀκούομεν. σιτέον-
ται δὲ οἱ τρωγλοδύται ὄφις καὶ σαύρας καὶ τὰ τοιαῦτα
τῶν ἑρπετῶν· γλῶσσαν δὲ οὐδεμιῇ ἄλλῃ παρομοίην νενο-
μίκασιν, ἀλλὰ τετρίγασι κατά περ αἱ νυκτερίδες.

184 Ἀπὸ δὲ Γαραμάντων δι' ἀλλέων δέκα ἡμερέων ὁδοῦ
15 ἄλλος ἁλός τε κολωνὸς καὶ ὕδωρ, καὶ ἄνθρωποι περὶ
αὐτὸν οἰκέουσιν, τοῖς ὄνομά ἐστιν Ἀτάραντες, οἳ ἀνώνυ-
μοί εἰσι μοῦνοι ἀνθρώπων τῶν ἡμεῖς ἴδμεν· ἀλέσι μὲν
γάρ σφίν ἐστι Ἀτάραντες ὄνομα, ἑνὶ δὲ ἑκάστῳ αὐτῶν
20 ὄνομα οὐδὲν κεῖται. οὗτοι τῷ ἡλίῳ ὑπερβάλλοντι κατα-
ρῶνται καὶ πρὸς τούτοισι πάντα τὰ αἰσχρὰ λοιδορέονται,
ὅτι σφέας καίων ἐπιτρίβει, αὐτούς τε τοὺς ἀνθρώπους
καὶ τὴν χώρην αὐτῶν. μετὰ δὲ δι' ἀλλέων δέκα ἡμερέων
ὁδοῦ ἄλλος κολωνὸς ἁλὸς καὶ ὕδωρ, καὶ ἄνθρωποι περὶ
25 αὐτὸν οἰκέουσιν. ἔχεται δὲ τοῦ ἁλὸς τούτου ὄρος, τῷ
ὄνομά ἐστιν Ἄτλας. ἔστι δὲ στεινὸν καὶ κυκλοτερὲς
πάντῃ, ὑψηλὸν δὲ οὕτω δή τι λέγεται ὡς τὰς κορυφὰς
αὐτοῦ οὐκ οἷά τε εἶναι ἰδέσθαι· οὐδέκοτε γὰρ αὐτὰς
ἀπολείπειν νέφεα οὔτε θέρεος οὔτε χειμῶνος. τοῦτον
30 κίονα τοῦ οὐρανοῦ λέγουσιν οἱ ἐπιχώριοι εἶναι. ἐπὶ τού-
του τοῦ ὄρεος οἱ ἄνθρωποι οὗτοι ἐπώνυμοι ἐγένοντο·
καλέονται γὰρ δὴ Ἄτλαντες. λέγονται δὲ οὔτε ἔμψυχον
οὐδὲν σιτεῖσθαι οὔτε ἐνύπνια ὁρᾶν.

185 Μέχρι μὲν δὴ τῶν Ἀτλάντων τούτων ἔχω τὰ ὀνό-

ματα τῶν ἐν τῇ ὀφρύῃ κατοικημένων καταλέξαι, τὸ δ'
ἀπὸ τούτων οὐκέτι. διήκει δ' ὦν ἡ ὀφρύη μέχρι Ἡρα-
κλείων στηλέων καὶ τὸ ἔξω τουτέων. ἔστι δὲ ἁλός
τε μέταλλον ἐν αὐτῇ διὰ δέκα ἡμερέων ὁδοῦ καὶ ἄνθρω-
ποι οἰκέοντες. τὰ δὲ οἰκία τούτοισι πᾶσιν ἐκ τῶν ἁλί-   5
νων χόνδρων οἰκοδομέαται. ταῦτα γὰρ ἤδη τῆς Διβύης
ἄνομβρά ἐστιν· οὐ γὰρ ἂν ἐδυνέατο μένειν οἱ τοῖχοι
ἐόντες ἅλινοι, εἰ ὕεν. ὁ δὲ ἅλς αὐτόθι καὶ λευκὸς καὶ
πορφύρεος τὸ εἶδος ὀρύσσεται. ὑπὲρ δὲ τῆς ὀφρύης
ταύτης, τὸ πρὸς νότου καὶ ἐς μεσόγαιαν τῆς Διβύης,   10
ἔρημος καὶ ἄννδρος καὶ ἄθηρος καὶ ἄνομβρος καὶ ἄξυλός
ἐστιν ἡ χώρη, καὶ ἰκμάδος ἐστὶν ἐν αὐτῇ οὐδέν.

Οὕτω μὲν μέχρι τῆς Τριτωνίδος λίμνης ἀπ' 186
Αἰγύπτου νομάδες εἰσὶ κρεοφάγοι τε καὶ γαλακτο-
πόται Δίβυες, καὶ θηλέων τε βοῶν οὔτι γευόμενοι,   15
διότι περ οὐδὲ Αἰγύπτιοι, καὶ ὓς οὐ τρέφοντες. βοῶν
μέν νυν θηλέων οὐδ' αἱ Κυρηναίων γυναῖκες δικαιοῦσι
πατεῖσθαι διὰ τὴν ἐν Αἰγύπτῳ Ἶσιν, ἀλλὰ καὶ νηστηίας
αὐτῇ καὶ ὁρτὰς ἐπιτελέουσιν· αἱ δὲ τῶν Βαρκαίων γυναῖ-
κες οὐδὲ ὑῶν πρὸς τῇσι βουσὶ γεύονται. ταῦτα μὲν δὴ 187
οὕτω ἔχει, τὸ δὲ πρὸς ἑσπέρης τῆς Τριτωνίδος   21
λίμνης οὐκέτι νομάδες εἰσὶ Δίβυες, οὐδὲ νόμοισι
τοῖς αὐτοῖσι χρεώμενοι, οὐδὲ κατὰ τὰ παιδία ποιεῦν-
τες οἷόν τι καὶ οἱ νομάδες ἐώθασι ποιεῖν. οἱ γὰρ δὴ
τῶν Διβύων νομάδες, εἰ μὲν πάντες, οὐκ ἔχω ἀτρεκέως 25
τοῦτο εἰπεῖν, ποιεῦσι δὲ αὐτῶν συχνοὶ τοιάδε· τῶν παι-
δίων τῶν σφετέρων, ἐπεὰν τετραέτεα γένηται, οἴσπῃ προ-
βάτων καίουσι τὰς ἐν τῇσι κορυφῇσι φλέβας, μετεξέτεροι
δὲ αὐτῶν τὰς ἐν τρῖσι κροτάφοισιν, τοῦδε εἵνεκα ὡς μή
σφεας ἐς τὸν πάντα χρόνον καταρρέον φλέγμα ἐκ τῆς   30
κεφαλῆς δηλῆται. καὶ διὰ τοῦτο σφέας λέγουσιν εἶναι
ὑγιηροτάτους. εἰσὶ γὰρ ὡς ἀληθέως Δίβυες ἀνθρώπων
πάντων ὑγιηρότατοι τῶν ἡμεῖς ἴδμεν· εἰ μὲν διὰ τοῦτο,
οὐκ ἔχω ἀτρεκέως εἰπεῖν, ὑγιηρότατοι δ' ὦν εἰσίν. ἢν

δὲ καίουσι τὰ παιδία σπασμὸς ἐπιγένηται, ἐξεύρηταί σφιν
ἄκος· τράγου οὖρον ἐπισπείσαντες ῥύονταί σφεα. λέγω
δὲ τὰ λέγουσιν αὐτοὶ Λίβυες.

188 Θυσίαι δὲ τοῖς νομάσιν εἰσὶν αἵδε· ἐπεὰν τοῦ
5 ὠτὸς ἀπάρξωνται τοῦ κτήνεος, ῥιπτέουσιν ὑπὲρ τὸν δό-
μον, τοῦτο δὲ ποιήσαντες ἀποστρέφουσι τὸν αὐχένα αὐτοῦ.
θύουσι δὲ ἡλίῳ καὶ σελήνῃ μούνοισιν. τούτοισι μέν νυν
πάντες Λίβυες θύουσιν, ἀτὰρ οἱ περὶ τὴν Τριτωνίδα
λίμνην νέμοντες τῇ Ἀθηναίῃ μάλιστα, μετὰ δὲ τῷ Τρί-
189 τωνι καὶ τῷ Ποσειδέωνι. τὴν δὲ ἄρα ἐσθῆτα καὶ τὰς
11 αἰγίδας τῶν ἀγαλμάτων τῆς Ἀθηναίης ἐκ τῶν Λιβυσ-
σέων ἐποιήσαντο οἱ Ἕλληνες· πλὴν γὰρ ἢ ὅτι σκυτίνη ἡ
ἐσθὴς τῶν Λιβυσσέων ἐστὶ καὶ οἱ θύσανοι οἱ ἐκ τῶν
αἰγίδων αὐτῇσιν οὐκ ὄφιές εἰσιν ἀλλὰ ἱμάντινοι, τά γε
15 ἄλλα πάντα κατὰ τὠυτὸ ἔσταλται. καὶ δὴ καὶ τὸ ὄνομα
κατηγορεῖ, ὅτι ἐκ Λιβύης ἥκει ἡ στολὴ τῶν Παλλαδίων·
αἰγέας γὰρ περιβάλλονται ψιλὰς περὶ τὴν ἐσθῆτα θυσα-
νωτὰς αἱ Λίβυσσαι, κεχριμένας ἐρευθεδάνῳ, ἐκ δὲ τῶν
αἰγέων τουτέων αἰγίδας οἱ Ἕλληνες μετωνόμασαν. δοκεῖ
20 δ' ἔμοιγε καὶ ἡ ὀλολυγὴ ἐπὶ ἱροῖσιν ἐνθαῦτα πρῶτον
γενέσθαι· κάρτα γὰρ ταύτῃ χρέωνται αἱ Λίβυσσαι καὶ
χρέωνται καλῶς. καὶ τέσσερας ἵππους συζευγνύναι παρὰ
190 Λιβύων οἱ Ἕλληνες μεμαθήκασιν. θάπτουσι δὲ τοὺς ἀπο-
θνήσκοντας οἱ νομάδες κατά περ οἱ Ἕλληνες, πλὴν Να-
25 σαμώνων· οὗτοι δὲ καθημένους θάπτουσιν, φυλάσσοντες,
ἐπεὰν ἀπίῃ τὴν ψυχήν, ὅκως μιν κατίσουσι μηδὲ ὕπτιος
ἀποθανεῖται. οἰκήματα δὲ σύμπηκτα ἐξ ἀνθερίκων ἐνειρ-
μένων περὶ σχοίνους ἐστίν, καὶ ταῦτα περιφορητά. νό-
μοισι μὲν τοιούτοισιν οὗτοι χρέωνται.

191 Τὸ δὲ πρὸς ἑσπέρης τοῦ Τρίτωνος ποταμοῦ Αὐσέων
31 ἔχονται ἀροτῆρες ἤδη Λίβυες καὶ οἰκίας νομίζοντες ἐκτῆ-
σθαι, τοῖς ὄνομα κεῖται Μάξυες, οἳ τὰ ἐπὶ δεξιὰ τῶν
κεφαλέων κομῶσιν, τὰ δ' ἐπ' ἀριστερὰ κείρουσιν, τὸ δὲ
σῶμα χρίονται μίλτῳ. φασὶ δὲ οὗτοι εἶναι τῶν ἐκ Τροίης

ἀνδρῶν. ἡ δὲ χώρη αὕτη τε καὶ ἡ λοιπὴ τῆς Λι-
βύης ἡ πρὸς ἑσπέρην πολλῷ θηριωδεστέρη τε καὶ
δασυτέρη ἐστὶ τῆς τῶν νομάδων χώρης. ἡ μὲν γὰρ δὴ
πρὸς τὴν ἠῶ τῆς Λιβύης, τὴν οἱ νομάδες νέμουσιν, ἐστὶ
ταπεινή τε καὶ ψαμμώδης μέχρι τοῦ Τρίτωνος ποταμοῦ, 5
ἡ δὲ ἀπὸ τούτου τὸ πρὸς ἑσπέρης, ἡ τῶν ἀροτήρων,
ὀρεινή τε κάρτα καὶ δασεῖα καὶ θηριώδης· καὶ γὰρ οἱ
ὄφιες οἱ ὑπερμεγάθεις καὶ οἱ λέοντες κατὰ τούτους εἰσὶ
καὶ οἱ ἐλέφαντές τε καὶ ἄρκτοι καὶ ἀσπίδες τε καὶ ὄνοι
οἱ τὰ κέρεα ἔχοντες καὶ οἱ κυνοκέφαλοι καὶ οἱ ἀκέφαλοι 10
οἱ ἐν τοῖσι στήθεσι τοὺς ὀφθαλμοὺς ἔχοντες, ὡς δὴ λέ-
γονταί γε ὑπὸ Λιβύων, καὶ οἱ ἄγριοι ἄνδρες καὶ γυναῖ-
κες καὶ ἄλλα πλήθει πολλὰ θηρία ἀκατάψευστα. κατὰ 192
τοὺς νομάδας δέ ἐστι τούτων οὐδέν, ἀλλ' ἄλλα τοιάδε,
πύγαργοι καὶ ζορκάδες καὶ βουβάλιες καὶ ὄνοι, οὐκ οἱ 15
τὰ κέρεα ἔχοντες ἀλλ' ἄλλοι ἄποτοι (οὐ γὰρ δὴ πίνουσιν),
καὶ ὄρυες, τῶν τὰ κέρεα τοῖς φοίνιξιν οἱ πήχεις ποιεῦν-
ται (μέγαθος δὲ τὸ θηρίον τοῦτο κατὰ βοῦν ἐστίν), καὶ
βασσάρια καὶ ὕαιναι καὶ ὕστριχες καὶ κριοὶ ἄγριοι καὶ
δίκτυες καὶ θῶες καὶ πάνθηρες καὶ βόρυες, καὶ κροκό- 20
δειλοι ὅσον τε τριπήχεις χερσαῖοι, τῇσι σαύρῃσιν ἐμφε-
ρέστατοι, καὶ στρουθοὶ κατάγαιοι καὶ ὄφιες μικροί, κέρας
ἓν ἕκαστος ἔχοντες. ταῦτά τε δὴ αὐτόθι ἐστὶ θηρία καὶ
τά περ τῇ ἄλλῃ, πλὴν ἐλάφου τε καὶ ὑὸς ἀγρίου· ἔλαφος
δὲ καὶ ὗς ἄγριος ἐν Λιβύῃ πάμπαν οὐκ ἔστιν. μυῶν δὲ 25
γένεα τριξὰ αὐτόθι ἐστίν· οἱ μὲν δίποδες καλέονται, οἱ
δὲ ζεγέριες (τὸ δὲ ὄνομα τοῦτο ἐστὶ μὲν Λιβυκόν, δύνα-
ται δὲ κατὰ Ἑλλάδα γλῶσσαν βουνοί), οἱ δὲ ἐχινεῖς. εἰσὶ
δὲ καὶ γαλέαι ἐν τῷ σιλφίῳ γινόμεναι, τῇσι Ταρτησσίῃσιν
ὁμοιόταται. τοσαῦτα μέν νυν θηρία ἡ τῶν νομάδων 30
Λιβύων γῆ ἔχει, ὅσον ἡμεῖς ἱστορέοντες ἐπὶ μακρότατον
οἷοί τε ἐγενόμεθα ἐξικέσθαι.

Μαξύων δὲ Λιβύων Ζαύηκες ἔχονται, τοῖς αἱ γυ- 193
ναῖκες ἡνιοχέουσι τὰ ἅρματα ἐς τὸν πόλεμον. τούτων 194

δὲ Γύζαντες ἔχονται, ἐν τοῖς μέλι πολλὸν μὲν μέλισσαι
κατεργάζονται, πολλῷ δ' ἔτι πλέον λέγεται δημιοργοὺς
ἄνδρας ποιεῖν. μιλτοῦνται δ' ὧν πάντες οὗτοι καὶ πιθη-
κοφαγέουσιν· οἱ δέ σφιν ἄφθονοι ὅσοι ἐν τοῖς ὄρεσι
195 γίνονται. κατὰ τούτους δὲ λέγουσι Καρχηδόνιοι κεῖσθαι
6 νῆσον, τῇ ὄνομα εἶναι Κύραυιν, μῆκος μὲν διηκο-
σίων σταδίων, πλάτος δὲ στεινήν, διαβατὸν ἐκ τῆς ἠπεί-
ρου, ἐλαιῶν τε μεστὴν καὶ ἀμπέλων. λίμνην δὲ ἐν
αὐτῇ εἶναι, ἐκ τῆς αἱ παρθένοι τῶν ἐπιχωρίων πτε-
10 ροῖσιν ὀρνίθων κεχριμένοισι πίσσῃ ἐκ τῆς ἰλύος ψῆγμα
ἀναφέρουσι χρυσοῦ. ταῦτα εἰ μὲν ἔστιν ἀληθέως
οὐκ οἶδα, τὰ δὲ λέγεται γράφω. εἴη δ' ἂν πᾶν, ὅκου
καὶ ἐν Ζακύνθῳ ἐκ λίμνης καὶ ὕδατος πίσσαν
ἀναφερομένην αὐτὸς ἐγὼ ὥρων. εἰσὶ μὲν καὶ πλέονες
15 αἱ λίμναι αὐτόθι, ἡ δ' ὧν μεγίστη αὐτέων ἑβδομήκοντα
ποδῶν πάντῃ, βάθος δὲ διόργυιός ἐστιν· ἐς ταύτην κον-
τὸν κατιεῖσιν ἐπ' ἄκρῳ μυρσίνην προσδήσαντες, καὶ
ἔπειτα ἀναφέρουσι τῇ μυρσίνῃ πίσσαν, ὀδμὴν μὲν ἔχου-
σαν ἀσφάλτου, τὰ δ' ἄλλα τῆς Πιερικῆς πίσσης ἀμείνω·
20 ἐσχέουσι δὲ ἐς λάκκον ὀρωρυγμένον ἀγχοῦ τῆς λίμνης·
ἐπεὰν δὲ ἀθροίσωσι συχνήν, οὕτως ἐς τοὺς ἀμφορέας ἐκ
τοῦ λάκκου καταχέουσιν. ὅ τι δ' ἂν ἐσπέσῃ ἐς τὴν
λίμνην, ὑπὸ γῆν ἰὸν ἀναφαίνεται ἐν τῇ θαλάσσῃ· ἡ δὲ
ἀπέχει ὡς τέσσερα στάδια ἀπὸ τῆς λίμνης. οὕτω ὧν καὶ
25 τὰ ἀπὸ τῆς νήσου τῆς ἐπὶ Λιβύῃ κειμένης οἰκότα ἐστὶν
ἀληθείῃ.

196 Λέγουσι δὲ καὶ τάδε Καρχηδόνιοι, εἶναι τῆς
Λιβύης χῶρόν τε καὶ ἀνθρώπους ἔξω Ἡρακλείων
στηλέων κατοικημένους, ἐς τοὺς ἐπεὰν ἀπίκωνται καὶ
30 ἐξέλωνται τὰ φορτία, θέντες αὐτὰ ἐπεξῆς παρὰ τὴν κυμα-
τωγήν, ἐσβάντες ἐς τὰ πλοῖα τύφειν καπνόν· τοὺς δ'
ἐπιχωρίους ἰδομένους τὸν καπνὸν ἰέναι ἐπὶ τὴν θάλασσαν
καὶ ἔπειτα ἀντὶ τῶν φορτίων χρυσὸν τιθέναι καὶ ἐξανα-
χωρεῖν πρόσω ἀπὸ τῶν φορτίων. τοὺς δὲ Καρχηδονίους

ἐκβάντας σκέπτεσθαι, καὶ ἢν μὲν φαίνηταί σφιν ἄξιος ὁ
χρυσὸς τῶν φορτίων, ἀνελόμενοι ἀπαλλάσσονται, ἢν δὲ
μὴ ἄξιος, ἐσβάντες ὀπίσω ἐς τὰ πλοῖα καθέαται, οἱ δὲ
προσελθόντες ἄλλον πρὸς ὧν ἔθηκαν χρυσόν, ἐς ὃ ἂν
πείθωσιν. ἀδικεῖν δὲ οὐδετέρους. οὔτε γὰρ αὐτοὺς τοῦ 5
χρυσοῦ ἅπτεσθαι, πρὶν ἄν σφιν ἀπισωθῇ τῇ ἀξίῃ τῶν
φορτίων, οὔτ᾽ ἐκείνους τῶν φορτίων ἅπτεσθαι πρότερον
ἢ αὐτοὶ τὸ χρυσίον λάβωσιν.

Οὗτοι μέν εἰσι τοὺς ἡμεῖς ἔχομεν Λιβύων ὀνομάσαι· 197
καὶ τούτων οἱ πολλοὶ βασιλέος τοῦ Μήδων οὔτε τι νῦν 10
οὔτε τότε ἐφρόντιζον οὐδέν. τόσον δὲ ἔτι ἔχω εἰπεῖν
περὶ τῆς χώρης ταύτης, ὅτι τέσσερα ἔθνεα νέμεται
αὐτὴν καὶ οὐ πλέω τούτων, ὅσον ἡμεῖς ἴδμεν, καὶ τὰ
μὲν δύο αὐτόχθονα τῶν ἐθνέων, τὰ δὲ δύο οὔ, Λίβυες
μὲν καὶ Αἰθίοπες αὐτόχθονες, οἱ μὲν τὰ πρὸς βορέω, οἱ 15
δὲ τὰ πρὸς νότου τῆς Λιβύης οἰκέοντες, Φοίνικες δὲ καὶ
Ἕλληνες ἐπήλυδες. δοκεῖ δέ μοι οὐδ᾽ ἀρετὴν εἶναί 198
τις ἡ Λιβύη σπουδαίη ὥστε ἢ Ἀσίη ἢ Εὐρώπη
παραβληθῆναι, πλὴν Κίνυπος μούνης· τὸ γὰρ δὴ αὐτὸ
ὄνομα ἡ γῆ τῷ ποταμῷ ἔχει. αὕτη δὲ ὁμοίη τῇ ἀρίστῃ 20
γέων Δήμητρος καρπὸν ἐκφέρειν οὐδὲ ἔοικεν οὐδὲν τῇ
ἄλλῃ Λιβύῃ· μελάγγαιός τε γάρ ἐστι καὶ ἔπυδρος πίδαξιν,
καὶ οὔτε αὐχμοῦ φροντίζουσα οὐδὲν οὔτε ὄμβρον πλέω
πιοῦσα δεδήληται· ὕεται γὰρ δὴ ταῦτα τῆς Λιβύης· τῶν
δὲ ἐκφορίων τοῦ καρποῦ τὰ αὐτὰ μέτρα τῇ Βαβυλωνίῃ 25
γῇ κατίσταται. ἀγαθὴ δὲ γῆ καὶ τὴν Εὐεσπερῖται νέ-
μονται· ἐπ᾽ ἑκατοστὰ γάρ, ἐπεὰν αὐτὴ ἑωυτῆς ἄριστα
ἐνείκῃ, ἐκφέρει, ἡ δὲ ἐν τῇ Κίνυπι ἐπὶ τριηκόσια. ἔχει 199
δὲ καὶ ἡ Κυρηναίη χώρη, ἐοῦσα ὑψηλοτάτη ταύτης τῆς
Λιβύης, τὴν οἱ νομάδες νέμονται, τρεῖς ὥρας ἐν ἑωυτῇ 30
ἀξίας θώματος. πρῶτα μὲν γὰρ τὰ παραθαλάσσια
τῶν καρπῶν ὀργᾷ ἀμᾶσθαί τε καὶ τρυγᾶσθαι· τούτων
τε δὴ συγκεκομισμένων τὰ ὑπὲρ τῶν θαλασσιδίων χώρων
τὰ μέσα ὀργᾷ συγκομίζεσθαι, τὰ βουνοὺς καλέουσιν·

συγκεκόμισταί τε οὗτος ὁ μέσος καρπὸς καὶ ὁ ἐν τῇ
κατυπερτάτῃ τῆς γῆς πεπαίνεταί τε καὶ ὀργᾷ, ὥστε ἐκ-
πέποταί τε καὶ καταβέβρωται ὁ πρῶτος καρπὸς καὶ ὁ
τελευταῖος συμπαραγίνεται. οὕτω ἐπ᾽ ὀκτὼ μῆνας Κυρη-
5 ναίους ὀπώρη ἐπέχει. ταῦτα μέν νυν ἐπὶ τοσοῦτον
εἰρήσθω.

200 Οἱ δὲ Φερετίμης τιμωροὶ Πέρσαι ἐπείτε ἐκ τῆς
Αἰγύπτου σταλέντες ὑπὸ Ἀρυάνδεω ἀπίκοντο ἐς τὴν
Βάρκην, ἐπολιόρκεον τὴν πόλιν ἐπαγγελλόμενοι ἐκδι-
10 δόναι τοὺς αἰτίους τοῦ φόνου τοῦ Ἀρκεσίλεω· τῶν δὲ
πᾶν γὰρ ἦν τὸ πλῆθος μεταίτιον, οὐκ ἐδέκοντο τοὺς
λόγους. ἐνθαῦτα δὴ ἐπολιόρκεον τὴν Βάρκην ἐπὶ μῆνας
ἐννέα, ὀρύσσοντές τε ὀρύγματα ὑπόγαια φέροντα ἐς τὸ
τεῖχος καὶ προσβολὰς καρτερὰς ποιεύμενοι. τὰ μέν νυν
15 ὀρύγματα ἀνὴρ χαλκεὺς ἀνεῦρεν ἐπιχάλκῳ ἀσπίδι, ὧδε
ἐπιφρασθείς· περιφέρων αὐτὴν ἐντὸς τοῦ τείχεος προσ-
ῖσχε πρὸς τὸ δάπεδον τῆς πόλιος. τὰ μὲν δὴ ἄλλα ἔσκε
κωφὰ πρὸς ἃ προσῖσχεν, κατὰ δὲ τὰ ὀρυσσόμενα ἤχεσκεν
ὁ χαλκὸς τῆς ἀσπίδος. ἀντορύσσοντες δ᾽ ἂν ταύτῃ οἱ
20 Βαρκαῖοι ἔκτεινον τῶν Περσέων τοὺς γεωρυχέοντας.
τοῦτο μὲν δὴ οὕτω ἐξευρέθη, τὰς δὲ προσβολὰς ἀπε-
201 κρούοντο οἱ Βαρκαῖοι. χρόνον δὲ δὴ πολλὸν τριβομένων
καὶ πιπτόντων ἀμφοτέρων πολλῶν καὶ οὐκ ἧσσον τῶν
Περσέων Ἄμασις ὁ στρατηγὸς τοῦ πεζοῦ, μαθὼν
25 τοὺς Βαρκαίους ὡς κατὰ μὲν τὸ ἰσχυρὸν οὐκ αἱρετοὶ
εἶεν, δόλῳ δὲ αἱρετοί, ποιεῖ τοιάδε· νυκτὸς τάφρην
ὀρύξας εὐρεῖαν ἐπέτεινε ξύλα ἀσθενέα ὑπὲρ αὐτῆς, κατύ-
περθε δὲ ἐπιπολῆς τῶν ξύλων χοῦν γῆς ἐπεφόρησεν, ποιέων
τῇ ἄλλῃ γῇ ἰσόπεδον. ἅμα ἡμέρῃ δὲ ἐς λόγους προ-
30 εκαλεῖτο τοὺς Βαρκαίους. οἱ δὲ ἀσπαστῶς ὑπήκουσαν, ἐς
ὃ σφιν ἕαδεν ὁμολογίῃ χρήσασθαι. τὴν δὲ ὁμολογίην
ἐποιεῦντο τοιήνδε τινά, ἐπὶ τῆς κρυπτῆς τάφρου τάμ-
νοντες ὅρκια, ἔστ᾽ ἂν ἡ γῆ αὕτη οὕτω ἔχῃ, μένειν τὸ
ὅρκιον κατὰ χώρην, καὶ Βαρκαίους τε ὑποτελεῖν ἀξίην

βασιλεῖ καὶ Πέρσας μηδὲν ἄλλο νεοχμοῦν κατὰ Βαρκαίους. μετὰ δὲ τὸ ὅρκιον Βαρκαῖοι μὲν πιστεύσαντες τούτοισιν αὐτοί τε ἐξῆσαν ἐκ τοῦ ἄστεος καὶ τῶν πολεμίων ἔων παριέναι ἐς τὸ τεῖχος τὸν βουλόμενον, τὰς πάσας πύλας ἀνοίξαντες. οἱ δὲ Πέρσαι καταρρήξαντες τὴν κρυ- 5 πτὴν γέφυραν ἔθεον ἔσω ἐς τὸ τεῖχος. κατέρρηξαν δὲ τοῦδε εἵνεκα τὴν ἐποίησαν γέφυραν, ἵνα ἐμπεδορκέοιεν, ταμόντες τοῖσι Βαρκαίοισι χρόνον μένειν αἰεὶ τὸ ὅρκιον ὅσον ἂν ἡ γῆ μένῃ κατὰ τότε εἶχεν· καταρρήξασι δὲ οὐκέτι ἔμενε τὸ ὅρκιον κατὰ χώρην. τοὺς μέν νυν **202** αἰτιωτάτους τῶν Βαρκαίων ἡ Φερετίμη, ἐπείτε οἱ ἐκ 11 τῶν Περσέων παρεδόθησαν, ἀνεσκολόπισε κύκλῳ τοῦ τείχεος, τῶν δέ σφι γυναικῶν τοὺς μαζοὺς ἀποταμοῦσα περιέστιξε καὶ τούτοισι τὸ τεῖχος· τοὺς δὲ λοιποὺς τῶν Βαρκαίων ληίην ἐκέλευε θέσθαι τοὺς Πέρσας, πλὴν ὅσοι 15 αὐτῶν ἦσαν Βαττιάδαι τε καὶ τοῦ φόνου οὐ μεταίτιοι· τούτοισι δὲ τὴν πόλιν ἐπέτρεψεν ἡ Φερετίμη.

Τοὺς ὦν δὴ λοιποὺς τῶν Βαρκαίων οἱ Πέρσαι **203** ἀνδραποδισάμενοι ἀπῇσαν ὀπίσω· καὶ ἐπείτε ἐπὶ τῇ Κυρηναίων πόλι ἐπέστησαν, οἱ Κυρηναῖοι λόγιόν τι ἀπο- 20 σιούμενοι διεξῆκαν αὐτοὺς διὰ τοῦ ἄστεος. διεξιούσης δὲ τῆς στρατιῆς Βάδρης μὲν ὁ τοῦ ναυτικοῦ στρατοῦ στρατηγὸς ἐκέλευεν αἱρεῖν τὴν πόλιν, Ἄμασις δὲ ὁ τοῦ πεζοῦ οὐκ ἔα· ἐπὶ Βάρκην γὰρ ἀποσταλῆναι μούνην Ἑλληνίδα πόλιν· ἐς ὃ διεξελθοῦσι καὶ ἱζομένοισιν ἐπὶ 25 Διὸς Λυκαίου ὄχθον μετεμέλησέ σφιν οὐ σχοῦσι τὴν Κυρήνην. καὶ ἐπειρῶντο τὸ δεύτερον παριέναι ἐς αὐτήν, οἱ δὲ Κυρηναῖοι οὐ περιώρων. τοῖς δὲ Πέρσησιν οὐδενὸς μαχομένου φόβος ἐνέπεσεν, ἀποδραμόντες δὲ ὅσον τε ἑξήκοντα στάδια ἵζοντο. ἱδρυθέντι δὲ τῷ στρατοπέδῳ ταύτῃ 30 ἦλθε παρ’ Ἀρυάνδεω ἄγγελος ἀποκαλέων αὐτούς. οἱ δὲ Πέρσαι Κυρηναίων δεηθέντες ἐπόδιά σφι δοῦναι ἔτυχον, λαβόντες δὲ ταῦτα ἀπαλλάσσοντο ἐς τὴν Αἴγυπτον. παραλαβόντες δὲ τὸ ἐνθεῦτεν αὐτοὺς Λίβυες τῆς τε ἐσθῆτος

εἵνεκα καὶ τῆς σκευῆς τοὺς ὑπολειπομένους αὐτῶν καὶ
ἐπελκομένους ἐφόνευον, ἐς ὃ ἐς τὴν Αἴγυπτον ἀπίκοντο.
204 οὗτος ὁ Περσέων στρατὸς τῆς Λιβύης ἑκαστάτω ἐς Εὐε-
σπερίδας ἦλθεν. τοὺς δὲ ἠνδραποδίσαντο τῶν Βαρκαίων,
5 τούτους δὲ ἐκ τῆς Αἰγύπτου ἀνασπάστους ἐποίησαν παρὰ
βασιλέα· βασιλεὺς δέ σφι Δαρεῖος ἔδωκε τῆς Βακτρίης
χώρης κώμην ἐγκατοικῆσαι. οἱ δὲ τῇ κώμῃ ταύτῃ ὄνομα
ἔθεντο Βάρκην, ἥ περ ἔτι καὶ ἐς ἐμὲ ἦν οἰκεομένη ἐν
γῇ τῇ Βακτρίῃ.
205   Οὐ μὲν οὐδὲ ἡ Φερετίμη εὖ τὴν ζοὴν κατέπλεξεν.
11 ὡς γὰρ δὴ τάχιστα ἐκ τῆς Λιβύης τεισαμένη τοὺς Βαρ-
καίους ἀπενόστησεν ἐς τὴν Αἴγυπτον, ἀπέθανε κακῶς·
ζῶσα γὰρ εὐλέων ἐξέζεσεν, ὡς ἄρα ἀνθρώποισιν αἱ λίην
ἰσχυραὶ τιμωρίαι πρὸς θεῶν ἐπίφθονοι γίνονται. ἡ μὲν
15 δὴ Φερετίμης τῆς Βάττου τοιαύτη τε καὶ τοσαύτη τιμωρίη
ἐγένετο ἐς Βαρκαίους.

Namen- und Sachverzeichnis.

A.

Ἄβαι Stadt in Phokis mit einem Orakel des Apollo I 46.

Ἄβαντες vorhellenische Thraker, die von Abai nach Euboia gezogen waren I 146.

Ἄβαρις ein apollinischer Wunderpriester IV 36.

Ἄβδηρα Stadt in der Mündungsebene des Nestos in Thrakien I·168.

ἀγαθοεργοί die ältesten Ritter bei den Lakedämoniern, je fünf in jedem Jahr, die zu Sendungen in Staatsgeschäften gebraucht wurden I 67.

Ἀγάθυρσοι ein thrakischer Volksstamm, nach Her. zwischen Istros und Tyras (Dnjestr) im Quellgebiet des Maris (Maros), also wohl in Siebenbürgen IV 49. 100. 102. 104. 125. ὁ Ἀγάθυρσος ein König der Agathyrsen IV 119.

Ἀγάθυρσος ein Sohn des Herakles IV 10.

Ἀγαμέμνων König von Mykenai I 67. IV 103. Ἀγαμεμνονίδης Orestes I 67.

Ἀγασικλῆς aus Halikarnaß I 144.

Ἀγβάτανα 1. Hauptstadt von Medien, später Ἐκβάτανα gen., medisch Hagmatānah, j. Hamadân, 2000 m hoch gelegen am Fuße des Orontes (j. Elwend) I 98. 110. 153. III 64. 92. 2. Kleiner Ort in Syrien an der Straße, die von der Küste über Damaskus nach dem Euphrat führte III 62. 64.

Ἄγγρος Nebenfluß des Brongus, vielleicht die bulgarische Morawa IV 49.

Ἀγήνωρ Vater des Kadmos, hellenische Bezeichnung für den phoinikischen Gott Baal IV 147.

Ἀγλώμαχος aus Kyrene IV 164.

Ἀγριάνης, später Erigon, Nebenfluß des Hebros in Thrakien IV 90.

Ἄγρων Sohn des Ninos, König von Lydien I 7.

Ἀγυλλαῖοι Bewohner von Ἄγυλλα, später Caere (j. Cerveteri) in Etrurien I 167.

Ἀδικράν König der Libyer in der Umgegend von Kyrene IV 159.

Ἄδρηστος ein Phrygier, Sohn des Königs Gordias I 35. 41—45.

ὁ Ἀδρίης das Adriatische Meer I 163. IV 33.

Ἀδυρμαχίδαι ein libyscher Volksstamm westl. von Ägypten in der Marmarika IV 168.

Ἄξιρις ein Ort in Libyen IV 157. 169.

Ἄζωτος Stadt der Philistaier in Syrien (j. Esdud) II 157.

Ἀθῆναι die Stadt Athen I 60 u. s. ὁ Ἀθηνέων κύκλος die Ringmauer von Athen I 98. Ἀθηναῖος ein Athener I 29 u. s.

Ἀθηναίη die Göttin Athene I 22 u. s. Ποσειδέωνος θυγάτηρ καὶ τῆς Τριτωνίδος λίμνης IV 180. πολιοῦχος ἐν Χίῳ die Stadtbeschützerin I 160. ἐν Αἰγίνῃ III 59. ἐν Ἀθήνῃσι I 60. Ἀλέη I 66. Ἀσσησσίη I 19. 22. Αὐσέων IV 180. ἐν Κυρήνῃ II 182. Λιβύων IV 188. 189. ἐν Λίνδῳ II 182. Παλληνίς I 62. Πηδασέων I 175. Προνηίη I 92. ἐν Σάι die Göttin Neith, Lokalgöttin von Sais, eine Göttin der Unterwelt mit grünem Gesicht und grünen Händen, mit der Krone von Unterägypten auf dem Kopfe, Bogen und Pfeilen in den Händen, gilt als Göttermutter. Die Kuh ist in Sais Sinnbild der Neith, sonst der Isis II 28. 59. 83. 169. 170. 175.

Ἀθριβίτης νομός ein Bezirk im Deltagebiet mit dem Hauptort Athribis, j. Atrib II 166.

Ἄθρυς ein thrakischer Nebenfluß des Istros, vielleicht der Jantra in Bulgarien IV 49.

Αἶα ἡ Κολχίς Name für das kolchische Land I 2.

Αἰάκης 1. Vater des Syloson und des Polykrates von Samos II 182. III 39. 139. 2. Enkel des eben genannten Aiakes, Sohn des Syloson IV 138.

Αἰγαί eine der 12 Städte von Achaia, am Krathis I 145

Αἰγαῖαι eine der 12 Städte der Aiolis I 149.

τὸ Αἰγαῖον II 113, τὸ Αἰγαῖον πέλαγος IV 85, ὁ Αἰγαῖος πόντος II 97 das Ägäische Meer.

Αἰγεῖδαι ein Geschlecht in Sparta IV 149.

Αἴγειρα eine der 12 Städte von Achaia I 145.

Αἰγειροῦσσα eine der 12 Städte der Aiolis, sonst nicht bekannt I 149.

Αἰγεύς Sohn des Oiolykos, Stammvater der Aigiden IV 149.

Αἰγεύς Sohn des Pandion aus Athen I 173.

Αἴγινα Insel im saronischen Meerbusen III 59. 131. *Αἰγι-νήτης* Einwohner von Aigina II 178. III 59. 131. IV 152.

Αἴγιον eine der 12 Städte von Achaia I 145.

Αἴγλοι wohl ein Stamm der Sogdianer südl. vom Jaxartes III 92.

Αἴγυπτος Ägypten I 1 u. s. *Αἰγύπτιος* Ägypter I 77 u. s. *Αἰγύπτιος νομός* III 91. *πῆχυς* die große Elle = 0,525 m II 168. *στρατός* II 103. *σχοῖνος* II 6. *θώρηκες* I 135. *ἰητροί* III 132. *Αἰγυπτίη* III 2. *γυνή* II 57. *σκευή* II 106. *χώρη* I 193. *Αἰγύπτιον λίνον* II 105. *μέτρον* II 6. *ὄνομα* II 98. *πεδίον* II 75. 158. *πέλαγος* II 113. *Αἰγύπτια γράμματα* II 36. 106. 125. *ἔργα* I 93. *ἤθεα* II 30. *φορτία* I 1. *Αἰγυπτιστί* II 46. 79. 156.

Αἰθίοπες 1. die Äthiopen in Gedrosien in Asien (Balutschistân) III 94. 2. Volksstämme von schwarzer Hautfarbe: in Nubien um Meroe II 29. 30. 42 u. s.; im Süden Libyens, das etwa bis zum Äquator reichend gedacht wird II 22. IV 197. *νομάδες* die Wanderäthiopen im Niltal oberhalb Ägyptens II 29, auch οἱ *πρόσουροι Αἰγύπτῳ* gen. III 97. *μακρόβιοι* im Süden und Südwesten Libyens, sie werden 120 Jahre alt III 17. 21. 97. *τρωγλοδύται* (*τρωγοδύται*) Höhlenbewohner, der Stamm der Tibbu südl. von Fessan lebt noch heute in Höhlen IV 183. *Αἰθίοψ* ein Äthioper II 137 u. s. *Αἰθιοπίη* das Land Äthiopien II 11 u. s. *Αἰθιοπικὸς λίθος* II 86. 127. 134. *Αἰθιοπὶς γλῶσσα* III 19. *σκευή* II 106.

Αἶμος das Balkangebirge, das sich bei Herodot bis zum „Eisernen Tor" erstreckt IV 49.

Αἶνος Stadt an der Mündung des Hebros IV 90.

Αἰολεῖς die griechischen Bewohner der Aiolis I 6. 26 u. s. *Αἰολίδες πόλιες* ein Bund von 12 meist kleinen, nahe bei einander liegenden Städten in dem Hügelland zwischen den Mündungen des Kaikos und Hermos, von Pitane bis Alt-Smyrna. Der Lage nach bekannt sind: *Πιτάνη, Γρύνεια, Μύρινα, Κύμη, Αἰγαῖαι, Νέον τεῖχος, Δήρισαι, Τῆμνος*, unbekannt: *Κίλλα, Νότιον, Αἰγειροῦσσα* I 149: früher gehörte dazu *Σμύρνη* I 149. 150. Ferner 6 Städte auf Lesbos, je eine auf Tenedos und den Ἑκατὸν νῆσοι I 151.

Αἰσάνιος Vater des Grinnos von der Insel Thera.

Αἰσχριωνίη eine Phyle der Samier III 26.

Αἰσχύλος Sohn des Euphorion, der berühmte attische Tragödiendichter II 156.

Αἴσωπος der bekannte Fabeldichter II 134.

Ἀκαρνανίη Landschaft in Mittelgriechenland, westlich vom Acheloos II 10. Ἀκαρνάν ein Akarnanier I 62.

ἀκέφαλοι fabelhafte Wesen, Menschen oder Tiere, in Libyen IV 191.

Ἄκης sagenhafter Fluß im iranischen Hochland (Ochos?) III 117.

Ἀλάζειρ König von Barke in Libyen IV 164.

Ἀλαλίη Stadt an der Ostküste von Korsika, später Aleria genannt I 165. 166.

Ἀλαρόδιοι asiatischer Volksstamm (am Araxes?) III 94.

Ἀλέη Beiname der Athene, Stadtgöttin in Tegea I 66.

Ἀλέξανδρος Sohn des Priamos I 3. II 113. 115—118. 120.

Ἀλιζῶνες ein skythischer Volksstamm zwischen Hypanis und Borysthenes IV 17. 52.

Ἁλικαρνησσός Stadt der dorischen Hexapolis in Kleinasien, s. ἑξάπολις, I 144. 175. II 178. Ἁλικαρησσεύς Einwohner von Halikarnaß I 1. 144. III 4. 7.

Ἀλιλάτ arabische Lichtgöttin, der Ἀφροδίτη Οὐρανίη gleichgestellt I 131. III 8.

Ἀλκαῖος Sohn des Herakles, des asiatischen Sonnengottes Bel, und der lydischen Omphale, er ist der Stifter des lydischen Heraklidenhauses I 7.

Ἀλκήνωρ ein Argiver I 82.

Ἀλκμέων Ahnherr der Alkmeoniden I 59. Ἀλκμεωνίδαι ein athenisches Adelsgeschlecht I 61. 64.

Ἀλκμήνη Mutter des Herakles II 43. 145.

Ἄλπις Nebenfluß des Istros, j. Inn, oder mißverstandener Name des Gebirges der Ἄλπεις IV 49.

Ἀλυάττης König von Lydien 617—560 v. Chr. I 6. 16. 18—22. 25. 26. 47. 73. 74. 92. 93. III 48.

Ἅλυς Fluß in Kleinasien (j. Kizíl-irmák) I 6. 28. 72. 75. 103. 130.

Ἀμαζόνες das sagenhafte Weibervolk am Thermodon in dem Gebiet von Pontus IV 110. 112—115. 117.

Ἄμασις 1. König von Ägypten 570—526 v. Chr. (570—564 mit Apries zusammen) I 30. 77. II 43. 134 u. s. 2. Ein persischer Heerführer IV 167. 201. 203.

Ἄμμων der widderköpfige Gott, ägyptisch Amon, Zeus gleichgestellt, dessen berühmtes Orakel sich in der nach ihm benannten Oase befand, j. Siwa, sie liegt 30 m unter dem Mittelmeer. I 46. II 18. 32. 55. Ἀμοῦν τὸν Δία II 42. Ἀμμώνιοι die Bewohner der Oase II 32. 33. 42. III 17. 25. 26. IV 181. 182. Ἀμμώνιος κολωνός IV 181.

Ἀμυθέων Vater des Melampus II 49.

Ἀμυρταῖος ein ägyptischer König um 460 v. Chr., verteidigt die Freiheit des Landes gegen die Perser II 140. III 15.

Ἀμφιάρεως thebanischer Seher I 46. 49. 52. 92. III 91.

Ἀμφικράτης König von Samos III 59.

Ἀμφικτυόνες der Amphiktyonenbund zum Schutze des delphischen Heiligtums II 180.

Ἀμφίλοχος Sohn des Amphiaraos III 91.

Ἀμφίλυτος ein Wahrsager und Spruchdichter aus Akarnanien I 62.

Ἀμφιτρύων Sohn des Königs Alkaios von Tiryns, Enkel des Perseus, Vater des Herakles II 43. 44. 146.

Ἀνακρέων der berühmte lyrische Dichter aus der ionischen Stadt Teos III 121.

Ἀναξανδρίδης Sohn des Leon, König von Sparta I 67. III 148.

Ἀναφλύστος attischer Gemeindebezirk (Demos) an der Westküste des sunischen Vorgebirges IV 99.

Ἀνάχαρσις ein vornehmer Skythe, galt als Zeitgenosse und Freund des Solon, wegen seiner weisen Sprüche auch zu den „sieben Weisen" gezählt IV 46. 76. 77.

Ἄνδρος eine der Kykladen IV 33.

Ἀνδροφάγοι ein Volksstamm der Skythen im Norden ihres Gebietes am Borysthenes IV 18. 100. 102. 106. 119. 125.

Ἄνθυλλα Stadt im Nildelta zwischen Kanobos und Naukratis II 97. 98.

Ἀνύσιος νομός ein Bezirk im östlichen Deltagebiet bei der Stadt Anysis II 166.

Ἄνυσις 1. Herakleopolis, Stadt im Delta zwischen Tanis und Athribis II 137. 2. Angeblich ein blinder König von Ägypten, unter dem die Äthiopen einbrachen. Er war ein

Ἀργιππαῖοι ein skythischer Volksstamm, wohl östlich vom südlichen Ural IV 23.

Ἄργος Stadt in der Landschaft Argolis im Peloponnes I 1. 5. 82. Ἀργεῖοι Argiver I 31. 61. 82. Ἀργεῖαι Argiverinnen I 31. θεράπαιναι III 134. Ἀργείη Ἰώ I 2. Ἀργολὶς μοίρη I 82. Ἀργολικὸς κρητήρ IV 152.

Ἀρδέρικκα ein Dorf oberhalb Babylons am Euphrat I 185.

Ἄρδυς König der Lyder 678—629 v. Chr. I 15. 16. 18.

Ἄρειοι ein iranischer Volksstamm im westlichen Afghanistan (Herat) III 93.

Ἄρης der Kriegsgott Ares II 59. 63. 83. IV 59. 62.

Ἀριάντας ein König der Skythen IV 81.

Ἀριαπείθης ein König der Skythen, Vater des Skyles IV 76. 78.

Ἀριζαντοί einer der 6 Stämme der Meder I 101.

ἄριμα ein skythisches Wort „eins" IV 27.

Ἀριμασποί ein skythisches Volk im Nordwesten der Welt, sie sind einäugig und leben in stetem Kampfe mit den goldhütenden Greifen (Ἀριμασποί bedeutet nicht „Einäugige", sondern „folgsame Rosse habend") III 116. IV 13. 27. Ἀριμάσπεια ἔπεα Gedicht des Aristeas über die Arimaspen und was er sonst im Skythenlande erkundet hatte IV 14.

Ἀρίσβα die sechste Stadt auf Lesbos, früh von den Methymnaiern zerstört I 151.

Ἀρισταγόρης Tyrann von Kyme IV 138.

Ἀριστῆς ein Dichter aus Prokonnesos, lebte zur Zeit des Kroisos und Kyros, Verfasser der Ἀριμάσπεια ἔπεα, er beschrieb Land und Leute von dem Schwarzen Meer bis zur Ostsee IV 13—16. (Auch Aristeas und Aristaios gen.)

Ἀριστόδημος Heraklide, Vater des Eurysthenes und Prokles IV 147.

Ἀριστόδικος ein angesehener Kymaier I 158. 159.

Ἀριστολαΐδης Vater des Lykurgos aus Athen I 59.

Ἀριστοφιλίδης König von Tarent zur Zeit des Dareios Hystaspes III 136.

Ἀρίστων 1. Tyrann von Byzanz IV 138. 2. König von Sparta, Vater des Demaratos I 67.

Ἀρίων Sänger aus Methymne, hat den Dithyrambos, ein Chor- und Reigenlied, das zu Ehren des Dionysos aufgeführt wurde, kunstvoll ausgebildet, indem er einen

Chor von 50 Mann im Kreisrund ($\varkappa \acute{v} \varkappa \lambda \iota o \varsigma$ $\chi o \varrho \acute{o} \varsigma$) auf-
stellte I 23. 24.

'$A \varrho \varkappa \alpha \delta \acute{\iota} \eta$ Landschaft im Peloponnes I 66. 67. '$A \varrho \varkappa \acute{\alpha} \delta \varepsilon \varsigma$
Bewohner Arkadiens I 66. II 171. IV 161. 'A. $\Pi \varepsilon \lambda \alpha \sigma \gamma o \acute{\iota}$
I 146.

'$A \varrho \varkappa \varepsilon \sigma \acute{\iota} \lambda \varepsilon \omega \varsigma$ Name mehrerer Könige von Kyrene aus dem
Geschlechte der Battiaden. Ark. I. etwa 592—576 v. Chr.
IV 159. 160. Ark. II., dessen Enkel, Sohn Battos' II., II
181. IV 160. 161. Ark. III. Enkel des Vorigen, Sohn
Battos' III., zur Zeit des Kambyses IV 162—165. 167. 200.
'$A \varrho \varkappa \varepsilon \sigma \acute{\iota} \lambda \varepsilon \omega$ $\tau \acute{\varepsilon} \sigma \sigma \varepsilon \varrho \varepsilon \varsigma$ IV 163.

'$A \varrho \mu \acute{\varepsilon} \nu \iota o \iota$ Bewohner des Landes Armenien in Vorderasien
I 180. 194. III 93. '$A \varrho \mu \acute{\varepsilon} \nu \iota o \nu$ $\acute{o} \varrho o \varsigma$ I 72.

$\acute{\alpha} \varrho o \upsilon \varrho \alpha$ ein ägyptisches Flächenmaß, ein Quadrat von 100
großen, königlichen Ellen = 2756 □m II 141. 168.

"$A \varrho \pi \alpha \gamma o \varsigma$ vornehmer Meder, Berater des Astyages und Feld-
herr des Kyros I 80. 108—113. 117—120 u. s.

'$A \varrho \pi \acute{o} \xi \alpha \iota \varsigma$ einer der Stammväter der Skythen IV 5. 6.

'$A \varrho \sigma \acute{\alpha} \mu \eta \varsigma$ Achaimenide, Vater des Hystaspes I 209.

'$A \varrho \tau \acute{\alpha} \beta \alpha \xi o \varsigma$ persischer Heerführer I 192.

'$A \varrho \tau \acute{\alpha} \beta \alpha \nu o \varsigma$ Bruder des Dareios IV 83. 143.

$\acute{\alpha} \varrho \tau \acute{\alpha} \beta \eta$ persisches Hohlmaß für Trockenes. Ein attischer
$\mu \acute{\varepsilon} \delta \iota \mu \nu o \varsigma$ = 48 $\chi o \acute{\iota} \nu \iota \varkappa \varepsilon \varsigma$ = 51,84 l. Eine $\acute{\alpha} \varrho \tau \acute{\alpha} \beta \eta$ = $1^{1}/_{16}$
Medimnos = 55,08 l I 192.

'$A \varrho \tau \acute{\alpha} \varkappa \eta$ Hafenstadt von Kyzikos an der Propontis IV 14.

'$A \varrho \tau \acute{\alpha} \nu \eta \varsigma$ ein nicht näher zu bestimmender Nebenfluß des
Istros in Thrakien IV 49.

'$A \varrho \tau \varepsilon \mu \beta \acute{\alpha} \varrho \eta \varsigma$ ein vornehmer Meder I 114—116.

"$A \varrho \tau \varepsilon \mu \iota \varsigma$ die Göttin Artemis: in Bubastis II 59. 83. 137;
in Buto II 155; in Ephesos I 26; auf Samos III 48; als
Königin bei den Skythen IV 33. Tochter der Demeter II 156.
$Bo \acute{v} \beta \alpha \sigma \tau \iota \varsigma$ II 156. '$O \varrho \vartheta \omega \sigma \acute{\iota} \eta$ in Byzanz IV 87. '$A \varrho \tau \varepsilon$-
$\mu \acute{\iota} \sigma \iota o \nu$ ihr Heiligtum auf Delos IV 34. 35.

'$A \varrho \tau \iota \sigma \varkappa \acute{o} \varsigma$ einer der vom Haimos kommenden Küstenflüsse
IV 92.

'$A \varrho \tau \acute{o} \nu \tau \eta \varsigma$ Vater des Bagaios, ein Perser III 128.

'$A \varrho \tau \upsilon \sigma \tau \acute{\omega} \nu \eta$ Tochter des Kyros III 88.

'$A \varrho \upsilon \acute{\alpha} \nu \delta \eta \varsigma$ Statthalter von Ägypten unter Kambyses, von
Dareios getötet IV 165—167. 200. 203. '$A \varrho \upsilon \alpha \nu \delta \iota \varkappa \grave{o} \nu$
$\acute{\alpha} \varrho \gamma \acute{v} \varrho \iota o \nu$ eine von ihm geprägte Silbermünze, die von dem
durch Dareios eingeführten Münzsystem abwich IV 166.

'Αρύηνις Tochter des Alyattes von Lydien I 74.

Ἄρχανδρος Sohn des Phthios II 98. Ἀρχάνδρου πόλις Stadt im Nildelta zwischen Kanobos und Naukratis II.97. 98.

'Αρχιδίκη eine Buhlerin in Naukratis II 135.

'Αρχίης 1. Sohn des Samios, ein Lakedaimonier III 55. 2. Enkel des Vorigen, lebte zur Zeit des Herodot III 55

'Ασβύσται ein libyscher Volksstamm südlich von Kyrene IV 170. 171.

'Ασιάς ein Gau in Sardinien IV 45.

'Ασίη 1. Asien I 4. 6. 15 u. s. 2. Gattin des Prometheus IV 45.

'Ασίης Sohn des Cotys, ein Lyder IV 45.

'Ασκάλων Stadt an der Küste von Palästina, j. Askalân I 105.

'Ασπαθίνης ein Perser III 70. 78.

'Ασσησσός kleiner Ort bei Milet I 19. 22. 'Ασσησσίη Beiname der Athene von Assessos I 19.

'Ασσυρίη das Land zwischen Medien, Mesopotamien und Babylon mit der Hauptstadt Ninive oder das Gebiet des weiteren assyrischen Reiches I 178. 185. 192. II 17. III 92. IV 39. χώρη I 192. 'Ασσύριοι die Bewohner von Assyrien und Babylonien I 95. 102. 103 u. s. 'Ασσύριοι λόγοι Schrift des Herodot über Assyrien I 184. 'Ασσύρια γράμματα assyrische Keilschrift IV 87. 'Α. φορτία Fracht, Waren.

'Αστυάγης Sohn des Kyaxares, der letzte König der Meder. 594—559 v. Chr. I 46. 73—75. 91. 107—112. 114—125. 126—130. 162. III 62.

Ἄσυχις ein König von Ägypten, sonst nicht bekannt II 136.

'Ασχάμ Name eines Volksstammes in Äthiopien II 30.

ἄσχυ skythisches Wort für einen Fruchtsaft IV 23.

'Ατάραντες ein Volksstamm in Libyen IV 184.

'Ατάρβηχις Stadt im Nildelta von unbekannter Lage II 41.

'Αταρνεύς Stadt und Land in Aiolien, Lesbos gegenüber I 160.

ἀτελείη Freiheit von Abgaben (auch dem Heeresdienst III 67), zusammen mit der προεδρίη, dem Ehrenplatz bei öffentlichen Spielen, als besondere Auszeichnung verliehen I 54.

Ἄτλας 1. linker Nebenfluß des Istros, vielleicht der Olt (Aluta) IV 49. 2. Das Atlasgebirge (bis 4500 m hoch) in Mauretanien (Marokko) IV 184. Ἄτλαντες das dort wohnende und nach dem Gebirge benannte Volk IV 184. 185.

Ἄτοσσα Tochter des Kyros, Gemahlin des Dareios III 68. 69. 88. 133. 134.

ἡ Ἀττική Attika I 62. IV 99. Ἀττικός attisch. μέδιμνος I 192. Ἀττικὴ χώρη IV 99. Ἀττικὸν ἔθνος I 57. 59. Ἀττικαὶ θεράπαιναι III 134. χοίνικες I 192.

Ἄτυς 1. König der Lyder, Stammvater der ersten lydischen Dynastie I 7. 94. 2. Taubstummer Sohn des Kroisos I 34.

Αὔγιλα (noch jetzt Audjilah) Oase südlich von Kyrene IV 172. 182. 183.

Αὔρας linker Nebenfluß der unteren Donau, nicht näher zu bestimmen IV 49.

Αὔσεις ein Volk an dem sagenhaften Tritonflusse in Libyen IV 181. 191.

Αὐσχίσαι libyscher Volksstamm südlich von Barke IV 171. 172.

Αὐτεσίων Nachkomme des Polyneikes in Sparta IV 147.

αὐτόμολοι eine Niederlassung ägyptischer Soldaten in Äthiopien II 30.

Αὐχάται ein Skythenstamm im Norden des Jaxartes IV 6.

Ἀφθίτης νομός ein nicht näher bekannter Bezirk im Deltagebiet II 166.

Ἀφροδισιάς Insel östlich von Kyrene IV 169.

Ἀφροδίτη die Göttin Aphrodite: in Askalon, auf Kypern, auf Kythera I 105; in Atarbechis in Ägypten II 41; in Babylon I 199; in Kyrene II 181. Ἀλιλάτ bei den Arabern I 131. III 8. Ἀργίμπασα bei den Skythen IV 59. 67. Μίτρα(?) bei den Persern, Μύλιττα bei den Assyrern I 131. ξείνη in Memphis II 112. Οὐρανίη I 105. 131. III 8.

Ἀχαιμένης 1. Stammvater des persischen Königshauses der Achaimeniden III 75. 2. Ein Sohn des Dareios, Statthalter von Ägypten bis 460 v. Chr. III 12.

Ἀχαιμενίδαι Angehörige der persischen Königsfamilie, die zusammengehörten zu einer Sippe oder einer Art Clan I 125. III 65. Ἀχαιμενίδης ein einzelner Ach. I 209. III 2. IV 43.

Ἀχαιοί Bewohner der Landschaft Achaia im Peloponnes I 145. 146. II 120.

Ἀχαιός Vater des Phthios II 98.

Ἀχελῷος (j. Aspro) Fluß in Akarnanien II 10.

Ἀχιλλήιος δρόμος langgestreckte, flache Landzunge westlich des Karkinitischen oder Toten Meeres (j. Halbinsel Tendra und Kossa Dscharylgatsch) mit einem dem Achilleus heiligen Haine IV 55. 76.

B.

Βαβυλών Bâb-ilu „Tor Gottes", Stadt am Euphrat, besteht schon 4000 v. Chr., bedeckte eine Fläche von 9 d. ☐Meilen, j. ausgedehntes Ruinenfeld I 153. 178—180. 183—185. 187. 189—194. III 92. 151. 153—155. 159. 160. IV 1. Βαβυλώνιοι die Bewohner der Stadt I 74. 77 u. s. ἡ Βαβυλωνίη II 100. B. γῆ IV 198. χώρη I 192. 193. μοίρη Teil von Assyrien I 106. Βαβυλώνιον ἄστυ I 178. τάλαντον: in Persien herrschte Gold- und Silberwährung nebeneinander, jede hatte ihr besonderes Normalgewicht: der Gold-Dareikos wog 8,36 g, der Silber-Dareikos 11,14 g, d. h. das Verhältnis war wie 3 : 4. Also war 1 babylonisches Talent oder 60 Minen an Gewicht = 80 persische oder = 78 euboeisch-attische Goldminen. Nach letzterem Verhältnis rechnet Her. III 89. 95. Βαβυλώνια ἔργα Bauwerke I 93.

Βαγαῖος Sohn des Artontes, ein Perser III 128.

Βάδρης ein Perser, zu dem Stamm der Πασαργάδαι gehörend IV 167. 203.

Βάκαλες oder Κάβαλες kleiner Volksstamm westlich von Barke IV 171.

ἡ Βακτρίη γῆ, χώρη fruchtbare persische Provinz, vom oberen Oxos durchströmt (nach Inschriften Bâkhtri) IV 204. Βάκτριοι Bewohner von Baktrien, ein iranischer Volksstamm III 102; auch Βακτριανοί genannt III 92. Βάκτριον ἔθνος I 153

Βακχεῖος Διόνυσος der Gott Dionysos, insofern sein Kult zu wildem Freudentaumel aufregt IV 79.

Βακχικά (ὄργια) bakchischer Geheimdienst II 81.

βᾶρις Bezeichnung für ein Nillastschiff II 96.

Βάρκη 1. Stadt in Libyen, westlich von Kyrene III 91. IV 160. 165. 167. 171. 200. 203. Βαρκαῖοι Bewohner dieser Stadt III 13. IV 164. 167. 186. 200—205. ἡ Βαρ-

καίη das Gebiet dieser Stadt IV 171. 2. Dorf in Baktrien, benannt nach der Stadt in Libyen IV 204.

Βάττος libysche Bezeichnung für König IV 155, es führten drei Könige von Kyrene diesen Namen 1. der Sohn des Polymnestos gründet Kyrene 631 v. Chr. und regiert 40 Jahre IV 150. 153—157. 159. 2. Der Sohn des Arkesilaos, Enkel des Vorigen, besiegte 570 v. Chr. die Ägypter, *ὁ εὐδαίμων* gen. II 181. IV 159. 160. 3. Der Sohn des Arkesilaos II., Enkel von Battos II., der Lahme gen. IV 161. 162. 205. *Βάττοι* Könige von Kyrene IV 163. *Βαττιάδαι* Angehörige dieses Königsgeschlechts IV 202.

βεκός phrygisches Wort für Brot II 2.

Βῆλος 1. *Ζεὺς Βῆλος* der babylonische Gott Bel oder Baal I 181. III 158. 2. Derselbe Gott Bel wird als Sohn des Alkaios bezeichnet I 7. *Βηλίδες πύλαι* das Belostor in Babylon III 155. 158.

Βίας aus Priene, einer der sieben Weisen I 27. 170.

Βιθυνοί thrakischer Volksstamm in Kleinasien am Schwarzen Meer und Bosporos I 28.

Βίτων ein Argiver I 31.

Βοιωτίη Landschaft in Mittelgriechenland II 49. *Βοιώτιαι ἐμβάδες* boiotische Schuhe I 195. *Βοιωτοί* die Bewohner von Boiotien I 92.

Βολβίτινον στόμα die westliche Hauptmündung des Nil, j. die Mündung von Rosette II 17.

Βορυσθένης 1. milesische Pflanzstadt in Skythien am Hypanis, nach dem nahen größeren Strome von den Hellenen so benannt, von ihnen selbst *Ὀλβίη* „die Glückliche" IV 78. *Βορυσθενεῖται* die Bewohner der Stadt Borysthenes, die sich selbst *Ὀλβιοπολῖται* nennen IV 17. 18. 53. 78. 79. 2. Fluß in Skythien, j. Dnjepr IV 5. 18. 24. 47. 53. 54. 56. 71. 81. 101.

Βόσπορος 1. *Θρήκιος* Straße von Konstantinopel IV 83. 85—89. 118. 2. *Κιμμέριος* Straße von Kertsch IV 12. 28. 100.

Βούβαστις 1. Stadt am östlichen Ufer des pelusischen Nilarmes, ägypt. Pa-Bast, „Stadt der Göttin Bast" (j. Tell Basta) II 59. 60. 67. 137. 154. 158. 166. 2. Die katzenköpfige Göttin Bast, der die Katzen heilig waren, von Herodot der Artemis gleichgestellt II 137. 156. *Βουβα-*

στίτης νομός der nach der Stadt Bubastis benannte Verwaltungsbezirk, in der jene lag II 166.

Βουδῖνοι ein Stamm der Skythen zwischen Don und Wolga im südlichen Teile des heutigen Regierungsbezirks Saratow IV 21. 22. 102. 105. 108. 109. 120. 122. 123. 136. *ὁ Βουδῖνος* ein König der Budinen IV 119.

Βούδιοι einer der 6 Stämme der Meder I 101.

Βουκολικὸν στόμα die mittlere Hauptmündung des Nil, auch phatnitische gen. II 17.

Βοῦρα eine der 12 Städte von Achaia I 145.

Βουσαί einer der 6 Stämme der Meder I 101.

Βούσιρις ägypt. Pe-Osiri „Ort des Osiris", unter mehreren Orten des Namens vermutlich die am linken Ufer des sebennytischen Nilarmes gelegene Stadt Busiris II 59. 61. *Βουσιρίτης νομός* der Verwaltungsbezirk, in dem dieses Busiris lag II 165.

Βουτώ ägypt. Pa-Uat'-t „Haus der Uat'", bedeutende Stadt am sebennytischen Nilarm mit einem Tempel und Orakel der Leto (= Uat') II 59. 63. 67. 75. 83. 111. 133. 152. 155. 156. III 64.

αἱ Βραγχίδαι Name eines Heiligtums des Apollo in Didyma bei Milet I 46. 92. 157. 159. II 159. *οἱ Βραγχίδαι* das Priestergeschlecht der Branchiden, das diesem Heiligtum vorstand I 158.

Βραυρών Ort an der Ostküste von Attika IV 145.

Βρεντέσιον Brundisium, j. Bríndisi („Hirschkopf"), altberühmter Hafenplatz in Kalabrien IV 99.

Βρόγγος rechter Nebenfluß des Istros (später Margos, j. Morawa) IV 49.

Βυβασσίη Χερσόνησος nach der altkarischen Stadt Bybassos benannte Halbinsel, später die knidische gen., an der Südwestküste von Kleinasien I 174.

Βυζάντιον j. Konstantinopel IV 87. 144. *Βυζάντιοι* Einwohner von Byzantion IV 87. 138. 144.

Γ.

Γανδάριοι indischer Volkstamm im Lande Gandārah südlich vom Kōphēnflusse (j. Kabul), den Persern untertan III 91.

Γαράμαντες libyscher Volksstamm 1. südlich der Nasamonen IV 174. 2) in der Landschaft Phazania (j. Fessan) mit dem Hauptort Garama und den sich daran anschließenden Gebieten IV 183. 184.

Γεβελέιξις ein Gott der Geten, der auch Salmoxis heißt IV 94.

Γελωνός Stadt mit hölzernen Mauern im Gebiete der Budinen, angeblich hellenischen Ursprungs, aber barbarisiert IV 108. *Γελωνοί* die Bewohner dieser Stadt und ihres Gebietes, die eine von den Budinen verschiedene skythische (slawische?) Sprache sprechen IV 102. 108. 109. 120. 136. ὁ *Γελωνός* 1. der König der Gelonen IV 119. 2. Sohn des Herakles, nach pontischer Sage statt Budinos, Stammvater des Königsgeschlechtes der Gelonen IV 10.

Γερμάνιοι ein persischer Volksstamm, später *Καρμάνιοι*, im heutigen Kirman I 125.

Γέρρος 1. ein Fluß in Skythien, der nach Herodots Vorstellung ein Nebenarm des Borysthenes ist und sich in den Hypakyris (Molotschnaja?) ergießt IV 19. 20. 47. 56. 2. Ein Gebiet im Norden Skythiens (bei Kiew?), wohl = Grenzland IV 53. 56. *Γέρροι* die Bewohner dieses Gebietes, also = Grenzbewohner IV 71.

Γέται thrakischer Volksstamm am Istros im heutigen Rumänien IV 93. 96. 118.

Γῆ die Göttin Erde 1. bei den Persern, Tochter des Ahuramazdâ I 131. 2. Bei den Skythen *Ἀπί* genannt IV 59.

Γήδειρα (*Γάδειρα*) Gades, j. Cadiz, urspr. phönikische Niederlassung an der Südwestküste von Spanien IV 8.

Γηρυόνης ein Riese mit drei Leibern, der auf der Insel Erytheia wohnte IV 8.

Γιλιγάμαι libyscher Volksstamm östlich der Kyrenaika in der Marmarika IV 169. 170.

Γίλλος ein Tarentiner III 138.

Γινδᾶνες libyscher Volksstamm östlich von der kleinen Syrte IV 176. 177.

Γλαῦκος 1. Sohn des Hippolochos, Führer der Lykier im trojanischen Kriege I 147. 2. Ein Chier, lebte um Ol. 22. I 25.

Γνοῦρος ein Skythe, Vater des Anacharsis IV 76.

Γοιτόσυρος ein skythischer Gott, von Herodot dem Apollo gleichgestellt IV 59.

Γοργοῦς κεφαλή der Kopf der Gorgo oder Medusa, von Perseus aus Libyen geholt II 91.

Γορδίης Gordias und Midas hießen abwechselnd die Könige
Phrygiens I 14. 35. 45.

Γρῖννος König von Thera IV 150.

Γρύνεια eine der 12 Städte der Aiolis I 149.

Γύγης (Gugu) 1. Sohn des Daskylos, König der Lyder
I 8—15. Γυγάδας (dorische Form) der Schatz des Gyges,
die nach Delphi gesandten Weihgeschenke I 14. Γυγαίη
λίμνη der Gygessee in der Nähe von Sardes, später Koloë,
j. Mermere gen. I 93. 2. Vater des Myrsos, ein Lyder
III 122.

Γύξαντες (sonst Ζύγαντες gen.) ein libyscher Volksstamm
im westlichen Libyen IV 194.

Γύνδης linker Nebenfluß des Tigris, j. Dijala I 189. 190.
202.

Γωβρύης (Gaubruvah) Vater des Mardonios, ein Perser
III 70. 73. 78. IV 132. 134. 135.

Δ.

Δαδίκαι ein den Persern unterworfener Volksstamm am
Ostrande von Iran III 91.

δάκτυλος = 1,85 cm s. πῆχυς.

Δανάη Tochter des Akrisios, Mutter des Perseus II 91.

Δαναός Bruder des Aigyptos, Ahnherr des Perseus II 91.
98. 171. 182.

Δάοι ein Nomadenstamm in Iran, vielleicht dieselben wie
die Δαδίκαι I 125.

Δαρδανεῖς eines der kleinen Gebirgsvölker im j. Kurdistan
I 189.

Δαρεῖος (Dārayahvahush, „das Gute besitzend, erhaltend")
Sohn des Hystaspes, König der Perser 521—485 v. Chr.
I 130. 183. 187 u. s.

Δαρεῖται wohl ein hyrkanischer Volksstamm in der SO.-Ecke
des Kaspischen Meeres III 92.

Δασκύλειον Hauptstadt der persischen Provinz Klein-
Phrygien an der Südküste der Propontis III 120. 126.
Δασκυλῖτις σατράπεια.

Δάσκυλος Vater des Königs Gyges I 8.

Δάφναι αἱ Πηλούσιαι Stadt in Ägypten nicht weit von
Pelusium, im A. T. Tachpanches, j. Tell Def'neh II 30. 107.

Δάφνις Tyrann von Abydos IV 138.

Δέλτα das Nildelta oder Unterägypten mit vielen den Lauf

Δύμη eine der 12 Städte von Achaia, im Westen der Landschaft gelegen I 145.

Δωδώνη berühmtes Orakel des Zeus in Epeiros I 46. II 52. 57. *Δωδωναῖοι* die Bewohner der Orakelstätte II 55. 57. IV 33. *Δωδωνίδες ἱέρειαι* Priesterinnen zu Dodona II 53.

Δωριεῖς hellenischer Volksstamm I 57. 139. 171. II 171. Dorer in Kleinasien I 6. 28. 144. II 178. *Δ. ᾿Επιδαύριοι* I 146. *Λακεδαιμόνιοι* III 56. *Δωρικὸν γένος* I 56. *ἔϑνος* I 56.

Δῶρος Sohn des Hellen, Stammvater der Dorer I 56.

E.

῎Εβρος Fluß in Thrakien, j. Maritza IV 90.

Εἰλείϑυια die Geburtsgöttin auf Delos IV 35.

᾿Εκαταῖος aus Milet, Logograph, Vorgänger Herodots II 143.

᾿Εκατὸν νῆσοι eine Inselgruppe an der Küste der Aiolis, gegenüber von Lesbos I 151.

῎Εκτωρ Sohn des Priamos II 120.

᾿Ελβὼ νῆσος eine sonst nicht bekannte Insel im Nildelta II 140.

᾿Ελένη Tochter des Tyndareos, Gemahlin des Menelaos I 3. II 112. 113. 115—120.

᾿Ελευσίς Stadt in Attika, 4 Stunden von Athen, j. Levsina I 30.

᾿Ελεφαντίνη (ägypt. Abu) Nilinsel in Oberägypten, j. Geziret-Assuân, gegenüber von Syene, j. Assuân, benannt wohl nach der Gestalt der Insel, die eine gewisse Ähnlichkeit mit einem Elefanten hatte II 9. 17. 18. 28—31. 69. 175. III 19. 20.

᾿Ελίκη eine der 12 Städte von Achaia I 145. *᾿Ελικώνιος Ποσειδέων* nach dieser Stadt benannt, in der einst das Bundesheiligtum der Ioner sich befand, das am Vorgebirge Mykale von neuem gegründet ward I 148.

᾿Ελλάς Griechenland I 1—3 u. s. *᾿Ελλὰς γλῶσσα* II 56. 137 u. s. *᾿Ελλὰς πόλις* IV 12.

῎Ελλην 1. Sohn des Deukalion und der Pyrrha, Stammvater der Hellenen I 56. 2. Ein Hellene I 1 u. s.

᾿Ελληνικοὶ ϑεοί I 90. IV 108. *τύραννοι* III 125. *᾿Ελληνικὴ γλῶσσα* IV 108. *δίαιτα* IV 78. *μάχαιρα* II 41. *πανοπλίη* ganze Rüstung IV 180. *πυρίη* Schwitzbad

IV 75. Ἑλληνικαὶ ὁμιλίαι IV 78. τὸ Ἑλληνικόν = Ἕλληνες I 4. 58. Ἑλληνικὸν γένος I 143. ἔθνος I 56. 60. ὄνομα III 115. Ἑλληνικά II 91. IV 78. γράμματα IV 87. ἔργα II 148. ἰήματα III 130. μαντήϊα I 46. νόμαια Gebräuche II 91. IV 76. Ἑλληνικῶς IV 108.

Ἑλλήνιον τέμενος dem Ζεὺς Ἑλλήνιος geweiht II 178.

Ἑλληνὶς γυνή II 181. ἐσθής IV 78. πόλις IV 203. Ἑλληνίδες πόλιες III 139. IV 179.

Ἑλλήσποντος Straße der Dardanellen oder Straße von Gallipoli I 57. IV 38. 76. 85. 86. 95. 137. 138. Ἑλλησπόντιος Anwohner des Hellespont III 90. IV 89. 138. 144.

Ἐνάρεις skythisches Wort, von Herodot mit „Mannweiber" erklärt I 105. IV 67.

Ἐνετοί die Veneter, ein illyrischer Volksstamm am Adriatischen Meer in Venetien mit der Haupstadt Patavium (Padua) I 196.

Ἐξαμπαῖος skythisches Wort, „heilige Wege", d. h. Kreuzungspunkt von Verkehrswegen, ein Ort zwischen Hypanis und Borysthenes IV 52. 81.

ἑξάπολις χώρη Δωριέων das meist von Dorern besiedelte Gebiet der Südwestspitzen von Karien und der vorliegenden Inseln mit 2 Festlandstädten, Halikarnaß und Knidos, und 4 Inselstädten, Lindos, Jalysos, Kamiros und Kos, die einen Bund miteinander geschlossen hatten. Das gemeinsame Bundesheiligtum war bei Knidos, das fast ganz ionische Halikarnaß wurde schon zur Zeit der Perserkriege aus dem Bunde ausgeschlossen und dieser dadurch zu einer πεντάπολις I 144.

Ἔπαφος hellenische Bezeichnung für Ἆπις II 38. 153. III 27. 28.

Ἐπίγονοι ein Epos, das den Rachezug der Söhne der Sieben gegen Theben behandelte IV 32.

Ἐπίδαυρος Stadt an der Ostküste von Argolis, j. das Dörfchen Epídavra III 50. 52. Ἐπιδαύριοι Einwohner von Epidauros I 146.

Ἔπιον (auch Ἤπιον und Αἴπιον gen.) eine der 6 kleinen Städte in Triphylien (in Elis), am Nordabhange des steilen Lapithasgebirges gelegen IV 148.

Ἐρέτρια Stadt an der Westküste von Euboia, südlich vom Euripos I 61. 62.

Ἐρινύες αἱ Λαΐου τε καὶ Οἰδιπόδεω von den Rachegeistern glaubte man, daß sie den Fluch der Eltern erfüllten, wie den des Laios gegen Oedipus und des Oedipus gegen seine Söhne, und Vergehen gegen diese mit Verlust oder Mangel an Nachkommen bestraften IV 149.

Ἑρμῆς der Gott Hermes II 51. 145. Dem ägyptischen Gotte Thoth in Bubastis, dem Erfinder der Schrift und der Wissenschaft, der auch Mondgott und *ψυχοπομπός* ist, gleichgestellt II 138.

Ἑρμιονεῖς Einwohner der Stadt Hermione im südlichen Argolis III 59.

Ἕρμος (j. Gedis) Fluß in Kleinasien, fließt in der Nähe von Sardes vorbei, sein einer Quellfluß entspringt auf dem Berge Dindymon (j. Murad-dagh) I 55. 80.

Ἑρμοτύβιες eine Klasse von ägyptischen Kriegern, die nach einem schurzartigen Kleidungsstücke benannt waren II 164. 165. 168.

Ἕρξανδρος aus Mitylene, Vater des Koës IV 97.

Ἐρύθεια Insel bei Cadiz oder die Insel Leon, auf der Cadiz liegt IV 8.

Ἐρυθραί eine der 12 Städte von Ionien gegenüber Chios I 142. *Ἐρυθραῖοι* die Einwohner von Erythrai I 18. 142.

Ἐρυθρὴ βῶλος „Rotacker", eine Stadt in Ägypten von unbekannter Lage II 111.

Ἐρυθρὴ θάλασσα das Rote Meer oder überhaupt das Meer südlich von Asien, besonders der persische Meerbusen I 1. 180. 189. 203. II 8. 11. 102. 158. 159. III 9. 30. 93. IV 37. 39—42.

Ἐρυξώ Gemahlin des Arkesilaos II. von Kyrene IV 160.

Ἐτέαρχος 1. König der Ammonier, griechischer Herkunft II 32. 33. 2. König von Oaxos (*Ϝάξος*) auf Kreta IV 154.

Εὔβοια die Insel Euboia, heißt jetzt wieder so, gespr. Evvia, im Mittelalter Euripos (gespr. Evripos), vom 13. Jahrh. an durch die Venetianer Negroponte gen. I 146. IV 33. *Εὐβοΐδες μνέαι* s. *μνέαι*; *Εὐβοϊκὸν τάλαντον* s. *Βαβυλών*.

Εὐέλθων König von Salamis auf Kypros IV 162.

Εὐεσπερίδες Stadt an der Westküste der Kyrenaika, hierher verlegte man die Gärten der Hesperiden, später Berenike gen. nach der Gemahlin Ptolemaios' III., j. Ben Ghasi IV 171. 204. *Εὐεσπερῖται* die Bewohner der Stadt IV 198.

εὔζωνος ἀνήρ legt in einem Tagemarsch 200 Stadien = 37,5 km zurück IV 101.

ὁ *Εὔξεινος πόντος* das Schwarze Meer I 6. 72. 76. 110. II 33. 34. III 93. IV 46. 90.

Εὐπαλῖνος ein Ingenieur aus Megara III 60.

Εὐρυσθένης König von Sparta, Vater des Agis IV 147.

Εὐρώπη 1. der Erdteil Europa I 4. 103. u. s. 2. Tochter des Königs Agenor von Tyros I 2. 173. IV 45. 147.

Εὐφημίδης ein Nachkomme des Minyers Euphemos IV 150.

Εὐφορίων ein Athener, Vater des Dichters Aischylos II 156.

Εὐφρήτης (altpers. Hufrātush „Fluß mit guten Furten“, hu = εὖ) der Euphrat, entspringt in 2 Quellen in Armenien, ergießt sich in den persischen Golf I 179. 180. 185. 186. 191. 193.

Ἔφεσος Stadt in Ionien an der Mündung des Kaystros (j. Ruinen bei dem Dorfe Ajasluk) I 92. 142. II 10. 148. ἡ *Ἐφεσίη* das Gebiet von Ephesos II 106. *Ἐφέσιος* Einwohner von Ephesos I 26. 147.

Ἐχινάδες „Seesterninseln“, auch ὀξεῖαι gen., j. Oxiäs, Inselgruppe an der Mündung des Acheloos (j. Aspropótamo), ein Teil ist jetzt mit dem Festland verbunden II 10.

Z.

Ζάκυνθος (von den Venetianern Zante gen.) südlichste der ionischen Inseln IV 195. *Ζακύνθιοι* Bewohner der Insel Zakynthos III 59.

Ζαύηκες ein libyscher Volksstamm im nördlichen Teile des karthagischen Afrikas in der Landschaft Zeugis od. Zeugitana IV 193.

ζεγέριες libysches Wort, eine Tierart IV 192.

Ζεύς I 65. 89. 131. 174. 207. II 13. 116. 136. 146. III 124. 125; in Dodona II 55. 56; in Naukratis II 178. *Κάριος* in Mylasa I 171. *Λυκαῖος* in Kyrene IV 203. *Ὀλύμπιος* II 7. — bei den Ägyptern II 45. *Ἄμμων* I 46. II 18. 32. 55. III 25. IV 181. 182. *Ἀμοῦν* II 42. *Θηβαιεύς* I 182. II 42. 54. 56. 74. 83. 143. IV 181. — bei den Äthiopern II 29. — *Βῆλος* in Babylon I 181—183. III 158. — bei den Libyern IV 180. — bei den Skythen IV 5. 127. *Παπαῖος* IV 59. — bei den Persern (Ahuramazdā) I 131. — ἐλευθέριος Beschützer der Freiheit III 142. — ἐπίστιος Beschützer des Gastrechts, ἑταιρήιος B. d. Kameradschaft, καθάρσιος der Entsühnende I 44.

Ζώπυρος ein Perser, 1. Sohn des Megabyzos III 153. 156 bis 158. 160. IV 43. 2. Sohn des Megabyzos, Enkel des Vorigen III 160.

H.

Ἡγησικλῆς König von Sparta aus dem Geschlechte der Eurypontiden um 600—560 v. Chr. I 65.

Ἠετίων ein Korinthier I 14.

Ἠλεῖοι Bewohner der Landschaft Elis im Peloponnes II 160. III 132. IV 30. 148 Ἠλείη χώρη IV 30.

Ἥλιος der Sonnengott bei den Ataranten IV 184; in Heliopolis II 59. 73. 111; bei den Libyern IV 188; bei den Massageten I 212. 216; bei den Persern I 131. 138. ἡλίου κρήνη Sonnenquelle IV 181. ἡλίου τράπεζα Sonnentisch III 17. 18. 23.

Ἡλίου πόλις die ägyptische Stadt Anu hatte als Sitz des Sonnenkultes den Beinamen Pa-Rā „Haus des Ra“, d. h. der Sonne, sie lag am Beginn des Nildeltas II 3. 7—9. 59. 63. Ἡλιοπολῖται Einwohner der Stadt Heliopolis II 3. 73.

ἡμιπλίνθιον „Halbziegel“ halb so lang wie breit, der πλίνθος ist quadratisch I 50.

ἡμιτάλαντον τρίτον drittehalb Talente, kurz für δύο τάλαντα τὸ δὲ τρίτον ἥμισυ I 50.

Ἥραιον πόλις, später Ἥραιον τεῖχος, kleine Hafenstadt an der thrakischen Küste der Propontis IV 90.

Ἡράκλειαι στῆλαι die Felsen zu beiden Seiten der Straße von Gibraltar II 33. IV 8. 42. 43. 152. 181. 185. 196.

Ἡρακλεῖδαι die Nachkommen des Herakles I 7. 13. 14. 91.

Ἡρακλείδης Vater des Aristodikos von Kyme I 158.

Ἡρακλῆς der Nationalheros der Hellenen, Sohn des Amphitryon und der Alkmene II 43—45. 145. 146. Ὀλύμπιος II 44. — bei den Ägyptern bald für Chem bald für Cunsu II 42. 43. 83. 85; in Ταριχεῖαι II 113. Bei den Lydern (für Sandan) I 7; bei den Phoinikern in Tyros (für Melqart) II 44, ebenda auch als Θάσιος bezeichnet; bei den Skythen IV 59. 82. Stammvater des skythischen Königsgeschlechts IV 8—10. — Ἡράκλεια διξά doppelte Heiligtümer bei den Hellenen: für den olympischen und den Heros Herakles II 44.

Ἥρη der Göttin Sati bei den Ägyptern gleichgestellt als

„Herrin des Himmels, Herrscherin der Welt,. Oberin aller Götter“, der Geier ist ihr heilig II 50; bei den Argivern I 31; in Naukratis II 178; auf Samos II 182. IV 88. Ἥραιον Heiligtum der Hera auf Samos I 70. III 123. IV 88. 152.

Ἠριδανός ein nicht weiter zu bestimmender, fabelhafter Fluß III 115.

Ἡρόδοτος aus Halikarnaß, der Geschichtschreiber I 1.

Ἡρόφαντος Tyrann der Stadt Parion in der Troas IV 138.

Ἡσίοδος der epische Dichter II 53. IV 32.

Ἡφαιστόπολις ein Samier II 134.

Ἥφαιστος für den ägyptischen Gott Ptah in Memphis aus nicht bekannten Gründen gesetzt. Ptah ist der Herrscher des Himmels, der Herr der Wahrheit, der Schöpfer der Erde, Vater der Götter. Dargestellt wird er als Mumie mit freiem Kopf und Händen, eng anliegender Mütze, in den Händen hat er ein Szepter, das aus den Zeichen der Macht, Beständigkeit und des Lebens besteht; als Fußschemel dient ihm das Zeichen der Wahrheit II 2. 3. 99. 101. 108. 110. 136. 141. 142. 147. 151. 153. III. 37. Ἡφαίστειον der Tempel des Ptah II 110. 112. 121. 176.

Θ.

Θαριμασάδας ein skythischer Gott des Meeres, dem Poseidon gleichgestellt IV 59.

Θαλῆς aus Milet, einer der sieben Weisen, stammte angeblich aus dem Geschlechte des Phoinikers Kadmos I 74. 75. 170.

Θαμαναῖοι ein nicht weiter bekannter persischer Volksstamm im östlichen Iran III 93. 117.

Θαννύρας Sohn des Inaros, König der Libyer III 15.

Θάσος (j. Thaso) Insel in der Nähe der thrakischen Küste II 44.

Θέμις die Göttin der gesetzlichen Ordnung, bei den Ägyptern entspricht ihr Maā als Göttin der Wahrheit und Gerechtigkeit II 50.

Θεμισκύρη Stadt in Pontos am Thermodon, angeblicher Sitz der Amazonen IV 86.

Θεμίσων von Thera IV 154.

Θεόδωρος von Samos, ausgezeichnet als Architekt und in

allen Zweigen der bildenden Kunst, besonders als Erz-
gießer I 51. III 41.

Θεοφάνια ein delphisches Fest, das zu Ehren des wieder
erschienenen Sonnengottes im Frühling gefeiert wurde I 51.

Θερμώδων Fluß im Lande Pontus, j. Terme II 104. IV
86. 110.

Θέρσανδρος Sohn des Polyneikes IV 147.

θεσμοφόρια ein von Frauen der Demeter und Kore ge-
feiertes Fest II 171.

Θεσπρωτοί Volksstamm im südlichen Epeiros II 56.

Θεσσαλίη Landschaft in Nord-Griechenland III 96.

Θεσσαλιῶτις γῆ der südliche Teil von Thessalien I 57.

Θέστις κρήνη eine Quelle in Libyen im Tale von Irasa
(j. Irsēma) IV 159.

Θῆβαι 1. Stadt in Boiotien I 52. 92. Θηβαῖοι Einwohner
von Theben I 61. 2. Die Hauptstadt Oberägyptens, ägypt
Us-t oder Nu „die Stadt“, daher Nu-Amen „die Stadt
Ammons“, Διόσπολις; aus dem Namen eines Stadtteils
ta-apiu „die Wohnungen“ ist der griech. Name Thebai
entstanden. Die Blüte der Stadt beginnt mit dem neuen
Reich — 11. Dynastie — und dauert bis ins 8. Jahrh.,
die Trümmerstätten bei Luksor, Karnak, Medinet-Habu.
I 182. II 3. 9. 15. 54—57. 69. 74. 143. III 10. 25. 26.
IV 181. Θηβαῖοι die Bewohner der Stadt II 42. III 10.

Θηβαϊκός II 4. 91 oder Θηβαῖος II 42. 166 νομός das Ge-
biet von Theben, der südliche Teil von Oberägypten, der
später die Thebais hieß. Θηβαΐς Συήνη das zum Gebiet
von Theben gehörende Syene II 28.

Θηβαιεὺς Ζεύς Amon oder Amon-Ra, der Nationalgott
Ägyptens seit dem Anfang des neuen Reiches von Theben,
der Herr des Himmels und der Throne der Welt, der
König der Götter. Dargestellt wird er: auf dem Haupte
eine steife Mütze mit zwei hohen Federn und der Sonnen-
scheibe, seltener mit einem Widderkopf. Heilig ist ihm
der Widder. I 182. II 42 54.

Θήρας Sohn des Autesion aus dem Geschlechte des Kadmos
IV 147. 148. 150.

Θήρη die Insel Thera, die südlichste der Kykladen, im
Mittelalter Santorin gen., j. Thira IV 147. 149—151.
153—156. 164. Θηραῖοι Bewohner dieser Insel IV 150
bis 156. 161.

Θμουίτης νομός einer der Verwaltungsbezirke im Delta-
gebiet, mit dem Hauptort Thmuis, j. Tmaï II 166.

Θορικός δῆμος ein Demos an der Südostküste von Attika
IV 99.

Θόρναξ ein Berg nordöstlich oberhalb Spartas I 69.

Θρασύβουλος Tyrann von Milet I 20—23.

Θρῄκη Thrakien, das Land im Norden des Ägäischen Meeres
bis zur Donau I 168. II 134. IV 49. 80. 89. 99. 143.
Θρῆκες die Bewohner von Thrakien, ein in viele Stämme
zerfallendes Volk I 168. II 103. 167. IV 49. 74. 80. 93—95.
104. 118. *Θρῆκες οἱ ἐν Ἀσίῃ* die Thyner und Bithyner
in Bithynien I 28. III 90. *Θρήκιος Βόσπορος* IV 83.
Θρῆσσαι γυναῖκες IV 33.

Θυνοί ein thrakischer Volksstamm, Bewohner der zwischen
Bosporos und dem Sangarios (j. Sakaria) liegenden Halb-
insel I 28.

Θυρέη oder *αἱ Θυρέαι* Landstrich zwischen Argos und La-
konien, *αἱ Θυρέαι* auch die Stadt Thyrea I 82.

Θυσσαγέται skythischer Volksstamm, wohl östlich der
Wolga IV 22. 123.

Θῶνις ein Ägyptier II 113—115.

I.

Ἰάδμων ein Samier II 134.

Ἰάρδανος Herr, nach anderen Vater der Omphale, ein
Lyder I 7.

Ἰάς s. *Ἴωνες.*

Ἰβηρίη das Küstengebiet von Spanien von den Pyrenäen
bis zu den Säulen des Herakles, im Gegensatz zu Tar-
tessis I 163.

Ἰδάνθυρσος König der Skythen, Oberanführer im Kriege
gegen Dareios IV 76. 120. 126. 127.

Ἴδη Gebirge in der Landschaft Troas (Gipfel 1750 m) I 151.

Ἰήλυσος die Stadt Jalysos auf Rhodos I 144.

Ἰήνυσος Stadt an der Küste von Syrien, vielleicht das
spätere Rhinokolura (j. el Arish) III 5.

Ἰηπυγίη die später Kalabrien genannte Landschaft in Unter-
italien III 138. IV 99. *Ἰήπυγες* die Bewohner dieser
Landschaft, ursprünglich illyrischen Stammes IV 99.

Ἰήσων der sagenhafte Held, Anführer der Argonauten
IV 179.

Ἴλιον Ilion oder Troja I 5. II 10. 117. 118. 120. Ἰλιάς das homerische Epos II 116. 117.

Ἰλλύριοι großes Volk in Illyrien am Adriatischen Meer I 196. IV 49.

Ἴναρως Libyer, Führer des Aufstandes gegen die Perser in Ägypten III 12. 15.

Ἴναχος Vater der Io, sagenhafter König von Argos I 1.

Ἰνδική Indien III 106. IV 40. Ἰνδικὴ χώρη III 98. Ἰνδικοὶ κύνες I 192. Ἰνδοί Bewohner Indiens III 38. 94. 97—102. 104. 105. IV 44.

Ἰνδὸς ποταμός der Indus, Herodot läßt ihn nach Osten fließen, vielleicht infolge Verwechslung des Kabulflusses mit dem oberen Indus IV 44.

Ἰνταφρένης (Vindahfarnah „der sich die Majestät, den Ruhm verschafft") ein vornehmer Perser III 70. 78. 118. 119.

Ἱππίης Sohn des Peisistratos, Tyrann von Athen 527—510 v. Chr. I 61.

Ἵπποκλος Tyrann von Lampsakos IV 138.

Ἱπποκράτης Vater des Peisistratos, ein Athener I 59.

Ἱππόλεω ἄκρη Landzunge (als ἔμβολον „Schiffsschnabel" bezeichnet) zwischen der Mündung des Hypanis und Borysthenes, j. Kap Stanislaw IV 53.

Ἱππόλοχος Vater des Glaukos, ein Lykier I 147.

Ἱραὶ ὁδοί IV 52 s. Ἐξαμπαῖος.

Ἴρασα eine Gegend im Osten der Kyrenaika, das heutige Tal Irsēma, nahe dem Golfe von Bomba IV 158. 159.

ἱρὴ νοῦσος Epilepsie wurde, wie jede von krampfartigen und asthmatischen Zufällen begleitete Krankheit, dem Zorne einer beleidigten Gottheit zugeschrieben, auch flößte wohl der Besessene heilige Scheu ein III 33.

Ἴς, j. Hît, Stadt am Euphrat, nordwestlich von Babylon I 179. Nach Herodot ebenda auch ein Fluß gleichen Namens. Noch heute sind dort reiche Quellen von Asphalt.

Ἴσις ägyptische Göttin, Schwester des Osiris, dargestellt als Frau mit Kuhkopf oder Kuhhörnern mit dem Sonnendiskus zwischen den Hörnern. Der Hundsstern, Sothis, ist ihr heilig. Verehrt ward sie nach Herodot in Memphis und Busiris. Der Demeter gleichgestellt. II 41. 42. 59. 61. 156. 176. IV 186.

Ἰσμήνιος Beiname des Apollo in Theben (Boiotien), sein

Tempel lag südlich der Stadt in der Nähe des Flusses Ismenos auf dem ismenischen Hügel I 52. 92.

Ἰσσηδόνες ein Skythenvolk östlich vom Ural I 201. IV 13. 16. 25—27. 32.

Ἰστιαῖος Tyrann von Milet IV 137—139. 141.

Ἰστιαιῶτις Landschaft in Thessalien, die sonst Pelasgiotis heißt I 56.

Ἰστίη die Göttin der festen Ansiedlung, bes. des Herdes und des Herdfeuers; bei den Ägyptern die Göttin Anuk, dargestellt mit einer Federkrone II 50; bei den Skythen Haus- oder Zeltgöttin, ihr Sitz ist die Feuerstätte, *Ταβιτί* gen. IV 59. 127.

Ἰστριηνοί Bewohner der Stadt *Ἰστρίη* südlich der Donaumündung, j. Istere in der Dobrutscha II 33. *Ἰστριηνὴ γυνή* IV 78.

Ἴστρος die Donau I 202. II 26. 33. 34. IV 47—51 u. s.

Ἰταλίη Bezeichnung für den westlichen Teil Unteritaliens, Lukanien und Bruttium, nicht für Japygien (Apulien) I 24. 145. III 136. 138. IV 15. *Ἰταλιῶται* die griechischen Bewohner dieses Landstriches IV 15.

Ἴτανος Stadt an der Ostküste von Kreta IV 151.

Ἰύρκαι ein Skythenstamm östlich der dem Herodot noch unbekannten Wolga IV 22.

Ἰφιγένεια Tochter des Agamemnon, Priesterin der Artemis, von den Taurern als jungfräuliche Göttin verehrt IV 103.

Ἰχθυοφάγοι „die Fischesser", die vom Fischfang lebenden Küstenvölker am arabischen Meerbusen und im Indischen Meer III 19—23. 25. 30.

Ἰώ Tochter des Inachos, Priesterin der Hera, wird von Zeus geliebt und in eine Kuh verwandelt, durchirrt weite Länder und bringt am Nil den Epaphos zur Welt. Infolge der Kuhgestalt wird sie der Isis gleichgestellt, mit der sie sonst nichts gemeinsam hat I 1. 2. 5. II 41.

Ἴωνες hellenischer Volksstamm I 6 u. s. *Ἰωνίη* das Land der Ioner, der mittlere Küstenstrich Kleinasiens am Ägäischen Meer I 6 u. s. *Ἰὰς γυνή* I 92. *δίαιτα* IV 95. *Ἰάδες πόλιες* I 142. 149. *Ἰωνικός νομός* (Bezirk) III 127. *Ἰωνικὸν γένος* I 56. *ἔθνος* I 143.

K.

Καβάλιοι Bewohner der Landschaft Kabaliá nördlich von Lykien III 90 (VII 77 *Καβηλεῖς*).

Κάβειροι pelasgische Götter auf Samothrake, als solche wurden Axieros — Demeter, Axiokersa — Persephone, Axiokersos — Pluto, Kasmilus — Hermes verehrt. Der in die Mysterien Eingeweihte galt als tugendhaft und vor Gefahren beschützt II 51. In Ägypten sind sie Kinder des Ptah (Hephaistos), haben Zwerggestalt (wie die Pataiken) und sind seine Genossen bei der Weltschöpfung III 37.

Κάδμος aus Tyros in Phoinikien, der sagenhafte Gründer der Burg und Stadt Theben II 49. 145. IV 147. *Καδμεῖοι* Bezeichnung für die Thebaner in mythischer Zeit I 56. 146. IV 147. *Καδμείη νίκη* ein für den Sieger verderblicher Sieg, so genannt nach Polyneikes und Eteokles aus dem Geschlechte des Kadmos, die sich gegenseitig töteten I 166.

Κάδυτις eine Stadt an der Küste von Syrien, vermutlich Gaza (j. Ghuzzeh) II 159. III 5.

Κάειρα s. *Καρίη*.

Καλασίριες eine Klasse von ägyptischen Kriegern, „Lederbepanzerte" II 164. 166. 168.

καλασίρις (Keläscher) ägyptisches Wort wohl libyschen Ursprungs, ein Kleidungsstück, linnener Rock mit Franzen II 81.

Καλλατίαι Ἰνδοί ein sonst nicht bekannter indischer Volksstamm („die Schwarzen" nach sanskr. kâla) III 38.

Καλλιππίδαι ein Volksstamm der Skythen, nördlich von Borysthenes (Olbia), *Ἕλληνες Σκύθαι* gen., da sie hellenische Sitten angenommen hatten IV 17.

Καλλίστη älterer Name für Thera IV 147.

Καλλιφῶν Vater des Demokedes, aus Kroton III 125.

Καλυνδικοὶ οὖροι das Gebiet von Kalynda, einer Stadt in Karien an der Grenze von Lykien I 172.

Καλχηδόνιοι Einwohner der Stadt Kalchedon, j. Kadiköi, am Eingang zum Bosporos IV 144. *ἡ Καλχεδονίη* das Gebiet von Kalchedon (später Chalkedon gen.) IV 85.

Καμβύσης 1. Vater des Kyros I 46 u. s. 2. Sohn des Kyros, König der Perser 529—522 v. Chr. I 208. II 1. 181. III 1—4 u. s.

Κάμειρος Stadt an der Westküste von Rhodos I 144.

Κανδαύλης Sohn des Myrsos, König von Lydien, von anderen Hellenen auch Myrsilos gen. I 7. 8. 10—13.

Κάνωβος Stadt an der nach ihr benannten Nilmündung, angeblich hat sie ihren Namen von dem Steuermann des Menelaos, doch ist sie jungen Ursprungs, in der Nähe ward später Alexandreia gegründet II 15. 97. *Κανωβικὸν στόμα τοῦ Νείλου* II 17. 113. 179.

Καππαδόκαι Volk in Kleinasien am Schwarzen Meer (nicht am Tauros), von Herodot als Syrier (= Assyrier) bezeichnet I 72. *Καππαδοκίη* (Katpatukah) das Land der Kappadoken I 71. 73. 76.

Καρίη Landschaft im Südwesten von Kleinasien I 142. 175. *Κᾶρες* das Volk der Karer, verwandt mit Lydern und Mysern, Bewohner des Landes Karien, vordem auch der Inseln des Ägäischen Meeres und einzelner Punkte des Festlandes von Hellas I 28. 171. 172. 174. II 61. 152. 154. 163. III 11. 90. *Κάειρα γυνή* I 92. *Κάειραι γυναῖκες* I 146. *Καρικοὶ νόμοι* I 173. *Καρικὸν ἔθνος* I 171. 172. *Κάριος Ζεύς* wohl nicht verschieden von dem kriegerischen Gott in Labraunda, der mit einer Lanze in der Linken und einem Doppelbeil in der Rechten dargestellt ward I 171.

Καρκινῖτις (auch *Καρκίνη* gen.) kleine griechische Ansiedlung im Nordwesten der Krim an der äußeren Spitze des j. sogen. Toten Meeres oder der karkinitischen Bucht IV 55. 99.

Κάρπαθος (j. Karpatho) Insel zwischen Rhodos und Kreta III 45.

Κάρπις Nebenfluß des Istros, vielleicht die Drau, oder auch mißverstandener Name des Gebirges der Karpathen IV 49.

Καρυανδεύς aus *Καρύανδα*, einer Insel mit gleichnamiger Stadt an der Küste von Karien IV 44.

Κάρυστος Stadt im südlichen Euboia IV 33. *Καρύστιοι* Einwohner von Karystos IV 33.

Καρχηδών die Stadt Karthago III 19. *Καρχηδόνιοι* Einwohner von Karthago I 166. 167. III 17. 19. IV 43. 195. 196.

Κάσιον ὄρος (j. Râs el-Kasrûn) ein Sanddünenhügel, der östlich von Pelusium ins Meer vorspringt, bei ihm wurde später Pompejus ermordet II 6. 158. III 5.

Κασπάτυρος Stadt in Indien, von Hekataios *Κασπάπυρος* gen., j. Kabul III 102. IV 44.

Κασπίη ϑάλασσα das Kaspische Meer I 202—204. IV 40. *Κάσπιοι* Nomadenvolk am Kaspischen Meer III 92. 93.

Κασσανδάνη Mutter des Kambyses, eine Perserin II 1. III 2. 3.

Κασσιτερίδες νῆσοι die Zinninseln, wohl die zerrissenen Küsten von Cornwall und Devon oder die britannischen Inseln überhaupt (nicht die Scilly-Inseln, auf denen es kein Zinn gibt) III 115.

Κατάδουπα der letzte, zehnte Katarakt des Nil nach Norden zu, j. Schellâl II 17.

Κατίαροι ein Skythenstamm, wohl im Norden des Jaxartes IV 6.

ὁ *Καύκασος* I 203. 204. IV 12. *Καυκάσιον ὄρος* I 104. *Καύκασις ὄρος* III 97 das Kaukasusgebirge.

Καύκωνες ursprüngliche Bewohner Triphyliens in Elis, pelasgischen Ursprungs I 147. IV 148.

Καῦνος Stadt im südlichen Karien an der Grenze von Lykien I 176. *Καύνιοι* Bewohner der Stadt Kaunos I 171. 172. 176. *Καυνικὸν ἔϑνος* I 172.

Καϋστρόβιος Vater des Aristeas aus Prokonnesos IV 13.

Κελτοί die Kelten, ein Zweig der Indogermanen; in ihrem Gebiet läßt Herodot die Donau entspringen und zwar in den Pyrenäen; von den Kelten im Westen wußte man nur durch die Kaufleute, die über die Säulen des Herakles hinausfuhren II 33. IV 49.

Κεραμεικὸς κόλπος Meerbusen an der Küste von Karien, nach der Stadt Keramus gen., j. Golf von Ko (Kos) oder Gjova I 174.

Κερκάσωρος Stadt an der Teilungsstelle des Nil gelegen, westlich von Heliopolis II 15. 17. 97.

Κέρκυρα, dorisch *Κόρκυρα* (Corcyra), ital. Corfù, j. Kérkyra, die nördlichste der ionischen Inseln III 48. 52. 53. *Κερκυραῖοι* die Bewohner von Kerkyra III 48. 49. 53.

Κήιοι Bewohner der Insel Keos südöstlich von Attika IV 35.

κίκι ägyptisches Wort, Rizinusöl, auch die Pflanze selbst heißt so, kaka der Samen, tekem das Öl, als Salböl, Brennöl und als Arzneimittel wie heute gebraucht II 94.

Κιλικίη Landschaft im Südosten von Kleinasien II 17.

K. χώρη III 90. *K. ὀρεινή* II 34. *Κίλικες* das Kilikien bewohnende Volk I 28. 72. 74. II 17. III 90. 91.

Κίλλα eine der 12 Städte der Aiolis, sonst nicht bekannt I 149.

Κιμμέριοι ein Volk, das am Nordrande des Pontos saß bis zum kimmerischen Bosporos, um die Mitte des siebenten Jahrhunderts zieht es von der Westseite des Kaukasus her nach Vorderasien und macht dort mehrfach Raubzüge I 6. 15. 16. 103. IV 1. 11—13. *Κιμμερίη γῆ* IV 11. *K. χώρη* IV 12 vermutlich der nördliche Teil der Halbinsel Taman gegenüber der Krim. *Κιμμέριος βόσπορος* die Straße von Kertsch IV 12. 28. 100. *Κιμμέρια πορθμήϊα* wohl der nördliche Teil des Bosporos, die Straße von Jenikale IV 12. 45. *K. τείχεα* IV 12.

Κῖνυψ 1. Küstenfluß, j. Wadi Ka-am, bei dem Höhenzug Msellâta westlich der großen Syrte (bei Lebda) IV 175. 2. sc. *γῆ* die fruchtbare Landschaft an diesem Flusse, jetzt verödet IV 198.

Κίσσιοι ein Volk, das die östlich vom unteren Tigris gelegene Landschaft Kissien bewohnte, die später Susiana nach Susa hieß III 91. *Κίσσιαι πύλαι* Tor in Babylon im Osten der Stadt an der Straße nach Susa III 155. 158.

Κλαζομεναί Stadt in Ionien I 16. 142. II 178. *Κλαζομένιοι* die Einwohner dieser Stadt I 51. 168.

Κλέοβις ein Argiver I 31.

Κλεόμβροτος jüngerer Bruder des Leonidas, Vater des Pausanias IV 81.

Κλεομένης älterer Bruder des Leonidas, König von Sparta III 148.

Κνίδος auf der Spitze der knidischen Halbinsel gelegene Stadt, politisch-religiöser Mittelpunkt des Bundes der dorischen Hexapolis I 144. II 178. III 138. *Κνίδιοι* die Bewohner dieser Stadt I 174. III 138. IV 164. *Κνιδίη χώρη* I 174.

Κνώσσιος Μίνως aus Knossos auf Kreta III 122.

Κόδρος der sagenhafte letzte König der Athener, stirbt angeblich 1066 v. Chr. I 147.

Κολάξαϊς der jüngste Sohn des Skythenkönigs Targitaos IV 5. 7.

Κολοφών Stadt in Ionien I 14. 16. 142. *Κολοφώνιοι* die Einwohner dieser Stadt I 147. 150.

Κολχίς Landschaft in der Ostecke des Schwarzen Meeres am Phasis I 104. *Αἶα ἡ Κολχίς* I 2. *Κόλχοι* Bewohner der Landschaft Kolchis I 2. 164. II 104. 105. III 97. IV 37. 40. *ὁ Κόλχος Φᾶσις* IV 45. *Κολχικὸν λίνον* II 105.

Κοντάδεσδος Nebenfluß des Agrianes (Ergene), vielleicht der Teke-Deré IV 90.

Κόρινθος die Stadt Korinth I 23. 24. III 50. 52. 53. *Κορίνθιοι* die Einwohner von Korinth I 14 u. s. *Κορινθίη κυνῆ* der mit einem Visier versehene korinthische Helm zum Unterschied von dem attischen, der nur Stirnschild und Seitenklappen hat IV 180. *Κορίνθιαι θεράπαιναι* III 134.

Κόρυς angeblich ein Fluß in Arabien III 9.

Κορώβιος ein kundiger Seefahrer aus Kreta IV 151—153.

Κότυς Sohn des Manes, Vater des Asias IV 45.

Κρᾶθις 1. Flüßchen in Achaia, das von dem Krathisgebirge kommt und in das sich das Wasser des Styx ergießt, j. Zaruchla-Bach I 145. 2. Fluß bei Sybaris, j. Crati I 145.

Κρανάσπης ein vornehmer Perser III 126.

Κρημνοί Landungsplatz im Lande der freien Skythen an der Nordküste des Asowschen Meeres bei dem heutigen Nogaisk (von diesem *κρημνοί* wird der Name Krim abgeleitet) IV 20. 110.

Κρηστών eine Stadt der Tyrsener, also in Etrurien gelegen I 57. *Κρηστωνιῆται* die Einwohner dieser Stadt I 57.

Κρήτη die Insel Kreta, durch die Venetianer auch Candia gen. (nach der Stadt Candia, griech. Megalokastron) I 65 u. s.

Κρῆτες die Bewohner von Kreta I 2. 65 u. s. *Κρητικοὶ νόμοι* I 173.

Κριτόβουλος ein angesehener Bürger von Kyrene II 181.

Κρόβυζοι ein thrakischer Volksstamm nördlich des Haemus IV 49.

Κροῖσος König der Lyder 560—546 v. Chr. I 6. 7 u. s.

Κροκοδείλων πόλις Stadt am Moerissee nach den dort verehrten Krokodilen, die dem Gotte Sebek heilig waren, gen., später Arsinoë nach der Gattin und Schwester des Ptolemaios Philadelphos, 100 Stadien östlich vom Labyrinth. Die Trümmerhügel, einst Nekropolis, wo viele Papyri gefunden sind, liegen nördlich von Medînet el Fayûm II 148.

Κρότων Stadt an der Küste von Bruttium in Unteritalien,
j. Cotrone, III 131. 136—138. *Κροτωνιῆται* Einwohner
der Stadt Kroton III 125. 129. 131. 137.

Κρῶφι angeblicher Berg bei Elephantine II 28. s. *Μῶφι.*

Κυάνεαι sc. *πέτραι*, früher *Πλαγκταί* oder *Συμπληγάδες*
gen., eine kleine Gruppe von Klippen am Eingang in den
Bosporos vom Schwarzen Meere her bei dem heutigen
Rumili Fener. Den Hinauffahrenden erschien es, als wenn
diese Felsen je nach den Krümmungen der Meeresstraße
den Bosporos bald schlössen, bald öffneten IV 85. 89.

Κυαξάρης Sohn des Phraortes, König der Meder 634 bis
594 v. Chr. (?) I 16. 46. 73. 74. 103. 106. 107.

Κυδωνίη Stadt im Westen von Kreta, j. Chaniá III 44. 59.

Κύζικος urspr. milesische Kolonie an der schmalen Land-
enge, die die Halbinsel Arktonnesos in der Propontis mit
dem Festlande verbindet IV 14. 76 *Κυζικηνοί* Einwohner
der Stadt Kyzikos IV 14. 76. 138.

Κύθηρα (heißt jetzt ebenso, vordem auch Cerígo gen.) Insel
im Süden von Lakonien I 105. *ἡ Κυθηρίη νῆσος* I 82.

κύλλησtις für ägyptisch Kulschetta „Brot“ II 77.

Κύμη eine der 12 Städte der Aiolis, *ἡ Φρικωνίς*, I 149.
157. *Κυμαῖοι* die Einwohner von Kyme I 157—160.
IV 138.

κυνῆ s. *Κόρινθος.*

Κυνήσιοι II 33 oder *Κύνητες* IV 49 Volksstamm im
südlichen Portugal.

κυνοκέφαλοι hundsköpfige Menschen gehören zu den Wun-
dern Libyens IV 191.

Κυνώ s. *Σπακώ.*

Κύπρος die Insel Cypern I 72. 105. 199. II 79. 182. III 91.
IV 162. 164. *Κύπριοι* die Bewohner der Insel I 105.
III 19. *Κύπρια ἔπεα* ein nachhomerisches Epos, dem
Kyprier Nasinos zugeschrieben, erzählt den trojanischen
Krieg vom Urteil des Paris bis zum Zorn des Achill
II 117. 118.

Κύρανις die Insel Cercina, j. Kerkennab, im Norden der
kleinen Syrte, doch passen einige Angaben nur auf andere
Inseln wie Meninx, j. Djerba, im Süden der kleinen Syrte
u. a. IV 195.

Κυρήνη, dor. Kyrana, j. Ruinen Gurena, dorische Kolonie,
bes. von Thera aus besiedelt, in Libyen IV 163—165 u. s.

ἡ *Κυρηναίη χώρη* das 500—700 m hohe Tafelland, auch Kyrenaika gen. (j. Barka oder Ben-Ghasi), das noch heute dieselben Eigenschaften zeigt, wie zu Herodots Zeiten; die Stadt lag auf dem Hochland selbst IV 199. *Κυρηναῖοι* die Einwohner der Stadt Kyrene IV 154—156.159—161 u. s. *Κυρηναῖος λωτός* ein Baum Rhamnus lotus, die Frucht ist eßbar, doch weder besonders angenehm noch als Nahrungsmittel bevorzugt II 96.

Κύρνος 1. Die Insel Corsica I 165. 166. 2. Ein Heros I 167.

Κῦρος (Kūrush) 1. Vater des Kambyses I 111. 2. Sohn des Kambyses, König der Perser 559—529 v. Chr. I 46 u. s.

Κύψελος Tyrann von Korinth um 655—625 v. Chr. I 14. 20. 23. III 48.

Κώης Tyrann von Mytilene IV 97.

Κωλαῖος ein Schiffsherr aus Samos IV 152.

Κῶς j. Ko oder Istanköi, Insel an der Küste von Karien, Halikarnaß gegenüber I 144.

Λ.

Λαβύνητος, richtiger *Ναβύνητος* (Nabunaitak), Vater des Nebukadnezar (Nabukadračarah), ebenfalls König von Babylon 604—561 v. Chr. I 74. 77. 188.

λαβύρινθος ein Tempel für alle Hauptgötter, an erster Stelle für Sebak, den Gott des Fayûms, und für alle Nomen Ägyptens. In den kleinen Kammern waren Krokodile, nicht Könige, beigesetzt. Infolge der allmählich sehr groß gewordenen Zahl von Kammern und Gängen nannte man die Anlage Labyrinth. Jetzt ist nur ein Trümmerhaufen übrig II 148.

λάδανον arabisches Wort, eig. ladân „süß von Geruch". Der Strauch *λῆδος* oder *λῆδον* scheidet ein wohlriechendes Harz aus III 112.

Λαδίκη Gemahlin des Amasis aus Kyrene II 181.

Λάϊος Sohn des Labdakos IV 149.

Λακεδαίμων die Landschaft Lakonien und die Stadt Sparta I 67 u. s. *Λακεδαιμόνιοι* die Lakedaimonier I 6 u. s. *Λακεδαιμονίη γυνή* I 4. *Λάκων* = *Λακεδαιμόνιος* I 68. *Λάκαιναι θεράπαιναι* lakonische Dienerinnen III 134. ἡ *Λακωνική* Lakonien I 69.

Λακρίνης ein vornehmer Spartaner I 152.

Λαμψακηνοί Einwohner der Stadt Lampsakos in der Land-
schaft Troas am Hellespont IV 138.

Λαοδάμας 1. Vater des Sostratos, aus Aigina IV 152.
2. Tyrann von Phokaia IV 138.

Λαοδίκη eine Heroine, deren Grab im Heiligtum der Ar-
temis auf Delos verehrt ward, angeblich eine Hyper-
boreerin IV 33. 35.

Λασόνιοι anderer, nicht näher zu erklärender Name für
den urspr. lydischen oder mäonischen Volksstamm der
Καβάλιοι oder *Καβηλεῖς* III 90.

Λέαρχος aus Kyrene IV 160.

Λέβεδος Stadt in Ionien I 142.

Λέλεγες vorhellenische Bewohner großer Teile des Fest-
landes von Hellas, der Westküste von Kleinasien und der
Inseln des Ägäischen Meeres I 171.

Λέπρεον Hauptort im Süden Triphyliens (in Elis) IV 148.

Λέσβος Insel an der aiolischen Küste Kleinasiens, j. Myti-
lini, türk. Midillü, I 151. 160. 202. *Λέσβιοι* Bewohner
von Lesbos I 23. 24. 151. III 39. IV 97. *Λέσβιοι κρη-
τῆρες* IV 61.

Λευκὸν τεῖχος die alte Königsburg von Memphis III 91.

λευκὸς χρυσός „Hellgold" besteht aus 7 Teilen Gold und
3 Teilen Silber I 50.

Λεύκων wohl die westlichste Ortschaft der Landschaft
Marmarika IV 160.

Λεωβώτης Agide, König von Sparta I 65.

Λέων Agide, König von Sparta I 65.

Λῆμνος Insel im Thrakischen Meer IV 145.

Λήρισαι eine der 12 Städte der Aiolis I 149.

Λητώ Bezeichnung für die ägyptische Göttin Uat' in Buto,
die Beschützerin des Kindes, die dabei Schlangengestalt
annahm II 59. 83. 152. 155. 156.

Λιβύη 1. Afrika außer Ägypten oder im engeren Sinne
Nordafrika westlich von Ägypten I 46. II 8 u. s. 2. Eine
Frau, nach der Libyen benannt sein soll IV 45. *Λίβυες*
Bewohner von Libyen II 18 u. s. *Λίβυσσαι* Libyerinnen
IV 189. *Λιβυκὴ γλῶσσα* IV 155. *Λιβυκὸν ἔθνος* II 32.
ὄνομα IV 192. ὄρος II 8. 124. χωρίον II 18. *Λιβυκοὶ
λόγοι* II 161.

Λίδη Gebirge, das östlich von Halikarnaß im Norden des
keramischen Meerbusens sich hinzieht I 175.

Λιμενήιον wohl der Küstenstrich bei Milet mit den vier Häfen der Stadt I 18.

Λίνδος Stadt an der Westküste von Rhodos I 144. II 182. III 47.

Λίνος ein Trauergesang, dessen eigentümliche Weise Her. bei Phoinikern, Kypriern und Ägyptern wiederfand. Mit dem Adoniskult hat der Linos nichts zu tun II 79.

Λιπόξαϊς Sohn des Skythenkönigs Targitaos IV 5. 6.

Λίχης ein Spartiate, einer der *ἀγαθοεργοί* I 67. 68.

Λοξίης „der Leuchtende", d. h. der Sonnengott, Beiname des delphischen Apollo I 91. IV 163.

Λύγδαμις von Naxos, zeitweise Tyrann daselbst I 61. 64.

Λυγκεύς Sohn des Aigyptos aus Chemmis in Ägypten II 91.

Λυδίη das Land Lydien in Kleinasien I 72. 79. 93. 94. 142. *Λυδοί* das Volk der Lyder I 6 u. s. *Λύδιος δῆμος* I 7. *νομός* Regierungsbezirk III 127. *Λύδιον ἔθνος* I 79. — *Λυδός* der Sohn des Atys, der eponyme Ahnherr der Lyder I 7. 171.

Λύκαιος Beiname des Zeus nach dem Heiligtum auf dem Lykaion im Süden Arkadiens, von Arkadern ward der Kult desselben nach Kyrene mitgebracht IV 203.

Λυκάρητος ein Samier, später persischer Statthalter in Lemnos III 143.

Λυκίη die gebirgige Landschaft Lykien im Südwesten von Kleinasien I 182. III 4. IV 35. 45. *Λύκιοι* die Bewohner von Lykien I 28. 147. 171. 173. 176. III 90. IV 35.

Λύκος 1. Sohn des Pandion, ein Athener, nach dem die Lykier benannt sein sollen I 173. 2. Ein Skythe IV 76. 3. Ein nicht näher zu bestimmender Fluß in Skythien IV 123.

Λυκοῦργος 1. aus Athen, Führer der *Πεδιεῖς*, der Bewohner der Ebene um Athen, zur Zeit des Peisistratos I 59. 60. 2. Der Gesetzgeber in Sparta (884 v. Chr.) I 65. 66.

Λυκόφρων aus Korinth III 50. 53.

Λυκώπης aus Lakedaimon III 55.

λωτός ist der griech. Name für mehrere schöne Wasserrosen: Nymphaea caerulea, ägypt. sertep, eine Pflanze, deren Wurzel noch heute gekocht und roh gegessen wird, aus den Früchten wurde Brot bereitet; diese und die weiße Nymphaea Lotus und N. Nelumbo diente als Schmuck bei Festen, auch als Opfergabe. Später wird sie zum Symbol der Unsterblichkeit (vgl. die Lotossäule) II 92.

Λωτοφάγοι ein libyscher Volksstamm an der Küste der kleinen Syrte und auf der Insel Meninx, der von einer dort heimischen Lotosart den Namen erhielt IV 177. 178. 183.

M.

Μάγδωλος (Megiddo) Stadt in Syrien am Karmel II 159.

Μαγνησίη Stadt in Karien am Maiandros I 161. III 122. 125. *Μάγνητες* Einwohner der Stadt III 90.

Μάγοι (Magush Magier) einer der sechs medischen Stämme I 101; diese bildeten dann eine streng geschlossene Priesterkaste (vgl. die Leviten bei den Juden), die den Kultus leiteten, auch im Besitz wissenschaftlicher Bildung wie der Wahrsagekunst waren I 107. 108. 120 u. s.

Μαδύης König der Skythen I 103.

Μαξάρης ein Meder I 156. 157. 160. 161.

Μαιάνδριος Tyrann von Samos III 123. 142—146. 148.

Μαίανδρος (j. Böjük-Menderez, großer M.) Fluß in Kleinasien, entspringt bei Kelainai, mündet gegenüber von Milet, berühmt durch die vielen Windungen II 29. III 122. *Μαιάνδρου πεδίον* I 18. 161. II 10.

Μαιῆται ein Volksstamm der Skythen im Osten des Maiotissees IV 123.

Μαιῆτις λίμνη nach den *Μαιῆται* benannt, das Asowsche Meer I 104. IV 3 u. s. — *Μαιήτης* „der maietische", Bezeichnung des Tanais, weil er in den Maietis- oder Maiotissee mündet IV 45.

Μάκαι Volk im Küstengebiete von Libyen bei Leptis IV 175. 176.

Μακάρων νῆσοι die *Ὄασις μεγάλη*, Oase von Charga (el Chargeh), in Erinnerung an die Sage von den Inseln der Seligen durch die Griechen so benannt III 26.

Μακεδνὸν ἔθνος Bezeichnung der Dorer in früherer Zeit, als sie in Erineos und Pindos wohnten I 56.

Μάκιστος Hauptort im Norden Triphyliens in Elis IV 148.

μακρόβιοι s. *Αἰθίοπες*.

Μάκρωνες Volksstamm am Schwarzen Meer bei Trapezunt II 104. III 94.

Μαλέαι I 82. Μαλέη IV 179 Vorgebirge Lakoniens, die
östl. Südspitze des Peloponnes, j. Kap Maléas.

Μανδάνη Tochter des Astyages I 107. 108. 111.

Μανδροκλῆς ein Architekt aus Samos IV 87—89.

Μανερῶς identifiziert mit λίνος, angeblich Sohn des ersten
ägyptischen Königs (Menes) II 79.

Μάνης Sohn des Zeus und der Ge, Stammvater der Lyder
und ältester König, Vater des Kotys und Atys I 94.
IV 45.

Μαντινέη die Stadt Mantineia im östlichen Arkadien IV 161.
Μαντινεῖς die Einwohner von Mantineia IV 161. 162.

Μάξυες libyscher Volksstamm an der kleinen Syrte, sonst
auch Μάζιχες gen., wie noch heute die Berber sich Mazigh
nennen IV 191.

Μαραθών Ort im östlichen Attika, nahe der Küste I 62.

Μαράφιοι ein Volksstamm der Perser I 125. IV 167.

Μάρδοι ein nomadisierender, persischer Volksstamm in dem
südwestlichen Randgebirge des iranischen Hochlandes I 84.
125.

Μαρέη (Pa-mer) Stadt am mareotischen See in Ägypten.
Die Gegend war berühmt durch ihren Wein II 18. 30.

Μᾶρες Volksstamm am Schwarzen Meer südwestlich vom
Phasis III 94.

Μαριανδυνοί Völkerschaft im nordöstlichen Bithynien
I 28. III 90.

Μάρις wohl der Maros, Nebenfluß der Theiß IV 49.

Μάσπιοι ein Volksstamm der Perser I 125.

Μασσαγέται skythisches Nomadenvolk im Norden des
Jaxartes (Syr) und des Aralsees I 201. 204—209. 211.
212. 214—216. III 36. IV 11. 172.

Ματιηνοί ein Volk 1. am mittleren Halys I 72.   2. an
den Quellen des Araxes I 202. III 94.   3. in Medien,
nordwestlich von Agbatana: Ματιηνὰ ὄρεα I 189.

Μάχλυες ein libyscher Volksstamm, Nachbarn der Loto-
phagen, deren Gebiet vom Meere bis zum sagenhaften
Fluß und See Triton reichte IV 178. 180.

Μεγάβαζος persischer Heerführer in Thrakien unter Da-
reios IV 143. 144.

Μεγάβυζος (Bagabuxsh „gotterlöst“). 1. vornehmer Perser
III 70. 81. 82.   2. Vater des Zopyros III 153. 160. IV 43.
3. Sohn des Zopyros III 160.

Μεγακλῆς Sohn des Alkmeon (um 560 v. Chr.) I 59—61.

Μεγαρεῖς Einwohner der Stadt Megara östlich der Landenge von Korinth I 59. III 60.

μέδιμνος attisches Hohlmaß für Trockenes = 48 *χοίνικες* = 51,84 l III 91 *μυριάδας* sc. *μεδίμνων.*

Μελάγχλαινοι „Schwarzröcke" Volksstamm nicht skythischer Abstammung zwischen Tanais und Borysthenes IV 20. 100—102. 107. 119. 125.

Μελάμπους sagenhafter Seher II 49.

Μέλανθος Vater des Kodros I 147.

Μέλισσα aus Korinth III 50.

Μεμβλίαρος Genosse des Kadmos, Mitgründer der phoinikischen Kolonie auf Thera IV 147. 148.

Μέμνων ein chetitischer König, der dem Priamos zu Hilfe kam und von Achilleus getötet wurde, von ihm wurden noch später in Phrygien Denkmäler gezeigt II 106.

Μέμφις entstanden aus äg. Men-nefer „der gute Ort", der heilige Name war Hā-t-ka-ptah „Kultusstätte des Ptah, (Hephaistos)": Hauptstadt des alten Reiches, gegründet von Menes, am Nil gelegen oberhalb des Deltas. Noch zur Römerzeit die volkreichste Stadt Ägyptens nächst Alexandreia. Die Trümmer dienten zum Bau von Kairo. II 2. 3. 8. 10. 12—14 u. s.

Μεμφίτης ἀνήρ ein sagenhafter König von Ägypten, der zur Zeit des trojanischen Krieges gelebt haben soll. Von den Griechen, die ihre Sagen in Ägypten wiederzufinden sich bemühten, Proteus gen., der bei Homer noch ein Meergreis ist II 112.

Μένδης der heilige Widder, Inkarnation des Osiris von Mendes, von den Griechen durch Verwechslung des Widders und des Bockes dem Pan gleichgestellt II 42. 46.

Μενδήσιοι Einwohner der Stadt Mendes im nordöstlichen Delta am mendesischen Nilarm (äg. Pa-ba-neb-ṭet-ui „die Stadt des Widders von Ṭet") II 46. *Μενδήσιος νομός* Bezirk, Gau von Mendes II 42. 46. 166. *Μενδήσιον στόμα Νείλου* II 17.

Μενέλαος λιμήν Hafen an der libyschen Küste östlich der Kyrenaika. Hier starb Agesilaos auf der Rückkehr von Ägypten IV 169.

Μενέλεως Sohn des Atreus, Gemahl der Helena II 113. 118. 119.

Μερμνάδαι lydisches Königsgeschlecht: Gyges, Ardys, Sadyattes, Alyattes, Kroisos I 7. 14.

Μερόη (äg. Meruáu) Hauptstadt des Äthiopenreiches am Nil. Ruinen bei dem Ort Dankalah II 29.

Μεσαμβρίη Stadt an der Westküste des Schwarzen Meeres, nördlich von Apollonia, j. Misivria IV 93.

Μεσσήνιοι Bewohner der Landschaft Messenien im Peloponnes III 47.

Μεταπόντιον lat. Metapontum, reiche Stadt in Lukanien am tarentinischen Meerbusen, achäische Kolonie; seitdem Hannibal die gesamte Einwohnerschaft fortführte, verödet IV 15. *Μεταποντῖνοι* Einwohner von Metapont IV 15.

Μηδείη Gemahlin des Jason, Zauberin aus Kolchis I 2. 3.

Μῆδοι (Mādah der Meder, Medien) 1. die Bewohner des Landes Medien, ein den Persern nahe verwandtes Volk I 16 u. s. 2. = Perser I 206. IV 197. — *Μηδικὸς πόνος* IV 1. ἡ *Μηδική* Medien I 96. 104. III 92. IV 1. *Μηδικὴ ἀρχή* I 72. γῆ IV 12. χώρη I 103. 110. γλῶσσα I 110. ἐσθής I 135. III 84. *Μηδικὸν ἔθνος* I 101. στράτευμα I 128. *Μηδικοὶ ἵπποι* III 106. *Μηδικαὶ νέες* III 136. *Μηδικὰ Ἀγβάτανα* III 64. *Μηδίς* eine Mederin I 91.

Μηθυμναῖοι Einwohner der Stadt Methymna, j. Molivo, auf Lesbos I 23. 151.

Μηίων δῆμος alter Name für das lydische Volk I 7.

Μήλης ein alter König von Sardes I 84.

Μηλιεὺς κόλπος der malische Meerbusen, j. Golf von Zituni (Lamía) IV 33.

μήτηρ *Δινδυμήνη* s. *Δινδυμήνη* I 80. μήτηρ τῶν θεῶν die auf dem Berge Dindymon bei Kyzikos verehrte Kybele oder Dindymene IV 76.

μήτηρ τοῦ Πόντου das Schwarze Meer wird als aus dem angeblich fast gleich großen Maiotissee hervorgehend aufgefaßt IV 86. μήτηρ Ὑπάνιος der Hypanis (Bug) soll aus einem großen skythischen See entsprungen sein IV 52.

Μητρόδωρος Tyrann von Prokonnesos IV 138.

Μίδης sagenhafter König von Phrygien, s. *Γορδίης* I 14. 35. 45.

Μίλητος die bedeutendste Stadt Ioniens am latmischen Meerbusen, gegenüber der Mündung des Maiander I 14. 15. 17. 20. 22. 142. 146. *Μιλήσιοι* die Einwohner von Milet

I 16—22 u. s. *ἡ Μιλησίη* das Gebiet von Milet I 17—19. 46. 157.

Μιλτιάδης Sohn des Kimon, Sieger von Marathon IV 137. 138.

Μιλυάς und *Μιλυὰς γῆ* das innere Hochland von Lykien, in älterer Zeit Name für ganz Lykien I 173. *Μιλύαι* Bewohner der Landschaft Milyas I 173. III 90.

Μίλων berühmter Ringkämpfer aus Kroton III 137.

Μίν (äg. Mnà, vielleicht = Mena „der Beständige") von den Griechen auch *Μήμης* oder *Μηνᾶς* usw. gen., der erste ägyptische König aus der Stadt This bei Abydos, Gründer von Memphis. Sein Grab ist 1897 bei Naqāde nördlich von Theben gefunden II 4. 99.

Μινύαι nach der Sage Nachkommen der Argonauten 1. in Orchomenos in Boiotien I 146, 2. am Taygetos, in Triphylien, angeblich auch auf Thera IV 145. 146. 148. 150

Μίνως sagenhafter König von Kreta I 171. 173. III 122.

Μίτρα in Verwechslung mit Mithra statt *Ἀναῖτις*, eine Göttin, die im Avesta Ardvîçûra mit dem Beinamen Anâhita („Fleckenlose") heißt, sie befördert alles Leben, ihrem Äußeren nach der Aphrodite gleichgestellt I 131.

Μιτραδάτης Rinderhirt des Königs Astyages I 110. 121.

Μιτροβάτης persischer Statthalter im Gebiete von Daskyleion III 120. 126. 127.

μνέαι Εὐβοΐδες Solon führte statt der äginäischen die euböische Währung in Athen ein, die das persische Goldgewichtsystem auf Silber übertragen darstellte. Das Talent zu 60 Minen = 26,196 kg. Die Mine = 78,60 M. II 180. III 89.

Μνήσαρχος Vater des Pythagoras aus Samos IV 95.

Μοίριος λίμνη der Moirissee oberhalb Memphis (Moiris wird abgeleitet von Mer-ur „der große Kanal"), angeblich von einem König Moiris angelegt, besteht aus mehreren Stauanlagen und Kanälen zur Bewässerung des Fayûm und zur Regulierung der Nilüberschwemmung II 4. 69. 148. 149. III 91.

Μοῖρις angeblich ein König von Ägypten, von Her. wohl in Verwechslung mit einem König in Memphis so genannt, der einen ähnlich klingenden Namen hatte. Amen-em-hā III. ist der Schöpfer großer Wasserbauten. In Nubien sind bei Semneh und Kumeh die von ihm angebrachten Überschwemmungsmarken erhalten II 13. 101.

Μολοσσοί Volk im Binnenlande von Epeiros I 146.

Μοσσύνοικοι Volksstamm am Schwarzen Meere, westlich von Trapezunt III 94.

Μόσχοι Völkerschaft südlich vom Kaukasus III 94.

Μυεκφορίτης νομός ein nicht näher bekannter Bezirk im Deltagebiet II 166.

Μυκάλη Vorgebirge in Ionien, gegenüber von Samos I 148.

Μυκερῖνος (äg. Men-ka-u-rā) König von Ägypten, Erbauer einer Pyramide, vom Volke wegen seiner Frömmigkeit gefeiert II 129—131. 133. 136.

Μύκοι Völkerschaft wohl im südlichen Iran III 93.

Μύλασα (j. Milās) Stadt in der südwestlichen Küstenebene von Karien, Sitz der karischen Fürsten I 171.

Μύλιττα (Ass. Belit „Herrin, Gebieterin") Gemahlin des Bel und Mutter der Götter, Aphrodite gleichgestellt I 131. 199.

Μυοῦς ionische Stadt am Maiandros I 142.

Μυριανδικὸς κόλπος Meerbusen, gen. nach der phoinikischen Stadt Myriandros, später der Meerbusen von Issos, j. Golf von Alexandretta IV 38.

Μύρινα eine der zwölf Städte der Aiolis I 149.

Μυρσίλος von anderen Kandaules gen. I 7.

Μύρσος 1. Vater des Kandaules I 7. 2. Sohn des Gyges, ein Lyder III 122.

Μυσίη Landschaft im Nordwesten Kleinasiens I 160. *Μύσιος Ὄλυμπος* Gebirge im Nordosten von Mysien an der Grenze von Bithynien (2527 m), j. Keschisch D. I 36. *Μυσοί* die Bewohner von Mysien I 28. 36. 37. 171. III 90.

Μυτιλήνη (j. Kastro od. Mytilini, türk. Midillü) Stadt auf Lesbos I 160. II 135. *Μυτιληναῖοι* die Einwohner von Mytilene I 27. 160. II 135. 178. III 14. IV 97. *Μυτιληναίη νηῦς* III 13.

Μώμεμφις (j. Menuf) Stadt an einem Kanal, der vom kanobischen Nilarm nach dem mareotischen See führte, an der Grenze der Wüste II 163. 169.

Μῶφι angeblicher Berg bei Elephantine II 28. s. *Κρῶφι.*

N.

Ναθῶς νομός Bezirk im östlichen Delta II 165.

Νάξος eine der Kykladen östlich von Paros I 64. *Νάξιοι* Bewohner der Insel Naxos I 61.

Νάπαρις Nebenfluß des Istros, vielleicht Jalomitza IV 48.

Νασαμῶνες ein unruhiges Wüstenvolk an der großen Syrte und nach dem Innern der Sahara zu, vielleicht die heutigen Nefzâwa II 32. 33. IV 172. 173. 175. 182. 190.

Ναύκρατις griechische Kolonie, von Milet aus im Anfang des 7. Jahrh. gegründet am linken Ufer des bolbitinischen Nilarmes im saitischen Bezirk II 97. 135. 178—180.

Ναύστροφος Vater des Eupalinos aus Megara III 60.

Νέη πόλις wahrscheinlich eine griechische Ansiedlung in der Nähe der Stadt Chemmis oder auch eine Vorstadt derselben II 91.

Νεῖλος der Nil II 10. 11. 13. 15—20 u. s. Die gewöhnliche Höhe der Überschwemmung beträgt 16 Ellen, daher umspielen die Nilstatue im Vatikan 16 Putten II 13.

Νεκῶς (äg. Neka-u) 1. Vater des Psammetich, König von Memphis und Sais z. Z. des Assarhaddon (681—668 v. Chr.), der um 670 Ägypten eroberte, und des Assurbanipal, durch den König der Äthiopen Tanūtamon, Stiefsohn des Taharka (nicht Sabakos), getötet (nach 664) II 152. 2. Sohn des Psammetich (im A. T. Necho), König von Ägypten, 610 bis 594 v. Chr., begann den Kanal nach dem Roten Meer, vollendete ihn aber nicht, weil man das Rote Meer für höher liegend hielt (noch vor Anlage des Suezkanals ward der Unterschied auf mehr als 9 m geschätzt) II 158. 159. Umfahrt um Afrika IV 42.

Νέον τεῖχος eine der zwölf Städte der Aiolis I 149.

Νευροί ein Skythenvolk zwischen Agathyrsen und Androphagen, Dnjestr und Dnjpr, nördlich von den Alazonen IV 17. 100. 102. 105. 119. 125. *Νευρίς* IV 125. *N. γῆ* IV 51. *N. χώρη* IV 125. das Land der Neuren.

Νηρηΐδες schöne Meerjungfrauen, Töchter des Nereus II 50.

Νησαῖοι ἵπποι die nesaiische Ebene (Nisāyah), eine Landschaft Mediens, war berühmt durch ihre Pferdezucht III 106.

Νικάνδρη Priesterin zu Dodona II 55.

Νίνος 1. Ninive (ass. Ninua) am Tigris, Hauptstadt Assyriens, zerstört 606 v. Chr. I 102. 103. 106. 178. 185. 193. 250. *Νίνιαι πύλαι* ein Tor im Norden von Babylon, das nach Ninive zu führte III 155. 2. Sohn des Belos, Gründer des assyrischen Reiches und der Stadt Ninos I 7. II 150.

Νίσαια Hafenstadt von Megara am saronischen Golf I 59.

Νίτητις (abgeleitet von dem Namen der Göttin Neith) Tochter des Königs Apries von Ägypten III 1. 3.

Νίτωκρις (Net-åker-ti) 1. Königin von Ägypten, historisch ist nichts von ihr bekannt II 100. 2. Angeblich Königin von Babylon. Die ihr von Her. zugeschriebenen Bauten rühren von Nebukadnezar her I 185. II 100.

Νιψαῖοι ein thrakischer Volksstamm an der Westküste des Schwarzen Meeres bei Apollonia und Mesambria IV 93.

Νόης rechter Nebenfluß des Istros, vielleicht der Osma IV 49.

νομός 1. ägyptischer Verwaltungsbezirk mit einem *νομάρχης* an der Spitze, nach dem Hauptort benannt. Die Zahl derselben wechselt, nach den Denkmälern sind es 22 in Oberägypten und 20 in Unterägypten. Her. führt mit Ausnahme von Theben nur die Bezirke des Deltagebietes an II 164—166. 2. Persischer Steuerbezirk. Her. zählt ihrer 20 auf, ob diese mit den Satrapien übereinstimmen, ist ungewiß III 89—95.

νοτίη θάλασσα 1. das Meer südlich·von Libyen III 17. 2. Wohl das Schwarze Meer IV 13.

Νότιον eine der zwölf Städte der Aiolis, sonst nicht bekannt I 149.

Νούδιον eine der sechs kleinen Städte in Triphylien (in Elis), sonst unbekannt IV 148.

Νύσα ein Ort in Nubien II 146. *N. ἡ ἱρή* III 97.

<h2 style="text-align:center">Ξ.</h2>

Ξάνθης aus Samos II 135.

Ξάνθος Hauptstadt von Lykien am Flusse Xanthos I 176. *Ξάνθιοι* die Einwohner von Xanthos I 176. *Ξάνθιον πεδίον* die Talebene des Xanthos zwischen Kragos (3000 m) und Antikragos (1800 m) I 176.

Ξέρξης (Xshayārshā „der Hengst, Held unter den Herrschern") Sohn des Dareios und der Atossa, König der Perser 485 bis 465 v. Chr. I 183. IV 43.

<h2 style="text-align:center">O.</h2>

Ὀαξός (Ϝάξος, noch j. Axos) Stadt im Norden des Idagebirges auf Kreta IV 154.

Ὄαρος vielleicht die Wolga. Den *Ὄαρος* läßt Her. in den Maiotissee münden, der aber nach ihm fast so groß wie das Schwarze Meer ist IV 123. 124.

Ὄασις die Oasis maior, j. die große Oase od. die Oase von Chargeh, 7 Tagereisen westlich von Theben mit einer Stadt gleichen Namens III 26.

Ὀδρύσαι ein thrakischer Volksstamm südlich vom Balkan im Gebiete der Tundscha, eines Nebenflusses der Maritza IV 92.

Ὀδυσσηίη die homerische Odyssee IV 29.

Ὀθρυάδης aus Lakedaimon I 82.

Οἰβάρης Stallmeister des Dareios, ein Perser III 85. 87. 88.

Οἰδιπόδης Sohn des Laios, der sagenhafte König von Theben IV 149.

Οἰνοῦσσαι Inselgruppe zwischen Chios und dem Festlande I 165.

Οἰνωτρίη das spätere Lukanien und das Land der Bruttier I 167.

Οἰόβαζος ein Perser, der einen von drei Söhnen vom Kriegsdienst frei haben will IV 84.

Οἰόλυκος Sohn des Theras, ein Spartiate IV 149.

οἰόρ skythisches Wort für Mann IV 110.

Οἰόρπατα skythischer Name der Amazonen, nach Her. „Männertöter“, statt „Herrinnen der Männer“ IV 110.

Ὀκταμασάδης König der Skythen, Neffe des Sitalkes IV 80.

Ὀλβιοπολῖται s. Βορυσθένης.

Ὀλυμπίη der heilige Bezirk am Alpheios in Elis II 160. τὰ Ὀλύμπια die daselbst alle vier Jahre gefeierten Spiele I 59.

Ὀλύμπιος Beiname des Zeus, der auf dem Olymp thronend gedacht wird II 7. 44. Ὀλύμπια δώματα I 65.

Ὄλυμπος 1. Gebirge im nördlichen Thessalien (2972 m) I 56. 2. Gebirge im Nordosten von Mysien an der Grenze von Bithynien (2527 m) j. Keschisch D. I 36. 43.

Ὀμβρικοί (Umbri) italischer Volksstamm, sie hatten nach der Vorstellung Her.s Nord- und Mittelitalien inne, das dann von den Tyrrhenern besetzt wurde I 94. IV 49.

Ὅμηρος der Dichter Homer II 23. 53. 117. 118. ἐν Διομήδεος ἀριστηίη II 116. ἐν Ἐπιγόνοισι IV 32. ἐν Ἰλιάδι II 116. ἐν Ὀδυσσηίη IV 29.

Ὀνουφίτης νομός Bezirk im nördlichen Deltagebiet II 166.

Ὀποίη eine Skythin IV 78.

ὀργυιά = 4 πήχεις = 6 πόδες = 1,776 m II 124.

Ὀρδησσός vielleicht der Ardschisch, linker Nebenfluß des Istros IV 48.

'Oοέστης Sohn des Agamemnon I 67. 68.

ὄρϑιος νόμος: wie der διϑύραμβος zu Ehren des Dionysos gesungen wurde, so diente der νόμος „die Weise“, „Sangesweise“ zur Feier des Apollo. Es ist ein Kultuslied. Terpander (um 650 v. Chr.) soll der Erfinder dieses νόμος sein I 24.

'Ορϑοκορυβάντιοι ein sonst nicht bekannter Volksstamm der Meder III 92.

'Ορϑωσίη od. 'Ορϑίη Beiname der Artemis. Sie wurde in Byzantion verehrt, da dieses eine Kolonie von Megara war; ihr Kult war besonders bei den Dorern verbreitet IV 87.

"Ορικος Sohn des Skythenkönigs Ariapeithes IV 78.

'Οροίτης Statthalter von Sardes, durch Kyros eingesetzt III 120—129. 140.

'Οροτάλτ arabische Gottheit des Lichtes und Feuers, von den Griechen dem Dionysos gleichgestellt III 8.

'Ορφικά nach dem vermeintlichen Stifter Orpheus gen., ein Geheimdienst, in dem die Eingeweihten sich unter Zeremonien, Askese, Fasten zu einem Religionsbund zusammenschlossen und den Glauben an die Unsterblichkeit der Seele, ihre Wanderung und Läuterung pflegten. Entsündigung und Heiligung war das Ziel der Mysterien II 81.

'Ορχομένιοι s. Μινύαι.

"Οσιρις (äg. Ás-iri) die in ganz Ägypten verehrte Gottheit. Er ist Herrscher über Ägypten, verbreitet Ackerbau, Gesittung und Verehrung der Götter, er ist Sonnen- und Nilgott zugleich. Ist das Leben auf der Erde erstorben, so herrscht Osiris mit der Isis in der Unterwelt. Er verbürgt die Unsterblichkeit der Seele und wird daher Dionysos gleichgestellt, der in der orphischen Lehre die gleiche Stelle einnahm. Er erscheint an verschiedenen Orten in anderer Gestalt: als Vollmond, im Widder, Wolf, Sperber, Krokodil. Osiris — Apis = Serapis. Später Osirisgrab = Serapeum II 42. 144. 156.

"Οσσα Gebirge in Thessalien, von dem nördlich gelegenen Olympos durch das Tempetal getrennt (Gipfel j. Kíssabos 1980 m) I 56.

'Οτάνης einer der sieben Perser, die die Herrschaft der Magier stürzten III 68—72. 76 u. s.

Οὐρανίη oder Ἀφροδίτη Οὐρανίη die große Mutter des

Himmels und der Erde, die Göttin der reinen himmlischen
Liebe I 105. 131. III 8. IV 59.

Οὔτιοι persischer Volksstamm in Karmanien III 93.

ὀφθαλμὸς βασιλέος Beamter des Perserkönigs, Aufseher,
eine Art von Geheimpolizei I 114.

Π.

Παδαῖοι indischer Volksstamm, von den Gônda im nördl.
Dekhan wird ähnliches berichtet III 99.

Παιανιεὺς δῆμος Gau an der Ostseite des Hymettos,
zur Phyle Pandionis gehörend I 60.

Παίονες Volk nördl. von Makedonien IV 49. Παιονίδες
γυναῖκες IV 33.

Πακτύης von Kyros als Verwalter des königlichen Schatzes
und der Steuern in Sardes eingesetzt I 153—161.

Πακτυική 1. das gebirgige Grenzland Irans nach Armenien
zu, östl. vom Urmiasee III 93. 2. Das Land der Paktyer
im nördl. Arachosia (Afghanistan) am Parapanisos (Hindu-
kusch), noch jetzt nennen sich die Afghanen im O. Pakhtûn,
im Westen Pashtûn. Π. γῆ IV 44. χώρη III 102.

παλαιστή s πῆχυς.

Παλαιστίνη od. Παλαιστίνη Συρίη 1. der von Phili-
staiern und Juden bewohnte Küstenstrich Syriens I 105.
II 104. III 91. IV 39. Παλαιστινοὶ Σύριοι III 5. 2. Phoi-
nike mit einbegriffen II 106.

Παλλάδια Pallasbilder, die alten Kultstatuen stellten die
Athene in voller kriegerischer Rüstung dar IV 189.

Παλληνὶς Ἀθηναίη in dem Gau (δῆμος) Pallene zwi-
schen Brilessus und Hymettus stand ein Athenetempel I 62.

Πάμφυλοι Volk an der Südküste Kleinasiens I 28. III 90.

Πάν Feld-, Wald-, Hirtengott II 145. 146, von den Griechen
dem Mendes gleichgestellt II 46. 145.

Πανδίων Vater des Lykos, ein Athener I 173.

Πανθιαλαῖοι ein persischer Volksstamm I 125.

Πανιώνιον Bundesheiligtum der Ioner am Vorgebirge
Mykale im Gebiete von Priene I 141—143. 148. 170.
Πανιώνια das Bundesfest daselbst I 148.

Πάνορμος Hafen von Milet I 157.

Παντάγνωτος Bruder des Polykrates von Samos III 39.

Πανταλέων Sohn des Alyattes von Lydien, Halbbruder
des Kroisos I 92.

Παντικάπης vielleicht der Samara, linker Nebenfluß des Borysthenes (Dnjepr) od. Nebenarm des unteren Dnjepr. Wie Pantikapes mit Pantikapaeum zusammenhängt, ist nicht aufgeklärt IV 18. 19. 47. 54.

Παντίμαθοι wohl ein Volksstamm in Hyrkanien III 92.

Παπαῖος der skythische Zeus IV 59.

Πάπρημις Hauptort eines Bezirks (*νομός*) vermutlich im Osten des Deltagebietes. Der Ares von Papremis ist vielleicht Àn-her, Lokalgott von This, in Abydos „Schläger der Feinde". Er trägt einen hohen Federschmuck auf dem Kopfe, zuweilen auch einen Küraß, wenn er in der Sonnenbarke mit der Lanze Schlangen und Nilpferde abwehrt II 59. 63. III 12. *Παπρημίτης νομός* II 71. 165.

Παραλάται ein Zweig der Skoloten, der königlichen Skythen IV 6.

οἱ πάραλοι die Bewohner der Paralos, der südl. Halbinsel von Attika die *μεσόγαια* mit einbegriffen, sie treiben Handel, Seefahrt und Fischfang. *οἱ ἐκ τοῦ πεδίου*, auch *Πεδιεῖς* gen., die bäuerliche Bevölkerung der Ebene bei Athen, die durch das Aigaleos-Geb. in 2 Teile geteilt war, die eleusinische oder thriasische und die athenische, beide durchströmt von einem Kephisos-Bache. *οἱ ὑπεράκριοι* (sonst *διάκριοι*) Bewohner „des Höhenlandes", des nordöstl. Attika vom südl. Fuße des Brilessos an I 59.

παρασάγγης persisches Wegemaß = 30 Stadien = 4,725 km II 6.

Παρητακηνοί einer der sechs Stämme der Meder I 101.

Παρθένιος (j. Bartin Su) Grenzfluß zwischen Bithynien und Paphlagonien II 104.

Παρθένος eine jungfräuliche Göttin, auf dem taurischen Chersones als Iphigeneia bezeichnet, von den Griechen der Artemis gleichgestellt IV 103.

Πάρθοι Volk östl. von Medien, tritt erst von 250 v. Chr. an in der Geschichte mehr hervor III 93. 117.

Παριηνός aus Parion, einer Stadt in der Troas am östl. Ausgang des Hellespont IV 138.

Παρικάνιοι wohl ein medischer Volksstamm zwischen Medien und der Landschaft Persien III 92. 94.

Πάριοι Bewohner der Insel Paros, einer der Kykladen I 12. *Πάριος λίθος* die Insel ist berühmt durch ihre Marmorbrüche III 57.

Πάρμυς Tochter des Smerdis, Enkelin des Kyros, Gemahlin des Dareios III 88.

Παρωρεῆται die Bewohner Triphyliens, der elischen Küstenlandschaft südl. vom Alpheios IV 148.

Πασαργάδαι einer der zehn persischen Stämme in einem hoch gelegenen Gau (14—1500 m) der Landschaft Persien mit gleichnamiger Königsburg, wo auch das Grab des Kyros sich befindet, südl. von Persepolis I 125. IV 167.

πατά skythisches Wort, „töten" IV 110 s. *Οἰάρπατα.*

Πάταικοι entstanden aus Patah (Ptah). Dieser Gott wird in Memphis auch als Zwerg dargestellt und bei phoinikischen Schiffen als Galljon am Bug verwandt, um jedes Unheil abzuwehren III 37.

Πάταρα Stadt in Lykien, am Meere gelegen, mit einem berühmten Orakel des Apollo I 182.

Πατάρημις ein Ägypter II 162.

Πατιξείδης der Magier, der den falschen Smerdis auf den Thron erhob III 61. 63.

Πάτουμος Thum od. Pa-tum „am Tore des Ostens" (Pithom 2. Mos. 1, 11), j. Tell el Maschutah, Stadt am östlichsten Nilarm. Der von dort ausgehende Kanal des Nekos war 45 m breit, 5—5,5 m tief II 158.

Πατρεῖς die Stadt Patrai, j. Patras, an der westl. Küste von Achaia, die einzig bedeutende unter den 12 Städten der Landschaft I 145.

Παυσανίης Spartiate, Sieger von Plataiai, eroberte 477 v. Chr. Byzantion IV 81.

Παυσίκαι wohl ein Volksstamm in Hyrkanien III 92.

Παύσιρις Sohn des Amyrtaios, ein Unterkönig von Ägypten III 15.

Παφλαγόνες Volk an der Nordküste von Kleinasien, zwischen Bithynien und Pontus I 6. 28. 72. III 90.

Πεῖρος Fluß in Achaia, mündet zwischen Araxos und Patrai ins Meer I 145.

Πεισίστρατος Sohn des Hippokrates, Tyrann von Athen 560—527 v. Chr. mit Unterbrechung I 59—64.

Πελασγοί Urbevölkerung von Hellas I 57. 58. 146. II 50 bis 52. IV 145. *Πελασγίη* früherer Name für Hellas II 56. *Πελασγικὸν ἔθνος* I 56—58. *Πελασγικὰ πολί-*

σματα Städte an der Propontis I 57. Πελασγιώτιδες γυναῖκες. II 171.

Πελλήνη eine der 12 Städte von Achaia I 145.

Πελοπόννησος der Peloponnes I 56 u. s. Πελοποννήσιοι die Bewohner des Peloponnes II 171. IV 77. 161.

πεντάπολις s. ἑξάπολις.

Περίανδρος Sohn des Kypselos, Tyrann von Korinth, angeblich 628—585 v. Chr. I 20. 23. 24. III 48—53.

Πέρινθος Stadt in Thrakien an der Propontis, später auch Herakleia gen., j. Eregli IV 90.

Πέρσαι (Pārsah der Perser, Persien) der zum indogermanischen Sprachstamm gehörige Zweig der Zend-Völker, die Bewohner der Landschaft Persis im südl. Iran mit den Hauptstädten Pasargadai (Grabmal des Kyros) und Persepolis (in der Nähe Felsengrabmal des Dareios); im weiteren Sinne alle die dem großen Perserreiche angehören. ὁ Πέρσης auch kollektivisch = Πέρσαι. Περσική I 126. IV 39. Περσὶς χώρη die Landschaft Persien III 97. Περσικὸς στρατός IV 136. Περσικὴ στρατιή I 214. III 146. τὸ Περσικόν das persische Volk III 66. μέτρον Περσικόν s. ἀρτάβη. Περσικὰ ἀγαθά I 207. Π. πρήγματα III 137. Περσίδες γυναῖκες III 3.

Περσεύς Sohn der Danae II 91. Περσέος σκοπιή Perseus-Warte in der Nähe des heutigen Abukir II 15. Περσεῖδαι Nachkommen des Perseus I 125.

Περφερεῖς angeblich Festgesandte der Hyperboreer nach Delos, vielleicht ein Kollegium von Tempelbeamten daselbst IV 33.

Πηδασεῖς Einwohner der Stadt Pedasos in Karien I 175. 176.

Πήλιον Gebirge auf der Halbinsel Magnesia, südwestl. vom Ossa, j. Plessidigebirge (1618 m) IV 179.

Πηλούσιον Stadt an der östlichsten Nilmündung, bei dem jetzigen Farama, vielleicht nach der schlammigen (πηλός) Umgegend genannt II 15. 141. Π. στόμα Νείλου der nach der Stadt benannte östlichste Nilarm II 17. 154. III 10 Δάφναι αἱ Πηλούσιαι s. Δάφναι. Πηλουσιακὰ ταριχήια Anstalten zum Dörren und Einsalzen von Fischen bei Pelusium II 15.

Πηνελόπη nach später Sage Mutter des Pan II 145. 146.

πῆχυς μέτριος die gemeingriechische oder attische Elle = 1½ πόδες = 6 παλαισταί = 24 δάκτυλοι = 44,4 cm. 1 πούς = 29,6 cm. 1 παλαιστή = 4 δάκτυλοι = 7,4 cm. 1 δάκτυλος = 1,85 cm. ὁ βασιλήιος πῆχυς dic persische königliche Elle = 49,5 cm I 50. 178. II 149.

Πιερικὴ πίσση Erdpechquellen wohl in der Landschaft Pierien nördl. vom Olympos in Makedonien IV 195.

Πίνδαρος der Dichter Pindar III 38.

Πίνδος Stadt in der Landschaft Doris südöstl. vom Oeta I 56.

Πίρωμις äg. Wort, vielleicht von Pa remā „der Erhabene" καλὸς κἀγαθός. In Halikarnaß war Piromis als Eigenname üblich II 143.

Πῖσα die Stadt Pisa in Elis war z. Z. Her.'s längst zerstört. Der Name steht hier für den Zeustempel in Olympia II 7.

Πιτάνη 1. eine der 12 Städte der Aiolis I 149. 2. Eine der 5 κῶμαι, aus denen die Stadt Sparta bestand III 55.

Πιττακός aus Mytilene, einer der sieben Weisen, soll gegen 570 v. Chr. gestorben sein I 27.

Πλακίη Städtchen östl. von Kyzikos an der Propontis I 57. Πλακιηνοί die Einwohner des Ortes I 57.

Πλατεῖα, j. Bomba, Insel im Osten der Kyrenaika im Golf von Bomba IV 151—153. 156. 169.

πλέθρον griech. Längenmaß = 100 πόδες = 29,6 m II 124.

Πλινθινήτης κόλπος Meerbusen westl. von dem späteren Alexandreia, benannt nach der Stadt Plinthine am nahen mareotischen See II 6.

Πλυνός Hafenplatz an der libyschen Küste, j. Golf von Sallum IV 168.

Ποικίλης ein Phoiniker, „Buntwirker", in Thera wurden bunte Gewänder gewebt IV 147.

Πολυκράτης Tyrann von Samos, wahrscheinlich von 533/2 v. Chr. an II 182. III 39—46. 54. 56. 57. 120—126. 128. 131. 132. 139. 140. 142.

Πολύμνηστος aus Thera IV 150. 155.

Πολυνείκης Sohn des Oidipus IV 147.

Πόντος das Schwarze Meer IV 8. 10. 38. 46. 81. 85—87. 89. 99. Ποντικὰ ἐμπόρια Hafenplätze am Schwarzen Meer IV 24. ποντικὸν δένδρεον Prunus Padus, Vogelkirsche, die Baschkiren im Süden von Katharinenburg benutzen die Früchte derselben noch heute so, wie es Her. beschreibt IV 23.

Πόρατα skythischer Name für *Πυρετός* j. Pruth, linker Nebenfluß der unteren Donau IV 48.

Ποσειδέων der Gott des Meeres I 148. II 43. 50. IV 59. 180. 188.

Ποσειδωνιήτης ἀνήρ ein Mann aus *Ποσειδωνία* an der Küste südöstl. von Neapel (später Paestum, j. Pesto, berühmt durch seine schönen Tempelruinen) I 167.

Ποσιδήιον Stadt an der syrischen Küste südl. von dem späteren Seleukeia am Kasiongebirge III 91.

πούς == 29,6 cm s. *πῆχυς.*

Πρηξάσπης ein Perser III 30. 34. 35. 62. 63. 65. 74 bis 76. 78.

Πρίαμος König von Troja I 3. 4. II 120.

Πριήνη Stadt in Ionien nördl. von Milet I 142. *Πριηνεῖς* die Einwohner von Priene I 15. 27. 161. 170.

Προκλῆς 1. Sohn des Aristodemos, König von Sparta IV 147. 2. Tyrann von Epidaurus, Schwiegervater des Periandros von Korinth III 50—52.

Προκόννησος Stadt auf der Insel gleichen Namens (jetzt Marmara) in der Propontis IV 14. 15. *Προκοννήσιοι* Einwohner von Prokonnesos IV 13. 15. 138.

Προμένεια Priesterin zu Dodona II 55.

Προμηθεύς Sohn des Iapetos und der Asia, hier Gatte der Asia IV 45.

Προνηίη Beiname der Athene in Delphi, und zwar darnach benannt, weil ihr kleiner Tempel vor dem Peribolos des Apollotempels gestanden habe I 92.

Προποντίς das Meer zwischen Bosporos und Hellespont, j. Marmara-Meer IV 85.

τὰ προπύλαια bei den ägypt. Tempeln sind darunter die großen, monumentalen Tore zu verstehen, die in den von Umfassungsmauern eingeschlossenen Raum führten, die *πυλῶνες* führten in den Tempel selbst II 101.

Προσωπίτις Insel zwischen dem kanobischen und sebennytischen Nilarme, sie bildete einen besonderen Bezirk II 41. 165.

Προτοθύης Vater des Madyes, König der Skythen I 103.

Πρωτεύς angeblich König von Ägypten s. *Μεμφίτης* II 112. 114—116. 118. 121.

Πτερίη Stadt von unbekannter Lage in der Nähe von Sinope I 76. *Πτέριοι* Einwohner der Ortes I 76.

πυγών = 5 *παλαισταί* = 20 *δάκτυλοι* = 37 cm II 175.

Πυθαγόρης Sohn des Mnesarchos aus Samos, der bekannte Philosoph IV 95. 96. *Πυθαγόρεια* Lehren und Gebräuche der Pythagoreer II 81.

Πύθερμος aus Phokaia I 152.

Πυθίη die Priesterin in Delphi I 13. 19 u. s.

Πυθώ = *Δελφοί* I 54.

Πύλιοι Καύκωνες das Geschlecht der Neliden stammt aus Pylos, und dieses verlegte man nach Triphylien, dem Ursitze der Kaukonen I 147.

πῦρ das Feuer gilt bei den Persern als „Herr des Reinen, Sohn des Ahuramazdâ, Geber des Guten“, als „das Heilige, Starke“ I 131. III 16.

Πύργος kleiner Ort im Süden Triphyliens am Flüßchen Neda, der Grenze von Messenien IV 148.

Πυρετός s. *Πόρατα.*

Πυρήνη portus Veneris, j. Port-Vendres, keltische Stadt am Fuße der Pyrenäen am Mittelländischen Meere, von Her. an den Atlantischen Ozean verlegt II 33.

P.

Ραμψίνιτος Nachfolger des Proteus, König von Ägypten, vielleicht Deminutivform zu Ramses, möglicherweise ist damit Ramses III gemeint im Gegensatz zu Ramses II. II 121. 122. 124.

Ρήγιον Stadt in Unteritalien an der Straße von Messina j. Reggio I 166. 167.

Ροδόπη Gebirge in Thrakien zwischen dem Nestos und Hebros, j. Rhodope od. Despoto-Geb. (2275 m) IV 49.

Ρόδος die Insel Rhodos (j. Redos), sie hatte damals drei Städte, Lindos, Ialysos und Kameiros, die Stadt Rhodos entstand erst 408 v. Chr. I 174. II 178.

Ροδῶπις „die Rosenwangige“, angeblich Königin von Ägypten und Erbauerin der dritten Pyramide. Die Sage hat ihren Ursprung in der in der Nähe liegenden roten Sphinx II 134—136.

Ροῖκος ein Baumeister aus Samos III 60.

Ρύπες eine der zwölf Städte von Achaia I 145.

Σ.

Σαβακῶς (Schabaka) der erste der vier Äthiopenkönige, die von etwa 715 v. Chr. an über Ägypten herrschten. Her. kennt nur diesen einen II 137. 139. 152.

Σαγάρτιοι ein persisches Nomadenvolk im Nordwesten von Iran I 125. III 93.

Σαδυάττης König der Lyder 629—617 v. Chr. I 16. 18. 73.

Σάις äg. Sa od. ha ent Net „Stadt der Neith" (s. Ἀθηναίη) am westl. Hauptnilarm II 28. 59. 62. 130. 163. 169. 170. 175. 176. III 16. Σαῖται die Einwohner von Sais II 169. Σαΐτης νομός der Bezirk, in dem Sais liegt II 152. 165. 172. Σαΐτικὸν στόμα Νείλου sonst tanitische Mündung genannt II 17.

Σάκαι skythisches Nomadenvolk nordöstl. von den Baktrern I 153. III 93.

Σαλαμίς Stadt an der Ostküste von Kypros IV 162.

Σάλμοξις der Gott des Himmels bei den Geten IV 94—96.

Σαλμυδησσός Stadt am Pontos westl. vom Bosporos, jetzt Midia IV 93.

Σαμοθρῄκη Insel südl. der thrakischen Küste. Σαμοθρῆκες Bewohner der Insel Samothrake II 51.

Σάμος Insel an der Küste Ioniens, dem Vorgebirge Mykale gegenüber I 70 u. s. Σάμιοι Bewohner der Insel Samos I 51 u. s. Σάμιος πῆχυς = 0,45 m II 168. ἡ Σαμίη sc. χώρη das samische Gebiet I 70. Σ. νηῦς IV 152. Σάμια πρήγματα III 146.

Σάμιος ein Lakedaimonier III 55.

σαν phönikisch schin, bei den Dorern für sigma gebraucht, sonst Zahlzeichen ϡ = 900 I 139.

Σαναχάριβος (assyr. Sin-achī-ir-ba) Sanherib, König von Assyrien 705—681 v. Chr., unterwirft auf seinem dritten Feldzuge, im 14. Jahre des Königs Hiskia, 701 v. Chr. Syrien und Palästina, siegt bei Altaku über die Ägypter und den König Taharka, verliert aber durch Seuchen einen Teil seines Heeres und zieht schleunigst nach Ninive zurück (vgl. 2. Kön. 19. 35 f.) II 141.

Σάνδανις ein Lyder I 71.

Σαπφώ aus Mytilene, die größte griechische Dichterin II 135.

Σαράγγαι (auch Ζαράγγαι gen.) Volk am Zarahsee in der Landschaft Drangiane III 93. 117.

Σαρδανάπαλλος Assurbanipal, König von Assyrien, die historische Persönlichkeit ist vermischt mit einer mythischen, und so ist Sard. zum Urbild des orientalischen, entnervenden Luxus geworden II 150.

Σάρδιες Hauptstadt Lydiens am Paktolos nördl. vom Tmolosgebirge I 7. 15. 19 u. s. *Σαρδιηνὸν ἄστυ* I 80. *Σαρδιηνὸς κῆρυξ* I 22. 83.

Σαρδώ Sardinien I 170. *Σαρδώνιον πέλαγος* das Meer um Sardinien I 166.

Σαρδωνικὸν λίνον das Leinen ist nach einem Ort benannt, der ähnlich wie *Σαρδώ* lautete II 105.

Σαρπηδών aus Kreta, Sohn der Europa, Bruder des Minos I 173. Anders Hom. Z 199.

Σάσπειρες Volksstamm südl. von Kolchis I 104. 110. III 94. IV 37. 40.

Σατάσπης ein Achaimenide IV 43.

σατραπηίαι (*σατράπης* = xshathrapāvā „der das Land schützt“) Verwaltungsbezirke, in die das persische Reich durch Dareios geteilt wurde und zwar meist in Übereinstimmung mit den alten, ehemals selbständigen Landschaften (doch gab es auch schon unter Kyros und Kambyses Satrapen) I 192. III 89.

Σατταγύδαι (ihr Land heißt Thatagush „100 Rinder besitzend“) Volksstamm in Arachosien (Harahvatish „reich an Seen“) III 91.

Σαύλιος König der Skythen IV 76.

Σαυρομάται Sarmaten, ein den Skythen benachbartes Volk zwischen Tanais und Kaspischem Meer IV 21. 57. 102. 110 u. s. *Σαυρομάτις χώρη* IV 123.

Σεβεννύτης νομός Bezirk der Stadt Sebennytos, Tebneter „Stadt des heiligen Kalbes“, j. Semennûd, am Nilarm gleichen Namens II 166. *Σεβεννυτικὸν στόμα Νείλου* II 17. 155.

Σεθῶς angeblich ein König von Ägypten II 141.

Σελήνη die Mondgöttin I 131. II 47. IV 188.

Σεμέλη Tochter des Kadmos, Mutter des Dionysos II 145. 146.

Σεμίραμις sagenhafte Königin von Babylon, Gemahlin des Ninos I 184. *αἱ Σεμιράμιος πύλαι* ein Tor in Babylon, vielleicht nach Westen zu III 155.

Σερβωνὶς λίμνη ein langer, tiefer See östl. von Pelusium (und dem heutigen Port Said), von dem Meere durch

einen schmalen Streifen Landes getrennt, über den damals
die Straße hinführte, mit ausgedehnten Sumpfstrecken, die
oft von einer trügerischen Sanddecke bedeckt waren II 6.
III 5.

Σέσωστρις König von Ägypten, meistens Ramses II. (19. Dy-
nastie, 14. Jahrh.) gleichgestellt, richtiger wohl eine Sagen-
gestalt, der alle die kriegerischen Taten und Erfolge und
zwar in phantastisch übertriebener Weise zugeschrieben
wurden, die die ägyptischen Könige insgesamt aufzuweisen
hatten II 102—104. 106—108. 110. 111. 137.

Σηστός Stadt auf dem Chersones am Hellespont IV 143.

Σίγειον Stadt und Vorgebirge in der Troas am Eingange
zum Hellespont IV 38.

σίγμα (phönikisch samech) stand ursprünglich hinter *N*,
trat dann an die Stelle von san, an seinen Platz kam *Ξ*
I 139.

Σιδών die Stadt Sidon in Phönikien II 116. 161. III 136.
Σιδόνιοι die Einwohner von Sidon, *Σιδονίηϑεν* II 116.

Σικελίη die Insel Sizilien I 24.

Σικυών Stadt in Argolis nordwestl. von Korinth I 145.

Σίνδοι Völkerschaft nicht skythischen Ursprungs am Schwar-
zen Meer östl. der Straße von Kertsch IV 28. *ἡ Σινδική*
das Land der Sinden IV 86.

Σινώπη milesische Kolonie in Paphlagonien am Schwarzen
Meer I 76. II 34. IV 12.

Σιούφ Ort vielleicht unterhalb Sais bei dem heutigen
el Saffeh II 172.

Σιτάλκης König der Thraker, Bundesgenosse der Athener
zu Anfang des peloponnesischen Krieges IV 80.

Σίφνος eine der westlichen Kykladen III 57. 58. *Σίφνιοι*
Bewohner der Insel Siphnos III 57. 58.

Σκαμανδρώνυμος aus Mytilene II 135.

Σκίος (Thuk. II 96 *Ὄσκιος*) Oescus, j. Isker, rechter Neben-
fluß der unteren Donau IV 49.

Σκίτων Sklave des Demokedes III 130.

Σκόλοτοι die königlichen Skythen, angeblich nach ihrem
König *Σκόλοτος* gen., zwischen Borysthenes und Tanais
IV 6.

Σκύϑαι Volk nördl. vom Schwarzen Meer, westl. bis zum
Istros, östl. bis zum Tanais und Maiotis-See, doch wurde
der Name vielen Völkern beigelegt, ᾽die nicht zu diesen

Skythen gehören I 15. 73. 74 u. s. *Σκύϑης* Sohn des Herakles IV 10. *Σκυϑίη, ἡ Σκυϑική, Σκ. γῆ, χώρη* I 105. II 22. IV 5. 8. 12. 17 u. s. *Σκυϑικὸς ἱππότης* IV 136. *Σκυϑικὴ γλῶσσα* IV 108. *δίαιτα* I 215. IV 78. *ἐσϑής* I 215. IV 23. 106. *στολή* IV 78. *φωνή* IV 117. *Σκυϑικὸν γένος* IV 46. *ἔϑνος* I 201. IV 18. 20. 46. *χαλκήιον* ein ehernes Gefäß IV 81. *Σκυϑικοὶ νόμοι* IV 105. 107. *ποταμοί* IV 49. 53. *Σκυϑικὰ δῶρα* IV 134. *Σκυϑιστί* IV 27. 52. 59.

Σκυλάκη Städtchen östl. von Kyzikos an der Propontis I 57.

Σκύλαξ aus Karyanda, einer Insel an der Küste von Karien IV 44.

Σκύλης König der Skythen IV 76. 78—80.

Σκυρμιάδαι thrakischer Volksstamm an der Westküste des Schwarzen Meeres bei Apollonia u. Mesambria IV 93.

Σκώπασις König der Skythen IV 120. 128.

Σμέρδις 1. Sohn des Kyros, Bruder des Kambyses III 30. 32. 61—63. 65—69. 71. 74. 75. 88. 2. Gaumâta, der falsche Smerdis III 61—65. 67—71. 74. 75. 88.

Σμύρνη Stadt an der Küste Ioniens, von Aiolern gegründet, von dem ionischen Kolophon aus neu besiedelt 688 v. Chr., durch Alyattes zerstört, durch König Lysimachos in der Nähe neu aufgebaut, noch jetzt die bedeutendste Stadt in der Levante (Izmir) I 14. 16. 94. 149. 150. II 106. *Σμυρναῖοι* Einwohner der Stadt Smyrna I 143. 150.

Σόγδοι Volk in Sogdiane (j. Buchara), östl. vom Oxos III 93.

Σολόεις ein Vorgebirge Libyens, wohl Kap Spartel bei Tanger II 32. IV 43.

Σόλυμοι Urbewohner von Milyas (Lykien) I 173.

Σόλων der Gesetzgeber in Athen I 29—32. 34. 86. II 177.

Σουνιακὸς γουνός das Vorgebirge Sunion IV 99.

Σοῦσα Hauptstadt von Kissia oder Susiane, Winterresidenz der persischen Könige, am Choaspes, einem Nebenfluß des unteren Tigris I 188. III 30 u. s.

Σπακώ medisches Wort, von *σπάκα* (zend çpâ) = *κύων*, griech. *Κυνώ* I 110.

Σπαργαπείϑης 1. ein Skythe IV 76. 2 König der Agathyrsen IV 78.

Σπαργαπίσης Sohn der Tomyris I 211. 213.

$\Sigma\pi\acute{\alpha}\varrho\tau\eta$ die Stadt Sparta am Eurotas I 65. 68—70 u. s.
$\Sigma\pi\alpha\varrho\tau\iota\tilde{\eta}\tau\alpha\iota$ die Vollbürger von Sparta I 65. 67 u. s.

$\sigma\pi\iota\vartheta\alpha\mu\acute{\eta}$ = $1\frac{1}{2}$ $\pi\acute{\eta}\chi\epsilon\iota\varsigma$ oder 1 $\dot{\eta}\mu\iota\pi\acute{\eta}\chi\epsilon\iota o\nu$. $\pi\acute{\epsilon}\mu\pi\tau\eta$ $\sigma\pi\iota$-
$\vartheta\alpha\mu\acute{\eta}$ = $\pi\acute{\epsilon}\mu\pi\tau o\nu$ $\dot{\eta}\mu\iota\pi\acute{\eta}\chi\epsilon\iota o\nu$ = fünftehalb Ellen (vgl.
$\dot{\eta}\mu\iota\tau\acute{\alpha}\lambda\alpha\nu\tau o\nu$) II 106.

$\sigma\pi o\tilde{v}$ skythisches Wort „Auge" IV 27.

$\sigma\tau\acute{\alpha}\delta\iota o\nu$ (Plur. $\sigma\tau\acute{\alpha}\delta\iota o\iota$ und $\sigma\tau\acute{\alpha}\delta\iota\alpha$) urspr. babylonisches
    Maß; es ist die Strecke, die ein rüstiger Mann während
    der Dauer des Sonnenaufgangs, d. h. in 2 Min., zurück-
    legt. 1 attisches $\sigma\tau\acute{\alpha}\delta\iota o\nu$ = 600 $\pi\acute{o}\delta\epsilon\varsigma$ = 177,6 m I 26.
    II 6. 149. 158. IV 85. 101.

$\Sigma\tau\varrho\alpha\tau\acute{o}\pi\epsilon\delta\alpha$ Lagerplätze der Ioner und Karer unterhalb
    Bubastis II 154.

$\sigma\tau\varrho\alpha\tau\acute{o}\pi\epsilon\delta o\nu$ $Tv\varrho\acute{\iota}\omega\nu$ das tyrische Viertel in Memphis,
    wie noch heute die Fremden im Orient in gesonderten
    Vierteln leben II 112.

$\Sigma\tau\varrho\acute{\alpha}\tau\tau\iota\varsigma$ Tyrann von Chios IV 138.

$\Sigma\tau\varrho o\acute{v}\chi\alpha\tau\epsilon\varsigma$ einer der sechs Stämme der Meder I 101.

$\Sigma\tau\varrho v\mu\acute{\omega}\nu$ Fluß in Thrakien, j. Struma I 64.

$\Sigma v\acute{\epsilon}\nu\nu\epsilon\sigma\iota\varsigma$ König der Kiliker, übrigens stehender Titel der
    kilikischen Fürsten I 74.

$\Sigma v\acute{\eta}\nu\eta$ äg. Sun, hebr. Seveneh, j. Assuan, Ort gegenüber
    von Elephantine am rechten Nilufer, urspr. Einschiffungs-
    platz für den in der Nähe gebrochenen Granit für Obe-
    lisken, Kolossalstatuen usw. (daher Syenit) II 28.

$\Sigma v\lambda o\sigma\tilde{\omega}\nu$ von Samos, Bruder des Polykrates III 39. 139
    bis 141. 144. 146. 147. 149.

$\Sigma\acute{v}\mu\eta$ (j. Symi od. Sümbegi) Insel zwischen Rhodos und
    dem knidischen Chersones I 174.

$\Sigma v\varrho\eta\kappa\acute{o}\sigma\iota o\iota$ die Einwohner von Syrakus III 125.

$\Sigma v\varrho\acute{\iota}\eta$ das Land Syrien zwischen Kilikien und Ägypten
    II 11. 12. 20. 116. 152. 157—159. III 6. 62. 64. $\Sigma v\varrho\acute{\iota}\eta$
    $\dot{\eta}$ $\Pi\alpha\lambda\alpha\iota\sigma\tau\acute{\iota}\nu\eta$ der Küstenstrich südl. vom Karmel I 105.
    II 106. III 91. IV 39. $\Sigma\acute{v}\varrho\iota o\iota$ die Bewohner von Syrien
    II 12. 30. 159. III 91. Σ. $o\acute{\iota}$ $\dot{\epsilon}\nu$ $\tau\tilde{\eta}$ $\Pi\alpha\lambda\alpha\iota\sigma\tau\acute{\iota}\nu\eta$ die Juden
    II 104. Σ. $o\acute{\iota}$ $\Pi\alpha\lambda\alpha\iota\sigma\tau\tilde{\iota}\nu o\iota$ die Philister III 5. $\Sigma\acute{v}\varrho\iota o\iota$
    = $K\alpha\pi\pi\alpha\delta\acute{o}\kappa\alpha\iota$ s. daselbst.

$\Sigma\acute{v}\varrho\gamma\iota\varsigma$ s. $\H{T}\varrho\gamma\iota\varsigma$.

$\Sigma\acute{v}\varrho\tau\iota\varsigma$ die große Syrte II 32. 150. IV 169. 173.

$\sigma\chi o\tilde{\iota}\nu o\varsigma$ ein ägyptisches Längenmaß, in den verschiedenen
    Gegenden von verschiedener Länge, zwischen 30 und

120 Stadien. Her. rechnet den $\sigma\chi o\tilde{\iota}\nu o\varsigma$ überall zu 60 Stadien II 6.

$\Sigma\dot{\omega}\sigma\tau\rho\alpha\tau o\varsigma$ aus Aigina IV 152.

T.

$T\acute{\alpha}\beta\alpha\lambda o\varsigma$ ein Perser I 153. 154. 161.

$T\alpha\beta\iota\tau\acute{\iota}$ s. $'I\sigma\tau\acute{\iota}\eta$.

$T\alpha\acute{\iota}\nu\alpha\rho o\nu$ Vorgebirge Lakoniens, die mittlere Südspitze des Peloponnes, j. Taínaron, vordem Kap Matapan I 23. 24.

$\tau\acute{\alpha}\lambda\alpha\nu\tau o\nu$ das attische Silbertalent, an Wert = 4715 M. Das Verhältnis von Gold zu Silber ist bei Her. III 95 = 1 : 13, da die persischen Goldmünzen 97 % Feingehalt hatten, also fast reines Gold waren. Sonst war das Verhältnis = 1 : 10, da die attischen Goldmünzen stark legiert waren und nur 75 % Feingehalt hatten II 180. Das attische Handelstalent = 26,196 kg II 180.

$T\acute{\alpha}\nu\alpha\ddot{\iota}\varsigma$ der Don, mündet in den mareotischen See (Asowsches Meer) IV 20. 21. 45. 47. 57. 100. 115. 116. 120. 122. 123.

$T\alpha\nu\acute{\iota}\tau\eta\varsigma$ $\nu o\mu\acute{o}\varsigma$ einer der Bezirke im Deltagebiet mit dem Hauptort Tanis (äg. T'-ân) am tanitischen Nilarm II 166.

$T\acute{\alpha}\xi\alpha\varkappa\iota\varsigma$ König der Skythen IV 120.

$T\acute{\alpha}\rho\alpha\varsigma$, j. Taranto, die Stadt Tarent in Unteritalien am tarentinischen Meerbusen I 24. III 136. 138. IV 99. $T\alpha\rho\alpha\nu\tau\tilde{\iota}\nu o\iota$ Einwohner von Tarent III 136. 138.

$T\alpha\rho\gamma\iota\tau\acute{\alpha}o\varsigma$ der erste König und Ahnherr der Skythen IV 5. 7.

$T\alpha\rho\iota\chi\eta\tilde{\iota}\alpha\iota$ Ort bei Kanobos zum Dörren und Salzen von Fischen II 113.

$T\alpha\rho\tau\eta\sigma\sigma\acute{o}\varsigma$ der Baetis, j. Guadalquivir, Fluß in Spanien und zugleich dessen Niederung I 163. IV 152. $T\alpha\rho\tau\acute{\eta}\sigma\sigma\iota o\iota$ die Bewohner dieser Tiefebene I 163. $T\alpha\rho\tau\acute{\eta}\sigma\sigma\iota\alpha\iota$ $\gamma\alpha\lambda\acute{\epsilon}\alpha\iota$ eine Art Wiesel (Frettchen) zum Kaninchenfang IV 192.

$T\alpha\tilde{\upsilon}\rho o\iota$ IV 99. 100. 102. 103. 119. $T\alpha\upsilon\rho\iota\varkappa\grave{o}\nu$ $\acute{\epsilon}\vartheta\nu o\varsigma$ IV 99. Die Tauren wohnten auf dem taurischen Chersones, der Halbinsel Krim. Von dieser besteht der nördl. Teil aus flacher, wasserarmer Steppe, der mittlere aus gutem Ackerboden, der Südrand aus Gebirgen (bis 1500 m). Her. weiß nichts von einer Halbinsel, kennt nur das Gebirge $T\alpha\upsilon\rho\iota\varkappa\grave{\alpha}$ $\acute{o}\rho\epsilon\alpha.$ (Jaila-Geb.) IV 3 und denkt sich das hinter diesem liegende Land als zusammenhängendes Festland ohne jede Einbuch-

tung, wo die Tauren von Karkinitis bis Theodosia wohnen.
ἡ Ταυρική IV 20. 99. 100.

Ταύχειρα Stadt an der Westküste der Kyrenaika, später
Arsinoë gen. nach der Gemahlin Ptolemaios' II., j. Tôkra
IV 171.

Ταχομψώ Insel im Nil, vielleicht die Insel Philae oberhalb
der Katarakten. Der See, der sich an die Insel anschließt,
ist der Nil, der sich oberhalb von Philae seeartig erweitert
II 29.

Τέαρος Nebenfluß des Kontadesdos (Teke-Deré) IV 89—91.

Τέασπις ein Perser IV 43.

Τεγέη Stadt im südöstl. Arkadien, im Stadtgebiet von
Tegea liegt das heutige Tripolitza I 66—68. Τεγεῆται
die Einwohner von Tegea I 65—68.

Τεισαμενός ein Thebaner IV 147.

Τελέσαρχος ein Samier III 143.

Τέλλος ein Athener I 30. 31.

Τελεμησσεῖς die wahrsagenden Einwohner der Stadt Tele-
messos in Lykien I 78. 84.

Τένεδος eine der Sporaden westl. von der Troas I 151.
Τενέδιοι die Bewohner von Tenedos I 151.

Τερμίλαι anderer Name für Lykier, angeblich kretischer
Herkunft I 173.

Τευθρανίη die fruchtbare Talebene des Kaikos (j. Bakýr)
in Mysien II 10.

Τευκροί die alten Bewohner der Landschaft Troas II 114.
118. Τευκρὶς γῆ die Landschaft Troas II 118.

Τέως die Stadt Teos an der Küste von Ionien I 142. 170.
II 178. Τήιοι die Einwohner von Teos I 168. III 121.

Τηλεκλῆς aus Samos III 41.

Τηλέμαχος Sohn des Odysseus II 116.

Τῆμνος eine der 12 Städte der Aiolis I 149.

Τῆνος eine der Kykladen, südöstl. von Andros IV 33.
Τήνιοι Einwohner der Insel Tenos IV 33.

Τήρης König der Thraker, Vater des Sitalkes IV 80.

Τηΰγετος der Taygetos, das Gebirge, das Lakonien von
Messenien trennt (Hag. Eliasberg 2409 m) IV 145. 146.
148.

Τιαραντός linker Nebenfluß der unteren Donau, vielleicht
der Sereth IV 48.

Τιβαρηνοί Volk am Schwarzen Meer, östl. vom Flusse Melanthios III 94.

Τίβισις linker Nebenfluß der unteren Donau, nicht näher zu bestimmen IV 49.

Τίγρης der Tigris I 189. 193. II 150.

Τιμαρέτη Priesterin zu Dodona II 55.

Τιμήσιος aus Klazomenai I 168.

Τμῶλος Gebirge in Lydien, an dessen nördl. Fuße Sardes liegt I 84. 93.

Τόμυρις die Königin der Massageten I 205—208. 211. 213. 214.

Τράσπιες ein Skythenstamm, wohl im Norden des Jaxartes IV 6.

τρηχείη χερσόνησος s. *Χερσόνησος*.

Τριβαλλικὸν πεδίον die Triballer saßen damals in Serbien IV 49.

Τριόπιον Vorgebirge an der Küste von Karien bei der Stadt Knidos, j. Kap Krio, I 174. IV 38. *Τριοπικὸν ἱρόν*: das Bundesfest der dorischen Hexapolis wurde hier gefeiert zu Ehren der Demeter, des Poseidon und besonders des Apollo I 144. *Τριόπιος Ἀπόλλων* I 144.

Τριταιεῖς, auch Tritaea gen., eine der 12 Städte in Achaia, eine Bergstadt am Abhang des Erymanthus I 145.

Τριτανταίχμης (Čithrantaxmah) Sohn des Artabazos, ein Perser, I 192.

Τρίτων 1. ein Meergott IV 179. 188. 2. Ein Fluß IV 178. 180. 191. *Τριτωνίς* ein See IV 178—180. 186—188. Tritonfluß und Tritonsee lagen in Libyen, vielleicht bei der kleinen Syrte. Minyer hatten von dem Fluß Triton, der sich in den Kopaissee ergießt, den Kult der Athena *Τριτογένεια* mit nach Libyen gebracht.

Τροιζήνιοι Einwohner der Stadt Troizen in Argolis III 59.

Τροίη Troja IV 191. *Τρῶες* II 120. *Τρωικὸν Σίγειον* IV 38. τὰ *Τρωικά* der trojanische Krieg II 145.

Τροφώνιος Heros von Lebadeia in Boiotien, er wird in einem Erdschlund hausend gedacht, von wo aus er Orakel gab I 46.

τρωγλοδύται s. *Αἰθίοπες*.

Τύμνης aus Olbia, ἐπίτροπος des Skythenkönigs Ariapeithes, d. h. er war der Vertreter des Königs für dessen Geschäfte in der Stadt IV 76.

Tvvδάρεως König in Sparta, Vater der Helena II 112.
Tvvδαρίδαι die Söhne des Tyndareos, die Dioskuren Kastor
und Polydeukes IV 145.

Tύρης der Dnjestr IV 11. 47. 51. 52. 82. *Tvρîται* Ein-
wohner der Stadt Tyras (j. Akkerman) an der Mündung
des Flusses IV 51.

Tύρος die Stadt Tyros in Phoinikien I 2. II 44. *Tύριοι*
die Einwohner von Tyros II 49. 112. *ὁ Tύριος* der
König von Tyros II 161. *Tvρίη Εὐρώπη* IV 45.

Tvρσηνίη die Landschaft Etrurien in Italien I 94. 163.
Tvρσηνοί die Etrusker I 57. 94. 166. 167. *Tvρσηνός*
Sohn des Atys, Bruder des Lydos, heißt eigentlich *Tόρη-
βος*, der aber nichts mit den Tyrsenern zu tun hatte I 94.

Tvφῶν (*Tvφῶς*) Sohn der Gaia und des Tartaros, ein
flammenspeiendes Ungeheuer, von Zeus durch einen Blitz-
strahl besiegt und in den Tartaros geschleudert. Den
Ort, wo er bezwungen lag, suchte man an den verschie-
densten Stellen, die Griechen in Ägypten im Serbonischen
See. In Ägypten dem Set (Sutech) gleichgestellt. Dieser
ist der Gott des Schreckens und Zerstörens, Mörder des
Osiris. Esel, Nilpferd, Krokodil sind ihm heilig II 144.
156. III 5.

Υ.

Ὑδάρνης (Vidarnah) vornehmer Perser, einer der Sieben
III 70.

Ὑδρέη, j. Hydra, Insel bei Argolis III 59.

ὕδωρ das Wasser wurde bei den Persern als die Leben
spendende und fördernde Göttin Ardvîçûra verehrt I 131.

Ὑέλη Velia, *Ἐλέα*, griechische Kolonie an der Küste von
Lukanien, gegründet um 540 v. Chr. von Phokaiern I 167.

Ὑλαίη Waldland am linken Ufer des unteren Borysthenes
(Dnjepr), j. öde Steppe, Reste des Waldes noch bei Aleschki
„Baumland" IV 18. 19. 54. 55. 76. *Ὑλαίη γῆ* IV 9.

Ὕλλος ein Nebenfluß des Hermos I 80.

Ὑπάκυρις vielleicht die Molotschnaja, mündet in das
Asowsche Meer IV 47. 55. 56.

Ὕπανις der Bug IV 18. 47. 52. 53. 81.

οἱ ὑπεράκριοι s. *πάραλοι.*

Ὑπερβόρειοι sagenhaftes Volk jenseits des Nordwindes,

das in seligem Frieden nur dem Dienste des Lichtgottes
Apollo sich widmete IV 13. 32—36.

ὑπερνότιοι Menschen jenseits des Südwindes IV 36.

Ὑπερόχη eine Heroine, deren Grab im Heiligtum der Artemis auf Delos verehrt ward, angeblich eine Hyperboreerin
IV 33. 35.

Ὕργις wohl nicht verschieden von *Σύργις*, vielleicht der
Donez, rechter Nebenfluß des Don IV 57. 123.

Ὑρκάνιοι Volk im Südosten des Kaspischen Meeres III 117.

Ὑροιάδης dem Volksstamm der Marder angehörend I 84.

Ὑστάσπης Vater des Dareios I 183. 209—211 u. s.

Ὑτεννεῖς Einwohner der Bergstadt Hytenna (od. Etenna)
in Pisidien III 90.

Φ.

Φαιδυμίη Tochter des Otanes, Gemahlin des Kambyses
und dann des Gaumâta III 68. 69.

φαλακροί kahlköpfige Ägypter und Skythen III 12. IV 23.

Φάνης aus Halikarnaß III 4. 11.

Φαρβαιθίτης νομός Bezirk im östl. Nildelta mit dem
Hauptort *Φαρβαΐτης* II 166.

Φαρεῖς eine der 12 Städte von Achaia, im Westen der
Landschaft I 145.

Φαρνάσπης ein Achaimenide II 1. III 2. 68.

Φάσηλις Hafen in Lykien, an der Grenze von Pamphylien
II 178.

Φᾶσις Fluß in der Landschaft Kolchis, südlich vom Kaukasus, j. Rion, I 2. 104. II 103. IV 37. 38. 45. 86.

Φερετίμη aus Kyrene IV 162. 165. 167. 200. 202. 205.

Φερῶς König von Ägypten. Auf Ramses II. folgte Merenptah. Wie Sesostris ist Pheros nicht geschichtlich, sondern == Pharao, äg. per-āa „großes Haus". Die Erzählung
über ihn ist ein Märchen, eine Satire II 111.

Φθιῶτις γῆ Landschaft in Südthessalien I 56, angeblich
benannt nach *Φθίος*, dem Sohne des Achaios II 98.

Φίλης aus Samos III 60.

Φίλιτις ein ägypt Hirt der Volkssage II 128.

Φλά Insel in dem sagenhaften Tritonsee IV 178.

φοιβόλαπτος von Phoibos ergriffen, begeistert, ein „Wundermann" IV 13.

Φοῖβος Ἀπόλλων IV 155.

Φοίνικες die Phoiniker, die Bewohner des Küstenlandes Phoinikien in Syrien I 1. 5. 105 u. s. *Φ. Τύριοι* II 112. *Φοινίκη* das Land Phoinikien I 2. II 44 u. s. *Φοινικήιοι Πάταικοι* s. d.

φοῖνιξ, äg. bennu, Symbol der täglich wiederkehrenden Morgensonne, daher mit Ra identifiziert, andererseits Symbol der Auferstehung, da er stets von neuem geboren wird, daher dem Osiris geweiht. Seine Hauptkultusstätte war Heliopolis, hier hieß der Tempel des Ra auch ha-bennu, „Haus des Bennu". Der sterbende Phoinix kommt hierher und läßt sich in duftendem Weihrauch verbrennen, um aus der Asche wieder zu erstehen. Am 3. oder 40. Tage zeigte er sich wieder in voller Kraft. Die Beschreibung des Vogels bei Her. paßt eher auf einen Goldfasan als auf eine Reiherart II 73.

Φραόρτης (Fravartish) 1. Vater des Deiokes, ein Meder I 96. 2. Sohn des Deiokes, König der Meder 656—634 od. vielleicht richtiger 687—634 v. Chr., s. *Δηιόκης* I 73. 102. 103.

Φρικωνίς Beiname von *Κύμη*, angeblich nach der Herkunft eines Teiles der Einwohner, dem Berge Phrikion in Lokris I 149.

Φρίξαι (od. *Φρίξα*) die nördlichste Stadt Triphyliens nahe bei Olympia IV 148.

Φρονίμη Tochter des Königs Etearchos in Oaxos IV 154. 155.

Φρυγίη die Landschaft Groß-Phrygien in Kleinasien mit den Städten der Könige Midas und Gordias Pessinus, Midaeion, Gordieion I 14. 35. *Φρύγες* die Phryger I 28. 35. 41. 72. II 2. III 90. *Φρύγιος νομός* Phrygien bildete mit Ionien und Lydien zusammen die Satrapie des Oroites III 127.

Φύη eine Athenerin I 60.

Φώκαια und *Φωκαίη* Stadt in Ionien I 80. 142. 152. 162. 164. 165. 168. II 106. 178. *Φωκαιεῖς* Einwohner der Stadt Phokaia I 152. 163—167. IV 138.

Φωκεῖς die Phoker in Mittelgriechenland am Parnaß I 46. 146.

X.

Χαλδαῖοι ein semitischer Volksstamm, der im 2. Jahrtausend v. Chr. in die babylonische Tiefebene eindrang und nach dem

Sturz der assyrischen Macht (606 v. Chr.) in Babylon zur Herrschaft gelangte durch Nabu-kudur-uçur. Als die Herrschaft auf die Perser überging, blieben die Chaldaier im Besitz der Kulte und bildeten allmählich eine streng geschlossene Priesterschaft, die sich besonders durch astronomische Kenntnisse auszeichnete I 181. 183. *Χαλδαίων πύλαι* Stadttor in Babylon, wohl im Süden der Stadt III 155.

Χάλυβες ein Volksstamm nicht innerhalb des Halys, sondern etwas östl. davon in Pontus. Sie sollen den Stahl (*χάλυψ*) erfunden haben I 28.

χάμψα nach Her. ägypt. für *κροκόδειλος* (ionisch == gemeingriech. *σαῦρος, σαύρη*) Eidechse, doch heißt Krokodil sonst äg. meshu II 69.

Χάραξος aus Mytilene II 135.

Χαρίλεως von Samos, Bruder des Maiandrios III 145. 146.

Χάριτες Töchter des Zeus und der Hera, Göttinnen der Anmut II 50. *Χαρίτων λόφος* vorspringende Höhe des Msellâta (s. *Κίννψ*). Die Entfernung von der See beträgt ungefähr 2 Stunden IV 175.

Χέμμις 1. Stadt in Oberägypten, j. Achmîn, griech. Panopolis. Die Hauptgottheit war hier Chem, immer dargestellt mit geschwungener Geißel in einer Hand, von den Griechen dem Pan gleichgestellt II 91. *Χεμμῖται* Einwohner der Stadt II 91. 2. Insel bei Buto im nordwestl. Delta, äg. Chebī, griech. auch *Χέμβις* II 156. *Χεμμίτης νομός* der darnach benannte Bezirk II 165.

Χέοψ, äg. Chufu, König von Ägypten, einer der Pyramidenerbauer, aus der 4. Dynastie, um 3400, nach äg. Tradition galt er als Tempelgründer und fromm II 124. 126. 127. 129.

Χερσόνησος 1. der thrakische Chersonnes, Halbinsel am Hellespont, j. Gallipoli IV 143. *Χερσονησῖται* die Bewohner des Chersonnes IV 137. 2. *X. ἡ Βυβασσίη* die knidische Halbinsel, nach der altkarischen Stadt Bybassos gen. I 174. 3. *X. ἡ τρηχείη* die von der Krim östl. vorspringende Halbinsel Kertsch IV 99. 4. Die Halbinsel. auf der Sinope lag IV 12.

Χεφρήν äg. Chā-f-rā, König von Ägypten, einer der Pyramidenerbauer. Zwischen ihm und Cheops (Chufu) regierte noch Rā-ṭeṭ II 127.

Χίλων ein Spartiate, einer der sieben Weisen I 59.

Χίος Insel an der Küste von Ionien I 142. 160. 164. II 178.
 Χῖοι Bewohner der Insel Chios I 18. 25 u. s.

Χοάσπης Fluß in der Landschaft Susiane, an dem Susa
 lag I 188.

χοῖνιξ attisches Hohlmaß für Trockenes == 4 *κοτύλαι* ==
 1,08 l I 192.

Χοράσμιοι Volk am Oxos III 93. 117.

Χρομίος ein Argiver I 82.

Ψ.

Ψαμμήνιτος Sohn des Amasis, König von Ägypten 526
 bis 525 v. Chr. Getötet von Kambyses (aber nicht durch
 das ungefährliche Ochsenblut) III 10. 14. 15.

Ψαμμήτιχος, äg. Psmtk == Psametik, König von Ägypten
 664—610 v. Chr. I 105. II 2. 28. 30. 151—153. 155. 157.
 158. 161.

Ψάμμις, äg. Psmtk, Enkel des Vorigen, König von Ägypten
 594—589 v. Chr. II 159—161.

Ψύλλοι ein libyscher Volksstamm im Gebiete der Nasa-
 monen IV 173.

Ω.

Ὠκεανός der Ozean II 21. 23. IV 8. 36.

Ὤλενος eine der 12 Städte von Achaia, im Westen der
 Landschaft I 145.

Ὠλήν ein sagenhafter Hymnendichter aus Lykien, einer
 Kultusstätte des Apollo IV 35.

Ὦπις 1. Stadt am Tigris, doch sonst von unbekannter Lage
 I 189. 2. Hyperboreische Jungfrau auf Delos, Beiname
 der Artemis IV 35.

Ὦρος, äg. Hor, ein Lichtgott, daher Apollo gleichgestellt, er
 wurde in ganz Ägypten verehrt, Sohn des Osiris, rächt
 dessen Tod an dem Mörder Set II 144. 156.

Kritischer Anhang.

I 21_{23} ἦεν Valckenaer. — 30_{13} ⟨τε⟩ Stein. — 35_5 [ἐπι] κυρῆσαι AC. — 38_{24} ⟨τὴν ἀκοὴν⟩ Hss. — 39_{23} ἐπεὶ δὲ Kall. — 48_{31} ⟨ἄλλων⟩ Stein. — 51_{11} δύο [ἀνέθηκε] Stein. — 65_{31} μηδένα Stein. — [μετὰ δὲ — Λυκοῦργος] Stein. — 67_{20} ⟨τὸν⟩ θεὸν Aldina. — 72_{26} Λυδίης Kall. — 73_{23} ὥς γε Gomperz. — 74_{17} κατά Stein. — 75_{23} ἔπεμπε [εἰ στρατεύηται ἐπὶ Πέρσας] Cobet. — 76_{12} [τὸ] ἰσχυρότατον Stein. — $_{13}$ ἐν ⟨τῷ⟩ Kall. — 78_{16} ἐς [τῶν ἐξηγητέων] van Herw. — 80_{23} ὤσφραντο Hss. — 81_{10} πρότεροι Stein. — 82_{15} ⟨τοῖσι Σπαρτιήτῃσι⟩ Hss. — $_{20}$ Κυθηρίη [νῆσος] van Herw. — $_{22}$ Χρομίος AB. — 86_{31} ⟨οὐ καὶ⟩ Stein. — 87_{30} δαίμονι Rdz. — 91_2 ᾧ Hss. ... εἶπε [τὰ εἶπε] B. — 92_{16} γε Stein. — 93_2 [γῆ] ἡ Λυδίη Stein. — $_4$ γε Krüger. — 94_{17} ἔπιπλα. — 100_8 ⟨ἐν⟩ Stein. — $_{12}$ ⟨ὧδε⟩ van Herw. — 103_{15} Προτοθύω Hss. — 105_8 ἡ θεὸς testes, papyrus. — 106_{16} τὸν Reiske. — 110_{17} ⟨ἡ⟩ πρὸς Stein. — 126_3 ⟨ἐμέο πείθεσθαι⟩ Hss. — 129_5 ἑωυτοῦ δὴ ABC. — $_{11}$ θέον ABC. — 131_{32} τοῖσδε ABC. — 132_{16} ⟨τε⟩ Kall. — 146_{18} Ἀθηναίων Hss. — 148_6 ⟨καταντίον⟩ Stein. — 149_{13} Αἰγειροῦσσα van Herw. — 150_{26} ταῦτα [Σμυρναίων] Stein. — 151_{31} οἰκημένην, $_{33}$ οἰκηται Krüger. — 153_5 ἐπεῖχέ [τε] Stein. — 162_{26} ἐπολιόρκεε Naber. — 163_{34} [τὰ] πάντα Hss. — 165_{32} ἐνεκτίσαντο Stein. — $_9$ ἠθέων [τῆς χώρης] Naber. — 179_{30} ποταμὸν [τὸ ῥεῖθρον] Stein. — 182_3 ⟨οἱ⟩ Hss. — 186_{11} ὤρυξε Krüger. — 187_5 γραμμάτων Naber. — 193_{13} ⟨ἐς⟩ Hss. — 196_9 οἶδε Eltz. — $_{12}$ ὅσαι αἰεὶ Stein. — $_{35}$ εἴη Stein. — 200_{20} ἔδει Diels. — 203_{16} πᾶσα AB. — $_{19}$ ⟨Ἡρακλείων⟩ Stein. — 209_1 σύ νυν ABC.

II 4_{22} ⟨μῆνα⟩ Cobet. — 6_{27} ὄρος [τείνει] v. Gutschmid, ABC. — 8_{15} μεσαμβρίην τε καὶ νότον av. — 10_{15} ὥσπερ τά τε Kall. Rdz. — $_{18}$ ⟨τὰ⟩ Stein. — 25_8 τε [ἐόντος] ABC. — 26_4 ⟨τῆς⟩ Kall. — 28_{26} οὗτος Rd. — 30_{29} Ἀσχάμ Wiedemann, ABC. — $_{34}$ κατέστησαν ABC. — 32_{13} ⟨τὰ κατύπερθε⟩ Hss. — $_{14}$ ἐκείνους Bekker. — $_{15}$ ὕδασι ABC. — 33_{32} τοσοῦτο Abicht. — $_{12}$ ⟨διὰ πάσης Εὐρώπης⟩ Hss. — $_{18}$ Ἰστριηνοὶ v. Gutschmid, Pdz. — 34_{23} πάσης [τῆς] ABC. — 36_{24} ⟨καὶ τὴν κόπρον ἀναιρέονται⟩ ABC. — 39_9 πυρὴν καίουσιν Hss. — 41_{29} πάντα v. Gutschmid. — 42_{14} ⟨μαθόντες⟩ Krüger. — 43_{30} τοῦ Ἡρακλέος Αἰγύπτιοι PRdz. — 44_{31} μεγάλως Wesseling. — 46_{39} οἱ αἰεὶ πῶλοι v. Gutschmid. — 51_{15} ἐγένοντο [καὶ — παραλαμβάνουσι] Stein. — 53_1 ⟨δὴ⟩ Eltz. — 55_{31} σφεα Krüger. — 64_6 ⟨ἀνιστάμενοι⟩ Hss. — 65_{25} εὐχὰς τάσδε Hss. — 68_6 ⟨κατὰ λόγον τοῦ σώματος⟩ Hss. — 70_{34} ἐμοὶ ABC. — 71_{14} δίχηλον [ὁπλαὶ βοός] Stein. — 73_1 τι Schweigh. — 75_{21} στεινὴ Stein. — $_{25}$ ταύτην Stein. — 76_{34} ⟨ἥδε⟩ Schweigh. — 77_{12} δὴ χρέωνται ABC. — 79_{14} ἄωρον Rd. — 82_{34} τέοισιν ABC. — 92_6 ⟨καὶ πωλέουσιν⟩ Wiedemann, Hss. — 93_{22} ἐπόμενοι. [εἰσὶ — ἰχθύες] van Herw. — $_6$ ⟨οὗτοι⟩ om. ABC. — 94_{12} ⟨ἄγρια⟩ Hss. — 96_{11} ῥιπὶ Rd, v. Wilamowitz. — 99_{17} ὡς ἀπεργμένος [ῥεῖ] Stein. — 100_{30} τοσαύτῃσι [δὲ] Rd. — 102_{27} πολλὴν [τῶν] CRd. — 104_{27} ποταμὸν καὶ Παρθένιον Kall. Rd. — 106_8 αἱ δὲ στῆλαι ABC, ἵστη R. — 108_{17} ἄπασα πεδιάς AB. — 110_8 μὲν δὴ οὗτος ABCP. — $_{14}$ ὑπερβαλόμενον Stein. — 111_{20} μεγίστου Krüger. — 113_{31} ὅμοιος [τὸ] ABC. — 114_{18} ⟨ὁ⟩ Krüger. — 116_{10} ἑκὼν Stein. — $_{15}$ ⟨ἐπιμέμνηται — εὐπατέρειαν⟩ Hss. [ἐπιμέμνηται — ἑκατόμβας] secl. Schäfer. — $_{21}$ ⟨ἐν τούτοισι — οἰκέουσι⟩ Hss. — 118_{14} [ἡ] Ἑλένη ABC. λόγον [τῷ προτέρῳ] Stein. — 120_9 γενομένης ABC. — $121α_{20}$ ⟨ἐπ⟩ελθόντας ABC. — $γ_{18}$ διαπειλεῖν, αὐτῇ Stein. — 122_{19} Δήμητρι Stein. — 123_{32} ἀρχηγετεύειν Hss. — 124_{29} ⟨ἐκ⟩ Stein. — 129_5 μιν ⟨ταύτην⟩ Hss. — 135_{18} ⟨ἂν⟩ Hss. Ῥοδῶπι Schaefer. — $_{21}$ ⟨οὐδὲν — ἀναθεῖναι⟩ Hss. — $_{34}$ ⟨ἑτέρη⟩ van Herw. — 136_{18} ⟨ἐκείνῳ⟩ Hss. — 137_{10} γενομένων PR. — 143_{20} ἀντεγενεηλόγησαν [ἐπὶ τῇ ἀριθμήσει] Gomperz. — 155_{32} τοῦδε δὲ τοῦ Kall. — $_{34}$ τοῦτο [τὸ ἐν Αἰγύπτῳ] Cobet. — 156_{14} οὗτος Bekker. — $_{38}$ Δήμητρος van Herw. — 174_{23} ἀποφεύγεσκεν Cobet. — 181_6 δ' ἐς ἀλλήλους ABCPd.

III 1_5 ἐκ βουλῆς Hss. — $_{11}$ συμβουλῇ ABR. — $_{22}$ ⟨Καμβύσης⟩ Stein, Cobet. — 4_{31} ⟨τῶν⟩ R. — $_{32}$ ⟨ἦν⟩ R. — 5_{25} ὁδοῦ Stein, Hude. — 9_8 ἀγαγεῖν s v, Stein. — $_9$ ⟨τριῶν⟩ R. — 11_2 ⟨ἐξ⟩ ABC, ⟨τῶν στρατοπέδων⟩ Hss. — 12_{11} διαράξειας R. — $_{22}$ ⟨ἐπὶ⟩ Stein. — 14_{18} ἀντεβόων Dobree. — $_{16}$ ὡς [δὲ] R, Stein. — 15_{31} ⟨τοῖσδε⟩ καὶ [τῷδε, τῷ] Schenkl. — 16_{21} ⟨αὐτὸ⟩ Hss. — 18_{19} ἑκάστοτε Gomperz. — 21_{28} ⟨τὰ⟩ ABC. — 23_{22} ⟨φάναι⟩ Richards. — 26_{19} ἀπέχει Stein. — 28_{16} ἑωυτόν Stein. — $_{25}$ τρίγωνον Caylus, Stein. — 29_2 [ἡ] ὀρτὴ Hss. — 30_{16} ἔδοξεν Hss. — 32_{18} ⟨ἄλλον σκύλακα⟩ Hss. — 33_8 γενετῆς van Herw. — 34_{15} [τοῖσδε] ἀμείβεσθαι Kall. — 37_{15} ὡς Schaefer. — $_{23}$ ⟨τοῖς⟩ R. — 39_{20} ἅμα R. — 47_6 [ποιεῖ] ἐοῦσα [γὰρ] Krüger. — 48_{13} [τρίτη] γενεῇ Hss., ⟨κατὰ — γεγονός⟩ Hss. — 50_{20} οὔτε Hss. — 53_8 ⟨νόον⟩ Hirschig. — 61_{30} ὅμοιος [εἶδος] om. R. — 64_{18} ⟨τῶν⟩ ABC. — $_{19}$ καιρίην Blomf., Cobet. — 72_{29} τις PR. — 82_{21} μούναρχος [ἐὰν] Cobet. — 85_{10} ἐγχρίμπτων [τῇ θηλείῃ] Stein, ὀχεῦσαι [τὸν ἵππον] Cobet. — 86_{12} [κατὰ] τὸ Stein. — 88_1 ⟨ἐν⟩ Πέρσῃσιν Schweigh. — 90_2 Τρεννέων Stein. — 93_{11} τῇσιν ἐν Herold. — 95_{32} λογιζομένων Stein. — 97_{19} ὀρτάς. [οὗτοι — κατάγαια] Naber. — $_{23}$ δὲ τὰ Reiske. — 98_{32} [τῷ] βασιλεῖ van Herw. — 99_{12} ⟨καὶ⟩ Stein. — 102_{19} τὸ PR. — 105_{21} [καὶ] παραλύεσθαι PR. — $_{24}$ ⟨οἱ⟩ Hss. — 106_{30} ⟨τὰ⟩ τετράποδα Krüger. — 108_{19} ⟨ἠπιστάμην⟩ Hss. — $_{34}$ τε [δὴ] Sagawe. — 109_8 ⟨ἂν⟩ om. ABCd. — 111_6 ⟨αὐτῶν⟩ om. R. τὰ μέλεα [τῶν ὑποζυγίων] Kall. — 113_{25} ἁμαξίδα [ἑκάστην] Gomperz. — 115_5 γὰρ [ὁ Ἠριδανός] Cobet. — 116_{19} ⟨τὰ⟩ Dietsch. — 128_{13} τῶν PR. — 129_8 ὁ Hss. — 130_{26} ἑωυτὸν Stein. — $_{31}$ μιν [ἐόντα] Krüger. — 139_{15} ⟨στρατευόμενοι⟩ Hss. — $_{25}$ γενέσθαι." πάντως τοίνυν H. Stephanus, Stein. — 142$_{34}$ ⟨ταῦτα⟩ Stein. — 143$_{21}$ ἔτι Stein. — 147$_{6}$ ⟨τὰς μὲν⟩ Cobet. — 154$_{18}$ ⟨τοῖς⟩ om. R. — 155$_{18}$ ἀμυνόντων Bähr, ἐγχειρίδιον Stein. — 156$_{22}$ ⟨πολλὰ⟩ van Herw. — 157$_{3}$ τὸν δοκιμώτατον ABR. — $_{21}$ ⟨ἐν⟩ Hss.

IV 7$_{32}$ ⟨λέγουσιν⟩ Hss. — 9$_{23}$ εἶδεν ABd. — 10$_{25}$ ⟨τὸ δὴ μοῦνον — Σκύθη⟩ Hss. — 11$_{3}$ μὲν [γὰρ] Krüger. — 12$_{23}$ φυγόντες Cobet. — $_{26}$ ⟨γῆν⟩ ABC. — 15$_{32}$ ⟨τὰ⟩ Reiske. — 33$_{11}$ ἐκλείπειν Cobet. — 34$_{32}$ ἀποταμόμεναι Cobet. — 36$_{26}$ λέγοντα Schweigh. — $_{32}$ ποιέουσιν Aldina. — 37$_{1}$ ⟨Ἀσίην μὲν⟩ Schweigh. — 38$_{12}$ Μυριανδικοῦ L. Dindorf. — 42$_{25}$ ⟨δὴ⟩ om. PR. — 43$_{28}$ ⟨περιπλῶσαι⟩ Stein. — $_{19}$ ⟨οἱ⟩ Hss. — 46$_{1}$ ⟨ὁ⟩ om. PR. — $_{5}$ λόγιμον R. — 48$_{30}$ μεγάλοι Koen. — 53$_{33}$ ⟨ὁ⟩ Kall. — 59$_{19}$ ⟨καλεόμενοι⟩ om. ABCd. — 62$_{19}$ ἑκάστους τῶν ἀρχέων Stein. — 65$_{33}$ ⟨ἡ⟩ om. PR. — 66$_{9}$ ⟨ἂν⟩ Schweigh. — 71$_{24}$ ⟨μέγα⟩ om. R. — 72$_{7}$ ἐμβαλόντες [ἐς τοὺς ἵππους] van Herw. — $_{15}$ ⟨περὶ⟩ Reiske. — 78$_{18}$ δὴ [τι] om. ABCd. — 80$_{11}$ δὴ Stein. — 83$_{20}$ περιπέμποντος Cobet. — 85$_{5}$ ῥίῳ Corn. de Pauw. — 86$_{32}$ ⟨οὗτος⟩ om. ABCd. — 96$_{11}$ μὲν [τούτου καὶ] ABCd. — 97$_{5}$ ἠμείψατο Hss. — 99$_{31}$ πόντον Kall. — 103$_{17}$ ἀποταμὼν [ἕκαστος] O. Nitzsch. — 108$_{16}$ ⟨αἱ⟩ Reiske. — 109$_{34}$ παρὰ Hss. — 111$_{22}$ πρώτην Gomperz. — $_{31}$ αὖτις Reiske. — 113$_{16}$ δευτεραίῃ Hss. — 120$_{28}$ ἐκπολεμώσεσθαι Madvig. — 121$_{33}$ πάσας s. — $_{34}$ ⟨πάντα⟩ om. ABCd. — 122$_{10}$ ἰθὺ Stein. — 127$_{10}$ ἂν ὑμῖν συμ. ABCd. — 129$_{4}$ ἐρέω. [τῶν τε ὄνων — εἶδος] Stein. — 133$_{9}$ δὴ [οὕτω] Hss. außer d. — $_{13}$ ⟨ὑμῖν⟩ Hss. — 134$_{22}$ δῶρα [τὰ] Krüger. — 135$_{14}$ αὐτοῦ [ταύτῃ] PR. — $_{21}$ ὑπερθέμενος Stein. — 136$_{30}$ καὶ Σαυρομάται Stein. — 137$_{12}$ ⟨δὴ⟩ Stein. — $_{21}$ τετραμμένοι [πρὸς ταύτην τὴν γνώμην] Cobet. — 138$_{27}$ ⟨ἦσαν⟩ om. R. — 147$_{13}$ μενεῖν H. Stephanus. — 148$_{28}$ βουλομένων Stein. — 157$_{31}$ ⟨σφέων⟩ Stein. — 161$_{4}$ οὗτος [ἂν] ABC. — 167$_{28}$ ⟨ἡ⟩ Krüger. — 169$_{12}$ τὸ πρὸς ἑσπέρην [χώρην] Stein. — $_{14}$ τούτου [χώρῳ] Stein. — 172$_{12}$ τούτους Hss. — $_{15}$ ἴδῃ [ἐν τῇ ὄψει] Stein. — 184$_{26}$ ὄνομά ⟨ἐστιν⟩ om. PR. — 187$_{2}$ ⟨ἐπι⟩σπείσαντες van Herw. — 189$_{14}$ γε Stein. — 191$_{12}$ γυναῖκες [ἄγριαι] van Herw. — 201$_{24}$ πεζοῦ [μηχανᾶται τοιάδε] Stein. — $_{34}$ ὑποτελεῖν [φάναι] Krüger. — 203$_{29}$ ⟨τε⟩ AB.